オールカラー

学習漢字新辞典

第2版

加納喜光 監修

小学館

監修《かんしゅう》のことば

目《め》に見《み》えない言葉《ことば》を、目《め》に見《み》えるようにした記号《きごう》が文字《もじ》です。目《め》に見《み》えるようにするには、音《おん》をなぞって表《あらわ》す方法《ほうほう》と、意味《いみ》のイメージを図《ず》にする方法《ほうほう》があります。前者《ぜんしゃ》が仮名《かな》やアルファベット、そして、後者《こうしゃ》が漢字《かんじ》です。漢字《かんじ》は見《み》て意味《いみ》がわかる、ビジュアルな文字《もじ》なのです。

漢字《かんじ》には、見《み》て意味《いみ》がわかる半面《はんめん》、数《かず》が多《おお》く、形《かたち》が複雑《ふくざつ》という特徴《とくちょう》があります。そのような漢字《かんじ》を、効率《こうりつ》よく覚《おぼ》える方法《ほうほう》はないでしょうか。それには、丸暗記《まるあんき》ではなく、理屈《りくつ》を知《し》ることがたいせつです。

つまり、漢字《かんじ》の構造《こうぞう》を理解《りかい》することです。形《かたち》と意味《いみ》のかかわり方《かた》の原点《げんてん》に立《た》ち返《かえ》ることが、漢字《かんじ》理解《りかい》の近道《ちかみち》なのです。本辞典《ほんじてん》では、小学校《しょうがっこう》で学習《がくしゅう》する漢字《かんじ》一〇二六字《じ》について、「なりたち」を設《もう》けて形《かたち》を分析《ぶんせき》し、意味《いみ》を説明《せつめい》しました。漢字《かんじ》を形《かたち》・意味《いみ》・読《よ》みの三位一体《さんみいったい》としてとらえれば、楽《たの》しく覚《おぼ》えられることでしょう。

そのほかに次《つぎ》のような工夫《くふう》もしました。

❶学年《がくねん》ごとに漢字《かんじ》を部首順《ぶしゅじゅん》に配列《はいれつ》しました。部首《ぶしゅ》は漢字《かんじ》の意味《いみ》を知《し》るヒントを与《あた》えるたいせつな部分《ぶぶん》です。
❷漢字《かんじ》の意味《いみ》（つまり使《つか》い方《かた》）を例文《れいぶん》で示《しめ》しました。（1〜3年《ねん》ではイラストも）。
❸「もっとわかる」欄《らん》を設《もう》けて、理解《りかい》を助《たす》ける情報《じょうほう》を述《の》べました。
❹それぞれの漢字《かんじ》に、主《おも》な意味《いみ》に対応《たいおう》する英語《えいご》をつけました。
❺総《そう》ルビで、学年《がくねん》を越《こ》えた漢字《かんじ》も読《よ》めるようにしました。

以上《いじょう》が本書《ほんしょ》の特色《とくしょく》です。本書《ほんしょ》があなたの漢字力《かんじりょく》アップに役立《やくだ》ってくれたらうれしいです。

二〇一八年《ねん》九月《がつ》

加納《かのう》 喜光《よしみつ》

もくじ

この辞典《じてん》にかかわった人《ひと》

●監修
加納 喜光（茨城大学名誉教授）
●指導・コラム執筆（漢字力をアップする方法）
卯月 啓子（卯月啓子の楽しい国語の会代表）
●装丁
細山田 光宣・南 彩乃（細山田デザイン事務所）
●表紙・カバーイラスト
ハラアツシ
●本文イラスト
門司 美恵子（有限会社 チャダル）
豆画屋 亀吉
●DTP・編集協力
株式会社 日本レキシコ

（小学館）
・編集 福本康隆
・制作 望月公栄・斉藤陽子
・宣伝 野中千織
・販売 窪康男・福島真実

この辞典《じてん》の使《つか》い方《かた》

〈この辞典《じてん》の決《き》まり〉

● この辞典《じてん》にのっている漢字《かんじ》

この辞典《じてん》には、小学生《しょうがくせい》で習《なら》う漢字《かんじ》一〇二六字《じ》すべてがのっています。

● 漢字《かんじ》の並《なら》べ方《かた》

漢字《かんじ》は、一年生《いちねんせい》から六年生《ろくねんせい》まで、学年《がくねん》ごとにまとめてあります。それぞれの学年《がくねん》の中《なか》では部首順《ぶしゅじゅん》、同《おな》じ部首《ぶしゅ》の中《なか》では部首内画数《ぶしゅないかくすう》（部首《ぶしゅ》の部分《ぶぶん》をのぞいた画数《かくすう》）の順《じゅん》に並《なら》んでいます。

● 漢字《かんじ》の解説《かいせつ》の仕方《しかた》（下段《げだん》の「開」を例《れい》とします）

① 見出《みだ》しの漢字《かんじ》

見出《みだ》しの漢字《かんじ》は、探《さが》しやすいように大《おお》きく示《しめ》してあります。

● 本文《ほんもん》(3年生《ねんせい》)の例《れい》 ●

② 漢字《かんじ》の部首《ぶしゅ》

見出《みだ》しの漢字《かんじ》の下《した》には、その漢字《かんじ》の部首《ぶしゅ》と部首内画数《ぶしゅないかくすう》を示《しめ》してあります。

③ 漢字《かんじ》の総画数《そうかくすう》

部首《ぶしゅ》と部首内画数《ぶしゅないかくすう》の右側《みぎがわ》に、〔 〕でくくってその漢字《かんじ》の総画数《そうかくすう》を示《しめ》してあります。

④ 漢字《かんじ》の読《よ》み方《かた》

部首《ぶしゅ》・部首内画数《ぶしゅないかくすう》と総画数《そうかくすう》の下《した》に、その漢字《かんじ》の「音読《おんよ》み（音）」と「訓読《くんよ》み（訓）」を示《しめ》しました。音《おん》はカタカナ、訓《くん》はひらがなになっています。訓《くん》で、送《おく》りがなをともなう場合《ばあい》はその部《ぶ》分《ぶん》を赤字《あかじ》で示《しめ》しました。また、小学生《しょうがくせい》で習《なら》わない読《よ》み方《かた》は、（ ）でくくって示《しめ》してあります。

⑤ 漢字《かんじ》を書《か》くときの注意点《ちゅういてん》

「とめる」「はねる」など、漢字《かんじ》を書《か》くときの注意点《ちゅういてん》を記《しる》しました。青《あお》い点線《てんせん》で、漢字《かんじ》の中心《ちゅうしん》がどこにくるかも示《しめ》してありますので、実際《じっさい》に書《か》くときの参考《さんこう》にして下《くだ》さい。

＊一年生《いちねんせい》は、筆順《ひつじゅん》の下《した》に示《しめ》してあります。

⑥ 漢字《かんじ》の使《つか》い方《かた》

つかいかた では、その漢字《かんじ》がどのように使《つか》われるのかを、わかりやすく示《しめ》しました。その漢字《かんじ》が使《つか》われている部分《ぶぶん》は、赤《あか》い太字《ふとじ》で区《く》別《べつ》して示《しめ》してあります。

一年生《いちねんせい》から三年生《さんねんせい》まででは、なるべく簡潔《かんけつ》な例《れい》文《ぶん》をイラスト入《い》りで示《しめ》しました。四年生《よねんせい》から六《ろく》年生《ねんせい》までは、実際的《じっさいてき》な例文《れいぶん》を多《おお》く示《しめ》すことを重《じゅう》視《し》しました。これらのイラストをながめるだけでも、漢字《かんじ》のイメージがつかめるはずです。

⑦ 漢字《かんじ》の意味《いみ》

いみ・ことば では、その漢字《かんじ》がどのような意味《いみ》で使《つか》われているかを示《しめ》してあります。いくつかの意味《いみ》で使《つか》われる場合《ばあい》には、❶❷❸…の数字《すうじ》で分《わ》けて示《しめ》しました。また、●のあとに、それぞれの意味《いみ》で使《つか》われていることばを示《しめ》しました。日常生活《にちじょうせいかつ》でよく耳《みみ》にすることばを選《えら》んでのせてありますので、その漢字《かんじ》の意味《いみ》を理解《りかい》するのに役立《やくだ》つはずです。ことばの漢字《かんじ》の左側《ひだりがわ》についているピンク色《いろ》の数字《すうじ》はその漢《かん》字《じ》を習《なら》う学年《がくねん》を、▲のしるしは小学校《しょうがっこう》では習《なら》わない漢字《かんじ》であることを示《しめ》しています。

⑧ 漢字《かんじ》のさまざまな情報《じょうほう》

もっとわかる では、いみ・ことば に出《で》ている難《むずか》しいことばについて、補足《ほそく》をしてあります。また、漢《かん》字《じ》を使《つか》う場合《ばあい》の注意点《ちゅういてん》なども示《しめ》してあります。さらに、「特別《とくべつ》な読《よ》み方《かた》」「四字熟語《よじじゅくご》」など、その漢字《かんじ》を使《つか》ったいろいろなことばを集《あつ》めました。

⑨ 漢字《かんじ》のなりたち

なりたち では、その漢字《かんじ》がどうやって作《つく》られたかを説明《せつめい》してあります。昔《むかし》の中国《ちゅうごく》で使《つか》われていた古代文字《こだいもじ》を随所《ずいしょ》に示《しめ》しながら、その漢字《かんじ》がどう変化《へんか》していったかをていねいに解説《かいせつ》してあります。なりたちを知《し》ると、漢字《かんじ》が頭《あたま》に入《はい》りやすくなるので、うまく活用《かつよう》して下《くだ》さい。

＊古代文字《こだいもじ》は、漢字全体《かんじぜんたい》を示《しめ》したところと、ポイントとなる部分《ぶぶん》を強調《きょうちょう》して、漢字《かんじ》の一部《いちぶ》だけを示《しめ》したところがあります。

⑩ 漢字《かんじ》の筆順《ひつじゅん》

最後《さいご》に、その漢字《かんじ》の筆順《ひつじゅん》を示《しめ》しました。一《いち》年生《ねんせい》は全画《ぜんかく》、二年生《にねんせい》は最大十画《さいだいじっかく》、三年生《さんねんせい》から六年生《ろくねんせい》までは最大八画《さいだいはちかく》で表示《ひょうじ》してあります。

⑪ 漢字《かんじ》に対応《たいおう》する英語《えいご》

見出《みだ》しの漢字《かんじ》の下《した》のほうに、その漢字《かんじ》に対応《たいおう》する英語《えいご》を示《しめ》しました（「丁」「弁」「奈」など、示《しめ》していないものもあります）。複数《ふくすう》の意味《いみ》を持《も》つ漢字《かんじ》は、なりたちやもとの意味《いみ》を十分考慮《じゅうぶんこうりょ》し、英語《えいご》を選《えら》びました。［ ］の中《なか》に発音《はつおん》の仕《し》方《かた》も示《しめ》してあるので参考《さんこう》にして下《くだ》さい。

*「l」の音《おん》と「th」の音《おん》は、それぞれ「r」の音《おん》、「s」の音《おん》と区別《くべつ》するため、平仮名《ひらがな》を使《つか》っています。
また、太字《ふとじ》はアクセントの位置《いち》を示《しめ》しています。

〈漢字《かんじ》の探《さが》し方《かた》〉

この辞典《じてん》では、つぎの四《よっ》つの方法《ほうほう》で漢字《かんじ》を探《さが》すことができます。ためしに、「旅」という漢字《かんじ》を探《さが》してみましょう。

1 漢字《かんじ》の読《よ》み方《かた》がわかっているとき

↓音訓《おんくん》さくいんで探《さが》す

「旅」を「たび」と読《よ》むことがわかっていれば、7ページから始《はじ》まる音訓《おんくん》さくいんで「た」の見出《みだ》しを見《み》つけて、「たび」を探《さが》しましょう。「リョ」と読《よ》むことがわかっているときは、「り」の見出《みだ》しを見《み》つけて、「リョ」を探《さが》します。

2 部首《ぶしゅ》がわかっているとき

↓部首《ぶしゅ》さくいんで探《さが》す

「旅」の部首《ぶしゅ》が「方(ほう)」であることがわかっていれば、477ページから始《はじ》まる部首《ぶしゅ》さくいんで「方《ほう》の部《ぶ》」を見《み》つけて、「旅」を探《さが》します。

3 漢字《かんじ》を習《なら》う学年《がくねん》がわかっているとき

↓各学年《かくがくねん》のとびらで探《さが》す

「旅」を三年生《さんねんせい》で習《なら》うことがわかっていれば、195ページの三年生《さんねんせい》のとびらで「旅」を探《さが》します。

4 読《よ》み方《かた》も、部首《ぶしゅ》も、習《なら》う学年《がくねん》もわからないとき

↓総画《そうかく》さくいんで探《さが》す

「旅」の読《よ》み方《かた》も部首《ぶしゅ》も習《なら》う学年《がくねん》もわからないときは、まず「旅」を何画《なんかく》で書《か》くか数《かぞ》えてみます。十画《じっかく》であることがわかれば、あとは511ページから始《はじ》まる総画《そうかく》さくいんで「10画《かく》」の見出《みだ》しを見《み》つけて「旅」を探《さが》しましょう。

この辞典《じてん》の総画《そうかく》さくいんには、小学生《しょうがくせい》で習《なら》わない漢字《かんじ》（常用漢字《じょうようかんじ》）ものっています。目《め》にした漢字《かんじ》をどんどん引《ひ》いてみましょう。

コラムのもくじ

見《み》てわかる…の漢字《かんじ》

各学年《かくがくねん》のとびらのうら
(漢字力《かんじりょく》をアップする方法《ほうほう》)

本文《ほんもん》の中段《ちゅうだん》・下段《げだん》

音《おん》訓《くん》さくいん

◉学習《がくしゅう》漢字《かんじ》すべての読《よ》みを五十音順《ごじゅうおんじゅん》に並《なら》べ、その漢字《かんじ》のページを示《しめ》しました。読《よ》みが同《おな》じ場合《ばあい》は漢字《かんじ》の総画数《そうかくすう》順《じゅん》、総画数《そうかくすう》が同《おな》じ場合《ばあい》は習《なら》う学年《がくねん》の順《じゅん》に並《なら》んでいます。

◉音読《おんよ》みはカタカナ、訓読《くんよ》みはひらがなで示《しめ》しています。赤《あか》い字《じ》は送《おく》りがなです。

◉漢字《かんじ》の上《うえ》の丸数字《まるすうじ》は、習《なら》う学年《がくねん》を示《しめ》しています。

あ

い

う

え

き

音訓さくいん

く

音訓さくいん

さ

音訓さくいん

ち

つ

な

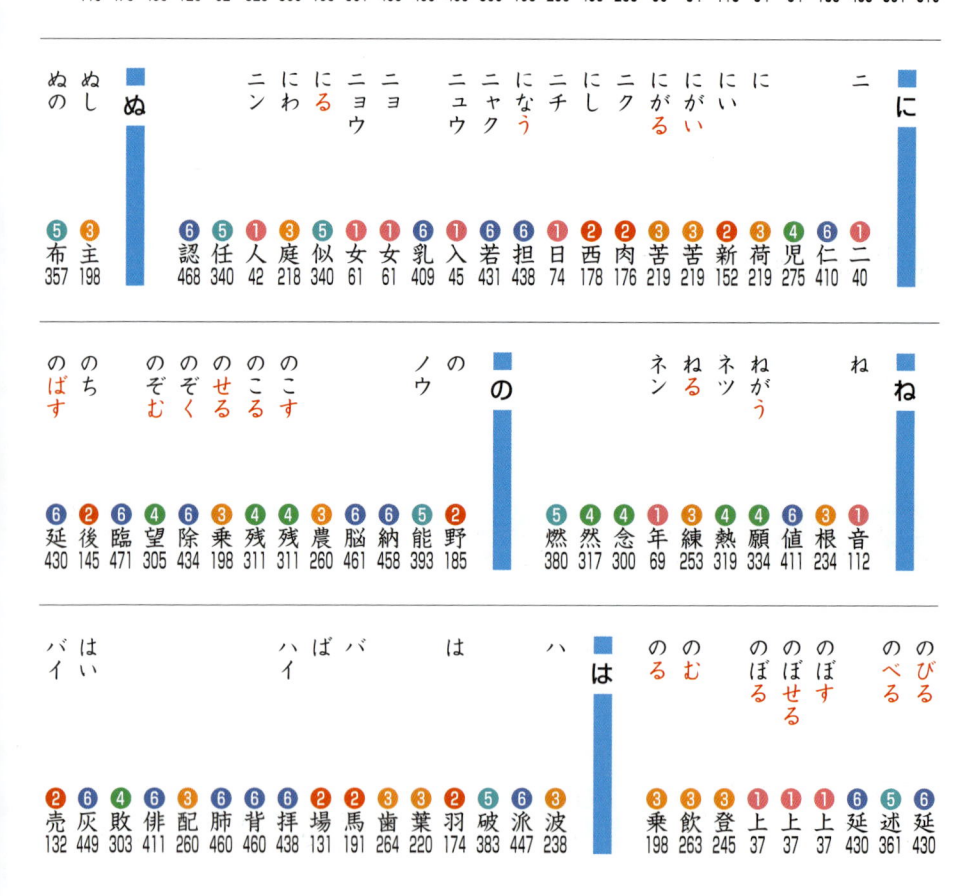

に

ぬ

ね

の

は

ひ

音訓さくいん

見《み》てわかる 数《かず》と数《かぞ》え方《かた》の漢字《かんじ》①

◎どんぐりの数《かず》を数《かぞ》えてみよう

見《み》てわかる 数《かず》と数《かぞ》え方《かた》の漢字《かんじ》②

見《み》てわかる 大《おお》きさと向《む》きの漢字《かんじ》

見《み》てわかる 家族《かぞく》の漢字《かんじ》

◉ぼくの家族《かぞく》を紹介《しょうかい》します

見《み》てわかる 町《まち》の中《なか》の漢字《かんじ》

1 年生《ねんせい》で習《なら》う漢字《かんじ》（80字《じ》）

人	五	二	九	中	上	三	下	七	一
42	41	40	39	38	37	36	35	34	33
千	十	力	出	円	六	八	入	先	休
52	51	50	49	48	47	46	45	44	43
子	女	天	大	夕	土	四	名	右	口
62	61	60	59	58	57	56	55	54	53
手	草	花	年	左	川	山	小	学	字
72	71	70	69	68	67	66	65	64	63
森	校	林	村	本	木	月	早	日	文
82	81	80	79	78	77	76	75	74	73
男	田	生	玉	王	犬	火	水	気	正
92	91	90	89	88	87	86	85	84	83
耳	糸	竹	立	空	石	目	百	白	町
102	101	100	99	98	97	96	95	94	93
音	青	雨	金	車	足	赤	貝	見	虫
112	111	110	109	108	107	106	105	104	103

漢字力《かんじりょく》をアップする方法《ほうほう》 1

漢字《かんじ》はおもしろい！

入学《にゅうがく》すぐの一年生《いちねんせい》でも、「漢字読《かんじよ》めるよ。」など得意気《とくいげ》に話《はな》す児童《じどう》が何人《なんにん》もいます。漢字《かんじ》を学《まな》びたいという意欲《いよく》にあふれています。しかし、授業《じゅぎょう》が進《すす》むと、「漢字《かんじ》」と聞《き》くだけでげんなりした様子《ようす》を見《み》せる児童《じどう》が増《ふ》えてきます。

漢字練習帳《かんじれんしゅうちょう》やワークなどで、「一〇〇字《じ》書《か》きなさい。」とか、「一〇〇点《てん》をとるように宿題《しゅくだい》で練《れん》習《しゅう》してきなさい。」とか、こなさなければならない課題《かだい》としてあたえられると、一部《いちぶ》のそういう学《がく》習《しゅう》が好《す》きな児童以外《じどういがい》は、学習《がくしゅう》の喜《よろこ》びを感《かん》じられなくなります。

ところが、**目的《もくてき》をもって漢字《かんじ》を探《さが》したり、調《しら》べたり、よく見《み》たり、考《かんが》えたり、使《つか》ったりする活動《かつどう》の中《なか》で漢字《かんじ》に出会《であ》う**と、漢字《かんじ》という宝《たから》の山《やま》に進《すす》んで入《はい》って、「漢字《かんじ》の秘密発見《ひみつはっけん》」とでもいうような、うれしい体験《たいけん》をする児童《じどう》が多《おお》くなります。

一年生《いちねんせい》のクラスで、三月《さんがつ》に一人一冊《ひとりいっさつ》ずつ**「増《ふ》える漢字字典《かんじじてん》」**を完成《かんせい》させました。六月《ろくがつ》から約九《やくきゅう》か月《げつ》かけてB5判上質紙《ばんじょうしつし》の大《おお》きさに、**教科書《きょうかしょ》に出《で》てきた漢字《かんじ》を順《じゅん》に一文字《いちもじ》ずつ、読《よ》み方《かた》・でき方《かた》・使《つか》われ方《かた》・書《か》き順《じゅん》の欄《らん》に区切《くぎ》って、八〇文字分《もじぶん》書《か》いた**のです。一枚《いちまい》書《か》くとファイルにはさみ込《こ》み、書《か》くたびに枚数《まいすう》が「増《ふ》えて」いきました。

使《つか》われ方《かた》の欄《らん》には、漢字《かんじ》の単語《たんご》や文例《ぶんれい》を書《か》き込《こ》むだけではなく、新聞《しんぶん》や広告《こうこく》、ちらし、漫画《まんが》などから漢字《かんじ》を探《さが》して切《き》り取《と》ってはりました。ある時《とき》は教室中《きょうしつじゅう》が新聞紙《しんぶんし》や広告《こうこく》でいっぱいになりました。ある児童《じどう》は看板《かんばん》の漢字《かんじ》を写真《しゃしん》に撮《と》ってとせがみました。「こんなにたくさん漢字《かんじ》を見《み》つけたんだよ。」と自慢《じまん》する児童《じどう》も。中身《なかみ》が「増《ふ》えて」いくたびに、漢字《かんじ》についての発見《はっけん》をたくさんし、「漢字《かんじ》っておもしろい。」とみんなが言《い》いました。

1年

一

一0画〔1画〕

音 イチ イツ

訓 ひと ひとつ

one［ワン］

つかいかた

星《ほし》が一《ひと》つ見《み》える。

一番《いちばん》になる。

一口《ひとくち》で食《た》べる。

にんじんを一本《いっぽん》買《か》う。

いみ・ことば

1 数《かず》の1。ひとつ。●一《ひと》つぶ。一[5]個《いっこ》。一[1]本《いっぽん》。

2 最初《さいしょ》。はじめ。●一[4]位《いちい》。一[2]番《いちばん》。一[3]着《いっちゃく》。[3]世[3]界一《せかいいち》。

3 全部《ぜんぶ》。●一[2]同《いちどう》。一[2]家《いっか》。一[2]切《いっさい》。一[3]式《いっしき》。一[1]生《いっしょう》。

4 同《おな》じ。●一[3]様《いちよう》。[5]統一《とういつ》。[2]同一《どういつ》。[1]百[1]円[5]均一《ひゃくえんきんいつ》。

もっとわかる

●特別《とくべつ》な読《よ》み方《かた》に「一日《ついたち》」「一人《ひとり》」がある。

●「一石二鳥《いっせきにちょう》（一《ひと》つのことをして二《ふた》つの得《とく》をすること）」「一期一会《いちごいちえ》（一生《いっしょう》に一度《いちど》のこと）」など、「一」を使《つか》った四字熟語《よじじゅくご》は非常《ひじょう》に多《おお》い。

なりたち

一本《いっぽん》の横線《よこせん》で、数《かず》の１や「ひとまとまり」を表《あらわ》した字《じ》。

ひつじゅん

一

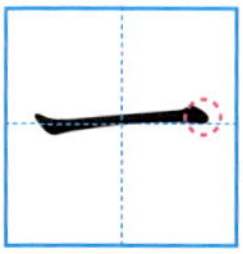

七

一1画〔2画〕

音 シチ
訓 なな　なな**つ**　なの

seven［セヴン］

いみ・ことば

① 数《かず》の7。ななつ。●七番《ななばん》。七日《なのか》（七日《なぬか》）。七福神《しちふくじん》。

② 数《かず》の多《おお》いこと。たくさん。●七転《ななころ》び八《や》起《お》き。七曲《なま》がり。七転八倒《しちてんばっとう》。

もっとわかる

●特別《とくべつ》な読《よ》み方《かた》に「七夕《たなばた》（⬇58ページ参照《さんしょう》）」がある。●「七転《ななころ》び八《や》起《お》き」は、何度《なんど》転《ころ》んでも、あきらめずに立《た》ち上《あ》がること。●「七転八倒《しちてんばっとう》」は、苦《くる》しさのあまり転《ころ》げ回《まわ》ること。

なりたち

●縦《たて》の線《せん》を横《よこ》の線《せん》で切《き》った形《かたち》。切《き》るとはんぱなものが残《のこ》るため、割《わ》ると数《かず》のあまる7を表《あらわ》した。

ひつじゅん

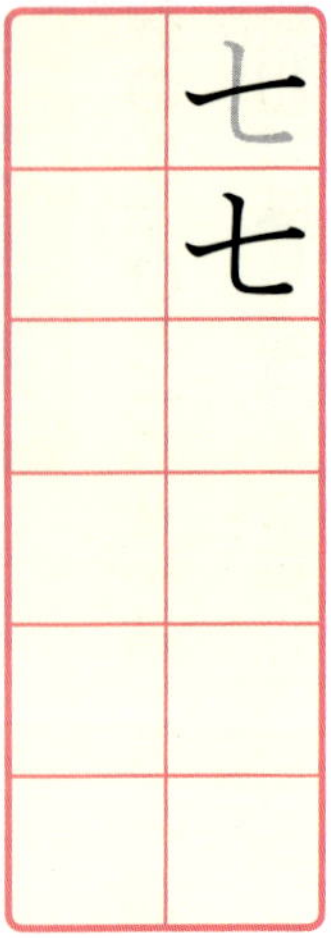

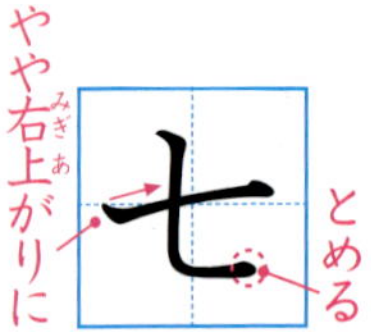

つかいかた

一月七日《いちがつなのか》。

七《なな》つの点《てん》。

七福神《しちふくじん》の夢《ゆめ》を見《み》る。

七色《なないろ》のにじ。

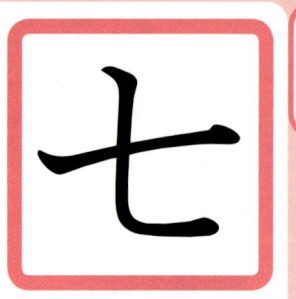

1年

下

一2画〔3画〕

訓 音

カ・ゲ

した
しも
（もと）
さげる
さがる
くだる
くだす
くださる
おろす
おりる

down［ダウン］

つかいかた

窓《まど》の下《した》を見下《みお》ろす。

魚《さかな》が川《かわ》を下《くだ》る。

頭《あたま》を下《さ》げる。

昼過《ひるす》ぎに下校《げこう》する。

いみ・ことば

1 物《もの》や場所《ばしょ》のした。●下段《げだん》[6]。階下《かいか》[3]。地下《ちか》[2]。天下《てんか》[1]。

2 終《お》わりのほう。●下半期《しもはんき》[2,3]。川下《かわしも》[1]。下旬《げじゅん》▲。

3 地位《ちい》や身分《みぶん》や程度《ていど》が低《ひく》い。おとっている。●年下《としした》[1]。下位《かい》[4]。下等《かとう》[3]。下品《げひん》[3]。部下《ぶか》[3]。

4 上《うえ》からしたへ動《うご》く。おりる。おろす。●下降《かこう》[6]。下山《げざん》[1]。下車《げしゃ》[1]。下落《げらく》[3]。下痢《げり》▲。沈下《ちんか》▲。落下《らっか》[3]。

5 前《まえ》もってすること。●下書《したが》き[2]。下調《したしら》べ[3]。

なりたち

●長《なが》い線《せん》が下《した》の短《みじか》い線《せん》をおおっている形《かたち》。「した」や「したのほうへさがる」意《い》を表《あらわ》した。

ひつじゅん

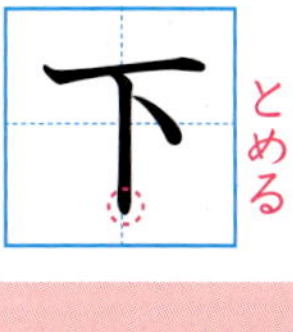

1年

三

一2画〔3画〕

音 サン

訓 み　みつ　みっつ

three［すリー］

つかいかた

あめ玉《だま》を三《みっ》つもらう。

三《み》つ子《ご》が生《う》まれる。

三日月《みかづき》が出《で》る。

三《さん》びきの子《こ》ぶた。

いみ・ことば

①数《かず》の3。みっつ。●三毛《みけ》ねこ。三回《さんかい》。三角形《さんかくけい》（さんかっけい）。三学期《さんがっき》。三▲脚《さんきゃく》。三▲振《さんしん》。三本《さんぼん》。三役《さんやく》。

②回数《かいすう》の多《おお》いこと。何度《なんど》も。●三拝九拝《さんぱいきゅうはい》。再三《さいさん》。

もっとわかる

●特別《とくべつ》な読《よ》み方《かた》に「三味線《しゃみせん》」がある。●「三拝九拝《さんぱいきゅうはい》」は、人《ひと》に物事《ものごと》をたのむときなどに、何度《なんど》もおじぎをすること。●「三」を重《かさ》ねた四字熟語《よじじゅくご》に、「三三五五《さんさんごご》（人《ひと》がばらばらと集《あつ》まるようす）」などがある。

なりたち

横線《よこせん》を三本《さんぼん》引《ひ》いた形《かたち》で、数《かず》の3を表《あらわ》した。

ひつじゅん

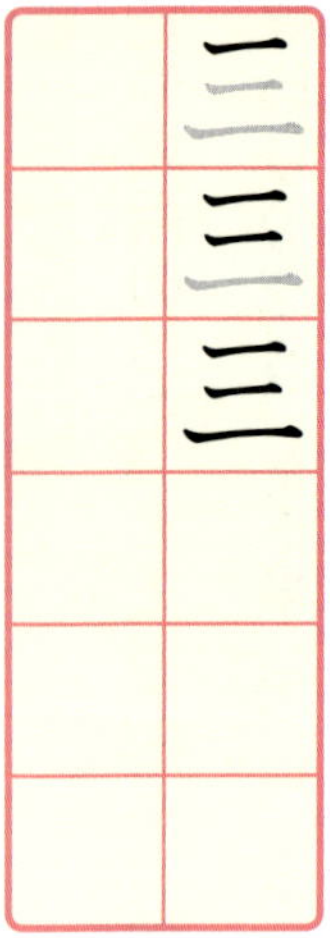

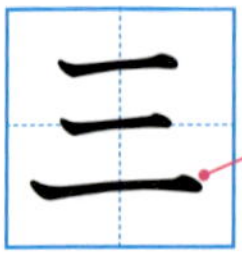

上

一2画〔3画〕

音 ジョウ（ショウ）

訓 うえ　うわ　かみ　あげる　あがる　のぼる　（のぼせる）　（のぼす）

up［アップ］

つかいかた

雲《くも》の上《うえ》の世界《せかい》。

急《きゅう》な上《のぼ》り坂《ざか》。

まっすぐ手《て》を上《あ》げる。

ビルの屋上《おくじょう》。

いみ・ことば

①物《もの》や場所《ばしょ》のうえ。●上空《じょうくう》1。屋上《おくじょう》3。頂上《ちょうじょう》6。

②おもて。外側《そとがわ》。●上着《うわぎ》3。海上《かいじょう》2。水上《すいじょう》1。

③地位《ちい》や身分《みぶん》や程度《ていど》が高《たか》い。すぐれている。よい。●上役《うわやく》3。上座《かみざ》6。上位《じょうい》4。上等《じょうとう》3。上品《じょうひん》3。最上《さいじょう》4。

④はじめのほう。●川上《かわかみ》1。上巻《じょうかん》6。上旬《じょうじゅん》▲。

⑤あがる。あげる。のぼる。●上《のぼ》り坂《ざか》3。上演《じょうえん》5。上京《じょうきょう》2。上達《じょうたつ》4。上陸《じょうりく》4。浮上《ふじょう》▲。北上《ほくじょう》2。

なりたち

●短《みじか》い線《せん》が下《した》の長《なが》い線《せん》の上《うえ》にのっている形《かたち》。「うえ」や「うえのほうにあがる」ことを表《あらわ》した。

ひつじゅん

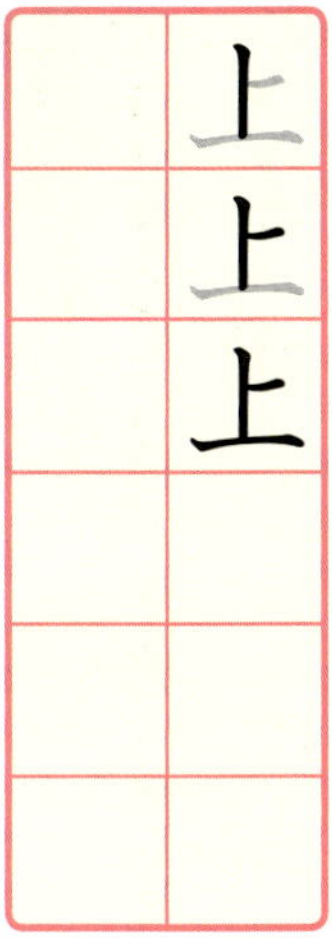

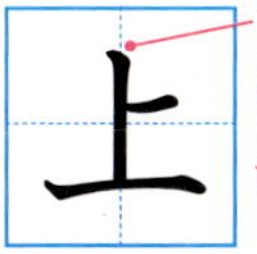

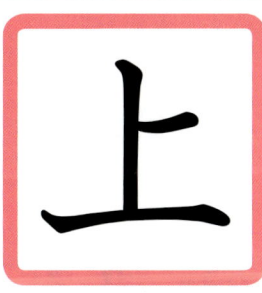

1年

中

丨 3画〔4画〕

音 チュウ ジュウ

訓 なか

middle［ミドる］

つかいかた

袋《ふくろ》の中《なか》をのぞく。

先生《せんせい》を中心《ちゅうしん》にする。

中庭《なかにわ》で遊《あそ》ぶ。

相手《あいて》は話《はな》し中《ちゅう》だ。

いみ・ことば

1 まんなか。●中指《なかゆび》。中央《ちゅうおう》。中心《ちゅうしん》。

2 とちゅう。間《あいだ》。●中休《なかやす》み。中間《ちゅうかん》。話《はな》し中《ちゅう》。

3 なかほど。●中▲旬《ちゅうじゅん》。中年《ちゅうねん》。中流《ちゅうりゅう》。

4 内側《うちがわ》。●胸中《きょうちゅう》。空気中《くうきちゅう》。車中《しゃちゅう》。船中《せんちゅう》。

5 つき通《とお》る。あたる。●中毒《ちゅうどく》。命中《めいちゅう》。

6 中国《ちゅうごく》のこと。●日中友好《にっちゅうゆうこう》。

もっとわかる

●「十中八九《じっちゅうはっく》」は、十《じゅう》のうち八《はち》か九《きゅう》までは（＝ほとんど）の意《い》の四字熟語《よじじゅくご》。

なりたち

↓ 中

●縦《たて》の線《せん》がわくのまんなかをつき通《とお》る形《かたち》。「まんなか」や「つき通《とお》る」ことを表《あらわ》した。

ひつじゅん

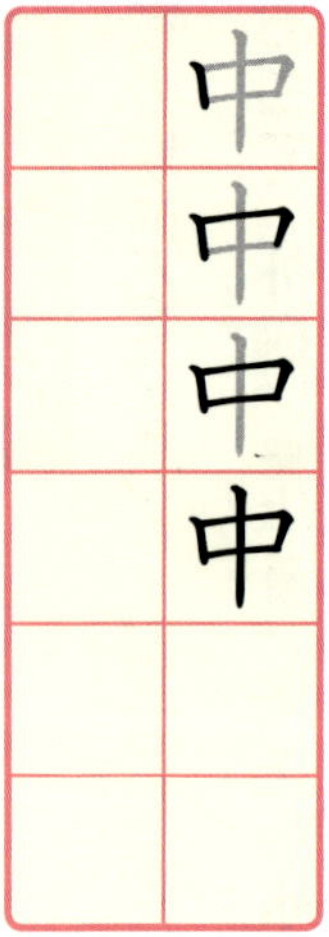

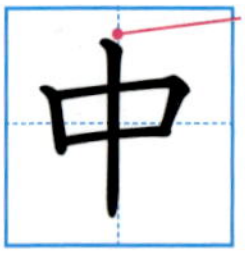

真下《ました》にまっすぐ

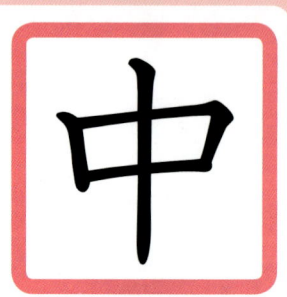

九

乙１画〔２画〕

音　キュウ　ク

訓　ここ　ここの　ここのつ

nine［ナイン］

つかいかた

みかんが九《ここの》つある。

九九《くく》を練習《れんしゅう》する。

一《ひと》チーム九人《きゅうにん》だ。

授業《じゅぎょう》は九時《くじ》からだ。

いみ・ことば

①数《かず》の9。ここのつ。●九人《きゅうにん》。九本《きゅうほん》。九九《くく》。

②数《かず》の多《おお》いこと。たくさん。●三拝《さんぱい》九拝《きゅうはい》。

もっとわかる

●「九日」は「ここのか」と読《よ》む。●「九」を使《つか》ったことばに「九死《きゅうし》に一生《いっしょう》を得《え》る（死《し》にそうになったところを助《たす》かる）」「九分九厘《くぶくりん》（ほぼ全部《ぜんぶ》。ほぼ確実《かくじつ》）」などがある。

なりたち

↓九

●うでがつかえて曲《ま》がった形《かたち》。これ以上《いじょう》は進《すす》めないというイメージから、0から9までの数《かず》のうちでいちばん終《お》わりの9を表《あらわ》した。

ひつじゅん

九　九

九　上《うえ》にはねる

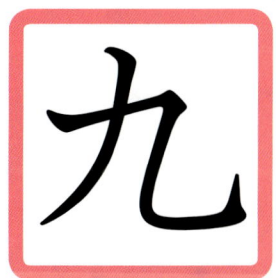

二

二0画〔2画〕

音 ニ

訓 ふた　ふたつ

two［トゥー］

つかいかた

ケーキを二《ふた》つに切《き》る。

二人《ふたり》で仲良《なかよ》く歩《ある》く。

二葉《ふたば》が顔《かお》を出《だ》す。

二階《にかい》から手《て》をふる。

いみ・ことば

1 数《かず》の2。ふたつ。●二葉《ふたば》[3]。二《ふた》また。二頭《にとう》[2]。二本《にほん》[1]。

2 二番目《にばんめ》。●二階《にかい》[3]。二世《にせい》[3]。二《に》の次《つぎ》[3]。

3 再《ふたた》び。●二度《にど》[3]。二毛作《にもうさく》[2][2]。

もっとわかる

●特別《とくべつ》な読《よ》み方《かた》に「二人《ふたり》」「二日《ふつか》」「二十日《はつか》」「二十《はたち》(二十歳《はたち》)」「十重二十重《とえはたえ》」がある。●「一石二鳥《いっせきにちょう》」は、一《ひと》つのことをして二《ふた》つ得《とく》をすること。一《ひと》つの石《いし》で二羽《にわ》の鳥《とり》を落《お》とす意《い》。●「二《に》の舞《まい》」は、前《まえ》と同《おな》じ失敗《しっぱい》をくり返《かえ》すこと。

なりたち

横線《よこせん》を二本《にほん》引《ひ》いた形《かたち》で、数《かず》の2や「ふたつのものが並《なら》ぶ」ことを表《あらわ》した。

ひつじゅん

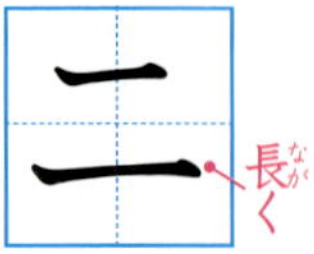

五

二2画〔4画〕

音 ゴ

訓 いつ いつつ

five［ファイヴ］

つかいかた

いちごを五《いつ》つ食《た》べる。

五重《ごじゅう》の塔《とう》を見上《みあ》げる。

五月五日《ごがついつか》。

五線紙《ごせんし》に音符《おんぷ》を書《か》く。

いみ・ことば

●数《かず》の5。いつつ。●五感《ごかん》[3]。五穀《ごこく》[6]。五歳《ごさい》[▲]。五十《ごじゅう》[1]音《おん》[1]。五線紙《ごせんし》[2][2]。五人《ごにん》[1]。五番《ごばん》[2]。五輪《ごりん》[4]。

もっとわかる

●特別《とくべつ》な読《よ》み方《かた》に「五月雨《さみだれ》」「五月《さつき》」がある。●「五輪《ごりん》」は、五《いつ》つの輪《わ》。大会《たいかい》の旗《はた》に五輪《ごりん》のマークがかかれているところから、オリンピックの意《い》でも使《つか》われる。●「五十歩百歩《ごじっぽひゃっぽ》」は、少《すこ》しのちがいはあっても大《おお》きな差《さ》はないこと。

なりたち

↓五

●二《ふた》つの線《せん》の間《あいだ》に×のしるしを入《い》れて、「交《まじ》わる」ことを表《あらわ》した形《かたち》。10の半分《はんぶん》のところで交《まじ》わる数《かず》の5を示《しめ》した。

ひつじゅん

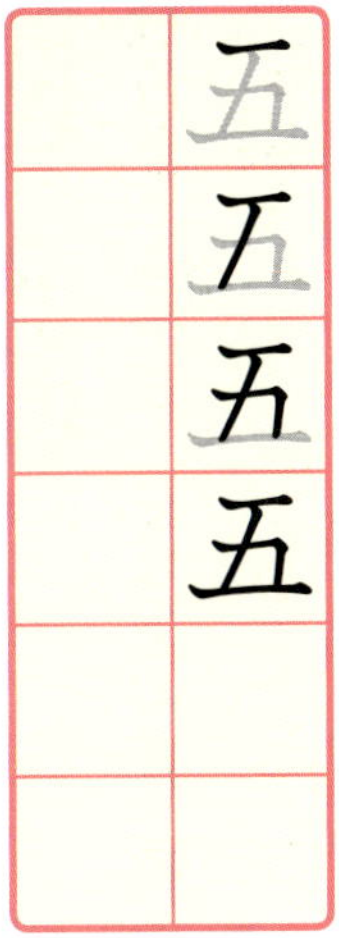

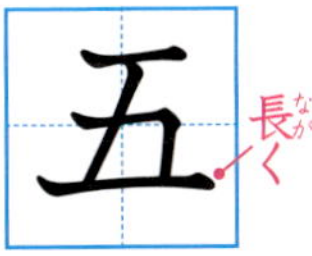

1年

人

人0画〔2画〕

訓　ひと

音　ジン　ニン

human being
［ヒューマンビーイング］

つかいかた

人通《ひとどお》りがはげしい。

外国人《がいこくじん》の多《おお》い町《まち》。

旅人《たびびと》に出会《であ》う。

お気《き》に入《い》りの人形《にんぎょう》。

いみ・ことば

①ひと。●人手《ひとで》。人通《ひとどお》り。人目《ひとめ》。村人《むらびと》。人口《じんこう》。人生《じんせい》。人形《にんぎょう》。人情《にんじょう》。美人《びじん》。病人《びょうにん》。本人《ほんにん》。名人《めいじん》。

②ひとを数《かぞ》えることば。●五人《ごにん》。十人十色《じゅうにんといろ》。千人力《せんにんりき》。百人一首《ひゃくにんいっしゅ》。

もっとわかる

●特別《とくべつ》な読《よ》み方《かた》に「大人《おとな》」「玄人《くろうと》」「素人《しろうと》」「仲人《なこうど》」「一人《ひとり》」「二人《ふたり》」「若人《わこうど》」などがある。●「人間」は、「にんげん」のほかに「じんかん」と読《よ》んで、世《よ》の中《なか》という意味《いみ》もある。

なりたち

●立《た》っている人《ひと》を横《よこ》から見《み》たところをえがいた字《じ》。

ひつじゅん

人　人

人　入と書《か》かない

休

イ 4画〔6画〕

訓 音

キュウ

やすむ

やすまる

やすめる

rest [レスト]

つかいかた

学校《がっこう》を休《やす》む。

図書館《としょかん》は休館《きゅうかん》だ。

体《からだ》を休《やす》める。

休《きゅう》けい時間《じかん》。

いみ・ことば

① 活動《かつどう》や仕事《しごと》をやめてやすむ。●2夏休《なつやす》み。2昼《ひる》休《やす》み。6骨休《ほねやす》め。5休演《きゅうえん》。休▲暇《きゅうか》。3休業《きゅうぎょう》。1休校《きゅうこう》。5休職《きゅうしょく》。3休息《きゅうそく》。4休養《きゅうよう》。3運休《うんきゅう》。3定休日《ていきゅうび》。4連休《れんきゅう》。

② やめる。●5休刊《きゅうかん》。2休止《きゅうし》。4休戦《きゅうせん》。

もっとわかる

●「気休《きやす》め」は、その場《ば》かぎりであてにならないことばや物事《ものごと》のこと。●「休」を使《つか》った四字《よじ》熟語《じゅくご》に「不眠不休《ふみんふきゅう》(眠《ねむ》ったり休《やす》んだりせずに働《はたら》き続《つづ》けること)」などがある。

なりたち

「イ(人《ひと》)」と「木」を合《あ》わせた字《じ》で、人《ひと》が木《き》のかげで「体《からだ》をかばってやすむ」ことを表《あらわ》した。

ひつじゅん

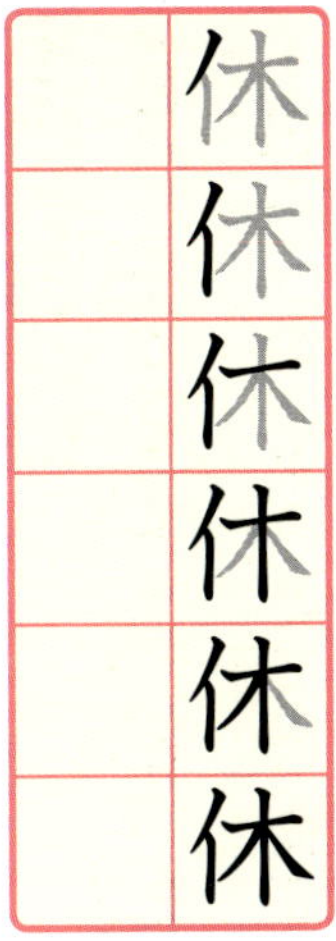

本と書《か》かない

1年

先

儿4画〔6画〕

音 セン
訓 さき

ahead［アヘッド］

つかいかた

この先《さき》は行《い》き止《ど》まりだ。

担任《たんにん》の先生《せんせい》。

つま先《さき》で立《た》つ。

リレーで先頭《せんとう》に立《た》つ。

いみ・ことば

1 はじめ。前《まえ》のほう。 ●先[2]回《さきまわ》り。先[1]手《せんて》。先[2]頭《せんとう》。

2 今《いま》より前《まえ》。むかし。 ●先[1]月《せんげつ》。先[1]日《せんじつ》。先[2]週《せんしゅう》。

3 今《いま》より後《あと》。将来《しょうらい》。 ●先々《さきざき》。[4]老《お》い先《さき》。

4 目《め》あて。ゆくところ。 ●あて先《さき》。[2]行《い》き先《さき》。

もっとわかる

●「先」と反対《はんたい》の意味《いみ》の漢字《かんじ》は「後」。先攻《せんこう》↕後攻《こうこう》　先日《せんじつ》↕後日《ごじつ》　先輩《せんぱい》↕後輩《こうはい》

なりたち

↓
先

●「⺧」は「之」が変化《へんか》したもの。前《まえ》に進《すす》む足《あし》の形《かたち》を示《しめ》した「之」と、人《ひと》の体《からだ》を示《しめ》した「儿」を合《あ》わせて、進《すす》むときにいちばん前《まえ》に出《で》る「足《あし》さき」を表《あらわ》した。

ひつじゅん

先 先 先 先 先 先

先

上《うえ》の横棒《よこぼう》より長《なが》く

はねる

入

入0画〔2画〕

音 ニュウ

訓 いる いれる はいる

enter［エンタァ］

つかいかた

教室《きょうしつ》に入《はい》る。

日《ひ》の入《い》りに間《ま》に合《あ》う。

コップに水《みず》を入《い》れる。

ホールに入場《にゅうじょう》する。

いみ・ことば

① 中《なか》へはいる。いれる。●入《い》り[1]口《ぐち》。入《い》れ[3]物《もの》。[6]収《しゅう》入《にゅう》。入[2]会《にゅうかい》。入[1]学《にゅうがく》。入[2]国《にゅうこく》。入[2]門《にゅうもん》。入[4]浴《にゅうよく》。入[1]力《にゅうりょく》。[2]新入[1]生《しんにゅうせい》。[3]転入《てんにゅう》。[3]投入《とうにゅう》。[6]納入《のうにゅう》。[5]輸入《ゆにゅう》。

② 必要《ひつよう》である。かかる。●[3]物《もの》入《い》り。入[2]用《にゅうよう》。

もっとわかる

●㊀と反対《はんたい》の意味《いみ》の漢字《かんじ》には「出」「退」などがある。入《い》り口《ぐち》↔出口《でぐち》　入国《にゅうこく》↔出国《しゅっこく》　入場《にゅうじょう》↔退場《たいじょう》　●「単刀直入《たんとうちょくにゅう》」は、前置《まえお》きをしないですぐ本題《ほんだい》に入《はい》ること。

なりたち

●左右《さゆう》にひらいた線《せん》で、入《い》り口《ぐち》がひらいて中《なか》にはいることを表《あらわ》した。

ひつじゅん

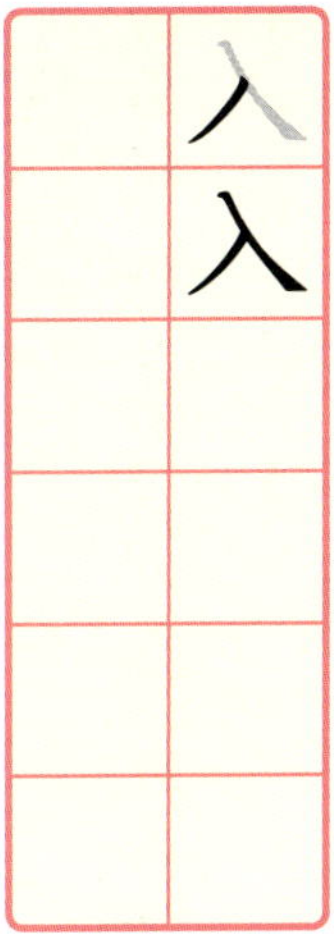

入　人と書《か》かない

八

八0画〔2画〕

音 ハチ

訓 や　やつ　やっつ　よう

eight［エイト］

つかいかた

団子《だんご》を八《やっ》つつめる。

八月八日《はちがつようか》生《う》まれだ。

妹《いもうと》に八《や》つ当《あ》たりする。

まゆを八《はち》の字《じ》にする。

いみ・ことば

① 数《かず》の8。やっつ。●八時《はちじ》。八十八夜《はちじゅうはちや》。八人《はちにん》。八番《はちばん》。八分目《はちぶんめ》。八▲歳《はっさい》。

② 数《かず》の多《おお》いこと。●八千代《やちよ》。八《や》つ▲裂《ざ》き。四苦八苦《しくはっく》。

もっとわかる

●特別《とくべつ》な読《よ》み方《かた》に「八百屋《やおや》」「八百長《やおちょう》」がある。

●「八《や》つ当《あ》たり」は、関係《かんけい》のない人《ひと》に不満《ふまん》をぶつけること。

●「一《いち》か八《ばち》か」は、運《うん》を天《てん》にまかせて事《こと》を行《おこな》うこと。

なりたち

●左右《さゆう》二《ふた》つに分《わ》かれることを示《しめ》した形《かたち》。4と4、2と2のように、つぎつぎに二分《にぶん》できる数《かず》の8を表《あらわ》した。

ひつじゅん

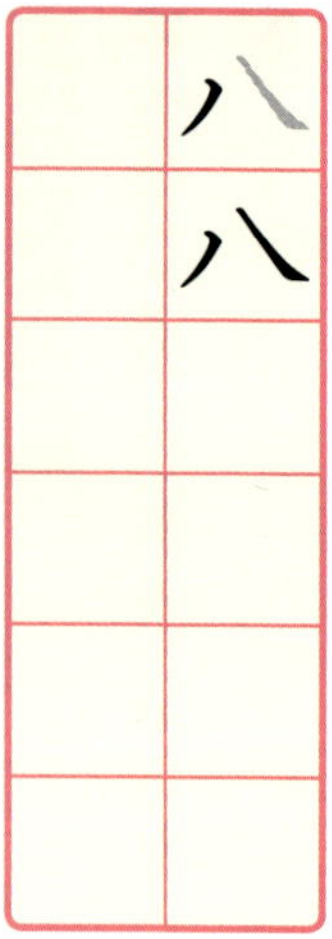

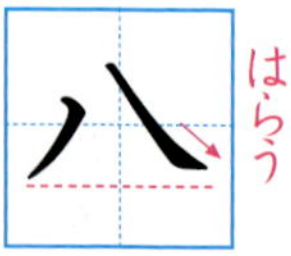

1年

六

八２画〔４画〕

音　ロク

訓　む　むつ　むっつ　むい

six［スィックス］

つかいかた

卵《たまご》を六《むっ》つ買《か》う。

六時《ろくじ》に目《め》が覚《さ》める。

六日分《むいかぶん》の薬《くすり》。

六本《ろっぽん》の鉛筆《えんぴつ》。

いみ・ことば

● 数《かず》の6。むっつ。

● 六歳《ろくさい》。六人《ろくにん》。六番《ろくばん》。六角形《ろっかくけい》。六法《ろっぽう》。六本《ろっぽん》。

もっとわかる

●「む」は数《かぞ》え方《かた》で、「五《いつ》、六《む》、七《なな》」というときに、「むつ」は昔《むかし》の時刻《じこく》の表《あらわ》し方《かた》で、「暮《く》れ六《む》つ（今《いま》の午後六時《ごごろくじ》ごろ）」などというときに用《もち》いる。

なりたち

↓六

●集《あつ》めた土《つち》がもり上《あ》がっているようすをえがいた字《じ》。指《ゆび》を折《お》って数《かず》を数《かぞ》えるとき、５でこぶしを作《つく》り、６で指《ゆび》を一本《いっぽん》立《た》てる。そのようすがもり上《あ》がった土《つち》に似《に》ていることから、数《かず》の６を表《あらわ》した。

ひつじゅん

六　六　六　六

六　とめる

円

冂2画〔4画〕

音 エン

訓 まるい

circle［サークル］

つかいかた

円《まる》くなって座《すわ》る。

古代《こだい》の円形《えんけい》劇場《げきじょう》。

地面《じめん》に円《えん》をえがく。

ひと山《やま》百円《ひゃくえん》。

いみ・ことば

1 まる。まるい。●2円形《えんけい》。4円周《えんしゅう》。▲円陣《えんじん》。▲円卓《えんたく》。3円柱《えんちゅう》。▲円筒《えんとう》。▲円盤《えんばん》。2半円形《はんえんけい》。

2 おだやか。●6円熟《えんじゅく》。4円満《えんまん》。

3 そのあたり全体《ぜんたい》。●4関東一円《かんとういちえん》。

4 お金《かね》の単位《たんい》。●1十円玉《じゅうえんだま》。1千円《せんえん》。

もっとわかる

●「まるい」は「丸《まる》い」とも書《か》く。「円《まる》い」は円《えん》形《けい》であることを強調《きょうちょう》する場合《ばあい》に使《つか》われる。

なりたち

口 員 → 員 → 圓(円)

●もとの字《じ》は「圓」。「員《いん》(まるい)」と「口(かこい)」を合《あ》わせた字《じ》で、「まるくかこむ」ことを表《あらわ》した。

ひつじゅん

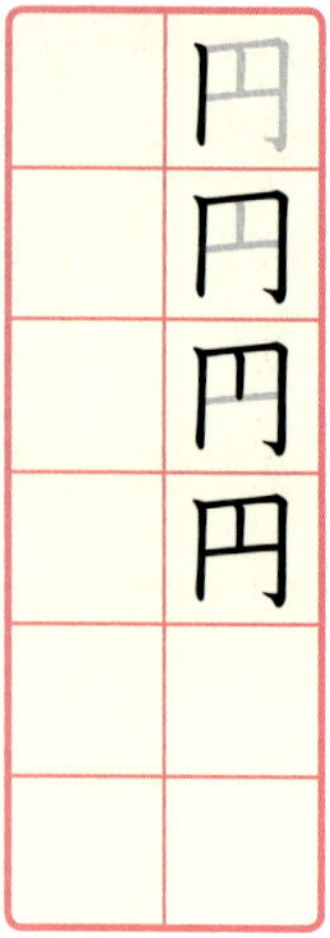

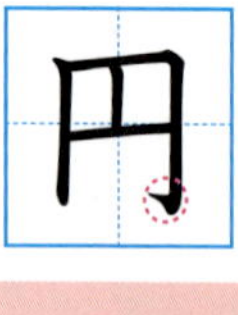

はねる

1年

出

凵3画〔5画〕

音 シュツ（スイ）

訓 でる　だす

go out［ゴウアウト］

つかいかた

ドアの外《そと》に出《で》る。

ノートを出《だ》す。

劇場《げきじょう》の出入《でい》り口《ぐち》。

今日《きょう》は全員《ぜんいん》出席《しゅっせき》だ。

いみ・ことば

① 中《なか》から外《そと》へ動《うご》く。出《で》る。出《だ》す。●出口《でぐち》[1]。出血《しゅっけつ》[3]。出国《しゅっこく》[2]。出発《しゅっぱつ》[3]。外出《がいしゅつ》[2]。放出《ほうしゅつ》[3]。

② 現《あらわ》れる。すがたを現《あらわ》す。●出現《しゅつげん》[5]。進出《しんしゅつ》[3]。

③ 参加《さんか》する。●出演《しゅつえん》[5]。出勤《しゅっきん》[6]。出欠《しゅっけつ》[4]。出社《しゅっしゃ》[2]。出場《しゅつじょう》[2]。出席《しゅっせき》[4]。出張《しゅっちょう》[5]。出動《しゅつどう》[3]。

もっとわかる

●「スイ」の読《よ》みは、「出納《すいとう》（お金《かね》や品物《しなもの》の出《だ》し入《い》れ）」などのことばに使《つか》われる。

なりたち

↓出

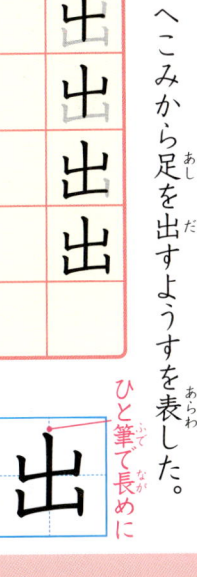

●「屮」は「止」。「止（足《あし》の形《かたち》）」と「凵（へこみ）」を合《あ》わせた字《じ》で、へこみから足《あし》を出《だ》すようすを表《あらわ》した。

ひつじゅん

出　出　出　出　出

出　ひと筆《ふで》で長《なが》めに

力

力0画〔2画〕

音 リョク　リキ

訓 ちから

power [パウァ]

つかいかた

力《ちから》をこめて引《ひ》っぱる。

火力《かりょく》を強《つよ》める。

学校一《がっこういち》の力持《ちからも》ち。

自力《じりき》で立《た》ち上《あ》がる。

いみ・ことば

① ちから。●[3]力持《ちからも》ち。[4]底力《そこぢから》。[2]引力《いんりょく》。[1]学力《がくりょく》。[1]火力《かりょく》。[2]強力《きょうりょく》。[3]実力《じつりょく》。[5]勢力《せいりょく》。[2]体力《たいりょく》。[2]馬力《ばりき》。[2]風力《ふうりょく》。

② はたらき。ききめ。●[5]効力《こうりょく》。

③ はげむ。●[2]力作《りきさく》。[4]力説《りきせつ》。[2]力走《りきそう》。[2]力点《りきてん》。[3]死力《しりょく》。▲尽力《じんりょく》。[4]努力《どりょく》。[4]労力《ろうりょく》。

もっとわかる

●「力《りき》む」は、ぎゅっと力《ちから》をこめる意《い》。●「力」は「刀」と形《かたち》が似《に》ているので注意《ちゅうい》。

なりたち

●ちからを入《い》れたうでの筋肉《きんにく》がすじばっているようすをえがいた字《じ》で、「ちから」を表《あらわ》した。

ひつじゅん

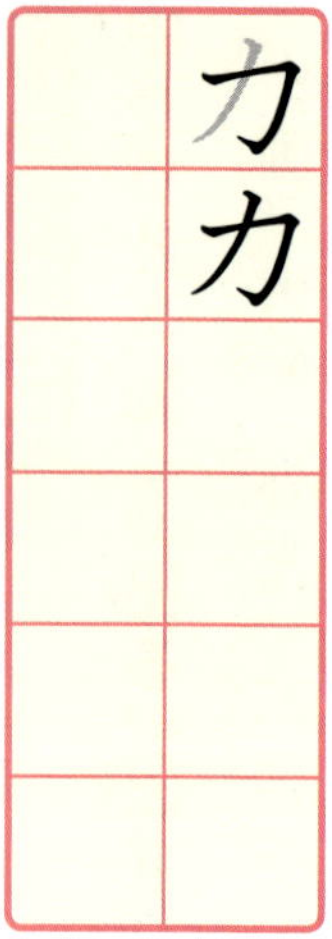

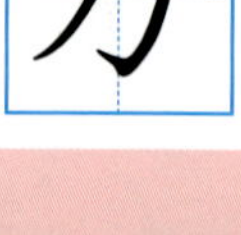

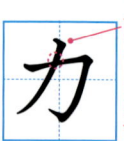

1年

十

十０画〔2画〕

音 ジュウ ジッ

訓 とお と

ten［テン］

つかいかた

十《とお》まで数《かぞ》える。

十字路《じゅうじろ》を左折《させつ》する。

十回練習《じっかいれんしゅう》する。

今夜《こんや》は十五夜《じゅうごや》だ。

いみ・ことば

① 数《かず》の10。とお。●十五夜《じゅうごや》。十人十色《じゅうにんといろ》。五十音《ごじゅうおん》。

② 完全《かんぜん》。全部《ぜんぶ》。●十二分《じゅうにぶん》。十分《じゅうぶん》。

もっとわかる

● 特別《とくべつ》な読《よ》み方《かた》に「十重二十重《とえはたえ》」「二十《はたち》（二十歳《はたち》）」「二十日《はつか》」がある。● 「十《じっ》ぴき」「十《じっ》本《ぽん》」などの「十」は、「ジュッ」とも読《よ》む。● 「と」の読《よ》みは、「十人十色《じゅうにんといろ》」などに使《つか》われる。

なりたち

● 縦《たて》の線《せん》、または中央《ちゅうおう》のふくらんだ縦《たて》の線《せん》で、「まとめる」ことを表《あらわ》した。指《ゆび》で数《かず》を数《かぞ》えるとき、全体《ぜんたい》をまとめてしめくくることから、数《かず》の10や10の位《くらい》を示《しめ》した。

ひつじゅん

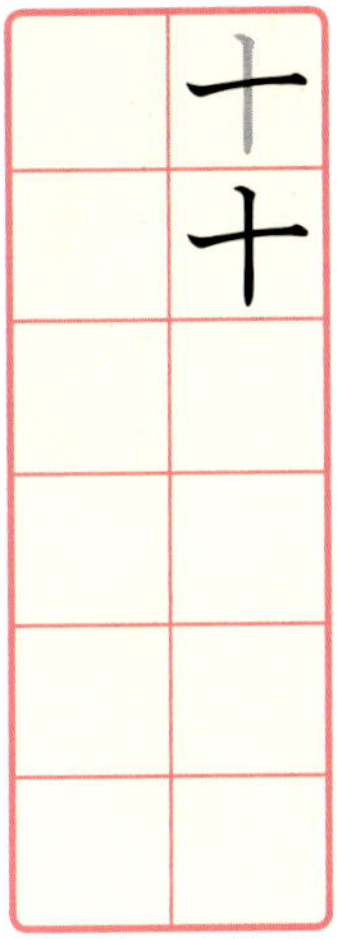

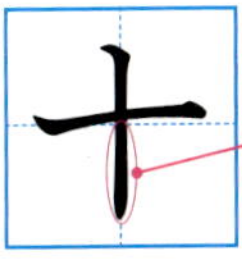

下《した》をやや長《なが》めに

千

十1画〔3画〕

音 セン
訓 ち

thousand [さウザンド]

つかいかた

千代紙《ちよがみ》で遊《あそ》ぶ。

君《きみ》がいれば千人力《せんにんりき》だ。

千円《せんえん》あげる。

千羽《せんば》づるを折《お》る。

いみ・ことば

1 数《かず》の一〇〇〇。●千円《せんえん》。千本《せんぼん》。千枚《せんまい》。

2 非常《ひじょう》に多《おお》いこと。●千代《ちよ》。千客万来《せんきゃくばんらい》。千金《せんきん》。

もっとわかる

●「千差万別《せんさばんべつ》(さまざまに異《こと》なること)」「千変《せんぺん》万化《ばんか》(さまざまに変《か》わること)」「一日千秋《いちじつせんしゅう》(一日《いちにち》を千年《せんねん》のように長《なが》く感《かん》じること)」など、「千」のつく四字熟語《よじじゅくご》は多《おお》い。●かたかなの「チ」は、「千」をもとに作《つく》られた字《じ》。

なりたち

↓千

●「亻(人《ひと》)」に「一」を加《くわ》えた形《かたち》。一〇〇〇人《にん》からなる人《ひと》の集《あつ》まり(軍隊《ぐんたい》など)を指《さ》し、数《かず》の一〇〇〇や一〇〇〇の位《くらい》を表《あらわ》すのに用《もち》いた。

ひつじゅん

千 千 千

千

左下《ひだりした》にはらう

口

口0画〔3画〕

音 コウ　ク

訓 くち

mouth［マウす］

つかいかた

口《くち》を大《おお》きく開《あ》ける。

強《つよ》い口調《くちょう》で責《せ》める。

非常口《ひじょうぐち》へ向《む》かう。

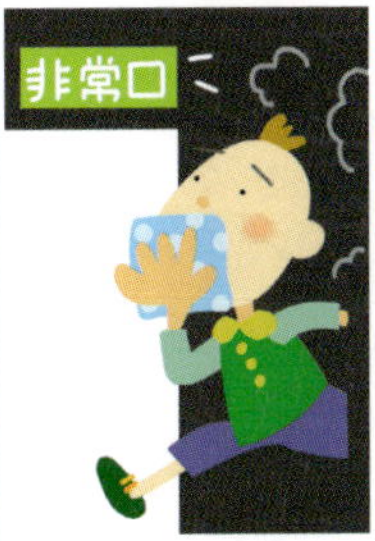

火口《かこう》にけむりが立《た》つ。

いみ・ことば

1 人《ひと》や動物《どうぶつ》のくち。
● 口[1]先《くちさき》。口[3]笛《くちぶえ》。口[2]元《くちもと》。

2 出入《でい》りするところ。
● [3]表口《おもてぐち》。[▲]昇[6]降口《しょうこうぐち》。[1]出口《でぐち》。[2]戸口《とぐち》。[5]非[5]常口《ひじょうぐち》。[1]火口《かこう》。[5]河口《かこう》。[▲]噴[1]火口《ふんかこう》。

3 くちで言《い》う。話《はな》す。
● 口[2]数《くちかず》。口[2]答《くちごた》え。口[4]約《くちやく》[4]束《そく》。[4]無口《むくち》。口[3]調《くちょう》。口[4]伝《くでん》。口[2]外《こうがい》。口[2]頭《こうとう》。口[6]論《こうろん》。

4 人《ひと》の数《かず》。
● [1]人口《じんこう》。

もっとわかる

● 「口火《くちび》」「話《はなし》の糸口《いとぐち》」など、口《くち》には「物事《ものごと》のはじまり」という意味《いみ》もある。

なりたち

● 人《ひと》のくちをえがいた形《かたち》で、「くち」や「あな」を表《あらわ》した。

ひつじゅん

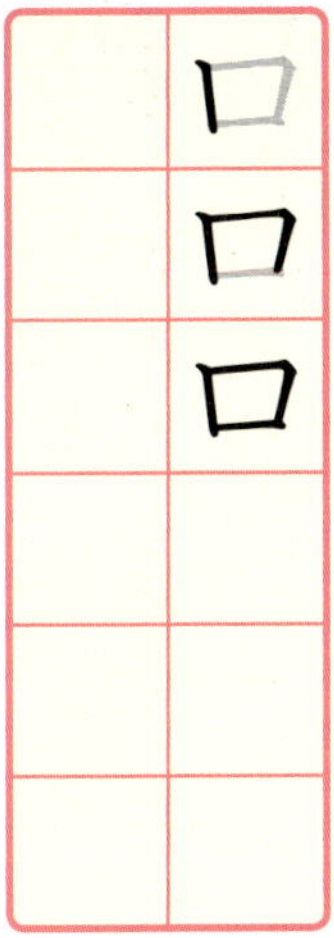

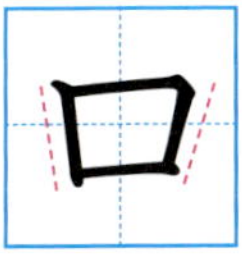

下《した》をせまく

右

口2画〔5画〕

音 ウ ユウ

訓 みぎ

right［ライト］

つかいかた

針《はり》が右《みぎ》に回《まわ》る。

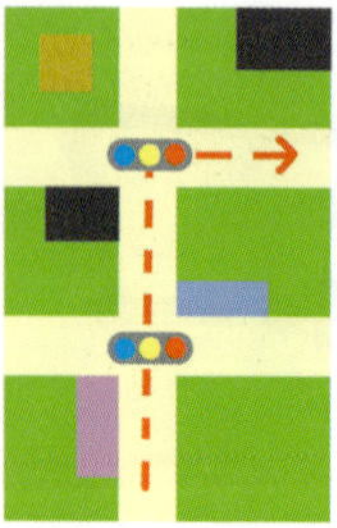

次《つぎ》の信号《しんごう》を右折《うせつ》する。

右手《みぎて》にペンをにぎる。

右往左往《うおうさおう》する。

いみ・ことば

① みぎ。●4右側《みぎがわ》。1右手《みぎて》。3右岸《うがん》。4右折《うせつ》。1左右《さゆう》。

② 保守的《ほしゅてき》な考《かんが》え。●6右派《うは》。▲右翼《うよく》。4極右《きょくう》。

もっとわかる

●「ユウ」の読《よ》みは、「左右《さゆう》」などのことばに使《つか》われる。●「右腕《みぎうで》」には、右《みぎ》のうでという意味《いみ》のほかに、もっとも信頼《しんらい》している部下《ぶか》という意味《いみ》がある。●「右往左往《うおうさおう》」は、うろたえて、あっちへ行《い》ったりこっちへ来《き》たりすること。

なりたち

↓右

●「ナ」は「又《ゆう》」と同《おな》じで、右手《みぎて》の形《かたち》。それと「口（物《もの》）」を合《あ》わせて、かばうようにして物《もの》をかこいこむ右手《みぎて》を表《あらわ》した。

ひつじゅん

右 右 右 右 右

右 短《みじか》めに書《か》く

1年

名

口3画〔6画〕

音 メイ ミョウ

訓 な

name［ネイム］

つかいかた

名札《なふだ》を見《み》る。

名作《めいさく》に感動《かんどう》する。

名字《みょうじ》と名前《なまえ》を書《か》く。

客《きゃく》が二名《にめい》来《く》る。

いみ・ことば

1 なまえ。●名指《なざ》し。名札《なふだ》。氏名《しめい》。地名《ちめい》。本名《ほんみょう》。

2 すぐれた。評判《ひょうばん》の。●名案《めいあん》。名曲《めいきょく》。名言《めいげん》。名作《めいさく》。名手《めいしゅ》。名所《めいしょ》。名人《めいじん》。名声《めいせい》。名店《めいてん》。名物《めいぶつ》。名門《めいもん》。

3 人数《にんずう》を数《かぞ》えることば。●三名《さんめい》。十数名《じゅうすうめい》。

もっとわかる

●特別《とくべつ》な読《よ》み方《かた》に「仮名《かな》」「名残《なごり》」がある。「名残《なごり》おしい（心引《こころひ》かれて別《わか》れがつらい）」などと使《つか》う。

なりたち

「夕（ゆうがた）」と「口（ことば）」を合《あ》わせた字《じ》。うす暗《ぐら》くてはっきりわからない中《なか》で、自分《じぶん》がいることを声《こえ》に出《だ》して知《し》らせるようすを示《しめ》し、自分《じぶん》の存在《そんざい》をはっきりさせる「な」を表《あらわ》した。

ひつじゅん

名 名 名 名 名 名

名

つき出《だ》さない

四

口2画〔5画〕

音 シ

訓 よ　よつ　よっつ　よん

four［フォー］

つかいかた

りんごを四《よっ》つ買《か》う。

四色《よんしょく》のペンを使《つか》う。

四時《よじ》に待《ま》ち合《あ》わせる。

四角《しかく》い箱《はこ》を開《あ》ける。

いみ・ことば

● 数《かず》の4。よっつ。

● 四次元《よじげん》。四《よ》つ角《かど》。四海《しかい》。四角《しかく》。四季《しき》。四重奏《しじゅうそう》。四則《しそく》。四天王《してんのう》。

もっとわかる

● 算数《さんすう》で、四《よん》以下《いか》を切《き》り捨《す》て、五《ご》以上《いじょう》を切《き》り上《あ》げる方法《ほうほう》を「四捨五入《ししゃごにゅう》」という。● 「四」を使《つか》った四字熟語《よじじゅくご》に「四苦八苦《しくはっく》（ひどく苦《くる》しむこと）」「四六時中《しろくじちゅう》（一日中《いちにちじゅう》。いつも）」「再三再四《さいさんさいし》（何度《なんど》も何度《なんど》も）」などがある。

なりたち

↓
四

● 「口（区切《くぎ》り）」と「八（二《ふた》つに分《わ》ける）」を合《あ》わせた字《じ》。二《ふた》つの区切《くぎ》りに分《わ》けるようすから、2と2に分《わ》かれる数《かず》の4を表《あらわ》した。

ひつじゅん

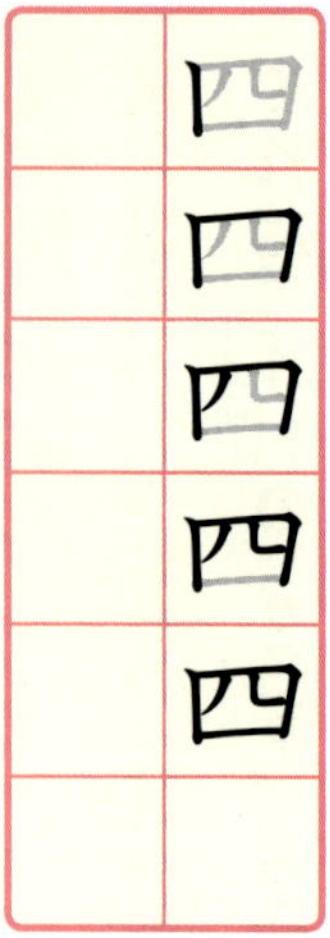

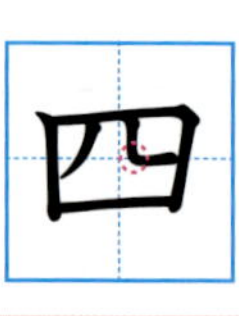

曲《ま》げる

土

土0画〔3画〕

音 ド ト

訓 つち

つかいかた

土《つち》から芽《め》を出《だ》す。

粘土《ねんど》で遊《あそ》ぶ。

土足《どそく》は厳禁《げんきん》だ。

その土地《とち》の野菜《やさい》。

soil［ソイる］

いみ・ことば

① つち。どろ。●土《つち》いじり。[1]赤土《あかつち》。土[4]器《どき》。土《ど》[6]砂《しゃ》。土[1]足《どそく》。土[1]手《どて》。土[6]俵《どひょう》。土[1]木《どぼく》。▲粘土《ねんど》。

② 大地《だいち》。また、人《ひと》が住《す》みついているところ。くに。●土[2]地《とち》。[6]郷土《きょうど》。[2]国土《こくど》。[3]全土《ぜんど》。[2]風土《ふうど》。[1]本土《ほんど》。

③ 土曜日《どようび》のこと。●土[1]日《どにち》の[4]連[1]休《れんきゅう》。

もっとわかる

●特別《とくべつ》な読《よ》み方《かた》に「土産《みやげ》」がある。●「土足《どそく》」は、はき物《もの》をはいたままの意《い》。●「土」は「士」と形《かたち》が似《に》ていてまちがえやすいので注意《ちゅうい》。

なりたち

↓ 土 ↓ 土

●もり上《あ》げた「つち」をえがいた字《じ》。

ひつじゅん

1年

夕

夕０画〔３画〕

音 （セキ）
訓 ゆう

evening［イーヴニング］

つかいかた

夕方《ゆうがた》まで外《そと》で遊《あそ》ぶ。

夕飯《ゆうはん》のにおいがする。

夕立《ゆうだち》にあう。

美《うつく》しい夕焼《ゆうや》け。

いみ・ことば

●日《ひ》ぐれどき。●2夕方《ゆうがた》。5夕刊《ゆうかん》。2夕食《ゆうしょく》。▲夕涼《ゆうすず》み。1夕立《ゆうだち》。4夕飯《ゆうはん》（ゆうめし）。1夕日《ゆうひ》。夕《ゆう》べ。4夕焼《ゆうや》け。2朝夕《あさゆう》。

もっとわかる

●特別《とくべつ》な読《よ》み方《かた》に「七夕《たなばた》（七月七日《しちがつなのか》の星祭《ほしまつ》り。天《あま》の川《がわ》にへだてられた織女星《しょくじょせい》と牽牛星《けんぎゅうせい》が、この日《ひ》に出会《であ》うという伝説《でんせつ》にちなむ）」がある。

●「夕立《ゆうだち》」は、夏《なつ》の午後《ごご》、急《きゅう》に激《はげ》しく降《ふ》る雨《あめ》。

●「セキ」の読《よ》みは、「一朝一夕《いっちょういっせき》（ごく短《みじか》い期間《きかん》）」などのことばに使《つか》われる。

なりたち

●三日月《みかづき》をえがいた形《かたち》で、「ゆうがた」を表《あらわ》した。

ひつじゅん

夕 夕 夕

夕 つき出《だ》さない

大

大0画〔3画〕

音 ダイ　タイ

訓 おお　おおきい　おおいに

large［らーヂ］

つかいかた

大《おお》きく手《て》を広《ひろ》げる。

広大《こうだい》な草原《そうげん》。

台風《たいふう》で海《うみ》は大荒《おおあ》れだ。

大金《たいきん》を手《て》にする。

いみ・ことば

1. 形《かたち》がおおきい。広《ひろ》い。 ●大形《おおがた》。大小《だいしょう》。大地《だいち》。大洋《たいよう》。拡大《かくだい》。巨大《きょだい》。広大《こうだい》。細大《さいだい》。最大《さいだい》。絶大《ぜつだい》。
2. おおきさ。 ●実物大《じつぶつだい》。等身大《とうしんだい》。一口大《ひとくちだい》。
3. 物《もの》が多《おお》い。ゆたか。 ●大金《たいきん》。大軍《たいぐん》。大差《たいさ》。
4. りっぱ。重要《じゅうよう》。 ●大王《だいおう》。大変《たいへん》。大役《たいやく》。
5. おおよそ。たいてい。 ●大観《たいかん》。大局《たいきょく》。大体《だいたい》。

もっとわかる

●特別《とくべつ》な読《よ》み方《かた》に「大人《おとな》」「大和《やまと》」がある。 ●「細《さい》大《だい》」は、細《こま》かいことと大《おお》きなことの意《い》。

なりたち

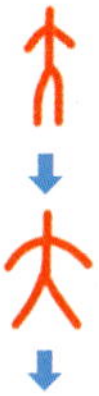

大

●人《ひと》が手足《てあし》をゆったりと広《ひろ》げた形《かたち》で、「ゆったりとおおきい」意《い》を表《あらわ》した。

ひつじゅん

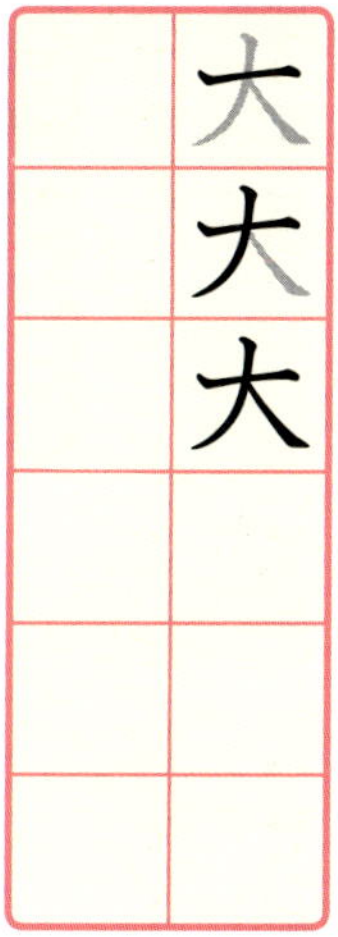

天

大1画〔4画〕

音 テン

訓 あま（あめ）

heaven［ヘヴン］

つかいかた

天《あま》の川《がわ》が見《み》える。

音楽《おんがく》の天才《てんさい》。

天《てん》を見上《みあ》げる。

夢《ゆめ》で天使《てんし》に会《あ》う。

いみ・ことば

1 空《そら》。●1天気《てんき》。1天上《てんじょう》。2天体《てんたい》。2天地《てんち》。1雨天《うてん》。2晴天《せいてん》。

2 神《かみ》。●2天国《てんごく》。1天子《てんし》。3天使《てんし》。1天女《てんにょ》。▲天罰《てんばつ》。3天命《てんめい》。

3 大自然《だいしぜん》の力《ちから》。●5天災《てんさい》。4天然《てんねん》。

4 生《う》まれつき。●2天才《てんさい》。5天職《てんしょく》。5天性《てんせい》。2天分《てんぶん》。

5 てっぺん。●4天井《てんじょう》。6脳天《のうてん》。

もっとわかる

●「あめ」は古《ふる》い読《よ》み方《かた》で、「天《あめ》の下《した》（空《そら》の下《した》。天下《てんか》）」のように使《つか》われる。

なりたち

天

●手足《てあし》を広《ひろ》げて立《た》つ人《ひと》をえがいた「大」の頭《あたま》に「一」のしるしをつけて、「頭《あたま》のてっぺん」「頭《あたま》の上《うえ》のたいらな空間《くうかん》」を表《あらわ》した。

ひつじゅん

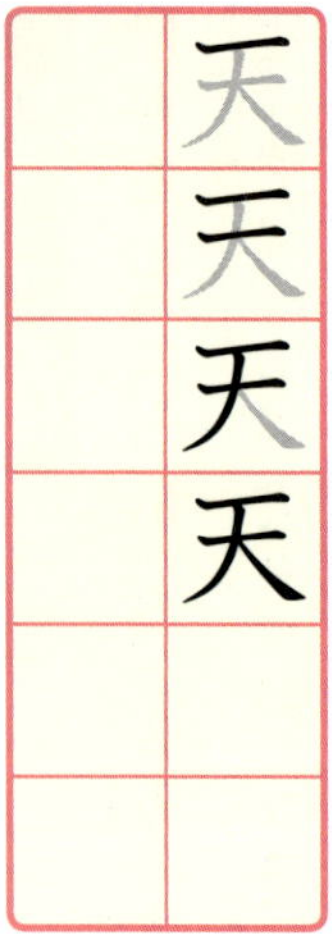

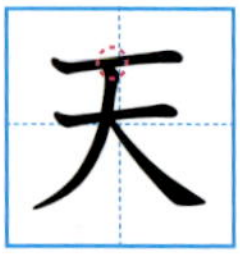

つき出《だ》さない

女

女0画〔3画〕

音 ジョ（ニョ）（ニョウ）

訓 おんな（め）

woman［ウマン］

つかいかた

おさげの女《おんな》の子《こ》。

一家《いっか》の長女《ちょうじょ》。

自由《じゆう》の女神《めがみ》。

老若男女《ろうにゃくなんにょ》が参加《さんか》する。

いみ・ことば

① おんな。●女王《じょおう》。女医《じょい》。女子《じょし》。女史《じょし》。女性《じょせい》。女流《じょりゅう》。才女《さいじょ》。少女《しょうじょ》。男女《だんじょ》。美女《びじょ》。幼女《ようじょ》。

② むすめ。おんなの子《こ》。●一男一女《いちなんいちじょ》。王女《おうじょ》。次女《じじょ》。長女《ちょうじょ》。養女《ようじょ》。

もっとわかる

●特別《とくべつ》な読《よ》み方《かた》に「海女《あま》」「乙女《おとめ》」がある。

●「ニョ」の読《よ》みは「天女《てんにょ》」、「ニョウ」の読《よ》みは「女房《にょうぼう》」などのことばに使《つか》われる。

なりたち

●両手《りょうて》を組《く》んでひざを曲《ま》げている、体《からだ》のしなやかな女性《じょせい》をえがいた形《かたち》。

ひつじゅん

女 女 女

折《お》る

1年

子

子0画〔3画〕

訓 こ
音 スシ

child [チャイるド]

つかいかた

子《こ》を産《う》む。

王子《おうじ》の位《くらい》につく。

子《こ》どもがさわぐ。

クラスの男子《だんし》と女子《じょし》。

いみ・ことば

① こども。●子《こ》ねこ。[1]男《おとこ》の子《こ》。[2]親子《おやこ》。[1]女《おんな》の子《こ》。[4]末《すえ》っ子《こ》。[4]子孫《しそん》。[1]王子《おうじ》。[2]父子《ふし》。[2]母子《ぼし》。[4]養子《ようし》。

② 小《ちい》さいもの。●[2]原子《げんし》。[4]種子《しゅし》。[2]電子《でんし》。[2]分子《ぶんし》。

③ つけ足《た》しのことば。●▲菓子《かし》。[3]調子《ちょうし》。[3]様子《ようす》。

④ りっぱな男《おとこ》の人《ひと》。●[3]君子《くんし》。[2]才子《さいし》。

もっとわかる

●特別《とくべつ》な読《よ》み方《かた》に「迷子《まいご》」がある。●「子」は十二支《じゅうにし》(こよみで、一年《いちねん》を十二《じゅうに》に分《わ》けたもの)の一番目《いちばんめ》。動物《どうぶつ》では「ねずみ」にあてる。

なりたち

子

●まだよちよち歩《ある》きの子《こ》どもをえがいた形《かたち》で、「小《ちい》さい子《こ》ども」を表《あらわ》した。

ひつじゅん

はねる

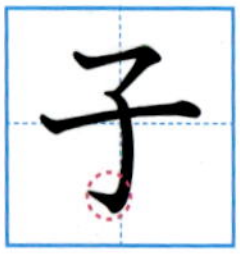

字

子3画〔6画〕

音 ジ
訓 (あざ)

character [キャラクタア]

つかいかた

大《おお》きく字《じ》を書《か》く。

漢字《かんじ》を覚《おぼ》える。

看板《かんばん》の赤《あか》い字《じ》。

数字《すうじ》を丸《まる》で囲《かこ》む。

いみ・ことば

1 もじ。●字《じ》2画《かく》。字《じ》2体《たい》。字《じ》3面《づら》。字《じ》2引《びき》。1赤《あか》字《じ》。3漢《かん》字《じ》。2黒《くろ》字《じ》。6誤《ご》字《じ》。2数《すう》字《じ》。2点《てん》字《じ》。2太《ふと》字《じ》。1文《も》字《じ》(じもん)。

2 町《まち》や村《むら》の中《なか》の小《ちい》さな区分《くぶん》。●1大《おお》字《あざ》。1小《こ》字《あざ》。

もっとわかる

●「字」は「宇」と形《かたち》が似《に》ていてまちがえやすいので注意《ちゅうい》。

なりたち

「子《し》(子《こ》ども)」と「宀(家《いえ》)」を合《あ》わせた形《かたち》。もとは、家《いえ》の中《なか》で子《こ》を産《う》み育《そだ》てること。のち、物《もの》の姿《すがた》をえがいた「もじ」を文《ぶん》、その文《ぶん》を組《く》み合《あ》わせて生《う》まれた「もじ」を字《じ》といい、二《ふた》つを合《あ》わせて「文字《もじ》」というようになった。

ひつじゅん

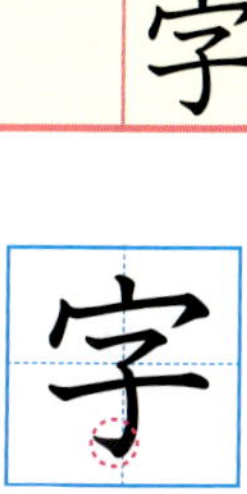

はねる

1年

学

子5画〔8画〕

音 ガク

訓 まなぶ

study [スタディ]

つかいかた

足《た》し算《ざん》を学《まな》ぶ。

小学校《しょうがっこう》に入《はい》る。

工場《こうじょう》を見学《けんがく》する。

天文学《てんもんがく》の博士《はかせ》。

いみ・ことば

❶まなぶ。勉強《べんきょう》する。●学者《がくしゃ》[3]。学習《がくしゅう》[3]。学生《がくせい》[1]。学年《がくねん》[1]。学費《がくひ》[5]。学期《がっき》[3]。見学《けんがく》[1]。勉学《べんがく》[3]。留学《りゅうがく》[5]。

❷まなぶところ。学校《がっこう》。●進学《しんがく》[3]。通学《つうがく》[2]。入学《にゅうがく》[1]。

❸学問《がくもん》。研究《けんきゅう》。●学説《がくせつ》[4]。学部《がくぶ》[3]。心理学《しんりがく》[2][2]。文学《ぶんがく》[1]。

もっとわかる

●「まなぶ」は、もとは「まねぶ」といい、先生《せんせい》の教《おし》えをまねる意味《いみ》だった。

なりたち

學→學(学)

●もとの字《じ》は「學」。「ㄨ」のしるしを二《ふた》つ重《かさ》ねた「爻(交《まじ》わる)」と「臼(両手《りょうて》)」と「宀(家《いえ》)」と「子(子《こ》ども)」を合《あ》わせた形《かたち》。子《こ》どもが先生《せんせい》と交《まじ》わり、先生《せんせい》から「まなぶ」ことを表《あらわ》した。

ひつじゅん

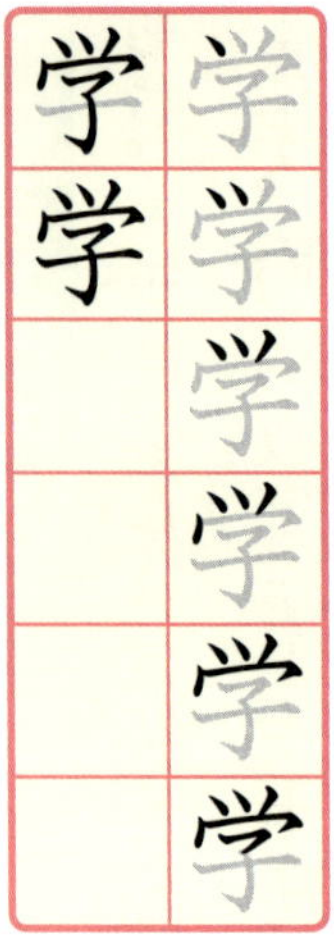

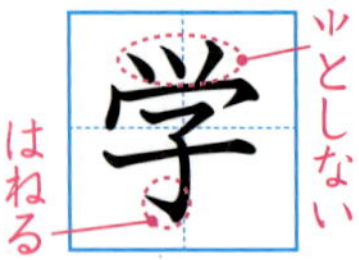

小

小0画〔3画〕

音 ショウ

訓 ちいさい　こ　お

small［スモーる］

つかいかた

赤《あか》ちゃんの小《ちい》さい手《て》。

小川《おがわ》の水《みず》を飲《の》む。

枝《えだ》に小鳥《ことり》がとまる。

春《はる》から小学生《しょうがくせい》になる。

いみ・ことば

1 ちいさい。こまかい。●小川《おがわ》。小形《こがた》。小声《こごえ》。小道《こみち》。小文字《こもじ》。小指《こゆび》。最小《さいしょう》。縮小《しゅくしょう》。大小《だいしょう》。

2 少《すこ》し。わずか。●小雨《こさめ》。小出《こだ》し。小差《しょうさ》。

3 つまらない。くだらない。●小物《こもの》。小事《しょうじ》。

4 おさない。●小児《しょうに》。小人《しょうにん》。

もっとわかる

●特別《とくべつ》な読《よ》み方《かた》に「小豆《あずき》」がある。●「小」と「少」は形《かたち》が似《に》ていてまちがえやすいので注《ちゅう》意《い》。「少年《しょうねん》」や「少女《しょうじょ》」は、「小」でなく「少」。

なりたち

●三《みっ》つの小《ちい》さな点《てん》で、小《ちい》さくばらばらになるようすを表《あらわ》した。

ひつじゅん

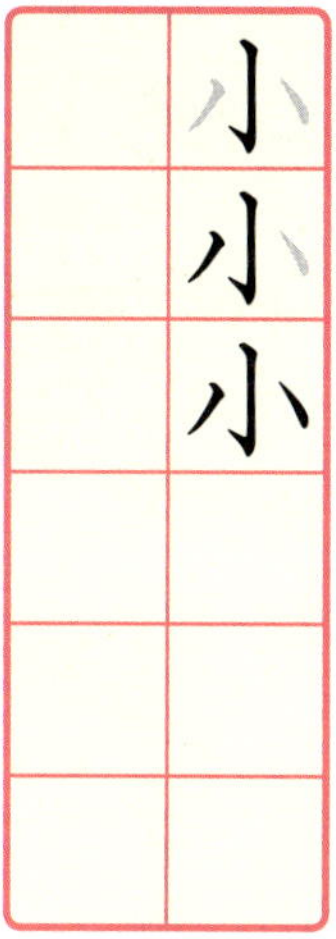

1年

山

山0画〔3画〕

訓 やま
音 サン

mountain［マウンティン］

つかいかた

日本《にほん》で一番《いちばん》高《たか》い山《やま》。

山菜《さんさい》を採《と》る。

山《やま》びこが聞《き》こえる。

クラスで登山《とざん》をする。

いみ・ことば

① やま。●山[1]小[3]屋《やまごや》。山[3]登《やまのぼ》り。山《やま》びこ。[2]雪山《ゆきやま》。山[4]菜《さんさい》。山[1]村《さんそん》。山[2]地《さんち》。山[5]脈《さんみゃく》。山[1]林《さんりん》。[3]氷山《ひょうざん》。[4]連山《れんざん》。

② いちばんさかんになるところ。●山[2]場《やまば》。

③ てら。●山[2]門《さんもん》。[1]本山《ほんざん》。

もっとわかる

●特別《とくべつ》な読《よ》み方《かた》に「山車《だし》」「築山《つきやま》」がある。

●「山《やま》が当《あ》たる（予想《よそう》がぴったり当《あ》たる）」「山《やま》を越《こ》す（難関《なんかん》を通《とお》りすぎる）」「山場《やまば》（もっとも重要《じゅうよう》なところ）」など、「山」を使《つか》ったことばは多《おお》い。

なりたち

山 ●三《みっ》つのみねが連《つら》なるようすをえがいた形《かたち》で、「やま」を表《あらわ》した。

ひつじゅん

折《お》る

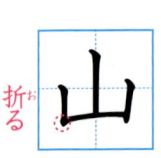

川

川0画〔3画〕

訓 かわ

音 （セン）

river［リヴァ］

つかいかた

いかだで川《かわ》を下《くだ》る。

川原《かわら》で石《いし》を投《な》げる。

川岸《かわぎし》に船《ふね》が着《つ》く。

河川《かせん》が増水《ぞうすい》する。

いみ・ことば

●かわ。●川[2]風《かわかぜ》。川[1]上《かわかみ》。川[2]魚《かわざかな》（かわうお）。川[1]下《かわしも》。川[▲]床《かわどこ》。川[4]辺《かわべ》。[1]小川《おがわ》。[2]谷川《たにがわ》。[5]河川《かせん》。

もっとわかる

●特別《とくべつ》な読《よ》み方《かた》に「川原《かわら》」がある。●同《おな》じ読《よ》み方《かた》の字《じ》に「河《かわ》」がある。「河」はおもに「黄《こう》河《が》」など中国《ちゅうごく》の川《かわ》について使《つか》われ、日本《にほん》の川《かわ》は「利根川《とねがわ》」「信濃川《しなのがわ》」のように、「川」を使《つか》うのがふつう。

なりたち

↓川

●水《みず》がすじになって流《なが》れるようすをえがいた形《かたち》で、大地《だいち》を流《なが》れる「かわ」を表《あらわ》した。

ひつじゅん

川 川 川

川 いちばん長《なが》く

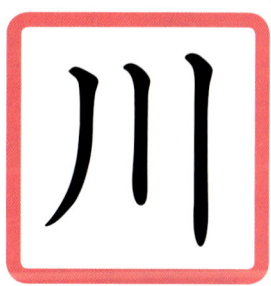

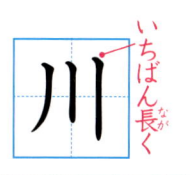

左

工2画〔5画〕

音 サ

訓 ひだり

left［れフト］

つかいかた

いっせいに左《ひだり》を向《む》く。

左折《させつ》すると駅《えき》に出《で》る。

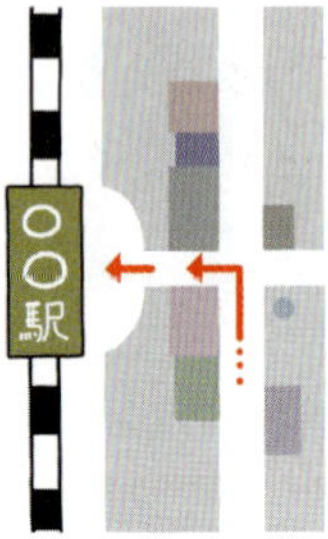

左手《ひだりて》に茶《ちゃ》わんを持《も》つ。

左右《さゆう》を確認《かくにん》する。

いみ・ことば

① ひだり。●左[4]利《ひだりき》き。左[1]手《ひだりて》。左[2]記《さき》。左[1]右《さゆう》。

② 低《ひく》い地位《ちい》。●左[▲]遷《させん》。

③ 進歩的《しんぽてき》な考《かんが》え。●左[6]派《さは》。左[▲]翼《さよく》。[4]極左《きょくさ》。

もっとわかる

●「左《ひだり》」と「右《みぎ》」の筆順《ひつじゅん》に注意《ちゅうい》。「右《みぎ》」の第一筆《だいいっぴつ》は「ノ」。●ある組織《そしき》（人《ひと》の集《あつ》まり）の中《なか》で、改革派《かいかくは》を「左派《さは》」、保守派《ほしゅは》を「右派《うは》」と呼《よ》ぶ。

なりたち

↓左

●「ナ」は「又（みぎ手《て》）」を反対向《はんたいむ》きにした形《かたち》で、ひだり手《て》のこと。「ナ（ひだり手《て》）」と「工（しごと）」を合《あ》わせて、工作《こうさく》をするとき、みぎ手《て》をささえてたすける「ひだり手《て》」を表《あらわ》した。

ひつじゅん

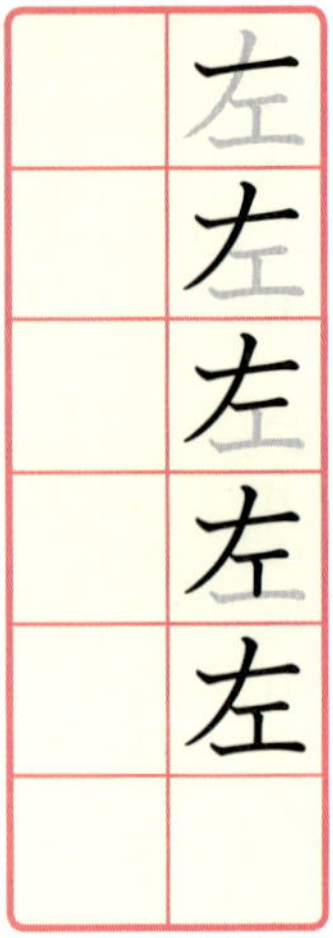

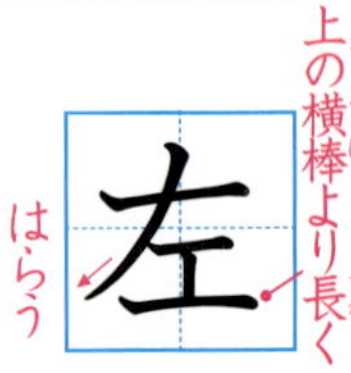

1年

年

干3画〔6画〕

音 ネン
訓 とし

year［イァ］

つかいかた

新《あたら》しい年《とし》をむかえる。

年賀状《ねんがじょう》を書《か》く。

三《み》つ年上《としうえ》の兄《あに》。

年末《ねんまつ》の大売《おおう》り出《だ》し。

いみ・ことば

① 月日《つきひ》を数《かぞ》える単位《たんい》。十二《じゅうに》か月《げつ》。一《いち》ねん。●年《ねん》[3]始《し》。年[2]内《ねんない》。年[4]末《ねんまつ》。[1]学年《がくねん》。[2]新年《しんねん》。[6]翌年《よくねん》（よくとし）。

② とし。ねんれい。●年[1]下《としした》。年[2]少《ねんしょう》。[1]青年《せいねん》。[6]晩年《ばんねん》。

③ とき。●年[1]月《ねんげつ》（としつき）。年[3]代《ねんだい》。[2]近年《きんねん》。[2]長年《ながねん》。

もっとわかる

●特別《とくべつ》な読《よ》み方《かた》に「今年《ことし》」がある。ただし、「今年度《ど》」のようなときは「こんねん」と読《よ》む。

なりたち

→年

●「人《にん》（くっつく）」と「禾（イネ）」を合《あ》わせた形《かたち》。「人《にん》」は親《した》しく交《まじ》わる仲間《なかま》のことで、「身近《みぢか》にくっつく」というイメージがある。イネを植《う》え、種子《しゅし》がくっついて実《みの》るまでの期間《きかん》、「いちねん」を表《あらわ》した。

ひつじゅん

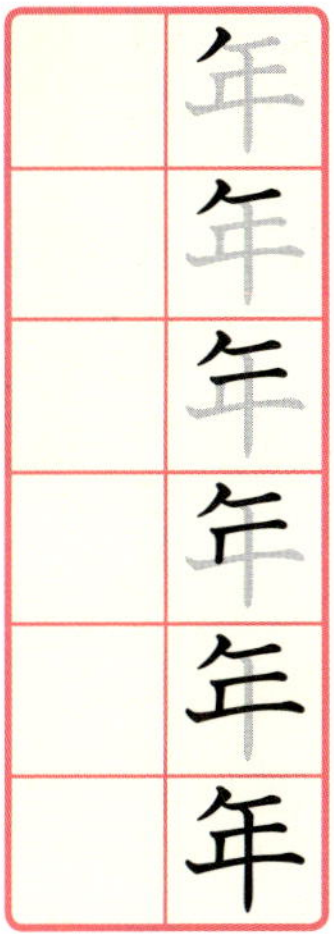

花

艹4画〔7画〕

音 カ

訓 はな

flower［フらウァ］

つかいかた

花《はな》でかんむりを作《つく》る。

花《はな》びらが散《ち》る。

花火《はなび》が上《あ》がる。

花《か》だんに花《はな》がさく。

いみ・ことば

①はな。●花[3]畑《はなばたけ》。花[1]見《はなみ》。花[4]輪《はなわ》。[1]生《い》け花《ばな》。[1]草花《くさばな》。花《か》だん。花[5]粉《かふん》。花[5]弁《かべん》。[3]開花《かいか》。[5]造花《ぞうか》。

②はなのような。●花[2]形《はながた》。花[1]火《はなび》。花▲嫁《はなよめ》。

もっとわかる

●「はなやか」や「はなばなしい」は、「花」でなく「華」という漢字《かんじ》を用《もち》いて「華《はな》やか」「華々《はなばな》しい」と書《か》く。

なりたち

化

●「化《か》」は「イ（立《た》っている人《ひと》）」と「匕（ひっくりかえった人《ひと》）」を合《あ》わせた形《かたち》で、姿《すがた》を変《か》えること。その「化《か》」と「艹（くさ）」を合《あ》わせて、つぼみが姿《すがた》を変《か》えたもの、つまり「はな」を表《あらわ》した。

ひつじゅん

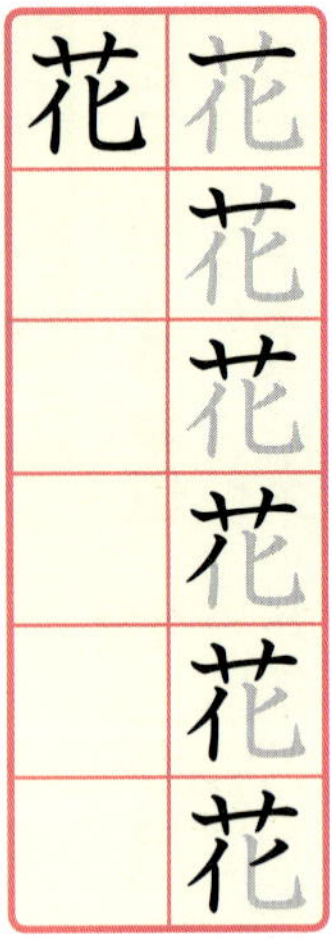

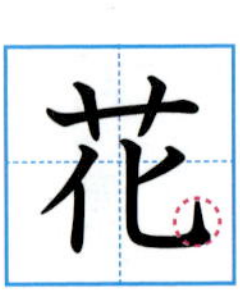

はねる

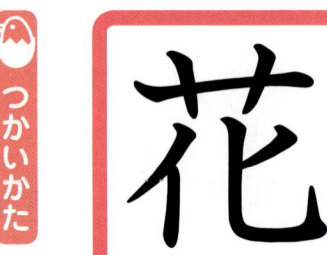

草

艹6画〔9画〕

音 ソウ

訓 くさ

grass［グラス］

つかいかた

馬《うま》に草《くさ》をやる。

海草《かいそう》を採《と》る。

庭《にわ》の草《くさ》むしりをする。

薬草《やくそう》をつぶす。

いみ・ことば

①くさ。●草花《くさばな》。草原《くさはら》（そうげん）。草食《そうしょく》。海草《かいそう》。雑草《ざっそう》。

②文章《ぶんしょう》の下書《したが》き。●草案《そうあん》。草稿《そうこう》。起草《きそう》。

③くずして書《か》いた字《じ》。●草書《そうしょ》。

もっとわかる

●特別《とくべつ》な読《よ》み方《かた》に「草履《ぞうり》」がある。

●「草書《そうしょ》」に対《たい》し、形《かたち》をくずさずに書《か》いた字《じ》を「楷書《かいしょ》」、少《すこ》しくずして書《か》いた字《じ》を「行書《ぎょうしょ》」という。

なりたち

●「艹」のもとの形《かたち》は「艸」。「屮（くさの芽《め》）」を二《ふた》つ並《なら》べた「艸《そう》」は「くさ」を示《しめ》し、のちに早《そう》を加《くわ》えた現在《げんざい》の形《かたち》になった。

ひつじゅん

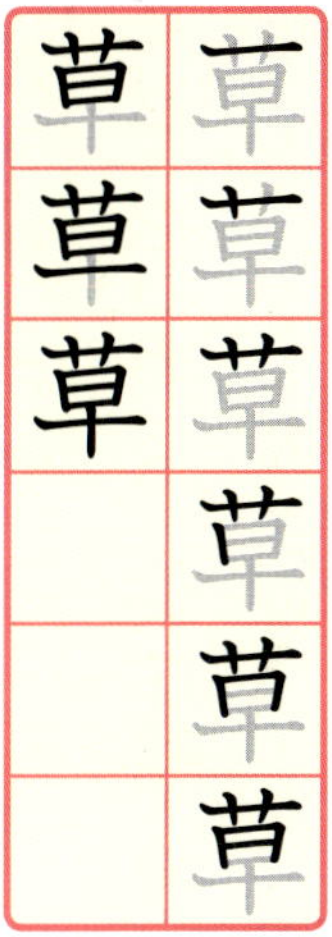

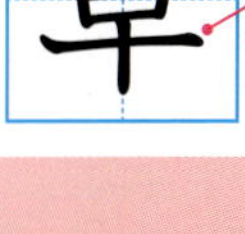

1年

手

手0画〔4画〕

音　シュ

訓　て　（た）

hand［ハンド］

つかいかた

手《て》をたたく。

手術《しゅじゅつ》の準備《じゅんび》をする。

手作《てづく》りのおかし。

歌手《かしゅ》が歌《うた》う。

いみ・ことば

①て。てのひら。●手足《てあし》[1]。手書《てが》き[2]。手《て》ぶくろ。[1]左手《ひだりて》。[1]右手《みぎて》。手芸《しゅげい》[4]。手中《しゅちゅう》[1]。手動《しゅどう》[3]。挙手《きょしゅ》[4]。▲拍手《はくしゅ》。

②自分《じぶん》でする。●手製《てせい》[5]。手作《てづく》り[2]。手料理《てりょうり》[4][2]。

③やりかた。方法《ほうほう》。うでまえ。●手際《てぎわ》[5]。手口《てぐち》[1]。手順《てじゅん》[4]。手配《てはい》[3]。手分《てわ》け[2]。手段《しゅだん》[6]。手法《しゅほう》[4]。[4]好手《こうしゅ》。

④人《ひと》。●[3]相手《あいて》。[2]聞《き》き手《て》。[2]話《はな》し手《て》。[2]歌手《かしゅ》。[3]助手《じょしゅ》。

もっとわかる

●特別《とくべつ》な読《よ》み方《かた》に「手伝《てつだ》う」「上手《じょうず》」「下手《へた》」がある。●「た」と読《よ》むことばに「手綱《たづな》」がある。

なりたち

●五本《ごほん》の指《ゆび》を広《ひろ》げた形《かたち》で、「て」を表《あらわ》した。

ひつじゅん

手　手　手　手

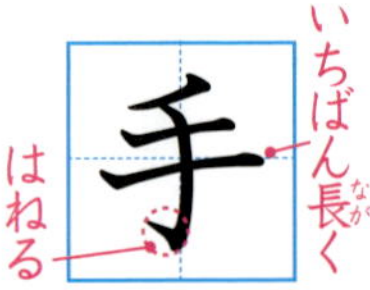

文

文0画〔4画〕

音 ブン モン

訓 （ふみ）

letter［れタァ］

つかいかた

作文《さくぶん》の授業《じゅぎょう》。

つぼの美《うつく》しい文様《もんよう》。

学級《がっきゅう》文庫《ぶんこ》。

地面《じめん》に文字《もじ》を書《か》く。

いみ・ことば

1 模様《もよう》。●文様《もんよう》[3]。縄文土器《じょうもんどき》[4][1][4]。

2 もじ。●文字《もじ》[1]（もんじ）。金文《きんぶん》[1]。▲甲骨文《こうこつぶん》[6]。

3 もじで書《か》かれたもの。●文庫《ぶんこ》[3]。文書《ぶんしょ》[2]（もんじょ）。文章《ぶんしょう》[3]。文通《ぶんつう》[2]。文脈《ぶんみゃく》[5]。作文《さくぶん》[2]。

4 人《ひと》の生《う》み出《だ》したもの。●文化《ぶんか》[3]。文明《ぶんめい》[2]。

もっとわかる

●「ふみ（文書《ぶんしょ》や手紙《てがみ》）」という読《よ》み方《かた》は、「文《ふみ》の日《ひ》」「文《ふみ》を送《おく》る」のように使《つか》われる。

なりたち

●衣《ころも》のえりもとのかざり模様《もよう》をえがいた形《かたち》で、「かざり」を示《しめ》した。のち、模様《もよう》のようにかいた文字《もじ》などの意味《いみ》を表《あらわ》した。

ひつじゅん

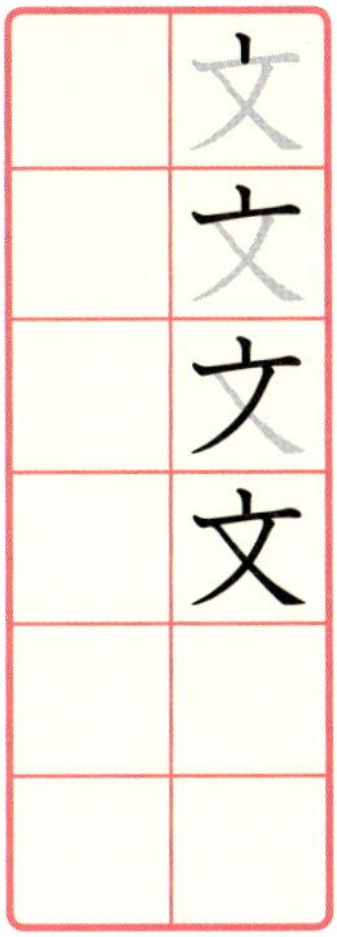

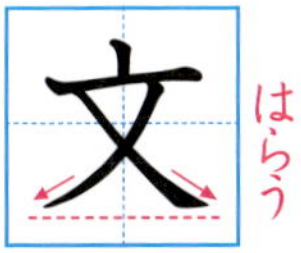

1年

日

日0画〔4画〕

訓 ひ か

音 ニチ ジツ

sun [サン]

つかいかた

日《ひ》かげで休《やす》む。

三日坊主《みっかぼうず》でしかられる。

日《ひ》の丸《まる》を飾《かざ》る。

日記《にっき》をつける。

いみ・ことば

① 太陽《たいよう》。ひ。●日[6]暮《ひぐ》れ。日[4]焼《ひや》け。日[2]光《にっこう》。[3]落日《らくじつ》。

② 太陽《たいよう》の出《で》ている間《あいだ》。ひるま。●日[2]夜《にちや》。日[1]中《にっちゅう》。

③ いちにち。●日[2]時《にちじ》。日[5]程《にってい》。[2]元日《がんじつ》。[3]祭日《さいじつ》。[3]平日《へいじつ》。

④ 毎日《まいにち》の。●日[5]常《にちじょう》。日[2]記《にっき》。日[3]進[1]月[2]歩《にっしんげっぽ》。[4]連日《れんじつ》。

⑤ 日曜日《にちようび》のこと。●[1]土日《どにち》。

⑥ 日本《にほん》。●日[3]銀《にちぎん》。日[2]米[2]野[3]球《にちべいやきゅう》。[2]来日《らいにち》。

もっとわかる

●特別《とくべつ》な読《よ》み方《かた》に「明日《あす》」「昨日《きのう》」「今日《きょう》」「一日《ついたち》」「二十日《はつか》」「日和《ひより》」「二日《ふつか》」がある。

なりたち

●太陽《たいよう》をえがいた形《かたち》で、「ひ」を表《あらわ》した。

ひつじゅん

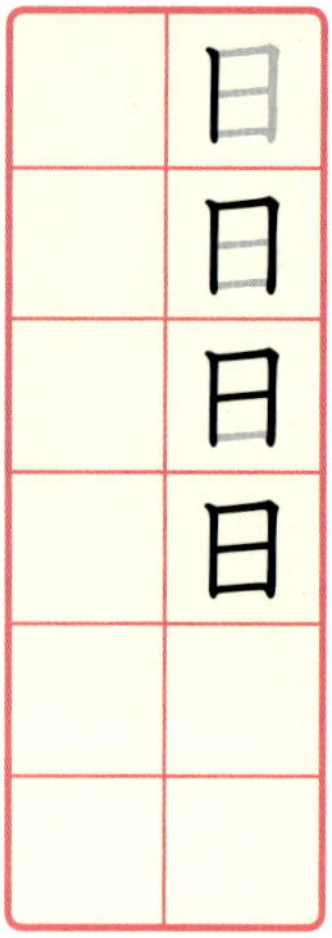

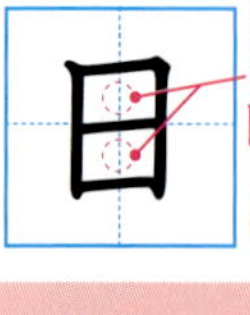

早

日2画〔6画〕

音 ソウ（サッ）
訓 はやい　はやまる　はやめる

early［アーりィ］

つかいかた

朝早《あさはや》く起《お》きる。

足早《あしばや》に立《た》ち去《さ》る。

早《はや》い者勝《ものが》ち。

かぜで早退《そうたい》する。

いみ・ことば

1 はやい。ある時期《じき》より前《まえ》。●3早起《はやお》き。3早期《そうき》。2早計《そうけい》。6早熟《そうじゅく》。2早春《そうしゅん》。6早退《そうたい》。2早朝《そうちょう》。

2 速度《そくど》がはやい。●1早足《はやあし》。1早口《はやくち》。3早急《さっきゅう》（そうきゅう）。3早速《さっそく》。

もっとわかる

●特別《とくべつ》な読《よ》み方《かた》に「早乙女《さおとめ》」「早苗《さなえ》」がある。

●「早計《そうけい》」は、はやまった考《かんが》えの意《い》。

なりたち

↓
早

●からのついたどんぐりをえがいた形《かたち》。昔《むかし》の中国《ちゅうごく》では、クヌギのどんぐりのからを黒《くろ》の染料《せんりょう》として用《もち》いた。その「黒《くろ》」が「夜明《よあ》け前《まえ》の暗《くら》さ」と結《むす》びつき、「時間《じかん》がはやいこと」を表《あらわ》した。

ひつじゅん

早 早 早 早 早 早

早 長《なが》く

月

月0画〔4画〕

訓 つき

音 ゲツ ガツ

moon［ムーン］

つかいかた

雲間《くもま》から月《つき》が見《み》える。

今夜《こんや》は満月《まんげつ》だ。

月面《げつめん》に着陸《ちゃくりく》する。

正月《しょうがつ》にもちを食《た》べる。

いみ・ことば

1 つき。●月明《つきあ》かり。月見《つきみ》。月夜《つきよ》。三日月《みかづき》。月《げっ》光《こう》。月面《げつめん》。半月《はんげつ》。満月《まんげつ》。名月《めいげつ》。

2 一年《いちねん》を十二《じゅうに》に分《わ》けた単位《たんい》。●月日《つきひ》。毎月《まいつき》。月間《げっかん》。月刊《げっかん》。月謝《げっしゃ》。月末《げつまつ》。今月《こんげつ》。来月《らいげつ》。

3 月曜日《げつようび》のこと。●月水金《げっすいきん》。

もっとわかる

●特別《とくべつ》な読《よ》み方《かた》に「五月《さつき》」「五月雨《さみだれ》」がある。

●「半月」を「はんつき」と読《よ》めば、ひと月《つき》の半分《はんぶん》という意《い》になる。

なりたち

●三日月《みかづき》をえがいた形《かたち》で、「つき」を表《あらわ》した。

ひつじゅん

月 月 月 月

月 はねる

1年

木

木０画〔4画〕

訓 こ き

音 モク ボク

tree［トリー］

つかいかた

校庭《こうてい》に木《き》を植《う》える。

大木《たいぼく》を切《き》りたおす。

木《こ》かげで少《すこ》し休《やす》む。

木材《もくざい》を集《あつ》める。

いみ・ことば

①き。立《た》ち木《き》。●木《こ》かげ。木立《こだち》。木《こ》の実《み》。木《こ》の葉《は》。枯《か》れ木《き》。並木《なみき》。古木《こぼく》。大木《たいぼく》。

②建物《たてもの》や器具《きぐ》にする木《き》。ざいもく。●木彫《きぼ》り。白木《しらき》。木刀《ぼくとう》。木材《もくざい》。木製《もくせい》。木造《もくぞう》。木目《もくめ》。

③木曜日《もくようび》のこと。●木金土《もくきんど》。

もっとわかる

●特別《とくべつ》な読《よ》み方《かた》に「木綿《もめん》」がある。●「木《き》で鼻《はな》をくくる」は、冷《つめ》たくあしらう意《い》。「木《き》に竹《たけ》をつぐ」は、前後《ぜんご》のすじが通《とお》らない意《い》。

なりたち

●枝《えだ》と根《ね》のある木《き》をえがいた形《かたち》で、「き」を表《あらわ》した。

ひつじゅん

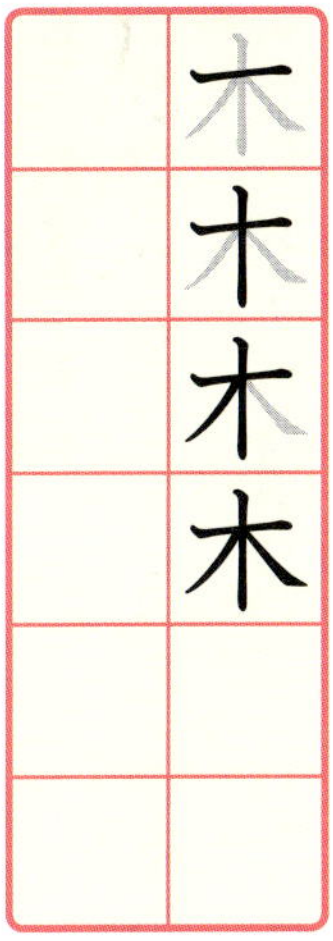

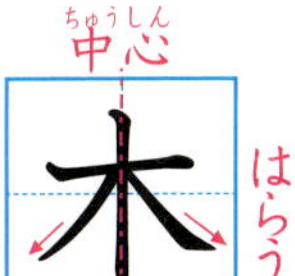

1年

本

木１画〔５画〕

訓　もと
音　ホン

つかいかた

根本《ねもと》から折《お》れる。

本物《ほんもの》かどうか調《しら》べる。

本《ほん》を読《よ》む。

三本《さんぼん》のペン。

basis［ベイスィス］

いみ・ことば

①おおもとの部分《ぶぶん》。●根本《ねもと》（こん/ぽん）。本末転倒《ほんまつてんとう》。基本《きほん》。

②もとからある。正式《せいしき》の。●本質《ほんしつ》。本性《ほんしょう》。本心《ほんしん》。本能《ほんのう》。本名《ほんみょう》。本物《ほんもの》。

③おもな。中心《ちゅうしん》の。●本家《ほんけ》。本社《ほんしゃ》。本体《ほんたい》。

④そのもの。いま問題《もんだい》にしているもの。●本日《ほんじつ》。本章《ほんしょう》。本題《ほんだい》。本人《ほんにん》。本年《ほんねん》。

⑤書物《しょもつ》。ほん。●本箱《ほんばこ》。絵本《えほん》。台本《だいほん》。古本《ふるほん》。

⑥細長《ほそなが》いものを数《かぞ》えることば。●一本《いっぽん》。五本《ごほん》。

なりたち

本→本　●「木」の下《した》の部分《ぶぶん》に「一」のしるしをつけて、「木《き》の根《ね》もと」を表《あらわ》した。

ひつじゅん

本　本　本　本　本

中心《ちゅうしん》
本
はらう

村

木3画〔7画〕

音 ソン

訓 むら

village [ヴィれヂ]

山《やま》あいの村《むら》。

村長《そんちょう》にあいさつする。

村役場《むらやくば》へ行《い》く。

農村《のうそん》で生活《せいかつ》する。

いみ・ことば

●むら。いなか。また、地方自治体《ちほうじちたい》の一《ひと》つ。●村《むら》2里《ざと》。村1人《むらびと》。村3役2場《むらやくば》。村2長《そんちょう》。村4民《そんみん》。4漁村《ぎょそん》。1山村《さんそん》。2市1町村《しちょうそん》。3農村《のうそん》。

もっとわかる

●「村」は「材」と形《かたち》が似《に》ていてまちがえやすいので注意《ちゅうい》。

なりたち

↓寸

●「寸《すん》」は、「又（手《て》）」と「一（しるし）」を合《あ》わせた形《かたち》で、中国《ちゅうごく》の医学《いがく》では脈《みゃく》をみる場所《ばしょ》。「そっとおさえる」「じっと落《お》ち着《つ》ける」というイメージがある。その「寸」に「木」を合《あ》わせた「村《そん》」は、人々《ひとびと》がこしを落《お》ち着《つ》ける「むら」を表《あらわ》した。

ひつじゅん

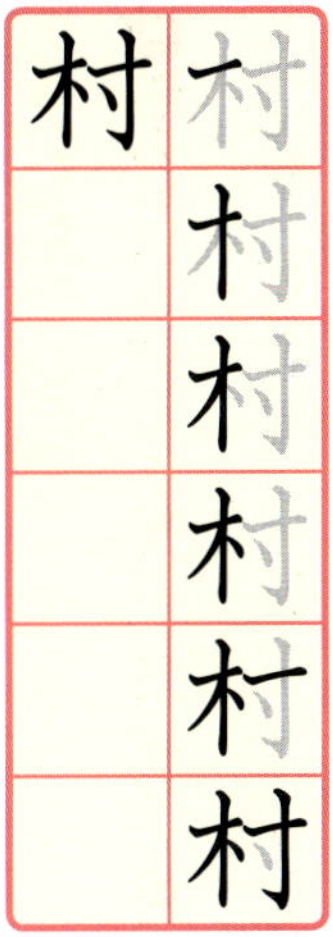

1年

林

木４画〔８画〕

音 リン

訓 はやし

woods［ウッヅ］

つかいかた

林《はやし》の中《なか》を散歩《さんぽ》する。

ビルが林立《りんりつ》する。

林道《りんどう》に迷《まよ》いこむ。

針葉樹林《しんようじゅりん》。

いみ・ことば

① はやし。●雑木林《ぞうきばやし》。松林《まつばやし》。林間学校《りんかんがっこう》。林《りん》業《ぎょう》。林道《りんどう》。原生林《げんせいりん》。樹林《じゅりん》。森林《しんりん》。密林《みつりん》。

② 物《もの》ごとの集《あつ》まり。●林立《りんりつ》。

もっとわかる

●「雑木林《ぞうきばやし》」は、建築用材《けんちくようざい》にならないような雑《ざっ》多《た》な木《き》が入《い》り交《ま》じって生《は》えている林《はやし》。●「原《げん》生林《せいりん》」は、人《ひと》の手《て》が加《くわ》わっていない自然《しぜん》のままの森林《しんりん》のこと。●「林立《りんりつ》」は、林《はやし》の木《き》のように、たくさん並《なら》んで立《た》っていること。

なりたち

林

↓

林

●「木」を二《ふた》つ並《なら》べた形《かたち》で、木《き》がたくさん並《なら》んでいる場所《ばしょ》を表《あらわ》した。

ひつじゅん

林 林 林 林 林 林 林 林

林 はらう

1年

校

木6画〔10画〕

音 コウ
訓 —

school [スクーる]

つかいかた

新《あたら》しい校舎《こうしゃ》。

校門《こうもん》の前《まえ》で手《て》をふる。

校庭《こうてい》で遊《あそ》ぶ。

転校生《てんこうせい》が来《く》る。

いみ・ことば

① 物《もの》ごとを教《おし》え、習《なら》うところ。がっこう。●校《こう》歌《か》。校舎《こうしゃ》。校則《こうそく》。校長先生《こうちょうせんせい》。校庭《こうてい》。校門《こうもん》。休《きゅう》校。下校《げこう》。転校《てんこう》。登校《とうこう》。母校《ぼこう》。

② 調《しら》べる。比《くら》べる。●校正《こうせい》。

もっとわかる

●「校正《こうせい》」とは、本《ほん》などを作《つく》るときに、文字《もじ》や内容《ないよう》の誤《あやま》りを正《ただ》すこと。

なりたち

↓ 交

●「交《こう》」は、人《ひと》が足《あし》を交差《こうさ》させている形《かたち》。その「交《こう》」と「木」を合《あ》わせた「校」は、木《き》を×形《がた》に交差《こうさ》させた道具《どうぐ》のこと。のち、「先生《せんせい》と生徒《せいと》が交《まじ》わるところ」を表《あらわ》した。

ひつじゅん

森

木８画〔12画〕

音 シン

訓 もり

forest［フォ(ー)レスト］

つかいかた

森《もり》にすむ神様《かみさま》。

森《もり》を切《き》り開《ひら》く。

森厳《しんげん》な境内《けいだい》で祈《いの》る。

森林《しんりん》の空気《くうき》を吸《す》う。

いみ・ことば

① 木《き》がおいしげったところ。もり。●森1林《しんりん》。

② 物《もの》がたくさんならぶ。●森▲羅2万5象《しんらばんしょう》。

③ おごそか。●森6厳《しんげん》。

④ ひっそりしている。●森▲閑《しんかん》。

もっとわかる

●「森羅万象《しんらばんしょう》」とは、宇宙《うちゅう》にあるすべてのものの意《い》。●「森閑《しんかん》」は「深閑《しんかん》」とも書《か》く。●「木《き》を見《み》て森《もり》を見《み》ず」とは、細《こま》かいことにとらわれて全体《ぜんたい》が見《み》えなくなること。

なりたち

⬇ 森

●「木」を三《みっ》つ合《あ》わせた形《かたち》で、たくさんの木《き》がしげっているようすを表《あらわ》した。

ひつじゅん

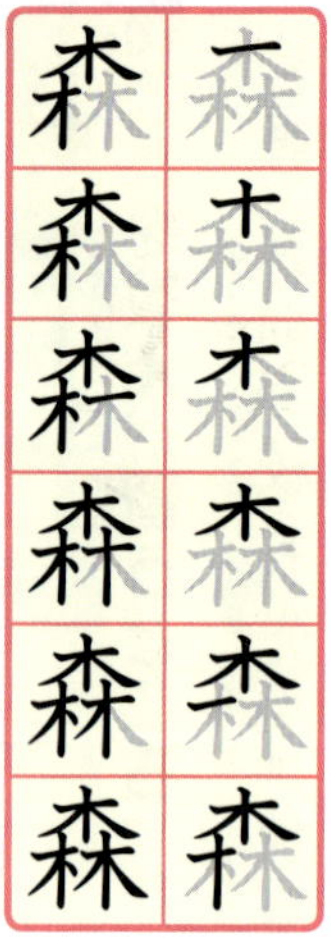

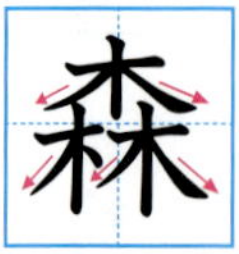

正

止1画〔5画〕

音 セイ ショウ

訓 ただしい ただす まさ

right［ライト］

つかいかた

礼儀《れいぎ》正《ただ》しい応対《おうたい》。

正義《せいぎ》の味方《みかた》。

まちがいを正《ただ》す。

正面《しょうめん》の入《い》り口《ぐち》。

いみ・ことば

1 ただしい。●正[5]解《せいかい》。正[5]確《せいかく》。正[5]義《せいぎ》。正[6]誤《せいご》。

2 ただす。●[4]改正《かいせい》。[5]修正《しゅうせい》。▲訂正《ていせい》。

3 ちょうど。●正[2]午《しょうご》。正[3]味《しょうみ》。正[3]反[3]対《せいはんたい》。正[2]方[2]形《せいほうけい》。

4 本当《ほんとう》の。本来《ほんらい》。●正[2]体《しょうたい》。正[3]式《せいしき》。正[5]統《せいとう》。

5 一年《いちねん》のはじめの月《つき》。●正[1]月《しょうがつ》。[4]賀正《がしょう》。

もっとわかる

●「正々堂々《せいせいどうどう》」は、「正《ただ》しい態度《たいど》でりっぱなようす」を表《あらわ》す四字熟語《よじじゅくご》。

なりたち

●「一（目標《もくひょう》を示《しめ》すしるし）」と「止（足《あし》）」を合《あ》わせた形《かたち》。足《あし》が目標《もくひょう》を目指《めざ》してまっすぐ進《すす》むようすで、「まっすぐ」という意《い》を表《あらわ》した。

ひつじゅん

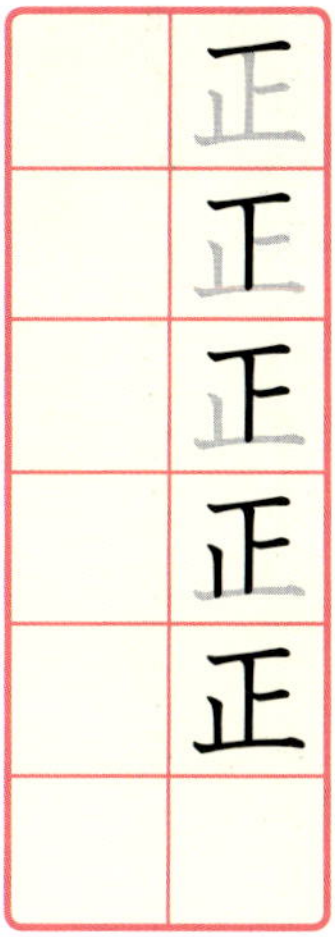

上《うえ》の横棒《よこぼう》より長《なが》く

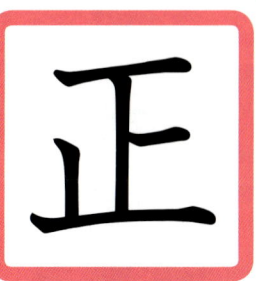

気

气２画〔６画〕

音 キ ケ

訓 —

air［エア］

つかいかた

気《き》が散《ち》る。

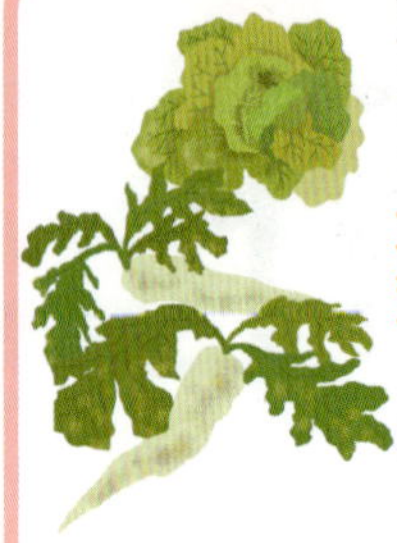

野菜《やさい》が水気《みずけ》を失《うしな》う。

天気《てんき》予報《よほう》を見《み》る。

湯気《ゆげ》が立《た》つ。

いみ・ことば

① ガス体《たい》。くうき。●気温《きおん》[3]。気体《きたい》[2]。水蒸気《すいじょうき》[1][6]。

② 口《くち》から出入《でい》りするいき。●気管《きかん》[4]。語気《ごき》[2]。

③ 自然《しぜん》の現象《げんしょう》。●気候《きこう》[4]。気象《きしょう》[5]。天気《てんき》[1]。電気《でんき》[2]。

④ 目《め》に見《み》えない働《はたら》き。様子《ようす》。●気運《きうん》[3]。気味《きみ》[3]。気配《けはい》[3]。景気《けいき》[4]。元気《げんき》[2]。塩気《しおけ》[4]。生気《せいき》[1]。水気《みずけ》[1]。

⑤ 心《こころ》の働《はたら》き。●気性《きしょう》[5]。気分《きぶん》[2]。気力《きりょく》[1]。根気《こんき》[3]。

なりたち

●もとの字《じ》は「氣」。「气《き》」は、ガスが折《お》れ曲《ま》がってのぼっていくようすを示《しめ》した形《かたち》。それに「米」を合《あ》わせて、米《こめ》を炊《た》いたときに出《で》る湯気《ゆげ》や、「水蒸気《すいじょうき》」「息《いき》」などを表《あらわ》した。

ひつじゅん

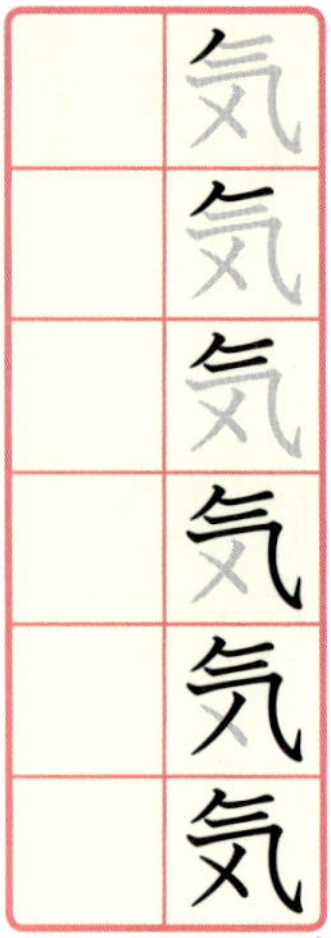

少《すこ》し曲《ま》げてはねる

1年

水

水0画〔4画〕

音 スイ

訓 みず

water [ウォータァ]

つかいかた

水道《すいどう》の水《みず》を飲《の》む。

貝《かい》を塩水《しおみず》につける。

雨水《あまみず》がもる。

水中《すいちゅう》を歩《ある》く。

いみ・ことば

① みず。みずのようなもの。●水遊《みずあそ》び。水色《みずいろ》。水着《みずぎ》。水《みず》たまり。水鉄砲《みずでっぽう》。雨水《あまみず》。飲《の》み水《みず》。水泳《すいえい》。水蒸気《すいじょうき》。水族館《すいぞくかん》。水中《すいちゅう》。水田《すいでん》。水道《すいどう》。水平線《すいへいせん》。水面《すいめん》。飲料水《いんりょうすい》。温水《おんすい》プール。地下水《ちかすい》。

② 水曜日《すいようび》のこと。●月水金《げっすいきん》。

もっとわかる

●特別《とくべつ》な読《よ》み方《かた》に「清水《しみず》」がある。●「我田引水《がでんいんすい》」とは、自分《じぶん》の田《た》だけに水《みず》を引《ひ》く意《い》から、自分《じぶん》に都合《つごう》のいいように話《はなし》をすること。

なりたち

●流《なが》れている水《みず》をえがいた形《かたち》で、「みず」を表《あらわ》した。

ひつじゅん

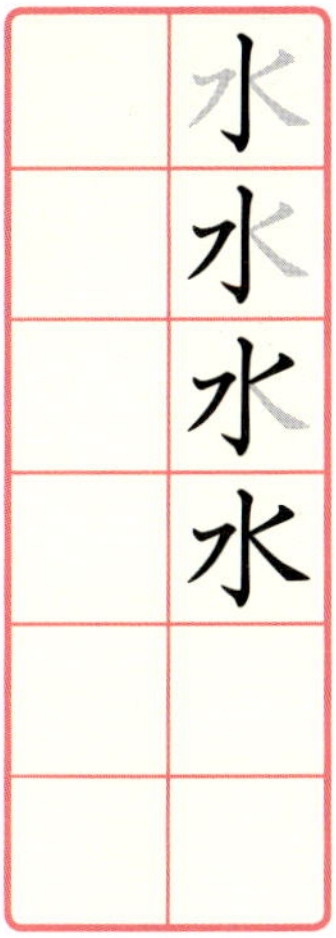

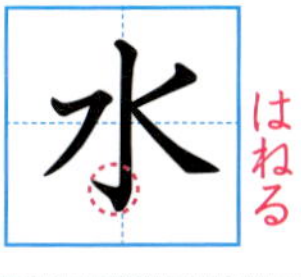

1年

火

火０画〔４画〕

音　カ
訓　ひ　（ほ）

fire［ファイア］

つかいかた

マッチで火《ひ》をつける。

火口《かこう》のマグマ。

弱火《よわび》で煮《に》こむ。

近所《きんじょ》で火事《かじ》が起《お》きる。

いみ・ことば

① ほのお。ひ。●1火花《ひばな》。1口火《くちび》。2強火《つよび》。1花火《はなび》。2弱火《よわび》。1火気《かき》。1火口《かこう》。1火山《かざん》。3火薬《かやく》。1火力《かりょく》。2点火《てんか》。

② 急《きゅう》である。勢《いきお》いがはげしい。●3火急《かきゅう》。

③ 火曜日《かようび》のこと。●1火1木土《かもくど》。

もっとわかる

●「火花《ひばな》を散《ち》らす」は、はげしく争《あらそ》う意《い》。●「火《か》急《きゅう》の知《し》らせ」は、火《ひ》がついたようなひどく急《いそ》ぐ知《し》らせのこと。●「烈火《れっか》のごとく怒《おこ》る」は、火《ひ》のようにはげしく怒《おこ》るようす。

なりたち

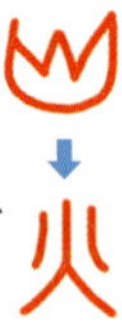

↓
火

●燃《も》え上《あ》がっているほのおをえがいた形《かたち》で、「ひ」を表《あらわ》した。

ひつじゅん

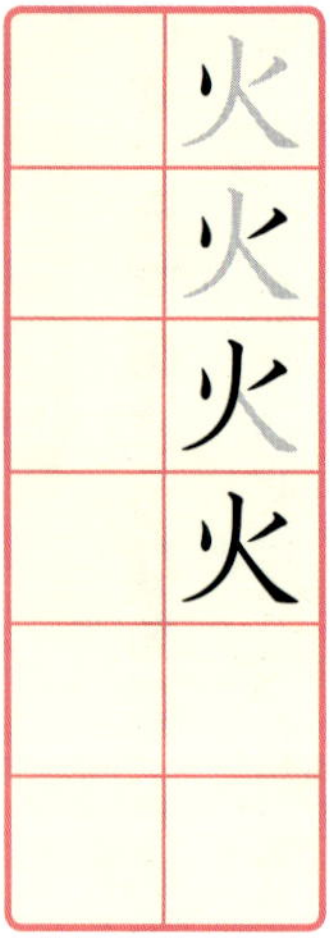

1年

犬

犬0画〔4画〕

音 ケン

訓 いぬ

dog [ド(ー)グ]

つかいかた

公園《こうえん》で犬《いぬ》と遊《あそ》ぶ。

番犬《ばんけん》がほえる。

捨《す》てられた子犬《こいぬ》。

犬猿《けんえん》の仲《なか》。

いみ・ことば

①いぬ。●犬小屋《いぬごや》。犬猿《けんえん》の仲《なか》。犬歯《けんし》。愛犬《あいけん》。警察犬《けいさつけん》。番犬《ばんけん》。盲導犬《もうどうけん》。野犬《やけん》。老犬《ろうけん》。

②値打《ねう》ちがないこと。むだなこと。●犬死《いぬじ》に。

もっとわかる

●「犬猿《けんえん》の仲《なか》」とは、いぬとさるの仲《なか》ということで、非常《ひじょう》に仲《なか》が悪《わる》いこと。●「犬馬《けんば》の労《ろう》」とは、だれかのために力《ちから》をつくすこと。

●「犬《いぬ》も歩《ある》けば棒《ぼう》に当《あ》たる」とは、思《おも》いがけないことにあう意《い》。

なりたち

犬

●イヌをえがいた字《じ》。「丶」は耳《みみ》の部分《ぶぶん》。

ひつじゅん

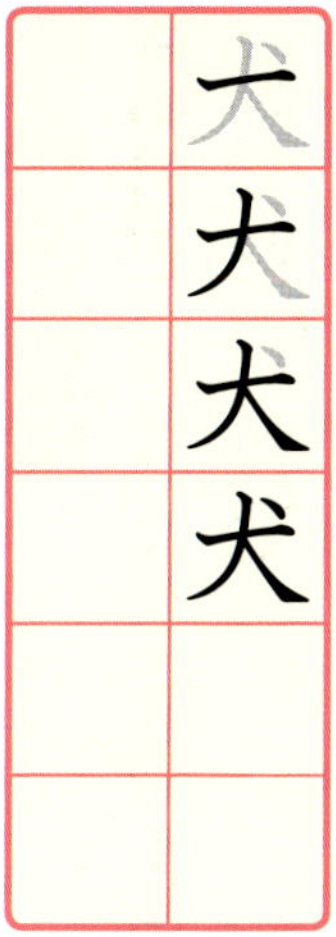

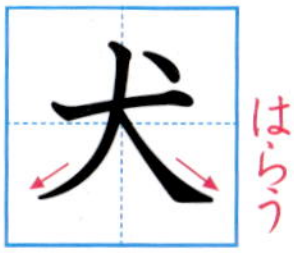

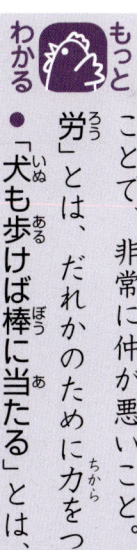

1年

王

王0画〔4画〕

音 オウ
訓 ―

king［キング］

つかいかた

冠《かんむり》をかぶった王《おう》。

王宮《おうきゅう》を見学《けんがく》する。

百獣《ひゃくじゅう》の王《おう》。

寺《てら》の仁王門《におうもん》。

いみ・ことば

① 国《くに》の君主《くんしゅ》。●王位《おうい》。王宮《おうきゅう》。王国《おうこく》。王子《おうじ》。王室《おうしつ》。王者《おうじゃ》。王女《おうじょ》。国王《こくおう》。女王《じょおう》。親王《しんのう》。法王《ほうおう》。

② もっとも力《ちから》のある人《ひと》。●得点王《とくてんおう》。発明王《はつめいおう》。

③ 仏教《ぶっきょう》を守《まも》る神《かみ》。●不動明王《ふどうみょうおう》。仁王《におう》。

④ 将棋《しょうぎ》のこまのひとつ。王将《おうしょう》。●王手《おうて》。

もっとわかる

●「親王《しんのう》」「四天王《してんのう》」のように、「王」の直前《ちょくぜん》に「ん」の音《おん》がくるときは、多《おお》く「ノウ」と読《よ》む。

なりたち

●権力《けんりょく》を示《しめ》す大《おお》きなまさかりをえがいた形《かたち》。大《おお》きく広《ひろ》がるイメージを持《も》ち、偉大《いだい》な人物《じんぶつ》を表《あらわ》すのに用《もち》いられた。

ひつじゅん

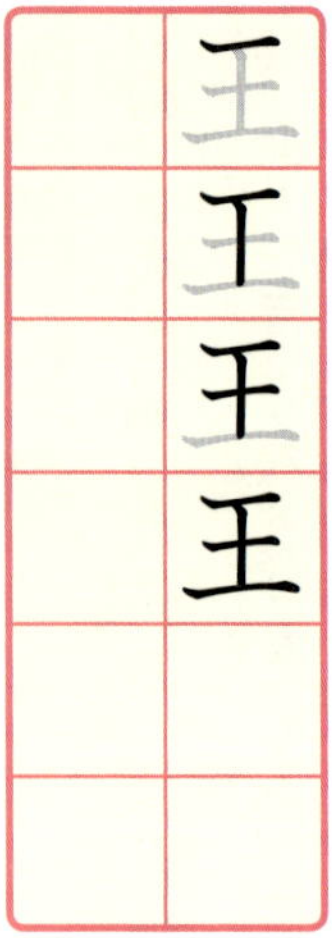

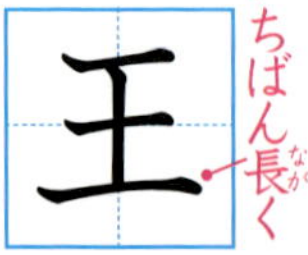

1年

玉

玉0画〔5画〕

訓 たま
音 ギョク

jewel［ヂューアる］

つかいかた

玉《たま》を投《な》げる。

朝食《ちょうしょく》の目玉焼《めだまや》き。

水玉《みずたま》模様《もよう》のスカート。

玉石混交《ぎょくせきこんこう》。

いみ・ことば

① 宝石《ほうせき》。● 玉石混交《ぎょくせきこんこう》。▲珠玉《しゅぎょく》。宝玉《ほうぎょく》。

② 丸《まる》いもの。● 玉入《たまい》れ。あめ玉《だま》。水玉《みずたま》。目玉《めだま》。

③ りっぱな。● 金科玉条《きんかぎょくじょう》。▲玉杯《ぎょくはい》。

④ 天子《てんし》に関《かん》すること。● 玉座《ぎょくざ》。

もっとわかる

●「玉石混交《ぎょくせきこんこう》」は、よいもの（玉《たま》）とつまらないもの（石《いし》）が入《い》りまじっていること。●「金《きん》科玉条《かぎょくじょう》」は、金《きん》や玉《たま》のようにりっぱな法律《ほうりつ》のことで、もっとも大切《たいせつ》な決《き》まりの意《い》。

なりたち

王 ↓ 玉

●宝石《ほうせき》をつないだかざりをえがいた形《かたち》で、美《うつく》しい石《いし》を表《あらわ》した。

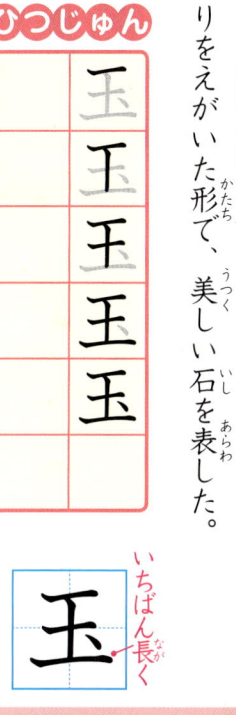

ひつじゅん

玉 玉 玉 玉 玉

玉 いちばん長《なが》く

1年

生

生０画〔５画〕

音 セイ・ショウ

訓 いきる　いかす　いける　うまれる　うむ　（おう）　はえる　はやす　（き）　なま

life［らイフ］

つかいかた

海底《かいてい》に生《い》きる生物《せいぶつ》。

岩《いわ》にこけが生《は》える。

子馬《こうま》が生《う》まれる。

野菜《やさい》を生《なま》で食《た》べる。

いみ・ことば

① いきる。●生《い》き物《もの》。生活《せいかつ》。生命《せいめい》。人生《じんせい》。

② うむ。うまれる。●生《お》い立《た》ち。生後《せいご》。生産《せいさん》。生年月日《せいねんがっぴ》。出生《しゅっしょう》（しゅっせい）。誕生日《たんじょうび》。発生《はっせい》。

③ 動植物《どうしょくぶつ》が育《そだ》つ。●芽生《めば》え。自生《じせい》。野生《やせい》。

④ 手《て》を加《くわ》えない。新《あたら》しい。●生水《なまみず》。生野菜《なまやさい》。

⑤ まじりけのない。●生糸《きいと》。生一本《きいっぽん》。生地《きじ》。

⑥ 勉強《べんきょう》する人《ひと》。●一年生《いちねんせい》。小学生《しょうがくせい》。優等生《ゆうとうせい》。

なりたち

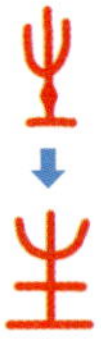

→生

●「屮（草木《くさき》の芽《め》）」と「土」を合《あ》わせ、土《つち》の中《なか》から草《くさ》の芽《め》がはえ出《で》るようすを示《しめ》した形《かたち》。生命《せいめい》が「うまれる」意《い》を表《あらわ》した。

ひつじゅん

生 生 生 生 生

生　いちばん長《なが》く

田

田0画〔5画〕

音 デン
訓 た

rice field
[ライスフィーるド]

つかいかた

田《た》に苗《なえ》を植《う》える。

田畑《たはた》を耕《たがや》す。

田《た》んぼのあぜ道《みち》。

美《うつく》しい田園《でんえん》風景《ふうけい》。

いみ・ことば

①たんぼ。●田植《たう》え。田畑《たはた》(でんぱた)。青田《あおた》。▲稲田《いなだ》。田園《でんえん》風景《ふうけい》。新田《しんでん》。水田《すいでん》。

②たんぼのように、土《つち》の中《なか》から物《もの》がとれる場《ば》所《しょ》。●塩田《えんでん》。炭田《たんでん》。油田《ゆでん》。

もっとわかる

●特別《とくべつ》な読《よ》み方《かた》に「田舎《いなか》」がある。●「青田《あおた》」は、いねが育《そだ》って青々《あおあお》とした水田《すいでん》。また、まだいねが実《みの》っていない田《た》。●「塩田《えんでん》」は、塩《しお》をとるために区画《くかく》して作《つく》った砂浜《すなはま》。

なりたち

↓
田

●縦《たて》と横《よこ》にあぜ道《みち》を通《とお》した田《た》んぼをえがいた形《かたち》で、「た」や「はたけ」を表《あらわ》した。

ひつじゅん

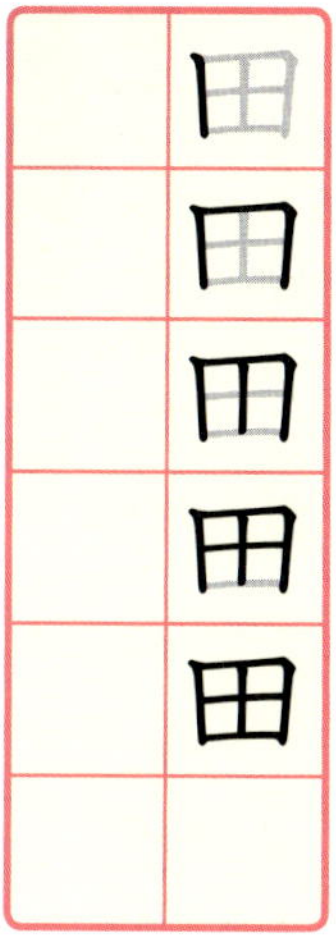

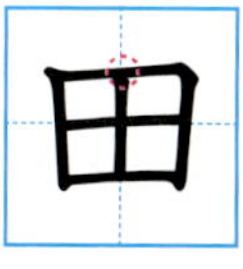
つき出《だ》さない

1年

男

田２画〔７画〕

音 ダン ナン

訓 おとこ

man［マン］

つかいかた

元気《げんき》な男《おとこ》の子《こ》。

男声《だんせい》コーラス。

勝《か》って男泣《おとこな》きする。

長男《ちょうなん》と次男《じなん》。

いみ・ことば

①おとこ。●男気《おとこぎ》。男手《おとこで》。男泣《おとこな》き。男《おとこ》の子《こ》。男前《おとこまえ》。男勝《おとこまさ》り。大男《おおおとこ》。山男《やまおとこ》。男子《だんし》。男児《だんじ》。男《だん》女《じょ》。男性《だんせい》。男声合唱《だんせいがっしょう》。男優《だんゆう》。美男《びなん》。

②むすこ。●一男《いちなん》二女《にじょ》。次男《じなん》。長男《ちょうなん》。

もっとわかる

●「老若男女《ろうにゃくなんにょ》」の「男女」は、「だんじょ」でなく「なんにょ」と読《よ》む。●二《ふた》つある坂《さか》のうち、急《きゅう》な坂《さか》を「男坂《おとこざか》」、ゆるやかな坂《さか》を「女坂《おんなざか》」と呼《よ》ぶ。

なりたち

男

●「田」と「力」の組《く》み合《あ》わせ。農作業《のうさぎょう》に力《ちから》をこめて働《はたら》くようすを図《ず》にして、力《ちから》のある「おとこ」を表《あらわ》した。

ひつじゅん

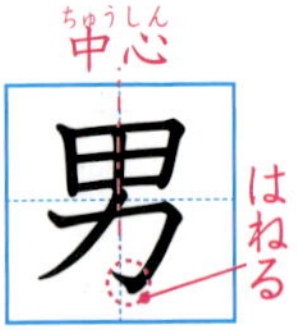

1年

町

田2画〔7画〕

音 チョウ
訓 まち

town [タウン]

つかいかた

遠《とお》くに町《まち》が見《み》える。

活気《かっき》のある港町《みなとまち》。

古《ふる》い町並《まちな》みが続《つづ》く。

町内会《ちょうないかい》のお祭《まつ》り。

いみ・ことば

① 家《いえ》が多《おお》く集《あつ》まったところ。まち。●町角《まちかど》。町《まち》工場《こうば》。町並《まちな》み。町外《まちはず》れ。下町《したまち》。港町《みなとまち》。

② 地方自治体《ちほうじちたい》の一《ひと》つ。市《し》より小《ちい》さく村《むら》より大《おお》きい。●町役場《まちやくば》。町長《ちょうちょう》。町立《ちょうりつ》。市町村《しちょうそん》。

もっとわかる

●「街」も「まち」と読《よ》み、店《みせ》が立《た》ち並《なら》ぶにぎやかな場所《ばしょ》や通《とお》りを指《さ》す。

なりたち

●「丁《ちょう》」はくぎの形《かたち》で、T形《がた》というイメージを示《しめ》す。「丁」と「田」を合《あ》わせた「町《ちょう》」は、田《た》と田《た》を区切《くぎ》るT形《がた》のあぜ道《みち》のこと。のちに、道《みち》で区切《くぎ》られた「まち」を表《あらわ》した。

ひつじゅん

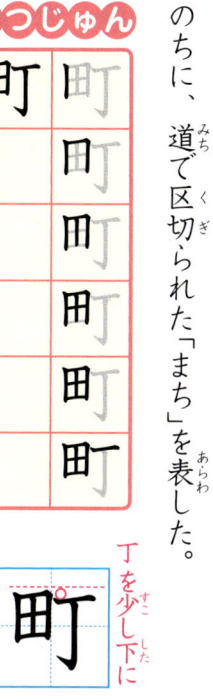

町

町

丁を少《すこ》し下《した》に

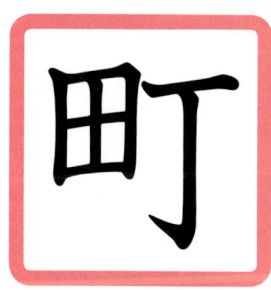

白

白0画〔5画〕

音 ハク（ビャク）

訓 しろ しら しろい

white [(ホ)ワイト]

つかいかた

赤《あか》と白《しろ》のしま模様《もよう》。

白《しろ》い歯《は》を見《み》せる。

白玉《しらたま》だんご。

白紙《はくし》の答案《とうあん》。

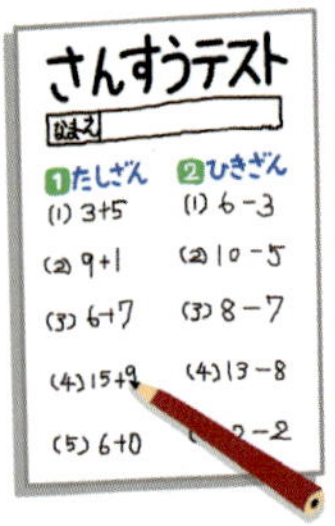

いみ・ことば

① しろ。しろい。●白黒《しろくろ》。白衣《はくい》。白鳥《はくちょう》。紅白《こうはく》。

② 明《あか》るい。はっきりした。●白日《はくじつ》。白夜《はくや》（や《びゃく》）。明白《めいはく》。

③ 何《なに》もない。●白木《しらき》。白紙《はくし》。白地図《はくちず》。空白《くうはく》。

④ 言《い》う。申《もう》す。●白状《はくじょう》。告白《こくはく》。自白《じはく》。

もっとわかる

●特別《とくべつ》な読《よ》み方《かた》に「白髪《しらが》」がある。●「百《ひゃく》」から上《うえ》の「一《いち》」をとると「白」になるため、「白《はく》寿《じゅ》」は九九歳《さい》を表《あらわ》す。

なりたち

↓白 ●からを取《と》りのぞいたどんぐりをえがいた形《かたち》。どんぐりの中身《なかみ》が白《しろ》っぽいことから、「しろ」の色《いろ》を表《あらわ》した。

ひつじゅん

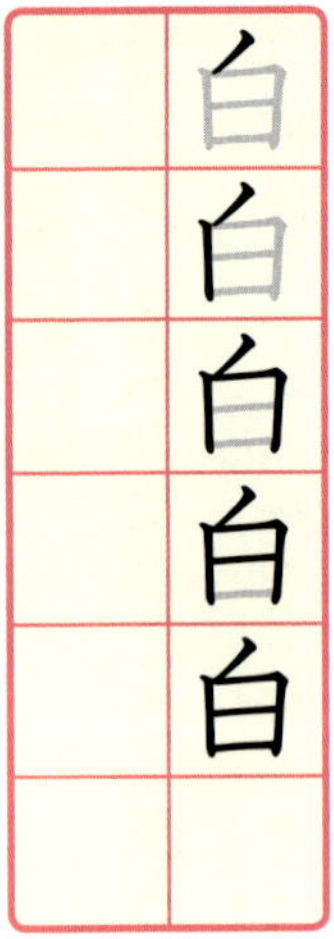

左下《ひだりした》に

1年

百

白1画〔6画〕

音 ヒャク
訓 —

hundred [ハンドレッド]

つかいかた

百円玉《ひゃくえんだま》をためる。

百人一首《ひゃくにんいっしゅ》で遊《あそ》ぶ。

テストで百点《ひゃくてん》をとる。

百発百中《ひゃっぱつひゃくちゅう》。

いみ・ことば

1 数《かず》の一〇〇。ひゃく。●百人一首《ひゃくにんいっしゅ》。百万円《ひゃくまんえん》。

2 数《かず》が多《おお》いこと。たくさん。●百獣《ひゃくじゅう》の王《おう》。百《ひゃく》人力《にんりき》。百科事典《ひゃっかじてん》。百貨店《ひゃっかてん》。

もっとわかる

●特別《とくべつ》な読《よ》み方《かた》に「八百屋《やおや》」「八百長《やおちょう》」がある。●「百発百中《ひゃっぱつひゃくちゅう》」は、すべて的《まと》にあたる意《い》の四《よ》字熟語《じじゅくご》。●「百聞《ひゃくぶん》は一見《いっけん》にしかず」は、人《ひと》から百回聞《ひゃっかいき》くよりも、一度自分《いちどじぶん》で見《み》るほうがよくわかるということ。

なりたち

「白《はく》」と「一」を合《あ》わせた形《かたち》で、数《かず》の一〇〇や一〇〇〇の位《くらい》を表《あらわ》した。

ひつじゅん

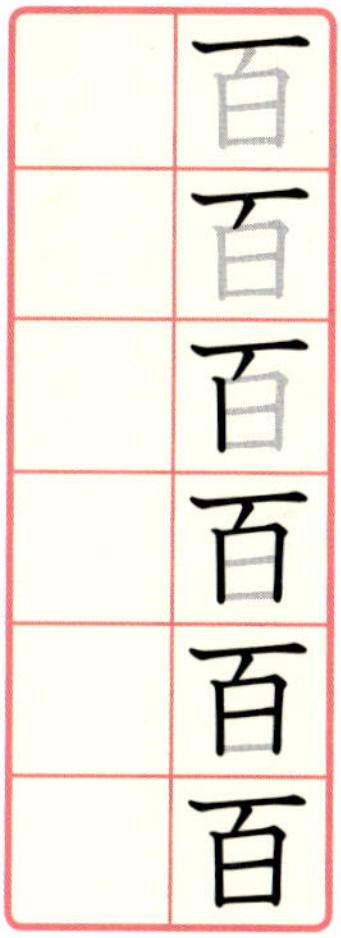

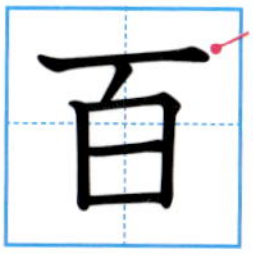

1年

目

目0画〔5画〕

音 モク（ボク）

訓 め（ま）

eye［アイ］

つかいかた

目《め》を開《あ》ける。

ぼうしを目深《まぶか》にかぶる。

目頭《めがしら》をおさえる。

目標《もくひょう》を定《さだ》める。

いみ・ことば

① め。めで見《み》る。●目薬《めぐすり》。目覚《めざ》まし。目玉《めだま》。目《め》つき。目元《めもと》。黒目《くろめ》。白目《しろめ》。目前《もくぜん》。着目《ちゃくもく》。注目《ちゅうもく》。

② 目《め》じるし。めあて。●目的《もくてき》。目標《もくひょう》。

③ 区切《くぎ》った一《ひと》つ一《ひと》つ。●目次《もくじ》。科目《かもく》。曲目《きょくもく》。

④ 順番《じゅんばん》を表《あらわ》すことば。●三番目《さんばんめ》。二人目《ふたりめ》。

もっとわかる

●特別《とくべつ》な読《よ》み方《かた》に「真面目《まじめ》」がある。●「目《ま》の当《あ》たりにする」の「目《ま》の当《あ》たり」は、「目《め》の前《まえ》」「直接《ちょくせつ》」の意味《いみ》。

なりたち

目

●正面《しょうめん》を向《む》いた目《め》をえがいた形《かたち》。

ひつじゅん

目 目 目 目 目

目 あきを同《おな》じに

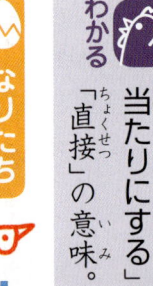

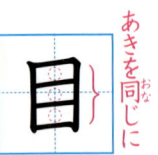

石

石0画〔5画〕

音 セキ シャク（コク）

訓 いし

stone［ストウン］

つかいかた

石《いし》の上《うえ》にも三年《さんねん》。

宝石《ほうせき》を身《み》につける。

石頭《いしあたま》がぶつかる。

磁石《じしゃく》にくぎがつく。

いみ・ことば

①いし。●石《いし》▲垣《がき》。石《いし》ころ。石《いし》だたみ。[1]小石《こいし》。石《せき》[5]像《ぞう》。石《せっ》[4]器《き》。[3]化《か》石《せき》。[2]岩《がん》石《せき》。[6]磁《じ》石《しゃく》。[6]宝《ほう》石《せき》。

②昔《むかし》、穀物《こくもつ》や液体《えきたい》などの量《りょう》をはかるのに使《つか》われた単位《たんい》。●石《こく》[2]高《だか》。[1]千《せん》石《ごく》[2]船《ぶね》。[1]百《ひゃく》[2]万《まん》石《ごく》。

もっとわかる

●「石《いし》の上《うえ》にも三年《さんねん》」は、しんぼうしていればやがて成功《せいこう》するということ。●「石頭《いしあたま》」は、がんこで融通《ゆうずう》がきかないことにもいう。

なりたち

↓石

●「厂（がけ）」と「口（いしころ）」を合《あ》わせた形《かたち》。がけの下《した》に石《いし》がころがるようすをえがいて、「いし」を表《あらわ》した。

ひつじゅん

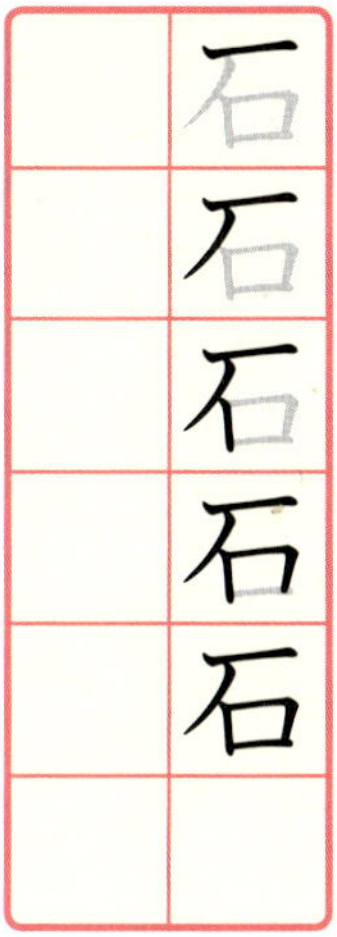

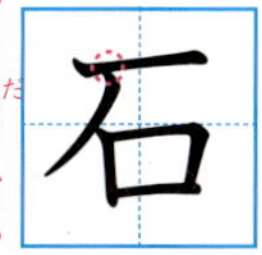
つき出《だ》さない

1年

空

穴3画〔8画〕

音 クウ

訓 そら　あく　あける　から

sky［スカイ］

つかいかた

飛行機《ひこうき》が空《そら》を飛《と》ぶ。

空《から》ぶりで三振《さんしん》になる。

空《あ》きかんを捨《す》てる。

空気《くうき》を入《い》れかえる。

いみ・ことば

① そら。●空模様《そらもよう》[6][3]。青空《あおぞら》[1]。夜空《よぞら》[2]。空港《くうこう》[3]。上空《じょうくう》[1]。

② 中身《なかみ》がない。●空《あ》きびん。空席《くうせき》[4]。空《くう》らん。

③ むだなこと。●空回《からまわ》り[2]。空転《くうてん》[3]。空論《くうろん》[6]。

もっとわかる

●「空耳《そらみみ》」は、音《おと》がしないのに聞《き》こえたように感《かん》じること。●「空前絶後《くうぜんぜつご》」は、これまでになかったような非常《ひじょう》にめずらしいこと。

なりたち

工 → 工

●「工《こう》」は二《ふた》つの線《せん》の間《あいだ》を縦《たて》の線《せん》でつき通《とお》す形《かたち》で、「つき通《とお》す」の意《い》。それと「穴（あな）」を合《あ》わせた「空《くう》」は、穴《あな》がつきぬけて「からっぽ」なようすを表《あらわ》した。

ひつじゅん

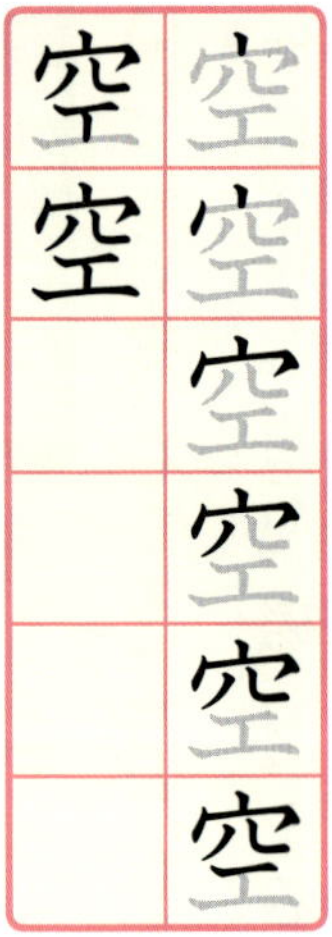

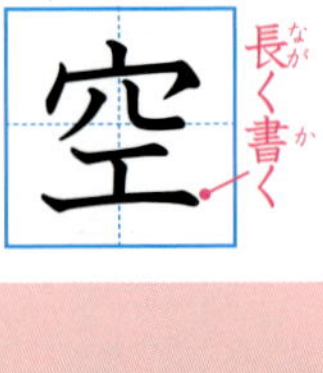

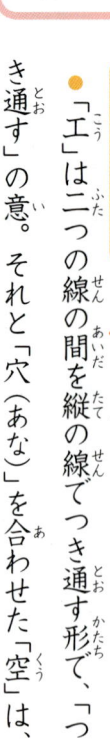

立

立0画〔5画〕

音　リツ（リュウ）

訓　たつ　たてる

stand［スタンド］

つかいかた

まっすぐ立《た》つ。

全員《ぜんいん》起立《きりつ》。

ろうそくを立《た》てる。

意見《いけん》が対立《たいりつ》する。

いみ・ことば

①たつ。たてる。●立《た》ち木《き》。立場《たちば》。立《た》ち話《ばなし》。立《た》ち読《よ》み。逆立《さかだ》ち。立候補《りっこうほ》。立食《りっしょく》パーティー。立体《りったい》。立地《りっち》。立腹《りっぷく》。立方体《りっぽうたい》。起立《きりつ》。直立《ちょくりつ》。

②なりたつ。●自立《じりつ》。成立《せいりつ》。両立《りょうりつ》。

③つくる。さだめる。●立案《りつあん》。国立《こくりつ》。設立《せつりつ》。

もっとわかる

●寺《てら》のお堂《どう》や塔《とう》をたてることを「建立《こんりゅう》」という。家《いえ》やビルなどをたてるときは使《つか》わない。

なりたち

●両手《りょうて》と両足《りょうあし》をバランスよく広《ひろ》げ、人《ひと》が地面《じめん》に立《た》つようすをえがいた形《かたち》で、「しっかり立《た》つ」ことを表《あらわ》した。

ひつじゅん

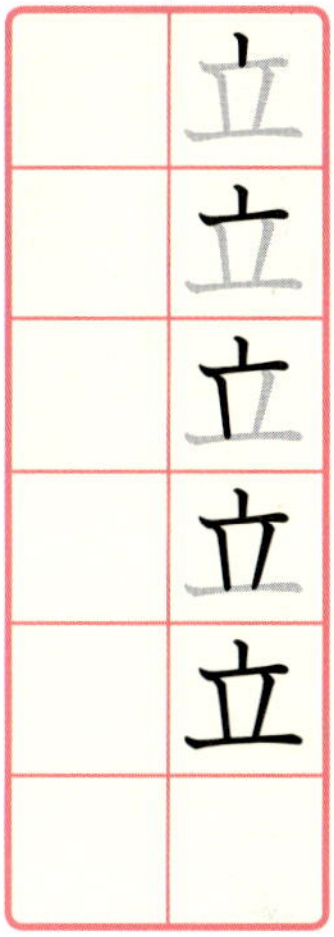

1年

竹

竹０画〔6画〕

音 チク

訓 たけ

bamboo ［バンブー］

つかいかた

竹《たけ》で道具《どうぐ》を作《つく》る。

松竹梅《しょうちくばい》の図《ず》がら。

竹馬《たけうま》に乗《の》る。

竹刀《しない》をふる。

いみ・ことば

●たけ。●竹馬《たけうま》[2]。竹《たけ》ざお。竹《たけ》づつ。竹《たけ》とんぼ。竹《たけ》やぶ。青竹《あおだけ》[1]。竹林《ちくりん》[1]。松竹梅《しょうちくばい》[4][4]。

もっとわかる

●特別《とくべつ》な読《よ》み方《かた》に「竹刀《しない》」がある。●「松竹《しょうちく》梅《ばい》」は松《まつ》と竹《たけ》と梅《うめ》のことで、おめでたいものとされる。●「竹馬《ちくば》の友《とも》」は、竹馬《たけうま》に乗《の》って遊《あそ》んだ友《とも》の意《い》で、おさななじみのこと。●「竹《たけ》を割《わ》ったよう」は、竹《たけ》がまっすぐに割《わ》れることから、さっぱりとした性格《せいかく》をいう。

なりたち

↓竹

●二本《にほん》のタケの枝《えだ》をえがいた形《かたち》。

ひつじゅん

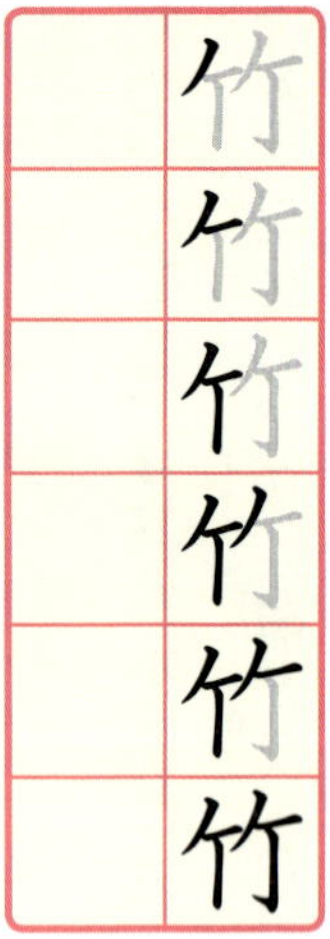

糸

糸0画〔6画〕

音 シ
訓 いと

thread［すレッド］

つかいかた

針《はり》と糸《いと》を用意《ようい》する。

糸電話《いとでんわ》で遊《あそ》ぶ。

納豆《なっとう》が糸《いと》を引《ひ》く。

金糸卵《きんしたまご》を散《ち》らす。

いみ・ことば

●いと。いとのように細《ほそ》いもの。●1糸口《いとぐち》。1糸車《いとぐるま》。

▲麻糸《あさいと》。1生糸《きいと》。6絹糸《きぬいと》（けんし）。2毛糸《けいと》。1金糸《きんし》。5製糸《せいし》。

もっとわかる

●「糸口《いとぐち》」には「巻《ま》いてある糸《いと》のはし」という意味《いみ》もあるが、「会話《かいわ》の糸口《いとぐち》」「解決《かいけつ》の糸口《いとぐち》」のように、「きっかけ」「てがかり」の意味《いみ》で使《つか》われることが多《おお》い。●「金《かね》に糸目《いとめ》をつけない」は、金《かね》をおしみなく使《つか》うこと。

なりたち

↓
↓
絲（糸）

●もとの字《じ》は「絲」。カイコのはき出《だ》す細《ほそ》い糸《いと》をえがいた「糸」を二《ふた》つ合《あ》わせて、「きぬいと」「いと」を表《あらわ》した。

ひつじゅん

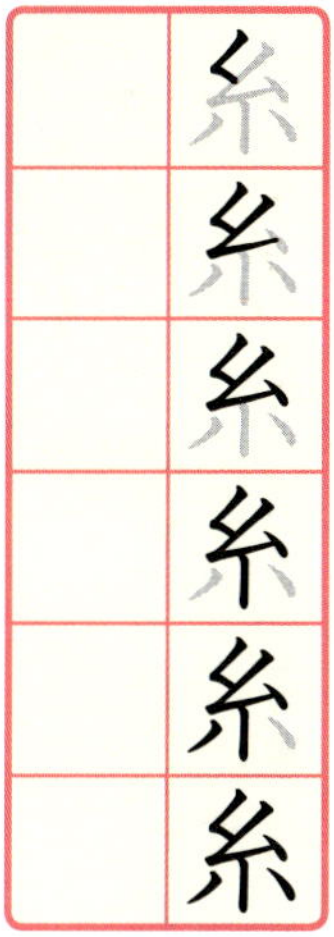

1年

耳

耳０画〔６画〕

訓 みみ
音 （ジ）

ear ［イア］

つかいかた

犬《いぬ》の耳《みみ》が動《うご》く。

パンの耳《みみ》を食《た》べる。

耳《みみ》をそばだてる。

耳鼻科《じびか》へ通《かよ》う。

いみ・ことば

① みみ。みみで聞《き》く。●耳《みみ》たぶ。耳《みみ》鳴《な》り。耳《みみ》元《もと》。耳寄《みみよ》り。空耳《そらみみ》。早耳《はやみみ》。耳鼻科《じびか》。中耳炎《ちゅうじえん》。

② はしの部分《ぶぶん》。●紙《かみ》の耳《みみ》をそろえる。パンの耳《みみ》。

もっとわかる

●弱《よわ》みをつかれてつらい意《い》の「耳《みみ》が痛《いた》い」、よく注意《ちゅうい》して聞《き》く意《い》の「耳《みみ》を傾《かたむ》ける」、相手《あいて》の言《い》い分《ぶん》を聞《き》き入《い》れる意《い》の「耳《みみ》を貸《か》す」、話《はな》して聞《き》かせる意《い》の「耳《みみ》に入《い》れる」など、「耳《みみ》」を使《つか》った表現《ひょうげん》は多《おお》い。

なりたち

→耳

●人《ひと》の耳《みみ》たぶをえがいた形《かたち》で、「みみ」を表《あらわ》した。

ひつじゅん

耳 耳 耳 耳 耳 耳

つき出《だ》す

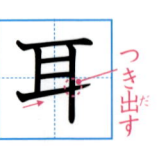

虫

虫0画〔6画〕

音 チュウ

訓 むし

insect［インセクト］

つかいかた

虫《むし》にさされる。

虫歯《むしば》になる。

母《はは》は泣《な》き虫《むし》だ。

ちょうの幼虫《ようちゅう》。

いみ・ことば

1 むし。こんちゅう。●2虫食《むしく》い。3虫歯《むしば》。6虫干《むしぼ》し。いも虫《むし》。2毛虫《けむし》。6幼虫《ようちゅう》。

2 人《ひと》を表《あらわ》すことば。●4泣《な》き虫《むし》。2弱虫《よわむし》。1本《ほん》の虫《むし》。

もっとわかる

●自分勝手《じぶんかって》の意《い》の「虫《むし》がいい」、なんとなく好《す》きになれない意《い》の「虫《むし》が好《す》かない」、きげんが悪《わる》い意《い》の「虫《むし》の居所《いどころ》が悪《わる》い」など、「虫《むし》」を使《つか》った表現《ひょうげん》は多《おお》い。

なりたち

↓

蟲（虫）

●もとの字《じ》は「蟲」。細長《ほそなが》いむしをえがいた「虫」を三《みっ》つ合《あ》わせて、さまざまな「むし」を表《あらわ》した。

ひつじゅん

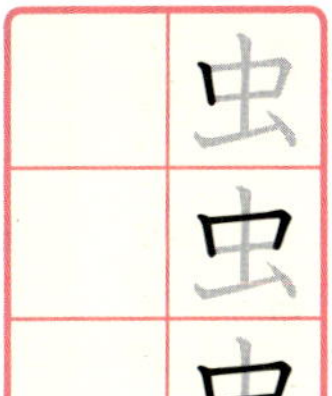

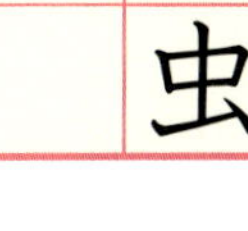

やや右上《みぎあ》がりに

1年

見

見0画〔7画〕

音 ケン

訓 みる　みえる　みせる

see［スィー］

つかいかた

子《こ》どもの寝顔《ねがお》を見《み》る。

写真《しゃしん》を見《み》せる。

富士山《ふじさん》が見《み》える。

見物客《けんぶつきゃく》でにぎわう。

いみ・ことば

① みる。ながめる。●見《み》せ2場《ば》。見《み》2通《とお》し。見《み》2晴《は》らし。見1本《みほん》。2形《かた》見《み》。1花《はな》見《み》。見1学《けんがく》。見2聞《けんぶん》。6拝《はい》見《けん》。

② みえる。あらわれる。●3発《はっ》見《けん》。▲露《ろ》見《けん》。

③ 考《かんが》え。●見5解《けんかい》。見5識《けんしき》。3意《い》見《けん》。6私《し》見《けん》。5政《せい》見《けん》。

もっとわかる

●「見様見《みようみ》まね」は、人《ひと》のすることを見《み》てまねをしているうちに、ひとりでにおぼえてしまうこと。

なりたち

↓見

●人《ひと》を示《しめ》す「儿」と「目」を合《あ》わせた形《かたち》。目玉《めだま》の大《おお》きな人《ひと》をえがいて、目《め》に「みえる」ことを表《あらわ》した。

ひつじゅん

見 見 見 見 見 見 見

見　はねる

貝

貝0画〔7画〕

音　かい
訓　—

shellfish［シェるフィッシュ］

つかいかた

貝《かい》を焼《や》く。

ほたて貝《がい》の貝柱《かいばしら》。

貝《かい》がらを集《あつ》める。

巻《ま》き貝《がい》を見《み》つける。

いみ・ことば

●かい。●貝《かい》がら。貝《かい》[2]細《ざい》[2]工《く》。貝《かい》▲塚《づか》。貝《かい》[3]柱《ばしら》。貝《かい》[4]類《るい》。[1]赤《あか》貝《がい》。[3]真《しん》▲珠《じゅ》貝《がい》。[1]二《に》[6]枚《まい》貝《がい》。ほたて貝《がい》。ほら貝《がい》。[6]巻《ま》き貝《がい》。

もっとわかる

●「貝」は「見」と形《かたち》が似《に》ていてまちがえやすいので注《ちゅう》意《い》。●美《うつく》しい色《いろ》や模《も》様《よう》のある貝《かい》は、お金《かね》としても使《つか》われていた。お金《かね》に関《かん》係《けい》する「財《ざい》」「貯《ちょ》」「買《ばい》」などには、みな貝《かい》がつく。

なりたち

→貝

●からが二《ふた》つに分《わ》かれている二《に》枚《まい》貝《がい》をえがいた形《かたち》で、「かい」を表《あらわ》した。

ひつじゅん

貝 貝 貝 貝 貝 貝 貝

貝　とめる

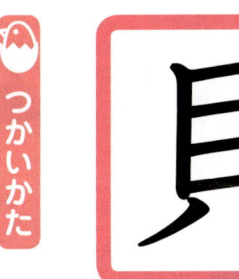

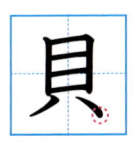

赤

赤０画〔７画〕

音　セキ（シャク）

訓　あか　あかい　あか**らむ**　あか**らめる**

red［レッド］

つかいかた

信号《しんごう》が**赤**《あか》になる。

ほおを**赤らめる**《あか》。

赤い《あか》くつをはく。

赤飯《せきはん》をたく。

いみ・ことば

① **あか。あかい。** ●赤組《あかぐみ》。赤字《あかじ》。赤信号《あかしんごう》。赤《あか》ちゃん。赤《あか》ら顔《がお》。赤外線《せきがいせん》。赤道《せきどう》。赤血球《せっけっきゅう》。

② **むき出《だ》しの。まったくの。** ●赤《あか》の他人《たにん》。赤貧《せきひん》。真《ま》っ赤《か》なうそ。

もっとわかる

●特別《とくべつ》な読《よ》み方《かた》に「**真《ま》っ赤《か》**」がある。●「シャク」の読《よ》みは、「赤銅色《しゃくどういろ》」などのことばに使《つか》われる。

なりたち

↓

赤

●「大（おおきい）」と「火（ひ）」を組《く》み合《あ》わせた形《かたち》。火《ひ》が大《おお》きく燃《も》えるようすで、「あか」の色《いろ》を表《あらわ》した。

ひつじゅん

赤　赤　赤　赤　赤　赤

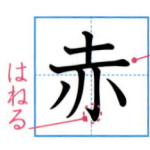

赤

長《なが》めに

はねる

足

足0画〔7画〕

音 ソク

訓 あし　た**りる**　た**る**　た**す**

foot［フット］

つかいかた

足《あし》あとがつく。

山《やま》へ遠足《えんそく》に行《い》く。

足《た》し算《ざん》をする。

三足《さんぞく》のくつが並《なら》ぶ。

いみ・ことば

① あし。●足腰《あしこし》[▲]。足元《あしもと》[2]。素足《すあし》[5]。手足《てあし》[1]。土足《どそく》[1]。

② あるく。●足音《あしおと》[1]。足取《あしど》り[3]。千鳥足《ちどりあし》[1,2]。遠足《えんそく》[2]。

③ 十分《じゅうぶん》だ。●自給自足《じきゅうじそく》[2,4,2]。充足《じゅうそく》[▲]。不足《ふそく》[4]。満足《まんぞく》[4]。

④ 加《くわ》える。たす。●足《た》し算《ざん》[2]。補足《ほそく》[6]。

⑤ はきものを数《かぞ》えることば。●二足《にそく》[1]のくつ。

もっとわかる

●特別《とくべつ》な読《よ》み方《かた》に「足袋《たび》」がある。●「足《あし》が出《で》る（予算《よさん》を超《こ》える）」「足《あし》が棒《ぼう》になる（長時間《ちょうじかん》歩《ある》いて足《あし》がつかれる）」など、「足」を使《つか》ったことばは多《おお》い。

なりたち

●ひざから下《した》の足《あし》をえがいた形《かたち》で、「あし」を表《あらわ》した。

ひつじゅん

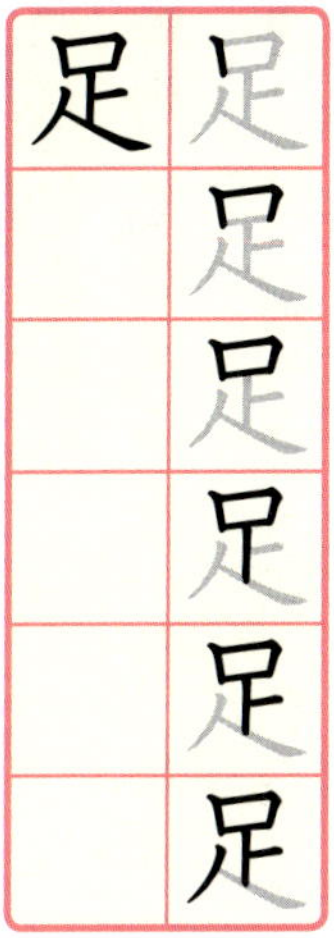

車

車0画〔7画〕

訓 くるま

音 シャ

vehicle［ヴィークる］

つかいかた

車《くるま》を運転《うんてん》する。

自転車《じてんしゃ》の車輪《しゃりん》。

風車《かざぐるま》を回《まわ》す。

レッカー車《しゃ》で運《はこ》ぶ。

いみ・ことば

①車輪《しゃりん》。くるま。●車《くるま》いす。1糸車《いとぐるま》。2風車《かざぐるま》（ふうしゃ）。1水車《みずぐるま》（すいしゃ）。3歯車《はぐるま》。

②乗《の》り物《もの》。●3車庫《しゃこ》。車《しゃ》しょう。6車窓《しゃそう》。2車体《しゃたい》。車《しゃ》2道《どう》。3車両《しゃりょう》。4観6覧車《かんらんしゃ》。2汽車《きしゃ》。1下車《げしゃ》。2自3転車《じてんしゃ》。2自3動車《じどうしゃ》。2電車《でんしゃ》。2馬車《ばしゃ》。3発車《はっしゃ》。

もっとわかる

●特別《とくべつ》な読《よ》み方《かた》に「山車《だし》」がある。●「火《ひ》の車《くるま》」とは、お金《かね》がなくて苦《くる》しいこと。

なりたち

●昔《むかし》の中国《ちゅうごく》の二輪車《にりんしゃ》をえがいた形《かたち》で、「くるま」を表《あらわ》した。

ひつじゅん

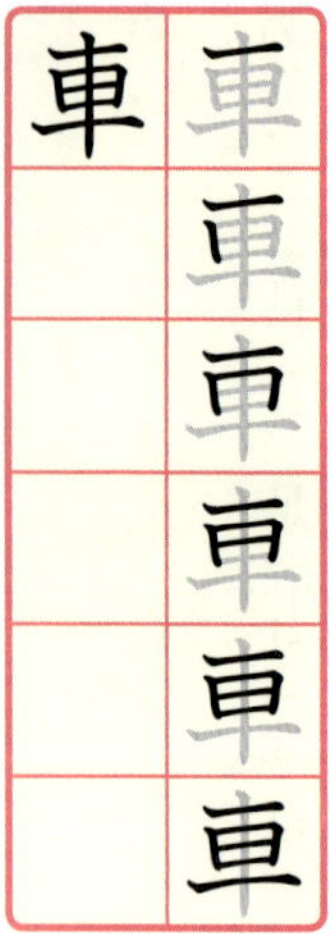

金

金0画〔8画〕

音 キン コン

訓 かね かな

metal [メトる]

つかいかた

お金《かね》をはらう。

金庫《きんこ》に宝石《ほうせき》をしまう。

金《かな》づちでたたく。

黄金《おうごん》の山《やま》を見《み》つける。

いみ・ことば

1 金属《きんぞく》。●金《かな》あみ。金具《かなぐ》3。金《かな》づち。金棒《かなぼう》6。地《じ》2金《がね》。

2 きん。金色《きんいろ》。●金髪《きんぱつ》▲。金《きん》メダル。純《じゅん》6金《きん》。

3 お金《かね》。●金額《きんがく》5。金品《きんぴん》3。現《げん》5金《きん》。大《たい》1金《きん》。貯《ちょ》5金《きん》。

4 金曜日《きんようび》のこと。●月《げっ》1水《すい》1金《きん》。

もっとわかる

●「鬼《おに》に金棒《かなぼう》」とは、強《つよ》いものがさらに力《ちから》を増《ま》すこと。●「金色《きんいろ》」は、「こんじき」とも読《よ》む。

なりたち

⬇
金

●「今《きん》」は上《うえ》からふたをかぶせた形《かたち》で、「中《なか》にとじこめる」イメージを示《しめ》す。「今」の変《へん》化《か》した「亽」と「ハ(つぶ)」と「土(つち)」を合《あ》わせた「金《きん》」は、土《つち》の中《なか》に砂金《さきん》がとじこめられたようすで、金属《きんぞく》を表《あらわ》した。

ひつじゅん

上《うえ》につき出《で》ない

雨

雨０画〔8画〕

音 ウ

訓 あめ　あま

rain［レイン］

つかいかた

大《おお》つぶの雨《あめ》が降《ふ》る。

雨宿《あまやど》りする。

雨《あめ》が上《あ》がる。

試合《しあい》は雨天《うてん》中止《ちゅうし》だ。

いみ・ことば

● あめ。あめふり。

● 雨音《あまおと》[1]。雨具《あまぐ》[3]。雨雲《あまぐも》[2]。雨垂《あまだ》れ[6]。雨水《あまみず》[1]。雨宿《あまやど》り[3]。雨風《あめかぜ》[2]。大雨《おおあめ》[1]。小雨《こさめ》[1]。雨量《うりょう》[4]。梅雨《ばいう》[4]。風雨《ふうう》[2]。

もっとわかる

●特別《とくべつ》な読《よ》み方《かた》に「五月雨《さみだれ》」「時雨《しぐれ》」「梅雨《つゆ》」などがある。●「梅雨《ばいう》」は、六月《ろくがつ》ごろに降《ふ》り続《つづ》く雨《あめ》。「つゆ」とも読《よ》む。●「小雨《こさめ》」「霧雨《きりさめ》」など、「雨」を「さめ」と読《よ》む場合《ばあい》もあるので注意《ちゅうい》。

なりたち

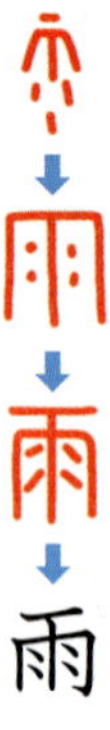

●空《そら》から水《みず》のしずくが落《お》ちてくるようすをえがいた形《かたち》で、「あめ」を表《あらわ》した。

ひつじゅん

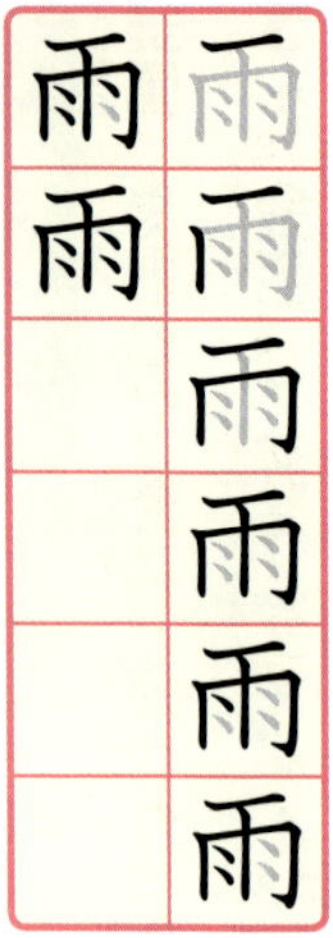

中心《ちゅうしん》

青

青0画〔8画〕

音 セイ（ショウ）

訓 あお あおい

blue［ブるー］

つかいかた

青《あお》い空《そら》が広《ひろ》がる。

顔《かお》が青《あお》ざめる。

木《き》が青々《あおあお》としげる。

体格《たいかく》のよい青年《せいねん》。

いみ・ことば

①あお。あおい。●青信号《あおしんごう》。青空《あおぞら》。青葉《あおば》。青天《せいてん》。

②としが若《わか》い。●青春《せいしゅん》。青少年《せいしょうねん》。青年《せいねん》。

もっとわかる

●特別《とくべつ》な読《よ》み方《かた》に「真《ま》っ青《さお》」がある。●銅《どう》の表面《ひょうめん》にできる緑色《みどりいろ》のさびを「緑青《ろくしょう》」という。

なりたち

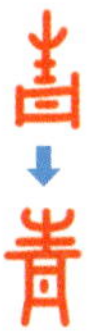
青（青）

●もとの字《じ》は「靑」。「生」は「生」、「円」は「井」の形《かたち》が変《か》わったもの。土《つち》から出《で》る草《くさ》の芽《め》をえがいた「生《せい》」と、井戸《いど》の水《みず》を示《しめ》した「井《せい》」を合《あ》わせた形《かたち》。草《くさ》の芽《め》も井戸《いど》の水《みず》もすがすがしいイメージを持《も》つところから、すがすがしく澄《す》んだ「あお」の色《いろ》を表《あらわ》した。

ひつじゅん

青 青 青 青 青 青 青 青

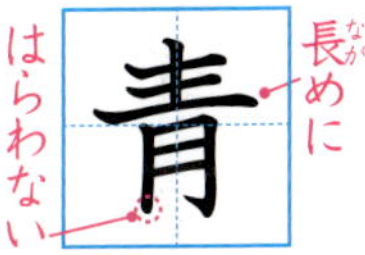

1年

音

音0画〔9画〕

訓 ね おと

音 オン（イン）

sound［サウンド］

つかいかた

音《おと》が頭《あたま》にひびく。

美《うつく》しい音色《ねいろ》。

あやしい物音《ものおと》がする。

教科書《きょうかしょ》を音読《おんどく》する。

いみ・ことば

1 おと。こえ。●2音色《ねいろ》。1足音《あしおと》。1雨音《あまおと》。1虫の音《ね》。3物音《ものおと》。2音楽《おんがく》。2音読《おんどく》。4音量《おんりょう》。5雑音《ざつおん》。3発音《はつおん》。3和音《わおん》。

2 漢字《かんじ》の読《よ》み方《かた》の一《ひと》つ。●4音訓《おんくん》。2音読《おんよ》み。

3 たより。●4音信《おんしん》。

もっとわかる

●「イン」の読《よ》みは、「母音《ぼいん》」「子音《しいん》」などに使《つか》われる。

●漢字《かんじ》の読《よ》み方《かた》には「音読《おんよ》み」と「訓読《くんよ》み」がある。

なりたち

↓

音

●ことばを区切《くぎ》って「はっきりいう」ことを示《しめ》す「言」の「口」の中《なか》に、「一」を入《い》れた形《かたち》。口《くち》の中《なか》にこもってはっきりせず、うんうんうなるだけで、ことばにならない「おと」を表《あらわ》した。

ひつじゅん

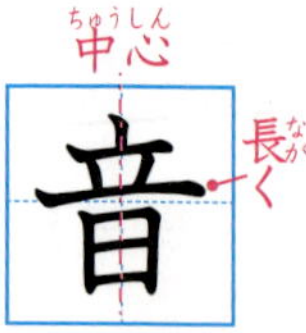

2年生《ねんせい》で習《なら》う漢字《かんじ》（160字《じ》）

午	北	前	分	切	刀	内	公	光	兄	元	体	作	何	会	今	京	交	丸	万
124	124	123	123	122	122	121	121	120	120	119	119	118	118	117	117	116	116	115	115
多	外	夏	冬	売	声	場	地	園	国	図	回	同	合	台	古	友	原	南	半
134	134	133	133	132	132	131	131	130	130	129	129	128	128	127	127	126	126	125	125
強	弱	弟	引	弓	店	広	帰	市	工	岩	当	少	寺	家	室	妹	姉	太	夜
144	144	143	143	142	142	141	141	140	140	139	139	138	138	137	137	136	136	135	135
昼	星	春	明	方	新	数	教	才	戸	思	心	遠	道	週	通	近	茶	後	形
154	154	153	153	152	152	151	151	150	150	149	149	148	148	147	147	146	146	145	145
父	点	活	海	汽	池	毛	毎	母	歩	止	歌	楽	東	来	朝	書	曜	晴	時
164	164	163	163	162	162	161	161	160	160	159	159	158	158	157	157	156	156	155	155
羽	線	絵	組	細	紙	米	算	答	秋	科	社	知	矢	直	番	画	用	理	牛
174	174	173	173	172	172	171	171	170	170	169	169	168	168	167	167	166	166	165	165
里	走	買	谷	読	語	話	記	計	言	角	親	西	行	色	船	自	肉	聞	考
184	184	183	183	182	182	181	181	180	180	179	179	178	178	177	177	176	176	175	175
黒	黄	鳴	鳥	魚	高	馬	首	食	風	顔	頭	電	雲	雪	間	門	長	麦	野
194	194	193	193	192	192	191	191	190	190	189	189	188	188	187	187	186	186	185	185

漢字力《かんじりょく》をアップする方法《ほうほう》2 仲間《なかま》の漢字《かんじ》を探《さが》そう

漢字《かんじ》はたくさんあります。がむしゃらに丸暗記《まるあんき》しても覚《おぼ》えきれないですね。ところが漢字《かんじ》を覚《おぼ》える秘訣《ひけつ》があるのです。クイズを解《と》いたり、推《すい》理小説《りしょうせつ》の犯人《はんにん》を見《み》つけたりするのと同《おな》じように、**推理力《すいりりょく》と連想力《れんそうりょく》を働《はたら》かせることがポイントです。**

まだ学習《がくしゅう》したことのない漢字《かんじ》や初《はじ》めて見《み》る漢字《かんじ》でも、**部首《ぶしゅ》が同《おな》じ仲間《なかま》の漢字《かんじ》や、漢字《かんじ》の音《おん》を表《あらわ》す部分《ぶぶん》が同《おな》じ仲間《なかま》の漢字《かんじ》などを見《み》つけていけば、**どういう意味《いみ》をもった何《なん》と読《よ》む字《じ》か、どう書《か》いたらよいか、おおよそ見当《けんとう》がついてきます。

では、仲間分《なかまわ》けをしてみましょう。

花　間　遊　家　照　康　箱　雪　図　意　芽
完　熱　遠　薬　庫　節　国　雲　開　感

「読《よ》み方《かた》で分《わ》けるのかな。〝はな・か〟〝あいだ・かん〟〝あそ（ぶ）・ゆう〟……。どうもちがうな。意味《いみ》かな。」ヒント。「花と芽と薬は仲間《なかま》です。」もうわかったでしょう。「くさかんむり」の仲間《なかま》です。ほかに、「間と開」「遊と遠」「家と完」「照と熱」「康と庫」「箱と節」「雪と雲」「図と国」「意と感」。

同《おな》じ部首《ぶしゅ》は同《おな》じ仲間《なかま》なのです。部首《ぶしゅ》は漢字《かんじ》のパーツの一《ひと》つです。プラモデルを組《く》み立《た》てるときと同《おな》じように、**頭《あたま》の中《なか》に漢字《かんじ》のパーツごとの引《ひ》き出《だ》しを作《つく》れば、覚《おぼ》えるときに整理《せいり》しやすいですね。**

ところで、部首《ぶしゅ》の名前《なまえ》を知《し》っていますか？「もんがまえ」「しんにょう」「うかんむり」「まだれ」「たけ」「あめ」「くにがまえ」「こころ」。ほかにも「ごんべん」「のぎへん」「くさかんむり」……。

部首《ぶしゅ》のある場所《ばしょ》で、左《ひだり》は「へん」、右《みぎ》は「つくり」、上《うえ》は「かんむり」、下《した》は「あし」、ほかにも「にょう」「たれ」「かまえ」など、さらに仲間分《なかまわ》けができます。パーツが増《ふ》えますね。

万

一2画〔3画〕

音 マン（バン）

訓 —

つき出さない　はねる

ten thousand [テン さウザンド]

つかいかた

一万円札《いちまんえんさつ》の束《たば》。

万国博覧会《ばんこくはくらんかい》。

万歳《ばんざい》をする。

いみ・ことば

① 数《かず》の一〇〇〇〇。千《せん》の十倍《じゅうばい》。●一万円札《いちまんえんさつ》。百万円《ひゃくまんえん》。

② 数《かず》が多《おお》い。あらゆる。●万国《ばんこく》。万事《ばんじ》。万能《ばんのう》。万物《ばんぶつ》。

もっとわかる

●「万年筆《まんねんひつ》」「万年床《まんねんどこ》」「万年雪《まんねんゆき》」などの「万年《まんねん》」は、非常《ひじょう》に長《なが》い期間《きかん》の意《い》。●「万歳《ばんざい》」は、めでたいときに唱《とな》えることば。

なりたち

→ 萬（万）

●もとの字《じ》は「萬」。大《おお》きなはさみを持《も》つサソリをえがいた形《かたち》。サソリがたくさん子《こ》を産《う》むところから、大《おお》きな数《かず》を表《あらわ》した。

万 万 万

丸

丶2画〔3画〕

音 ガン

訓 まる　まるい　まるめる

上《うえ》にはねる　はらう

round [ラウンド]

つかいかた

地球《ちきゅう》は丸《まる》い。

丸《まる》ごとかじる。

砲丸《ほうがん》を投《な》げる。

いみ・ことば

① まる。まるい。まるめる。●丸顔《まるがお》。丸太《まるた》。丸薬《がんやく》。砲丸《ほうがん》。

② すっかり。ぜんぶ。●丸一年《まるいちねん》。丸《まる》ごと。丸坊主《まるぼうず》。丸焼《まるや》き。

③ 人《ひと》や船《ふね》の名前《なまえ》につけることば。●牛若丸《うしわかまる》。日本丸《にほんまる》。

もっとわかる

●「丸」は「九」と似《に》ていてまちがえやすいので注意《ちゅうい》。●「丸坊主《まるぼうず》」は、山《やま》などに木《き》が一本《いっぽん》も生《は》えていないようすにもいう。

なりたち

→ 丸

●「乙（曲《ま》がった線《せん》）」と「匕（かがんで体《からだ》をまるめた人《ひと》）」を組《く》み合《あ》わせた形《かたち》で、まるくなったものを表《あらわ》した。

丸 丸 丸

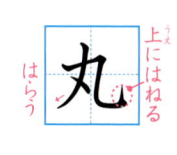

交

亠4画〔6画〕

音 コウ

訓 まじわる まじえる まじる まざる まぜる （かう・かわす）

交 とめる

cross［クロ(ー)ス］

つかいかた

線路《せんろ》が交《まじ》わる。

選手交代《せんしゅこうたい》。

ひもを交差《こうさ》させる。

いみ・ことば

①まじわる。まじる。まざる。●かな交《ま》じり文《ぶん》。交差点《こうさてん》。

②行《い》き来《き》する。つきあう。●交際《こうさい》。交通《こうつう》。交友《こうゆう》。外交《がいこう》。

③いれかわる。かえる。●交換《こうかん》。交代《こうたい》。

もっとわかる

●「水魚《すいぎょ》の交《まじ》わり」は、非常《ひじょう》に親《した》しい交友《こうゆう》のこと。●「絶交《ぜっこう》」は人《ひと》どうし、「断交《だんこう》」は国《くに》どうしがつきあいをやめること。

なりたち

→→交 ●人《ひと》が足《あし》を交差《こうさ》させているようすをえがいた形《かたち》で、「交差《こうさ》する」ことを表《あらわ》した。

交交交交交交

京

亠6画〔8画〕

音 キョウ （ケイ）

訓 ―

京 長《なが》く はねる

capital［キャピトる］

つかいかた

東京《とうきょう》タワー。

京都《きょうと》の町並《まちな》み。

田舎《いなか》から上京《じょうきょう》する。

いみ・ことば

①みやこ。●帰京《ききょう》。上京《じょうきょう》。平安京《へいあんきょう》。

②東京《とうきょう》。●京浜工業地帯《けいひんこうぎょうちたい》（「浜」は横浜《よこはま》）。京葉線《けいようせん》（「葉」は千葉《ちば》）。

③京都《きょうと》。●京染《きょうぞ》め。京人形《きょうにんぎょう》。京野菜《きょうやさい》。京阪《けいはん》（「阪」は大阪《おおさか》）。

もっとわかる

●「帰京《ききょう》」は、「京（みやこ）に帰《かえ》る」という意味《いみ》。明治時代《めいじじだい》より前《まえ》は京都《きょうと》、明治《めいじ》以降《いこう》は東京《とうきょう》に帰《かえ》ることをいう。

なりたち

→→→京 ●高《たか》い丘《おか》の上《うえ》に建物《たてもの》が建《た》つようすをえがいた形《かたち》で、「みやこ」を表《あらわ》した。

京京京京京京京

今

へ2画〔4画〕

音 コン（キン）

訓 いま

中心《ちゅうしん》

now［ナウ］

つかいかた

今《いま》にも降《ふ》りそうだ。

今夜《こんや》は花火《はなび》をする。

今日《きょう》はいい天気《てんき》だ。

いみ・ことば

1 いま。現在《げんざい》。●今《いま》ごろ。今時分《いまじぶん》。今《いま》にも。今後《こんご》。昨今《さっこん》。

2 この。このたび。●今回《こんかい》。今度《こんど》。今夜《こんや》。

もっとわかる

●特別《とくべつ》な読《よ》み方《かた》…今日《きょう》・今朝《けさ》・今年《ことし》 ●「キン」の読《よ》みは、「古《こ》今和歌集《きんわかしゅう》」などに使《つか》われる。

なりたち

→ → → 今 ●かぶせることを示《しめ》す「亼」と「一」を組《く》み合《あ》わせて、物《もの》を取《と》りおさえるようすを示《しめ》した形《かたち》。その瞬間《しゅんかん》をつかまえることから、「いま」を表《あらわ》した。

今今今今

会

へ4画〔6画〕

音 カイ（エ）

訓 あう

中心《ちゅうしん》

やや長《なが》く

meet［ミート］

つかいかた

友達《ともだち》に会《あ》う。

小学校《しょうがっこう》の運動会《うんどうかい》。

軽《かる》く会釈《えしゃく》する。

いみ・ことば

1 あう。出《で》あう。●出会《であ》い。会見《かいけん》。会話《かいわ》。面会《めんかい》。

2 集《あつ》まり。●会員《かいいん》。会合《かいごう》。会場《かいじょう》。運動会《うんどうかい》。集会《しゅうかい》。大会《たいかい》。

3 自分《じぶん》のものにする。●会得《えとく》。

もっとわかる

●四字熟語《よじじゅくご》…一期一会《いちごいちえ》（一生《いっしょう》に一度《いちど》きりの機会《きかい》）

なりたち

→ → 會（会） ●もとの字《じ》は「會」。集《あつ》めることを示《しめ》す「亼」と重《かさ》なって増《ふ》えることを示《しめ》す「曾」を組《く》み合《あ》わせて、多《おお》くの人《ひと》や物《もの》が一《ひと》つの場所《ばしょ》に集《あつ》まることを表《あらわ》した。

会会会会会会

2年

何

イ5画〔7画〕

音 (カ)
訓 なに なん

はねる

what [(ホ)ワット]

つかいかた

何《なに》を食《た》べるか決《き》める。

今何時《いまなんじ》ですか。

何《なに》も言《い》わない。

いみ・ことば

●わからないことをたずねることば。なに。●何[1]月何[1]日《なんがつなんにち》。何[1]人《なんにん》。

もっとわかる

●「何食《なにく》わぬ顔《かお》」とは、本当《ほんとう》は知《し》っているのに何《なに》も知《し》らないような顔《かお》つきのこと。

なりたち

→可

●「可《か》」は「形《がた》に荷物《にもつ》をかつぐようす。それに「イ(人《ひと》)」を合《あ》わせて、人《ひと》が荷物《にもつ》をかつぐことを表《あらわ》した。のちに「荷」が、かつぐ意《い》で使《つか》われるようになり、「何」は、たずねるときに使《つか》われることばとなった。

何 何 何 何 何 何 何

作

イ5画〔7画〕

音 サク サ
訓 つくる

上《うえ》の横棒《よこぼう》より短《みじか》く

make [メイク]

つかいかた

紙《かみ》で船《ふね》を作《つく》る。

作文《さくぶん》を読《よ》む。

ぎこちない動作《どうさ》。

いみ・ことば

①つくる。●作り[3]事《つくりごと》。作り[2]話《つくりばなし》。作り[4]笑《つくりわら》い。作成《さくせい》。作[4]戦《さくせん》。作[3]品《さくひん》。作[1]文《さくぶん》。作[3]曲《さっきょく》。[2]合作《がっさく》。[2]工作《こうさく》。[2]自作《じさく》。[1]名作《めいさく》。

②はたらき。おこない。●作[3]業《さぎょう》。作[3]動《さどう》。作[4]法《さほう》。作[2]用《さよう》。[3]動作《どうさ》。

③田畑《たはた》で作物《さくもつ》をつくる。●[4]不作《ふさく》。[5]豊作《ほうさく》。

なりたち

→乍

●「乍《さ》」は刃物《はもの》で切《き》れ目《め》を入《い》れること。それに「イ(人《ひと》)」を合《あ》わせて、自然《しぜん》の素材《そざい》に切《き》れ目《め》を入《い》れて「つくる」ことを表《あらわ》した。

作 作 作 作 作 作 作

2年

体

亻5画〔7画〕

音　タイ　(テイ)
訓　からだ

木と書《か》かない

body［バディ］

つかいかた

体《からだ》をきたえる。

身体測定《しんたいそくてい》を行《おこな》う。

体裁《ていさい》を気《き》にする。

いみ・ことば

①からだ。●体育《たいいく》。体温《たいおん》。体重《たいじゅう》。体操《たいそう》。体力《たいりょく》。身体《しんたい》。

②形《かたち》。ありさま。●体裁《ていさい》。気体《きたい》。固体《こたい》。物体《ぶったい》。立体《りったい》。

もっとわかる

●四字熟語《よじじゅくご》…一心同体《いっしんどうたい》(心《こころ》も体《からだ》も一《ひと》つになったように強《つよ》く結《むす》びつくこと)

なりたち

豊 → 豊

●もとの形《かたち》は「體」。「豊《れい》」は、「豆(たかつき)」の上《うえ》に供《そな》え物《もの》をのせた形《かたち》で、形《かたち》よくととのうというイメージを示《しめ》す。それと「骨(ほね)」を合《あ》わせて、骨《ほね》が形《かたち》よく組《く》み立《た》てられた「からだ」を表《あらわ》した。

体 体 体 体 体 体 体

元

儿2画〔4画〕

音　ゲン　ガン
訓　もと

上《うえ》にはねる

origin［オ(ー)リヂン］

つかいかた

本《ほん》を元《もと》にもどす。

外《そと》で元気《げんき》に遊《あそ》ぶ。

元日《がんじつ》の日《ひ》の出《で》。

いみ・ことば

①はじめ。もと。●元通《もとどお》り。元日《がんじつ》。元祖《がんそ》。元年《がんねん》。元来《がんらい》。元気《げんき》。

②かしら。●家元《いえもと》。元首《げんしゅ》。元老《げんろう》。

③年号《ねんごう》の最初《さいしょ》。●元号《げんごう》。改元《かいげん》。紀元《きげん》。紀元前《きげんぜん》。

もっとわかる

●「元《もと》も子《こ》もない」は、何《なに》もかもなくす意《い》。●「元旦《がんたん》」の「旦」は朝《あさ》の意《い》。「元旦《がんたん》の朝《あさ》」とは言《い》わない。

なりたち

元 → 元 → 元

●人《ひと》の体《からだ》を示《しめ》す「儿」の上《うえ》に点《てん》をつけ、体《からだ》の上《うえ》にのった「頭《あたま》」を表《あらわ》した形《かたち》。

元 元 元 元

2年

兄

儿3画〔5画〕

音 （ケイ） キョウ

訓 あに

上《うえ》にはねる

older brother ［オウるダァ ブラざァ］

つかいかた

兄《あに》と学校《がっこう》へ行《い》く。

三人《さんにん》兄弟《きょうだい》。

新聞配達《しんぶんはいたつ》のお兄《にい》さん。

いみ・ことば

1 年上《としうえ》の男《おとこ》の兄弟《きょうだい》。あに。●[1]兄上《あにうえ》。[6]兄貴《あにき》。[3]次兄《じけい》。[3]実兄《じっけい》。

2 友達《ともだち》などを尊敬《そんけい》して呼《よ》ぶことば。●[6]貴兄《きけい》。[1]大兄《たいけい》。

もっとわかる

●特別《とくべつ》な読《よ》み方《かた》…兄《にい》さん ●「兄弟《きょうだい》」は、同《おな》じ親《おや》から生《う》まれた男《おとこ》の子《こ》どもたちを指《さ》すが、姉《あね》や妹《いもうと》を含《ふく》めていうこともある。

なりたち

↓兄

●頭《あたま》の骨《ほね》が固《かた》まって大《おお》きくなったことをえがいた形《かたち》。兄弟《きょうだい》のうち、年《とし》が上《うえ》であるほうの子《こ》どもを表《あらわ》した。

兄 兄 兄 兄 兄

光

儿4画〔6画〕

音 コウ

訓 ひかる ひかり

ツとしない

上《うえ》にはねる

light ［らイト］

つかいかた

夏《なつ》の太陽《たいよう》の光《ひかり》。

ライトが光《ひか》る。

一《ひと》すじの光線《こうせん》。

いみ・ことば

1 ひかる。ひかり。●光線《こうせん》。[1]光年《こうねん》。[2]光明《こうみょう》。[1]日光《にっこう》。[2]夜光《やこう》。

2 ひかりに照《て》らされて美《うつく》しく見《み》えるもの。●[4]光景《こうけい》。▲光沢《こうたく》。[4]観光《かんこう》。[2]風光《ふうこう》。

もっとわかる

●送《おく》り仮名《がな》…「光《ひか》る」「光《ひか》り物《もの》」などは「る」「り」を送《おく》るが、「光《ひかり》」一字《いちじ》のときや「七光《ななひかり》」「稲光《いなびかり》」などのときは送《おく》らない。

なりたち

↓光

●「火」と人《ひと》を示《しめ》す「儿」を組《く》み合《あ》わせ、人《ひと》の頭《あたま》の上《うえ》で火《ひ》が「ひかり」を放《はな》つようすを表《あらわ》した。

光 光 光 光 光 光

公

八2画〔4画〕

音 コウ
訓 （おおやけ）

公（折る）

public［パブリック］

つかいかた

公《おおやけ》の場《ば》で話《はな》す。

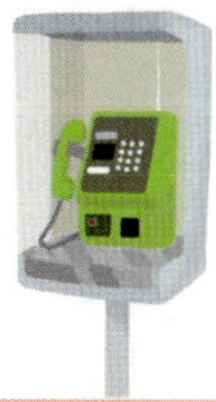

公衆電話《こうしゅうでんわ》。

公平《こうへい》に分《わ》ける。

いみ・ことば

①大勢《おおぜい》の人《ひと》。世《よ》の中全体《なかぜんたい》。●公園《こうえん》。公共《こうきょう》。公衆電話《こうしゅうでんわ》。

②政府《せいふ》や役所《やくしょ》。●公告《こうこく》。公職《こうしょく》。公務《こうむ》。公立《こうりつ》。

③かたよらない。●公正《こうせい》。公平《こうへい》。公明正大《こうめいせいだい》。

もっとわかる

●①②と反対《はんたい》の意味《いみ》を持《も》つ漢字《かんじ》は「私」。公立《こうりつ》↕私立《しりつ》

なりたち

→公 ●「八（左右《さゆう》に分《わ》けるしるし）」と「ム（囲《かこ》いこむ）」を合《あ》わせた形《かたち》。囲《かこ》いこんだ自分《じぶん》のものを開《ひら》いて見《み》せるようすで、自分《じぶん》のものを「おおやけ」にすることを表《あらわ》した。

公公公公

内

冂2画〔4画〕

音 ナイ（ダイ）
訓 うち

内（はねる）

inside［インサイド］

つかいかた

箱《はこ》の内側《うちがわ》をのぞく。

内緒話《ないしょばなし》をする。

神社《じんじゃ》の境内《けいだい》。

いみ・ことば

①うちがわ。●内側《うちがわ》。身内《みうち》。内外《ないがい》。内心《ないしん》。内臓《ないぞう》。内部《ないぶ》。内面《ないめん》。内容《ないよう》。家内《かない》。校内《こうない》。国内《こくない》。体内《たいない》。年内《ねんない》。

②こっそり。うちうち。●内緒《ないしょ》。内情《ないじょう》。内定《ないてい》。内密《ないみつ》。

もっとわかる

●「ダイ」という読《よ》みは、「内裏《だいり》」「境内《けいだい》」などに使《つか》われる。

なりたち

もとの形《かたち》は「内」。「入《にゅう》」は、中《なか》に入《はい》るようすを示《しめ》した形《かたち》。それと「冂（納屋《なや》の形《かたち》）」を合《あ》わせて、納屋《なや》の内部《ないぶ》に入《はい》っていくようすから、物《もの》の「うちがわ」を表《あらわ》した。

内内内内

2年

刀

刀0画〔2画〕

音 トウ
訓 かたな

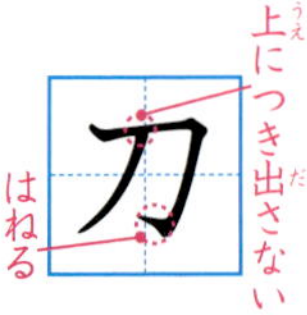

sword［ソード］

つかいかた

刀《かたな》を交《まじ》える。

小刀《こがたな》で皮《かわ》をむく。

木刀《ぼくとう》をにぎる。

いみ・ことば

●かたな。はもの。●刀傷《かたなきず》。小刀《こがたな》（しょう／とう）。刀剣《とうけん》。刀身《とうしん》。短刀《たんとう》。長刀《ちょうとう》。日本刀《にほんとう》。宝刀《ほうとう》。木刀《ぼくとう》。名刀《めいとう》。

もっとわかる

●特別《とくべつ》な読《よ》み方《かた》…竹刀《しない》・太刀《たち》 ●「刀」は「力」と形《かたち》が似《に》ていてまちがえやすいので注意《ちゅうい》。●「伝家《でんか》の宝刀《ほうとう》」は、その家《いえ》に代々伝《だいだいつた》わる刀《かたな》。また、とっておきの手段《しゅだん》の意《い》でも使《つか》われる。

なりたち

刀

刃《は》の部分《ぶぶん》が反《そ》り返《かえ》った刀《かたな》をえがいた形《かたち》。

刀 刀

切

刀2画〔4画〕

音 セツ（サイ）
訓 きる きれる

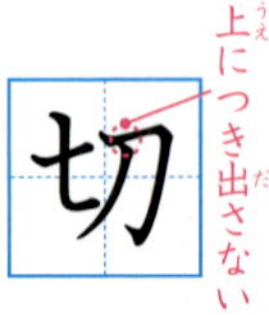

cut［カット］

つかいかた

はさみで紙《かみ》を切《き》る。

玉《たま》ねぎは品切《しなぎ》れだ。

人《ひと》に親切《しんせつ》にする。

いみ・ことば

①きる。きれる。●切《き》り口《くち》。切《き》り花《ばな》。切《き》れ目《め》。切断《せつだん》。

②ひたすら。この上《うえ》なく。●切実《せつじつ》。親切《しんせつ》。大切《たいせつ》。適切《てきせつ》。

③なくなる。おわり。●時間切《じかんぎ》れ。品切《しなぎ》れ。

もっとわかる

●「一切合財《いっさいがっさい》」は「全部《ぜんぶ》」の意《い》。「一切《いっさい》」を強《つよ》めたことば。●送《おく》り仮名《がな》…「切手《きって》」「切符《きっぷ》」には、送《おく》り仮名《がな》をつけない。

なりたち

「七《しち》」は、縦《たて》の線《せん》を横《よこ》の線《せん》できる形《かたち》。それと「刀」を合《あ》わせて、「きる」ことを表《あらわ》した。

切 切 切 切

2年

分

刀2画〔4画〕

音 ブン フン ブ

訓 わける わかれる わかる わかつ

上《うえ》につき出《だ》さない　あける

divide［ディヴァイド］

つかいかた

二《ふた》つに分《わ》ける。

答《こた》えが分《わ》かる。

五分《ごふん》遅刻《ちこく》する。

いみ・ことば

①わける。●分《わ》かれ[1]目《め》。分[5]解《ぶんかい》。分[2]家《ぶんけ》。分[3]身《ぶんしん》。[2]半分《はんぶん》。[3]部分《ぶぶん》。

②見《み》わける。わかる。●[1]早分《はやわ》かり。[3]物分《ものわ》かり。分[4]別《ふんべつ》。

③わけ前《まえ》。割合《わりあい》。●分[4]量《ぶんりょう》。[1]三[1]人分《さんにんぶん》。[1]水分《すいぶん》。[3]取《と》り分《ぶん》。

④全体《ぜんたい》の中《なか》での立場《たちば》。地位《ちい》。●[2]親分《おやぶん》。[1]子分《こぶん》。[2]自分《じぶん》。[3]身分《みぶん》。

⑤単位《たんい》。●[1]九[2]時[1]三分《くじさんぷん》。

もっとわかる

●特別《とくべつ》な読《よ》み方《かた》…大分《おおいた》

なりたち

分

●左右《さゆう》にわけることを示《しめ》す「八」と「刀」を合《あ》わせた形《かたち》で、二《ふた》つにわける意《い》を表《あらわ》した。

前

刂7画〔9画〕

音 ゼン

訓 まえ

とめる

before［ビフォー］

つかいかた

前《まえ》の人《ひと》にぶつかる。

三人前《さんにんまえ》のラーメン。

食前《しょくぜん》に薬《くすり》を飲《の》む。

いみ・ことば

①ある場所《ばしょ》より先《さき》。●前[3]向《まえむ》き。前[3]進《ぜんしん》。前[2]方《ぜんぽう》。[5]眼前《がんぜん》。

②ある時《とき》よりまえ。●前[1]日《ぜんじつ》。前[2]半《ぜんはん》。[4]以前《いぜん》。[2]午前《ごぜん》。[2]食前《しょくぜん》。

③割《わ》り当《あ》て。●[2]自前《じまえ》。[1]二[1]人前《ににんまえ》。[2]分《わ》け前《まえ》。

もっとわかる

●①②と反対《はんたい》の意味《いみ》を持《も》つ漢字《かんじ》は「後」。前半《ぜんはん》↕後半《こうはん》

なりたち

前

●古《ふる》い字《じ》は、「止（足《あし》）」と「舟（ふね）」を合《あ》わせて、足並《あしな》みをそろえて前《まえ》に進《すす》むようす。それに「刂（刀《かたな》）」を合《あ》わせた「前」は、刀《かたな》で切《き》りそろえる意《い》。のち、「まえ」に進《すす》む意《い》で使《つか》われた。

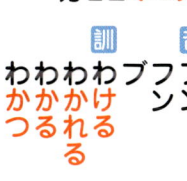

北

ヒ3画〔5画〕

音 ホク
訓 きた

north [ノーす]

つかいかた

針《はり》が北《きた》を指《さ》す。

台風《たいふう》が北上《ほくじょう》する。

北極《ほっきょく》の白《しろ》くま。

いみ・ことば

① 方角《ほうがく》の「きた」。●北風《きたかぜ》。北国《きたぐに》。北半球《きたはんきゅう》。北上《ほくじょう》。北極《ほっきょく》。

② 背《せ》を向《む》けてにげる。負《ま》ける。●敗北《はいぼく》。

もっとわかる

●「北枕《きたまくら》」とは、頭《あたま》を北《きた》に向《む》けて寝《ね》ること。死者《ししゃ》を安置《あんち》するとき北枕《きたまくら》にすることから、不吉《ふきつ》とされる。

なりたち

●二人《ふたり》の人《ひと》がたがいに背《せ》を向《む》けるようすをえがいた形《かたち》。方角《ほうがく》の「きた」の意《い》は、家《いえ》を建《た》てるとき、寒《さむ》い北側《きたがわ》を背《せ》の方《ほう》にすることから。

午

十2画〔4画〕

音 ゴ
訓 ―

noon [ヌーン]

つかいかた

午前中《ごぜんちゅう》に出《で》かける。

午後《ごご》まで寝《ね》ている。

正午《しょうご》になる。

いみ・ことば

① 昼《ひる》の十二時《じゅうにじ》。真昼《まひる》。●午後《ごご》。午前《ごぜん》。正午《しょうご》。

② 方角《ほうがく》の南《みなみ》。●子午線《しごせん》。

もっとわかる

●「午」は十二支《じゅうにし》(昔《むかし》の中国《ちゅうごく》で作《つく》られたこよみで、一年《いちねん》を十二《じゅうに》に分《わ》けたもの)の七番目《ななばんめ》。動物《どうぶつ》では「うま」にあてる。

なりたち

●うすの中《なか》に米《こめ》などを入《い》れてつく道具《どうぐ》の「きね」をえがいた形《かたち》。「交差《こうさ》する」「逆方向《ぎゃくほうこう》に行《い》く」イメージがあり、十二支《じゅうにし》の七番目《ななばんめ》の「うま」に用《もち》いる。

半

十3画〔5画〕

音 ハン
訓 なかば

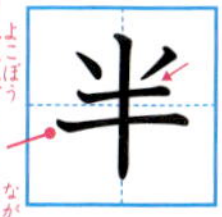

half［ハフ］

つかいかた

半《なか》ばで立《た》ち止《ど》まる。

半端《はんぱ》な長《なが》さ。

半分《はんぶん》にする。

いみ・ことば

❶ **はんぶん。なかば。** ●半円《はんえん》。半月《はんげつ》(はんつき)。半数《はんすう》。半《はん》そで。半年《はんとし》。半日《はんにち》。半人前《はんにんまえ》。後半《こうはん》。前半《ぜんはん》。大半《たいはん》。夜半《やはん》。

❷ **不完全《ふかんぜん》。** ●中途半端《ちゅうとはんぱ》。

もっとわかる

●四字熟語《よじじゅくご》…一知半解《いっちはんかい》(十分《じゅうぶん》にわかっていないこと)・一言半句《いちごんはんく》(ほんの少《すこ》しのことば)

●「半《なか》ば」を「中ば」と書《か》くのは誤《あやま》り。

なりたち

半

●「八(左右《さゆう》に分《わ》ける)」と「牛(うし)」を合《あ》わせた形《かたち》。牛《うし》を解体《かいたい》するようすで、二《ふた》つに分《わ》けはなすことを表《あらわ》した。

南

十7画〔9画〕

音 ナン (ナ)
訓 みなみ

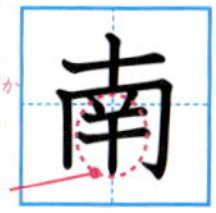

south［サウす］

つかいかた

南《みなみ》の島《しま》へ行《い》く。

南向《みなみむ》きの部屋《へや》。

南極大陸《なんきょくたいりく》。

いみ・ことば

● **方角《ほうがく》の「みなみ」。** ●南半球《みなみはんきゅう》。南向《みなみむ》き。南下《なんか》。南極大陸《なんきょくたいりく》。南国《なんごく》。南方《なんぽう》。

もっとわかる

●かぼちゃは、南《みなみ》の暑《あつ》い地方《ちほう》でとれるうり(瓜)。漢字《かんじ》で「南瓜《かぼちゃ》」と書《か》くこともある。

なりたち

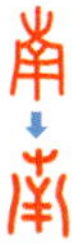
南

●「屮(草《くさ》の芽《め》)」「冂(小屋《こや》)」「羊(差《さ》し込《こ》む)」の三《みっ》つを組《く》み合《あ》わせた形《かたち》。植物《しょくぶつ》を育《そだ》てる温室《おんしつ》のようすをえがいて、暖《あたた》かい方角《ほうがく》である「みなみ」を表《あらわ》した。

原

厂8画〔10画〕

音 ゲン
訓 はら

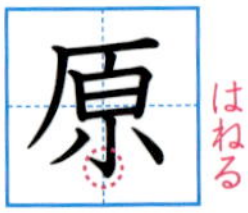

field［フィーるド］

つかいかた

犬《いぬ》が野原《のはら》を走《はし》る。

原因《げんいん》をつきとめる。

川原《かわら》で弁当《べんとう》を食《た》べる。

いみ・ことば

① はら。●原《はら》っぱ。[1]草原《くさはら》（《そう》《げん》）。[2]野原《のはら》。[2]高原《こうげん》。[2]雪原《せつげん》。[3]平原《へいげん》。

② おおもと。はじめ。●原因《げんいん》[5]。原材料《げんざいりょう》[4][4]。原作《げんさく》[2]。原子《げんし》[1]。原始《げんし》[3]時代《じだい》[2][3]。原住民《げんじゅうみん》[3][4]。原生林《げんせいりん》[1][1]。原動力《げんどうりょく》[3][1]。

もっとわかる

●特別《とくべつ》な読《よ》み方《かた》…海原《うなばら》・河原《かわら》（川原《かわら》）

なりたち

→原 ●「厂（がけ）」と「泉」を合《あ》わせて、がけの下《した》にある泉《いずみ》、水源《すいげん》（川《かわ》のみなもと）を示《しめ》した形《かたち》。水源《すいげん》の近《ちか》くに「はら」があることから、のちに「はら」の意味《いみ》を表《あらわ》した。

友

又2画〔4画〕

音 ユウ
訓 とも

friend［フレンド］

つかいかた

類《るい》は友《とも》を呼《よ》ぶ。

友達《ともだち》になる。

親友《しんゆう》に相談《そうだん》する。

いみ・ことば

●親《した》しく交《まじ》わる人《ひと》。とも。●友達《ともだち》[4]。友好《ゆうこう》[4]。友情《ゆうじょう》[5]。友人《ゆうじん》[1]。学友《がくゆう》[1]。旧友《きゅうゆう》[5]。級友《きゅうゆう》[3]。交友《こうゆう》[2]。親友《しんゆう》[2]。戦友《せんゆう》[4]。

もっとわかる

●特別《とくべつ》な読《よ》み方《かた》…友達《ともだち》 ●「友禅染《ゆうぜんぞめ》」とは、絹《きぬ》などに花《はな》や鳥《とり》、風景《ふうけい》などをかたどり、美《うつく》しく染《そ》める方法《ほうほう》。江戸《えど》時代《じだい》、京都《きょうと》の宮崎友禅《みやざきゆうぜん》という人《ひと》が考《かんが》え出《だ》したところからの名《な》。

なりたち

→友 ●かばう手《て》を示《しめ》す「又《ゆう》」を二《ふた》つ組《く》み合《あ》わせた形《かたち》。たがいにかばい合《あ》う仲間《なかま》、「とも」を表《あらわ》した。

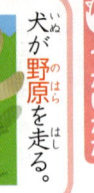

2年

古

口2画〔5画〕

音 コ
訓 ふる**い**　ふる**す**

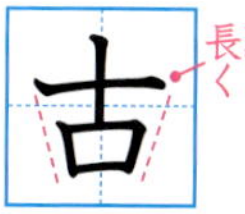

old［オウルド］

つかいかた

古《ふる》い時計《とけい》。

使《つか》い古《ふる》したかばん。

古代人《こだいじん》の生活《せいかつ》。

いみ・ことば

❶ **ふるい。ふるくなった。** ●古着《ふるぎ》。古道具《ふるどうぐ》。古本《ふるほん》。着古《きふる》す。古《ふる》めかしい。使《つか》い古《ふる》す。古風《こふう》。中古品《ちゅうこひん》。

❷ **むかし。** ●古今東西《ここんとうざい》。古代《こだい》。古典《こてん》。古都《こと》。古来《こらい》。太古《たいこ》。

もっとわかる

●「古」と反対《はんたい》の意味《いみ》を持《も》つ漢字《かんじ》は「新」。●「古今東西《ここんとうざい》」は、昔《むかし》から今《いま》までと、あらゆる国々《くにぐに》。また、いつでもどこでもの意《い》。

なりたち

古 ●頭《ず》がい骨《こつ》をひもでつるした形《かたち》。時間《じかん》がたち、ふるびたようすを表《あらわ》した。

古 古 古 古 古

台

口2画〔5画〕

音 ダイ　タイ
訓 ―

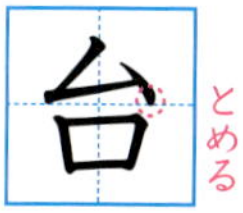

stand［スタンド］

つかいかた

台《だい》にのせる。

舞台《ぶたい》から下《お》りる。

二台《にだい》のバイク。

いみ・ことば

❶ **物《もの》などをのせるだい。** ●台座《だいざ》。台所《だいどころ》。▲寝台車《しんだいしゃ》。洗面台《せんめんだい》。

❷ **高《たか》くてたいらなところ。** ●台地《だいち》。高台《たかだい》。▲舞台《ぶたい》。

❸ **もとになるもの。** ●台帳《だいちょう》。台本《だいほん》。土台《どだい》。

❹ **車《くるま》や機械《きかい》を数《かぞ》えることば。** ●台数《だいすう》。バス一台《いちだい》。

なりたち

もとの字《じ》は「臺」。「之《し》（まっすぐ）」「高《たか》（高《たか》い建物《たてもの》）を略《りゃく》したもの」「至（行《い》き止《ど》まり）」の三《みっ》つを合《あ》わせた形《かたち》。山《やま》の際《きわ》に建《た》てた、高《たか》い見晴《みは》らし台《だい》を表《あらわ》した。

台 台 台 台 台

合

口3画〔6画〕

音 ゴウ　ガッ　カッ

訓 あう　あわす　あわせる

合 くっつける

combine［カンバイン］

つかいかた

くつがぴったり合《あ》う。

高地《こうち》の合宿所《がっしゅくじょ》。

集合《しゅうごう》の合図《あいず》。

いみ・ことば

❶ **一《ひと》つにあわせる。いっしょにする。** ●合《あ》い言葉《ことば》。合図《あいず》。組《く》み合《あ》わせ。合宿《がっしゅく》。合唱《がっしょう》。合体《がったい》。合計《ごうけい》。集合《しゅうごう》。総合《そうごう》。

❷ **数量《すうりょう》をはかることば。** ●米三合《こめさんごう》。酒一合《さけいちごう》。山《やま》の五合目《ごごうめ》。

もっとわかる

●「合点《がってん》」は、同意《どうい》すること。「がてん」とも読《よ》み、「合点《がてん》がいかない」「早合点《はやがてん》する」のように使《つか》う。

なりたち

↓合

●「亼（かぶせるふた）」と「口（穴《あな》、または容器《ようき》）」で、ぴったりあって一《ひと》つになることを表《あらわ》した。

合合合合合合

同

口3画〔6画〕

音 ドウ

訓 おなじ

同 はねる

same［セイム］

つかいかた

同《おな》じクラスになる。

同時《どうじ》にゴールする。

先生《せんせい》が同行《どうこう》する。

いみ・ことば

❶ **等《ひと》しい。おなじ。** ●同《おな》い年《どし》。同一《どういつ》。同時《どうじ》。同点《どうてん》。同類《どうるい》。

❷ **いっしょにする。** ●同感《どうかん》。同行《どうこう》。同席《どうせき》。共同作業《きょうどうさぎょう》。

❸ **なかま。** ●同士《どうし》。同窓会《どうそうかい》。同盟《どうめい》。一同《いちどう》。

もっとわかる

●四字熟語《よじじゅくご》…大同小異《だいどうしょうい》（小《ちい》さな違《ちが》いはあるが、大体同《だいたいおな》じであること）・異口同音《いくどうおん》（だれもが同《おな》じように答《こた》えること）

なりたち

↓同

●「冃（つつ）」と「口（穴《あな》）」を合《あ》わせた形《かたち》。上下《じょうげ》のそろった穴《あな》を突《つ》き通《とお》すようすで、等《ひと》しくそろう意《い》を表《あらわ》した。

同同同同同同

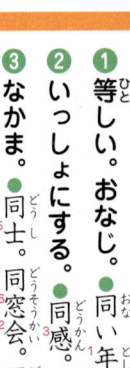

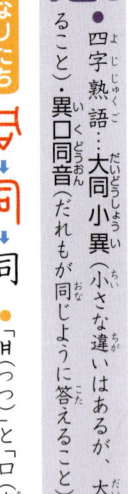

2年

回

囗3画〔6画〕

音 カイ (エ)

訓 まわる まわす

回 あきを同《おな》じに

turn [ターン]

つかいかた

目《め》が回《まわ》る。

空中《くうちゅう》で回転《かいてん》する。

何回《なんかい》も練習《れんしゅう》する。

いみ・ことば

① **まわる。まわす。** ●回《まわ》り[2]道《みち》。[2]遠回《とおまわ》り。[1]見回《みまわ》り。回[3]転《かいてん》。

② **もとにもどる。** ●回[6]収《かいしゅう》。回[5]復《かいふく》。

③ **度数《どすう》を数《かぞ》えることば。** ●[1]一回《いっかい》。[2]今回《こんかい》。[4]最[3]終回《さいしゅうかい》。[2]何回《なんかい》。

もっとわかる

●同音異義語《どうおんいぎご》「カイトウ」…「回答《かいとう》」は聞《き》かれたことに返事《へんじ》をすること。「解答《かいとう》」は問題《もんだい》を解《と》いて答《こた》えを出《だ》すこと。

なりたち

回 ●うずまきの模様《もよう》をえがいた形《かたち》で、「ぐるぐるまわる」ことを表《あらわ》した。

回 回 回 回 回 回

図

囗4画〔7画〕

音 ズ ト

訓 (はかる)

図 とめる

diagram [ダイアグラム]

つかいかた

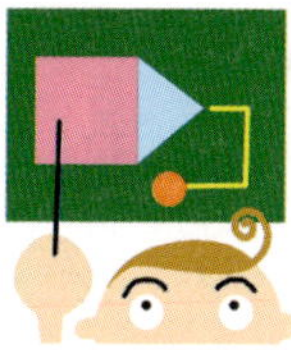

図《ず》で説明《せつめい》する。

地図《ちず》を広《ひろ》げる。

町《まち》の図書館《としょかん》。

いみ・ことば

① **物《もの》の形《かたち》をえがいたもの。** ●図[5]解《ずかい》。図[2]形《ずけい》。図[2]工《ずこう》。図[3]表《ずひょう》。図[3]面《ずめん》。図[2]書《としょ》。[5]構図《こうず》。[6]縮図《しゅくず》。[5]設[2]計図《せっけいず》。[2]地図《ちず》。[1]天[1]気図《てんきず》。

② **計画《けいかく》する。くわだてる。** ●図《はか》らずも。[3]意図《いと》。

もっとわかる

●「図工《ずこう》」は「図画《ずが》・工作《こうさく》」の略《りゃく》で、小学校《しょうがっこう》の教科《きょうか》の一《ひと》つ。

なりたち

もとの字《じ》は「圖」。「啚」は、「亩(米《こめ》ぐら)」と「口(場所《ばしょ》)」を合《あ》わせて、農村《のうそん》をえがいた形《かたち》。それに、わくを示《しめ》す「囗」を合《あ》わせて、わくの中《なか》に村《むら》や町《まち》を縮小《しゅくしょう》して書《か》いた地図《ちず》を表《あらわ》した。

図 図 図 図 図 図 図

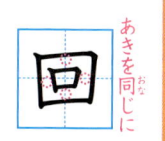

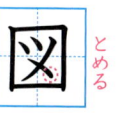

国

囗5画〔8画〕

音 コク
訓 くに

点《てん》の位置《いち》に注意《ちゅうい》

country［カントリィ］

つかいかた

人口《じんこう》の多《おお》い国《くに》。

雪国《ゆきぐに》で暮《く》らす。

国歌《こっか》が流《なが》れる。

いみ・ことば

①**領土《りょうど》。くに。**●国《くに》がら。国王《こくおう》。国外《こくがい》。国際《こくさい》。国籍《こくせき》。国土《こくど》。国内《こくない》。国宝《こくほう》。国民《こくみん》。国歌《こっか》。国境《こっきょう》。外国《がいこく》。全国《ぜんこく》。他国《たこく》。

②**自分《じぶん》の国《くに》の。日本《にほん》の。**●国語《こくご》。国産《こくさん》。国字《こくじ》。国文学《こくぶんがく》。

③**生《う》まれた土地《とち》。ふるさと。**●国元《くにもと》。お国《くに》なまり。

なりたち

↓或

●もとの字《じ》は「國」。「或《わく》（土地《とち》を区切《くぎ》って守《まも》る）」と「囗（囲《かこ》い）」を合《あ》わせて、囲《かこ》った領域《りょういき》である「くに」を表《あらわ》した。

国 国 国 国 国 国 国 国

園

囗10画〔13画〕

音 エン
訓 （その）

はねない

garden［ガードン］

つかいかた

美《うつく》しい花園《はなぞの》。

動物園《どうぶつえん》へ行《い》く。

学校《がっこう》の農園《のうえん》。

いみ・ことば

①**かきねなどで囲《かこ》まれた畑《はたけ》や庭《にわ》。**●花園《はなぞの》。園芸《えんげい》。農園《のうえん》。

②**ある目的《もくてき》のために区切《くぎ》られた場所《ばしょ》。**●学《まな》びの園《その》。公園《こうえん》。植物園《しょくぶつえん》。庭園《ていえん》。動物園《どうぶつえん》。保育園《ほいくえん》。遊園地《ゆうえんち》。幼稚園《ようちえん》。

③**保育園《ほいくえん》・幼稚園《ようちえん》などのこと。**●園児《えんじ》。園長《えんちょう》。入園《にゅうえん》。卒園《そつえん》。

なりたち

↓園

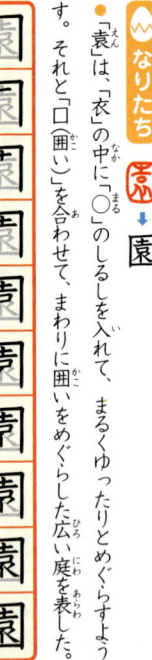

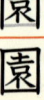

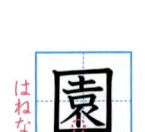

●「袁《えん》」は、「衣」の中《なか》に「〇《まる》」のしるしを入《い》れて、まるくゆったりとめぐらすようす。それと「囗（囲《かこ》い）」を合《あ》わせて、まわりに囲《かこ》いをめぐらした広《ひろ》い庭《にわ》を表《あらわ》した。

園 園 園 園 園 園 園 園 園 園

2年

地

土3画〔6画〕

音 チ ジ

訓 ―

上《うえ》にはねる

ななめ右上《みぎうえ》に

ground［グラウンド］

つかいかた

地下《ちか》にもぐる。

スタート地点《ちてん》。

地面《じめん》に座《すわ》る。

いみ・ことば

1 大地《だいち》。●地震《じしん》。地面《じめん》。地下《ちか》。地球《ちきゅう》。地上《ちじょう》。天地《てんち》。

2 ある場所《ばしょ》。ところ。●地域《ちいき》。地点《ちてん》。地方《ちほう》。地名《ちめい》。土地《とち》。

3 生《う》まれつきの。もともとの。●地《じ》が出《で》る。地金《じがね》。地声《じごえ》。

4 織物《おりもの》のきじ。●生地《きじ》。白地《しろじ》。布地《ぬのじ》。

もっとわかる

●特別《とくべつ》な読《よ》み方《かた》…心地《ここち》・意気地《いくじ》

なりたち

→也 ●「也《や》(ヘビ)」は、うねうねと曲《ま》がるイメージ。それに「土」をそえて、山《やま》や陸《りく》がうねうね曲《ま》がって伸《の》びた大地《だいち》を表《あらわ》した。

地 地 地 地 地 地

場

土9画〔12画〕

音 ジョウ

訓 ば

はねる

ななめ右上《みぎうえ》に

place［プレイス］

つかいかた

おもちゃ売《う》り場《ば》。

再会《さいかい》の場面《ばめん》。

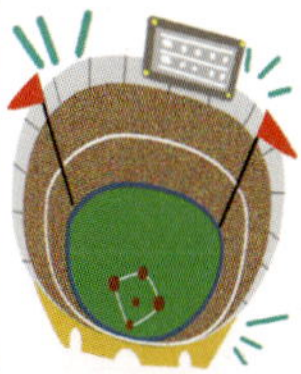

球場《きゅうじょう》に客《きゃく》が入《はい》る。

いみ・ことば

1 ところ。●場所《ばしょ》。現場《げんば》。広場《ひろば》。持《も》ち場《ば》。役場《やくば》。場内《じょうない》。運動場《うんどうじょう》。会場《かいじょう》。劇場《げきじょう》。工場《こうじょう》(こうば)。退場《たいじょう》。登場《とうじょう》。入場《にゅうじょう》。

2 そのとき。●場合《ばあい》。場当《ばあ》たり。場面《ばめん》。急場《きゅうば》。山場《やまば》。

もっとわかる

●「場数《ばかず》をふむ」は、経験《けいけん》を重《かさ》ねる意《い》。

なりたち

→昜 ●「昜《よう》」は、日《ひ》が高《たか》く上《あ》がるようすで、明《あか》るく広《ひろ》く開《ひら》けるというイメージを示《しめ》す。それと「土」を合《あ》わせて、人《ひと》が集《あつ》まってもよおしの行《おこな》われる広場《ひろば》を表《あらわ》した。

場 場 場 場 場 場 場 場 場 場

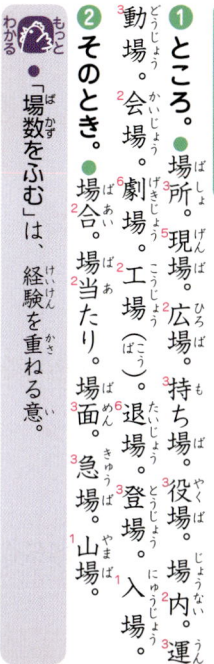

声

士4画〔7画〕

音 セイ（ショウ）

訓 こえ（こわ）

上《うえ》の横棒《よこぼう》より短《みじか》く

voice［ヴォイス］

つかいかた

虫《むし》の声《こえ》がする。

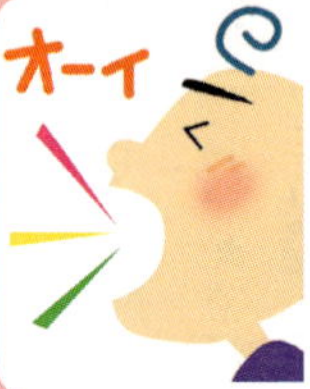

大声《おおごえ》で呼《よ》ぶ。

発声《はっせい》練習《れんしゅう》をする。

いみ・ことば

① **人《ひと》や動物《どうぶつ》が口《くち》から出《だ》す音《おと》。こえ。ひびき。** ●声色《こわいろ》。大声《おおごえ》。かけ声《ごえ》。小声《こごえ》。鳴《な》き声《ごえ》。音声《おんせい》。肉声《にくせい》。発声《はっせい》。美声《びせい》。

② **ことばを出《だ》す。** ●声援《せいえん》。声明《せいめい》。声優《せいゆう》。

③ **評判《ひょうばん》。うわさ。** ●名声《めいせい》。

なりたち

聲 ⬇ 聲（声） ●もとの形《かたち》は「聲」。「殸」は、ひもでつるした石《いし》をたたいて鳴《な》らす「磬《けい》」という楽器《がっき》のこと。それに「耳」を組《く》み合《あ》わせて、耳《みみ》に届《とど》く音《おと》や声《こえ》を表《あらわ》した。

売

士4画〔7画〕

音 バイ

訓 うる　うれる

上《うえ》の横棒《よこぼう》より短《みじか》く

上《うえ》にはねる

sell［セる］

つかいかた

魚《さかな》を売《う》る。

りんごが売《う》れ残《のこ》る。

駅《えき》の売店《ばいてん》。

いみ・ことば

● **物《もの》をうる。** ●売《う》り切《き》れ。売《う》り場《ば》。売《う》れ行《ゆ》き。前《まえ》売《う》り。売店《ばいてん》。売買《ばいばい》。商売《しょうばい》。発売《はつばい》。▲販売《はんばい》。非売品《ひばいひん》。

もっとわかる

●「売」と反対《はんたい》の意味《いみ》を持《も》つ漢字《かんじ》は「買」。●「売《う》り言葉《ことば》に買《か》い言葉《ことば》」とは、相手《あいて》の乱暴《らんぼう》なことばにつられて、乱暴《らんぼう》なことばを返《かえ》すこと。

なりたち

もとの字《じ》は「賣」。「買《ばい》（無《な》いものを求《もと》める）」と「出（だす）」を合《あ》わせた形《かたち》で、相手《あいて》の求《もと》めている物《もの》を出《だ》すことを表《あらわ》した。

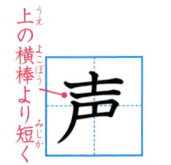

冬

夂2画〔5画〕

音 トウ

訓 ふゆ

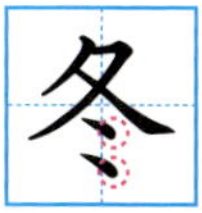

とめる

winter［ウィンタァ］

つかいかた

冬《ふゆ》になる。

冬物《ふゆもの》のセーター。

くまが冬眠《とうみん》する。

いみ・ことば

●四季《しき》の一《ひと》つ。ふゆ。

●冬場《ふゆば》。冬山《ふゆやま》。真冬《まふゆ》。冬至《とうじ》。冬眠《とうみん》。

もっとわかる

●「冬至《とうじ》」は、一年《いちねん》のうちで太陽《たいよう》がもっとも南《みなみ》に寄《よ》る時《とき》。北《きた》半球《はんきゅう》では、昼《ひる》がもっとも短《みじか》くなる。●「冬将軍《ふゆしょうぐん》」とは、冬《ふゆ》のきびしい寒《さむ》さのこと。

なりたち

→冬

●もとの字《じ》は「冬」。「夂（干《ほ》し柿《がき》のようなものをぶら下《さ》げた形《かたち》）」と「冫（氷《こおり》）」を合《あ》わせて、食料《しょくりょう》をたくわえる寒《さむ》い季節《きせつ》を表《あらわ》した。

夏

夂7画〔10画〕

音 カ（ゲ）

訓 なつ

百と書《か》かない

summer［サマァ］

つかいかた

夏《なつ》の夜《よる》は寝苦《ねぐる》しい。

夏祭《なつまつ》りに出《で》かける。

初夏《しょか》の心地《ここち》よい風《かぜ》。

いみ・ことば

●四季《しき》の一《ひと》つ。なつ。

●夏場《なつば》。真夏《まなつ》。夏季《かき》。夏至《げし》。初夏《しょか》。

もっとわかる

●「夏至《げし》」は、一年《いちねん》のうちで太陽《たいよう》がもっとも北《きた》に寄《よ》る時《とき》。北《きた》半球《はんきゅう》では、昼《ひる》がもっとも長《なが》くなる。●「飛《と》んで火《ひ》に入《い》る夏《なつ》の虫《むし》」とは、自分《じぶん》から危《あぶ》ないところへ突《つ》き進《すす》むこと。

なりたち

→夏

●りっぱな服《ふく》を着《き》て冠《かんむり》をつけた、大《おお》きな人《ひと》をえがいた形《かたち》。その姿《すがた》が、枝葉《えだは》を大《おお》きくのばした樹《じゅ》木《もく》に似《に》ていることから、樹木《じゅもく》の生長《せいちょう》する「なつ」の季節《きせつ》を表《あらわ》した。

外

夕2画〔5画〕

音 ガイ（ゲ）
訓 そと ほか はずす はずれる

つき出《だ》さない

outside［アウトサイド］

つかいかた

家《いえ》の外《そと》へ出《で》る。

チェーンを外《はず》す。

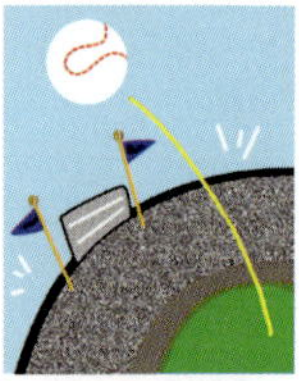
場外《じょうがい》ホームラン。

いみ・ことば

1 **そとがわ。そと。よそ。** ●外回《そとまわ》り。外見《がいけん》。外国《がいこく》。外出《がいしゅつ》。外野《がいや》。外来語《がいらいご》。以外《いがい》。屋外《おくがい》。海外《かいがい》。国外《こくがい》。場外《じょうがい》。内外《ないがい》。

2 **はずす。はずれる。** ●思《おも》いの外《ほか》。期待外《きたいはず》れ。除外《じょがい》。

3 **外国《がいこく》の。** ●外貨《がいか》。外車《がいしゃ》。

なりたち

外

●割《わ》れるイメージをもつ「夕（三日月《みかづき》）」と、「卜（占《うらな》い）」を合《あ》わせた形《かたち》。昔《むかし》の中国《ちゅうごく》で、カメの甲羅《こうら》の内側《うちがわ》を焼《や》いて、そとに現《あらわ》れたひび割《わ》れで占《うらな》いをしたことから、「そとがわ」を表《あらわ》した。

多

夕3画〔6画〕

音 タ
訓 おおい

つき出《だ》さない

many［メニィ］

つかいかた

駅《えき》は人《ひと》が多《おお》い。

多数決《たすうけつ》で決《き》める。

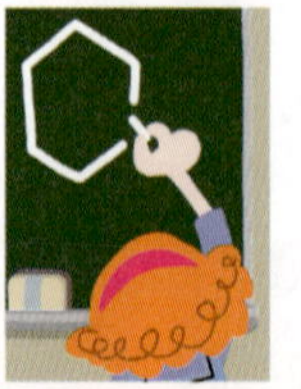
多角形《たかくけい》をえがく。

いみ・ことば

●**たくさん。おおい。** ●多《おお》かれ少《すく》なかれ。多角形《たかくけい》。多才《たさい》。多少《たしょう》。多数決《たすうけつ》。多大《ただい》。多発《たはつ》。多目的《たもくてき》ホール。多量《たりょう》。

もっとわかる
●四字熟語《よじじゅくご》…多士済々《たしせいせい》（すぐれた人《ひと》がたくさんいること。「たしさいさい」とも読《よ》む）
●「多《た》とする」とは、ありがたく思《おも》うという意《い》。

なりたち

多

●「夕（肉《にく》の形《かたち》）」を二《ふた》つ重《かさ》ねた形《かたち》。物《もの》がたっぷりあることを表《あらわ》した。

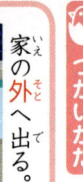

夜

夕5画〔8画〕

音 ヤ
訓 よ　よる

この形《かたち》に注意《ちゅうい》

night［ナイト］

つかいかた

夜《よる》になる。

夜店《よみせ》が並《なら》ぶ。

百万《ひゃくまん》ドルの夜景《やけい》。

いみ・ことば

● よる。● 夜明《よあ》け。夜空《よぞら》。夜中《よなか》。夜店《よみせ》。夜道《よみち》。月夜《つきよ》。夜間《やかん》。夜景《やけい》。夜行列車《やこうれっしゃ》。夜食《やしょく》。今夜《こんや》。昨夜《さくや》。十五夜《じゅうごや》。深夜《しんや》。

もっとわかる
● 四字熟語《よじじゅくご》…**夜郎自大《やろうじだい》**（自分《じぶん》の能力《のうりょく》がどれくらいかを知《し》らずに、仲間《なかま》うちでいばっていること）

なりたち

（古い字形）→（古い字形）→夜　●「亦《えき》」は人《ひと》の両《りょう》わきの形《かたち》で、同《おな》じものがあるというイメージを示《しめ》す。それと「夕（三日月《みかづき》）」を合《あ》わせて、昼間《ひるま》の両側《りょうがわ》にあって、月《つき》の出《で》る時間帯《じかんたい》、つまり「よる」を表《あらわ》した。

太

大1画〔4画〕

音 タイ　タ
訓 ふとい　ふとる

とめる

thick［すィック］

つかいかた

幹《みき》の太《ふと》い木《き》。

太陽《たいよう》がのぼる。

丸太《まるた》を切《き》る。

いみ・ことば

❶ ふとい。ゆたか。● 太字《ふとじ》。図太《ずぶと》い。骨太《ほねぶと》。太平洋《たいへいよう》。太陽《たいよう》。
❷ とても。非常《ひじょう》に。● 太古《たいこ》。太平《たいへい》な世《よ》の中《なか》。
❸ とうとい。● 太子《たいし》。皇太子《こうたいし》。

もっとわかる
● 特別《とくべつ》な読《よ》み方《かた》…**太刀《たち》**　●「太《ふと》っ腹《ぱら》」は、度量《どりょう》が大《おお》きいこと。
● 四字熟語《よじじゅくご》…**天下太平《てんかたいへい》**（世《よ》の中《なか》が平和《へいわ》でよく治《おさ》まっていること）

なりたち

「丶」は「二」の省略形《しょうりゃくけい》で、重《かさ》ねる意《い》。「大（ゆったりと大《おお》きい）」と「二」を合《あ》わせ、大《おお》きい上《うえ》に大《おお》きい、「ふとい」意《い》を表《あらわ》した。

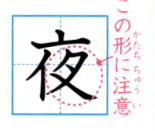

2年

姉

女5画〔8画〕

音 （シ）
訓 あね

はねる

older sister
［オウるダァ スィスタァ］

つかいかた

姉《あね》と二人《ふたり》部屋《べや》だ。

三人《さんにん》姉妹《しまい》。

となりのお姉《ねえ》さん。

いみ・ことば

● 年上《としうえ》の女《おんな》のきょうだい。あね。

● 姉上《あねうえ》。姉貴《あねき》。姉妹《しまい》。

もっとわかる

● 特別《とくべつ》な読《よ》み方《かた》…姉《ねえ》さん ● 「姉妹《しまい》」は、「姉妹校《しまいこう》」「姉妹都市《しまいとし》」など、「似《に》た性質《せいしつ》を持《も》つもの」という意味《いみ》で使《つか》われることもある。

なりたち

↓姉

● 「市」のもとの形《かたち》の「𠂔《し》」は、「朩（草《くさ》の芽《め》が分《わ》かれ出《で》る）」と「一」を合《あ》わせ、草《くさ》の芽《め》がのび切《き》ってストップするようすをえがいた形《かたち》。「いちばん上《うえ》に出《で》る」というイメージを示《しめ》す。その「市」と「女」で、「年上《としうえ》の女《おんな》のきょうだい」を表《あらわ》した。

妹

女5画〔8画〕

音 （マイ）
訓 いもうと

上《うえ》の横棒《よこぼう》より長《なが》く

younger sister
［ヤンガァ スィスタァ］

つかいかた

妹《いもうと》の手《て》を引《ひ》く。

妹思《いもうとおも》いの兄《あに》。

仲《なか》のよい姉妹《しまい》。

いみ・ことば

● 年下《としした》の女《おんな》のきょうだい。いもうと。

● 妹御《いもうとご》。妹分《いもうとぶん》。弟妹《ていまい》。二人姉妹《ふたりしまい》。

もっとわかる

● 「妹御《いもうとご》」は、他人《たにん》の妹《いもうと》を尊敬《そんけい》していうことば。● 「妹分《いもうとぶん》」は、血《ち》はつながっていないが実《じつ》の妹《いもうと》のように親《した》しい間《あいだ》がらの人《ひと》。

なりたち

↓未

● 「未《み》」は木《き》の枝《えだ》がまだ十分《じゅうぶん》にのびきっていないようす。それと「女」を合《あ》わせて、小《ちい》さくてまだ成熟《せいじゅく》していない「年下《としした》の女《おんな》のきょうだい」を表《あらわ》した。

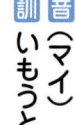

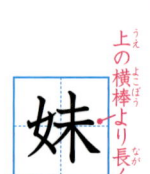

2年

室

宀6画〔9画〕

音 シツ
訓 （むろ）

長《なが》く

room［ルーム］

つかいかた

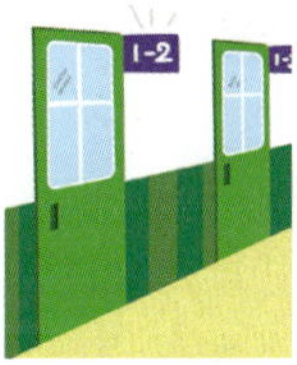

一年二組《いちねんにくみ》の教室《きょうしつ》。

温室《おんしつ》で育《そだ》てる。

室内《しつない》プール。

いみ・ことば

●建物《たてもの》の中《なか》の区切《くぎ》られたところ。へや。●室外《しつがい》。室長《しっちょう》。室《しつ》内《ない》。温室《おんしつ》。教室《きょうしつ》。職員室《しょくいんしつ》。寝室《しんしつ》。病室《びょうしつ》。待合室《まちあいしつ》。浴室《よくしつ》。

もっとわかる

●「室」は、「王室《おうしつ》」「皇室《こうしつ》」など、「一族《いちぞく》」の意《い》で使《つか》われることもある。●「むろ」の読《よ》みは、「石室《いしむろ》」などのことばに使《つか》われる。

なりたち

至

●「至《し》」は矢《や》が地面《じめん》に届《とど》くようすで、それ以上進《いじょうすす》めないというイメージを示《しめ》す。それと「宀（いえ）」を合《あ》わせて、行《い》き止《ど》まりにある「部屋《へや》」を表《あらわ》した。

室室室室室室室室室

家

宀7画〔10画〕

音 カ ケ
訓 いえ や

はねる

house［ハウス］

つかいかた

家《いえ》の明《あ》かりをつける。

あの家《いえ》は空《あ》き家《や》だ。

画家《がか》になる。

いみ・ことば

①人《ひと》の住《す》む建物《たてもの》。いえ。●家路《いえじ》。家賃《やちん》。一軒家《いっけんや》。大家《おおや》。

②つながりがある人《ひと》たちの集《あつ》まり。かぞく。●家計《かけい》。家《か》事《じ》。家族《かぞく》。家庭《かてい》。家来《けらい》。実家《じっか》。農家《のうか》。武家《ぶけ》。本家《ほんけ》。良家《りょうけ》。

③そのことを仕事《しごと》にしている人《ひと》。●音楽家《おんがくか》。画家《がか》。作家《さっか》。

④そのような性質《せいしつ》を持《も》っている人《ひと》。●専門家《せんもんか》。努力家《どりょくか》。

なりたち

家

●「豕（ブタ）」の上《うえ》に「宀（屋根《やね》）」をかぶせた形《かたち》で、雨《あめ》つゆをふせぐ建物《たてもの》を表《あらわ》した。

家家家家家家家家家家

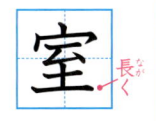

2年

寺

寸3画〔6画〕

音 ジ
訓 てら

はねる

temple［テンプる］

つかいかた

お寺《てら》のお坊《ぼう》さん。

山寺《やまでら》にお参《まい》りする。

寺院《じいん》の多《おお》い町《まち》。

いみ・ことば

●てら。●4寺参《てらまい》り。▲尼寺《あまでら》。▲禅寺《ぜんでら》。3寺院《じいん》。2寺社《じしゃ》。2古寺《こじ》（ふるでら）。

もっとわかる

●「寺社《じしゃ》」は、寺《てら》（仏寺《ぶつじ》）と神社《じんじゃ》のこと。●「寺子屋《てらこや》」は、昔《むかし》、おもに町人《ちょうにん》の子《こ》どもに読《よ》み書《か》きやそろばんを教《おし》えたところ。

なりたち

 → → 寺

●「土」は「之《し》」が変《か》わったもの。「之《し》」は「止《し》（足《あし》）」と「一」からなり、まっすぐ進《すす》む足《あし》を示《しめ》す。それと「寸（手《て》）」を合《あ》わせた「寺」は、手《て》足《あし》を動《うご》かして働《はたら》くようすで、役人《やくにん》や役所《やくしょ》を表《あらわ》した。

寺 寺 寺 寺 寺 寺

少

小1画〔4画〕

音 ショウ
訓 すくない すこし

とめる

few［フュー］

つかいかた

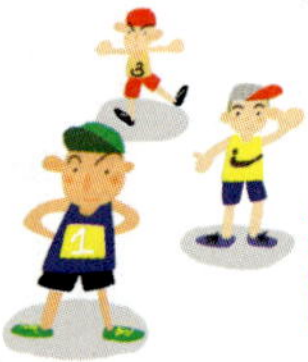

参加者《さんかしゃ》が少《すく》ない。

あと少《すこ》しで頂上《ちょうじょう》だ。

少量《しょうりょう》の塩《しお》を加《くわ》える。

いみ・ことば

①すくない。すこし。●少《すく》なからず。2少食《しょうしょく》。2少数《しょうすう》。2多少《たしょう》。

②わかい。●1少女《しょうじょ》。1少年《しょうねん》。1年少《ねんしょう》。

もっとわかる

●「少」と反対《はんたい》の意味《いみ》を持《も》つ漢字《かんじ》は「多」。少数《しょうすう》↕多数《たすう》 ●「少《しょう》年《ねん》」「少女《しょうじょ》」の「少」を「小」と書《か》かないように注意《ちゅうい》。

なりたち

 → 少

●「小《しょう》（小《ち》さくばらばらになる）」と「ノ（ななめにはらう）」を合《あ》わせた形《かたち》。そぎとって少《すく》なくなるようすを表《あらわ》した。

少 少 少 少

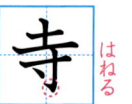

当

小3画〔6画〕

音 トウ

訓 あたる あてる

ツと書《か》かない

hit［ヒット］

つかいかた

バットに当《あ》たる。

ひたいに手《て》を当《あ》てる。

議員《ぎいん》に当選《とうせん》する。

いみ・ことば

①**あたる。あてる。**●当《あ》て字《じ》。風当《かぜあ》たり。手当《てあ》て。当番《とうばん》。

②**ぴったり合《あ》う。ちょうどよい。**●当然《とうぜん》。適当《てきとう》。本当《ほんとう》。

③**その。**●当座《とうざ》。当時《とうじ》。当日《とうじつ》。当初《とうしょ》。当代《とうだい》。当年《とうねん》。当面《とうめん》。

もっとわかる

●「風当《かぜあ》たり」は、まわりの人《ひと》の批判《ひはん》。

なりたち

もとの字《じ》は「當」。「尚《しょう》」（たいらな面《めん》）と「田」を合《あ》わせた形《かたち》。平面《へいめん》と平面《へいめん》がぴったり重《かさ》なるように、二《ふた》つの田《た》の面積《めんせき》や価値《かち》がぴったりと対応《たいおう》するようすを表《あらわ》した。

当 当 当 当 当 当

岩

山5画〔8画〕

音 ガン

訓 いわ

つき出《だ》さない

rock［ラック］

つかいかた

ごつごつした岩《いわ》。

岩山《いわやま》に登《のぼ》る。

岩石《がんせき》が落《お》ちてくる。

いみ・ことば

●**いわ。**●岩場《いわば》。岩山《いわやま》。岩石《がんせき》。岩壁《がんぺき》。火成岩《かせいがん》。溶岩《ようがん》。

もっとわかる

●「一念岩《いちねんいわ》をも通《とお》す」とは、一生懸命《いっしょうけんめい》にやれば必《かなら》ずなしとげられるという意《い》。●似《に》ていることば「岩《いわ》と石《いし》」…「岩《いわ》」は、人《ひと》の手《て》では動《うご》かせないほど大《おお》きくて、ごつごつしているもの。「石《いし》」は、岩《いわ》よりも小《ちい》さく、手《て》でつかめるくらいのもの。

なりたち

「山」と「石」を合《あ》わせた形《かたち》で、ごつごつした大《おお》きな「いわ」を表《あらわ》した。

岩 岩 岩 岩 岩 岩 岩 岩

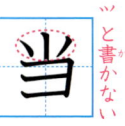

工

工0画〔3画〕

音　コウ　ク

訓　―

工　上《うえ》の横棒《よこぼう》より長《なが》く

manufacture［マニュファクチャ］

つかいかた

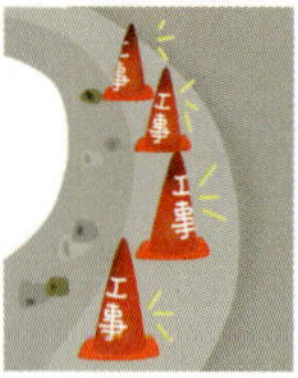

道路《どうろ》の工事《こうじ》。

食品《しょくひん》を加工《かこう》する。

父《ちち》は大工《だいく》だ。

いみ・ことば

①物《もの》を作《つく》ること。●[2]工作《こうさく》。[2]工場《こうじょう》（ば）（こう）。[4]加工《かこう》。[2]細工《さいく》。[1]人工《じんこう》。

②物《もの》を作《つく》る仕事《しごと》をする人《ひと》。●[3]工員《こういん》。[2]画工《がこう》。[1]大工《だいく》。[1]名工《めいこう》。

もっとわかる

●四字《よじ》熟語《じゅくご》…同工異曲《どうこういきょく》（見《み》かけはちがうように見《み》えても、内《ない》容《よう》は同《おな》じであること）

なりたち

工 → 工

●二《ふた》つの線《せん》の間《あいだ》を縦《たて》の線《せん》でつき通《とお》した形《かたち》。道具《どうぐ》で材料《ざいりょう》をつき通《とお》すところから、工作《こうさく》や細工《さいく》のことを表《あらわ》した。

工　工　工

市

巾2画〔5画〕

音　シ

訓　いち

市　はねる

city［スィティ］

つかいかた

市場《いちば》で果物《くだもの》を買《か》う。

朝市《あさいち》が並《なら》ぶ。

市役所《しやくしょ》の窓口《まどぐち》。

いみ・ことば

①大勢《おおぜい》の人《ひと》が集《あつ》まるところ。●[4]市街《しがい》。[2]市内《しない》。[3]都市《とし》。

②物《もの》の売《う》り買《か》いをするところ。●[2]市場《いちば》。[2]朝市《あさいち》。[2]魚市場《うおいちば》。

③地方自治体《ちほうじちたい》の一《ひと》つ。町《まち》より大《おお》きい。●[2]市長《しちょう》。[4]市民《しみん》。

もっとわかる

●「市場」を「イチバ」と読《よ》むと、食料品《しょくりょうひん》などを売《う》るところ、「シジョウ」と読《よ》むと経済《けいざい》のことばで、「取引所《とりひきじょ》」などの意《い》。

なりたち

→ → 市

●「止《し》（足《あし》をとめる）」と「兮（息《いき》がちらばって出《で》るようす）」を合《あ》わせた形《かたち》。呼《よ》び声《ごえ》で客《きゃく》の足《あし》をとめる場所《ばしょ》、市場《いちば》を表《あらわ》した。

市　市　市　市　市

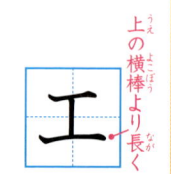

2年

帰

巾7画〔10画〕

音 キ

訓 かえる　かえす

つかいかた

客《きゃく》が帰《かえ》る。

児童《じどう》を家《いえ》に帰《かえ》す。

飛行機《ひこうき》で帰国《きこく》する。

帰　つき出《だ》さない

return［リターン］

いみ・ことば

❶もどる。かえる。●帰《かえ》りがけ。帰《かえ》り道《みち》[2]。行《い》き[2]帰《かえ》り。里[2]帰《さとがえ》り。日[1]帰《ひがえ》り。帰郷《ききょう》[6]。帰国《きこく》[2]。帰宅《きたく》[6]。帰途《きと》▲。復[5]帰《ふっき》。

❷落《お》ち着《つ》く。おさまる。●帰結《きけつ》[4]。帰着《きちゃく》[3]。

なりたち

もとの字《じ》は「歸」で、「𠂤（ぐるりと回《まわ》る）」と「止（足《あし》）」と「帚（ほうき）」を組《く》み合《あ》わせた形《かたち》。「婦《ふ》」にも含《ふく》まれるように、「帚」は女性《じょせい》の象徴《しょうちょう》。そこから、女性《じょせい》がぐるりと回《まわ》って本来《ほんらい》いるべき場《ば》所《しょ》に落《お》ち着《つ》く（結婚《けっこん》を約束《やくそく》した氏族《しぞく》のもとにとつぐ）ようすを表《あらわ》した。

帰 帰 帰 帰 帰 帰 帰 帰 帰 帰

広

广2画〔5画〕

音 コウ

訓 ひろい　ひろまる　ひろめる　ひろがる　ひろげる

つかいかた

庭《にわ》が広《ひろ》い。

火事《かじ》が広《ひろ》がる。

車内《しゃない》のつり広告《こうこく》。

広　はらう

wide［ワイド］

いみ・ことば

❶ひろい。●広場《ひろば》[2]。広間《ひろま》[2]。だだっ広《ぴろ》い。手[1]広《てびろ》い。

❷ひろめる。●広言《こうげん》[2]。広告《こうこく》[5]。広報《こうほう》[5]。

もっとわかる

●四字熟語《よじじゅくご》…広大無辺《こうだいむへん》（広《ひろ》くて果《は》てしないようす）

なりたち

→黄（黃）

●もとの字《じ》は「廣」。「黄《こう》」は、火《ひ》を燃《も》やして光《ひかり》を発散《はっさん》させて飛《と》ばす矢《や》の形《かたち》で、四方《しほう》にひろがるというイメージを示《しめ》す。それと「广（屋根《やね》）」を合《あ》わせて、屋根《やね》のひろがった建物《たてもの》や広間《ひろま》を表《あらわ》した。

広 広 広 広 広

2年

店

广5画〔8画〕

音 テン
訓 みせ

はらう 店

shop［シャップ］

つかいかた

店《みせ》を開《あ》ける。

店先《みせさき》に服《ふく》が並《なら》ぶ。

書店《しょてん》に立《た》ち寄《よ》る。

いみ・ことば

●みせ。●店先《みせさき》。店番《みせばん》。茶店《ちゃみせ》。出店《でみせ》。夜店《よみせ》。店員《てんいん》。店主《てんしゅ》。店屋物《てんやもの》。開店《かいてん》。商店《しょうてん》。売店《ばいてん》。閉店《へいてん》。本店《ほんてん》。名店《めいてん》。料理店《りょうりてん》。

もっとわかる

●「店屋物《てんやもの》」とは、飲食店《いんしょくてん》から取《と》り寄《よ》せた食《た》べ物《もの》のこと。

なりたち

↓占

●「占《せん》」は「ト（占《うらな》い）」と「口（場所《ばしょ》）」を合《あ》わせた形《かたち》で、占《うらな》いによって一定《いってい》の場所《ばしょ》を決《き》めて、そこをしめること。それと「广（建物《たてもの》）」を合《あ》わせて、品物《しなもの》を置《お》いて商売《しょうばい》をする「みせ」を表《あらわ》した。

店店店店店店店店

弓

弓0画〔3画〕

音 （キュウ）
訓 ゆみ

弓 はねる

bow［ボウ］

つかいかた

弓《ゆみ》を引《ひ》く。

弓《ゆみ》なりに反《そ》らす。

弓道《きゅうどう》を習《なら》う。

いみ・ことば

●ゆみ。●弓形《ゆみがた》（きゅうけい）。弓取《ゆみと》り式《しき》。弓《ゆみ》なり。弓矢《ゆみや》。弓術《きゅうじゅつ》。弓道《きゅうどう》。

もっとわかる

●「弓《ゆみ》を引《ひ》く」は、「そむく」「反抗《はんこう》する」の意味《いみ》でも使《つか》われる。
●「弓手」は「ゆんで」と読《よ》んで、「左手《ひだりて》」「左《ひだり》の方向《ほうこう》」の意《い》。その反対《はんたい》を「馬手《めて》（右手《みぎて》。右《みぎ》の方向《ほうこう》）」という。

なりたち

↓弓

●木《き》の棒《ぼう》をまげて、糸《いと》を張《は》った「ゆみ」をえがいた形《かたち》。

弓弓弓

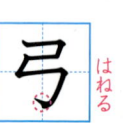

2年

引

弓1画〔4画〕

音 イン
訓 ひく　ひける

はねる 引

pull［プる］

つかいかた

線《せん》を引《ひ》く。

つなを引《ひ》っぱる。

磁石《じしゃく》の引力《いんりょく》。

いみ・ことば

1. ひっぱる。ひきよせる。●引《ひ》き[1]金《がね》。引《ひ》き[1]出《だ》し。くじ引《び》き。つな引《ひ》き。引[1]力《いんりょく》。[6]吸引《きゅういん》。[2]強引《ごういん》。
2. ひっこむ。しりぞく。●引《ひ》き[6]潮《しお》。引《ひ》っ▲越《こ》し。引[6]退《いんたい》。
3. ほかの力《ちから》をかりる。●引《ひ》き[2]合《あ》い。引[2]用《いんよう》。▲索引《さくいん》。
4. みちびく。つれていく。●引[5]率《いんそつ》。引[5]導《いんどう》。▲誘引《ゆういん》。

なりたち

「弓（ゆみ）」と「｜（引《ひ》きのばすしるし）」を合《あ》わせた形《かたち》で、弓《ゆみ》を「ひく」ようすを表《あらわ》した。

弟

弓4画〔7画〕

音 （テイ）　ダイ　（デ）
訓 おとうと

はねる 弟

younger brother［ヤンガァ ブラざァ］

つかいかた

弟《おとうと》はまだ幼《おさな》い。

二人兄弟《ふたりきょうだい》。

先生《せんせい》と弟子《でし》。

いみ・ことば

1. 年下《としした》の男《おとこ》の兄弟《きょうだい》。おとうと。●[5]義弟《ぎてい》。[1]子弟《してい》。[3]実弟《じってい》。
2. 教《おし》えを受《う》ける人《ひと》。●弟[2]分《おとうとぶん》。弟[1]子《でし》。[5]師弟《してい》。[2]門弟《もんてい》。

もっとわかる
●「弟」は「第」に形《かたち》が似《に》ていてまちがえやすいので注意《ちゅうい》。

なりたち

●古《ふる》い形《かたち》は「弋（ふたまたの棒《ぼう》）」に、下《した》からひもを巻《ま》きつけたようすをえがいたもの。「下《した》からだんだん上《あ》がる」「低《ひく》いほう」というイメージをとり、きょうだいの中《なか》で年下《としした》のほうを表《あらわ》した。

2年

弱

弓7画〔10画〕

音 ジャク
訓 よわい　よわる　よわまる　よわめる

弱　はねる

weak［ウィーク］

つかいかた

暑《あつ》さに弱《よわ》い。

火《ひ》を弱《よわ》める。

病弱《びょうじゃく》な体《からだ》。

いみ・ことば

①力《ちから》や勢《いきお》いがない。よわい。●弱気《よわき》。弱腰《よわごし》。弱音《よわね》。弱虫《よわむし》。弱々《よわよわ》しい。弱小《じゃくしょう》。弱体《じゃくたい》。強弱《きょうじゃく》。病弱《びょうじゃく》。貧弱《ひんじゃく》。

②年《とし》が若《わか》い。●弱年《じゃくねん》。弱輩《じゃくはい》。弱冠《じゃっかん》。

もっとわかる

●①と反対《はんたい》の意味《いみ》を持《も》つ漢字《かんじ》は「強」。弱小《じゃくしょう》↕強大《きょうだい》

なりたち

↓弱

●もとの形《かたち》は「弱」。「弓（弾力《だんりょく》があってまがるゆみ）」と「彡（やわらかい毛《け》）」を組《く》み合《あ》わせ、弓《ゆみ》や毛《け》のようにやわらかくてしなやかであることを表《あらわ》した。

強

弓8画〔11画〕

音 キョウ　（ゴウ）
訓 つよい　つよまる　つよめる　（しいる）

強　はねる

strong［ストロ(ー)ング］

つかいかた

風《かぜ》が強《つよ》い。

語気《ごき》を強《つよ》める。

強引《ごういん》にわりこむ。

いみ・ことば

①力《ちから》や勢《いきお》いがある。つよい。●強《つよ》がり。強気《つよき》。力強《ちからづよ》い。強化《きょうか》。強弱《きょうじゃく》。強調《きょうちょう》。強風《きょうふう》。強情《ごうじょう》。

②無理《むり》にする。●強行《きょうこう》。強制《きょうせい》。強要《きょうよう》。強引《ごういん》。強奪《ごうだつ》。

もっとわかる

●①と反対《はんたい》の意味《いみ》を持《も》つ漢字《かんじ》は「弱」。強気《つよき》↕弱気《よわき》

なりたち

「弘《こう》」は、「弓（弓《ゆみ》）」と「ム（ひじを張《は》り広《ひろ》げる）」を合《あ》わせて、弓《ゆみ》を張《は》り広《ひろ》げること。それに「虫（むし）」をそえて、はさみをぴんと張《は》り広《ひろ》げた虫《むし》のように、じょうぶでつよいことを表《あらわ》した。

2年

形

彡4画〔7画〕

音 ケイ ギョウ

訓 かた かたち

form［フォーム］

つかいかた

形《かたち》を整《ととの》える。

形見《かたみ》のネックレス。

三角形《さんかくけい》をえがく。

いみ・ことば

● **かたち。ようす。** ●形見《かたみ》。花形《はながた》。形勢《けいせい》。形容《けいよう》。円形《えんけい》。球形《きゅうけい》。原形《げんけい》。三角形《さんかくけい》（さんかっけい）。図形《ずけい》。地形《ちけい》。長方形《ちょうほうけい》。人形《にんぎょう》。

もっとわかる

●「ギョウ」の読《よ》みは、「形相《ぎょうそう》（いかりの顔《かお》つき）」「人形《にんぎょう》」などのことばに使《つか》われる。

なりたち

「幵」は「井」が変《か》わったもの。「井（四角《しかく》いわく）」と「彡（模様《もよう》）」を組《く》み合《あ》わせて、一定《いってい》のわくの中《なか》にえがいた模様《もよう》、つまり「かたち」を表《あらわ》した。

後

彳6画〔9画〕

音 ゴ コウ

訓 のち うしろ あと （おくれる）

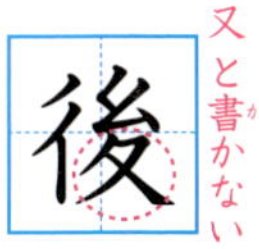

after［アフタァ］

つかいかた

後《うし》ろをふり返《かえ》る。

後《あと》からついて行《い》く。

背後《はいご》に敵《てき》がせまる。

いみ・ことば

❶ **あと。のち。** ●後回《あとまわ》し。後《のち》ほど。後日《ごじつ》。午後《ごご》。食後《しょくご》。

❷ **うしろ。** ●後足《あとあし》。後書《あとが》き。後押《あとお》し。後《うし》ろ姿《すがた》。後《うし》ろ向《む》き。真後《まうし》ろ。後見《こうけん》。後退《こうたい》。後方《こうほう》。後光《ごこう》。背後《はいご》。

もっとわかる

●「気後《きおく》れ」は、自信《じしん》がなくてためらうこと。●「後《うし》ろ指《ゆび》を指《さ》される」は、かげで悪口《わるくち》を言《い》われること。

なりたち

「彳（行《い》く）」と「幺（小《ちい》さい）」と「夂（足《あし》を引《ひ》きずる）」を合《あ》わせた形《かたち》。少《すこ》しずつしか足《あし》が進《すす》まず、おくれることを表《あらわ》した。

茶

艹6画〔9画〕

音 チャ（サ）
訓 ―

つかいかた

お茶《ちゃ》を飲《の》む。

牛乳《ぎゅうにゅう》入《い》りの紅茶《こうちゃ》。

喫茶店《きっさてん》で待《ま》つ。

茶 とめる

tea［ティー］

いみ・ことば

①おちゃ。●茶《ちゃ》つみ。茶《ちゃ》の間《ま》。喫茶店《きっさてん》。紅茶《こうちゃ》。新茶《しんちゃ》。
②茶道《さどう》のこと。●茶会《ちゃかい》。茶室《ちゃしつ》。茶席《ちゃせき》。茶《ちゃ》の湯《ゆ》。
③煮出《にだ》したお茶《ちゃ》の色《いろ》。●茶色《ちゃいろ》。こげ茶《ちゃ》。

もっとわかる

●「日常茶飯事《にちじょうさはんじ》」とは、よくあるありふれた事《こと》がらのこと。

なりたち

余

●もとの字《じ》は「荼」。「余《よ》（ゆったりと広《ひろ》げる）」と「艸（草《くさ》）」を合《あ》わせた形《かたち》。体《からだ》をゆったりとくつろがせる働《はたら》きのある植物《しょくぶつ》を表《あらわ》した。

茶 茶 茶 茶 茶 茶 茶 茶 茶

近

辶4画〔7画〕

音 キン
訓 ちかい

つかいかた

近《ちか》くに公園《こうえん》がある。

目《め》を近《ちか》づける。

近所迷惑《きんじょめいわく》。

近 ひと筆《ふで》で書《か》く

near［ニァ］

いみ・ことば

①距離《きょり》がちかい。●近道《ちかみち》。間近《まぢか》。近所《きんじょ》。接近《せっきん》。付近《ふきん》。
②日時《にちじ》がちかい。●近《ちか》ごろ。近日《きんじつ》。近代《きんだい》。近年《きんねん》。最近《さいきん》。
③したしい。●身近《みぢか》。近親《きんしん》。側近《そっきん》。

もっとわかる

●「近」の反対《はんたい》の意味《いみ》を持《も》つ漢字《かんじ》は「遠」。近視《きんし》↔遠視《えんし》

なりたち

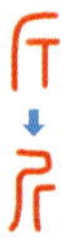
斤

●「斤《きん》」は、おのを物《もの》にちかづけて切《き》るようす。それと「辶（行《い》く）」を合《あ》わせて、「ちかく」に寄《よ》ることを表《あらわ》した。

近 近 近 近 近 近 近

通

辶7画〔10画〕

音 ツウ（ツ）

訓 とおる　とおす　かよう

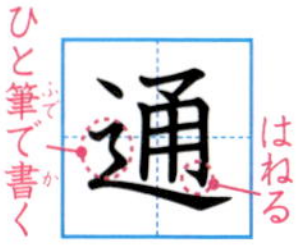

pass［パス］

つかいかた

家《いえ》の前《まえ》を通《とお》る。

心《こころ》を通《かよ》わせる。

通行止《つうこうど》めだ。

いみ・ことば

1 とおる。とおす。●風通《かぜとお》し。通過《つうか》。通路《つうろ》。開通《かいつう》。直通《ちょくつう》。

2 行《い》き来《き》する。●人通《ひとどお》り。通学《つうがく》。通行《つうこう》。交通《こうつう》。文通《ぶんつう》。

3 広《ひろ》くゆきわたる。●通貨《つうか》。通説《つうせつ》。通知《つうち》。共通《きょうつう》。流通《りゅうつう》。

4 最初《さいしょ》から最後《さいご》まで。とおして。●一通《ひとどお》り。通読《つうどく》。通夜《つや》。

5 手紙《てがみ》や書類《しょるい》を数《かぞ》えることば。●一通《いっつう》の手紙《てがみ》。

なりたち

↓甬

●「甬《よう》（つき抜《ぬ》ける）」と「辶（行《い》く）」を合《あ》わせた形《かたち》。道《みち》をつき抜《ぬ》けて行《い》く、「とおる」ことを表《あらわ》した。

週

辶8画〔11画〕

音 シュウ

訓 —

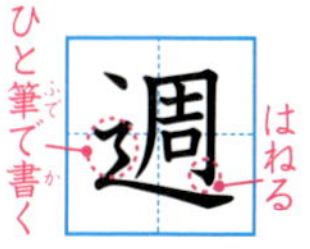

week［ウィーク］

つかいかた

週《しゅう》の始《はじ》めの朝礼《ちょうれい》。

一週間《いっしゅうかん》の時間割《じかんわ》り。

交通安全週間《こうつうあんぜんしゅうかん》。

いみ・ことば

●日曜日《にちようび》から土曜日《どようび》までの七日間《なのかかん》。●週間《しゅうかん》。週刊誌《しゅうかんし》。週休二日制《しゅうきゅうふつかせい》。週末《しゅうまつ》。今週《こんしゅう》。毎週《まいしゅう》。来週《らいしゅう》。

もっとわかる

●「週間《しゅうかん》」は、特別《とくべつ》な行事《ぎょうじ》などを行《おこな》う一週間《いっしゅうかん》のこと。「愛鳥週間《あいちょうしゅうかん》」「読書週間《どくしょしゅうかん》」などと使《つか》う。

なりたち

↓周

●「周《しゅう》（ぐるりと取《と》り巻《ま》く）」と「辶（行《い》く）」を合《あ》わせた形《かたち》。ぐるっとまわって、「ひとめぐり」することを表《あらわ》した。

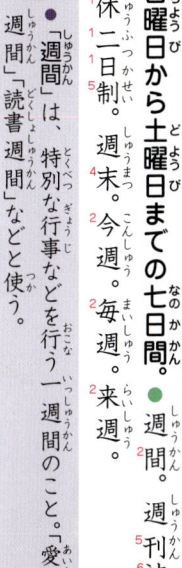

2年

道

⻌9画〔12画〕

音 ドウ（トウ）

訓 みち

つかいかた

途中《とちゅう》で道《みち》に迷《まよ》う。

道場《どうじょう》に通《かよ》う。

北海道《ほっかいどう》を旅《たび》する。

道

ひと筆《ふで》で書《か》く

長《なが》く

way［ウェイ］

いみ・ことば

1. みち。●道順《みちじゅん》。帰《かえ》り道《みち》。坂道《さかみち》。近道《ちかみち》。道路《どうろ》。街道《かいどう》。歩道《ほどう》。
2. 人《ひと》として守《まも》るべきこと。すじ。●道徳《どうとく》。道理《どうり》。正道《せいどう》。
3. 学問《がくもん》や芸事《げいごと》。やりかた。●道場《どうじょう》。茶道《さどう》。書道《しょどう》。▲柔道《じゅうどう》。
4. 北海道《ほっかいどう》のこと。●都道府県《とどうふけん》。

もっとわかる

●「トウ」の読《よ》みは、「神道《しんとう》（日本《にほん》の伝統的《でんとうてき》な宗教《しゅうきょう》）」に使《つか》われる。

なりたち

首

●「首《しゅ》（ある方向《ほうこう》へのびる）」と「⻌（進《すす》む）」を合《あ》わせた形《かたち》。ある方向《ほうこう》へと導《みちび》く、「みち」を表《あらわ》した。

遠

⻌10画〔13画〕

音 エン（オン）

訓 とおい

つかいかた

遠《とお》くに山《やま》が見《み》える。

遠足《えんそく》に行《い》く。

望遠鏡《ぼうえんきょう》をのぞく。

遠

ひと筆《ふで》で書《か》く

はねない

distant［ディスタント］

いみ・ことば

1. 距離《きょり》がはなれている。●遠出《とおで》。遠回《とおまわ》り。遠近感《えんきんかん》。遠足《えんそく》。
2. 時間《じかん》がはなれている。●永遠《えいえん》。
3. とおざける。●遠心力《えんしんりょく》。敬遠《けいえん》。

もっとわかる

●「オン」の読《よ》みは、「久遠《くおん》」などのことばに使《つか》われる。

なりたち

袁

●「袁《えん》」は、「衣《ころも》」に「○《まる》」を入《い》れて、まるくてゆったりしていることを示《しめ》す。それと「⻌（行《い》く）」を合《あ》わせて、近道《ちかみち》をせずに、とおまわりをすることを表《あらわ》した。

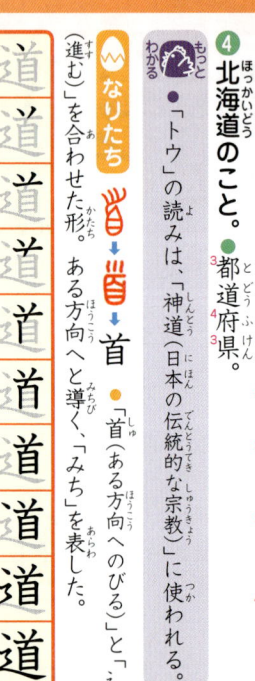

心

心0画〔4画〕

音 シン
訓 こころ

はねる

heart［ハート］

つかいかた

心《こころ》をこめて看病《かんびょう》する。

天気《てんき》を心配《しんぱい》する。

円《えん》の中心《ちゅうしん》。

いみ・ことば

1 **心臓《しんぞう》のこと。** ●心[2]電[2]図《しんでんず》。[1]右心[2]室《うしんしつ》。[1]左心[2]室《さしんしつ》。

2 **こころ。** ●心《こころ》[2]当《あ》たり。心[2]強《こころづよ》い。心[4]残《こころのこ》り。心[2]細《こころぼそ》い。[2]親心《おやごころ》。[1]気心《きごころ》。[3]真心《まごころ》。心[4]底《しんそこ》。心[3]配《しんぱい》。[3]安心《あんしん》。[1]本心《ほんしん》。[2]用心《ようじん》。

3 **まん中《なか》。** ●心[6]棒《しんぼう》。[2]遠心[1]力《えんしんりょく》。[1]中心《ちゅうしん》。[3]都心《としん》。

もっとわかる

●特別《とくべつ》な読《よ》み方《かた》…心地《ここち》 ●四字《よじ》熟語《じゅくご》…心機《しんき》一転《いってん》(何《なに》かをきっかけに気持《きも》ちを切《き》りかえること)

なりたち

→心 ●心臓《しんぞう》をえがいた形《かたち》。

思

心5画〔9画〕

音 シ
訓 おもう

はねる

think［すィンク］

つかいかた

思《おも》う存分《ぞんぶん》食《た》べる。

思《おも》い出《で》の写真《しゃしん》。

あれこれ思案《しあん》する。

いみ・ことば

●**考《かんが》える。おもう。** ●思《おも》い[2]切《き》り。思《おも》い[1]出《で》。思《おも》いやり。[6]片思《かたおも》い。思[4]案《しあん》。思[2]考《しこう》。思[2]春[3]期《ししゅんき》。思[3]想《しそう》。[3]意思《いし》。

もっとわかる

●四字《よじ》熟語《じゅくご》…思慮分別《しりょふんべつ》(注意深《ちゅういぶか》く考《かんが》えて判断《はんだん》すること)

なりたち

→思 ●「田」は「囟《しん》」が変《か》わった形《かたち》。「囟」は、赤《あか》ちゃんの頭《ず》がいこつの細《ほそ》いすきまをえがいたもので、「こまかい」というイメージを示《しめ》す。それと「心(こころ)」を合《あ》わせて、あれこれと細《こま》やかに物《もの》を「おもう」ことを表《あらわ》した。

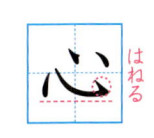

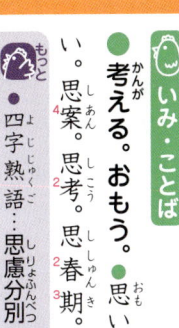

2年

戸

戸0画〔4画〕

訓 と
音 コ

つかいかた

戸《と》をたたく。

戸《と》じまりをする。

一戸建《いっこだ》ての家《いえ》。

はらう 戸

door［ドー］

いみ・ことば

1 **出入《でい》り口《ぐち》のとびら。と。** ●戸口《とぐち》。戸《と》じまり。戸棚《とだな》。▲網戸《あみど》。木戸《きど》。門戸《もんこ》。

2 **家《いえ》。家《いえ》を数《かぞ》えることば。** ●戸外《こがい》。戸数《こすう》。一戸建《いっこだ》て。

もっとわかる

●「戸口」は、「ここう」と読《よ》むと戸数《こすう》と人口《じんこう》の意《い》。●「門戸《もんこ》」は、家《いえ》の門《もん》と戸《と》。出入《でい》り口《ぐち》。「門戸《もんこ》を開《ひら》く」は、禁止《きんし》や制限《せいげん》をしないで、出入《でい》りを自由《じゆう》にする意《い》で使《つか》われる。

なりたち

→ → 戸

●片側《かたがわ》にひらく「と」をえがいた形《かたち》。

戸 戸 戸 戸

才

扌0画〔3画〕

訓 ―
音 サイ

つかいかた

絵《え》をかく才能《さいのう》。

ゲームの天才《てんさい》。

妹《いもうと》は三才《さんさい》だ。

少《すこ》し出《だ》す 才

talent［タれンント］

いみ・ことば

1 **生《う》まれつき持《も》っている力《ちから》。** ●才覚《さいかく》。才知《さいち》。才能《さいのう》。英才《えいさい》教育《きょういく》。▲秀才《しゅうさい》。多才《たさい》。天才《てんさい》。

2 **年齢《ねんれい》を数《かぞ》えることば。** ●三才児《さんさいじ》。満十才《まんじっさい》。

もっとわかる

●年齢《ねんれい》を数《かぞ》える場合《ばあい》には、「歳《さい》」も使《つか》われる。

なりたち

→ → → 才

●川《かわ》の水《みず》を止《と》める「せき」をえがいた形《かたち》。連続《れんぞく》したものをずばっと断《た》ち切《き》るようすで、物事《ものごと》をずばっと断《た》ち切《き》って処理《しょり》する力《ちから》を表《あらわ》した。

才 才 才

教

攵7画〔11画〕

音 キョウ
訓 おしえる
おそわる

ななめ右上《みぎうえ》に

teach［ティーチ］

つかいかた

かけ算《ざん》を教《おそ》わる。

教科書《きょうかしょ》を読《よ》む。

仏教《ぶっきょう》の寺院《じいん》。

いみ・ことば

1 おしえる。●教《おし》え[2]方《かた》。教《おし》え[1]子《ご》。教《おそ》わり[2]方《かた》。教《きょう》[3]育《いく》。教《きょう》[3]員《いん》。教《きょう》[2]室《しつ》。教《きょう》[3]習《しゅう》[3]所《じょ》。

2 神《かみ》や仏《ほとけ》のおしえ。●イスラム教《きょう》。キリスト教《きょう》。[6]宗《しゅう》教《きょう》。[5]仏《ぶっ》教《きょう》。[5]布《ふ》教《きょう》[2]活《かつ》[3]動《どう》。

なりたち

↓ 教（教）

●もとの形は「敎」。「爻《こう》（交《まじ》わる）」と「子」と「攵（動作《どうさ》）」を合《あ》わせて、子《こ》どもと先生《せんせい》が交《まじ》わるようすをえがいた形《かたち》。先生《せんせい》が子《こ》どもに「おしえる」ことを表《あらわ》した。

数

攵9画〔13画〕

音 スウ（ス）
訓 かず
かぞえる

折《お》る

number［ナンバァ］

つかいかた

数《かず》を数《かぞ》える。

算数《さんすう》の問題《もんだい》を解《と》く。

数人《すうにん》が手《て》を挙《あ》げる。

いみ・ことば

1 かず。かぞえる。●数《かぞ》え[2]歌《うた》。[1]口《くち》数《かず》。数《すう》[1]字《じ》。[2]算《さん》数《すう》。[1]人《にん》数《ずう》（にんず）。

2 いくつかの。●数《すう》[2]回《かい》。数《すう》[1]日《じつ》。数《すう》[1]年《ねん》。数《すう》[2]万《まん》。

もっとわかる
●特別《とくべつ》な読《よ》み方《かた》…数珠《じゅず》・数寄屋《すきや》（数奇屋《すきや》）

なりたち

↓ 婁

●もとの形《かたち》は「數」。「婁《ろう》」は「毌（ひもを通《とお》してつらぬく）」と「中（真《ま》ん中《なか》を通《とお》す）」と「女」からなる。多《おお》くの女《おんな》どれいをひもでつないだようすで、数珠《じゅず》のようにつながるというイメージを示《しめ》す。それと「攵（動作《どうさ》）」を合《あ》わせて、一《ひと》つ、二《ふた》つ、と「かぞえる」ことを表《あらわ》した。

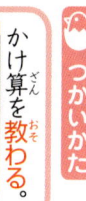

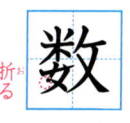

新

斤9画〔13画〕

音 シン
訓 あたらしい　あらた　にい

左下《ひだりした》に

new［ニュー］

つかいかた

新《あたら》しい服《ふく》を着《き》る。

気分《きぶん》を新《あら》たにする。

新品《しんぴん》の消《け》しゴム。

いみ・ことば

●あたらしい。あたらしくする。●新幹線《しんかんせん》。新記録《しんきろく》。新語《しんご》。新人《しんじん》。新車《しんしゃ》。新▲鮮《しんせん》。新年《しんねん》。新品《しんぴん》。新緑《しんりょく》。革新《かくしん》。▲更新《こうしん》。

もっとわかる

●「にい」の読《よ》みは、「新妻《にいづま》」「新盆《にいぼん》」などのことばに使《つか》われる。●「新」と反対《はんたい》の意味《いみ》を持《も》つ漢字《かんじ》は「旧」。●四字熟語《よじじゅくご》…温故《おんこ》知新《ちしん》（昔《むかし》のことを調《しら》べて、新《あたら》しいことを知《し》ること）

なりたち

「亲《しん》」は、切《き》りたての木《き》のこと。それに「斤（おの）」を合《あ》わせて、おので切《き》った生木《なまき》のように「あたらしい」ことを表《あらわ》した。

新 新 新 新 新 新 新 新 新 新

方

方0画〔4画〕

音 ホウ
訓 かた

はねる

direction［ディレクション］

つかいかた

あの方《かた》が校長《こうちょう》です。

上《うえ》の方《ほう》へ向《む》かう。

方法《ほうほう》を考《かんが》える。

いみ・ことば

①向《む》き。ほうこう。●方角《ほうがく》。方向《ほうこう》。四方《しほう》。先方《せんぽう》。地方《ちほう》。

②やりかた。ほうほう。●書《か》き方《かた》。読《よ》み方《かた》。方式《ほうしき》。方針《ほうしん》。

③四角《しかく》。●方眼紙《ほうがんし》。正方形《せいほうけい》。長方形《ちょうほうけい》。立方体《りっぽうたい》。

④人《ひと》をうやまっていうことば。●あの方《かた》。▲殿方《とのがた》。

もっとわかる

●特別《とくべつ》な読《よ》み方《かた》…行方《ゆくえ》

なりたち

→方

●手《て》で持《も》つ部分《ぶぶん》が両側《りょうがわ》に張《は》り出《だ》した「すき」をえがいた形《かたち》。左右《さゆう》に出《で》ているイメージから、「向《む》き」を表《あらわ》した。

方 方 方 方

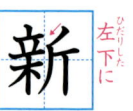

明

日4画〔8画〕

音 メイ・ミョウ

訓 あかり
あかるい
あかるむ
あからむ
あきらか
あける・あく
あくる・あかす

明（はねる）

bright［ブライト］

つかいかた

月明《つきあ》かりで明《あか》るい。

夜《よ》が明《あ》ける。

事情《じじょう》を説明《せつめい》する。

いみ・ことば

❶ **あかるい。あかり。** ●明[2]星《みょうじょう》。明[3]暗《めいあん》。明[1]月《めいげつ》。[4]照明《しょうめい》。

❷ **はっきりしている。あきらか。** ●明[1]白《めいはく》。[4]説明《せつめい》。[5]判明《はんめい》。

❸ **かしこい。** ●明[3]君《めいくん》。▲賢明《けんめい》。

❹ **つぎの時期《じき》になる。あける。** ●明《あ》くる[1]日《ひ》。[2]夜明《よあ》け。明[2]朝《みょうちょう》。

もっとわかる

● 特別《とくべつ》な読《よ》み方《かた》…明日《あす》（改《あらた》まって「みょうにち」ともいう）

なりたち

→ 明 ● 「日（太陽《たいよう》）」と「月（つき）」を組《く》み合《あ》わせて、「あかるい」ことを表《あらわ》した。

明 明 明 明 明 明 明 明

春

日5画〔9画〕

音 シュン

訓 はる

春（長《なが》く）

spring［スプリング］

つかいかた

春風《はるかぜ》が吹《ふ》く。

早春《そうしゅん》の日《ひ》ざし。

新春《しんしゅん》の大売《おおう》り出《だ》し。

いみ・ことば

❶ **四季《しき》の一《ひと》つ。はる。** ●春[1]一[2]番《はるいちばん》。春[2]風《はるかぜ》（しゅんぷう）。春[1]先《はるさき》。春《はる》[1]雨《さめ》（しゅんう）。春[2]夏[2]秋[2]冬《しゅんかしゅうとう》。春[2]分《しゅんぶん》。[1]早春《そうしゅん》。[1]立春《りっしゅん》。

❷ **年《とし》の初《はじ》め。** ●[4]賀春《がしゅん》。▲迎春《げいしゅん》。[4]初春《しょしゅん》（はつはる）。[2]新春《しんしゅん》。

❸ **若《わか》くて元気《げんき》な年《とし》ごろ。** ●[1]青春《せいしゅん》。[2]思春[3]期《ししゅんき》。

なりたち

→ 春 ● 「屯《とん》（植物《しょくぶつ》が地下《ちか》に根《ね》を張《は》るようす）」と「艸（草《くさ》）」と「日（太陽《たいよう》）」を合《あ》わせた形《かたち》。植物《しょくぶつ》がずっしりと根《ね》を張《は》り、日光《にっこう》をあびて芽《め》を出《だ》すようすをえがいて、季節《きせつ》の「はる」を表《あらわ》した。

春 春 春 春 春 春 春 春 春

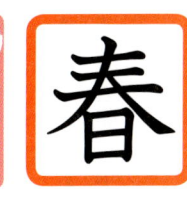

星

日5画〔9画〕

音 セイ（ショウ）

訓 ほし

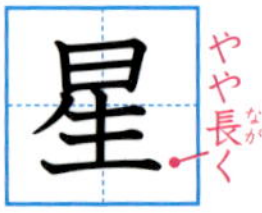

star［スター］

つかいかた

流《なが》れ星《ぼし》を見《み》る。

犯人《はんにん》の目星《めぼし》をつける。

冬《ふゆ》の星座《せいざ》。

いみ・ことば

❶ **夜空《よぞら》にかがやく天体《てんたい》。ほし。** ●星明《ほしあ》かり。星空《ほしぞら》。星月夜《ほしづきよ》。一番星《いちばんぼし》。流れ星《ながれぼし》。星座《せいざ》。衛星《えいせい》。北極星《ほっきょくせい》。惑星《わくせい》。

❷ **目《め》じるし。目当《めあ》て。** ●黒星《くろぼし》。白星《しろぼし》。図星《ずぼし》。目星《めぼし》。

もっとわかる

●「ショウ」の読《よ》みは、「明星《みょうじょう》」ということばに使《つか》われる。●「星《ほし》の数《かず》ほど」とは、非常《ひじょう》に数《かず》が多《おお》いことのたとえ。

なりたち

「生《せい》」は若芽《わかめ》が生《は》えることで、すみ切《き》っているというイメージを示《しめ》す。それと「晶（三《みっ》つのほし）」を合《あ》わせて、すみ切《き》って光《ひか》る「ほし」を表《あらわ》した。

昼

日5画〔9画〕

音 チュウ

訓 ひる

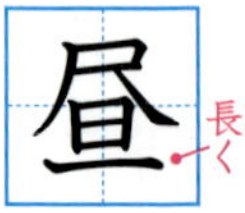

daytime［デイタイム］

つかいかた

昼休《ひるやす》みに校庭《こうてい》で遊《あそ》ぶ。

昼寝《ひるね》をする。

昼食《ちゅうしょく》をとる。

いみ・ことば

❶ **日《ひ》の出《で》ている間《あいだ》。ひる。** ●昼間《ひるま》。真昼《まひる》。昼夜《ちゅうや》。白昼夢《はくちゅうむ》。

❷ **ひるの十二時《じゅうにじ》ごろ。** ●昼《ひる》ご飯《はん》。昼過《ひるす》ぎ。昼時《ひるどき》。昼飯《ひるめし》。昼休《ひるやす》み。昼食《ちゅうしょく》。

もっとわかる

●「昼間《ひるま》」を強《つよ》めた言《い》い方《かた》に「昼日中《ひるひなか》」「真《ま》っ昼間《ぴるま》」などがある。

なりたち

もとの形《かたち》は「晝」。「畫（＝画。田《た》を区切《くぎ》る）」を略《りゃく》したものと「日」を合《あ》わせて、日《ひ》が出《で》てからしずむまでを区切《くぎ》った時間帯《じかんたい》、「ひるま」を表《あらわ》した。

2年

時

日6画〔10画〕

音 ジ
訓 とき

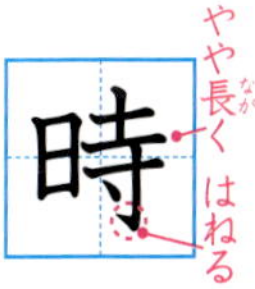

time［タイム］

つかいかた

時《とき》おり日《ひ》が差《さ》す。

時速《じそく》八十《はちじっ》キロ。

教室《きょうしつ》の時計《とけい》。

いみ・ことば

① とき。じこく。 ●時間《じかん》。時刻《じこく》。時差《じさ》。時計《とけい》。十二時《じゅうにじ》。

② そのとき。機会《きかい》。 ●書《か》き入《い》れ時《どき》。潮時《しおどき》。時価《じか》。時期《じき》。時機《じき》。時事《じじ》。時代《じだい》。時分《じぶん》。当時《とうじ》。臨時《りんじ》。

もっとわかる

●特別《とくべつ》な読《よ》み方《かた》…時雨《しぐれ》・時計《とけい》 ●「時化」と書《か》いて、「しけ」と読《よ》む。はげしい風《かぜ》や雨《あめ》で、海《うみ》があれること。

なりたち

「寺《じ》」は、まっすぐ進《すす》む足《あし》と手《て》を合《あ》わせた形《かたち》で、まっすぐ進《すす》むイメージを示《しめ》す。それと「日」を合《あ》わせて、日《ひ》が進行《しんこう》することを表《あらわ》した。

晴

日8画〔12画〕

音 セイ
訓 はれる はらす

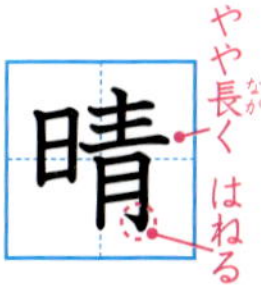

fine［ファイン］

つかいかた

晴《は》れ間《ま》が見《み》える。

晴《は》れ着《ぎ》姿《すがた》。

雲《くも》一《ひと》つない晴天《せいてん》。

いみ・ことば

① はれる。はれ。 ●秋晴《あきば》れ。日本晴《にほんば》れ。晴天《せいてん》。快晴《かいせい》。

② 心《こころ》がさっぱりする。 ●晴《は》れ晴《ば》れ。晴《は》れやか。

③ はれがましい。 ●晴《は》れ着《ぎ》。晴《は》れ舞台《ぶたい》。

もっとわかる

●四字熟語《よじじゅくご》…晴耕雨読《せいこううどく》（勤《つと》めなどをやめて心静《こころしず》かに生活《せいかつ》すること）

なりたち

「青《せい》」は、草《くさ》の芽《め》と井戸《いど》の水《みず》を合《あ》わせた形《かたち》で、すみ切《き》っているイメージを示《しめ》す。それと「日」を合《あ》わせて、日《ひ》が出《で》て空《そら》がすみ切《き》っていることを表《あらわ》した。

曜

日 14画〔18画〕

音 ヨウ
訓 —

曜 小《ちい》さめに

day of the week［ディ アヴ ザ ウィーク］

つかいかた

月曜日《げつようび》は定休日《ていきゅうび》だ。

曜日《ようび》ごとに変《か》わる。

何曜日《なんようび》かたずねる。

いみ・ことば

● 一週間《いっしゅうかん》の日《ひ》。ようび。●1月曜《げつよう》。1火曜《かよう》。1水曜《すいよう》。1木曜《もくよう》。1金曜《きんよう》。1土曜《どよう》。1日曜《にちよう》。2何曜日《なんようび》。

もっとわかる

●「七曜《しちよう》」とは、日《ひ》と月《つき》と火星《かせい》、水星《すいせい》、木星《もくせい》、金星《きんせい》、土星《どせい》のこと。「七曜星《しちようせい》」ともいう。のち、一週間《いっしゅうかん》に当《あ》てはめて曜日《ようび》とした。

なりたち

翟 ↓ 翟

●「翟《てき》」は、キジの尾《お》の羽《はね》のことで、高《たか》く上《あ》がるイメージを示《しめ》す。それと「日」を合《あ》わせて、光《ひかり》が高《たか》く上《あ》がってかがやくようすを表《あらわ》した。のち、七《なな》つの天体《てんたい》、七《なな》つの曜日《ようび》の意《い》で使《つか》われるようになった。

書

日 6画〔10画〕

音 ショ
訓 かく

書 やや長《なが》く

write［ライト］

つかいかた

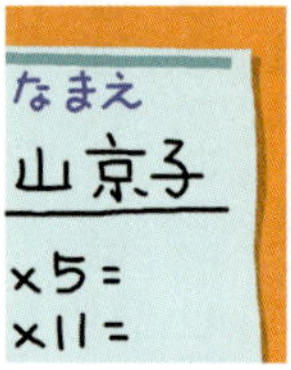

名前《なまえ》を書《か》く。

書道《しょどう》を習《なら》う。

書店《しょてん》で本《ほん》を買《か》う。

いみ・ことば

① 字《じ》をかく。文字《もじ》。●書《か》き方《かた》2。書《か》き取《と》り3。1下書《したが》き。書記《しょき》2。3書式《しょしき》。2書体《しょたい》。2書道《しょどう》。4清書《せいしょ》。3板書《ばんしょ》。

② かいたもの。●4覚《おぼ》え書《が》き。3落書《らくが》き。3書面《しょめん》。4書類《しょるい》。1文書《ぶんしょ》。

③ 本《ほん》。●書籍《しょせき》。書店《しょてん》。書名《しょめい》。教科書《きょうかしょ》。辞書《じしょ》。読書《どくしょ》。図書《としょ》。

なりたち

「者《しゃ》」は、こんろにたきぎを集《あつ》めて燃《も》やすことで、一《いっ》か所《しょ》にくっつけるイメージを示《しめ》す。「者」を略《りゃく》した「日」と「聿（筆《ふで》を手《て》に持《も》つ）」を合《あ》わせて、筆《ふで》で文字《もじ》を紙《かみ》の上《うえ》にかきつける意《い》を表《あらわ》した。

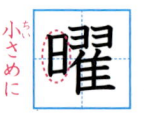

2年

朝

月8画〔12画〕

音 チョウ
訓 あさ

morning［モーニング］

つかいかた

朝方《あさがた》に目《め》を覚《さ》ます。

朝食《ちょうしょく》を食《た》べる。

今朝《けさ》はいい天気《てんき》だ。

いみ・ことば

❶ **あさ。** ●朝日《あさひ》。朝焼《あさや》け。毎朝《まいあさ》。朝食《ちょうしょく》。朝礼《ちょうれい》。早朝《そうちょう》。

❷ **天皇《てんのう》が政治《せいじ》をとること。** ●朝廷《ちょうてい》。平安朝《へいあんちょう》。

もっとわかる

●特別《とくべつ》な読《よ》み方《かた》……今朝《けさ》
●四字熟語《よじじゅくご》…朝三暮四《ちょうさんぼし》（見《み》た目《め》の変化《へんか》にだまされて、何《なに》も変《か》わっていないことに気《き》がつかないこと）

なりたち

↓朝
●古《ふる》い字《じ》は、「卓（草《くさ》の間《あいだ》から見《み》える日《ひ》）」と「⺝（潮《しお》の流《なが》れ）」を合《あ》わせた形《かたち》。日《ひ》がのぼるころ、潮《しお》が海岸《かいがん》におし寄《よ》せるようすをえがいて、「あさ」を表《あらわ》した。

来

木3画〔7画〕

音 ライ
訓 くる
（きたる）
（きたす）

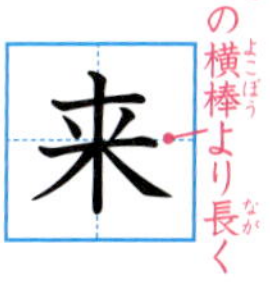

come［カム］

つかいかた

バスが来《く》る。

来客《らいきゃく》がある。

将来《しょうらい》の夢《ゆめ》を語《かた》る。

いみ・ことば

❶ **やってくる。** ●来客《らいきゃく》。来校《らいこう》。外来語《がいらいご》。伝来《でんらい》。未来《みらい》。

❷ **次《つぎ》の。** ●来月《らいげつ》。来週《らいしゅう》。来春《らいしゅん》。来年《らいねん》。来学期《らいがっき》。

❸ **そのときからずっと。** ●以来《いらい》。古来《こらい》。昨年来《さくねんらい》。本来《ほんらい》。

もっとわかる

●四字熟語《よじじゅくご》…千客万来《せんきゃくばんらい》（非常《ひじょう》に大勢《おおぜい》の客《きゃく》が来《く》ること）

なりたち

↓來（来）
●もとの字《じ》は「來」で、麦《むぎ》をえがいた形《かたち》。昔《むかし》の中国《ちゅうごく》で、麦《むぎ》は神《かみ》がもたらした穀物《こくもつ》であると考《かんが》えられたところから、「やってくる」の意《い》を表《あらわ》すようになった。

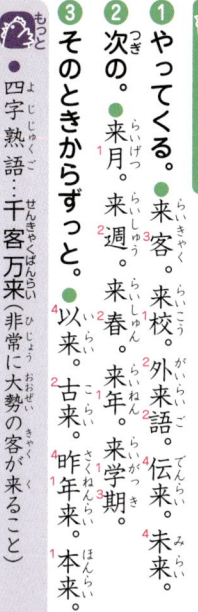

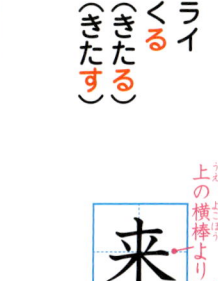

東

木4画〔8画〕

音 トウ

訓 ひがし

中心《ちゅうしん》

east［イースト］

つかいかた

東《ひがし》の空《そら》が明《あか》るむ。

関東地方《かんとうちほう》の天気《てんき》。

東洋《とうよう》の文化《ぶんか》。

いみ・ことば

● 方角《ほうがく》の「ひがし」。太陽《たいよう》がのぼる方角《ほうがく》。 ● 東《とう》[2]西《ざい》[2]南《なん》[2]北《ぼく》。東《とう》[3]部《ぶ》。東《とう》[2]北《ほく》。東《とう》[3]洋《よう》。[4]関《かん》東《とう》[2]地《ち》[2]方《ほう》。[4]極《きょく》東《とう》。[1]中《ちゅう》東《とう》。

もっとわかる

● 四字熟語《よじじゅくご》…馬耳東風《ばじとうふう》（人《ひと》の意見《いけん》を聞《き》き流《なが》すこと）

なりたち

東 ↓ 東 ↓ 東 ↓ 東 ● 真《ま》ん中《なか》に棒《ぼう》をつき通《とお》し、上下《じょうげ》をひもでくくったふくろをえがいた形《かたち》で、「つき通《とお》る」というイメージがある。昔《むかし》の中国《ちゅうごく》で、太陽《たいよう》が東《ひがし》の海《うみ》の中《なか》をつき通《とお》って出《で》てくると考《かんが》えられたところから、「ひがし」を表《あらわ》すようになった。

東 東 東 東 東 東 東 東

楽

木9画〔13画〕

音 ガク ラク

訓 たのしい たのしむ

点《てん》のうち方《かた》に注意《ちゅうい》

music［ミューズィック］

つかいかた

楽《たの》しい夏休《なつやす》み。

楽器《がっき》を演奏《えんそう》する。

楽々《らくらく》とのぼる。

いみ・ことば

① おんがく。 ● 楽《がっ》[4]器《き》。楽《がく》[5]団《だん》。楽《がく》▲譜《ふ》。[1]音《おん》楽《がく》。▲邦《ほう》楽《がく》。[3]洋《よう》楽《がく》。

② たのしい。たやすい。 ● 楽《らく》[2]園《えん》。楽《らく》[3]勝《しょう》。[1]気《き》楽《らく》。[3]苦《く》楽《らく》。

もっとわかる

● 特別《とくべつ》な読《よ》み方《かた》……神楽《かぐら》（神《かみ》を祭《まつ》るためのおどりや音楽《おんがく》）

なりたち

楽 ↓ 楽 ↓ 樂（楽） ● もとの字は「樂」。「白（どんぐり）」と「幺（糸《いと》をはき出《だ》すまゆ）」二《ふた》つと「木」を組《く》み合《あ》わせて、クヌギの木《き》を示《しめ》した形《かたち》。クヌギは、どんぐりがたくさんなってにぎやかなイメージをもつところから、にぎやかな「おんがく」を表《あらわ》すようになった。

楽 楽 楽 楽 楽 楽 楽 楽 楽 楽 楽 楽 楽

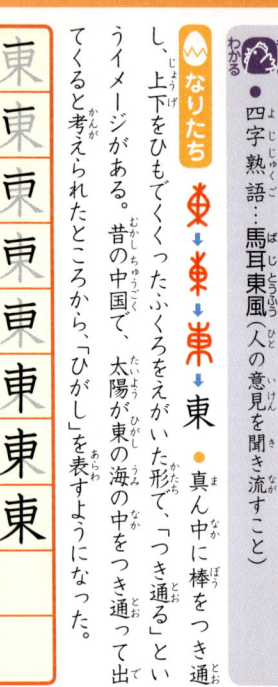

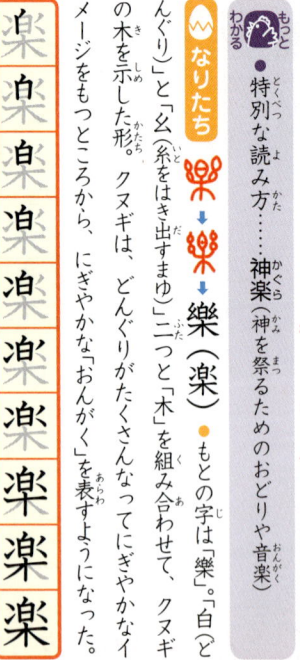

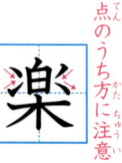

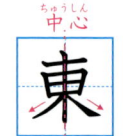

歌

欠10画〔14画〕

音 カ

訓 うた　うたう

歌（はねる）

song［ソ(ー)ング］

つかいかた

歌《うた》の歌詞《かし》を見《み》る。

小鳥《ことり》が歌《うた》う。

和歌《わか》をよむ。

いみ・ことば

①うた。うたう。●歌声《うたごえ》。かえ歌《うた》。鼻歌《はなうた》。歌詞《かし》。歌手《かしゅ》。歌《か》謡曲《ようきょく》。応援歌《おうえんか》。校歌《こうか》。国歌《こっか》。賛美歌《さんびか》。

②日本古来《にほんこらい》の詩歌《しいか》。●歌会《うたかい》。歌《うた》よみ。歌人《かじん》。短歌《たんか》。和歌《わか》。

もっとわかる

●「歌舞伎《かぶき》」は、江戸時代《えどじだい》から伝《つた》わる日本《にほん》の伝統的《でんとうてき》な演劇《えんげき》。

なりたち

「哥《か》」は「可《か》（「型《がた》に曲《ま》がる）」を二《ふた》つ重《かさ》ねて、のどを曲《ま》げて声《こえ》をかすれさせること。それと「欠（人《ひと》が大《おお》きく口《くち》を開《あ》ける）」を合《あ》わせて、ふしをつけて「うたをうたう」ことを表《あらわ》した。

歌 歌 歌 歌 歌 歌 歌 歌 歌 歌

止

止0画〔4画〕

音 シ

訓 とまる　とめる

止（左《ひだり》に少《すこ》しつき出《だ》す）

stop［スタップ］

つかいかた

水道《すいどう》の水《みず》が止《と》まる。

けんかを止《と》める。

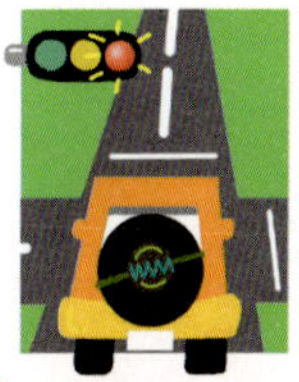

交差点《こうさてん》で停止《ていし》する。

いみ・ことば

●とまる。とめる。やめる。●行《い》き止《ど》まり。通行止《つうこうど》め。止《し》血《けつ》。休止《きゅうし》。禁止《きんし》。静止《せいし》。中止《ちゅうし》。停止《ていし》。廃止《はいし》。

もっとわかる

●特別《とくべつ》な読《よ》み方《かた》……波止場《はとば》（船着《ふなつ》き場《ば》）

●同訓異字《どうくんいじ》「とめる」…「止《と》める」は、動《うご》いていたものをとめる（例 自転車《じてんしゃ》を止《と》める）。「留《と》める」は、一《いっ》か所《しょ》に固定《こてい》してとめる（例 気《き》に留《と》める）。

なりたち

●人《ひと》の足《あし》をえがいた形《かたち》で、「じっととまる」の意《い》を表《あらわ》した。

止

止 止 止 止

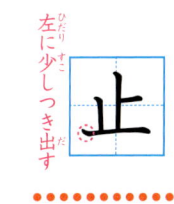

2年

歩

止4画〔8画〕

音 ホ（ブ）（フ）

訓 あるく　あゆむ

はねる

walk［ウォーク］

つかいかた

林《はやし》の中《なか》を歩《ある》く。

急《きゅう》に歩《あゆ》みを止《と》める。

横断歩道《おうだんほどう》を渡《わた》る。

いみ・ことば

1 あるく。●歩《あゆ》み寄《よ》る。歩行《ほこう》。歩数《ほすう》。歩道《ほどう》。散歩《さんぽ》。進歩《しんぽ》。

2 もうけの割合《わりあい》。●歩合《ぶあい》。日歩《ひぶ》。

もっとわかる

●「フ」の読《よ》みは、将棋《しょうぎ》のこまの「歩《ふ》」に使《つか》われる。●四字《よじ》熟語《じゅくご》…日進月歩《にっしんげっぽ》（日《ひ》ごと月《つき》ごとに、どんどん進歩《しんぽ》すること）

なりたち

→→歩（歩）●もとの字《じ》は「歩」。足《あし》の形《かたち》をえがいた「止」と、「止」の反対向《はんたいむ》きの形《かたち》を合《あ》わせた字《じ》。左《さ》右《ゆう》の足《あし》をかわるがわる踏《ふ》み出《だ》すようすで、「あるく」の意《い》を表《あらわ》した。

母

母1画〔5画〕

音 ボ

訓 はは

毋と書《か》かない　はねる

mother［マザァ］

つかいかた

母《はは》と子《こ》。

母乳《ぼにゅう》を飲《の》む。

お母《かあ》さんの絵《え》。

いみ・ことば

1 ははおや。おかあさん。●母上《ははうえ》。母方《ははかた》。母子《ぼし》。母乳《ぼにゅう》。実母《じつぼ》。祖母《そぼ》。父母《ふぼ》。養母《ようぼ》。

2 もとになるもの。●母音《ぼいん》。母校《ぼこう》。母国《ぼこく》。母体《ぼたい》。酵母《こうぼ》。

もっとわかる

●特別《とくべつ》な読《よ》み方《かた》…乳母《うば》・母《かあ》さん・叔母《おば》（伯母《おば》）・母屋《おもや》（母家《おもや》）

●四字《よじ》熟語《じゅくご》…良妻賢母《りょうさいけんぼ》（よい妻《つま》であり、かしこい母《はは》であること）

なりたち

→→→母 ●「女」の形《かたち》の中《なか》に乳房《ちぶさ》を示《しめ》す二《ふた》つの点《てん》をつけて、子《こ》を産《う》む「ははおや」を表《あらわ》した。

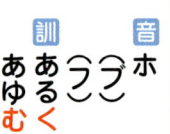

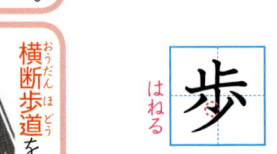

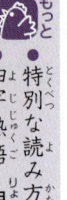

2年

毎

母2画〔6画〕

音 マイ
訓 —

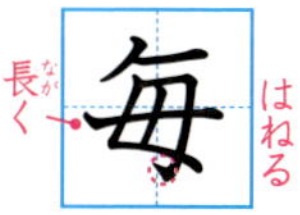

every［エヴリィ］

つかいかた

毎朝《まいあさ》歯《は》をみがく。

毎日《まいにち》日記《にっき》をつける。

毎週《まいしゅう》日曜日《にちようび》の番組《ばんぐみ》。

いみ・ことば

● そのたびに。一《ひと》つ一《ひと》つ。● 毎朝《まいあさ》。毎回《まいかい》。毎時《まいじ》。毎週《まいしゅう》。毎度《まいど》。毎日《まいにち》。毎晩《まいばん》。

もっとわかる

●「毎時《まいじ》」は、一時間《いちじかん》につきの意《い》（例 毎時百《まいじひゃっ》キロで進《すす》む）。

なりたち

毎（毎）

● もとの字は「毎」。「母《ぼ》（ははおや）」と「屮《くさ》（草の芽《め》）」を合《あ》わせた形《かたち》。母《はは》が子《こ》を産《う》み、草《くさ》が地下《ちか》から出《で》てくるようすで、つぎつぎにふえること。そこから、たびたび起《お》こる事《こと》がらの「一《ひと》つ一《ひと》つ」を表《あらわ》した。

毎 毎 毎 毎 毎 毎

毛

毛0画〔4画〕

音 モウ
訓 け

hair［ヘァ］

つかいかた

かみの毛《け》を結《むす》ぶ。

羊《ひつじ》の毛《け》をかる。

毛布《もうふ》をかぶる。

いみ・ことば

① 人《ひと》や動物《どうぶつ》にはえる「け」。● 毛糸《けいと》。毛織物《けおりもの》。毛皮《けがわ》。毛玉《けだま》。毛虫《けむし》。綿毛《わたげ》。毛髪《もうはつ》。毛筆《もうひつ》。毛布《もうふ》。羽毛《うもう》。羊毛《ようもう》。

② 作物《さくもつ》などがはえる。● 一毛作《いちもうさく》。二毛作《にもうさく》。不毛《ふもう》。

もっとわかる

●「毛細血管《もうさいけっかん》」は、非常《ひじょう》に細《ほそ》い血管《けっかん》のこと。●「そんな気《き》は毛頭《もうとう》ない」の「毛頭《もうとう》」は、「少《すこ》しも（毛《け》の先《さき》ほども）」の意《い》。

なりたち

毛

● 細《こま》かく分《わ》かれて生《は》えている「け」をえがいた形《かたち》。

毛 毛 毛 毛

池

氵3画〔6画〕

音 チ
訓 いけ

池 上《うえ》にはねる

pond［パンド］

つかいかた

公園《こうえん》の池《いけ》で遊《あそ》ぶ。

貯水池《ちょすいち》の水《みず》が減《へ》る。

電池《でんち》をつなぐ。

いみ・ことば

● 水《みず》をためておくところ。いけ。
● ため池《いけ》。2古池《ふるいけ》。5貯1水池《ちょすいち》。2電池《でんち》。

もっとわかる

●「電池《でんち》」を「電地」と書《か》かないように注意《ちゅうい》。「池」は、「（電気《でんき》を）ためておく」の意《い》。

なりたち

→ 也

●「也《や》」はヘビの形《かたち》で、「うねうねと曲《ま》がる」というイメージを示《しめ》す。それと「氵(水《みず》)」を合《あ》わせて、城《しろ》などのまわりにめぐらせた「水《みず》たまり」を表《あらわ》した。

池池池池池池

汽

氵4画〔7画〕

音 キ
訓 ―

汽 上《うえ》にはねる

steam［スティーム］

つかいかた

草原《そうげん》を汽車《きしゃ》が走《はし》る。

港《みなと》に汽笛《きてき》がひびく。

汽船《きせん》が出航《しゅっこう》する。

いみ・ことば

● 水蒸気《すいじょうき》。ゆげ。
● 汽1車《きしゃ》。汽2船《きせん》。汽3笛《きてき》。

もっとわかる

●「汽車《きしゃ》」は、蒸気《じょうき》の力《ちから》で客車《きゃくしゃ》や貨車《かしゃ》を引《ひ》いてレールの上《うえ》を走《はし》る列車《れっしゃ》。●「汽笛《きてき》」は、蒸気《じょうき》によって音《おと》を出《だ》すしかけの笛《ふえ》。汽車《きしゃ》や汽船《きせん》で合図《あいず》などに用《もち》いる。

なりたち

→ 气

●「气《き》」は、ガス状《じょう》のものが立《た》ちのぼる姿《すがた》をえがいた字《じ》。それと「氵(水《みず》)」を合《あ》わせて、水《みず》を熱《ねっ》したときに出《で》る「ゆげ」を表《あらわ》した。

汽汽汽汽汽汽汽

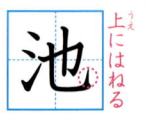

海

氵6画〔9画〕

音 カイ
訓 うみ

海 長《なが》く

sea [スィー]

つかいかた

窓《まど》から海《うみ》が見《み》える。

海開《うみびら》きを行《おこな》う。

海底《かいてい》にもぐる。

いみ・ことば

●うみ。●海辺《うみべ》4。海外《かいがい》2。海岸《かいがん》3。海上《かいじょう》1。海水《かいすい》1。海草《かいそう》1。海底《かいてい》4。海浜公園《かいひんこうえん》▲2 2。海面《かいめん》3。海流《かいりゅう》3。航海《こうかい》5。深海《しんかい》3。大海《たいかい》1。

もっとわかる

●特別《とくべつ》な読《よ》み方《かた》…海女《あま》(海士《あま》)・海原《うなばら》　●四字熟語《よじじゅくご》…海千山千《うみせんやません》(世間《せけん》を知《し》りつくしていて、ずるがしこいこと)

なりたち

「毎《まい》」は母《はは》がおなかの中《なか》から子《こ》を産《う》み、草《くさ》が地下《ちか》から芽《め》を出《だ》すこと。暗《くら》いところから出《で》るので、「暗《くら》い」というイメージがある。「毎《まい》」と「氵(水《みず》)」を合《あ》わせて、深《ふか》くて暗《くら》い色《いろ》をした「うみ」を表《あらわ》した。

海 海 海 海 海 海 海 海 海

活

氵6画〔9画〕

音 カツ
訓 ―

活 ななめ左下《ひだりした》に

alive [アらイヴ]

つかいかた

活気《かっき》のあるクラス。

火山《かざん》が活動《かつどう》する。

活《かつ》を入《い》れる。

いみ・ことば

①生《い》き生《い》きと動《うご》く。●活気《かっき》1。活動《かつどう》3。活発《かっぱつ》3。死活《しかつ》3。復活《ふっかつ》5。
②暮《く》らす。●自活《じかつ》2。生活《せいかつ》1。

もっとわかる

●「死活《しかつ》」は、死《し》ぬことと生《い》きること。「死活問題《しかつもんだい》」は、生《い》きるか死《し》ぬかの重要《じゅうよう》な問題《もんだい》。●「活《かつ》を入《い》れる」は、元気《げんき》づける意《い》。

なりたち

↓舌

●「舌《かつ》」は、穴《あな》をあけてなめらかに通《とお》すというイメージを示《しめ》す。その「舌」と「氵(水《みず》)」を合《あ》わせた形《かたち》。勢《いきお》いよく水《みず》が流《なが》れるようす、つまり「いきいきしている」の意《い》を表《あらわ》した。

活 活 活 活 活 活 活 活 活

点

灬5画〔9画〕

音 テン
訓 ―

点《てん》のうち方《かた》に注意《ちゅうい》

point [ポイント]

つかいかた

点線《てんせん》の部分《ぶぶん》を折《お》る。

十点満点《じってんまんてん》。

花火《はなび》に点火《てんか》する。

いみ・ことば

1 小《ちい》さなしるし。てん。●点字《てんじ》。点線《てんせん》。句点《くてん》。読点《とうてん》。

2 ある場所《ばしょ》や事《こと》がら。●終点《しゅうてん》。重点《じゅうてん》。出発点《しゅっぱつてん》。頂点《ちょうてん》。

3 てんすう。●点取《てんと》り。同点《どうてん》。得点《とくてん》。百点満点《ひゃくてんまんてん》。

4 火《ひ》や明《あ》かりをつける。●点火《てんか》。点灯《てんとう》。

5 物《もの》を数《かぞ》えることば。●お一人様《ひとりさま》一点限《いってんかぎ》り。

なりたち

一《ひと》つの所《ところ》にくっつくイメージを示《しめ》す「占《せん》」と「黒《くろ》」を合《あ》わせた形《かたち》。くっついてはなれない黒《くろ》いしみ、小《ちい》さな丸《まる》いしるしを表《あらわ》した。

父

父0画〔4画〕

音 フ
訓 ちち

中心《ちゅうしん》

father [ファーざァ]

つかいかた

父親《ちちおや》に似《に》ている。

父母《ふぼ》が応援《おうえん》に来《く》る。

ぼくのお父《とう》さん。

いみ・ことば

1 ちちおや。おとうさん。●父上《ちちうえ》。父方《ちちかた》。父兄《ふけい》。父子《ふし》。父母《ふぼ》。実父《じっぷ》。祖父《そふ》。

2 新《あたら》しいことをはじめた人《ひと》。●赤十字《せきじゅうじ》の父《ちち》。

もっとわかる

●特別《とくべつ》な読《よ》み方《かた》…父《とう》さん・叔父《おじ》(伯父《おじ》)

なりたち

父

●「丨(石《いし》のおの)」と「又(手《て》)」を合《あ》わせて、石《いし》のおのを手《て》にしたようすをえがいた形《かたち》。おのは族長《ぞくちょう》のシンボルであるところから、一家《いっか》の長《ちょう》である「ちち」を表《あらわ》した。

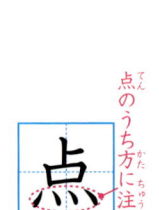

牛

牛0画〔4画〕

音 ギュウ
訓 うし

つかいかた

牛《うし》にえさをやる。

牛肉《ぎゅうにく》を食《た》べる。

牛乳《ぎゅうにゅう》を飲《の》む。

牛 長《なが》めに

cattle［キャトる］

いみ・ことば

● うし。● 2親牛《おやうし》。1子2牛《こうし》。牛5舎《ぎゅうしゃ》。牛6乳《ぎゅうにゅう》。1水牛《すいぎゅう》。▲闘牛《とうぎゅう》。

もっとわかる

●「牛」は「午」に形《かたち》が似《に》ていてまちがえやすいので注意《ちゅうい》。●「牛《ぎゅう》歩《ほ》」は、牛《うし》の歩《あゆ》みのようにのろいこと。●「牛耳《ぎゅうじ》る」は、集団《しゅうだん》を思《おも》うままに動《うご》かすこと。●四字熟語《よじじゅくご》…牛飲馬食《ぎゅういんばしょく》（牛《うし》や馬《うま》のように、多量《たりょう》に飲《の》み食《く》いすること）

なりたち

→牛

●ウシの角《つの》をえがいた形《かたち》で、「うし」を表《あらわ》した。

牛 牛 牛 牛

理

王7画〔11画〕

音 リ
訓 ―

つかいかた

高《たか》い理想《りそう》を持《も》つ。

理科《りか》の実験《じっけん》。

引《ひ》き出《だ》しを整理《せいり》する。

理 上《うえ》の横棒《よこぼう》より長《なが》く

reason［リーズン］

いみ・ことば

① 物事《ものごと》のすじ道《みち》。● ▲理屈《りくつ》。3理想《りそう》。3理由《りゆう》。6理論《りろん》。3真理《しんり》。2道理《どうり》。

② 整《とと》える。● 理▲髪《りはつ》。5理容《りよう》。5修理《しゅうり》。3整理《せいり》。4料理《りょうり》。

③ 自然科学《しぜんかがく》。● 理2科《りか》。理6系《りけい》。理2工1学3部《りこうがくぶ》。

もっとわかる

●四字熟語《よじじゅくご》…理路整然《りろせいぜん》（話《はなし》のすじ道《みち》がきちんと整《とと》っていること）

なりたち

→里

●「里《り》」は、縦横《たてよこ》にきちんと道《みち》を通《とお》した村里《むらさと》のことで、すじを通《とお》すイメージを示《しめ》す。それと「王（玉《たま》）」を合《あ》わせて、玉《たま》をすじ目《め》にそってみがいて整《とと》えること、また、物事《ものごと》のすじ道《みち》を表《あらわ》した。

理 理 理 理 理 理 理 理 理 理

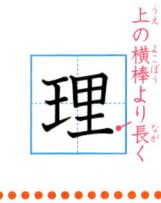

2年

用

用0画〔5画〕

音 ヨウ

訓 もちいる

用 はねる

use［ユーズ］

つかいかた

道具《どうぐ》を用《もち》いる。

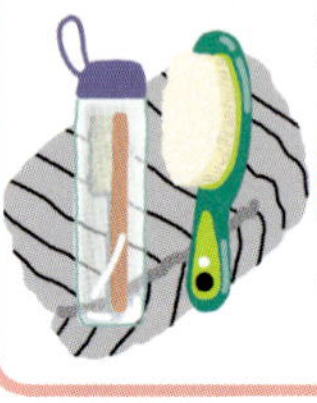

旅行《りょこう》の用意《ようい》をする。

日用品《にちようひん》を売《う》る店《みせ》。

いみ・ことば

1. 使《つか》う。●用[3]意《ようい》。用[4]例《ようれい》。[5]応用《おうよう》。[2]活用《かつよう》。[3]実用《じつよう》。[3]使用《しよう》。[4]利用《りよう》。
2. 働《はたら》き。ききめ。●[5]効用《こうよう》。[2]作用《さよう》。[3]有用《ゆうよう》。
3. すべきこと。仕事《しごと》。●用[5]件《ようけん》。用[3]事《ようじ》。用[5]務《ようむ》。[3]急用《きゅうよう》。[5]雑用《ざつよう》。

もっとわかる

●四字熟語《よじじゅくご》…用意周到《よういしゅうとう》（用意《ようい》が十分《じゅうぶん》にしてあること）

なりたち

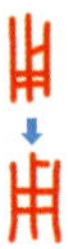
↓用 ●「卜（卜型《がた》のしるし）」と「用（つつ型《がた》のしるし）」を合《あ》わせて、上《うえ》から下《した》につき抜《ぬ》けるようすをえがいた形《かたち》。つき抜《ぬ》けるイメージから、目的《もくてき》のところに効果《こうか》や働《はたら》きが届《とど》くことを表《あらわ》した。

用 用 用 用 用

画

田3画〔8画〕

音 ガ カク

訓 ―

画 下《した》につき出《だ》さない

picture［ピクチャ］

つかいかた

画用紙《がようし》に絵《え》をかく。

テレビの画面《がめん》。

一日《いちにち》の計画《けいかく》を立《た》てる。

いみ・ことば

1. えがく。えがいたもの。●画[2]家《がか》。[2]絵画《かいが》。[2]図画《ずが》。[5]版画《はんが》。
2. くぎる。くぎり。●画[1]一[4]的《かくいつてき》。[3]区画《くかく》。
3. はかる。はかりごと。●画[6]策《かくさく》。画[3]期[4]的《かっきてき》。▲企画《きかく》。[2]計画《けいかく》。
4. 漢字《かんじ》を組《く》み立《た》てている点《てん》や線《せん》。●画[2]数《かくすう》。[1]一画[1]目《いっかくめ》。

なりたち

↓畫（画）●もとの字《じ》は「畫」。「聿（筆《ふで》を手《て》に持《も》つ）」と「田（たんぼ）」と「凵（四方《しほう》を区切《くぎ》る）」を組《く》み合《あ》わせた形《かたち》。筆《ふで》で図面《ずめん》に田《た》のさかい目《め》を書《か》きこむようすで、「えがく」「くぎる」の意《い》を表《あらわ》した。

画 画 画 画 画 画 画 画

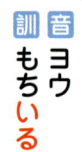

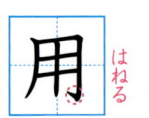

番

田7画〔12画〕

音 バン
訓 —

order［オーダァ］

つかいかた

そうじ当番《とうばん》。

番犬《ばんけん》がほえる。

一番星《いちばんぼし》を見《み》つける。

いみ・ことば

1 物事《ものごと》の順序《じゅんじょ》。順番《じゅんばん》。●番号《ばんごう》。番地《ばんち》。一番目《いちばんめ》。

2 順《じゅん》に入《い》れかわる。●週番《しゅうばん》。当番《とうばん》。

3 見《み》はり。●番犬《ばんけん》。番人《ばんにん》。門番《もんばん》。

もっとわかる
●「番狂《ばんくる》わせ」とは、大方《おおかた》の予想《よそう》と異《こと》なる結果《けっか》になること。

なりたち

●「釆《はん》（米《こめ》つぶをばらまく）」と「田（たんぼ）」を合《あ》わせて、一回《いっかい》、二回《にかい》と田《た》に米《こめ》つぶをまくようすをえがいた形《かたち》。ぱっと何《なに》かを行《おこな》う一回《いっかい》の動作《どうさ》を示《しめ》して、順序《じゅんじょ》や順《じゅん》に入《い》れかわることを表《あらわ》した。

直

目3画〔8画〕

音 チョク　ジキ
訓 ただちに　なおす　なおる

straight［ストレイト］

つかいかた

服装《ふくそう》を直《なお》す。

直《ただ》ちに出発《しゅっぱつ》する。

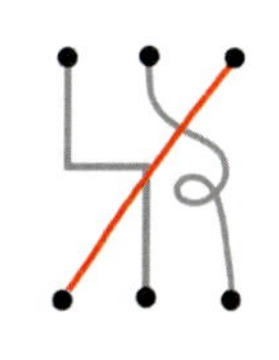
直線《ちょくせん》で結《むす》ぶ。

いみ・ことば

1 まっすぐ。●直視《ちょくし》。直射日光《ちょくしゃにっこう》。直進《ちょくしん》。直線《ちょくせん》。直立《ちょくりつ》。直角《ちょっかく》。直球《ちょっきゅう》。直行《ちょっこう》。垂直《すいちょく》。

2 すなお。●実直《じっちょく》。正直《しょうじき》。率直《そっちょく》。

3 じかに。すぐに。●直伝《じきでん》。直筆《じきひつ》。直接《ちょくせつ》。直前《ちょくぜん》。直面《ちょくめん》。

なりたち

●「｜（まっすぐな線《せん》）」の変化《へんか》した「十」と、「目（め）」と「乚（かくす）」を組《く》み合《あ》わせた形《かたち》。かくれているものにまっすぐに目《め》を向《む》けるようすで、「まっすぐ」の意《い》を表《あらわ》した。

2年

矢

矢0画〔5画〕

音 (シ)
訓 や

上《うえ》につき出《だ》さない

arrow [アロウ]

つかいかた

矢《や》が当《あ》たる。

矢印《やじるし》の通《とお》りに進《すす》む。

矢継《やつ》ぎ早《ばや》に質問《しつもん》する。

いみ・ことば

● **弓《ゆみ》にひっかけて飛《と》ばす武器《ぶき》。や。** ●矢面《やおもて》[3]。矢車《やぐるま》[1]。矢先《やさき》[1]。矢印《やじるし》[4]。毒矢《どくや》[5]。弓矢《ゆみや》[2]。

もっとわかる

●「シ」の読《よ》みは、「一矢《いっし》を報《むく》いる(敵《てき》にやりかえす)」などのことばに使《つか》われる。●「矢面《やおもて》」は、非難《ひなん》をまともに受《う》ける立場《たちば》。●「矢《や》の催促《さいそく》」は、つぎからつぎへとせきたてること。●「矢継《やつ》ぎ早《ばや》」は、続《つづ》けざまにの意《い》。

なりたち

矢

●「や」をえがいた形《かたち》。

矢 矢 矢 矢 矢

知

矢3画〔8画〕

音 チ
訓 しる

とめる

know [ノウ]

つかいかた

ぼくは何《なに》も知《し》らない。

合格《ごうかく》の知《し》らせ。

知能《ちのう》を持《も》つロボット。

いみ・ことば

① **しる。しらせる。** ●物知《ものし》り[3]。知識《ちしき》[5]。察知《さっち》[4]。承知《しょうち》[6]。予知《よち》[3]。

② **しりあい。** ●知己《ちき》[6]。知人《ちじん》[1]。旧知《きゅうち》[5]の間《あいだ》がら[2]。

③ **ちえ。** ●知性《ちせい》[5]。知能《ちのう》[5]。英知《えいち》[4]。機知《きち》[4]。才知《さいち》[2]。

もっとわかる

●四字熟語《よじじゅくご》…周知徹底《しゅうちてってい》(広《ひろ》く、すみずみまで知《し》らせること)

なりたち

「矢《し》(や)」と「口(いう)」を合《あ》わせた形《かたち》。まっすぐに矢《や》が飛《と》んで的《まと》に当《あ》たるように、物事《ものごと》の本質《ほんしつ》をずばっと言《い》い当《あ》てることを示《しめ》して、「しる」の意《い》を表《あらわ》した。

知 知 知 知 知 知 知 知

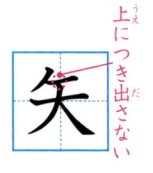

社

ネ3画〔7画〕

音 シャ
訓 やしろ

上《うえ》の横棒《よこぼう》より長《なが》く

shrine［シュライン］

つかいかた

古《ふる》い社《やしろ》を見《み》つける。

会社《かいしゃ》の社長《しゃちょう》。

神社《じんじゃ》にお参《まい》りする。

いみ・ことば

1 おみや。やしろ。●社寺《しゃじ》。社殿《しゃでん》。社務所《しゃむしょ》。神社《じんじゃ》。

2 人《ひと》の集《あつ》まり。世《よ》の中《なか》。●社会《しゃかい》。社交《しゃこう》。会社《かいしゃ》。

3 会社《かいしゃ》のこと。●社員《しゃいん》。出社《しゅっしゃ》。商社《しょうしゃ》。退社《たいしゃ》。入社《にゅうしゃ》。

もっとわかることば

●四字熟語《よじじゅくご》…社交辞令《しゃこうじれい》（つきあいのための、うわべだけのことば）

なりたち

「土《ど》（盛《も》り上《あ》げた土《つち》）」と「示（神《かみ》）」を合《あ》わせた形《かたち》。土《つち》を盛《も》り上《あ》げて神《かみ》を祭《まつ》るようすで、土地《とち》の神《かみ》や「やしろ」を表《あらわ》した。

科

禾4画〔9画〕

音 カ
訓 ―

とめる

subject［サブヂェクト］

つかいかた

得意《とくい》な科目《かもく》。

教科書《きょうかしょ》を取《と》り出《だ》す。

百科事典《ひゃっかじてん》で調《しら》べる。

いみ・ことば

1 区分《くわ》けしたもの。●科学《かがく》。科目《かもく》。学科《がっか》。教科書《きょうかしょ》。理科《りか》。

2 罪《つみ》。●罪科《ざいか》。前科《ぜんか》。

もっとわかることば

●四字熟語《よじじゅくご》…金科玉条《きんかぎょくじょう》（もっとも大切《たいせつ》な決《き》まり）　●「前科《ぜんか》」は、前《まえ》に罪《つみ》をおかしてばつを受《う》けていること。

なりたち

「禾《か》（イネ）」と「斗（ます）」を合《あ》わせた形《かたち》。米《こめ》をますで量《はか》ってよしあしを決《き》めるようすで、位《くらい》や区分《くわ》けしたものを表《あらわ》した。のちに、分類《ぶんるい》された法律《ほうりつ》の文《ぶん》の意《い》でも使《つか》われるようになった。

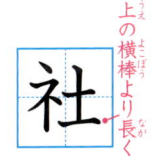

2年

秋

禾4画〔9画〕

音 シュウ
訓 あき

つかいかた

すがすがしい秋空《あきぞら》。

秋風《あきかぜ》が冷《つめ》たい。

中秋《ちゅうしゅう》の名月《めいげつ》。

秋 とめる

fall［フォーる］

いみ・ことば

❶ 四季《しき》の一《ひと》つ。あき。●秋雨前線《あきさめぜんせん》。秋分《しゅうぶん》の日《ひ》。春夏秋冬《しゅんかしゅうとう》。

❷ 一年《いちねん》。としつき。●千秋《せんしゅう》。

もっとわかる

●四字熟語《よじじゅくご》…一日千秋《いちじつせんしゅう》（一日《いちにち》が千年《せんねん》のように長《なが》く感《かん》じられること。待《ま》ちどおしいこと）

なりたち

「禾《か》（イネ）」と「火」を合《あ》わせて、干《ほ》したイネを火《ひ》でかわかすようすを示《しめ》した形《かたち》。物《もの》は火《ひ》でかわかすと縮《ちぢ》むところから、すべての物《もの》が縮《ちぢ》まる季節《きせつ》である「あき」を表《あらわ》した。

答

竹6画〔12画〕

音 トウ
訓 こたえる
　 こたえ

つかいかた

質問《しつもん》に答《こた》える。

用紙《ようし》に答《こた》えを書《か》く。

ドアごしに返答《へんとう》する。

答 を小《ちい》さく書《か》く

answer［アンサァ］

いみ・ことば

●こたえる。こたえ。●受《う》け答《こた》え。口答《くちごた》え。答案《とうあん》。一問一答《いちもんいっとう》。応答《おうとう》。回答《かいとう》。解答《かいとう》。返答《へんとう》。問答《もんどう》。

もっとわかる

●同音異義語《どうおんいぎご》「カイトウ」…「回答《かいとう》」は、質問《しつもん》や相談《そうだん》に返事《へんじ》をすること。「解答《かいとう》」は、問題《もんだい》を解《と》いて答《こた》えを出《だ》すこと。

なりたち

「竹（たけ）」と「合（ぴったりあう）」を合《あ》わせた形《かたち》。ふたが身《み》にぴったりかぶさるようすで、問《と》いに合《あ》わせて「こたえる」という意《い》を表《あらわ》した。

算

竹8画〔14画〕

音 サン
訓 —

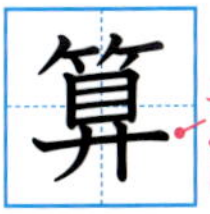

長《なが》めに

calculate
[キャるキュれイト]

つかいかた

金額《きんがく》を計算《けいさん》する。

算数《さんすう》の宿題《しゅくだい》をやる。

予算《よさん》を立《た》てる。

いみ・ことば

①数《かぞ》える。 ●算出《さんしゅつ》。算数《さんすう》。暗算《あんざん》。計算《けいさん》。検算《けんざん》。精算《せいさん》。通算《つうさん》。

②考《かんが》え。見通《みとお》し。 ●算段《さんだん》。採算《さいさん》。勝算《しょうさん》。打算《ださん》。予算《よさん》。

もっとわかる

●計算《けいさん》するときに使《つか》う、0・1・2・3・4・5・6・7・8・9の数字《すうじ》を、「算用数字《さんようすうじ》（アラビア数字《すうじ》）」という。●「算《さん》を乱《みだ》す」とは、ちりぢりになる意《い》。

なりたち

「竹（たけ）」と「具（そろえる）」を合《あ》わせた形《かたち》。竹《たけ》の棒《ぼう》を取《と》りそろえて数《かぞ》えるようすで、「かぞえる」の意《い》を表《あらわ》した。

米

米0画〔6画〕

音 ベイ マイ
訓 こめ

点《てん》のうち方《かた》に注意《ちゅうい》

rice [ライス]

つかいかた

田《た》んぼで米《こめ》を作《つく》る。

渡米《とべい》する。

白米《はくまい》に麦《むぎ》をまぜる。

いみ・ことば

①こめ。 ●米《こめ》つぶ。もち米《ごめ》。米作《べいさく》。新米《しんまい》。精米《せいまい》。白米《はくまい》。

②アメリカのこと。 ●米国《べいこく》。▲欧米《おうべい》。▲渡米《とべい》。日米《にちべい》の首脳《しゅのう》。

もっとわかる

●②は、アメリカを「亜米利加《あめりか》」と書《か》いたことから。●「欧《おう》米《べい》」はヨーロッパとアメリカ。●米《こめ》の字《じ》を分解《ぶんかい》すると「八」と「十」と「八」になることから、八十八歳《はちじゅうはっさい》を「米寿《べいじゅ》」と呼《よ》ぶ。

なりたち

→米→米

「一」のしるしの上下《じょうげ》に小《ちい》さなつぶが点々《てんてん》と散《ち》らばっているようすをえがいて、「こめ」を表《あらわ》した。

紙

糸4画〔10画〕

音 シ

訓 かみ

上《うえ》にはねる

paper［ペイパァ］

つかいかた

紙《かみ》くずを捨《す》てる。

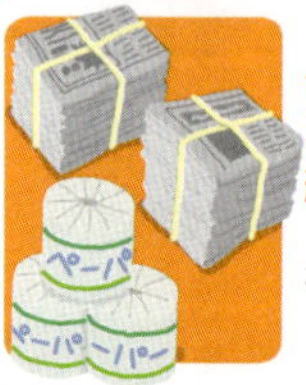

ちり紙《がみ》交換《こうかん》。

本《ほん》の表紙《ひょうし》。

いみ・ことば

①かみ。●紙切《かみき》れ。折《お》り紙《がみ》。白紙《はくし》。表紙《ひょうし》。用紙《ようし》。和紙《わし》。

②新聞《しんぶん》。●紙上《しじょう》。紙面《しめん》。全国紙《ぜんこくし》。スポーツ紙《し》。

もっとわかる

●「紙一重《かみひとえ》」は、差《さ》が（紙一枚《かみいちまい》の厚《あつ》さのように）わずかであることを表《あら》すことば。

なりたち

●「氏《し》」は、昔《むかし》のスプーンをえがいた形《かたち》で、うすくて平《たい》らというイメージを示《しめ》す。それと「糸（いと）」を合《あ》わせて、植物《しょくぶつ》のせんいをうすく平《たい》らにのばしてできた「かみ」を表《あらわ》した。

紙 紙 紙 紙 紙 紙 紙 紙 紙 紙

細

糸5画〔11画〕

音 サイ

訓 ほそい　ほそる　こまか　こまかい

折《お》る

thin［すィン］

つかいかた

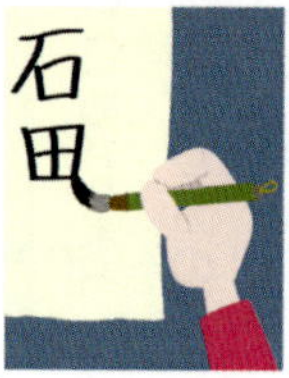

細《ほそ》い筆《ふで》で書《か》く。

細《こま》かくきざむ。

細心《さいしん》の注意《ちゅうい》を払《はら》う。

いみ・ことば

①ほそい。●細字《ほそじ》（じさい）。細道《ほそみち》。細目《ほそめ》。

②こまかい。●細切《こまぎ》れ。細工《さいく》。細心《さいしん》。細部《さいぶ》。細胞《さいぼう》。

もっとわかる

●①と反対《はんたい》の意味《いみ》を持《も》つ漢字《かんじ》は「太」。細字《ほそじ》↔太字《ふとじ》 ●送《おく》り仮名《がな》のちがい…「ほそい」は「細《ほそ》い」、「こまかい」は「細《こま》かい」と送《おく》る。

なりたち

「田」は、小《ち》さくてほそいイメージがある「囟《しん》」の変《か》わったもの。それと「糸（いと）」を合《あ》わせて、絹糸《きぬいと》のように「ほそい」ようすを表《あらわ》した。

細 細 細 細 細 細 細 細 細 細 細

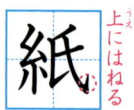

組

糸5画〔11画〕

音 ソ
訓 く**む** くみ

組 下《した》の横棒《よこぼう》を長《なが》く

organize［オーガナイズ］

つかいかた

腕《うで》を組《く》む。

二人《ふたり》一組《ひとくみ》になる。

組《く》み立《た》て体操《たいそう》。

いみ・ことば

①くむ。くみたてる。 ●うで組《ぐ》み。骨《ほね》組《ぐ》み。番組《ばんぐみ》。組織《そしき》。

②なかま。 ●組合《くみあい》。二年三組《にねんさんくみ》。赤組《あかぐみ》と白組《しろぐみ》。

もっとわかる

●送《おく》り仮名《がな》のちがい…「組《く》み立《た》て」や「うで組《ぐ》み」は「み」を送《おく》り、「組合《くみあい》」「赤組《あかぐみ》」などは「み」を送《おく》らない。

なりたち

且 → 且 → 且

●「且《そ》」はいくつも重《かさ》ねることを示《しめ》すしるし。それと「糸(いと)」を合《あ》わせて、糸《いと》をいくつも重《かさ》ねて編《あ》んだひもで、「くむ」の意《い》を表《あらわ》した。

組 組 組 組 組 組 組 組 組 組

絵

糸6画〔12画〕

音 カイ エ
訓 ―

絵 とめる

picture［ピクチャ］

つかいかた

絵《え》をかく。

絵本《えほん》を読《よ》む。

絵画《かいが》を集《あつ》める。

いみ・ことば

●**物《もの》の形《かたち》をえがいたもの。え。** ●絵日記《えにっき》。絵《え》の具《ぐ》。絵《え》はがき。絵筆《えふで》。絵本《えほん》。油絵《あぶらえ》。ぬり絵《え》。絵画《かいが》。

もっとわかる

●「カイ」の読《よ》みは、「絵画《かいが》」にしか使《つか》われない。●「絵《え》にかいたもち」とは、何《なん》の役《やく》にも立《た》たないもののこと。

なりたち

もとの字《じ》は「繪」。「會(＝会。多《おお》くのものを集《あつ》める)」と「糸(いと)」を合《あ》わせた形《かたち》。さまざまな色《いろ》の糸《いと》を取《と》り合《あ》わせて模《も》様《よう》をえがくようすで、「え」を表《あらわ》した。

絵 絵 絵 絵 絵 絵 絵 絵 絵 絵

2年

線

糸9画〔15画〕

音 セン
訓 ―

はねる

line［らイン］

つかいかた

線《せん》を引《ひ》く。

電線《でんせん》が切《き》れる。

新幹線《しんかんせん》のホーム。

いみ・ことば

① 糸《いと》のように細長《ほそなが》いもの。●線香《せんこう》。鉄線《てっせん》。電線《でんせん》。

② 細《ほそ》いすじ。●光線《こうせん》。水平線《すいへいせん》。直線《ちょくせん》。点線《てんせん》。白線《はくせん》。

③ 電車《でんしゃ》やバスが通《とお》る道《みち》すじ。●線路《せんろ》。沿線《えんせん》。新幹線《しんかんせん》。本線《ほんせん》。

もっとわかる

●「線」は「綿」と形《かたち》が似《に》ていてまちがえやすいので注意《ちゅうい》。

なりたち

→泉 ●「泉《せん》」は、岩《いわ》の穴《あな》から細《ほそ》い水《みず》が出《で》てくることで、細《ほそ》いというイメージを示《しめ》す。それと「糸（いと）」を合《あ》わせて、細《ほそ》い糸《いと》のような「すじ」や「せん」を表《あらわ》した。

線線線線線線線線線線

羽

羽0画〔6画〕

音 （ウ）
訓 は はね

はねる

feather［フェざァ］

つかいかた

鳥《とり》が羽《はね》を広《ひろ》げる。

羽毛《うもう》ぶとん。

三羽《さんば》のにわとり。

いみ・ことば

① 鳥《とり》や虫《むし》などのはね。●羽音《はおと》。羽子板《はごいた》。白羽《しらは》。羽毛《うもう》。

② 鳥《とり》やうさぎを数《かぞ》えることば。●二羽《にわ》のうさぎ。小鳥十羽《ことりじっぱ》。

もっとわかる

●②の「羽」は、「二羽《にわ》」「三羽《さんば》」「六羽《ろっぱ》」など、前《まえ》の語《ご》によって読《よ》みが変《か》わる。●「羽《はね》をのばす」は、のびのびと自由《じゆう》にすごす意《い》。

●「白羽《しらは》の矢《や》が立《た》つ」は、多《おお》くの人《ひと》の中《なか》から選《えら》び出《だ》される意《い》。

なりたち

●同《おな》じ方向《ほうこう》に並《なら》んだ二枚《にまい》の鳥《とり》のつばさをえがいた形《かたち》。

→→羽

羽羽羽羽羽羽

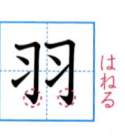

考

耂2画〔6画〕

音 コウ
訓 かんがえる

考　左下《ひだりした》にはらう

think [すィンク]

つかいかた

何《なに》を書《か》くか考《かんが》える。

よい考《かんが》えが浮《う》かぶ。

考古学《こうこがく》を学《まな》ぶ。

いみ・ことば

1 かんがえる。●考案《こうあん》[4]。考察《こうさつ》[4]。参考書《さんこうしょ》[4][2]。思考《しこう》[2]。選考《せんこう》[4]。

2 しらべる。●考古学《こうこがく》[2][1]。時代考証《じだいこうしょう》[2][3][5]。

もっとわかる

●「考」は「孝」と形《かたち》が似《に》ていてまちがえやすいので注意《ちゅうい》。

なりたち

考 ●「丂《こう》」は、何《なに》かがのびようとして「一」のところにつかえて曲《ま》がるようす。つかえて曲《ま》がるイメージを示《しめ》す。それと「老（年《とし》をとった人《ひと》）」を略《りゃく》した「耂」を合《あ》わせて、背《せ》が曲《ま》がるまで長生《ながい》きする老人《ろうじん》を表《あらわ》した。のち、つきつめて「かんがえる」の意《い》で使《つか》われるようになった。

考 考 考 考 考 考

聞

耳8画〔14画〕

音 ブン （モン）
訓 きく きこえる

聞　右《みぎ》につき出《だ》さない

hear [ヒア]

つかいかた

人《ひと》の意見《いけん》を聞《き》く。

鳥《とり》の声《こえ》が聞《き》こえる。

新聞《しんぶん》を読《よ》む。

いみ・ことば

1 きく。きこえる。●聞《き》き手《て》[1]。聞《き》き耳《みみ》[1]。見聞《けんぶん》[1]。伝聞《でんぶん》[4]。

2 評判《ひょうばん》。うわさ。●外聞《がいぶん》[2]。新聞《しんぶん》[2]。

もっとわかる

●四字熟語《よじじゅくご》…前代未聞《ぜんだいみもん》（今《いま》まで聞《き》いたこともないようなこと）●「また聞《ぎ》き」は、本人《ほんにん》からでなく、話《はなし》を聞《き》いた人《ひと》から聞《き》くこと。

なりたち

「門《もん》」は、二枚《にまい》のとびらを閉《と》じた「もん」のことで、へだたっていてわからないというイメージを示《しめ》す。それと「耳（みみ）」を合《あ》わせて、へだたりを通《とお》して耳《みみ》できき分《わ》ける意《い》を表《あらわ》した。

聞 聞 聞 聞 聞 聞 聞 聞 聞 聞

2年

肉

肉0画〔6画〕

音 ニク
訓 ―

はねる

meat［ミート］

つかいかた

ほおの肉《にく》が落《お》ちる。

ひき肉《にく》を丸《まる》める。

肉眼《にくがん》で星《ほし》を見《み》る。

いみ・ことば

1. にく。●肉[2]食《にくしょく》。肉[2]体《にくたい》。肉《にく》づき。[2]牛肉《ぎゅうにく》。[2]魚肉《ぎょにく》。[6]筋肉《きんにく》。
2. にくのようにやわらかいもの。●[4]印肉《いんにく》。[4]果肉《かにく》。
3. じか。近《ちか》い。●肉[5]眼《にくがん》。肉[2]親《にくしん》。肉[2]声《にくせい》。肉[3]筆《にくひつ》。

もっとわかる
●「肉《にく》」の読《よ》みは、訓読《くんよ》みではなく音読《おんよ》み。●四字熟語《よじじゅくご》…弱肉強食《じゃくにくきょうしょく》（強《つよ》い者《もの》が、つねに弱《よわ》い者《もの》に勝《か》つ世界《せかい》）

なりたち

→肉
●すじの入《はい》った「にく」の切《き》り身《み》をえがいた形《かたち》。

肉肉肉肉肉肉

自

自0画〔6画〕

音 ジ シ
訓 みずから

左下《ひだりした》に

self［セルフ］

つかいかた

教室《きょうしつ》で自習《じしゅう》する。

自転車《じてんしゃ》に乗《の》る。

自然《しぜん》の中《なか》で暮《く》らす。

いみ・ことば

1. じぶん。わたくし。●自[6]己《じこ》。自[3]身《じしん》。自[3]他《じた》。[4]各自《かくじ》。[5]独自《どくじ》。
2. じぶんから。自然《しぜん》に。●自[3]主《じしゅ》。自[3]習《じしゅう》。自[3]動《じどう》。自[3]発《じはつ》。

もっとわかる
●四字熟語《よじじゅくご》…自画自賛《じがじさん》（自分《じぶん》で自分《じぶん》のことをほめること）・自業自得《じごうじとく》（自分《じぶん》でしたことの結果《けっか》が自分《じぶん》の身《み》にふりかかること）

なりたち

→→→自
●人《ひと》の鼻《はな》をえがいた形《かたち》。じぶんを指《さ》すときに、顔《かお》のいちばん先《さき》にある鼻《はな》をさすところから、「じぶん」「じぶんから」の意《い》を表《あらわ》した。

自自自自自自

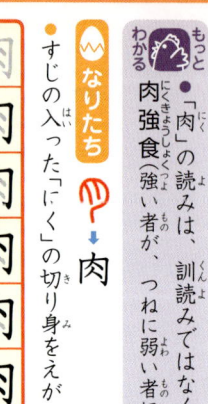

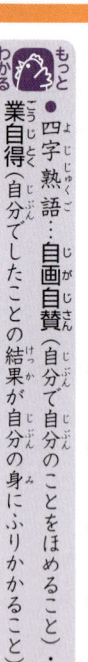

船

舟5画〔11画〕

音 セン
訓 ふね　ふな

ななめ右上《みぎうえ》に

ship［シップ］

つかいかた

大《おお》きな船《ふね》の船長《せんちょう》。

船旅《ふなたび》を楽《たの》しむ。

風船《ふうせん》を飛《と》ばす。

いみ・ことば

●ふね。●船出《ふなで》。船乗《ふなの》り。宝船《たからぶね》。船長《せんちょう》。貨物船《かもつせん》。客船《きゃくせん》。

もっとわかる

●四字熟語《よじじゅくご》…白川夜船《しらかわよふね》（ぐっすり眠《ねむ》っていて、何《なに》も気《き》づかないこと。「白河夜船《しらかわよふね》」とも書《か》く）●「大船《おおぶね》に乗《の》ったよう」とは、信頼《しんらい》しきって、安心《あんしん》しているようす。

なりたち

「㕣」は「八（分《わ》かれる）」と「口（穴《あな》）」を合《あ》わせた形《かたち》。水《みず》がくぼみにそって流《なが》れることで、一定《いってい》の道《みち》すじにしたがうイメージを示《しめ》す。それと「舟（ふね）」を合《あ》わせて、流《なが》れにそって進《すす》む「ふね」を表《あらわ》した。

船 船 船 船 船 船 船 船 船 船 船

色

色0画〔6画〕

音 ショク　シキ
訓 いろ

上《うえ》にはねる

color［カラァ］

つかいかた

絵《え》に色《いろ》をつける。

九色《きゅうしょく》のクレヨン。

外《そと》の景色《けしき》をながめる。

いみ・ことば

①いろ。●色合《いろあ》い。色鉛筆《いろえんぴつ》。色白《いろじろ》。色分《いろわ》け。赤色《あかいろ》。

②かおいろ。かおつき。●気色《きしょく》。喜色《きしょく》。血色《けっしょく》。難色《なんしょく》。

③ようす。ありさま。●音色《ねいろ》（おんしょく）。景色《けしき》。特色《とくしょく》。

もっとわかる

●特別《とくべつ》な読《よ》み方《かた》…景色《けしき》

なりたち

→色　●「ク（かがんだ人《ひと》）」と「巴（ひざをついた人《ひと》）」を組《く》み合《あ》わせた形《かたち》。男女《だんじょ》が親《した》しみ合《あ》うようすで、恋愛《れんあい》（いろごと）の意《い》を表《あらわ》した。のちに、「いろどり」の意《い》で使《つか》われるようになった。

色 色 色 色 色 色

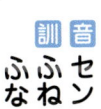

行

行0画〔6画〕

音 コウ ギョウ （アン）

訓 いく ゆく おこなう

上《うえ》の横棒《よこぼう》より長《なが》く

go［ゴウ］

つかいかた

父《ちち》と買《か》い物《もの》に行《い》く。

運動場《うんどうじょう》を行進《こうしん》する。

行列《ぎょうれつ》ができる。

いみ・ことば

1 **すすむ。いく。** ●行《い》き先《さき》。[3]行進《こうしん》。[2]通行《つうこう》。[2]歩行《ほこう》。[3]旅行《りょこう》。

2 **する。おこなう。** ●行事《ぎょうじ》。[3]行動《こうどう》。[3]決行《けっこう》。[3]実行《じっこう》。[5]修行《しゅぎょう》。

3 **まっすぐ並《なら》んでいるもの。** ●行列《ぎょうれつ》。[4]改行《かいぎょう》。[1]三行《さんぎょう》の[1]文《ぶん》。

もっとわかる

●特別《とくべつ》な読《よ》み方《かた》…行方《ゆくえ》 ●「アン」の読《よ》みは、「行火《あんか》」「行脚《あんぎゃ》」などのことばに使《つか》われる。

なりたち

●十字路《じゅうじろ》をえがいた形《かたち》で、「まっすぐすすむ」の意《い》を表《あらわ》した。

行 行 行 行 行 行

西

西0画〔6画〕

音 セイ サイ

訓 にし

はらう 曲《ま》げる

west［ウェスト］

つかいかた

西《にし》の空《そら》を見上《みあ》げる。

西洋料理《せいようりょうり》の講習《こうしゅう》。

関西地方《かんさいちほう》の天気《てんき》。

いみ・ことば

1 **方角《ほうがく》の「にし」。** ●西日《にしび》。[2]西国《さいごく》。西[3]部[6]劇《せいぶげき》。[4]関西《かんさい》[2]地[2]方《ちほう》。[2]東西《とうざい》。

2 **西洋《せいよう》のこと。** ●西▲暦《せいれき》。[2]古[2]今[2]東西《ここんとうざい》。

もっとわかる

●「西暦《せいれき》」は、キリストの生《う》まれた年《とし》（実際《じっさい》には生後四年目《せいごよねんめ》）を最《さい》初《しょ》の年《とし》とする、西洋《せいよう》のこよみ。

なりたち

●目《め》のあらい「ざる」をえがいた形《かたち》。中《なか》の水《みず》が散《ち》らばってなくなるようすと、しずむ太陽《たいよう》の光《ひかり》が散《ち》らばって消《き》えるようすが結《むす》びつき、太陽《たいよう》がしずむ「にし」を表《あらわ》すようになった。

西 西 西 西 西 西

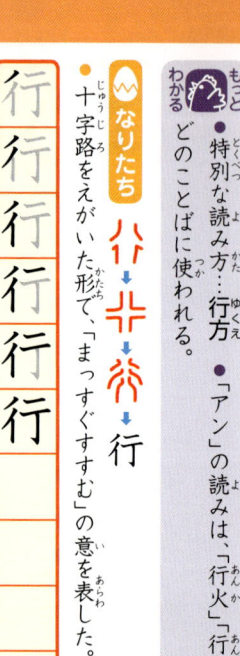

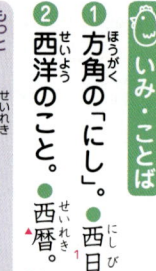

親

見9画〔16画〕

音 シン
訓 おや　したしい　したしむ

上《うえ》にはねる

parent［ペアレント］

つかいかた

象《ぞう》の親子《おやこ》。

親《した》しい友達《ともだち》。

両親《りょうしん》にしかられる。

いみ・ことば

1 おや。●親子《おやこ》。親孝行《おやこうこう》。親心《おやごころ》。父親《ちちおや》。母親《ははおや》。両親《りょうしん》。

2 身内《みうち》。●親族《しんぞく》。親類《しんるい》。近親《きんしん》。肉親《にくしん》。

3 したしい。●親交《しんこう》。親切《しんせつ》。親善試合《しんぜんじあい》。親密《しんみつ》。親友《しんゆう》。

なりたち

「亲《しん》」は、切《き》り立《た》ての生木《なまき》のこと。生身《なまみ》を切《き》るように、はだに接《せっ》して身近《みぢか》なというイメージを示《しめ》す。それと「見（みる）」を合《あ》わせて、いつもじかに接《せっ》して見《み》ているようすで、「したしい」の意《い》を表《あらわ》した。のちに、身近《みぢか》な人《ひと》である「おや」の意《い》でも使《つか》われるようになった。

親 親 親 親 親 親 親 親 親

角

角0画〔7画〕

音 カク
訓 かど　つの

はねる

horn［ホーン］

つかいかた

曲《ま》がり角《かど》にある店《みせ》。

しかの角《つの》を切《き》る。

角砂糖《かくざとう》を入《い》れる。

いみ・ことば

1 つの。●角笛《つのぶえ》。触角《しょっかく》。頭角《とうかく》。

2 かど。すみ。●町角《まちかど》。角度《かくど》。三角《さんかく》。四角《しかく》。直角《ちょっかく》。方角《ほうがく》。

3 しかくい。●角材《かくざい》。角柱《かくちゅう》。

もっとわかる

●「角界《かくかい》」は、相撲《すもう》の社会《しゃかい》のこと（「すもう」を「角力《すもう》」と書《か》くことから）。

●「頭角《とうかく》を現《あらわ》す」は、才能《さいのう》などが人《ひと》より目立《めだ》つ意《い》。

なりたち

●動物《どうぶつ》の「つの」をえがいた形《かたち》。

→角

角 角 角 角 角 角 角

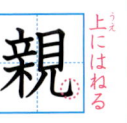

2年

言

言0画〔7画〕

音 ゲン ゴン
訓 いう こと

長《なが》く

say［セイ］

つかいかた

おはようと言《い》う。

ひとり言《ごと》を言《い》う。

授業《じゅぎょう》で発言《はつげん》する。

いみ・ことば

① 口《くち》に出《だ》していう。 ●言《い》い[2]分《ぶん》。[6]宣言《せんげん》。[3]他言《たごん》。[3]発言《はつげん》。[3]予言《よげん》。

② ことば。 ●[1]一言《ひとこと》。ひとり言《ごと》。言[2]語《げんご》。[4]伝言《でんごん》。[2]方言《ほうげん》。[1]名言《めいげん》。

もっとわかる ●「ことば」は「言葉」と書《か》くが、もとは当《あ》て字《じ》（意味《いみ》とは関係《かんけい》なく、音《おん》や訓《くん》を当《あ》てはめた漢字《かんじ》）。

なりたち

●「辛（刃物《はもの》で切《き》り取《と》る。切《き》れ目《め》をつける）」と「口（くち）」を合《あ》わせた形《かたち》。一《ひと》つ一《ひと》つ切《き》れ目《め》があって、それぞれの意味《いみ》をもつ「ことば」を表《あらわ》した。

計

言2画〔9画〕

音 ケイ
訓 はかる はからう

長《なが》く

count［カウント］

つかいかた

時間《じかん》を計《はか》る。

計画《けいかく》を立《た》てる。

お金《かね》を計算《けいさん》する。

いみ・ことば

① 数《かぞ》える。 ●計[2]算《けいさん》。計[4]量《けいりょう》。[2]会計《かいけい》。[2]家計《かけい》。[2]合計《ごうけい》。[3]集計《しゅうけい》。

② 考《かんが》える。くわだてる。 ●計[2]画《けいかく》。計[5]略《けいりゃく》。[5]設計《せっけい》。[1]早計《そうけい》。

③ はかる道具《どうぐ》。 ●[3]温[3]度計《おんどけい》。[2]体[3]温計《たいおんけい》。[2]体[3]重計《たいじゅうけい》。

もっとわかる ●特別《とくべつ》な読《よ》み方《かた》…時計《とけい》

なりたち

「言（ことば）」と「十（集《あつ》めてまとめる）」を合《あ》わせた形《かたち》。口《くち》に出《だ》して数《かず》を読《よ》みながらまとめるようすで、「かぞえる」の意《い》を表《あらわ》した。

記

言3画〔10画〕

音 キ
訓 しるす

上《うえ》にはねる

write down
[ライト ダウン]

つかいかた

手帳《てちょう》に名前《なまえ》を記《しる》す。

番号《ばんごう》を記入《きにゅう》する。

記号《きごう》ばかりの文章《ぶんしょう》。

いみ・ことば

1. 書《か》きとめる。しるす。●記事《きじ》[3]。記述《きじゅつ》[5]。記入《きにゅう》[1]。記録《きろく》[4]。
2. おぼえておく。●記憶《きおく》▲。記念《きねん》[4]。暗記《あんき》[3]。
3. 書《か》いたもの。●手記《しゅき》[1]。伝記《でんき》[4]。日記《にっき》[1]。旅行記《りょこうき》[3][2]。
4. しるし。●記号《きごう》[3]。記章《きしょう》[3]。

もっとわかる
●四字熟語《よじじゅくご》…博覧強記《はくらんきょうき》（多《おお》くの書物《しょもつ》を読《よ》み、よく覚《おぼ》えていること）

なりたち
「己《き》（目立《めだ》つしるし）」と「言（ことば）」を合《あ》わせて、しるしとなることばで「かきとめる」の意《い》を表《あらわ》した。

記記記記記記記記記記

話

言6画〔13画〕

音 ワ
訓 はなす　はなし

長《なが》めに

speak [スピーク]

つかいかた

友達《ともだち》と話《はな》す。

みんなで話《はな》し合《あ》う。

電話《でんわ》で話《はなし》をする。

いみ・ことば

1. はなす。はなし。●話《はな》し手《て》[1]。昔話《むかしばなし》[3]。話題《わだい》[3]。対話《たいわ》[3]。通話《つうわ》[2]。
2. 物語《ものがたり》。●神話《しんわ》[3]。民話《みんわ》[4]。

もっとわかる
●送《おく》り仮名《がな》…「話《はな》し合《あ》い」「話《はな》し方《かた》」など、「はなす」という動《どう》作《さ》が強《つよ》い場合《ばあい》は「し」を送《おく》り、「話《はなし》を聞《き》く」「昔話《むかしばなし》」など、「はなし」の意《い》で使《つか》われる場合《ばあい》には「し」を送《おく》らない。

なりたち
穴《あな》をあけてなめらかに通《とお》すイメージを示《しめ》す「舌《かつ》」と「言（ことば）」を合《あ》わせて、ことばがなめらかに出《で》ること、「はなす」の意《い》を表《あらわ》した。

話話話話話話話話話話

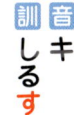

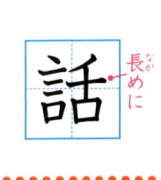

2年

語

言7画〔14画〕

音 ゴ
訓 かたる かたらう

talk［トーク］

つかいかた

舞台《ぶたい》の語《かた》り手《て》。

夜《よる》まで語《かた》らう。

国語《こくご》の授業《じゅぎょう》。

いみ・ことば

1 はなす。かたる。 ●語《かた》り[1]手《て》。[3]物語《ものがたり》。語[1]気《ごき》。語[3]調《ごちょう》。[6]私語《しご》。

2 ことば。 ●語[1]学《ごがく》。[4]英語《えいご》。[2]外[2]国語《がいこくご》。[2]外[2]来語《がいらいご》。[2]言語《げんご》。[2]国語《こくご》。

もっとわかる

●送《おく》り仮名《がな》のちがい…「物語《ものがたり》」は「語《かた》り手《て》」のように「り」を送《おく》らない。

●四字熟語《よじじゅくご》…**大言壮語《たいげんそうご》**（できそうもない大《おお》きなことを言《い》うこと）

なりたち

「吾《ご》」は「五《ご》（交《まじ》わる）」と「口（くち）」を合《あ》わせて、たがいに交《まじ》わること。それと「言（ことば）」を合《あ》わせて、たがいにことばを交《まじ》える、「かたる」の意《い》を表《あらわ》した。

読

言7画〔14画〕

音 ドク トク トウ
訓 よむ

read［リード］

つかいかた

本《ほん》を読《よ》む。

教科書《きょうかしょ》を音読《おんどく》する。

読点《とうてん》を打《う》つ。

いみ・ことば

●よむ。 ●読《よ》み[1]手《て》。読《よ》み[3]物《もの》。読[3]者《どくしゃ》。読[5]解《どっかい》。[6]熟読《じゅくどく》。[2]通読《つうどく》。

もっとわかる

●「読点《とうてん》」は、文《ぶん》の意味《いみ》が区切《くぎ》れる部分《ぶぶん》にうつ「、」のしるし。

●「トク」の読《よ》みは、「読本《とくほん》」ということばに使《つか》われる。

●四字《よじ》熟語《じゅくご》…**熟読玩味《じゅくどくがんみ》**（文章《ぶんしょう》などをよく読《よ》んで十分《じゅうぶん》に味《あじ》わうこと）

なりたち

もとの字《じ》は「讀」。「賣《いく》」は商品《しょうひん》をつぎつぎと取《と》り引《ひ》きすることで、つぎつぎに通《とお》るというイメージを示《しめ》す。それと「言（ことば）」を合《あ》わせて、文章《ぶんしょう》の切《き》れ目《め》を確認《かくにん》しながらつぎつぎに「よむ」ことを表《あらわ》した。

谷

谷0画〔7画〕

音 （コク）

訓 たに

向《む》きに注意《ちゅうい》

valley［ヴァリィ］

つかいかた

山《やま》あり谷《たに》あり。

谷底《たにそこ》をのぞく。

美《うつく》しい渓谷《けいこく》。

いみ・ことば

●**山《やま》と山《やま》の間《あいだ》の低《ひく》いところ。たに。**

●谷川《たにがわ》1。谷底《たにそこ》4。谷間《たにま》2。▲渓谷《けいこく》。

もっとわかる

●「気圧《きあつ》の谷《たに》」「ビルの谷間《たにま》」など、「谷《たに》」は「高《たか》いものにはさまれた部分《ぶぶん》」の意《い》でも使《つか》われる。

なりたち

→谷 ●二《ふた》つの「八（左右《さゆう》に分《わ》かれる）」と「口（穴《あな》）」を合《あ》わせた形《かたち》。いくつもに分《わ》かれてくぼんだところをえがいて、「たに」を表《あらわ》した。

買

貝5画〔12画〕

音 バイ

訓 かう

とめる

buy［バイ］

つかいかた

ノートを買《か》う。

買《か》いだめする。

野菜《やさい》を売買《ばいばい》する。

いみ・ことば

●**物《もの》をかう。**

●買《か》い置《お》き4。買《か》い物《もの》3。買収《ばいしゅう》6。▲購買《こうばい》。売買《ばいばい》2。

もっとわかる

●「買」と反対《はんたい》の意味《いみ》を持《も》つ漢字《かんじ》は「売」。●「売買《ばいばい》」は、物《もの》を売《う》り買《か》いすること。●「買う」は、「うらみを買《か》う（うらまれる）」**「うでを買《か》われる**（能力《のうりょく》を見《み》こまれる）」のようにも使《つか》われる。

なりたち

→買 ●「网（あみ）」が変化《へんか》した「罒」と、「貝（お金《かね》や品物《しなもの》）」を合《あ》わせた形《かたち》。あみをかぶせて品物《しなもの》を取《と》るようすをえがいて、物《もの》を求《もと》める行《おこな》い、「かう」の意《い》を表《あらわ》した。

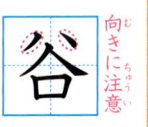

走

走0画〔7画〕

音 ソウ
訓 はしる

走 ← 上《うえ》の横棒《よこぼう》より長《なが》く

run［ラン］

つかいかた

駅《えき》まで走《はし》る。

ねずみが走《はし》り回《まわ》る。

悪路《あくろ》を走行《そうこう》する。

いみ・ことば

● かける。はしる。
● [1]小走《こばし》り。[3]走者《そうしゃ》。[4]徒競走《ときょうそう》。[1]力走《りきそう》。

もっとわかる

● 特別《とくべつ》な読《よ》み方《かた》…師走《しわす》 ● 四字熟語《よじじゅくご》…東奔西走《とうほんせいそう》（あちこちといそがしくかけ回《まわ》ること） ● 同音異義語《どうおんいぎご》「キョウソウ」…「競走《きょうそう》」は、走《はし》って速《はや》さをきそう「かけっこ」のこと。「競争《きょうそう》」は、他人《たにん》と勝《か》ち負《ま》けをきそう「せりあい」のこと。

なりたち

→→走 ● 「夭（人《ひと》が両《りょう》うでをふって走《はし》る）」と「止（あし）」を合《あ》わせた形《かたち》で、「はしる」ようすを表《あらわ》した。

走 走 走 走 走 走 走

里

里0画〔7画〕

音 リ
訓 さと

里 ← 上《うえ》の横棒《よこぼう》より長《なが》く

village［ヴィれヂ］

つかいかた

里《さと》に帰《かえ》る。

人里《ひとざと》はなれた場所《ばしょ》。

郷里《きょうり》をなつかしむ。

いみ・ことば

❶ 人《ひと》の住《す》むところ。さと。 ● [1]里山《さとやま》。[1]人里《ひとざと》。[1]村里《むらざと》。[1]山里《やまざと》。
❷ 生《う》まれ育《そだ》ったところ。ふるさと。 ● [2]里帰《さとがえ》り。[2]里心《さとごころ》。[6]郷里《きょうり》。

もっとわかる

● 昔《むかし》、「里《り》」は道《みち》のりの単位《たんい》としても使《つか》われた。「一里《いちり》」はおよそ4キロメートル。

なりたち

→→里 ● 「田（縦横《たてよこ》にあぜ道《みち》を通《とお》したたんぼ）」と「土（つち）」を合《あ》わせた形《かたち》。縦横《たてよこ》に道《みち》を通《とお》した土地《とち》をえがいて、人《ひと》の住《す》む「さと」を表《あらわ》した。

里 里 里 里 里 里 里

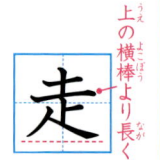

2年

野

里4画〔11画〕

音 ヤ
訓 の

ななめ右上《みぎうえ》に

field [フィールド]

つかいかた

野原《のはら》に寝転《ねころ》ぶ。

野生《やせい》のしか。

山野《さんや》が広《ひろ》がる。

いみ・ことば

① 広々《ひろびろ》とした土地《とち》。のはら。●野道《のみち》。野山《のやま》。山野《さんや》。平野《へいや》。

② 自然《しぜん》のままの。●野放《のばな》し。野生動物《やせいどうぶつ》。野草《やそう》。野鳥《やちょう》。

③ かぎられた場所《ばしょ》。はんい。●視野《しや》。分野《ぶんや》。

もっとわかる

●「野次馬《やじうま》」は、自分《じぶん》とは関係《かんけい》がないことに興味《きょうみ》を示《しめ》し、集《あつ》まったりさわぎ立《た》てたりする人《ひと》のこと。

なりたち

横《よこ》にのびるイメージを示《しめ》す「予《よ》」と「里(むらざと)」を合《あ》わせて、里《さと》から横《よこ》にのびて広《ひろ》がる「のはら」を表《あらわ》した。

麦

麦0画〔7画〕

音 (バク)
訓 むぎ

やや長《なが》く

wheat [(ホ)ウィート]

つかいかた

麦《むぎ》が実《みの》る。

麦飯《むぎめし》を食《た》べる。

小麦粉《こむぎこ》をつける。

いみ・ことば

●むぎ。●麦茶《むぎちゃ》。麦畑《むぎばたけ》。麦《むぎ》わらぼうし。小麦粉《こむぎこ》。麦芽《ばくが》。麦秋《ばくしゅう》。

もっとわかる

●「麦秋《ばくしゅう》」は、むぎを取《と》り入《い》れる初夏《しょか》の季節《きせつ》。●麦《むぎ》は、世界《せかい》で広《ひろ》く栽培《さいばい》される穀物《こくもつ》(人間《にんげん》の食事《しょくじ》の中心《ちゅうしん》となる作物《さくもつ》)の総称《そうしょう》。大麦《おおむぎ》・小麦《こむぎ》・ライ麦《むぎ》・えん麦《ばく》など、種類《しゅるい》が多《おお》い。

なりたち

→麥(麦)

●もとの字《じ》は「麥」。「來(=麦。むぎ)」と「夊(ひきずる足《あし》)」を合《あ》わせた形《かたち》。昔《むかし》の中国《ちゅうごく》で、神《かみ》がもたらした穀物《こくもつ》と考《かんが》えられていた「むぎ」を表《あらわ》した。

2年

長

長0画〔8画〕

音 チョウ
訓 ながい

折《お》る

long［ろ(ー)ング］

つかいかた

長《なが》い道《みち》のり。

長生《ながい》きする。

学校《がっこう》の校長《こうちょう》。

いみ・ことば

❶ながい。のびる。●長生《ながい》き。長話《ながばなし》。長期《ちょうき》。長身《ちょうしん》。延長《えんちょう》。

❷すぐれている。●長所《ちょうしょ》。一長一短《いっちょういったん》。特長《とくちょう》。

❸年上《としうえ》。上《うえ》に立《た》つ人《ひと》。●長女《ちょうじょ》。長男《ちょうなん》。委員長《いいんちょう》。校長《こうちょう》。

もっとわかる

●①②と反対《はんたい》の意味《いみ》を持《も》つ漢字《かんじ》は「短」。長期《ちょうき》↔短期《たんき》　長所《ちょうしょ》↔短所《たんしょ》

●「特長《とくちょう》」は、ほかより目立《めだ》ってすぐれている点《てん》。

なりたち

●かみの毛《け》を長《なが》くのばした老人《ろうじん》をえがいて、「ながい」の意《い》を表《あらわ》した。

門

門0画〔8画〕

音 モン
訓 （かど）

とめる　はねる

gate［ゲイト］

つかいかた

門《もん》を開《あ》ける。

書《しょ》の専門家《せんもんか》。

門松《かどまつ》をかざる。

いみ・ことば

❶出入《でい》り口《ぐち》。もん。●門出《かどで》。門松《かどまつ》。門番《もんばん》。校門《こうもん》。正門《せいもん》。

❷なかま。●門下生《もんかせい》。門人《もんじん》。門弟《もんてい》。入門《にゅうもん》。破門《はもん》。

❸区分《くわ》け。分《わ》けたもの。●専門《せんもん》。部門《ぶもん》。

もっとわかる

●「笑《わら》う門《かど》には福来《ふくき》たる」は、「笑《わら》いのたえない家《いえ》（や人《ひと》）には自然《しぜん》と幸運《こううん》がおとずれる」ということ。

なりたち

●二枚《にまい》のとびらが閉《と》じているようすをえがいて、家《いえ》の出入《でい》り口《ぐち》を表《あらわ》した。

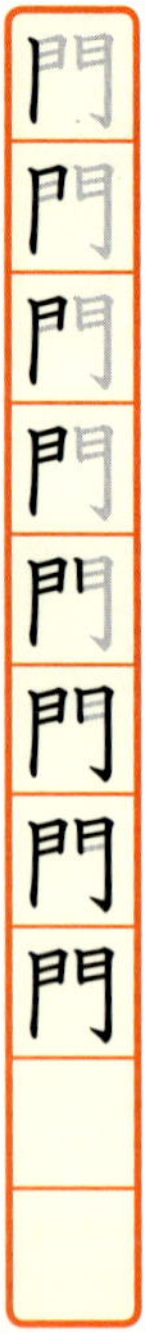

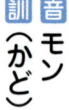

間

門4画〔12画〕

音 カン ケン

訓 あいだ ま

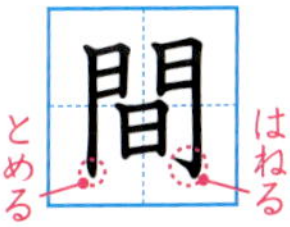

interval［インタァヴァる］

つかいかた

間《あいだ》から日《ひ》が差《さ》す。

客間《きゃくま》に案内《あんない》される。

広々《ひろびろ》とした空間《くうかん》。

いみ・ことば

❶物《もの》と物《もの》のすきま。あいだ。あいま。●間《ま》[2]近《ぢか》。[2]谷間《たにま》。間《かん》[2]食《しょく》。間[5]接《かんせつ》。[3]期間《きかん》。[1]空間《くうかん》。[2]時間《じかん》。[3]世間《せけん》。[1]中間《ちゅうかん》。[1]人間《にんげん》。[2]夜間《やかん》。

❷部屋《へや》。●間[3]取《まど》り。[3]客間《きゃくま》。[2]茶の間《ちゃのま》。[1]日[1]本間《にほんま》。[2]広間《ひろま》。[3]洋間《ようま》。

もっとわかる

●「間髪《かんはつ》を入《い》れず」は、すぐに、ただちにの意《い》。

なりたち

もとの字《じ》は「閒」。「門（もん）」と「月（つき）」を合《あ》わせた形《かたち》。門《もん》のすきまから月《つき》が見《み》えるようすをえがいて、物《もの》と物《もの》の「あいだ」を表《あらわ》した。

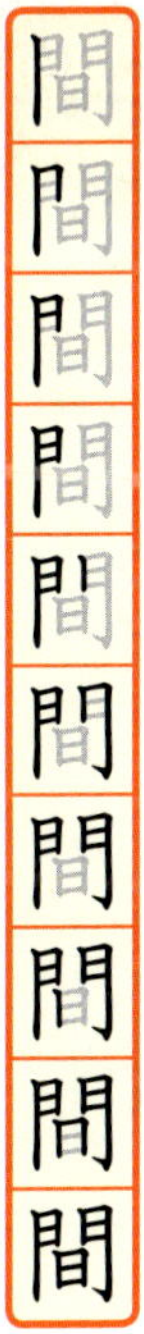

雪

雨3画〔11画〕

音 セツ

訓 ゆき

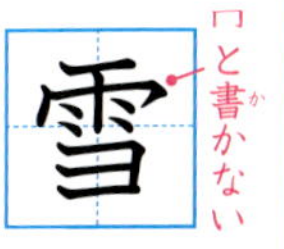

snow［スノウ］

つかいかた

雪《ゆき》が降《ふ》る。

雪《ゆき》だるまを作《つく》る。

二メートルの積雪《せきせつ》。

いみ・ことば

❶ゆき。●雪《ゆき》かき。雪[2]合[4]戦《ゆきがっせん》。雪[2]国《ゆきぐに》。雪《ゆき》だるま。雪[5]解《ゆきど》け。[1]大《おお》雪《ゆき》。[5]粉雪《こなゆき》。[4]初雪《はつゆき》。雪[2]原《せつげん》。雪[1]上[1]車《せつじょうしゃ》。[2]新雪《しんせつ》。[4]積雪《せきせつ》。[2]風雪《ふうせつ》。

❷ぬぐう。すすぐ。そそぐ。●雪▲辱《せつじょく》を[4]果《は》たす。

もっとわかる

●特別《とくべつ》な読《よ》み方《かた》…雪崩《なだれ》・吹雪《ふぶき》

なりたち

もとの字《じ》は「雪」。「雨（あめ）」と「彗（ほうきではいて清《きよ》める）」を略《りゃく》した「ヨ」を合《あ》わせた形《かたち》で、よごれをはいて清《きよ》めたように白《しろ》い「ゆき」を表《あらわ》した。

2年

雲

雨4画〔12画〕

音 ウン
訓 くも

上《うえ》の横棒《よこぼう》より長《なが》く

cloud［クらウド］

つかいかた

山《やま》に雲《くも》がかかる。

飛行機雲《ひこうきぐも》ができる。

暗雲《あんうん》が広《ひろ》がる。

いみ・ことば

● くも。 ● 雲行《くもゆ》き。雨雲《あまぐも》。入道雲《にゅうどうぐも》。雲海《うんかい》。積乱雲《せきらんうん》。

もっとわかる

● 「雲行《くもゆ》き」は、雲《くも》の動《うご》くようす。物事《ものごと》のなりゆきの意《い》でも使《つか》われる。 ● 「雲《くも》がくれ」は、月《つき》が雲《くも》の中《なか》にかくれること。人《ひと》が急《きゅう》に姿《すがた》を消《け》す意《い》でも使《つか》われる。 ● 四字熟語《よじじゅくご》…雲散霧消《うんさんむしょう》(雲《くも》や霧《きり》が消《き》えるように、あとかたもなく消《き》えうせること)

なりたち

→ → 云 ● 「云《うん》」は、空中《くうちゅう》にくもがただようようすをえがいた形《かたち》。それに、「雨(あめ)」を合《あ》わせて、「くも」を表《あらわ》した。

電

雨5画〔13画〕

音 デン
訓 ―

上《うえ》につき出《だ》さない

lightning［らイトニング］

つかいかた

電気《でんき》をつける。

感電《かんでん》する。

電光石火《でんこうせっか》の早《はや》わざ。

いみ・ことば

① いなびかり。いなずま。 ● 電光《でんこう》。雷電《らいでん》。

② でんき。 ● 電球《でんきゅう》。電車《でんしゃ》。電灯《でんとう》。電流《でんりゅう》。電話《でんわ》。発電所《はつでんしょ》。

もっとわかる

● 四字熟語《よじじゅくご》…電光石火《でんこうせっか》(時間《じかん》が非常《ひじょう》に短《みじか》いようす。また、動《うご》きが非常《ひじょう》に速《はや》いようす)

なりたち

→ → 申 ● 「申《しん》」は、いなびかりをえがいた字《じ》。それに「雨(あめ)」を合《あ》わせて、「いなびかり」を表《あらわ》した。のち、「でんき」の意《い》でも使《つか》われるようになった。

頭

頁7画〔16画〕

音 トウ ズ (ト)

訓 あたま (かしら)

つかいかた

頭《あたま》をかかえる。

鼻《はな》の頭《あたま》が赤《あか》い。

先頭《せんとう》に立《た》つ。

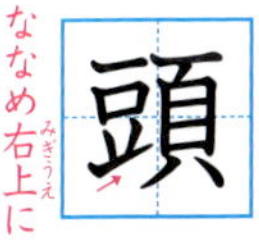

head [ヘッド]

いみ・ことば

1. 人間《にんげん》や動物《どうぶつ》のあたま。●[1]石頭《いしあたま》。頭《ず》がい[6]骨《こつ》。頭《ず》[6]脳《のう》。頭《とう》[3]部《ぶ》。
2. 上《うえ》に立《た》つ人《ひと》。かしら。●頭《とう》[3]取《どり》。頭《とう》[5]領《りょう》。[2]船頭《せんどう》。[2]番頭《ばんとう》。
3. 先《さき》の方《ほう》。はじめ。●頭《あたま》[1]金《きん》。頭《かしら》[1]文《も》[1]字《じ》。[1]先頭《せんとう》。[2]店頭《てんとう》。
4. 大《おお》きな動物《どうぶつ》を数《かぞ》えることば。●[1]三頭《さんとう》の象《ぞう》。

なりたち

「豆《とう》」は、食《た》べ物《もの》を盛《も》る、あしのついた台《だい》の形《かたち》で、T形《がた》にじっと立《た》つというイメージを示《しめ》す。それと「頁(あたま)」を合《あ》わせて、首《くび》の上《うえ》にのった「あたま」を表《あらわ》した。

顔

頁9画〔18画〕

音 ガン

訓 かお

つかいかた

顔《かお》を見合《みあ》わせる。

顔色《かおいろ》が悪《わる》い。

顔面《がんめん》に球《たま》が当《あ》たる。

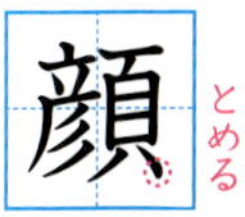

face [フェイス]

いみ・ことば

●かお。●顔[2]色《かおいろ》(がんしょく)。顔[1]立《かおだ》ち。[4]笑顔《えがお》。[5]素顔《すがお》。[5]似顔[2]絵《にがおえ》。[6]洗顔《せんがん》。

もっとわかる

●特別《とくべつ》な読《よ》み方《かた》…笑顔《えがお》 ●「顔《かお》」を使《つか》ったことば…顔《かお》が広《ひろ》い(知《し》り合《あ》いが多《おお》い)・顔《かお》から火《ひ》が出《で》る(はずかしくて顔《かお》が真《ま》っ赤《か》になる)・顔《かお》を出《だ》す(出席《しゅっせき》する)

なりたち

もとの字《じ》は、「顏」。「彥《げん》」は、額《ひたい》が「形《がた》にととのっている ハンサムな男《おとこ》のことで、「形《がた》にととのっているイメージを示《しめ》す。それと「頁(あたま)」を合《あ》わせて、頭部《とうぶ》で「形《がた》にととのっている「かお」を表《あらわ》した。

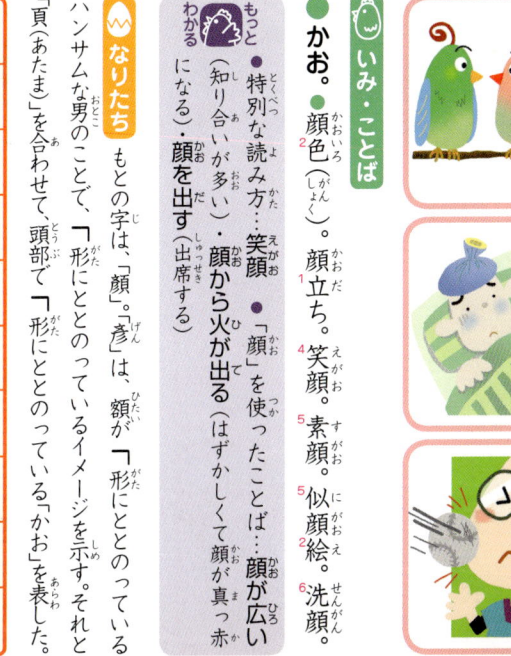

2年

風

風0画〔9画〕

音 フウ（フ）

訓 かぜ かざ

つかいかた

風《かぜ》が強《つよ》い。

屋根《やね》の上《うえ》の風見鳥《かざみどり》。

洋風《ようふう》の建物《たてもの》。

上《うえ》にはねる

wind［ウィンド］

いみ・ことば

❶かぜ。●風下《かざしも》。風通《かぜとお》し。北風《きたかぜ》。風力《ふうりょく》。台風《たいふう》。暴風雨《ぼうふうう》。

❷ならわし。しきたり。●風紀《ふうき》。風習《ふうしゅう》。風俗《ふうぞく》。風潮《ふうちょう》。風土《ふうど》。

❸おもむき。ようす。●風格《ふうかく》。風景《ふうけい》。風物《ふうぶつ》。現代風《げんだいふう》。

もっとわかる

●特別《とくべつ》な読《よ》み方《かた》…風邪《かぜ》

●「フ」の読《よ》みは、「風情《ふぜい》」などに使《つか》われる。

なりたち

→風 ●「凡《はん》（風《かぜ》をはらむ船《ふね》の「ほ」）」と「虫（生《い》き物《もの》）」を合《あ》わせた形《かたち》。昔《むかし》の中国《ちゅうごく》では、風《かぜ》が生《い》き物《もの》を発生《はっせい》させると考《かんが》えられていたところから、「かぜ」を表《あらわ》した。

食

食0画〔9画〕

音 ショク（ジキ）

訓 く（くらう） たべる

つかいかた

ご飯《はん》を食《た》べる。

蚊《か》に食《く》われる。

食欲《しょくよく》がない。

中心《ちゅうしん》

折《お》る

eat［イート］

いみ・ことば

❶たべる。たべもの。●食《た》べ物《もの》。大食《おおぐ》い。つまみ食《ぐ》い。食事《しょくじ》。食堂《しょくどう》。食品《しょくひん》。食欲《しょくよく》。食料品《しょくりょうひん》。給食《きゅうしょく》。朝食《ちょうしょく》。夕食《ゆうしょく》。

❷少《すこ》しずつへっていく。●月食《げっしょく》。侵食《しんしょく》。日食《にっしょく》。

もっとわかる

●「ジキ」の読《よ》みは、「断食《だんじき》」などに使《つか》われる。

なりたち

→→→食 ●「亼（寄《よ》せ集《あつ》める）」と「皀（ごちそうを盛《も》った器《うつわ》）」を合《あ》わせた形《かたち》。ごちそうを集《あつ》めて盛《も》りつけたようすで、「たべもの」「たべる」の意《い》を表《あらわ》した。

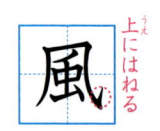

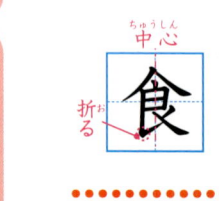

首

首0画〔9画〕

音 シュ
訓 くび

首 長《なが》めに

neck［ネック］

つかいかた

首《くび》を横《よこ》にふる。

首根《くびね》っこをつかむ。

首相《しゅしょう》のあいさつ。

いみ・ことば

1 くび。あたま。 ●首《くび》かざり。首輪《くびわ》。足首《あしくび》。手首《てくび》。機首《きしゅ》。

2 いちばん上《うえ》。はじめ。 ●首位《しゅい》。首相《しゅしょう》。首席《しゅせき》。党首《とうしゅ》。

3 歌《うた》の数《かず》を数《かぞ》えることば。 ●百人一首《ひゃくにんいっしゅ》。

もっとわかる

●四字熟語《よじじゅくご》…首尾一貫《しゅびいっかん》（始《はじ》めから終《お》わりまで変《か》わらないこと）

●「首《くび》を横《よこ》にふる」は、承知《しょうち》しない、賛成《さんせい》しないしぐさにいう。

なりたち

首

●かみの毛《け》の生《は》えた頭《あたま》をえがいた形《かたち》。体《からだ》から上《うえ》の方《ほう》にのびた「くび」や、頭全体《あたまぜんたい》を表《あらわ》した。

首首首首首首首首首

馬

馬0画〔10画〕

音 バ
訓 うま・ま

馬 点《てん》のうち方《かた》に注意《ちゅうい》

horse［ホース］

つかいかた

馬《うま》を引《ひ》く。

馬《うま》の耳《みみ》に念仏《ねんぶつ》。

馬車《ばしゃ》に乗《の》る。

いみ・ことば

●**うま。** ●馬《うま》とび。竹馬《たけうま》。馬車《ばしゃ》。馬術《ばじゅつ》。馬力《ばりき》。競馬《けいば》。乗馬《じょうば》。

もっとわかる

●特別《とくべつ》な読《よ》み方《かた》…伝馬船《てんません》

●「馬《うま》の耳《みみ》に念仏《ねんぶつ》」は、何《なに》を言《い》ってもまったくききめのないこと。「馬耳東風《ばじとうふう》」に同《おな》じ。

●「馬《ば》脚《きゃく》をあらわす」は、かくしていたことが明《あか》るみに出《で》ること。

●「竹馬《ちくば》の友《とも》」は、おさな友達《ともだち》のこと。

なりたち

馬

●長《なが》い頭《あたま》とたてがみをもつ「うま」をえがいた形《かたち》。

馬馬馬馬馬馬馬馬馬馬

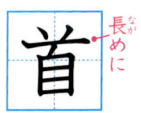

高

高0画〔10画〕

音 コウ
訓 たかい　たか　たかまる　たかめる

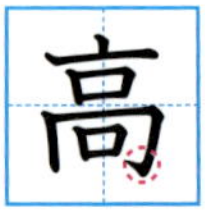

high［ハイ］

つかいかた

背《せ》が高《たか》い。

気持《きも》ちが高《たか》まる。

高級《こうきゅう》な腕時計《うでどけい》。

いみ・ことば

①位置《いち》がたかい。●高台《たかだい》。高原《こうげん》。高山《こうざん》。高地《こうち》。高度《こうど》。
②程度《ていど》がたかい。●高温《こうおん》。高貴《こうき》。高級《こうきゅう》。高等《こうとう》。高熱《こうねつ》。
③数《かず》が大《おお》きい。●高値《たかね》。円高《えんだか》。声高《こわだか》。高音《こうおん》。高温《こうおん》。高額《こうがく》。
④えらそうにする。●高飛車《たかびしゃ》。高慢《こうまん》。

もっとわかる

●「高飛車《たかびしゃ》」は、相手《あいて》をおさえつけるような態度《たいど》。

なりたち

●高《たか》い建物《たてもの》をえがいた形《かたち》で、「たかい」の意《い》を表《あらわ》した。

魚

魚0画〔11画〕

音 ギョ
訓 うお　さかな

fish［フィッシュ］

つかいかた

魚《さかな》をつかまえる。

魚市場《うおいちば》で働《はたら》く。

人魚《にんぎょ》の物語《ものがたり》。

いみ・ことば

●さかな。●魚市場《うおいちば》。魚河岸《うおがし》。川魚《かわざかな》（かわうお）。小魚《こざかな》。焼《や》き魚《ざかな》。白魚《しらうお》。魚肉《ぎょにく》。金魚《きんぎょ》。熱帯魚《ねったいぎょ》。

もっとわかる

●「水《みず》を得《え》た魚《うお》」は、生《い》き生《い》きしているようすを表《あらわ》すことば。●「魚心《うおごころ》あれば水心《みずごころ》」は、一方《いっぽう》が好意《こうい》を持《も》てば、もう一方《いっぽう》も好意《こうい》を持《も》つようになるということ。●「木《き》に縁《よ》って魚《うお》を求《もと》む」は、方法《ほうほう》がまちがっているために目的《もくてき》を達成《たっせい》できないこと。

なりたち

●「さかな」をえがいた形《かたち》。

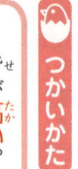

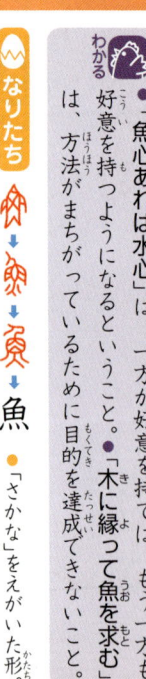

鳥

鳥0画〔11画〕

音 チョウ
訓 とり

(stroke guide) 鳥 — 長《なが》く

bird［バード］

つかいかた

指《ゆび》に小鳥《ことり》がとまる。

鳥《とり》はだが立《た》つ。

野鳥《やちょう》を観察《かんさつ》する。

いみ・ことば

● とり。●鳥《とり》かご。1小鳥《ことり》。▲渡《わた》り鳥《どり》。鳥類《ちょうるい》。1白鳥《はくちょう》。2野鳥《やちょう》。

もっとわかる

●特別《とくべつ》な読《よ》み方《かた》…鳥取《とっとり》 ●「鳥《とり》はだが立《た》つ」は、鳥《とり》の毛《け》をむしったように、はだにぶつぶつが出《で》ること。寒《さむ》いときや恐《おそ》ろしいときなどに使《つか》われることば。●「かんこ鳥《どり》が鳴《な》く」は、来《く》る人《ひと》が少《すく》なくてさびれているようすを表《あらわ》すことば。

なりたち

→鳥

●尾《お》（しりからのびた部分《ぶぶん》）の長《なが》い「とり」をえがいた形《かたち》。

鳴

鳥3画〔14画〕

音 メイ
訓 なく なる ならす

(stroke guide) 鳴 — 小《ちい》さめに書《か》く

cry［クライ］

つかいかた

うぐいすが鳴《な》く。

指《ゆび》を鳴《な》らす。

悲鳴《ひめい》をあげる。

いみ・ことば

① 声《こえ》をあげる。なく。●2鳥《とり》の鳴《な》き声《ごえ》。3悲鳴《ひめい》。

② 音《おと》がする。なる。●鳴子《なるこ》。2海鳴《うみな》り。2地鳴《じな》り。3鳴動《めいどう》。4共鳴《きょうめい》。

もっとわかる

●「鳴子《なるこ》」は、鳥《とり》などに農作物《のうさくぶつ》をあらされないための、音《おと》の出《で》るしかけ。●同訓異字《どうくんいじ》「なく」…「鳴《な》く」は、鳥《とり》・けもの・虫《むし》が声《こえ》を出《だ》す意《い》。「泣《な》く」は、人《ひと》が声《こえ》をあげて涙《なみだ》を流《なが》す意《い》。

なりたち

「鳥（とり）」と「口（くち）」を合《あ》わせた形《かたち》で、鳥《とり》やけものが声《こえ》を出《だ》すことを表《あらわ》した。

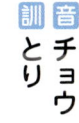

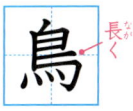

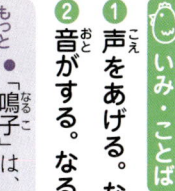

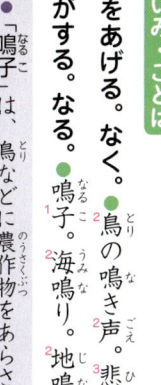

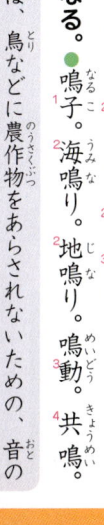

黄

黄0画〔11画〕

音 (コウ) オウ

訓 き (こ)

黄 上《うえ》につき出《だ》す

yellow [イェろウ]

つかいかた

黄色《きいろ》のくちばし。

黄身《きみ》と白身《しろみ》を分《わ》ける。

黄金《おうごん》のさかずき。

いみ・ことば

● き。きいろ。 ●黄《き》ばむ。[3]黄身《きみ》。[1]黄金《こがね》(おうごん)。[1][2]黄土色《おうどいろ》。[6]卵黄《らんおう》。

もっとわかる

●同音異義語《どうおんいぎご》「コウヨウ」…「紅葉《こうよう》」は、葉《は》(もみじなど)が赤《あか》くなること。「黄葉《こうよう》」は、葉《は》(いちょうなど)が黄色《きいろ》になること。

なりたち

黄(黄)

●もとの字は「黄」。「廿(動物《どうぶつ》の頭《あたま》)」と「矢(や)」を合《あ》わせて、動物《どうぶつ》のあぶらをつけて燃《も》やした矢《や》を飛《と》ばすようすをえがいた形《かたち》。矢《や》の火《ひ》が黄色《きいろ》い光《ひかり》をはなつところから、「きいろ」を表《あらわ》した。

黒

黒0画〔11画〕

音 コク

訓 くろ くろい

黒 長《なが》く

black [ブらック]

つかいかた

黒《くろ》いけむりが出《で》る。

黒山《くろやま》の人《ひと》だかり。

黒板《こくばん》の文字《もじ》を消《け》す。

いみ・ことば

1 くろ。くろい。 ●黒《くろ》こげ。[1]黒字《くろじ》。[2]黒星《くろぼし》。[3]黒豆《くろまめ》。[3]黒板《こくばん》。

2 わるい。 ●[6]黒幕《くろまく》。[6]腹黒《はらぐろ》い。

もっとわかる

●「白黒《しろくろ》をつける」は、いい悪《わる》いをはっきりさせること。「黒《こく》白《びゃく》を争《あらそ》う」ともいう。

なりたち

黒(黒)

●もとの字は「黒」。「㊥(点々《てんてん》とすすがついたえんとつ)」と「炎(ほのお)」を合《あ》わせた形《かたち》。火《ひ》を燃《も》やしたときにでるえんとつのすすをえがいて、「くろい」の意《い》を表《あらわ》した。

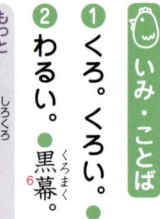

3年生《ねんせい》で習《なら》う漢字《かんじ》（200字《じ》）

医	区	化	勝	動	勉	助	列	写	具	倍	係	使	住	全	代	他	仕	事	予	乗	主	両	世	丁
205	204	204	204	203	203	203	202	202	202	201	201	201	200	200	200	199	199	199	198	198	198	197	197	197
宿	宮	客	定	実	守	安	始	委	央	坂	問	商	員	品	和	命	味	君	向	号	受	取	反	去
213	213	213	212	212	212	211	211	211	210	210	210	209	209	209	208	208	208	207	207	206	206	206	205	205
速	追	送	返	薬	落	葉	荷	苦	待	役	式	庭	庫	度	幸	平	帳	州	島	岸	屋	局	対	寒
222	221	221	221	220	220	220	219	219	219	218	218	218	217	217	217	216	216	216	215	215	215	214	214	214
族	旅	整	放	拾	持	指	投	打	所	想	感	意	悲	悪	息	急	陽	階	院	部	都	遊	運	進
230	230	230	229	229	229	228	228	228	227	227	226	226	226	225	225	225	224	224	224	223	223	223	222	222
洋	油	波	注	泳	決	氷	死	次	橋	横	様	業	植	根	柱	板	期	服	有	曲	暗	暑	昭	昔
239	238	238	238	237	237	237	236	236	236	235	235	235	234	234	234	233	233	233	232	232	232	231	231	231
研	短	真	相	県	皿	皮	登	発	病	畑	界	由	申	球	物	炭	漢	湯	港	湖	温	深	流	消
248	247	246	246	246	245	245	245	244	244	244	243	243	243	242	242	242	241	241	241	240	240	240	239	239
表	血	育	者	習	着	美	羊	練	緑	終	級	箱	筆	等	笛	第	童	章	究	秒	福	祭	神	礼
256	256	255	255	255	254	254	254	253	253	253	252	252	252	251	251	251	250	250	250	249	249	249	248	248
鼻	歯	駅	館	飲	題	面	集	開	銀	鉄	重	配	酒	農	軽	転	身	路	起	負	豆	調	談	詩
264	264	264	263	263	263	262	262	262	261	261	261	260	260	260	259	259	259	258	258	258	257	257	257	256

3年

漢字力《かんじりょく》をアップする方法《ほうほう》 3

せっかく漢字《かんじ》を覚《おぼ》えても、使《つか》えないことが多《おお》くないですか。たとえば、「育」は「いく」と読《よ》みます。でも、「育つ」と「つ」の送《おく》り仮名《がな》がつくと「いくつ」ではなく「そだつ」と読《よ》みますね。「育てる」は「いくてる」ではなく「そだてる」です。

読《よ》む場合《ばあい》も大変《たいへん》ですが、書《か》くことになるともっと難《むずか》しいですね。「はなす」は「話す」か「放す」か。どちらも正解《せいかい》なのです。でも使《つか》い方《かた》がちがいます。「友《とも》だちと話《はな》す。」「ちょうを放《はな》す。」など、意味《いみ》のちがいで区別《くべつ》して書《か》きます。こういうことはたくさんあるでしょう。「だから漢字《かんじ》ってめんどうくさくていやなんだ。」という声《こえ》が聞《き》こえてきそうですね。

漢字《かんじ》を勉強《べんきょう》している外国《がいこく》の人《ひと》が、一《ひと》つの漢字《かんじ》を覚《おぼ》えても「この場合《ばあい》はちがうんだよ、別《べつ》の読《よ》み方《かた》をするんだよ」といわれて、たいへんなショックを受《う》けたそうです。「覚《おぼ》えたつもりのものが実《じつ》は全然《ぜんぜん》ちがう使《つか》い方《かた》をしていて、最初《さいしょ》に覚《おぼ》えた情報《じょうほう》が応用《おうよう》できない」と話《はな》しています。

ことばの中《なか》で覚《おぼ》えよう

「あつい夏《なつ》の日《ひ》に、あつい紅茶《こうちゃ》を飲《の》みながら、あつい本《ほん》を読《よ》んだ。」あなたはこの区別《くべつ》ができますか。平仮名《ひらがな》では同《おな》じ「あつい」ですね。平仮名《ひらがな》だけではどんな「あつい」か、文字《もじ》の上《うえ》では区別《くべつ》がつきにくいですね。漢字《かんじ》にするとどうでしょう。答《こた》えは順《じゅん》に「暑《あつ》い」「熱《あつ》い」「厚《あつ》い」です。意味《いみ》がよくわかってきます。

漢字《かんじ》は意味《いみ》を持《も》っているので、一字《いちじ》一字《いちじ》ばらばらに覚《おぼ》えるのではなく、単《たん》語《ご》の形《かたち》で把握《はあく》するほうが覚《おぼ》えやすいし、意味《いみ》も伝《つた》わりやすくなります。漢字《かんじ》は熟語《じゅくご》やことばとしてとらえることが大切《たいせつ》なのです。

たとえば、「風上（かざかみ）」という漢字二字《かんじにじ》で書《か》かれたことばを覚《おぼ》えるときには、「風下（かざしも）」「風向き（かざむき）」「風力（ふうりょく）」などのようなことばのほかにも、「風」に関連《かんれん》する「突風（とっぷう）」「風雨（ふうう）」「風圧（ふうあつ）」などのことばを思《おも》いつく限《かぎ》り探《さが》し出《だ》す中《なか》で、その漢字《かんじ》の持《も》つ意味《いみ》を感《かん》じとったり、知《し》ったりすることができます。そうすると、同《おな》じ漢字《かんじ》に何回《なんかい》も触《ふ》れることになり、漢字《かんじ》になじむことにつながるのです。

おうちでも同《おな》じようにすると、漢字力《かんじりょく》が飛躍的《ひやくてき》にアップしますよ。

3年

丁

一1画〔2画〕

音 チョウ（テイ）

訓 ―

はねる

つかいかた

豆腐《とうふ》一丁《いっちょう》。

丁重《ていちょう》に断《ことわ》る。

一丁目《いっちょうめ》。

いみ・ことば

❶町《まち》の区分《くぶん》。●[1]一丁目《いっちょうめ》。[3]横丁《よこちょう》。

❷豆腐《とうふ》や道具《どうぐ》などを数《かぞ》えることば。●[2]半《はん》丁《ちょう》の[3]豆腐《とうふ》。

❸四番目《よんばんめ》を表《あらわ》すことば。●▲甲《こう》▲乙《おつ》▲丙《へい》丁《てい》。

もっとわかる

●「丁重《ていちょう》」「丁寧《ていねい》」は、言葉《ことば》づかいや動《どう》作《さ》に心《こころ》がこもっていて礼儀《れいぎ》正《ただ》しいこと。

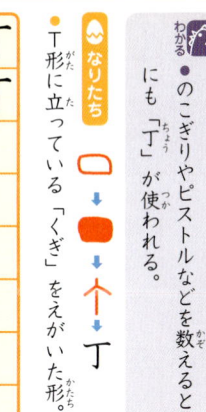

●のこぎりやピストルなどを数《かぞ》えるときにも「丁《ちょう》」が使《つか》われる。

なりたち

●T形《がた》に立《た》っている「くぎ」をえがいた形《かたち》。

丁 丁

世

一4画〔5画〕

音 セイ セ

訓 よ

折《お》る

world［ワーるド］

つかいかた

あの世《よ》の世界《せかい》。

後世《こうせい》に名《な》を残《のこ》す。

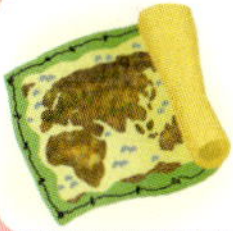
世界地図《せかいちず》。

いみ・ことば

❶よのなか。●世論《よろん》[6]（せろん）。世《よ》▲渡《わた》り。世《せ》[3]界《かい》。世間《せけん》[2]。[1]出世《しゅっせ》。[6]乱世《らんせい》（らんせ）。

❷時《とき》の区切《くぎ》り。●世紀《せいき》[5]。[1]中世《ちゅうせい》。

❸人《ひと》の一生《いっしょう》。●世代《せだい》[3]。[1]一世《いっせ》[1]一代《いちだい》[3]。[1]三世《さんせい》。

もっとわかる

●「世渡《よわた》り」は、世《よ》の中《なか》で生活《せいかつ》していくこと。

なりたち

世 → 世 ●「十」を三《みっ》つ並《なら》べ、下《した》でつないだ形《かたち》。三十年《さんじゅうねん》ごとに、世《よ》の中《なか》が変化《へんか》したり世代《せだい》が交代《こうたい》したりすると考《かんが》えられたところから、「世《よ》の中《なか》」や「世代《せだい》」を表《あらわ》した。

世 世 世 世 世

両

一5画〔6画〕

音 リョウ

訓 ―

はねる

both［ボウす］

つかいかた

両手《りょうて》を広《ひろ》げる。

列車《れっしゃ》の二両目《にりょうめ》。

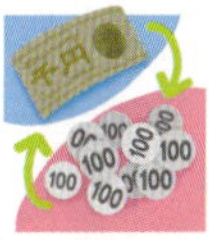

両替《りょうが》えする。

いみ・ことば

❶二《ふた》つで組《くみ》になっているもの。●両《りょう》[2]親《しん》。両手《りょうて》[1]。両方《りょうほう》[2]。[6]衆《しゅう》[4]参《さん》両《りょう》[3]院《いん》。

❷車《くるま》を数《かぞ》えることば。●[1]十両《じゅうりょう》[5]編《へん》[4]成《せい》。

もっとわかる

●昔《むかし》、「両《りょう》」は重《おも》さやお金《かね》の単位《たんい》としても使《つか》われた。「千両《せんりょう》」は、非常《ひじょう》に価値《かち》のあること。●「両手《りょうて》に花《はな》」は、二《ふた》つのよいものをひとりじめにすること。

なりたち

●もとの字《じ》は「兩」。左右《さゆう》におもりのついたはかりをえがいた形《かたち》で、「対《つい》をなすもの」を表《あらわ》した。

両 両 両 両 両 両

3年

主

丶4画〔5画〕

音 シュ（ス）

訓 ぬし　おも

主 長《なが》く

main［メイン］

つかいかた

持《も》ち主《ぬし》を探《さが》す。

主《おも》なメンバー。

野《や》球《きゅう》部《ぶ》の主将《しゅしょう》。

いみ・ことば

1 あるじ。●5飼《か》い主《ぬし》。2地主《じぬし》。3主君《しゅくん》。1主人《しゅじん》。

2 中心《ちゅうしん》となる。おもな。●5主演《しゅえん》。主《しゅ》2食《しょく》。1主人《しゅじん》2公《こう》。3主役《しゅやく》。4主要《しゅよう》。1主力《しゅりょく》。

もっとわかる

●「主食《しゅしょく》」は、ご飯《はん》・めん類《るい》・パンなど、食事《しょくじ》の中心《ちゅうしん》となるもの。●「坊主《ぼうず》」は、寺《てら》のあるじである僧《そう》のこと。

なりたち

（古代文字）↓主　●ろうそくの台《だい》の上《うえ》で、ほのおがじっと燃《も》えるすがたをえがいた形《かたちいっ》。一か所《しょ》にじっと立《た》って動《うご》かないところから、家《いえ》の中《なか》にじっとしている「あるじ」を表《あらわ》した。

主主主主主

乗

ノ8画〔9画〕

音 ジョウ

訓 のる　のせる

乗 長《なが》く

ride［ライド］

つかいかた

自転車《じてんしゃ》に乗《の》る。

ひざに乗《の》せる。

バスの乗車口《じょうしゃぐち》。

いみ・ことば

1 のる。●乗《の》り3物《もの》。乗3客《じょうきゃく》。乗6降《じょうこう》。乗1車《じょうしゃ》。乗5務3員《じょうむいん》。乗2用1車《じょうようしゃ》。

2 かけ算《ざん》。●乗4法《じょうほう》。4加5減《かげん》乗6除《じょうじょ》。

3 つけこむ。●乗《じょう》じる。4便乗《びんじょう》。

もっとわかる

●「便乗《びんじょう》」は、うまくチャンスをとらえて利用《りよう》すること（例 便乗《びんじょう》値上《ねあ》げ）。

なりたち

（古代文字）↓（古代文字）↓乘（乗）

●もとの字《じ》は「乘」。「人」と「舛」（左右《さゆう》に開《ひら》いた足《あし》）と「木」を組《く》み合《あ》わせた形《かたち》。人《ひと》が木《き》の上《うえ》にのぼるようすで、「のる」の意《い》を表《あらわ》した。

乗乗乗乗乗乗乗乗

予

亅3画〔4画〕

音 ヨ

訓 —

予 はねる

in advance［インアドヴァンス］

つかいかた

予約席《よやくせき》。

天《てん》気《き》予報《よほう》。

予備《よび》のタイヤ。

いみ・ことば

1 あらかじめ。前《まえ》もって。●予3感《よかん》。予《よ》2言《げん》。予2算《よさん》。予3習《よしゅう》。予3想《よそう》。予3定《よてい》。予5備《よび》。予5報《よほう》。予5防《よぼう》。予4約《よやく》。

2 ゆとりをおく。●▲猶予《ゆうよ》。

もっとわかる

●「猶予《ゆうよ》」は、行《おこな》う日時《にちじ》を延《の》ばすこと。「支払《しはら》いを猶予《ゆうよ》する」などと使《つか》う。

なりたち

（古代文字）↓予　●はた織《お》りで、縦《たて》糸《いと》の間《あいだ》に横糸《よこいと》を通《とお》すのに使《つか》う道具《どうぐ》をえがいた形《かたち》。間《あいだ》に通《とお》していくところから、「空間《くうかん》ができる」「ゆとりをとる」などの意《い》を表《あらわ》した。

予予予予

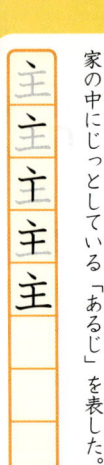

事

亅7画〔8画〕

音 ジ（ズ）
訓 こと

はねる

event［イヴェント］

つかいかた

力仕事《ちからしごと》をする。

無事《ぶじ》を祈《いの》る。

道路《どうろ》の工事《こうじ》。

いみ・ことば

❶ことがら。できごと。●事件《じけん》。事典《じてん》。火事《かじ》。行事《ぎょうじ》。私事《しじ》（わたくしごと）。返事《へんじ》。用事《ようじ》。

❷しごと。●事業《じぎょう》。事務《じむ》。家事《かじ》。工事《こうじ》。

もっとわかる

●「ズ」という読《よ》みは、「好事家《こうずか》（変《か》わったことを好《この》む人《ひと》）」などのことばに使《つか》われる。

なりたち

●「ヨ」は、手《て》の形《かたち》。計算用具《けいさんようぐ》を入《い》れた筒《つつ》を立《た》て、それを手《て》で持《も》っているようすをえがいて、受《う》け持《も》つべき「役目《やくめ》」や「仕事《しごと》」を表《あらわ》した。

3年

仕

亻3画〔5画〕

音 シ（ジ）
訓 つかえる

上《うえ》の横棒《よこぼう》より短《みじか》く

serve［サーヴ］

つかいかた

国王《こくおう》に仕《つか》える。

仕事《しごと》が片《かた》づく。

仕返《しかえ》しする。

いみ・ことば

❶目上《めうえ》の人《ひと》の世話《せわ》をする。つかえる。●仕官《しかん》。出仕《しゅっし》。▲奉仕《ほうし》。

❷する。おこなう。●仕入《しい》れ。仕返《しかえ》し。仕方《しかた》。仕組《しく》み。仕立《した》て。仕業《しわざ》。

もっとわかる

●「ジ」という読《よ》みは、「給仕《きゅうじ》」などのことばに使《つか》われる。

なりたち

●「士《し》（まっすぐに立《た》つ）」と「亻（人《ひと》）」を合《あ》わせて、身分《みぶん》の高《たか》い人《ひと》のそばに立《た》って「つかえる」意《い》を表《あらわ》した。

他

亻3画〔5画〕

音 タ
訓 ほか

上《うえ》にはねる

other［アざァ］

つかいかた

他国《たこく》の人《ひと》。

他校《たこう》の生徒《せいと》。

他言《たごん》は無用《むよう》だ。

いみ・ことば

●ほか。べつの。●他校《たこう》。他国《たこく》。他言《たごん》。他社《たしゃ》。他人《たにん》。他力《たりき》。自他《じた》。

もっとわかる

●「他山《たざん》の石《いし》」とは、自分《じぶん》をみがくのに役立《やくだ》つもののことで、他人《たにん》のよくない行《おこな》いについていう。●「他人行儀《たにんぎょうぎ》」とは、（親《した》しい人《ひと》に）よそよそしくすること。

なりたち

●「也《や》」はヘビを表《あらわ》す。それと「亻（人《ひと》）」を合《あ》わせて、ヘビにかまれるようすをえがいた形《かたち》。ふつうとちがったこと、「ほか」の意《い》を表《あらわ》した。

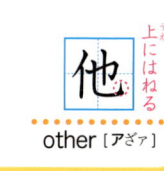

代

イ3画〔5画〕

音 ダイ タイ

訓 かわる かえる よ（しろ）

代 はねる

substitute［サブスティテュート］

つかいかた

母《はは》の代《か》わり。

紙《かみ》で代用《だいよう》する。

代金《だいきん》をはらう。

いみ・ことば

1. **かわりになる。** ●代案《だいあん》。代用《だいよう》。代理《だいり》。
2. **かわりに渡《わた》すお金《かね》。** ●お代《だい》。車代《くるまだい》。
3. **ある人《ひと》が「あるじ」でいる期間《きかん》。** ●初代《しょだい》。先祖代々《せんぞだいだい》。先代《せんだい》。歴代《れきだい》の首相《しゅしょう》。
4. **長《なが》い時間《じかん》の区切《くぎ》り。** ●現代《げんだい》。時代《じだい》。
5. **年齢《ねんれい》の区切《くぎ》り。** ●十代前半《じゅうだいぜんはん》。

なりたち

「弋《よく》」は、獲物《えもの》に糸《いと》を巻《ま》きつけてつかまえる道具《どうぐ》で、たがいちがいに入《い》れかわるイメージを示《しめ》す。それに「イ（人《ひと》）」を合《あ》わせて、同《おな》じ場所《ばしょ》にべつのものが「入《い》れかわる」意《い》を表《あらわ》した。

代代代代代

全

へ4画〔6画〕

音 ゼン

訓 まったく すべて

全 長《なが》く

whole［ホウル］

つかいかた

全《まった》く同《おな》じ顔《かお》。

全部《ぜんぶ》食《た》べる。

全力《ぜんりょく》で走《はし》る。

いみ・ことば

●**すべて。まったく。** ●全員《ぜんいん》。全額《ぜんがく》。全校《ぜんこう》。全国《ぜんこく》。全集《ぜんしゅう》。全焼《ぜんしょう》。全身《ぜんしん》。全然《ぜんぜん》。全体《ぜんたい》。全部《ぜんぶ》。全面《ぜんめん》。全力《ぜんりょく》。安全《あんぜん》。完全《かんぜん》。健全《けんぜん》。万全《ばんぜん》。

もっとわかる

●四字熟語《よじじゅくご》…**全身全霊《ぜんしんぜんれい》**（持《も》っている力《ちから》のすべて。例 仕事《しごと》に全身全霊《ぜんしんぜんれい》をかたむける）

なりたち

「入（中《なか》にいれる）」と「王（玉《たま》）」を合《あ》わせた形《かたち》。かざりにびっしりと玉《たま》をはめこんだようすをえがいて、欠《か》けたところがなく、全体《ぜんたい》に渡《わた》ってそろっていることを表《あらわ》した。

全全全全全全

住

イ5画〔7画〕

音 ジュウ

訓 すむ すまう

住 いちばん長《なが》く

live［リヴ］

つかいかた

森《もり》の中《なか》に住《す》む。

近所《きんじょ》の住人《じゅうにん》。

住宅《じゅうたく》が並《なら》ぶ。

いみ・ことば

●**すむ。すまい。** ●住《す》み心地《ごこち》。仮住《かりず》まい。移住《いじゅう》。住居《じゅうきょ》。住所《じゅうしょ》。住宅《じゅうたく》。住人《じゅうにん》。住民《じゅうみん》。衣食住《いしょくじゅう》。永住《えいじゅう》。先住民《せんじゅうみん》。

もっとわかる

●「住」は「往」と形《かたち》が似《に》ていてまちがえやすいので注意《ちゅうい》。●「住《す》めば都《みやこ》」とは、どんなところでも、住《す》んでみればそれなりによく思《おも》われるということ。

なりたち

「主《しゅ》（一《いっ》か所《しょ》にじっとして動《うご》かない）」と「イ（人《ひと》）」を合《あ》わせた形《かたち》。人《ひと》が一《いっ》か所《しょ》にとどまるようすで、「すむ」の意《い》を表《あらわ》した。

住住住住住住住

使

イ6画〔8画〕

音 シ
訓 つかう

つき出す
つき出す《だ》

use［ユーズ］

つかいかた

マイクを使《つか》う。

使用禁止《しようきんし》。

使者《ししゃ》を立《た》てる。

いみ・ことば

❶ 働《はたら》かせる。つかう。●使役《しえき》。使用《しよう》。行使《こうし》。▲酷使《こくし》。

❷ 人《ひと》をさしむける。つかい。●使者《ししゃ》。使節《しせつ》。使命《しめい》。▲遣▲唐使《けんとうし》。大使《たいし》。天使《てんし》。

もっとわかる

●「心《こころ》づかい」「言葉《ことば》づかい」などの場《ば》合《あい》は、「使」を用《もち》いないのがふつう。

なりたち

「吏（公共《こうきょう》の仕事《しごと》をする人《ひと》）」と「イ（人《ひと》）」を合《あ》わせた形《かたち》。仕《つか》える相手《あいて》の命令《めいれい》にしたがって公共《こうきょう》の仕事《しごと》をする人《ひと》、「つかい」を表《あらわ》した。

使使使使使使使使

3年

係

イ7画〔9画〕

音 ケイ
訓 かかる　かかり

折《お》る

connect［カネクト］

つかいかた

図書係《としょがかり》になる。

会場《かいじょう》の係員《かかりいん》。

親子《おやこ》の関係《かんけい》。

いみ・ことば

❶ つながる。かかわる。●関係《かんけい》。連係《れんけい》。

❷ 仕事《しごと》を受《う》け持《も》つ人《ひと》。●係員《かかりいん》。給食係《きゅうしょくがかり》。図書係《としょがかり》。

もっとわかる

●送《おく》り仮名《がな》…「案内係《あんないがかり》」「給食係《きゅうしょくがかり》」のように、「仕事《しごと》を受《う》け持《も》つ人《ひと》」の意《い》で使《つか》われるときは「り」を送《おく》らない。

なりたち

「系《けい》」は「ノ」と「糸」を合《あ》わせた形《かたち》で、糸《いと》をひとすじにつなぐようす。それと「イ（人《ひと》）」を合《あ》わせて、人《ひと》と人《ひと》がつながりを持《も》つ、「かかわる」の意《い》を表《あらわ》した。

係係係係係係係係

倍

イ8画〔10画〕

音 バイ
訓 ―

上《うえ》の横棒《よこぼう》より長《なが》く

double［ダブる］

つかいかた

三倍《さんばい》の大《おお》きさ。

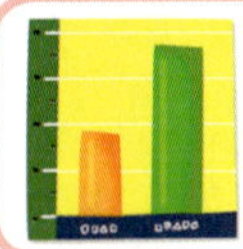

倍《ばい》に増《ふ》える。

人一倍《ひといちばい》働《はたら》く。

いみ・ことば

●もとの数《かず》と同《おな》じだけ増《ふ》やすこと。ばい。●倍加《ばいか》。倍額《ばいがく》。倍数《ばいすう》。倍増《ばいぞう》。倍率《ばいりつ》。十倍《じゅうばい》。二倍《にばい》。

もっとわかる

●反対語《はんたいご》…倍額《ばいがく》↔半額《はんがく》　倍増《ばいぞう》↔半減《はんげん》

なりたち

「咅《ばい》（二《ふた》つに分《わ》ける）」と「イ（人《ひと》）」を合《あ》わせた形《かたち》。人《ひと》と人《ひと》が分《わ》かれるようすで、そむくことを表《あらわ》した。その二《ふた》つに分《わ》かれた人《ひと》やものが、くっついて並《なら》ぶと数《かず》が増《ふ》えるところから、「ばい」になる意《い》でも使《つか》われるようになった。

倍倍倍倍倍倍倍倍

3年

具

八6画【8画】

訓 —
音 グ

具 長《なが》く

implement［インプるメント］

つかいかた

大工道具《だいくどうぐ》。

雨具《あまぐ》を忘《わす》れる。

みそ汁《しる》の具《ぐ》。

いみ・ことば

①どうぐ。●1雨具《あまぐ》。2家具《かぐ》。▲寝具《しんぐ》。4建具《たてぐ》。1▲文房具《ぶんぼうぐ》。2夜具《やぐ》。2用具《ようぐ》。

②そろっている。そなわる。●5具備《ぐび》。

もっとわかる

●「敬具《けいぐ》」は、手紙《てがみ》の最後《さいご》に書《か》くことばで、「つつしんで申《もう》し上《あ》げる」の意《い》。

なりたち

↓ ↓ 具

●「鼎（食《た》べ物《もの》をにる金属《きんぞく》の入《い》れ物《もの》）」と「廾（両手《りょうて》）」を合《あ》わせた形《かたち》。食《た》べ物《もの》をととのえて出《だ》すようすをえがいて、必要《ひつよう》なものを取《と》りそろえる、「そなえる」の意《い》を表《あらわ》した。

具 具 具 具 具 具 具 具

写

冖3画【5画】

訓 うつす うつる
音 シャ

写 はねる

copy［カピィ］

つかいかた

板書《ばんしょ》を写《うつ》す。

写真《しゃしん》を写《うつ》す。

木《き》を写生《しゃせい》する。

いみ・ことば

①字《じ》や形《かたち》をそのまま書《か》きうつす。●写生《しゃせい》。1写本《しゃほん》。2書写《しょしゃ》。3転写《てんしゃ》。▲描写《びょうしゃ》。5複写《ふくしゃ》。

②写真《しゃしん》や映画《えいが》をうつす。●6映写《えいしゃ》。5接写《せっしゃ》。

もっとわかる

●同訓異字《どうくんいじ》「うつす」…「写《うつ》す」は、形《かたち》をそっくりうつし取《と》ること。「映《うつ》す」は、映像《えいぞう》としてうつし出《だ》すこと。

なりたち

↓ 寫（写）

●もとの字《じ》は「寫」。鳥《とり》のカササギをえがいた「舄《せき》」と「宀（家《いえ》）」を合《あ》わせて、鳥《とり》のように場所《ばしょ》を移動《いどう》するようすを示《しめ》す。とくに、字《じ》や絵《え》を書《か》きうつす意《い》で使《つか》われた。

写 写 写 写 写

列

刂4画【6画】

訓 —
音 レツ

列 はねる

line［らイン］

つかいかた

二列《にれつ》に並《なら》ぶ。

日本列島《にほんれっとう》。

式《しき》に参列《さんれつ》する。

いみ・ことば

①つらなる。順《じゅん》にならぶ。●4列挙《れっきょ》。1列車《れっしゃ》。3列島《れっとう》。2行列《ぎょうれつ》。3整列《せいれつ》。2前列《ぜんれつ》。

②いくつかの。多《おお》くの。●2列強《れっきょう》。2列国《れっこく》。

もっとわかる

●「列伝《れつでん》」とは、多《おお》くの人物《じんぶつ》の一生《いっしょう》を書《か》き連《つら》ねたもの。

なりたち

↓ 列

●「歹」の古《ふる》い形《かたち》は「𡿧冎」で、「巛（いくすじにも分《わ》かれる）」と「歹（骨《ほね》のかけら）」を略《りゃく》した形《かたち》を合《あ》わせたもの。それに「刂（刀《かたな》）」を加《くわ》えた「列」は、骨《ほね》を刀《かたな》で切《き》り分《わ》けてならべたようす、「連《つら》なってならぶ」ことを表《あらわ》した。

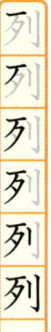

列 列 列 列 列 列

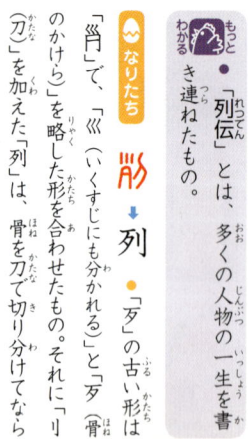

助

力5画【7画】

音 ジョ

訓 たすける　たすかる　（すけ）

ななめ右上《みぎうえ》に

help［へるプ］

つかいかた

かめを助《たす》ける。

助《たす》けを呼《よ》ぶ。

助手《じょしゅ》をする。

いみ・ことば

● 人《ひと》をたすける。手《て》つだう。● [3]助[2]言《じょげん》。[3]助《じょ》[1]手《しゅ》。[3]助[1]力《じょりょく》。▲援助《えんじょ》。[5]救助《きゅうじょ》。[6]補助《ほじょ》。

もっとわかる

● 「ねぼ助《すけ》（朝寝坊《あさねぼう》をする人《ひと》）」のように、「助《すけ》」は人《ひと》のようすを表《あらわ》すことばにつけて使《つか》われることがある。● 「助太刀《すけだち》」は、人《ひと》に力《ちから》を貸《か》すこと。

なりたち

「且《しょ》（上《うえ》に重《かさ》ねて加《くわ》える）」と「力（ちから）」を合《あ》わせた形《かたち》。足《た》りない力《ちから》の上《うえ》に、別《べつ》の力《ちから》を加《くわ》えるようすで、「たすける」の意《い》を表《あらわ》した。

勉

力8画【10画】

音 ベン

訓 ―

上《うえ》にはねる

work hard［ワーク ハード］

つかいかた

算数《さんすう》の勉強《べんきょう》。

勉学《べんがく》にはげむ。

勤勉《きんべん》な態度《たいど》。

いみ・ことば

● 力《ちから》を出《だ》してはげむ。つとめる。● 勉《べん》[1]学《がく》。勉[2]強《べんきょう》。勉▲励《べんれい》。[6]勤勉《きんべん》。

もっとわかる

● 「勉強《べんきょう》」は、商品《しょうひん》の値段《ねだん》を安《やす》くする、という意味《いみ》でも使《つか》われる。● 四字熟語《よじじゅくご》…刻苦勉励《こっくべんれい》（大変《たいへん》な苦労《くろう》や努力《どりょく》を重《かさ》ねて、仕事《しごと》や勉強《べんきょう》にはげむこと）

なりたち

→ 免

● 「免《めん》」は、女性《じょせい》がいきんで子《こ》を出産《しゅっさん》するようすで、「無理《むり》に出《だ》す」というイメージを示《しめ》す。それと「力（ちから）」を合《あ》わせて、「はげむ」「つとめる」の意《い》を表《あらわ》した。

動

力9画【11画】

音 ドウ

訓 うごく　うごかす

ななめ右上《みぎうえ》に

move［ムーヴ］

つかいかた

電車《でんしゃ》が動《うご》く。

いすを動《うご》かす。

自動《じどう》ドア。

いみ・ことば

❶ うごく。うごかす。● 動《どう》[3]員《いん》。動《どう》[2]作《さ》。動《どう》[3]物《ぶつ》。[5]移動《いどう》。[3]運動《うんどう》。[2]活動《かつどう》。[3]感動《かんどう》。[2]自動《じどう》。

❷ 人《ひと》のふるまい。● [1]一[4]挙[1]一動《いっきょいちどう》。[2]言動《げんどう》。[2]行動《こうどう》。

もっとわかる

● 四字熟語《よじじゅくご》…一挙一動《いっきょいちどう》（ちょっとした一《ひと》つ一《ひと》つのふるまいのこと）

なりたち

→ → 重

● 「重《じゅう》」は、人《ひと》が重《おも》みをかけて地面《じめん》をつくようす。それと「力（ちから）」を合《あ》わせて、上《じょう》下《げ》に移動《いどう》して地面《じめん》をつくことから、「うごく」の意《い》を表《あらわ》した。

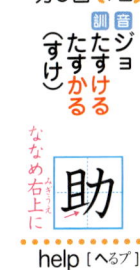

3年

勝

力10画〔12画〕

音 ショウ
訓 かつ（まさる）

刀と書《か》かない

win［ウィン］

つかいかた

試合《しあい》に勝《か》つ。

優勝《ゆうしょう》する。

景勝《けいしょう》の地《ち》。

いみ・ことば

①相手《あいて》を負《ま》かす。かつ。●勝因《しょういん》。勝者《しょうしゃ》。勝負《しょうぶ》。勝利《しょうり》。全勝《ぜんしょう》。必勝《ひっしょう》。連勝《れんしょう》。

②すぐれている。まさる。●景勝《けいしょう》。名勝《めいしょう》。

もっとわかる

●「勝手《かって》」は、「自分勝手《じぶんかって》（自分《じぶん》のしたいようにする）」「使《つか》い勝手《がって》がよい（便利《べんり》で使《つか》いやすい）」のように使《つか》われることば。

なりたち

●「朕《ちん》」は、上《うえ》にあがるイメージを示《しめ》す。それと「力（ちから）」を合《あ》わせた形《かたち》。下《した》をおしのけて上《うえ》にあがるようすで、「かつ」「まさる」の意《い》を表《あらわ》した。

↓ ↓ 朕

化

匕2画〔4画〕

音 カ（ケ）
訓 ばける ばかす

上《うえ》にはねる

change［チェインヂ］

つかいかた

美女《びじょ》に化《ば》ける。

変化球《へんかきゅう》。

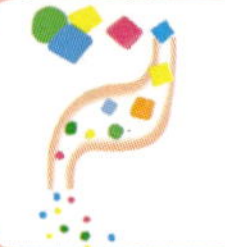

食物《しょくもつ》の消化《しょうか》。

いみ・ことば

●かわる。かえる。●化学《かがく》。化合《かごう》。化石《かせき》。化粧《けしょう》。化身《けしん》。悪化《あっか》。強化《きょうか》。消化《しょうか》。進化《しんか》。電化《でんか》。

もっとわかる

●「化身《けしん》」は、神仏《しんぶつ》が姿《すがた》を変《か》えてこの世《よ》に現《あらわ》れたもの。●四字熟語《よじじゅくご》…千変万化《せんぺんばんか》（ようすがさまざまに変化《へんか》すること）

なりたち

●「亻（まっすぐに立《た》つ人《ひと》）」と「匕（上下《じょうげ》が逆《さか》さまな人《ひと》）」を合《あ》わせて、すがたが全《まった》くちがうものになる、「別《べつ》のものに変《か》わる」ことを表《あらわ》した。

↓ ↓ 化

区

匸2画〔4画〕

音 ク
訓 —

直角《ちょっかく》に折《お》る

section［セクション］

つかいかた

三《みっ》つに区切《くぎ》る。

色《いろ》で区別《くべつ》する。

危険区域《きけんくいき》。

いみ・ことば

①くぎる。くぎり。●区間《くかん》。区別《くべつ》。地区《ちく》。

②大《おお》きな都市《とし》を小《ちい》さく分《わ》けたもの。●区議会《くぎかい》。区民《くみん》。区役所《くやくしょ》。東京都二十三区《とうきょうとにじゅうさんく》。

もっとわかる

●区《く》（②の意味《いみ》）のある都市《とし》に、東京《とうきょう》・大阪《おおさか》・名古屋《なごや》・京都《きょうと》・横浜《よこはま》・神戸《こうべ》・福岡《ふくおか》・北九州《きたきゅうしゅう》・札幌《さっぽろ》・川崎《かわさき》・広島《ひろしま》などがある。

なりたち

↓ 區（区）

●もとの字《じ》は「區」。「匸（曲《ま》がったわくでかこう）」と「品（三《みっ》つの小《ちい》さな区画《くかく》）」を合《あ》わせた形《かたち》。限《かぎ》られた場所《ばしょ》で小《ちい》さく分《わ》けるようすで、「くぎる」「くぎり」の意《い》を表《あらわ》した。

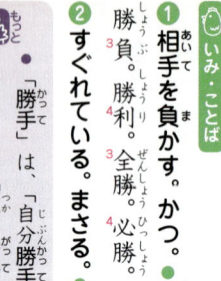

医

匸5画〔7画〕

音 イ

訓 ―

上《うえ》につき出《だ》さない

medicine［メダスン］

つかいかた

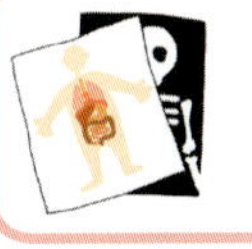

医学《いがく》を学《まな》ぶ。

医者《いしゃ》にかかる。

獣医《じゅうい》になる。

いみ・ことば

① **病気《びょうき》をなおす。いやす。** ●医学《いがく》。医師《いし》。医者《いしゃ》。医薬品《いやくひん》。医▲療《いりょう》。

② **医者《いしゃ》のこと。** ●外科医《げかい》。校医《こうい》。名医《めいい》。

もっとわかる

●「医者《いしゃ》の不養生《ふようじょう》」とは、病気《びょうき》を治《なお》す医《い》者自身《しゃじしん》が、不健康《ふけんこう》な生活《せいかつ》をおくること。

なりたち

醫 ↓ 醫（医）

●もとの字《じ》は「醫」。「医《い》（矢《や》を中《なか》に入《い》れてかくす）」と「殳（動《うご》き）」と「酉（酒《さか》つぼ）」を合《あ》わせて、薬草《やくそう》をつけこんで酒《さけ》をつくるようすをえがいた形《かたち》。酒《さけ》は薬《くすり》として使《つか》われたところから、病気《びょうき》を「いやす」ことを表《あらわ》した。

去

ム3画〔5画〕

音 キョ　コ

訓 さる

長《なが》めに

leave［りーヴ］

つかいかた

台風《たいふう》が去《さ》る。

消去《しょうきょ》する。

過去《かこ》を調《しら》べる。

いみ・ことば

① **さる。立《た》ちさる。** ●去来《きょらい》。死去《しきょ》。退去《たいきょ》。

② **時《とき》が過《す》ぎる。** ●去年《きょねん》。過去《かこ》。

③ **とりのぞく。** ●消去《しょうきょ》。除去《じょきょ》。▲撤去《てっきょ》。

もっとわかる

●「去《さ》る者《もの》は追《お》わず」は、自分《じぶん》のもとから去《さ》っていく人《ひと》は無理《むり》に引《ひ》き止《と》めない、ということ。

なりたち

去 ↓ 去

●「大（ふた）」と「凵（入《い》れ物《もの》）」...

反

又2画〔4画〕

音 ハン　（ホン）　（タン）

訓 そる　そらす

はらう

opposite［アポズィット］

つかいかた

体《からだ》を反《そ》らす。

光《ひかり》が反射《はんしゃ》する。

反則《はんそく》をする。

いみ・ことば

① **はねかえる。** ●反映《はんえい》。反▲響《はんきょう》。反射《はんしゃ》。

② **向《む》きが逆《ぎゃく》になる。** ●反対《はんたい》。反転《はんてん》。

③ **さからう。** ●反感《はんかん》。反則《はんそく》。反発《はんぱつ》。

④ **そる。そらす。** ●反《そ》り身《み》。

もっとわかる

●「反《たん》」と読《よ》んで、畑《はたけ》の面積《めんせき》や布《ぬの》の長《なが》さを表《あらわ》すこともある。

なりたち

反 ↓ 反

●「厂（垂《た》れた布《ぬの》）」と「又（手《て》）」を合《あ》わせた形《かたち》。手《て》でおすと、布《ぬの》はそりかえってからもとにもどるところから、「そらせる」「もとにもどる」の意《い》を表《あらわ》した。

取

又6画〔8画〕

音 シュ
訓 とる

取 ななめ右上《みぎうえ》に

take［テイク］

つかいかた

ぼうしを取《と》る。

本《ほん》を取《と》り出《だ》す。

新聞《しんぶん》の取材《しゅざい》。

いみ・ことば

●手《て》にとる。自分《じぶん》のものにする。●取材《しゅざい》。取捨選択《しゅしゃせんたく》。取得《しゅとく》。採取《さいしゅ》。事情聴取《じじょうちょうしゅ》。

もっとわかる

●送《おく》り仮名《がな》のちがい…「取《と》り組《く》む」などは「り」を送《おく》るが、「取組《とりくみ》（表《ひょう》）」などは「り」を送《おく》らない。●四字熟語《よじじゅくご》…取《しゅ》捨選択《しゃせんたく》（よしあしを判断《はんだん》して、必要《ひつよう》なものを選《えら》びとること）

なりたち

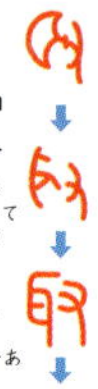
取

●「耳（みみ）」と「又（手《て》）」を合《あ》わせて、耳《みみ》をぎゅっと「つかみとる」意《い》を表《あらわ》した。

受

又6画〔8画〕

音 ジュ
訓 うける・うかる

受 この形《かたち》に注意《ちゅうい》

receive［リスィーヴ］

つかいかた

球《たま》を受《う》ける。

試験《しけん》に受《う》かる。

メールの受信《じゅしん》。

いみ・ことば

●うけとる。うける。●受《う》け答《こた》え。受《じゅ》験《けん》。受講《じゅこう》。受信《じゅしん》。受話器《じゅわき》。

もっとわかる

●送《おく》り仮名《がな》…「受《う》け取《と》る」「受《う》け付《つ》ける」は「け」を送《おく》るが、「受取《うけとり》（人《にん》）」「受付《うけつけ》（係《がかり》）」などは「け」を送《おく》らない。

なりたち

受

●「舟《しゅう》（こちらからあちらへ渡《わた》す）」の変化《へんか》した「冖」と、「爪（下向《したむ》きの手《て》）」と「又（上向《うえむ》きの手《て》）」を組《く》み合《あ》わせた形《かたち》。手《て》から手《て》へ物《もの》を渡《わた》すようすをえがいて、「うける」の意《い》を表《あらわ》した。

号

口2画〔5画〕

音 ゴウ
訓 ―

号 万と書《か》かない

shout［シャウト］

つかいかた

号令《ごうれい》をかける。

信号《しんごう》が変《か》わる。

電話番号《でんわばんごう》。

いみ・ことば

①大声《おおごえ》をあげる。●号泣《ごうきゅう》。号令《ごうれい》。怒号《どごう》。
②合図《あいず》。しるし。●暗号《あんごう》。記号《きごう》。信号《しんごう》。
③呼《よ》び名《な》。●年号《ねんごう》。俳号《はいごう》。屋号《やごう》。
④順序《じゅんじょ》を表《あらわ》すことば。●台風《たいふう》十号《じゅうごう》。

もっとわかる

●「ひかり号《ごう》」「のぞみ号《ごう》」など、乗《の》り物《もの》の名《な》につけて使《つか》われることもある。

なりたち

「丂」は、何《なに》かが一線《いっせん》につかえて曲《ま》がることを示《しめ》す。それに「口」を合《あ》わせて、のどでかすれさせて声《こえ》を出《だ》すこと、つまり「さけぶ」「呼《よ》ぶ」の意《い》を表《あらわ》した。

3年

向

口3画〔6画〕

音 コウ

訓 むく むける むかう むこう

向 はねる

head［ヘッド］

つかいかた

そっぽを向《む》く。

ゴールに向《む》かう。

指《ゆび》をさす方向《ほうこう》。

いみ・ことば

❶目指《めざ》す方《ほう》へ進《すす》む。むかう。 ●向《む》かい風《かぜ》。向学《こうがく》。向上心《こうじょうしん》。

❷考《かんが》えや行動《こうどう》のむき。 ●意向《いこう》。▲傾向《けいこう》。動向《どうこう》。

もっとわかる

●「向《む》かい風《かぜ》」は、前方《ぜんぽう》からふいてくる風《かぜ》。後方《こうほう》からの風《かぜ》は「追《お》い風《かぜ》」。●「趣《しゅ》向《こう》」は、おもしろみが出《で》るような工夫《くふう》。

なりたち

→→向 ●「宀（屋根《やね》）」と「口（あな）」を合《あ》わせて、建物《たてもの》にあけた窓《まど》をえがいた形《かたち》。空気《くうき》が窓《まど》の方《ほう》に流《なが》れていくところから、「むかう」の意《い》を表《あらわ》した。

向向向向向向

君

口4画〔7画〕

音 クン

訓 きみ

君 長《なが》めに

lord［ろード］

つかいかた

次《つぎ》は君《きみ》の番《ばん》だ。

主君《しゅくん》に従《したが》う。

小林君《こばやしくん》に会《あ》う。

いみ・ことば

❶天下《てんか》をおさめる人《ひと》。 ●君主《くんしゅ》。名君《めいくん》。

❷人《ひと》をうやまっていうことば。 ●父君《ちちぎみ》。母君《ははぎみ》。▲姫君《ひめぎみ》。君子《くんし》。

❸友達《ともだち》や目下《めした》の人《ひと》を呼《よ》ぶときに使《つか》うことば。 ●諸君《しょくん》。▲鈴木君《すずきくん》。

なりたち

→→君 ●「尹《いん》」は、「｜」と「又（手《て》）」を合《あ》わせて、指揮棒《しきぼう》をふって一《ひと》つにまとめるようすを示《しめ》す。それと「口（くち）」を合《あ》わせて、人々《ひとびと》を一《ひと》つにまとめる人《ひと》、君主《くんしゅ》を表《あらわ》した。

君君君君君君君

「手《て》」を表《あらわ》す形《かたち》

多《おお》くの漢字《かんじ》は、いろいろな形《かたち》を組《く》み合《あ》わせてできています。中《なか》には、体《からだ》の部分《ぶぶん》を表《あらわ》した形《かたち》もあります。たとえば「取」という漢字《かんじ》。「耳」と「又」からできています。「耳」は、ほとんど形《かたち》が変《か》わらないのですぐに「耳《みみ》」だとわかりますね。「又」はどうでしょう。

「取」は、手《て》に「とる」という意味《いみ》の漢字《かんじ》です。つまり「又」の形《かたち》は、「手《て》」の意味《いみ》を表《あらわ》しています。

現在使《げんざいつか》われている形《かたち》からはわかりませんが、「右《みぎ》」や「左《ひだり》」にも「又」が含《ふく》まれています。「右」の「ナ」は「又」と同《おな》じで、右手《みぎて》を示《しめ》したものです。「左」の「ナ」は、右手《みぎて》の「又」を反対向《はんたいむ》きにして、左手《ひだりて》を示《しめ》したものなのです。

また、「挙」のように、「手」がそのまま使《つか》われる場合《ばあい》もあります。この「手」は、ほかの漢字《かんじ》と組《く》み合《あ》わさると「扌（てへん）」の形《かたち》にもなります（「打」「投」など）。

一《ひと》つ一《ひと》つの形《かたち》に意味《いみ》があることがわかると、漢字《かんじ》を覚《おぼ》えるのが楽《たの》しくなりそうですね。

味

口5画〔8画〕

音 ミ
訓 あじ　あじわう

下《した》の横棒《よこぼう》より短《みじか》く

味

taste［テイスト］

つかいかた

味《あじ》をみる。

音楽《おんがく》を味《あじ》わう。

味方《みかた》につける。

いみ・ことば

1 食《た》べ物《もの》のあじ。●1味見《あじみ》。4味覚《みかく》。3調《ちょう》4味料《みりょう》。

2 物事《ものごと》のあじわい。●3意味《いみ》。5興味《きょうみ》。

3 心《こころ》であじわう。●2味読《みどく》。▲吟味《ぎんみ》。

4 なかま。●2味方《みかた》。1一味《いちみ》。

もっとわかる

●特別《とくべつ》な読《よ》み方《かた》…三味線《しゃみせん》

なりたち

「未《み》」はのびきらない木《き》の小枝《こえだ》の形《かたち》で、かすかではっきりしないというイメージを示《しめ》す。それと「口（くち）」を合《あ》わせて、はっきりしない「あじ」を舌《した》で調《しら》べる、つまり「あじわう」の意《い》を表《あらわ》した。

味味味味味味味味

命

口5画〔8画〕

音 メイ（ミョウ）
訓 いのち

はねる

命

order［オーダァ］

つかいかた

新《あたら》しい命《いのち》。

命令《めいれい》を下《くだ》す。

運命《うんめい》の出会《であ》い。

いみ・ことば

1 いいつける。●命令《めいれい》。5任命《にんめい》。2用命《ようめい》。

2 めぐりあわせ。●3運命《うんめい》。3宿命《しゅくめい》。

3 いのち。●1命日《めいにち》。▲寿命《じゅみょう》。1生命《せいめい》。5余命《よめい》。

4 名《な》づける。●1命名《めいめい》。

もっとわかる

●四字熟語《よじじゅくご》…絶体絶命《ぜったいぜつめい》（追《お》いつめられてどうにもならない状態《じょうたい》）

なりたち

「亼（三方《さんぽう》から集《あつ》める）」と「卩（ひざまずく人《ひと》）」と「口（ことば）」を合《あ》わせた形《かたち》。人々《ひとびと》を集《あつ》めてひざまずかせ、考《かんが》えを告《つ》げ知《し》らせるようすで「いいつける」の意《い》を表《あらわ》した。

命命命命命命命命

和

口5画〔8画〕

音 ワ（オ）
訓 （やわらぐ）（やわらげる）（なごむ）（なごやか）

とめる

和

mild［マイルド］

つかいかた

心《こころ》が和《なご》む。

平和《へいわ》を願《ねが》う。

和室《わしつ》に入《はい》る。

いみ・ことば

1 おだやか。●3温和《おんわ》。▲緩和《かんわ》。3平和《へいわ》。

2 仲《なか》よくする。●5和解《わかい》。3和平《わへい》。4不和《ふわ》。

3 日本《にほん》の。●2和紙《わし》。2和室《わしつ》。2和食《わしょく》。3和服《わふく》。

4 合《あ》わせた数《かず》。●5総和《そうわ》。1二と1五の和《わ》。

もっとわかる

●特別《とくべつ》な読《よ》み方《かた》…日和《ひより》・大和《やまと》 ●「オ」の読《よ》みは、「和尚《おしょう》」に使《つか》われる。●四字熟語《よじじゅくご》…和洋折衷《わようせっちゅう》（日本《にほん》と西洋《せいよう》の様式《ようしき》をまぜること）

なりたち

「禾《か》」は、イネの穂《ほ》が実《みの》る姿《すがた》で、「丸《まる》くまとまる」イメージを示《しめ》す。それに「口（くち）」を合《あ》わせて、おだやかに丸《まる》くまとまるようすを表《あらわ》した。

和和和和和和和和

3年

品

口6画〔9画〕

音 ヒン
訓 しな

上《うえ》の口をやや大《おお》きく

goods［グッヅ］

つかいかた

品切《しなぎ》れになる。

上品《じょうひん》な料理《りょうり》。

食料品《しょくりょうひん》。

いみ・ことば

❶ **しなもの。** ●品数《しなかず》。品切《しなぎ》れ。作品《さくひん》。商《しょう》品《ひん》。賞品《しょうひん》。食料品《しょくりょうひん》。新品《しんぴん》。日用品《にちようひん》。

❷ **もともとそなわっているねうち。** ●品《ひん》位《い》。品格《ひんかく》。気品《きひん》。下品《げひん》。上品《じょうひん》。

もっとわかる

●四字熟語《よじじゅくご》…天下一品《てんかいっぴん》（比《くら》べるものがないほどすぐれている）・品行方正《ひんこうほうせい》（行《おこな》いが正《ただ》しくてりっぱである）●「手《て》をかえ品《しな》をかえ」は、あれこれ方法《ほうほう》をかえてやってみること。

なりたち

「口」を三《みっ》つ合《あ》わせた形《かたち》で、さまざまな名《な》のついたものを表《あらわ》した。

員

口7画〔10画〕

音 イン
訓 ―

とめる

member［メンバァ］

つかいかた

満員《まんいん》になる。

店員《てんいん》を呼《よ》ぶ。

父《ちち》は会社員《かいしゃいん》だ。

いみ・ことば

❶ **人《ひと》の数《かず》。** ●定員《ていいん》。満員《まんいん》。

❷ **組織《そしき》や集《あつ》まりなどのメンバー。** ●委《い》員《いん》。会員《かいいん》。議員《ぎいん》。職員《しょくいん》。店員《てんいん》。

もっとわかる

●「員《いん》」には、「幅員《ふくいん》（道路《どうろ》や橋《はし》などの、はば）」のように、はばの広《ひろ》さという意味《いみ》もある。

なりたち

→員

●「鼎（「かなえ」という、食《た》べ物《もの》を入《い》れるうつわ）」と「口（丸《まる》いわく）」を合《あ》わせた形《かたち》。「一定《いってい》のわくに入《はい》る」というイメージから、ある組織《そしき》や団体《だんたい》に入《はい》っている人《ひと》を表《あらわ》した。

商

口8画〔11画〕

音 ショウ
訓 （あきなう）

はねる

trade［トレイド］

つかいかた

商店街《しょうてんがい》を歩《ある》く。

商品《しょうひん》を並《なら》べる。

商売《しょうばい》を始《はじ》める。

いみ・ことば

❶ **物《もの》を売《う》り買《か》いする。あきない。** ●商《しょう》業《ぎょう》。商談《しょうだん》。商店《しょうてん》。商人《しょうにん》。商売《しょうばい》。商品《しょうひん》。

❷ **割《わ》り算《ざん》の答《こた》え。** ●商《しょう》をもとめる。

もっとわかる

●「商人《しょうにん》」は、古《ふる》い言《い》い方《かた》で「商人《あきんど》」ともいわれる。

なりたち

→商

●「章《しょう》（明《あか》るくて目《め》立《だ》つ）」を略《りゃく》したものと「冏（高《たか》い台地《だいち》）」を合《あ》わせた形《かたち》。昔《むかし》の中国《ちゅうごく》にあった国《くに》のことで、小高《こだか》い地《ち》に都《みやこ》を建《た》てたところからの名《な》。国《くに》がほろび、残《のこ》された人《ひと》が物《もの》を売《う》り歩《ある》いて「あきない」の意《い》が出《で》た。

3年

問

口8画〔11画〕

音 モン
訓 とう とい とん

問 はねる

question [クウェスチョン]

つかいかた

弟《おとうと》を問《と》いつめる。

質問《しつもん》を受《う》ける。

問屋《とんや》で買《か》う。

いみ・ことば

❶といただす。とう。とい。●3問題《もんだい》。問答《もんどう》。6疑問《ぎもん》。5質問《しつもん》。5設問《せつもん》。6難問《なんもん》。

❷おとずれる。●▲慰問《いもん》。▲弔問《ちょうもん》。6訪問《ほうもん》。

もっとわかる

●「問屋《とんや》」は、作《つく》った人《ひと》(生産者《せいさんしゃ》)から大量《たいりょう》に商品《しょうひん》を買《か》って、一般《いっぱん》の店《みせ》に売《う》り渡《わた》す店《みせ》のこと。

なりたち

「門《もん》」は、閉《と》じて中《なか》がわからないというイメージを示《しめ》す。それと「口(くち)」を合《あ》わせて、わからないことを口《くち》でたずねること、つまり「とう」の意《い》を表《あらわ》した。

坂

土4画〔7画〕

音 (ハン)
訓 さか

坂 ななめ右上《みぎうえ》に

slope [スろウプ]

つかいかた

上《のぼ》り坂《ざか》。

坂《さか》を下《くだ》る。

急《きゅう》な坂道《さかみち》。

いみ・ことば

●かたむいた道《みち》。さか。●2坂道《さかみち》。1男坂《おとこざか》。1女坂《おんなざか》。1下《くだ》り坂《ざか》。1上《のぼ》り坂《ざか》。

もっとわかる

●二《ふた》つある坂《さか》のうち、急《きゅう》な坂《さか》を「男坂《おとこざか》」、ゆるやかな坂《さか》を「女坂《おんなざか》」と呼《よ》ぶ。●「坂《ばん》東《どう》」とは、関東地方《かんとうちほう》の昔《むかし》の呼《よ》び名《な》。●「六十《ろくじゅう》の坂《さか》を越《こ》す」のように、年齢《ねんれい》の区切《くぎ》り目《め》の意《い》で使《つか》われることもある。

なりたち

「反《はん》(そりかえる)」と「土(つち)」を合《あ》わせた形《かたち》。そりかえったようにかたむいた地面《じめん》、「さか」を表《あらわ》した。

央

大2画〔5画〕

音 オウ
訓 ―

央 つき出《だ》す

center [センタァ]

つかいかた

円《えん》の中央《ちゅうおう》。

中央《ちゅうおう》に立《た》つ。

中央《ちゅうおう》を通《とお》る。

いみ・ことば

●真《ま》ん中《なか》。中心《ちゅうしん》。●▲震央《しんおう》。1中央《ちゅうおう》。

もっとわかる

●「震央《しんおう》」とは、地震《じしん》で震源《しんげん》の真上《まうえ》の地《ち》表《ひょう》上《じょう》の地点《ちてん》のこと。●「中央《ちゅうおう》」には、地方《ちほう》に対《たい》する中央《ちゅうおう》(例 中央政府《ちゅうおうせいふ》)の意《い》や、組織《そしき》などで中心《ちゅうしん》となる位置《いち》(例 組織《そしき》の中《ちゅう》央《おう》にうったえる)などの意《い》もある。

なりたち

↓
央

●「大(両手《りょうて》と両足《りょうあし》を広《ひろ》げて立《た》つ人《ひと》)」と「冂(わく)」を組《く》み合《あ》わせた形《かたち》。人《ひと》の体《からだ》の中心《ちゅうしん》である首《くび》の後《うし》ろをおさえつけたようすで、「まんなか」の意《い》を表《あらわ》した。

委

女5画〔8画〕

音 イ
訓 ゆだねる

中心《ちゅうしん》に

entrust［イントラスト］

つかいかた

学級《がっきゅう》委員《いいん》を選《えら》ぶ。

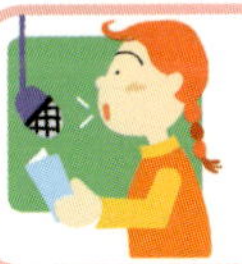

放送《ほうそう》委員《いいん》。

委員会《いいんかい》に出《で》る。

いみ・ことば

1 まかせる。●委員《いいん》。委託《いたく》。委任《いにん》。

2 くわしい。●委曲《いきょく》。委細《いさい》。

もっとわかる

●「委」は「季」と形《かたち》が似《に》ていてまちがえやすいので注意《ちゅうい》。●「委曲《いきょく》を尽《つ》くす」とは、細《こま》かな点《てん》まで明《あき》らかにする意《い》。

なりたち

「禾《か》」は、イネの穂《ほ》が実《みの》って垂《た》れ下《さ》がるようす。「しなやかに垂《た》れる」というイメージを示《しめ》す。それと「女（おんなの人《ひと》）」を合《あ》わせて、女性《じょせい》が他人《たにん》にもたれかかって身《み》をまかせるように、他人《たにん》に「ゆだねる」意《い》を表《あらわ》した。

始

女5画〔8画〕

音 シ
訓 はじめる　はじまる

ななめ右上《みぎうえ》に

begin［ビギン］

つかいかた

練習《れんしゅう》を始《はじ》める。

授業《じゅぎょう》が始《はじ》まる。

お年始回《ねんしまわ》り。

いみ・ことば

●はじめる。はじまる。物事《ものごと》のおこり。●事《こと》始《はじ》め。始業式《しぎょうしき》。開始《かいし》。終始《しゅうし》。創始者《そうししゃ》。

もっとわかる

●四字熟語《よじじゅくご》…一部始終《いちぶしじゅう》（物事《ものごと》の最初《さいしょ》から最後《さいご》までのくわしいいきさつ）

なりたち

●「台《たい》」は、台地《だいち》の「台」とは別《べつ》の字《じ》。道具《どうぐ》を用《もち》いて物《もの》に働《はたら》きかけるようすで、動作《どうさ》を起《お》こすというイメージを示《しめ》す。それと「女（おんなの人《ひと》）」を合《あ》わせて、女性《じょせい》としてのきざしが起《お》こりはじめることから、物事《ものごと》の「はじめ」や「はじめる」の意《い》を表《あらわ》した。

安

宀3画〔6画〕

音 アン
訓 やすい

折《お》る

safe［セイフ］

つかいかた

値段《ねだん》が安《やす》い。

安《やす》らかな寝顔《ねがお》。

安心《あんしん》する。

いみ・ことば

1 落《お》ち着《つ》いている。やすらか。●安心《あんしん》。安静《あんせい》。安全《あんぜん》。安定《あんてい》。安眠《あんみん》。治安《ちあん》。不安《ふあん》。

2 値段《ねだん》がやすい。●安売《やすう》り。安値《やすね》。安価《あんか》。

3 簡単《かんたん》。たやすい。●安易《あんい》。安産《あんざん》。安直《あんちょく》。

もっとわかる

●「安普請《やすぶしん》」とは、安《やす》いお金《かね》で家《いえ》を建《た》てること。

なりたち

●「宀（いえ）」と「女（おんなの人《ひと》）」を合《あ》わせた形《かたち》。家《いえ》の中《なか》に女性《じょせい》がいるようすをえがいて、やすらかに落《お》ち着《つ》く意《い》を表《あらわ》した。

守

宀3画〔6画〕

音 シュ ス

訓 まもる （もり）

守 はねる

defend［ディフェンド］

つかいかた

子《こ》どもを守《まも》る。

守備《しゅび》につく。

留守番《るすばん》をする。

いみ・ことば

● まもる。見《み》まもる。 ●守《まも》り3神《がみ》。1子守《こもり》。5守衛《しゅえい》。5守護《しゅご》。5守備《しゅび》。6看守《かんしゅ》。6厳守《げんしゅ》。4固守《こしゅ》。3死守《ししゅ》。5保守《ほしゅ》。5留守《るす》。

もっとわかる

●送《おく》り仮名《がな》…「お守《も》り（役《やく》）」は「り」を送《おく》るが、「子守《こもり》」「灯台守《とうだいもり》」「墓守《はかもり》」などは「り」を送《おく》らない。●「守銭奴《しゅせんど》」とは、お金《かね》をためることに熱心《ねっしん》な、けちで欲深《よくぶか》い人《ひと》。

なりたち

↓ ↓ 守

●「宀（屋根《やね》）」と「寸（手《て》）」を合《あ》わせた形《かたち》。屋《や》根《ね》の下《した》に囲《かこ》って、手《て》で「まもる」ようすを表《あらわ》した。

実

宀5画〔8画〕

音 ジツ

訓 み みのる

実 いちばん長《なが》く

fruit［フルート］

つかいかた

木《き》に実《み》がなる。

いねが実《みの》る。

実験《じっけん》を行《おこな》う。

いみ・ことば

❶ 木《き》や草《くさ》のみ。みのる。 ●4果実《かじつ》。4結実《けつじつ》。

❷ 本当《ほんとう》の。 ●4実験《じっけん》。実力《じつりょく》。5現実《げんじつ》。3事実《じじつ》。

❸ まごころ。 ●実直《じっちょく》。6誠実《せいじつ》。6忠実《ちゅうじつ》。

❹ なかみ。内容《ないよう》。 ●実質《じっしつ》。1名実《めいじつ》。

もっとわかる

●四字熟語《よじじゅくご》…有名無実《ゆうめいむじつ》（名《な》ばかりで、実《じっ》質《しつ》がともなわないこと）

なりたち

↓ ↓ 實（実）

●もとの字《じ》は「實」。「宀（いえ）」と「毌（びっしりつまる）」と「貝（宝物《たからもの》）」を合《あ》わせた形《かたち》。家《いえ》に宝物《たからもの》がつまったようすで、「みちる」「みのる」の意《い》を表《あらわ》した。

定

宀5画〔8画〕

音 テイ ジョウ

訓 さだめる さだまる （さだか）

定 定と書《か》かない

decide［ディサイド］

つかいかた

ねらいを定《さだ》める。

焼《や》き魚定食《ざかなていしょく》。

三角定規《さんかくじょうぎ》。

いみ・ことば

❶ 決《き》める。さだめる。 ●5規定《きてい》。3決定《けってい》。3指《し》定《てい》。5設定《せってい》。5測定《そくてい》。4未定《みてい》。3予定《よてい》。

❷ 決《き》まっている。 ●定規《じょうぎ》。1定石《じょうせき》。3定員《ていいん》。5定価《ていか》。3定期《ていき》。1定休日《ていきゅうび》。2定食《ていしょく》。4不定《ふてい》。

❸ 落《お》ち着《つ》いている。 ●3定着《ていちゃく》。2定番《ていばん》。定《てい》5評《ひょう》。3安定《あんてい》。4固定《こてい》。

なりたち

↓ 定

●「宀（いえ）」と、「正（足《あし》）」の変形《へんけい》である「𤴓」を合《あ》わせた形《かたち》。家《いえ》の中《なか》で足《あし》を止《と》めるようすをえがいて、一《いっ》か所《しょ》にじっと止《と》まって動《うご》かない、「さだまる」の意《い》を表《あらわ》した。

客

宀6画〔9画〕

音 キャク (カク)

訓 ―

又と書《か》かない

guest [ゲスト]

つかいかた

客《きゃく》を案内《あんない》する。

舞台《ぶたい》の客席《きゃくせき》。

客観的《きゃっかんてき》に見《み》る。

いみ・ことば

① 訪《たず》ねてきた人《ひと》。招《まね》かれた人《ひと》。●客《きゃく》室《しつ》。客人《きゃくじん》。客席《きゃくせき》。客間《きゃくま》。先客《せんきゃく》。来客《らいきゃく》。

② お金《かね》をはらって買《か》ったり、利用《りよう》したりする人《ひと》。●客船《きゃくせん》。観客《かんきゃく》。乗客《じょうきゃく》。

③ 心《こころ》の外《そと》にあるもの。あいてとして見《み》るもの。●客体《きゃくたい》。客観的《きゃっかんてき》。

なりたち

●「各《かく》(足《あし》がかたいものにぶつかって止《と》まる)」と「宀(いえ)」を合《あ》わせた形《かたち》。他人《たにん》の家《いえ》で一時的《いちじてき》に足《あし》を止《と》めるようすをえがいて、「きゃく」の意《い》を表《あらわ》した。

宮

宀7画〔10画〕

音 キュウ (グウ) (ク)

訓 みや

上《うえ》の口より大《おお》きく

palace [パれス]

つかいかた

お宮参《みやまい》り。

王宮《おうきゅう》の見学《けんがく》。

竜宮城《りゅうぐうじょう》へ行《い》く。

いみ・ことば

① 天皇《てんのう》のすまい。りっぱな屋《や》しき。●宮《みや》仕《づか》え。宮中《きゅうちゅう》。▲宮廷《きゅうてい》料理《りょうり》。▲宮殿《きゅうでん》。王宮《おうきゅう》。迷宮《めいきゅう》。▲離宮《りきゅう》。▲竜宮城《りゅうぐうじょう》。

② 神社《じんじゃ》。おみや。●お宮参《みやまい》り。神宮《じんぐう》。

もっとわかる

●「宮」は「官」と形《かたち》が似《に》ていてまちがえやすいので注意《ちゅうい》。●「ク」の読《よ》みは、「宮内庁《くないちょう》(皇室関係《こうしつかんけい》の役所《やくしょ》)」などに使《つか》われる。

なりたち

「宀(いえ)」と「呂(同《おな》じものがいくつも連《つら》なる)」を合《あ》わせて、部屋《へや》がいくつも連《つら》なった大《おお》きな建物《たてもの》を表《あらわ》した。

宿

宀8画〔11画〕

音 シュク

訓 やど やどる やどす

白と書《か》かない

lodge [らッヂ]

つかいかた

宿《やど》にとまる。

雨宿《あまやど》りする。

今日《きょう》の宿題《しゅくだい》。

いみ・ことば

① とまる。とまる場所《ばしょ》。●宿屋《やどや》。宿舎《しゅくしゃ》。宿場《しゅくば》。▲宿泊《しゅくはく》。合宿《がっしゅく》。下宿《げしゅく》。野宿《のじゅく》。民宿《みんしゅく》。

② 前《まえ》もって。前《まえ》からの。●宿敵《しゅくてき》。宿命《しゅくめい》。

もっとわかる

●とまる場所《ばしょ》を表《あらわ》すことば…宿屋《やどや》(和語《わご》=日本《にほん》のことば)・旅館《りょかん》(漢語《かんご》=中国《ちゅうごく》のことば)・ホテル(外来語《がいらいご》=西洋《せいよう》のことば)

なりたち

宿

●「宀(屋根《やね》)」と「亻(人《ひと》)」と「西(しきもの)」の変形《へんけい》である「百」を組《く》み合《あ》わせた形《かたち》。人《ひと》が「やど」に泊《と》まるようすを表《あらわ》した。

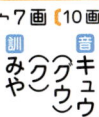

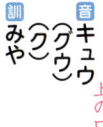

寒

宀9画〔12画〕

音 カン
訓 さむい

点《てん》のうち方《かた》に注意《ちゅうい》

cold ［コウるド］

つかいかた

外《そと》は寒《さむ》い。

寒気《さむけ》がする。

寒中《かんちゅう》水泳《すいえい》。

いみ・ことば

① さむい。●寒空《さむぞら》。夜寒《よさむ》。寒暑《かんしょ》。寒暖《かんだん》。寒波《かんぱ》。寒風《かんぷう》。寒冷前線《かんれいぜんせん》。極寒《ごっかん》。防寒《ぼうかん》。

② さびしい。●寒村《かんそん》。

もっとわかる

●一年《いちねん》でもっとも寒《さむ》い季節《きせつ》（一月六日《いちがつむいか》ごろから二月三日《にがつみっか》ごろ）を「寒《かん》」と呼《よ》ぶ。

なりたち

→寒

●古《ふる》い字《じ》は、「宀（屋根《やね》）」と「艸（くさ）」を四《よっ》つ重《かさ》ねたものと「人（ひと）」と「冫（こおり）」を合《あ》わせた形《かたち》。屋根《やね》の下《した》で、わらをかぶった人《ひと》がさむくてふるえているようすを表《あらわ》した。

対

寸4画〔7画〕

音 タイ（ツイ）
訓 ―

はねる

opposite ［アポズィット］

つかいかた

意見《いけん》が対立《たいりつ》する。

一対一《いちたいいち》で話《はな》す。

一対《いっつい》の茶《ちゃ》わん。

いみ・ことば

① 向《む》かいあう。相手《あいて》になる。●対角線《たいかくせん》。対決《たいけつ》。対戦《たいせん》。対等《たいとう》。対立《たいりつ》。対話《たいわ》。反対《はんたい》。

② 二《ふた》つで一組《ひとくみ》のもの。●対句《ついく》。一対《いっつい》。

もっとわかる

●「対句《ついく》」は、「山《やま》の緑《みどり》、海《うみ》の青《あお》」のように、意味《いみ》や調子《ちょうし》の似《に》た二《ふた》つの句《く》を並《なら》べたもの。

なりたち

→→對（対）

●もとの字《じ》は「對」。「丵」は、楽器《がっき》をかける台座《だいざ》を示《しめ》した「業」の略《りゃく》。楽器《がっき》の台座《だいざ》は二《ふた》つで一組《ひとくみ》になっている。その「丵」と「寸（動作《どうさ》を示《しめ》す）」を合《あ》わせて、二《ふた》つのものが「むかいあう」ことを表《あらわ》した。

局

尸4画〔7画〕

音 キョク
訓 ―

はねる

segment ［セグメント］

つかいかた

町《まち》の郵便局《ゆうびんきょく》。

テレビ局《きょく》。

局地的《きょくちてき》な雨《あめ》。

いみ・ことば

① 区切《くぎ》る。限《かぎ》る。●局所《きょくしょ》。局地《きょくち》。局部《きょくぶ》。

② 仕事《しごと》の一部《いちぶ》を受《う》け持《も》つところ。●局《きょく》長《ちょう》。支局《しきょく》。部局《ぶきょく》。放送局《ほうそうきょく》。郵便局《ゆうびんきょく》。

③ 物事《ものごと》のようすやなりゆき。●局面《きょくめん》。結局《けっきょく》。時局《じきょく》。終局《しゅうきょく》。

④ 碁《ご》や将棋《しょうぎ》の勝負《しょうぶ》。●対局《たいきょく》。

なりたち

→局

●「尺（小《ち》さく区切《くぎ》る）」と「口（場所《ばしょ》を示《しめ》す）」を合《あ》わせた形《かたち》。空間《くうかん》を小《ち》さく区切《くぎ》ったようすで、区切《くぎ》った部分《ぶぶん》を表《あらわ》した。

3年

屋

尸6画【9画】

音 オク
訓 や

上《うえ》の横棒《よこぼう》より長《なが》く

roof［ルーフ］

つかいかた

屋根《やね》を直《なお》す。

八百屋《やおや》を営《いとな》む。

屋上《おくじょう》に出《で》る。

いみ・ことば

❶やね。いえ。●屋《や》しき。屋根《やね》。小屋《こや》。屋上《おくじょう》。屋内《おくない》。家屋《かおく》。

❷人《ひと》の性質《せいしつ》や仕事《しごと》などを表《あらわ》す語《ご》につけることば。●屋号《やごう》。お天気屋《てんきや》。魚屋《さかなや》さん。問屋《とんや》。はずかしがり屋《や》。

もっとわかる

●特別《とくべつ》な読《よ》み方《かた》…母屋《おもや》・部屋《へや》・八百屋《やおや》

なりたち

↓屋

●「尸（屋根《やね》）」と「至（これ以上進《いじょうすす》めない、すきまがない）」を合《あ》わせた形《かたち》。建物《たてもの》の上《うえ》を、すきまなく「やね」でおおったようすを表《あらわ》した。

屋屋屋屋屋屋屋屋

岸

山5画【8画】

音 ガン
訓 きし

上《うえ》の横棒《よこぼう》より長《なが》く

shore［ショー］

つかいかた

川岸《かわぎし》に立《た》つ。

向《む》こう岸《ぎし》へ渡《わた》る。

海岸《かいがん》で遊《あそ》ぶ。

いみ・ことば

●水《みず》ぎわ。きし。●岸辺《きしべ》。向《む》こう岸《ぎし》。沿岸《えんがん》。海岸《かいがん》。対岸《たいがん》。

もっとわかる

●特別《とくべつ》な読《よ》み方《かた》…河岸《かし》（魚市場《うおいちば》）●「彼岸《ひがん》」は、仏教《ぶっきょう》で、迷《まよ》いのない理想《りそう》の世界《せかい》。また、春分《しゅんぶん》・秋分《しゅうぶん》の日《ひ》の前後《ぜんご》に行《おこな》われる仏教行《ぶっきょうぎょう》事《じ》。●「対岸《たいがん》の火事《かじ》」とは、自分《じぶん》には関係《かんけい》のないこととして、何《なに》もせずに見《み》ていること。

なりたち

●「山」と「厂（┏形《がた》のがけ）」と「干《かん》（まっすぐで高《たか》い）」を合《あ》わせた形《かたち》。高《たか》く切《き》り立《た》ったがけをえがいて、「きし」を表《あらわ》した。

岸岸岸岸岸岸岸岸

島

山7画【10画】

音 トウ
訓 しま

はねる

island［アイランド］

つかいかた

島《しま》が見《み》える。

日本《にほん》は島国《しまぐに》だ。

大《おお》きな半島《はんとう》。

いみ・ことば

●海《うみ》や湖《みずうみ》の中《なか》にある小《ちい》さな陸地《りくち》。しま。●島国《しまぐに》。離《はな》れ島《じま》。島民《とうみん》。諸島《しょとう》。日本列《にほんれっ》島《とう》。半島《はんとう》。無人島《むじんとう》。

もっとわかる

●「島国《しまぐに》」は、日本《にほん》やイギリスのように、まわりを海《うみ》で囲《かこ》まれた国《くに》。●「取《と》り付《つ》く島《しま》もない」とは、相手《あいて》の態度《たいど》がそっけなくて、取《と》りすがることもできない意《い》。

なりたち

↓嶋（島）

●「鳥《ちょう》（とり）」と「山（やま）」を合《あ》わせた形《かたち》。鳥《とり》が止《と》まる、海《うみ》の中《なか》の山《やま》をえがいて、「しま」を表《あらわ》した。

島島島島島島島島

3年

州

川3画〔6画〕
音 シュウ
訓 (す)

いちばん長《なが》く

sandbank［サンドバンク］

つかいかた

川《かわ》の中州《なかす》。

九州《きゅうしゅう》地方《ちほう》。

三角州《さんかくす》。

いみ・ことば

1 川《かわ》や海《うみ》の中《なか》に砂《すな》がたまってできた島《しま》。●三角州《さんかくす》。中州《なかす》。

2 大《おお》きな陸地《りくち》。●欧州《おうしゅう》。五大州《ごだいしゅう》。

3 国《くに》の中《なか》のある地方《ちほう》。●本州《ほんしゅう》。九州《きゅうしゅう》。

もっとわかる

●「州《しゅう》」は、昔《むかし》、国《くに》の呼《よ》び名《な》として使《つか》われた。山梨県《やまなしけん》の「甲州《こうしゅう》」、長野県《ながのけん》の「信州《しんしゅう》」など、現在《げんざい》も使《つか》われることがある。

なりたち

→州

●川《かわ》の中《なか》に土《つち》や砂《すな》がたまって、島《しま》のようになった「なかす」をえがいた形《かたち》。

帳

巾8画〔11画〕
音 チョウ
訓 ―

長《なが》めに

notebook［ノウトブック］

つかいかた

手帳《てちょう》に書《か》く。

銀行《ぎんこう》の通帳《つうちょう》。

日記帳《にっきちょう》。

いみ・ことば

1 ノート。●帳簿《ちょうぼ》。帳面《ちょうめん》。記帳《きちょう》。通帳《つうちょう》。手帳《てちょう》。日記帳《にっきちょう》。宿帳《やどちょう》。

2 幕《まく》。カーテン。●開帳《かいちょう》。どん帳《ちょう》。

もっとわかる

●特別《とくべつ》な読《よ》み方《かた》…蚊帳《かや》 ●「帳消《ちょうけ》し」とは、お金《かね》をはらい終《お》えて、帳面《ちょうめん》に記入《きにゅう》してある項目《こうもく》を消《け》すこと。また、損得《そんとく》や貸《か》し借《か》りがなくなること。

なりたち

「長《ちょう》(ながくのびる)」と「巾(ぬの)」を合《あ》わせて、部屋《へや》などに垂《た》れ下《さ》げる「ぬの」を表《あらわ》した。

平

干2画〔5画〕
音 ヘイ ビョウ
訓 たいら ひら

上《うえ》の横棒《よこぼう》より長《なが》く

flat［フラット］

つかいかた

ご飯《はん》を平《たい》らげる。

平手《ひらて》打《う》ち。

水平《すいへい》に保《たも》つ。

いみ・ことば

1 たいら。●平泳《ひらおよ》ぎ。平皿《ひらざら》。平家《ひらや》。平原《へいげん》。平板《へいばん》。平野《へいや》。水平《すいへい》。

2 おだやか。●平安《へいあん》。平静《へいせい》。平和《へいわ》。

3 ふつう。●平日《へいじつ》。平常《へいじょう》。平生《へいぜい》。平凡《へいぼん》。

4 かたよりがない。●平等《びょうどう》。公平《こうへい》。

もっとわかる

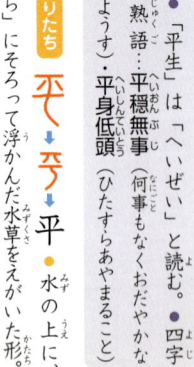

●「平生《へいぜい》」は「へいぜい」と読《よ》む。●四字《よじ》熟語《じゅくご》…平穏無事《へいおんぶじ》(何事《なにごと》もなくおだやかなようす)・平身低頭《へいしんていとう》(ひたすらあやまること)

なりたち

→平

●水《みず》の上《うえ》に、「たいら」にそろって浮《う》かんだ水草《みずくさ》をえがいた形《かたち》。

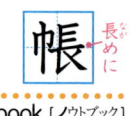

3年

幸

干5画〔8画〕

音 コウ
訓 さいわい（さち）しあわせ

いちばん長《なが》く

happiness［ハピネス］

つかいかた

幸運《こううん》の女神《めがみ》。

小《ちい》さな幸《しあわ》せ。

豊富《ほうふ》な海《うみ》の幸《さち》。

いみ・ことば

❶しあわせ。●幸運《こううん》。幸福《こうふく》。多幸《たこう》。不幸《ふこう》。

❷自然《しぜん》からとれた食《た》べ物《もの》。●海《うみ》の幸《さち》。山《やま》の幸《さち》。

❸天皇《てんのう》が出《で》かけること。●行幸《ぎょうこう》。

なりたち

●手首《てくび》にはめて動《うご》けないようにする道具《どうぐ》をえがいた形《かたち》。仕置《しお》きの厳《きび》しかった昔《むかし》の中国《ちゅうごく》では、のがれられるのは「運《うん》がよい」と考《かんが》えられたところから、思《おも》いがけない「さいわい」の意《い》を表《あらわ》した。

幸 幸 幸 幸 幸 幸 幸 幸

度

广6画〔9画〕

音 ド（ト）（タク）
訓 （たび）

又と書《か》かない

degree［ディグリー］

つかいかた

温度《おんど》を計《はか》る。

限度《げんど》をこえる。

夕飯《ゆうはん》の支度《したく》。

いみ・ことば

❶はかる単位《たんい》。●角度《かくど》。速度《そくど》。密度《みつど》。

❷くり返《かえ》す数《かず》。回数《かいすう》。●度数《どすう》。毎度《まいど》。

❸ほどあい。●限度《げんど》。程度《ていど》。適度《てきど》。

❹心《こころ》。人《ひと》がら。●度胸《どきょう》。度量《どりょう》。

❺決《き》まり。●制度《せいど》。法度《はっと》。

なりたち

●「广（建物《たてもの》）」と「革（頭《あたま》のついたけもののかわ）」を略《りゃく》したものと、「又（手《て》）」を組《く》み合《あ》わせた形《かたち》。しきものにするかわを、手《て》で一回《いっかい》また一回《いっかい》とはかるようすをえがいて、はかる基準《きじゅん》や回数《かいすう》を表《あらわ》した。

度 度 度 度 度 度 度 度 度

庫

广7画〔10画〕

音 コ（ク）
訓 ―

やや長《なが》く

warehouse［ウェアハウス］

つかいかた

車庫《しゃこ》に入《はい》る。

金庫《きんこ》を開《あ》ける。

学級《がっきゅう》文庫《ぶんこ》。

いみ・ことば

●物《もの》をしまっておくところ。くら。格納庫《かくのうこ》。金庫《きんこ》。在庫《ざいこ》。書庫《しょこ》。倉庫《そうこ》。文庫《ぶんこ》。宝庫《ほうこ》。冷蔵庫《れいぞうこ》。

もっとわかる

●「ク」という読《よ》みは、「庫裏《くり》（寺《てら》の台所《だいどころ》。また、住職《じゅうしょく》やその家族《かぞく》の住《す》まい）」などのことばに使《つか》われる。●「倉庫《そうこ》」は、同《おな》じ意味《いみ》の字《じ》を重《かさ》ねたことば。「倉」も「庫」も「くら」の意《い》。

なりたち

「广（建物《たてもの》）」と「車（くるま）」を合《あ》わせて、車《くるま》をしまっておく建物《たてもの》を表《あらわ》した。

庫 庫 庫 庫 庫 庫 庫 庫 庫 庫

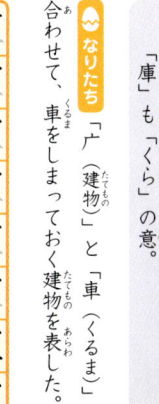

庭

广7画（10画）
音 テイ
訓 にわ

庭 ななめ左下《ひだりした》に

garden［ガードン］

つかいかた

庭《にわ》に石《いし》を置《お》く。

校庭《こうてい》に集《あつ》まる。

家庭《かてい》教師《きょうし》。

いみ・ことば

❶にわ。●[1]庭木《にわき》。[6]裏庭《うらにわ》。[1]中庭《なかにわ》。[2]庭園《ていえん》。[1]校庭《こうてい》。

❷家《いえ》の中《なか》。●[2]家庭《かてい》。

もっとわかる

●「学《まな》びの庭《にわ》」とは、学校《がっこう》のこと。●「庭《にわ》の訓《おし》え」とは、家庭《かてい》での教育《きょういく》やしつけのこと。

なりたち

●「壬《てい》（まっすぐのびる）」と「廴（のびるしるし）」を合《あ》わせた「廷《てい》」は、平《たい》らにならした場所《ばしょ》、つまり「にわ」を表《あらわ》した。のちに「廷」が、裁判《さいばん》をする場所《ばしょ》の意《い》で使《つか》われたので、「广」（建物《たてもの》）」を加《くわ》えた「庭」で、やしきの中《なか》の「にわ」を表《あらわ》すようになった。

式

弋3画（6画）
音 シキ
訓 ―

式 上《うえ》にはねる

style［スタイる］

つかいかた

式《しき》を挙《あ》げる。

卒業式《そつぎょうしき》。

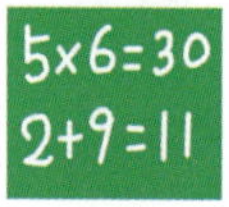

算数《さんすう》の式《しき》。

いみ・ことば

❶やり方《かた》。決《き》まり。●[5]旧式《きゅうしき》。[2]形式《けいしき》。[1]正式《せいしき》。[1]本式《ほんしき》。[3]洋式《ようしき》。[5]略式《りゃくしき》。[3]和式《わしき》。

❷決《き》まったやり方《かた》で行《おこな》うもよおし。行事《ぎょうじ》。●[2]式場《しきじょう》。[4]式典《しきてん》。[4]挙式《きょしき》。[4]卒[3]業式《そつぎょうしき》。

❸計算《けいさん》のしかたを、数字《すうじ》や記号《きごう》で表《あらわ》したもの。●[2]公式《こうしき》。[2]数式《すうしき》。

なりたち

「弋《よく》（道具《どうぐ》）」と「工（工作《こうさく》）」を組《く》み合《あ》わせた形《かたち》。道具《どうぐ》を使《つか》って工作《こうさく》をするようすを示《しめ》して、決《き》められた「やり方《かた》」の意《い》を表《あらわ》した。

役

彳4画（7画）
音 ヤク（エキ）
訓 ―

役 八と書《か》かない

service［サーヴィス］

つかいかた

役所《やくしょ》で働《はたら》く。

主役《しゅやく》を演《えん》じる。

母《はは》の役《やく》に立《た》つ。

いみ・ことば

❶やくめ。つとめ。●[3]役員《やくいん》。[3]役者《やくしゃ》。役割《やくわり》。[3]重役《じゅうやく》。[3]主役《しゅやく》。[1]大役《たいやく》。[5]適役《てきやく》。[3]配役《はいやく》。

❷おおやけの仕事《しごと》。●役所《やくしょ》。[3]役場《やくば》。

❸仕事《しごと》をさせる。●[3]使役《しえき》。[3]服役《ふくえき》。[4]労役《ろうえき》。

もっとわかる

●「前九年《ぜんくねん》の役《えき》」「文永《ぶんえい》の役《えき》」のように、「役《えき》」は戦争《せんそう》の意《い》でも使《つか》われる。

なりたち

「彳（行《い》く）」と「殳（武器《ぶき》を立《た》てて持《も》つ）」を合《あ》わせた形《かたち》。戦争《せんそう》や土木工《どぼくこう》事《じ》に行《い》かせるようすをえがいて、ひとりひとりに割《わ》り当《あ》てられた、つらい労働《ろうどう》や仕事《しごと》を表《あらわ》した。

3年

待

彳6画〔9画〕

音 タイ
訓 まつ

はねる

wait［ウェイト］

つかいかた

バスを待《ま》つ。

返事《へんじ》を期待《きたい》する。

友《とも》を招待《しょうたい》する。

いみ・ことば

1 まつ。●待合室《まちあいしつ》。待機《たいき》。待望《たいぼう》。期待《きたい》。

2 もてなす。●待遇《たいぐう》。歓待《かんたい》。招待《しょうたい》。接待《せったい》。優待《ゆうたい》。

もっとわかる

●送り仮名《おくりがな》…「待《ま》ち合《あ》わせる」というときは「ち」を送《おく》るが、「待合室《まちあいしつ》」のときには「ち」を送《おく》らない。●「待《ま》ちに待《ま》った」は、期待《きたい》して待《ま》ち続《つづ》けた、の意。

なりたち

「寺《じ》(じっと止《と》まる)」と「彳(行《い》く)」を合《あ》わせて、じっと立《た》ち止《ど》まって「まつ」意《い》を表《あらわ》した。

待 待 待 待 待 待 待 待

苦

艹5画〔8画〕

音 ク
訓 くるしい くるしむ くるしめる にがい にがる

長《なが》く

bitter［ビター］

つかいかた

息《いき》が苦《くる》しい。

薬《くすり》が苦《にが》い。

苦情《くじょう》を言《い》う。

いみ・ことば

1 にがい。不快《ふかい》だ。●苦手《にがて》。苦味《にがみ》。苦笑《にがわら》い。苦言《くげん》。苦笑《くしょう》。苦情《くじょう》。

2 つらい。くるしい。●苦行《くぎょう》。苦心《くしん》。苦戦《くせん》。苦痛《くつう》。苦難《くなん》。病苦《びょうく》。貧苦《ひんく》。労苦《ろうく》。

もっとわかる

●「良薬《りょうやく》は口《くち》に苦《にが》し」は、よく効《き》く薬《くすり》がにがくて飲《の》みづらいように、ためになることばは聞《き》き入《い》れづらいということ。

なりたち

「古《こ》(かたい)」と「艹(草《くさ》)」を合《あ》わせた形《かたち》。舌《した》をかたくこわばらせる草《くさ》をえがいて、「にがい」「くるしい」の意《い》を表《あらわ》した。

苦 苦 苦 苦 苦 苦 苦 苦

荷

艹7画〔10画〕

音 (カ)
訓 に

はねる

load［ロウド］

つかいかた

荷物《にもつ》を運《はこ》ぶ。

荷造《にづく》りをする。

本《ほん》が入荷《にゅうか》する。

いみ・ことば

1 にもつ。●荷造《にづく》り。出荷《しゅっか》。入荷《にゅうか》。

2 かたにかつぐ。●荷役《にやく》。荷担《かたん》。

もっとわかる

●「荷役《にやく》」は、船《ふね》の荷物《にもつ》を積《つ》み降《お》ろしする仕事《しごと》。●「荷物《にもつ》」を丁寧《ていねい》にいう「お荷物《にもつ》」は、相手《あいて》の負担《ふたん》になる人《ひと》や物《もの》の意《い》でも使《つか》われる。

なりたち

「何《か》(T形《がた》に曲《ま》がる)」と「艹(草《くさ》)」を合《あ》わせた形《かたち》。葉《は》がくきの上《うえ》にT形《がた》にのっている草《くさ》、「ハス」を表《あらわ》した。のち、「かつぐ」「になう」の意《い》で使《つか》われるようになった。

荷 荷 荷 荷 荷 荷 荷 荷

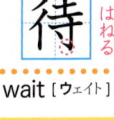

葉

艹9画〔12画〕

音 ヨウ

訓 は

葉 やや長《なが》く

leaf［リーフ］

つかいかた

お茶《ちゃ》の葉《は》をつむ。

落《お》ち葉《ば》を集《あつ》める。

葉脈《ようみゃく》の観察《かんさつ》。

いみ・ことば

1 **木《き》や草《くさ》のは。** ●青葉《あおば》。枝葉《えだは》（しよう）。▲枯《か》れ葉《は》。若葉《わかば》。葉脈《ようみゃく》。葉緑素《ようりょくそ》。落葉《らくよう》。

2 **紙《かみ》などのうすいもの。** ●葉書《はがき》。

もっとわかる

●特別《とくべつ》な読《よ》み方《かた》…紅葉《もみじ》 ●四字熟語《よじじゅくご》…枝葉末節《しようまっせつ》（取《と》るに足《た》りない、どうでもよいこと）

なりたち

→枼→葉

●木《き》の上《うえ》に三枚《さんまい》の「は」がのったようすをえがいた「枼」に、「艹（草《くさ》）」を組《く》み合《あ》わせて、植物《しょくぶつ》の「は」を表《あらわ》した。

落

艹9画〔12画〕

音 ラク

訓 おちる　おとす

落 又と書《か》かない

fall［フォーる］

つかいかた

葉《は》が落《お》ちる。

コップを落《お》とす。

落石《らくせき》注意《ちゅうい》。

いみ・ことば

1 **おちる。** ●落《お》ち葉《ば》。落日《らくじつ》。落石《らくせき》。落選《らくせん》。落第《らくだい》。落下《らっか》。下落《げらく》。転落《てんらく》。

2 **おちつく。できあがる。** ●落成《らくせい》。落着《らくちゃく》。

3 **人《ひと》の集《あつ》まる場所《ばしょ》。** ●集落《しゅうらく》。村落《そんらく》。

もっとわかる

●「落書《らくが》き」は、いたずら書《が》きのこと。

なりたち

一《ひと》つ一《ひと》つ連《つら》なるというイメージを示《しめ》す「各《かく》」に「氵（水《みず》）」を加《くわ》えた「洛《らく》」は、しずくが点々《てんてん》と連《つら》なるようす。その「洛」と「艹（草《くさ》）」を合《あ》わせて、木《き》の葉《は》がぽろりと連《つら》なって「おちる」ようすを表《あらわ》した。

薬

艹13画〔16画〕

音 ヤク

訓 くすり

薬 点《てん》のうち方《かた》に注意《ちゅうい》

medicine［メダスン］

つかいかた

薬《くすり》をもらう。

粉薬《こなぐすり》を飲《の》む。

薬草《やくそう》をつぶす。

いみ・ことば

1 **病気《びょうき》をなおすもの。くすり。** ●目薬《めぐすり》。薬草《やくそう》。薬用《やくよう》。薬局《やっきょく》。胃腸薬《いちょうやく》。良薬《りょうやく》。

2 **化学的作用《かがくてきさよう》のあるもの。やくひん。** ●火薬《かやく》。毒薬《どくやく》。農薬《のうやく》。▲爆薬《ばくやく》。

もっとわかる

●「薬玉《くすだま》」は、厄《やく》ばらいやお祝《いわ》いのために作《つく》るかざり玉《だま》のこと。

なりたち

もとの字《じ》は「藥」。「樂《がく》（小《ちい》さいものがごろごろしている）」と「艹（草《くさ》）」を合《あ》わせた形《かたち》。草《くさ》を小《ちい》さくすりつぶして、つぶ状《じょう》になった「くすり」を表《あらわ》した。

3年

返

⻌4画〔7画〕
音 ヘン
訓 かえす かえる

ひと筆《ふで》で書《か》く
返

return［リターン］

つかいかた

お金《かね》を返《かえ》す。

正気《しょうき》に返《かえ》る。

返事《へんじ》をする。

いみ・ことば

① もとにもどす。●恩返《おんがえ》し。仕返《しかえ》し。返《へん》却《きゃく》。返金《へんきん》。返上《へんじょう》。返信《へんしん》。返答《へんとう》。返品《へんぴん》。

② もとにもどる。●返《かえ》り咲《ざ》き。宙返《ちゅうがえ》り。若返《わかがえ》る。

もっとわかる

●「返《かえ》り咲《ざ》き」とは、春《はる》に咲《さ》いた花《はな》が、秋《あき》に再《ふたた》び咲《さ》くこと。また、一度《いちど》失《うしな》った地位《ちい》を取《と》りもどす意《い》でも使《つか》われる。

なりたち

「反《はん》（はねかえる）」と「⻌（行《い》く）」を合《あ》わせた形《かたち》。はねかえって「もとにもどる」意《い》を表《あらわ》した。

送

⻌6画〔9画〕
音 ソウ
訓 おくる

点《てん》のうち方《かた》に注意《ちゅうい》
送

send［センド］

つかいかた

手紙《てがみ》を送《おく》る。

友《とも》を見送《みおく》る。

送球《そうきゅう》ミス。

いみ・ことば

① 物《もの》をほかのところへ運《はこ》ぶ。おくる。●送《そう》球《きゅう》。送料《そうりょう》。運送《うんそう》。発送《はっそう》。郵送《ゆうそう》。輸送《ゆそう》。

② 見《み》おくる。●送迎《そうげい》。送別《そうべつ》。歓送会《かんそうかい》。

もっとわかる

●同訓異字《どうくんいじ》「おくる」…「送《おく》る」は、物《もの》を相手《あいて》のところへ届《とど》ける意《い》。「贈《おく》る」は、物《もの》を相手《あいて》にプレゼントする意《い》。

なりたち

↓
送

●「关」のもとの形《かたち》は「灷（両手《りょうて》で持《も》ち上《あ》げる）」。それに「⻌（行《い》く）」を合《あ》わせて、物《もの》を持《も》ち上《あ》げて「おくりとどける」意《い》を表《あらわ》した。

追

⻌6画〔9画〕
音 ツイ
訓 おう

ななめ左下《ひだりした》に
追

chase［チェイス］

つかいかた

羊《ひつじ》を追《お》う。

追《お》い風《かぜ》に乗《の》る。

追加《ついか》の注文《ちゅうもん》。

いみ・ことば

① おいかける。●追《お》っ手《て》。追撃《ついげき》。追跡《ついせき》。

② あとからつけたす。●追加《ついか》。追伸《ついしん》。

③ さかのぼる。●追憶《ついおく》。追想《ついそう》。追体験《ついたいけん》。

もっとわかる

●「追伸《ついしん》」は、手紙《てがみ》で、一通《ひととお》り書《か》き終《お》えたあとに加《くわ》える文章《ぶんしょう》。

なりたち

↓
𠂤

●「𠂤」は、丸《まる》く盛《も》り上《あ》がった土《つち》が二《ふた》つ並《なら》ぶようすで、つながるイメージを示《しめ》す。それと「⻌（進《すす》む）」を合《あ》わせて、前《まえ》の人《ひと》につながるようにして進《すす》む、つまり、「おいかける」の意《い》を表《あらわ》した。

速

辶7画〔10画〕

音 ソク
訓 はやい　はやめる　はやまる　(すみやか)

速　ひと筆《ふで》で書《か》く

fast [ファスト]

つかいかた

いみ・ことば

❶ 時間《じかん》がかからない。はやい。●速達《そくたつ》。速報《そくほう》。速球《そっきゅう》。速攻《そっこう》。高速《こうそく》。全速力《ぜんそくりょく》。

❷ はやさ。●光速《こうそく》。時速《じそく》。秒速《びょうそく》。風速《ふうそく》。

もっとわかる

●四字熟語《よじじゅくご》…速戦即決《そくせんそっけつ》(時間《じかん》をかけず、一気《いっき》に決着《けっちゃく》をつけること)

なりたち

↓束

●「束」は木《き》をたばねるようすで、「しめる」「しめつける」のイメージを示《しめ》す。それと「辶(進《すす》む)」を合《あ》わせて、一歩《いっぽ》ずつの長《なが》さを縮《ちぢ》めて進《すす》むことから、「はやい」の意《い》を表《あらわ》した。

進

辶8画〔11画〕

音 シン
訓 すすむ　すすめる

進　つき出《だ》さない

advance [アドヴァンス]

つかいかた

いみ・ことば

❶ 前《まえ》に出《で》る。すすむ。●進学《しんがく》。進級《しんきゅう》。進《しん》行方向《こうほうこう》。進出《しんしゅつ》。進退《しんたい》。進展《しんてん》。進入《しんにゅう》。進《しん》路《ろ》。行進《こうしん》。前進《ぜんしん》。突進《とっしん》。

❷ よくなる。●進化《しんか》。進歩《しんぽ》。昇進《しょうしん》。

❸ 差《さ》し上《あ》げる。●進言《しんげん》。進物《しんもつ》。寄進《きしん》。

もっとわかる

●四字熟語《よじじゅくご》…日進月歩《にっしんげっぽ》(日《ひ》ごと月《つき》ごとに、どんどん進歩《しんぽ》すること)

なりたち

「辶(行《い》く)」と「隹(鳥《とり》)」を合《あ》わせた形《かたち》。鳥《とり》が飛《と》ぶように、はやく「すすむ」意《い》を表《あらわ》した。

運

辶9画〔12画〕

音 ウン
訓 はこぶ

運　上《うえ》の横棒《よこぼう》より長《なが》く

carry [キャリィ]

つかいかた

いみ・ことば

❶ 物《もの》をはこぶ。●運送《うんそう》。運賃《うんちん》。運輸《うんゆ》。

❷ めぐらせる。うごかす。●運休《うんきゅう》。運《うん》行《こう》。運転《うんてん》。運動《うんどう》。運筆《うんぴつ》。

❸ 働《はたら》かせる。●運営《うんえい》。運用《うんよう》。

❹ めぐりあわせ。●運勢《うんせい》。運命《うんめい》。幸運《こううん》。不運《ふうん》。命運《めいうん》。

なりたち

↓軍

●まるくまわるというイメージの「軍《ぐん》」と「辶(行《い》く)」を合《あ》わせて、円《えん》をえがいてぐるぐるまわることを表《あらわ》した。のち、「はこぶ」の意《い》でも使《つか》われるようになった。

3年

遊

⻌9画【12画】

音 ユウ（ユ）
訓 あそぶ

遊 はねる

play［プレイ］

つかいかた

砂場《すなば》で遊《あそ》ぶ。

遊園地《ゆうえんち》へ行《い》く。

砂漠《さばく》の遊牧民《ゆうぼくみん》。

いみ・ことば

① あそぶ。●遊園地《ゆうえんち》。遊戯《ゆうぎ》。遊具《ゆうぐ》。
② よその地《ち》へ行《い》く。●遊学《ゆうがく》。遊説《ゆうぜい》。
③ あちこち動《うご》く。●遊牧民《ゆうぼくみん》。周遊券《しゅうゆうけん》。

もっとわかる

●「ユ」の読《よ》みは、「物見遊山《ものみゆさん》（あちこち見《み》てまわること）」などに使《つか》われる。

なりたち

↓ 斿

●「斿」は、「㫃（風《かぜ》にゆれる旗《はた》）」と「子（こども）」を合《あ》わせて、旗《はた》や子《こ》どものように、あちこち移《い》動《どう》することを示《しめ》す。それと「⻌（行《い》く）」を合《あ》わせて、気《き》ままにぶらぶらする意《い》を表《あらわ》した。

都

阝8画【11画】

音 ト ツ
訓 みやこ

都 阝と書かない

metropolis［メトラポリス］

つかいかた

京《きょう》の都《みやこ》。

都心《としん》のビル群《ぐん》。

都会《とかい》で暮《く》らす。

いみ・ことば

① 大《おお》きな町《まち》。みやこ。●都会《とかい》。都市《とし》。都心《としん》。古都《こと》。首都《しゅと》。
② 東京都《とうきょうと》のこと。●都営《とえい》。都知事《とちじ》。都庁《とちょう》。都民《とみん》。都立《とりつ》。

もっとわかる

●「ツ」の読《よ》みは、「都合《つごう》」などに使《つか》われる。
●「都道府県《とどうふけん》」は、東京都《とうきょうと》・北海道《ほっかいどう》・大阪府《おおさかふ》・京都府《きょうとふ》と、四十三《よんじゅうさん》の県《けん》のこと。

なりたち

「者《しゃ》（一点《いってん》に集中《しゅうちゅう》する）」と「阝（町《まち》）」を合《あ》わせた形《かたち》で、多《おお》くの人《ひと》が集中《しゅうちゅう》する大《おお》きな町《まち》を表《あらわ》した。

部

阝8画【11画】

音 ブ
訓 ―

部 やや長《なが》く

part［パート］

つかいかた

機械《きかい》の部品《ぶひん》。

車《くるま》の後部座席《こうぶざせき》。

柔道部《じゅうどうぶ》の部員《ぶいん》。

いみ・ことば

① 全体《ぜんたい》をいくつかに分《わ》けたもの。●部首《ぶしゅ》。部品《ぶひん》。部分《ぶぶん》。全部《ぜんぶ》。頭部《とうぶ》。内部《ないぶ》。
② 組織《そしき》の区分《くわ》け。●営業部《えいぎょうぶ》。文学部《ぶんがくぶ》。
③ クラブ。●演劇部《えんげきぶ》。サッカー部《ぶ》。
④ 本《ほん》などを数《かぞ》えることば。●一万部《いちまんぶ》。

もっとわかる

●特別《とくべつ》な読《よ》み方《かた》…部屋《へや》
●「部首《ぶしゅ》」は、漢字《かんじ》を分類《ぶんるい》するときに目《め》じるしとなる形《かたち》。

なりたち

「咅《ばい》（二《ふた》つに分《わ》ける）」と「阝（町《まち》）」を合《あ》わせた形《かたち》。町《まち》を小《ちい》さく分《わ》けるようすで、区分《くわ》けした「ぶぶん」を表《あらわ》した。

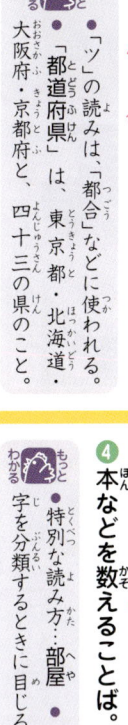

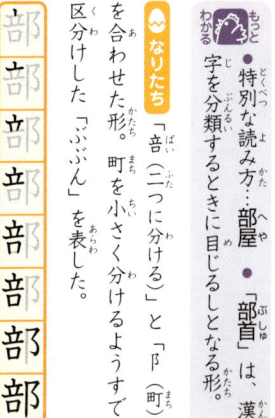

院

阝7画【10画】

音 イン
訓 ―

上《うえ》にはねる

institution［インスティテューション］

つかいかた

大《おお》きな寺院《じいん》。

病院《びょういん》に運《はこ》ぶ。

けがで入院《にゅういん》する。

いみ・ことば

① かきねをめぐらせた大《おお》きな建物《たてもの》。また、その中《なか》の組織《そしき》。●院長《いんちょう》。医院《いいん》。参議院《さんぎいん》。寺院《じいん》。衆議院《しゅうぎいん》。書院《しょいん》。病院《びょういん》。

② 上皇《じょうこう》や法皇《ほうおう》のこと。●院政《いんせい》。

もっとわかる

●「上皇《じょうこう》」「法皇《ほうおう》」は、退位《たいい》した天皇《てんのう》のこと。

なりたち

「完《かん》(丸《まる》く取《と》り囲《かこ》む)」と「阝(盛《も》り上《あ》がった土《つち》)」を合《あ》わせて、建物《たてもの》のまわりを丸《まる》く取《と》り囲《かこ》んだ土《つち》のへいのことから、かきねをめぐらせた家《いえ》を表《あらわ》した。のち、公共《こうきょう》の建物《たてもの》の意《い》でも使《つか》われるようになった。

院 院 院 院 院 院 院 院

階

阝9画【12画】

音 カイ
訓 ―

日と書《か》かない

floor［フロー］

つかいかた

階段《かいだん》を下《お》りる。

最上階《さいじょうかい》に住《す》む。

上流階級《じょうりゅうかいきゅう》。

いみ・ことば

① 段《だん》の重《かさ》なり。●階段《かいだん》。音階《おんかい》。段階《だんかい》。

② 建物《たてもの》の重《かさ》なり。●階下《かいか》。地階《ちかい》。二階《にかい》。

③ 地位《ちい》や身分《みぶん》の上下《じょうげ》。●階級《かいきゅう》。階層《かいそう》。

もっとわかる

●「階」は「陛」と形《かたち》が似《に》ていてまちがえやすいので注意《ちゅうい》。

なりたち

皆 → 皆

●「皆《かい》」は「比(二人《ふたり》が並《なら》ぶ)」と「白(動作《どうさ》を示《しめ》す)」を合《あ》わせて、並《なら》びそろうこと。それと「阝(段《だん》)」を合《あ》わせて、一段一段《いちだんいちだん》きれいに並《なら》んだ「かいだん」を表《あらわ》した。

階 階 階 階 階 階 階 階 階

陽

阝9画【12画】

音 ヨウ
訓 ―

横棒《よこぼう》を忘《わす》れない

sun［サン］

つかいかた

太陽《たいよう》がまぶしい。

電池《でんち》の陽極《ようきょく》。

陽気《ようき》な人《ひと》。

いみ・ことば

① たいよう。●陽光《ようこう》。陽春《ようしゅん》。陽暦《ようれき》。斜陽《しゃよう》。太陽《たいよう》。落陽《らくよう》。

② 明《あか》るい。目立《めだ》つ。●陽気《ようき》。陽動《ようどう》。

③ 二《ふた》つで一組《ひとくみ》になるもののうち、活動《かつどう》的《てき》なほう。●陽画《ようが》。陽極《ようきょく》。陽性《ようせい》。

もっとわかる

●「陽」と反対《はんたい》の意味《いみ》を持《も》つ漢字《かんじ》は「陰」。陽極《ようきょく》↕陰極《いんきょく》　陽性《ようせい》↕陰性《いんせい》

なりたち

昜 → 昜 → 昜

●「昜《よう》(日《ひ》が高《たか》く上《あ》がる)」と「阝(おか)」を合《あ》わせて、日当《ひあ》たりのよいおかの南側《みなみがわ》を表《あらわ》した。

陽 陽 陽 陽 陽 陽 陽 陽 陽

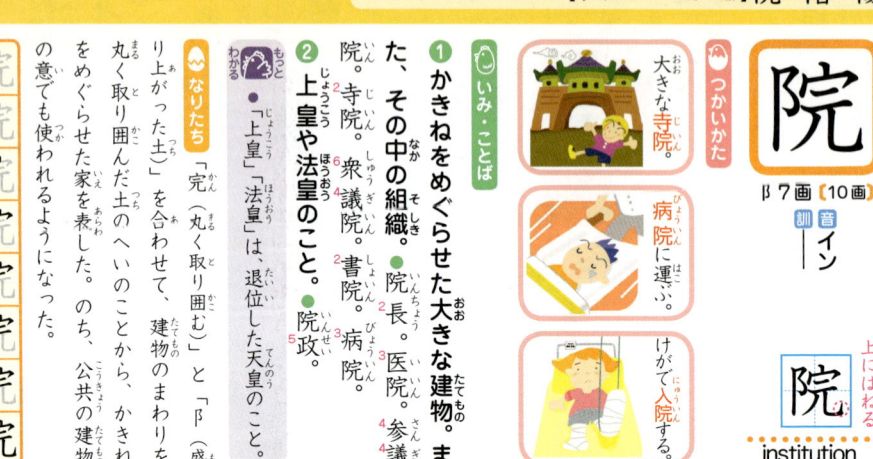

急

心5画〔9画〕
音 キュウ
訓 いそぐ

々と書《か》かない

hurry［ハーリィ］

つかいかた

急《いそ》いで支度《したく》する。

急《きゅう》に泣《な》き出《だ》す。

急《きゅう》カーブ。

いみ・ことば

1 いそぐ。●急《いそ》ぎ足《あし》。急用《きゅうよう》。早急《さっきゅう》。至急《しきゅう》。

2 とつぜん。●急転《きゅうてん》。急病《きゅうびょう》。急変《きゅうへん》。

3 進《すす》むのがはやい。●急速《きゅうそく》。急流《きゅうりゅう》。

4 変化《へんか》が大《おお》きい。●急《きゅう》カーブ。急降下《きゅうこうか》。

もっとわかる
●四字熟語《よじじゅくご》…急転直下《きゅうてんちょっか》（事態《じたい》が急《きゅう》に変《か》わって、解決《かいけつ》に向《む》かうこと）

なりたち

●「及《きゅう》（人《ひと》の後《うし》ろに手《て》が届《とど》く）」と「心（こころ）」を合《あ》わせた形《かたち》。追《お》いつこうとしてせかせかするようすで、「いそぐ」の意《い》を表《あらわ》した。

→→→及

息

心6画〔10画〕
音 ソク
訓 いき

白と書《か》かない

breath［ブレす］

つかいかた

息《いき》を吸《す》いこむ。

ため息《いき》をつく。

休息《きゅうそく》をとる。

いみ・ことば

1 いき。いきをする。●息切《いきぎ》れ。息《いき》づかい。ため息《いき》。鼻息《はないき》。

2 生活《せいかつ》する。生《い》きる。●消息《しょうそく》。生息《せいそく》。

3 やすむ。●安息《あんそく》。休息《きゅうそく》。

4 子《こ》ども。●息女《そくじょ》。子息《しそく》。令息《れいそく》。

もっとわかる
●特別《とくべつ》な読《よ》み方《かた》…息吹《いぶき》・息子《むすこ》 ●「鼻息《はないき》があらい」とは、強気《つよき》で勢《いきお》いがある意《い》。

なりたち

→息 ●「自（鼻《はな》）」と「心（心臓《しんぞう》）」を合《あ》わせた形《かたち》。鼻《はな》から胸《むね》の空気《くうき》を出《だ》し入《い》れするようすで、「いき」をすることを表《あらわ》した。

悪

心7画〔11画〕
音 アク（オ）
訓 わるい

縦棒《たてぼう》は二本《にほん》

bad［バッド］

つかいかた

虫《むし》の居所《いどころ》が悪《わる》い。

悪役《あくやく》を演《えん》じる。

悪寒《おかん》がする。

いみ・ことば

1 正《ただ》しくない。好《この》ましくない。●悪口《わるくち》。悪者《わるもの》。意地悪《いじわる》。悪事《あくじ》。最悪《さいあく》。罪悪《ざいあく》。

2 おとっている。●悪筆《あくひつ》。▲粗悪《そあく》。

もっとわかる
●「悪寒《おかん》」は、ぞくぞくする寒気《さむけ》。●四字《よじ》熟語《じゅくご》…悪戦苦闘《あくせんくとう》（苦《くる》しみつつ必死《ひっし》に努力《どりょく》すること）・悪口雑言《あっこうぞうごん》（さんざん悪口《わるくち》を言《い》うこと）

なりたち

→→亞 ●もとの形《かたち》は「惡」。上《うえ》からおさえつけられてつかえるイメージを示《しめ》す「亞《あ》」と「心（こころ）」を合《あ》わせて、胸《むね》がつかえて気分《きぶん》が「わるい」ようすを表《あらわ》した。

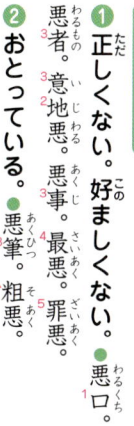

悲

心8画〔12画〕

音 ヒ
訓 かなしい かなしむ

悲（はらう）

sad［サッド］

つかいかた

悲《かな》しい映画《えいが》。

別《わか》れを悲《かな》しむ。

悲鳴《ひめい》をあげる。

いみ・ことば

❶ かなしみ。かなしむ。●3悲運《ひうん》。6悲劇《ひげき》。▲悲惨《ひさん》。6悲痛《ひつう》。5悲報《ひほう》。2悲鳴《ひめい》。

❷ あわれみ。●▲慈悲《じひ》。

もっとわかる
●「悲喜《ひき》こもごも」とは、喜《よろこ》びも悲《かな》しみも両方味《りょうほうあじ》わうこと。

なりたち

（古い字形）→（古い字形）→非

●「非《ひ》」は、反対向《はんたいむ》きになった鳥《とり》のつばさをえがいた形《かたち》で、二《ふた》つに分《わ》かれるイメージを示《しめ》す。それと「心（こころ）」を合《あ》わせて、心《こころ》が二《ふた》つに割《わ》れたような「かなしい」気持《きも》ちを表《あらわ》した。

悲 悲 悲 悲 悲 悲 悲 悲

意

心9画〔13画〕

音 イ
訓 ―

意（長《なが》く）

mind［マインド］

つかいかた

意見《いけん》を述《の》べる。

意味《いみ》を調《しら》べる。

好意《こうい》を持《も》つ。

いみ・ことば

❶ 思《おも》い。考《かんが》え。●3意向《いこう》。5意志《いし》。5意識《いしき》。意図《いと》。3決意《けつい》。4好意《こうい》。2合意《ごうい》。6誠意《せいい》。2同意《どうい》。

❷ わけ。●5意義《いぎ》。3意味《いみ》。1大意《たいい》。1文意《ぶんい》。

もっとわかる
●特別《とくべつ》な読《よ》み方《かた》…意気地《いくじ》 ●四字熟語《よじじゅくご》…意気消沈《いきしょうちん》（元気《げんき》をなくしたようす）・意気揚々《いきようよう》（得意《とくい》そうなようす）・意味深長《いみしんちょう》（奥《おく》に深《ふか》い意味《いみ》がかくされていること）

なりたち

「音《おん》（中《なか》に入《い》れてふさぐ）」と「心（こころ）」を合《あ》わせて、心《こころ》の中《なか》にたくさんの「おもい」がこもっているようすを表《あらわ》した。

意 意 意 意 意 意 意 意 意

感

心9画〔13画〕

音 カン
訓 ―

感（点《てん》を忘《わす》れない）

feeling［フィーリング］

つかいかた

痛《いた》みを感《かん》じる。

本《ほん》に感動《かんどう》する。

反感《はんかん》を買《か》う。

いみ・ことば

❶ 心《こころ》にかんじる。気持《きも》ち。●5感謝《かんしゃ》。感情《かんじょう》。2感心《かんしん》。3感想《かんそう》。5快感《かいかん》。4共感《きょうかん》。3予感《よかん》。

❷ 体《からだ》で受《う》ける。●▲感触《かんしょく》。2感電《かんでん》。1五感《ごかん》。

もっとわかる
●「第六感《だいろっかん》」は、説明《せつめい》なしに本質《ほんしつ》をつかみ取《と》る、五感《ごかん》をこえた感覚《かんかく》のこと。

なりたち

（古い字形）→（古い字形）→（古い字形）→咸

●「咸《かん》」は、武器《ぶき》でおどして口《くち》を閉《と》じさせるようすで、強《つよ》いショックをあたえるというイメージを示《しめ》す。それと「心（こころ）」を合《あ》わせて、強《つよ》いショックを受《う》けて心《こころ》が動《うご》くことを表《あらわ》した。

感 感 感 感 感 感 感 感 感

想

心9画〔13画〕

音 ソウ（ソ）
訓 ―

とめる

imagine［イマヂン］

つかいかた

空想《くうそう》にふける。

感想文《かんそうぶん》を書《か》く。

愛想《あいそ》がいい。

いみ・ことば

● 考《かんが》える。考《かんが》え。● 想像《そうぞう》。想定《そうてい》。空想《くうそう》。構想《こうそう》。思想《しそう》。夢想《むそう》。予想《よそう》。理想《りそう》。連想《れんそう》。

もっとわかる

●「ソ」という読《よ》みは、「愛想《あいそ》」ということばに使《つか》われる。●四字熟語《よじじゅくご》…奇想《きそう》天外《てんがい》（この上《うえ》なく変《か》わっていること）

なりたち

相

●「木」と「目」を合《あ》わせた「相《そう》」は、見《み》るものと見《み》られるものがたがいに向《む》き合《あ》うようす。それと「心（こころ）」を合《あ》わせて、心《こころ》の中《なか》で何《なに》かと向《む》き合《あ》うことから、何《なに》かを「おもいえがく」意《い》を表《あらわ》した。

所

戸4画〔8画〕

音 ショ
訓 ところ

左下《ひだりした》に

place［プれイス］

つかいかた

台所《だいどころ》に立《た》つ。

場所《ばしょ》を取《と》る。

休憩所《きゅうけいじょ》。

いみ・ことば

① ばしょ。ところ。● 居所《いどころ》。近所《きんじょ》。住所《じゅうしょ》。

② ある目的《もくてき》のために作《つく》られたところ。● 所長《しょちょう》。研究所《けんきゅうじょ》。裁判所《さいばんしょ》。便所《べんじょ》。役所《やくしょ》。

③ …すること。…するもの。● 所感《しょかん》。所持《しょじ》。所属《しょぞく》。所定《しょてい》。所得《しょとく》。所有《しょゆう》。所要《しょよう》。

もっとわかる

●四字熟語《よじじゅくご》…一所懸命《いっしょけんめい》（必死《ひっし》に物事《ものごと》をすること。「一生懸命《いっしょうけんめい》」も同《おな》じ意《い》）

なりたち

「戸（と）」と「斤（木《き》を切《き》るおの）」を合《あ》わせた形《かたち》。木《き》を切《き》って戸《と》を作《つく》るときのさくさくという音《おと》を表《あらわ》した。

心《こころ》を表《あらわ》す漢字《かんじ》

二年生《にねんせい》で「心」という漢字《かんじ》を習《なら》います。これは、人《ひと》の体《からだ》のとても大切《たいせつ》な部分《ぶぶん》である「心臓《しんぞう》」をえがいた形《かたち》です。「心」をふくむ漢字《かんじ》の多《おお》くは、心《こころ》に関《かん》することを表《あらわ》しています。

たとえば、「思（おもう）」や「感（かんじる）」は、人《ひと》の心《こころ》のもっとも基本的《きほんてき》な働《はたら》きを表《あらわ》していますね。ほかにも、「想（おもいえがく）」「念（つよくおもう）」「志（こころをむける）」のように少《すこ》し複雑《ふくざつ》な心《こころ》の動《うご》きを表《あらわ》す漢字《かんじ》や、「悲（かなしい）」「愛（いとしい）」「急（いそぐ）」のように心《こころ》の状態《じょうたい》や気持《きも》ちを表《あらわ》す漢字《かんじ》もあります。

五年生《ごねんせい》で習《なら》う漢字《かんじ》の「快（こころよい）」「性（うまれつきのもの）」「情（すなおなこころ）」なども、心《こころ》を表《あらわ》しています。「忄」は「心」と同《おな》じで、左側《ひだりがわ》につくときは「忄（りっしんべん）」の形《かたち》になるので、覚《おぼ》えておきましょう。

また、小学生《しょうがくせい》では習《なら》いませんが、「慕（したう）」という漢字《かんじ》の「⺗（したごころ）」も、心《こころ》を表《あらわ》しています（「したう」は「恋《こい》しく思《おも》う」という意味《いみ》です）。

打

扌2画〔5画〕

音 ダ
訓 うつ

打 はねる

hit［ヒット］

つかいかた

くぎを打《う》つ。

滝《たき》に打《う》たれる。

打楽器《だがっき》。

いみ・ことば

① たたく。うつ。 ●打《う》ち上《あ》げ花火《はなび》。打《う》ち身《み》。打楽器《だがっき》。打破《だは》。強打《きょうだ》。

② 野球《やきゅう》で、球《たま》をうつ。 ●打者《だしゃ》。打席《だせき》。安打《あんだ》。

もっとわかる

●「舌打《したう》ち」は、食《た》べ物《もの》を味《あじ》わうときや腹立《はらだ》たしいときなどに、舌《した》を鳴《な》らすこと。 ●四字熟語《よじじゅくご》…一網打尽《いちもうだじん》（いっぺんに悪者《わるもの》をつかまえること）

なりたち

「丁《ちょう》（T形《がた》につき当《あ》たる）」と「扌（手《て》）」を合《あ》わせて、手《て》で「うちあてる」意《い》を表《あらわ》した。

打 打 打 打 打

投

扌4画〔7画〕

音 トウ
訓 なげる

投 上《うえ》にはねる

throw［すロウ］

つかいかた

石《いし》を投《な》げる。

野球《やきゅう》の投手《とうしゅ》。

投票《とうひょう》する。

いみ・ことば

① 放《ほう》る。なげる。 ●投下《とうか》。投石《とうせき》。投入《とうにゅう》。

② 野球《やきゅう》で、球《たま》をなげる。 ●投手《とうしゅ》。暴投《ぼうとう》。

③ 入《い》れる。送《おく》りこむ。 ●投書《とうしょ》。投票《とうひょう》。

もっとわかる

●特別《とくべつ》な読《よ》み方《かた》…投網《とあみ》 ●四字熟語《よじじゅくご》…意気投合《いきとうごう》（意見《いけん》などがぴったり合《あ》うこと）

なりたち

殳（古い字形）→殳（古い字形）→殳

●「几（ほこ）」と「又（手《て》）」を合《あ》わせた「殳《しゅ》」は、ほこをじっと立《た》てるようす。それと「扌（手の動《うご》き）」を合《あ》わせて、物《もの》をじっと立《た》てて止《と》めることを表《あらわ》した。のち、「なげる」意《い》でも使《つか》われるようになった。

投 投 投 投 投 投 投

指

扌6画〔9画〕

音 シ
訓 ゆび さす

指 左下《ひだりした》に

finger［フィンガァ］

つかいかた

親指姫《おやゆびひめ》の物語《ものがたり》。

太陽《たいよう》を指《さ》す。

指名《しめい》する。

いみ・ことば

① ゆび。 ●指先《ゆびさき》。指輪《ゆびわ》。親指《おやゆび》。小指《こゆび》。指紋《しもん》。

② さし示《しめ》す。 ●指揮《しき》。指示《しじ》。指定《してい》。指導《しどう》。

もっとわかる

●「指折《ゆびお》り」は、指《ゆび》を折《お》って数《かぞ》えること。また、大勢《おおぜい》の中《なか》で特《とく》にすぐれた人物《じんぶつ》の意《い》。

なりたち

旨（古い字形）→旨

●「匕（スプーンの形《かたち》）」と「甘（口《くち》の中《なか》に物《もの》をふくむ形《かたち》）」を合《あ》わせた「旨《し》」は、食《た》べ物《もの》の味《あじ》を舌《した》に伝《つた》えるようす。内容《ないよう》をまっすぐ示《しめ》すというイメージを持《も》つ。それに「扌（手《て》の動《うご》き）」をそえて、指《ゆび》で「さししめす」意《い》を表《あらわ》した。

指 指 指 指 指 指 指 指 指

持

扌6画〔9画〕

音 ジ
訓 もつ

やや長《なが》く

have［ハヴ］

つかいかた

かばんを持《も》つ。

持《も》ち物《もの》を調《しら》べる。

弁当《べんとう》を持参《じさん》する。

いみ・ことば

❶ **身《み》につける。もつ。** ●持《も》ち3主《ぬし》。持《も》ち3物《もの》。1金《かね》持《も》ち。1力《ちから》持《も》ち。持4参《じさん》。3所《しょ》持3品《じひん》。

❷ **もちこたえる。たもつ。** ●持《じ》5久《きゅう》2走《そう》。持4続《じぞく》。持3病《じびょう》。5保《ほ》持《じ》。

もっとわかる

●「持《も》ちつ持《も》たれつ」は、助《たす》けたり助《たす》けられたりするようす。●「持《も》ち回《まわ》り」は、役《やく》目《め》などを仲間《なかま》の間《あいだ》で順番《じゅんばん》に受《う》け持《も》つこと。

なりたち

「寺《じ》（じっと止《と》まる）」と「扌（手《て》の動《うご》き）」を合《あ》わせて、じっと手《て》にとめて「もつ」意《い》を表《あらわ》した。

持 持 持 持 持 持 持 持 持

拾

扌6画〔9画〕

音 （シュウ）（ジュウ）
訓 ひろう

短《みじか》めに

pick up［ピック アップ］

つかいかた

落《お》ち葉《ば》を拾《ひろ》う。

拾《ひろ》い物《もの》をする。

収拾《しゅうしゅう》がつかない。

いみ・ことば

● **ひろう。** ●拾《ひろ》い3物《もの》。3命《いのち》拾《びろ》い。拾5得《しゅうとく》。

もっとわかる

●金額《きんがく》を示《しめ》すとき、「拾《じゅう》」を「十《じゅう》」のかわりとして使《つか》うことがある。●拾《ひろ》った物《もの》の意《い》の「拾《ひろ》い物《もの》」は、予想外《よそうがい》に価値《かち》のある物《もの》を手《て》にする意《い》でも使《つか》われる。●「命《いのち》拾《びろ》い」は、危《あや》ういところで助《たす》かること。

なりたち

「合（ぴったりあって一《ひと》つになる）」と「扌（手《て》の動《うご》き）」を合《あ》わせた形《かたち》。たくさんのものを一《いっ》か所《しょ》に集《あつ》めて取《と》るようすで、「ひろう」意《い》を表《あらわ》した。

拾 拾 拾 拾 拾 拾 拾 拾 拾

放

攵4画〔8画〕

音 ホウ
訓 はなす はなつ はなれる ほうる

又と書《か》かない

release［リリース］

つかいかた

川《かわ》に魚《さかな》を放《はな》す。

蛍《ほたる》が光《ひかり》を放《はな》つ。

荷物《にもつ》を放置《ほうち》する。

いみ・ことば

❶ **つよく出《だ》す。はなつ。ほうり出《だ》す。** ●放《ほう》6射2線《しゃせん》。放1水《ほうすい》。放3送《ほうそう》。放2電《ほうでん》。3追放《ついほう》。

❷ **自由《じゆう》にする。ときはなす。** ●放《はな》し5飼《が》い。4放牧《ほうぼく》。5解放《かいほう》。3開放《かいほう》。▲釈放《しゃくほう》。

❸ **そのままにしておく。** ●放4置《ほうち》。放5任《ほうにん》。

もっとわかる

●「放題《ほうだい》」は、「食《た》べ放題《ほうだい》」「言《い》いたい放《ほう》題《だい》」など、思《おも》うままにする意《い》を表《あらわ》す。

なりたち

「方《ほう》（四方《しほう》に広《ひろ》がる）」と「攵（動《うご》き）」を合《あ》わせた形《かたち》。中心《ちゅうしん》から四方《しほう》に広《ひろ》がるようすで、「はなつ」意《い》を表《あらわ》した。

放 放 放 放 放 放 放 放 放

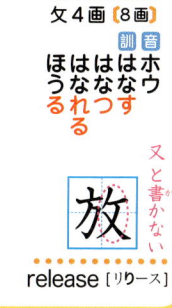

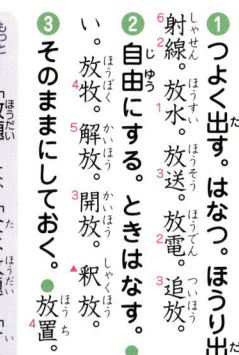

3年

整

攵12画【16画】

音 セイ
訓 ととのえる ととのう

少《すこ》し平《ひら》たく書《か》く　整

put in order［プット イン オーダァ］

つかいかた

服装《ふくそう》を整《とと》える。

本《ほん》を整理《せいり》する。

一列《いちれつ》に整列《せいれつ》する。

いみ・ことば

●そろえる。ととのう。整理《せいり》。整列《せいれつ》。均整《きんせい》。調整《ちょうせい》。●整然《せいぜん》。整備《せいび》。

もっとわかる

●四字熟語《よじじゅくご》…整理整頓《せいりせいとん》（きちんとそろえて、きれいに片《かた》づけられていること）・理路整然《りろせいぜん》（話《はなし》や文章《ぶんしょう》などのすじ道《みち》がきちんと通《とお》っているようす）

なりたち

「正《せい》（まっすぐ）」と「敕（たるみを引《ひ》きしめる）」を組《く》み合《あ》わせた形《かたち》。乱《みだ》れたものを引《ひ》きしめるようすで、「ととのえる」の意《い》を表《あらわ》した。

旅

方6画【10画】

音 リョ
訓 たび

この形《かたち》に注意《ちゅうい》　旅

travel［トラヴェル］

つかいかた

旅支度《たびじたく》をする。

早朝《そうちょう》に旅立《たびだ》つ。

観光旅行《かんこうりょこう》。

いみ・ことば

●家《いえ》をはなれて遠《とお》くへ行《い》くこと。たび。●旅先《たびさき》。旅人《たびびと》。長旅《ながたび》。一人旅《ひとりたび》。船旅《ふなたび》。旅館《りょかん》。旅券《りょけん》。旅行《りょこう》。旅費《りょひ》。

もっとわかる

●「かわいい子《こ》には旅《たび》をさせよ」とは、子《こ》どもをりっぱに育《そだ》てるには苦労《くろう》をさせたほうがよい、ということ。

なりたち

旅

●「㫃（旗《はた》）」と「从（人《ひと》が並《なら》ぶ）」を合《あ》わせた形《かたち》。旗《はた》の下《した》に集《あつ》まって並《なら》ぶ人《ひと》をえがいて、軍隊《ぐんたい》や「たび」のように集団《しゅうだん》で移動《いどう》することを表《あらわ》した。

族

方7画【11画】

音 ゾク
訓 ―

上《うえ》につき出《だ》さない　族

family［ファミリィ］

つかいかた

四人家族《よにんかぞく》。

貴族《きぞく》の生《う》まれ。

水族館《すいぞくかん》に行《い》く。

いみ・ことば

①血《ち》のつながっている人《ひと》。身内《みうち》。●一族《いちぞく》。家族《かぞく》。血族《けつぞく》。皇族《こうぞく》。親族《しんぞく》。

②仲間《なかま》。集《あつ》まり。●族長《ぞくちょう》。種族《しゅぞく》。水族館《すいぞくかん》。部族《ぶぞく》。民族《みんぞく》。

もっとわかる

●「皇族《こうぞく》」は、天皇《てんのう》の一族《いちぞく》のこと。●「核家族《かくかぞく》」は、一組《ひとくみ》の夫婦《ふうふ》とその子《こ》どもで構成《こうせい》される家族《かぞく》のこと。

なりたち

「㫃（旗《はた》）」と「矢」を合《あ》わせた形《かたち》。旗《はた》や矢《や》は武家《ぶけ》のしるしであるところから、仲間《なかま》や身内《みうち》の集《あつ》まりを表《あらわ》した。

3年

昔

日4画〔8画〕

音 （セキ）（シャク）
訓 むかし

上《うえ》の横棒《よこぼう》より長《なが》く

long,long ago ［ろ(ー)ング ろ(ー)ング アゴウ］

つかいかた

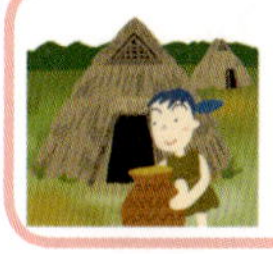
昔《むかし》の生活《せいかつ》。

大昔《おおむかし》の動物《どうぶつ》。

昔話《むかしばなし》を読《よ》む。

いみ・ことば

●**むかし。**●昔《むかし》なじみ。昔《むかし》[2]話《ばなし》。昔《せき》[1]日《じつ》。昔《せき》[1]年《ねん》。[2]今《こん》昔《じゃく》。

もっとわかる

●「昔取《むかしと》ったきねづか」は、若《わか》いころに身《み》につけた技術《ぎじゅつ》やうで前《まえ》が、今《いま》も変《か》わっていないこと。●「十年一昔《じゅうねんひとむかし》」は、十年《じゅうねん》たてば、もう昔《むかし》のことになるということ。

なりたち

昔

●重《かさ》なるしると「日（ひ）」を合《あ》わせた形《かたち》。日数《にっすう》が重《かさ》なるようすをえがいて、「むかし」の意《い》を表《あらわ》した。

昭

日5画〔9画〕

音 ショウ
訓 —

カと書《か》かない

bright ［ブライト］

つかいかた

昭和《しょうわ》の年号《ねんごう》。

昭和《しょうわ》生《う》まれ。

昭和《しょうわ》基地《きち》。

いみ・ことば

●**明《あか》るくかがやく。**●昭《しょう》[3]和《わ》。昭《しょう》[3]和《わ》[1]生《う》まれ。

もっとわかる

●「昭和《しょうわ》」は、「世《よ》の中《なか》が明《あか》るく平和《へいわ》であるように」の意味《いみ》をこめてつけられた年号《ねんごう》。一九二六年《ねん》の一二月《がつ》二五日《にち》から一九八九年《ねん》の一月七日《がつなのか》までをさす。

なりたち

召

●「刀」は、⌒形《がた》に反《そ》っているかたな。「召《しょう》」は、手《て》を⌒形《がた》に反《そ》らして呼《よ》び寄《よ》せること。それに「日」をそえた「昭」は、日《ひ》の光《ひかり》が反射《はんしゃ》して明《あか》るく照《て》らすことを表《あらわ》した。

暑

日8画〔12画〕

音 ショ
訓 あつい

のびのびとはらう

hot ［ハット］

つかいかた

むし暑《あつ》い日《ひ》。

暑《あつ》さをしのぐ。

暑中《しょちゅう》見舞《みま》い。

いみ・ことば

●**気温《きおん》が高《たか》い。あつい。**●暑《しょ》[1]気《き》。暑《しょ》[1]中《ちゅう》。[1]見《み》▲舞《ま》い。▲酷《こく》暑《しょ》。[4]残《ざん》暑《しょ》。▲避《ひ》暑《しょ》[2]地《ち》。

もっとわかる

●同訓異字《どうくんいじ》「あつい」…「暑《あつ》い」は、気《き》温《おん》が高《たか》い意《い》。「熱《あつ》い」は、さわれないほど温度《おんど》が高《たか》い意《い》。「厚《あつ》い」は、本《ほん》や紙《かみ》などにあつみがあること。

なりたち

「者《しゃ》」はこんろにたきぎを集《あつ》めて燃《も》やすようす。熱《ねつ》を集中《しゅうちゅう》させるというイメージを示《しめ》す。それと「日（ひ）」を合《あ》わせて、太陽《たいよう》の熱《ねつ》をあびて「あつい」ことを表《あらわ》した。

暗

日9画〔13画〕

音 アン
訓 くらい

暗 上《うえ》の横棒《よこぼう》より長《なが》く

dark［ダーク］

つかいかた

辺《あた》りが暗《くら》い。

暗《くら》やみを進《すす》む。

九九《くく》を暗記《あんき》する。

いみ・ことば

❶ **光《ひかり》が足《た》りない。くらい。** ●暗雲《あんうん》。暗黒《あんこく》。暗室《あんしつ》。暗転《あんてん》。明暗《めいあん》。

❷ **かくれて見《み》えない。人《ひと》に知《し》れない。** ●暗号《あんごう》。暗殺《あんさつ》。暗示《あんじ》。暗礁《あんしょう》。

❸ **頭《あたま》の中《なか》で。** ●暗記《あんき》。暗算《あんざん》。暗唱《あんしょう》。

もっとわかる

● 四字熟語《よじじゅくご》…暗中模索《あんちゅうもさく》（手《て》がかりもないまま、あれこれ探《さぐ》ること）

なりたち

「音《おん》（中《なか》に入《い》れてふさぐ）」と「日（ひ）」を合《あ》わせた形《かたち》。太陽《たいよう》の光《ひかり》がふさがれて「くらい」ようすを表《あらわ》した。

暗 暗 暗 暗 暗 暗 暗 暗

曲

日2画〔6画〕

音 キョク
訓 まがる まげる

曲 上《うえ》につき出《だ》す

curve［カーヴ］

つかいかた

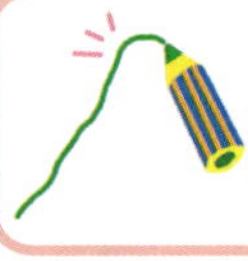
線《せん》が曲《ま》がる。

棒《ぼう》を曲《ま》げる。

曲《きょく》を作《つく》る。

いみ・ことば

❶ **まがる。まげる。** ●曲線《きょくせん》。曲折《きょくせつ》。

❷ **すなおでない。** ●曲直《きょくちょく》。曲解《きょっかい》。

❸ **変化《へんか》がある。** ●曲芸《きょくげい》。

❹ **音楽《おんがく》のふし。きょく。** ●曲目《きょくもく》。行進曲《こうしんきょく》。作曲《さっきょく》。新曲《しんきょく》。名曲《めいきょく》。謡曲《ようきょく》。

もっとわかる

● 「曲解《きょっかい》」とは、人《ひと》の言動《げんどう》をねじ曲《ま》げて解釈《かいしゃく》すること。● 四字熟語《よじじゅくご》…紆余曲折《うよきょくせつ》（こみ入《い》っていて、すんなりいかないこと）

なりたち

→曲 ● L形《がた》の定規《じょうぎ》をえがいて、入《い》りくんで「まがる」意《い》を表《あらわ》した。

曲 曲 曲 曲 曲 曲

有

月2画〔6画〕

音 ユウ（ウ）
訓 ある

有 はねる

have［ハヴ］

つかいかた

有《あ》り余《あま》るパワー。

有名《ゆうめい》になる。

有料《ゆうりょう》道路《どうろ》。

いみ・ことば

❶ **ある。** ●有意義《ゆういぎ》。有害《ゆうがい》。有効《ゆうこう》。有能《ゆうのう》。

❷ **もつ。** ●有権者《ゆうけんしゃ》。国有《こくゆう》。私有《しゆう》。所有《しょゆう》。

もっとわかる

● 「ウ」という読《よ》みは、「有無《うむ》」などのことばに使《つか》われる。● 四字熟語《よじじゅくご》…有象《うぞう》無象《むぞう》（数《かず》ばかり多《おお》くて価値《かち》のないもの）・有言実行《ゆうげんじっこう》（言《い》ったことを実行《じっこう》すること）

なりたち

→→有 ● 「又《ゆう》」は右《みぎ》手《て》の形《かたち》で、物《もの》を囲《かこ》うイメージを示《しめ》す。それと「月（肉《にく》）」を合《あ》わせて、肉《にく》を囲《かこ》いこんで自分《じぶん》のものにすること、また、囲《かこ》まれた中《なか》に「ある」意《い》を表《あらわ》した。

有 有 有 有 有 有

服

月4画〔8画〕

音 フク
訓 —

この形《かたち》に注意《ちゅうい》 服

clothes［クろウズ］

つかいかた

衣服《いふく》を着《き》る。

主人《しゅじん》に服従《ふくじゅう》する。

お茶《ちゃ》で一服《いっぷく》する。

いみ・ことば

❶きるもの。ふく。●服装《ふくそう》[6]。衣服《いふく》[4]。制服《せいふく》[5]。
❷つきしたがう。●服従《ふくじゅう》[6]。征服《せいふく》▲。不服《ふふく》[4]。
❸（薬《くすり》・茶《ちゃ》などを）飲《の》む。●一服《いっぷく》[1]。内服《ないふく》[2]。

もっとわかる

●「一服《いっぷく》する」は、「ここらで一服《いっぷく》しよう」のように、ひと休《やす》みする意《い》でも使《つか》われる。

なりたち

↓服
●「𠬝」は、人《ひと》の背中《せなか》にぴったり手《て》をつけること。それに「舟（ふね）」の変形《へんけい》である「月」をそえて、ふねの両《りょう》側《がわ》に板《いた》をぴったりつけるようすから、人《ひと》の体《からだ》にぴったりつける「きもの」を表《あらわ》した。

期

月8画〔12画〕

音 キ（ゴ）
訓 —

はねる 期

term［ターム］

つかいかた

賞味期限《しょうみきげん》。

期待《きたい》にこたえる。

電車《でんしゃ》の定期券《ていきけん》。

いみ・ことば

❶決《き》められた日時《にちじ》。とき。●期限《きげん》[5]。延《えん》[6]期《き》。学期《がっき》[1]。時期《じき》[2]。短期《たんき》[3]。長期《ちょうき》[2]。任期《にんき》[5]。
❷あてにする。●期待《きたい》[3]。予期《よき》[3]。

もっとわかる

●「ゴ」という読《よ》みは、「最期《さいご》」「末期《まつご》」（どちらも、死《し》ぬときの意《い》）などに使《つか》われる。

なりたち

↓其
●「其《き》」は四角《しかく》い道具《どうぐ》の形《かたち》で、四《よっ》つに区切《くぎ》るイメージを示《しめ》す。それと「月（つき）」を合《あ》わせて、月《つき》が、半月《はんげつ》→満月《まんげつ》→半月《はんげつ》→新月《しんげつ》とめぐるようすから、きちんと決《き》められた一定《いってい》の時間《じかん》を表《あらわ》した。

板

木4画〔8画〕

音 ハン バン
訓 いた

とめる 板

board［ボード］

つかいかた

まな板《いた》にのせる。

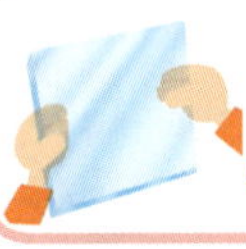
ガラスの板《いた》。

看板《かんばん》を立《た》てる。

いみ・ことば

❶平《ひら》たくてうすいもの。いた。●板《いた》の間《ま》[2]。天井板《てんじょういた》[1][4]。戸板《といた》[2]。床板《ゆかいた》▲。黒板《こくばん》[2]。鉄板《てっぱん》[3]。
❷変化《へんか》にとぼしい。●平板《へいばん》[3]。

もっとわかる

●「板《いた》につく」とは、態度《たいど》やしぐさがその地位《ちい》や仕事《しごと》などにふさわしくなる意《い》。
●「立《た》て板《いた》に水《みず》」とは、よどみなく、すらすらとしゃべることのたとえ。

なりたち

「反《はん》（そりかえる）」と「木（き）」を合《あ》わせて、そりかえるくらいうすい木《き》の「いた」を表《あらわ》した。

柱

木5画〔9画〕
音 チュウ
訓 はしら
長《なが》く
pillar［ピラァ］

つかいかた

柱《はしら》に額《がく》をかける。

茶柱《ちゃばしら》が立《た》つ。

電柱《でんちゅう》にぶつかる。

いみ・ことば

●ささえとなるもの。はしら。●柱《はしら》時[2]計[2]《どけい》。▲霜柱《しもばしら》。大[1]黒[2]柱《だいこくばしら》。円[1]柱《えんちゅう》。電[2]柱《でんちゅう》。

もっとわかる

●「大黒柱《だいこくばしら》」は、家《いえ》をささえる太《ふと》い柱《はしら》。また、家《いえ》や団体《だんたい》の中心《ちゅうしん》となる人《ひと》の意《い》でも使《つか》われる。●「茶柱《ちゃばしら》が立《た》つ」とは、注《そそ》いだお茶《ちゃ》の中《なか》で、お茶《ちゃ》のくきが縦《たて》に浮《う》かぶこと。縁起《えんぎ》がよいとされる。

なりたち

「主《しゅ》（一《いっ》か所《しょ》にじっとする）」と「木（き）」を合《あ》わせて、建物《たてもの》をじっとささえて立《た》つ「はしら」を表《あらわ》した。

柱 柱 柱 柱 柱 柱 柱 柱

根

木6画〔10画〕
音 コン
訓 ね
この形《かたち》に注意《ちゅうい》
root［ルート］

つかいかた

地中《ちちゅう》に根《ね》を張《は》る。

根元《ねもと》から抜《ぬ》く。

根気《こんき》のいる仕事《しごと》。

いみ・ことば

①草《くさ》や木《き》のね。●根元《ねもと》。根毛[2]《こんもう》。球[3]根《きゅうこん》。
②物事《ものごと》のもと。●根▲拠《こんきょ》。根源[5]《こんげん》。根底[4]《こんてい》。
③物事《ものごと》にたえる力《ちから》。●根気[1]《こんき》。根性[5]《こんじょう》。

もっとわかる

●「根《ね》も葉《は》もない」は、何《なん》の根拠《こんきょ》もないの意《い》。●「根《こん》をつめる」は、一《ひと》つのことに集中《しゅうちゅう》する意《い》。

なりたち

→艮

●「艮《こん》」は、目《め》のまわりにナイフで傷《きず》をつけるようす。ずっとあとが残《のこ》るイメージを示《しめ》す。それに「木（き）」をそえて、ずっと残《のこ》る木《き》の「ね」を表《あらわ》した。

根 根 根 根 根 根 根 根 根

植

木8画〔12画〕
音 ショク
訓 うえる うわる
折《お》る
plant［プラント］

つかいかた

木《き》を植《う》える。

観葉植物《かんようしょくぶつ》。

記念植樹《きねんしょくじゅ》。

いみ・ことば

①草《くさ》や木《き》をうえる。●植木[1]《うえき》。田[1]植《たう》え。▲鉢《はち》植《う》え。植《う》え。植樹[6]《しょくじゅ》。植林《しょくりん》。移[5]植《いしょく》。
②草《くさ》や木《き》。●植物[3]《しょくぶつ》。
③人々《ひとびと》をある場所《ばしょ》にうつして、土地《とち》を切《き》りひらかせる。●植民[4]地[2]《しょくみんち》。入[1]植《にゅうしょく》。

もっとわかる

●「植《しょく》」には、活字《かつじ》を組《く》むという意味《いみ》もあり、文字《もじ》などの誤《あやま》りを「誤植《ごしょく》」という。

なりたち

「直《ちょく》（まっすぐ）」と「木（き）」とを組《く》み合《あ》わせて、木《き》をまっすぐに「うえる」意《い》を表《あらわ》した。

植 植 植 植 植 植 植 植

業

木9画〔13画〕

音 ギョウ （ゴウ）

訓 （わざ）

業 いちばん長《なが》く

work［ワーク］

つかいかた

犯人《はんにん》の仕業《しわざ》。

細《こま》かい作業《さぎょう》。

授業《じゅぎょう》を受《う》ける。

いみ・ことば

①仕事《しごと》。つとめ。●業者《ぎょうしゃ》。業務《ぎょうむ》。営業《えいぎょう》。工業《こうぎょう》。作業《さぎょう》。産業《さんぎょう》。授業《じゅぎょう》。職業《しょくぎょう》。農業《のうぎょう》。

②行《おこな》ったこと。●業績《ぎょうせき》。▲偉業《いぎょう》。

③悪《あく》のむくいとなる行《おこな》い。●業苦《ごうく》。悪業《あくごう》。

もっとわかる

●「ゴウ」の読《よ》みは「悪業《あくごう》」などに、「わざ」の読みは「仕業《しわざ》」などに使《つか》われる。

なりたち

業→業 ●楽器《がっき》をつるす横木《よこぎ》をかける台座《だいざ》をえがいた形《かたち》。この台座《だいざ》に、ぎざぎざしてつかえるイメージがあるところから、つかえてはかどらない仕事《しごと》や勤《つと》めを表《あらわ》した。

様

木10画〔14画〕

音 ヨウ

訓 さま

様 はねる

state［ステイト］

つかいかた

風変《ふうが》わりな様《さま》。

様子《ようす》をうかがう。

山本花子様《やまもとはなこさま》。

いみ・ことば

①かたち。ありさま。●様子《ようす》。様相《ようそう》。一様《いちよう》。異様《いよう》。多様《たよう》。同様《どうよう》。

②図《ず》がら。もよう。●文様《もんよう》。

③決《き》まった形《かたち》。形式《けいしき》。●様式《ようしき》。仕様《しよう》。

④名前《なまえ》や呼《よ》び名《な》につけて、相手《あいて》に敬意《けいい》を表《あらわ》すことば。●▲奥様《おくさま》。ご主人様《しゅじんさま》。山田様《やまださま》。

なりたち

もとの字《じ》は「樣」。「羕」は、形《かたち》がはっきりしているというイメージを示《しめ》す。それに「木（き）」をそえて、ほかのモデルとなるような「きまったかたち」を表《あらわ》した。

横

木11画〔15画〕

音 オウ

訓 よこ

横 つき出《だ》す

side［サイド］

つかいかた

横《よこ》になる。

横目《よこめ》で見《み》る。

車《くるま》が横転《おうてん》する。

いみ・ことば

①よこ。●横顔《よこがお》。横腹《よこばら》。横道《よこみち》。横目《よこめ》。横文字《よこもじ》。横断《おうだん》。横転《おうてん》。

②わがままな。勝手《かって》な。●横車《よこぐるま》。横行《おうこう》。横暴《おうぼう》。横領《おうりょう》。専横《せんおう》。

もっとわかる

●四字熟語《よじじゅくご》…縦横無尽《じゅうおうむじん》（自分《じぶん》の思《おも》い通《どお》りにするようす）●「横槍《よこやり》を入《い》れる」は、関係《かんけい》のない人《ひと》がわきから文句《もんく》を言《い》う意《い》。

なりたち

「黄《おう》（四方《しほう》に広《ひろ》がる）」と「木（き）」を合《あ》わせて、門《もん》の中心《ちゅうしん》から「よこ」に広《ひろ》がる木《き》を表《あらわ》した。

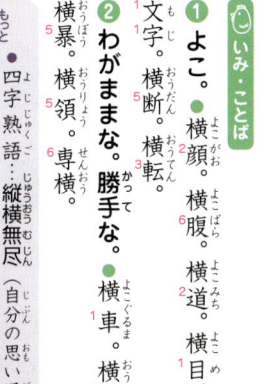

橋

木12画〔16画〕

音 キョウ
訓 はし

左下《ひだりした》に

bridge［ブリッヂ］

つかいかた

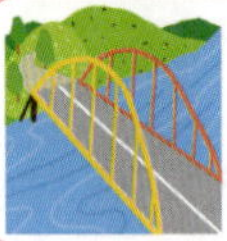

橋《はし》をかける。

つり橋《ばし》を渡《わた》る。

歩道橋《ほどうきょう》を渡《わた》る。

いみ・ことば

● 川《かわ》や道《みち》などの上《うえ》にかけ渡《わた》した通路《つうろ》。はし。● 橋《はし》げた。石橋《いしばし》。二重橋《にじゅうばし》。丸木《まるき》橋《ばし》。鉄橋《てっきょう》。歩道橋《ほどうきょう》。陸橋《りっきょう》。

もっとわかる

● 「橋渡《はしわた》しをする」「かけ橋《はし》となる」のように、「橋《はし》」は人《ひと》と人《ひと》の間《あいだ》を取《と》り持《も》つものという意《い》でも使《つか》われる。

なりたち

喬 → 喬

● 「喬《きょう》」は「高」の上《うえ》の部分《ぶぶん》を「夭（曲《ま》がるしるし）」にかえて、高《たか》くて上《うえ》が曲《ま》がるイメージを示《しめ》す。それと「木（き）」を合《あ》わせて、川《かわ》の上《うえ》に高《たか》くかけた「はし」を表《あらわ》した。

次

欠2画〔6画〕

音 ジ（シ）
訓 つぐ
つぎ

冫と書《か》かない

next［ネクスト］

つかいかた

次《つぎ》の電車《でんしゃ》を待《ま》つ。

ぼくは次男《じなん》だ。

目次《もくじ》を見《み》る。

いみ・ことば

① 二番目《にばんめ》の。つぎの。● 次回《じかい》。次女《じじょ》。次席《じせき》。次点《じてん》。次男《じなん》。

② 順序《じゅんじょ》。● 次元《じげん》。式次《しきじ》。順次《じゅんじ》。席次《せきじ》。

③ 回数《かいすう》を表《あらわ》すことば。● 二次試験《にじしけん》。

もっとわかる

● 「シ」という読《よ》みは、「次第《しだい》」などのことばに使《つか》われる。

なりたち

「二（ならぶ）」と「欠（人《ひと》があくびをする）」を合《あ》わせた形《かたち》。旅《たび》のとちゅう、人《ひと》がならんで休《やす》むようすをえがいて、「ひと休《やす》みする」「つぎつぎにならぶ」などの意《い》を表《あらわ》した。

死

歹2画〔6画〕

音 シ
訓 しぬ

短《みじか》めに

die［ダイ］

つかいかた

魚《さかな》が死《し》ぬ。

死者《ししゃ》の供養《くよう》。

死守《ししゅ》する。

いみ・ことば

① 命《いのち》がなくなる。しぬ。● 死因《しいん》。死期《しき》。死後《しご》。死者《ししゃ》。死体《したい》。死別《しべつ》。死亡《しぼう》。生死《せいし》。

② 命《いのち》がけ。● 死守《ししゅ》。死力《しりょく》。必死《ひっし》。

もっとわかる

● 四字熟語《よじじゅくご》…起死回生《きしかいせい》（絶望的《ぜつぼうてき》な状態《じょうたい》を立《た》て直《なお》すこと）・不老不死《ふろうふし》（年《とし》をとらず、死《し》ぬこともない。永遠《えいえん》に生《い》き続《つづ》けること）

なりたち

● 「歹（骨《ほね》のかけら）」と「匕（人《ひと》）」を合《あ》わせた形《かたち》。ばらばらになった人《ひと》の骨《ほね》をえがいて、「しぬ」の意《い》を表《あらわ》した。

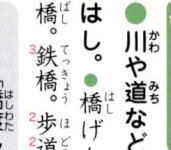

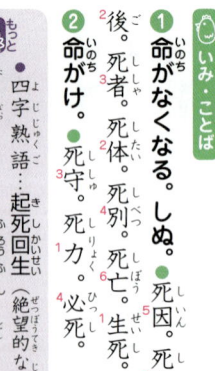

氷

水1画〔5画〕

音 ヒョウ
訓 こおり　（ひ）

氷（はねる）

ice［アイス］

つかいかた

氷《こおり》の上《うえ》をすべる。

かき氷《ごおり》を食《た》べる。

流氷《りゅうひょう》が来《く》る。

いみ・ことば

● **こおる。こおり。** ● 氷《こおり》[6]砂[6]糖《ざとう》。かき氷《ごおり》。[5]氷河《ひょうが》。[4]氷結《ひょうけつ》。[2]氷雪《ひょうせつ》。[2]氷点《ひょうてん》。[3]流氷《りゅうひょう》。

もっとわかる

● 「ひ」という読《よ》みは、「氷雨《ひさめ》」などのことばに使《つか》われる。● 「氷山《ひょうざん》の一角《いっかく》」は、わかったことが大《おお》きな物事《ものごと》のほんの一《いち》部《ぶ》にすぎないことを表《あらわ》すことば。

なりたち

↓ 氷

● 「冰」の変化《へんか》したもの。水《みず》がこおったときにできるすじや割《わ》れ目《め》を示《しめ》した「冫」と「水」を合《あ》わせて、「こおり」を表《あらわ》した。

決

氵4画〔7画〕

音 ケツ
訓 きめる　きまる

決（右《みぎ》につき出《だ》す）

decide［ディサイド］

つかいかた

多数決《たすうけつ》で決《き》める。

主役《しゅやく》が決《き》まる。

決着《けっちゃく》がつく。

いみ・ことば

① **きまる。きめる。** ● 決《けっ》[3]意《い》。決心《けっしん》[2]。決《けつ》[5]断《だん》。決着《けっちゃく》[3]。決定《けってい》[3]。[5]解決《かいけつ》。[5]可決《かけつ》。[3]対決《たいけつ》。

② **切《き》れる。破《やぶ》れる。** ● 決▲壊《けっかい》。決▲裂《けつれつ》。

③ **思《おも》い切《き》ってする。** ● 決起《けっき》[3]。決行《けっこう》[2]。決然《けつぜん》[4]。

もっとわかる

● 四字熟語《よじじゅくご》…即断即決《そくだんそっけつ》（その場《ば》ですぐに決《き》めること）

なりたち

↓ 決

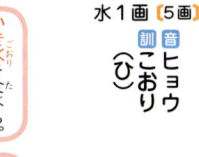

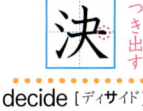

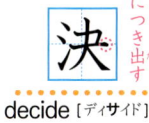

● 「夬《かい》」は、コ形《がた》に手《て》でえぐりとるようす。それと「氵（水《みず》）」を合《あ》わせて、川《かわ》の土手《どて》をえぐりとって水《みず》を外《そと》に流《なが》すことから、きっぱりと二《ふた》つに切《き》って「わける」意《い》を表《あらわ》した。

泳

氵5画〔8画〕

音 エイ
訓 およぐ

泳（はねる）

swim［スウィム］

つかいかた

魚《さかな》が泳《およ》ぐ。

平泳《ひらおよ》ぎで進《すす》む。

水泳《すいえい》の選手《せんしゅ》。

いみ・ことば

● **およぐ。** ● [1]立《た》ち泳《およ》ぎ。[3]平泳《ひらおよ》ぎ。[4]競泳《きょうえい》。[1]水泳《すいえい》。[6]背泳《はいえい》。[3]遊泳《ゆうえい》。

もっとわかる

● 人《ひと》ごみや世《よ》の中《なか》を海《うみ》にたとえて、「人《ひと》ごみの中《なか》を泳《およ》いで進《すす》む」「政界《せいかい》を泳《およ》ぐ」のように使《つか》われることもある。

なりたち

↓ 永

● 「永《えい》」は、川《かわ》がいくつにも分《わ》かれて流《なが》れる形《かたち》で、どこまでもながく続《つづ》くというイメージを示《しめ》す。それと「氵（水《みず》）」を合《あ》わせて、水《みず》の上《うえ》にながく浮《う》かぶこと、つまり「およぐ」の意《い》を表《あらわ》した。

3年

注

氵5画【8画】

音 チュウ
訓 そそぐ

注　長《なが》く

pour［ポー］

つかいかた

水《みず》を注《そそ》ぐ。

注目《ちゅうもく》の的《まと》。

注文《ちゅうもん》をとる。

いみ・ことば

①そそぐ。●注射《ちゅうしゃ》。注水《ちゅうすい》。注入《ちゅうにゅう》。
②心《こころ》や目《め》をむける。●注意《ちゅうい》。注目《ちゅうもく》。
③たのむこと。●注文《ちゅうもん》。受注《じゅちゅう》。発注《はっちゅう》。
④意味《いみ》を明《あき》らかにする。●注解《ちゅうかい》。注記《ちゅうき》。注釈《ちゅうしゃく》。頭注《とうちゅう》。補注《ほちゅう》。

もっとわかる

●「注文《ちゅうもん》をつける」とは、あれこれ条件《じょうけん》や希望《きぼう》などを言《い》うこと。

なりたち

「主《しゅ》（一《いっ》か所《しょ》にじっとする）」と「氵（水《みず》）」を合《あ》わせて、水《みず》を一《いっ》か所《しょ》に動《うご》かないように「そそぎ入《い》れる」意《い》を表《あらわ》した。

波

氵5画【8画】

音 ハ
訓 なみ

波　つき出《だ》す

wave［ウェイヴ］

つかいかた

波《なみ》に乗《の》る。

波紋《はもん》が広《ひろ》がる。

電波《でんぱ》が届《とど》く。

いみ・ことば

①なみ。なみ立《だ》つ。●波打《なみう》ち際《ぎわ》。波乗《なみの》り。波間《なみま》。津波《つなみ》。波紋《はもん》。波浪《はろう》。余波《よは》。
②なみのような動《うご》き。●波長《はちょう》。音波《おんぱ》。寒波《かんぱ》。短波《たんぱ》。電波《でんぱ》。

もっとわかる

●特別《とくべつ》な読《よ》み方《かた》…波止場《はとば》　●「波《なみ》に乗《の》る」は、時《とき》の流《なが》れや勢《いきお》いに乗《の》る意《い》でも使《つか》われることば。

なりたち

↓
皮

●「皮《ひ》（ななめにかぶる）」と「氵（水《みず》）」を合《あ》わせて、ななめにかぶさってくる水《みず》、「なみ」を表《あらわ》した。

油

氵5画【8画】

音 ユ
訓 あぶら

油　上《うえ》につき出《だ》す

oil［オイる］

つかいかた

油《あぶら》であげる。

油絵《あぶらえ》をかく。

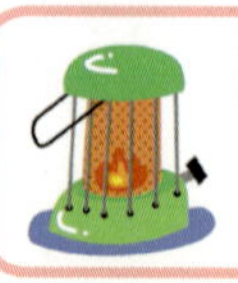
石油《せきゆ》ストーブ。

いみ・ことば

●あぶら。●油絵《あぶらえ》。油紙《あぶらがみ》。ごま油《あぶら》。油性《ゆせい》。油田《ゆでん》。給油《きゅうゆ》。軽油《けいゆ》。原油《げんゆ》。重油《じゅうゆ》。製油《せいゆ》。石油《せきゆ》。灯油《とうゆ》。

もっとわかる

●同訓異字《どうくんいじ》「あぶら」…「油《あぶら》」は、液体《えきたい》のあぶら。「脂《あぶら》」は、動物《どうぶつ》などの固体《こたい》のあぶら。●四字熟語《よじじゅくご》…油断大敵《ゆだんたいてき》（油断《ゆだん》は失敗《しっぱい》のもとだから、油断《ゆだん》するなということ）

なりたち

「由《ゆ》（通《とお》りぬけて出《で》てくる）」と「氵（水《みず》）」を合《あ》わせて、なめらかで通《とお》りのよい液体《えきたい》、「あぶら」を表《あらわ》した。

洋

氵6画〔9画〕

音 ヨウ
訓 ―

上《うえ》につき出《だ》さない

ocean［オウシャン］

つかいかた

太平洋《たいへいよう》を渡《わた》る。

東洋《とうよう》の医学《いがく》。

西洋《せいよう》の医学《いがく》。

いみ・ことば

①大《おお》きな海《うみ》。●海洋《かいよう》。大西洋《たいせいよう》。太平洋《たいへいよう》。

②世界《せかい》を東西《とうざい》に分《わ》けた部分《ぶぶん》。●西洋《せいよう》。東洋《とうよう》。

③西洋《せいよう》のこと。●洋画《ようが》。洋式《ようしき》。洋室《ようしつ》。洋服《ようふく》。

もっとわかる

●四字熟語《よじじゅくご》…前途洋々《ぜんとようよう》（前方《ぜんぽう》に明《あか》るい未《み》来《らい》が広《ひろ》がっていること）

なりたち

→羊

●「羊《よう》」はひつじ。ひつじはゆったりと丸《まる》みをおびて形《かたち》が美《うつく》しいので、たっぷりと豊《ゆた》かというイメージを示《しめ》す。それと「氵（水《みず》）」を合《あ》わせて、水《みず》が豊《ゆた》かに広《ひろ》がる大《おお》きな海《うみ》を表《あらわ》した。

洋洋洋洋洋洋洋洋

消

氵7画〔10画〕

音 ショウ
訓 きえる　けす

はねる

extinguish［イクスティングウィッシュ］

つかいかた

明《あ》かりが消《き》える。

文字《もじ》を消《け》す。

傷《きず》を消毒《しょうどく》する。

いみ・ことば

①なくなる。きえる。●消失《しょうしつ》。解消《かいしょう》。

②使《つか》いつくす。けす。●消化《しょうか》。消去《しょうきょ》。消費《しょうひ》。

③ひかえめ。●消極的《しょうきょくてき》。

もっとわかる

●四字熟語《よじじゅくご》…雲散霧消《うんさんむしょう》（あとかたもなく消《き》え去《さ》ること）

なりたち

→肖

●「肖《しょう》」は、木《き》やねん土《ど》をけずって人《ひと》に似《に》せた小《ちい》さな像《ぞう》を作《つく》るようす。けずって小《ちい》さくなるイメージを示《しめ》す。それに「氵（水《みず》）」をそえて、土《つち》や砂《すな》が水《みず》にけずられてなくなる、「きえる」の意《い》を表《あらわ》した。

消消消消消消消消

流

氵7画〔10画〕

音 リュウ（ル）
訓 ながれる　ながす

上《うえ》にはねる

flow［フロウ］

つかいかた

川《かわ》が流《なが》れる。

なみだを流《なが》す。

病《やまい》が流行《りゅうこう》する。

いみ・ことば

①ながれる。ながれ。●流域《りゅういき》。流血《りゅうけつ》。流出《りゅうしゅつ》。流星《りゅうせい》。流氷《りゅうひょう》。急流《きゅうりゅう》。電流《でんりゅう》。放流《ほうりゅう》。

②広《ひろ》まる。●流言《りゅうげん》。流行《りゅうこう》。流通《りゅうつう》。流布《るふ》。

③学問《がくもん》や芸術《げいじゅつ》などの一派《いっぱ》。やり方《かた》。●流儀《りゅうぎ》。流派《りゅうは》。自己流《じこりゅう》。

なりたち

→流

●「㐬」は、「𠫓（頭《あたま》を下《した》にして産《う》まれる赤《あか》ちゃん）」と「川（水《みず》が分《わ》かれ出《で》る）」を合《あ》わせて、赤《あか》ちゃんが産《う》まれるときに羊水《ようすい》がながれ出《で》るようす。それと「氵（水《みず》）」を合《あ》わせて、水《みず》が「ながれる」意《い》を表《あらわ》した。

流流流流流流流流

深

氵8画【11画】

音 シン
訓 ふかい ふかまる ふかめる

この形《かたち》に注意《ちゅうい》 深

deep［ディープ］

つかいかた

深《ふか》い海《うみ》。

友情《ゆうじょう》を深《ふか》める。

深夜放送《しんやほうそう》。

いみ・ことば

① ふかい。おくぶかい。●深遠《しんえん》。深海《しんかい》。深呼吸《しんこきゅう》。深山《しんざん》。水深《すいしん》。

② 程度《ていど》が大《おお》きい。●深手《ふかで》。深刻《しんこく》。深夜《しんや》。

もっとわかる

●四字熟語《よじじゅくご》…深謀遠慮《しんぼうえんりょ》（物事《ものごと》を深《ふか》く考《かんが》えて、先《さき》の先《さき》まで見通《みとお》しを立《た》てること）

なりたち

深 → 深　●「罙」の古《ふる》い形《かたち》は、「穴（かまどのあな）」と「火（ひ）」と「求」の略《りゃく》したものを合《あ》わせた形《かたち》で、かまどのおくに火種《ひだね》を求《もと》めるようすをえがいた。それに「氵（水《みず》）」をそえて、水《みず》が「ふかい」意《い》を表《あらわ》した。

温

氵9画【12画】

音 オン
訓 あたたか あたたかい あたたまる あたためる

皿と書《か》かない 温

warm［ウォーム］

つかいかた

温《あたた》かい牛乳《ぎゅうにゅう》。

おふろで温《あたた》まる。

温水《おんすい》プール。

いみ・ことば

① あたたかい。●温室《おんしつ》。温水《おんすい》。温暖《おんだん》。

② あたたかさの度合《どあ》い。●気温《きおん》。体温《たいおん》。

③ おだやか。●温厚《おんこう》。温順《おんじゅん》。温和《おんわ》。

もっとわかる

●四字熟語《よじじゅくご》…温故知新《おんこちしん》（昔《むかし》のことを調《しら》べて、新《あたら》しいことを知《し》ること）

なりたち

温 → 温　●もとの字《じ》は「溫」。「囚（中《なか》に入《い》れる）」と「皿（さら）」を合《あ》わせた「昷」は、食器《しょっき》の中《なか》の食《た》べ物《もの》の熱《ねつ》をにがさないようにするようすをえがいた形《かたち》。それに「氵（水《みず》）」をそえて、「あたたかい」意《い》を表《あらわ》した。

湖

氵9画【12画】

音 コ
訓 みずうみ

はねる 湖

lake［レイク］

つかいかた

湖《みずうみ》が見《み》える。

湖面《こめん》に月《つき》が映《うつ》る。

湖畔《こはん》の宿《やど》。

いみ・ことば

● みずうみ。●湖岸《こがん》。湖上《こじょう》。湖水《こすい》。湖畔《こはん》。湖面《こめん》。火口湖《かこうこ》。人造湖《じんぞうこ》。

もっとわかる

●「みずうみ」は「水海《みずうみ》」の意《い》で、池《いけ》や沼《ぬま》よりも大《おお》きくて深《ふか》いもの。ふつう、水深《すいしん》五メートル以上《いじょう》で、周囲《しゅうい》を陸地《りくち》に囲《かこ》まれているところを指《さ》す。

なりたち

「胡《こ》」は、あごの下《した》に垂《た》れ下《さ》がる肉《にく》のことから、垂《た》れ下《さ》がるというイメージを示《しめ》す。それと「氵（水《みず》）」を合《あ》わせて、地《ち》の底《そこ》へ垂《た》れ下《さ》がったような大《おお》きな水《みず》たまり、「みずうみ」を表《あらわ》した。

港

氵9画〔12画〕

音 コウ
訓 みなと

港 上《うえ》にはねる

port［ポート］

つかいかた

港《みなと》に船《ふね》が着《つ》く。

港町《みなとまち》で暮《く》らす。

国際空港《こくさいくうこう》。

いみ・ことば

● 船《ふね》のとまるみなと。 ● 港《みなと》江《え》。港町《みなとまち》。[1]入港《にゅうこう》。[3]開港《かいこう》。[5]寄港《きこう》。[4]漁港《ぎょこう》。[1]出港《しゅっこう》。[3]商港《しょうこう》。[5][5]貿易港《ぼうえきこう》。

もっとわかる

● 「空港《くうこう》」は、飛行機《ひこうき》のとまるところ。飛行機《ひこうき》を船《ふね》に見立《みた》てたもの。●「港江《みなとえ》」は、港《みなと》のある入《い》り江《え》。●「不凍港《ふとうこう》」は、一年《いちねん》じゅうこおることのない港《みなと》。

なりたち

「巷《こう》（村人《むらびと》がいっしょに通《とお》る道《みち》）」と「氵（水《みず》）」を合《あ》わせて、船《ふね》がいっしょに通《とお》る水路《すいろ》や「みなと」を表《あらわ》した。

港 港 港 港 港 港 港 港

湯

氵9画〔12画〕

音 トウ
訓 ゆ

湯 昜と書《か》かない

hot water［ハットウォータァ］

つかいかた

お湯《ゆ》がわく。

湯気《ゆげ》が立《た》つ。

熱湯《ねっとう》を注《そそ》ぐ。

いみ・ことば

● 水《みず》をわかしたもの。ゆ。 ● 湯《ゆ》あみ。[1]湯気《ゆげ》。[2]湯船《ゆぶね》。[1]湯水《ゆみず》。ぬるま湯《ゆ》。[4]湯治《とうじ》。[6]銭湯《せんとう》。[4]熱湯《ねっとう》。[3]薬湯《やくとう》。

もっとわかる

● 「湯桶読《ゆとうよ》み」は、熟語《じゅくご》の読《よ》み方《かた》の一《ひと》つ。「湯桶《ゆとう》」のように、上《うえ》を訓読《くんよ》み、下《した》を音《おん》読《よ》みにする。「手帳《てちょう》」「道順《みちじゅん》」などがある。湯桶《ゆとう》読《よ》みの反対《はんたい》を「重箱読《じゅうばこよ》み」という。

なりたち

「昜《よう》（高《たか》く上《あ》がる）」と「氵（水《みず》）」を合《あ》わせて、太陽《たいよう》のように熱《あつ》くてゆげの上《あ》がる「ゆ」を表《あらわ》した。

湯 湯 湯 湯 湯 湯 湯 湯

漢

氵10画〔13画〕

音 カン
訓 ―

漢 上《うえ》につき出《だ》さない

Chinese［チャイニーズ］

つかいかた

熱血漢《ねっけつかん》の主人公《しゅじんこう》。

漢字《かんじ》を習《なら》う。

漢方薬《かんぽうやく》を飲《の》む。

いみ・ことば

① 中国《ちゅうごく》に関《かん》すること。 ● [1]漢字《かんじ》。[1]漢文《かんぶん》。
② 男《おとこ》の人《ひと》。 ● [4]好漢《こうかん》。[4][3]熱血漢《ねっけつかん》。

もっとわかる

● 昔《むかし》、中国《ちゅうごく》に「漢《かん》」という名《な》の国《くに》があったところから、中国《ちゅうごく》に関《かん》することを表《あらわ》す。

なりたち

莫

● 「莫」は、「革（動物《どうぶつ》のかわ）」と「火」を合《あ》わせて、かわを火《ひ》であぶってかわかすようす。水分《すいぶん》がないというイメージを示《しめ》す。それに「氵（水《みず》）」をそえて、空《そら》にある水《みず》のない川《かわ》、「天《あま》の川《がわ》」を表《あらわ》した。のち、中国《ちゅうごく》の国《くに》の名《な》として使《つか》われた。

漢 漢 漢 漢 漢 漢 漢 漢

炭

火5画〔9画〕

音 タン
訓 すみ

大と書《か》かない

charcoal［チャーコウる］

つかいかた

炭火《すみび》で焼《や》く。

石炭《せきたん》を燃《も》やす。

炭酸《たんさん》飲料《いんりょう》。

いみ・ことば

①**木《き》を焼《や》いてつくった燃料《ねんりょう》。すみ。** ●炭《すみ》俵《だわら》。炭火《すみび》。炭焼《すみや》き。木炭《もくたん》。練炭《れんたん》。

②**地中《ちちゅう》からとれる燃料《ねんりょう》。** ●炭鉱《たんこう》。石炭《せきたん》。

③**元素《げんそ》のひとつ。たんそ。** ●炭化《たんか》。炭酸《たんさん》水《すい》。炭水化物《たんすいかぶつ》。

もっとわかる

●「炭鉱《たんこう》」は、石炭《せきたん》をほり出《だ》す鉱山《こうざん》。それらが連《つら》なる地域《ちいき》を「炭田《たんでん》」という。

なりたち

「山（やま）」と「厂（石《いし》）」と「火（ひ）」を合《あ》わせた形《かたち》。山《やま》でとれた、石《いし》のようにかたい燃料《ねんりょう》、「すみ」を表《あらわ》した。

炭 炭 炭 炭 炭 炭 炭 炭

物

牛4画〔8画〕

音 ブツ モツ
訓 もの

はねる

thing［すィング］

つかいかた

物《もの》を入《い》れる箱《はこ》。

洗《あら》い物《もの》をする。

荷物《にもつ》を積《つ》む。

いみ・ことば

①**もの。** ●宝物《たからもの》（ほうもつ）。本物《ほんもの》。物体《ぶったい》。貨物《かもつ》。植物《しょくぶつ》。食物《しょくもつ》。生物《せいぶつ》。動物《どうぶつ》。万物《ばんぶつ》。

②**ことがら。** ●物語《ものがたり》。物知《ものし》り。事物《じぶつ》。

③**なんとなく。** ●物悲《ものがな》しい。物足《ものた》りない。

もっとわかる

●特別《とくべつ》な読《よ》み方《かた》…果物《くだもの》

なりたち

勿

●「勿《ぶつ》」は、いろいろな色《いろ》がまじった旗《はた》の形《かたち》で、目立《めだ》たないイメージを示《しめ》す。それに「牛（うし）」をそえて、いろいろな色《いろ》がまじって目立《めだ》たない牛《うし》のことから、特別《とくべつ》ではないさまざまな「もの」を表《あらわ》した。

物 物 物 物 物 物 物 物

球

王7画〔11画〕

音 キュウ
訓 たま

点《てん》を忘《わす》れない

ball［ボーる］

つかいかた

球《たま》を拾《ひろ》う。

気球《ききゅう》に乗《の》る。

卓球《たっきゅう》をする。

いみ・ことば

①**丸《まる》い形《かたち》をしたもの。たま。** ●球技《きゅうぎ》。球根《きゅうこん》。気球《ききゅう》。地球《ちきゅう》。電球《でんきゅう》。

②**野球《やきゅう》のこと。** ●球児《きゅうじ》。球場《きゅうじょう》。球団《きゅうだん》。

もっとわかる

●野球《やきゅう》以外《いがい》の球技《きゅうぎ》も、「球《きゅう》」をつけて示《しめ》すことがある。庭球《ていきゅう》（テニス）・卓球《たっきゅう》（ピンポン）・籠球《ろうきゅう》（バスケットボール）・蹴球《しゅうきゅう》（サッカー）

なりたち

求

●中心《ちゅうしん》に向《む》けて引《ひ》きしめるイメージを示《しめ》す「求」と「王（たま）」を合《あ》わせて、中心《ちゅうしん》に引《ひ》きしぼられたたま、まりのような「たま」を表《あらわ》した。

球 球 球 球 球 球 球 球

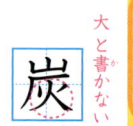

申

田０画【５画】

訓 もう**す**　音 （シン）

つかいかた

小林《こばやし》と申《もう》します。

参加《さんか》の申《もう》し込《こ》み。

旅券《りょけん》を申請《しんせい》する。

上下《じょうげ》につき出《だ》す

state［ステイト］

いみ・ことば

● **目上《めうえ》の人《ひと》にのべる。もうす。** ●申《もう》し[2]分《ぶん》。申《もう》し[6]訳《わけ》。申[5]告《しんこく》。[2]答申《とうしん》。[2]内申[2]書《ないしんしょ》。

もっとわかる

●「申」は十二支《じゅうにし》（昔《むかし》の中国《ちゅうごく》で作《つく》られたことよみで、一年《いちねん》を十二《じゅうに》に分《わ》けたもの）の九番《きゅうばん》目《め》。動物《どうぶつ》では「さる」にあてる。

なりたち

●光《ひかり》が長《なが》くのびるいなずまをえがいた形《かたち》。ことばを連《つら》ねて事情《じじょう》をのべる行《おこな》いが、「長《なが》くのびる」イメージにつながるところから、「のべる」の意《い》を表《あらわ》した。

由

田０画【５画】

訓 （よし）　音 ユ　ユウ　（ユイ）

つかいかた

理由《りゆう》をたずねる。

自由《じゆう》にかく。

寺院《じいん》の由来《ゆらい》。

上《うえ》につき出《だ》す

reason［リーズン］

いみ・ことば

❶ **物事《ものごと》が生《しょう》じるわけ。いわれ。** ●由▲緒《ゆいしょ》。由[2]来《ゆらい》。[2]理由《りゆう》。

❷ **よる。したがう。** ●[5]経由《けいゆ》。[2]自由《じゆう》。

もっとわかる

●「ユイ」の読《よ》みは、「由緒《ゆいしょ》」に使《つか》われる。

●「お元気《げんき》の由《よし》、何《なに》よりです」の「由《よし》」は、「〜だそうで」の意《い》、「知《し》る由《よし》もない」の「由《よし》」は、手段《しゅだん》や方法《ほうほう》の意《い》。

なりたち

●口《くち》のついたつぼをえがいた形《かたち》。つぼの口《くち》から液体《えきたい》が出《で》てくるイメージから、ある物事《ものごと》から出《で》てくる「わけ」を表《あらわ》した。

界

田４画【９画】

訓 ―　音 カイ

つかいかた

境界線《きょうかいせん》を引《ひ》く。

視界《しかい》が開《ひら》ける。

世界一周《せかいいっしゅう》。

上《うえ》につき出《だ》さない

border［ボーダァ］

いみ・ことば

❶ **区切《くぎ》り。さかい。** ●[5]境界《きょうかい》。[5]限界《げんかい》。

❷ **区切《くぎ》られたはんいや社会《しゃかい》。** ●[2]外界《がいかい》。[1]学界《がっかい》。[4]芸[5]能界《げいのうかい》。[6]視界《しかい》。[2]自[4]然界《しぜんかい》。[3]他界《たかい》。

もっとわかる

●「他界《たかい》」には死後《しご》の世界《せかい》の意《い》もあるが、多《おお》く、死《し》ぬことを遠回《とおまわ》しにいうことば。

なりたち

●「介」は「人」と「八（両側《りょうがわ》に分《わ》けるしるし）」を合《あ》わせて、両側《りょうがわ》に分《わ》けるイメージを示《しめ》す。それに「田（たんぼ）」をそえて、田《た》と田《た》を分《わ》けたさかい目《め》のこと。のち、「一定《いってい》の区切《くぎ》りの中《なか》」の意《い》で使《つか》われた。

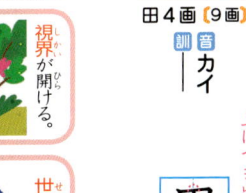

畑

田4画〔9画〕

音 ―
訓 はた はたけ

畑 とめる

field［フィーるド］

つかいかた

畑仕事《はたけしごと》をする。

一面《いちめん》の花畑《はなばたけ》。

田畑《たはた》が広《ひろ》がる。

いみ・ことば

❶ **水《みず》をはらずに作物《さくもつ》をつくる土地《とち》。はたけ。** ●畑仕事《はたけしごと》。畑作《はたさく》。田畑《たはた》（でんぱた）。段々《だんだん》畑《ばたけ》。花畑《はなばたけ》。麦畑《むぎばたけ》。

❷ **専門《せんもん》の分野《ぶんや》。** ●畑違《はたけちが》い。文学畑《ぶんがくばたけ》。

もっとわかる

●「畑違《はたけちが》い」とは、専門《せんもん》の分野《ぶんや》でないこと。●「畑水練《はたけすいれん》」とは、理屈《りくつ》ばかりで実《じっ》際《さい》の役《やく》に立《た》たないことのたとえ。

なりたち

日本《にほん》でつくられた字《じ》。「火（ひ）」と「田（たんぼ）」を合《あ》わせて、雑草《ざっそう》を焼《や》いて作物《さくもつ》をつくる土地《とち》、「はたけ」を表《あらわ》した。

病

疒5画〔10画〕

音 ビョウ（ヘイ）
訓 （やむ） やまい

病 はねる

illness［イるネス］

つかいかた

病《やまい》に倒《たお》れる。

病院《びょういん》に運《はこ》ばれる。

仮病《けびょう》を使《つか》う。

いみ・ことば

❶ **やまいになる。やまい。** ●病《や》み上《あ》がり。病院《びょういん》。病気《びょうき》。看病《かんびょう》。仮病《けびょう》。持病《じびょう》。

❷ **好《この》ましくない習慣《しゅうかん》。** ●病《や》みつき。病根《びょうこん》。

もっとわかる

●「ヘイ」という読《よ》みは、「疾病《しっぺい》（病気《びょうき》のこと）」などに使《つか》われる。

なりたち

丙

●「丙《へい》」は、何《なに》かが二《ふた》つに分《わ》かれて張《は》り出《だ》した形《かたち》で、両側《りょうがわ》にぴんと張《は》るイメージを示《しめ》す。それに「疒（やまい）」をそえて、人《ひと》の手足《てあし》がぴんと張《は》ってかたくなるようすから、病気《びょうき》が重《おも》くなる意《い》を表《あらわ》した。

発

癶4画〔9画〕

音 ハツ（ホツ）
訓 ―

発 上《うえ》にはねる

fire［ファイア］

つかいかた

三連発《さんれんぱつ》の花火《はなび》。

車《くるま》が出発《しゅっぱつ》する。

意見《いけん》を発表《はっぴょう》する。

いみ・ことば

❶ **はなつ。うつ。** ●発射《はっしゃ》。発砲《はっぽう》。連発《れんぱつ》。

❷ **外《そと》にあらわれる。** ●発見《はっけん》。発言《はつげん》。発生《はっせい》。

❸ **さかんになる。** ●発育《はついく》。発達《はったつ》。発展《はってん》。

❹ **出《で》かける。送《おく》る。** ●発車《はっしゃ》。発信《はっしん》。出発《しゅっぱつ》。

❺ **うつものを数《かぞ》えることば。** ●百発百中《ひゃっぱつひゃくちゅう》。

なりたち

発

●もとの字《じ》は「發」。「癶《はつ》（足《あし》を左右《さゆう》にひらく）」と「殳（動作《どうさ》を示《しめ》すしるし）」で、両足《りょうあし》をひらいてここから向《む》こうへ出《で》かけて行《い》くこと。それに「弓」を加《くわ》えて、向《む》こうへむけて弓《ゆみ》から矢《や》をぱっと放《はな》つようすを表《あらわ》した。

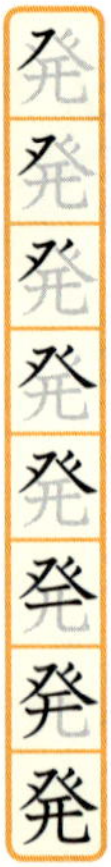

3年

登

癶7画（12画）

音 トウ ト

訓 のぼる

長《なが》めに

climb［クライム］

つかいかた

高《たか》い木《き》に登《のぼ》る。

主役《しゅやく》の登場《とうじょう》。

登山客《とざんきゃく》が多《おお》い。

いみ・ことば

1 高《たか》いところに上《あ》がる。●1登山《とざん》。6登頂《とうちょう》。

2 行《い》く。現《あらわ》れる。●1登校《とうこう》。2登場《とうじょう》。6登庁《とうちょう》。

3 書類《しょるい》に書《か》きしるす。●2登記《とうき》。4登録《とうろく》。

もっとわかる

●「登竜門《とうりゅうもん》」とは、出世《しゅっせ》するために通《とお》りぬけなければならない難所《なんしょ》のこと。

なりたち

↓ ↓ 登

●もとは「廾（両手《りょうて》）」と「豆《あしのついたうつわ》」を合《あ》わせて、うつわを両手《りょうて》で高《たか》く持《も》ち上《あ》げるようす。のち、「廾」を「癶（足《あし》を左右《さゆう》にひらく）」にかえて、両足《りょうあし》で高《たか》いところに上《あ》がること、「のぼる」の意《い》を表《あらわ》した。

皮

皮0画（5画）

音 ヒ

訓 かわ

つき出《だ》す

skin［スキン］

つかいかた

みかんの皮《かわ》。

毛皮《けがわ》のコート。

皮膚《ひふ》をすりむく。

いみ・ことば

1 動物《どうぶつ》のかわ。●2毛皮《けがわ》。6皮革《ひかく》。

2 表面《ひょうめん》をおおう部分《ぶぶん》。●1皮下《ひか》。3皮相《ひそう》。▲皮膚《ひふ》。4果皮《かひ》。6樹皮《じゅひ》。

もっとわかる

●「皮肉《ひにく》」は、遠回《とおまわ》しに相手《あいて》のいやがることを言《い》うこと。●「皮算用《かわざんよう》」は、手《て》に入《はい》るかどうかわからないうちから、あれこれ使《つか》い道《みち》を考《かんが》えること。

なりたち

↓ ↓ 皮

●動物《どうぶつ》の毛《け》がわをえがいた形《かたち》と「又（手《て》）」を合《あ》わせて、毛《け》がわをななめにかぶるようすを表《あらわ》した。

皿

皿0画（5画）

音 ―

訓 さら

両側《りょうがわ》につき出《だ》す

plate［プレイト］

つかいかた

皿《さら》に盛《も》る。

皿洗《さらあら》いをする。

三皿《みさら》注文《ちゅうもん》する。

いみ・ことば

●食《た》べ物《もの》などを盛《も》る、底《そこ》の浅《あさ》いうつわ。

●3受《う》け皿《ざら》。1上皿《うわざら》。1大皿《おおざら》。1小皿《こざら》。

もっとわかる

●「皿《さら》」は、「灰皿《はいざら》」「ひざの皿《さら》」のように、食《た》べ物《もの》を盛《も》る「さら」に似《に》た形《かたち》のものをさす場合《ばあい》もある。●「目《め》を皿《さら》にする」は、目《め》を皿《さら》のように丸《まる》く見開《みひら》く意《い》。おどろいたり何《なに》かを探《さが》したりするときの目《め》つきをいうことば。

なりたち

↓ ↓ ↓ 皿

●食《た》べ物《もの》を入《い》れる「さら」をえがいた形《かたち》。

県

目4画〔9画〕

音 ケン
訓 ―

折《お》る 県

prefecture［プリーフェクチャ］

つかいかた

一都六県《いっとろっけん》。

県知事《けんちじ》になる。

県花《けんか》を調《しら》べる。

いみ・ことば

● 国《くに》をおさめるために分《わ》けた、土地《とち》の区切《くぎ》り。 ● 県知[2]事[3]《けんちじ》。県庁[6]《けんちょう》。県民[4]《けんみん》。全[3]県《ぜんけん》。

もっとわかる

● 日本《にほん》には、四十三《よんじゅうさん》の「県《けん》」と一《ひと》つの「都《と》」と「道《どう》」、二《ふた》つの「府《ふ》」がある。

なりたち

縣 → 縣（県）

● もとの字《じ》は「縣」。「首」をひっくり返《かえ》した形《かたち》の「県（くびを逆《さか》さにしてつるす）」と「系（ひもでつなぐ）」を合《あ》わせて、ぶら下《さ》げてひっかけるようすをえがいた形《かたち》。ひっかかってつながるイメージから、中央政府《ちゅうおうせいふ》につながる「行政区《ぎょうせいく》」の意《い》を表《あらわ》した。

県 県 県 県 県 県 県 県 県

相

目4画〔9画〕

音 ソウ（ショウ）
訓 あい

とめる 相

appearance［アピアランス］

つかいかた

対戦相手《たいせんあいて》。

手相《てそう》をみる。

相談《そうだん》に乗《の》る。

いみ・ことば

1 すがた。ありさま。ようす。 ● [2]形相《ぎょうそう》。[3]真相《しんそう》。[1]手相《てそう》。[1]人相《にんそう》。[3]面相《めんそう》。[3]様相《ようそう》。

2 たがいに。 ● 相手[1]《あいて》。相応[5]《そうおう》。相談[3]《そうだん》。

3 大臣《だいじん》のこと。 ● [2]外相《がいしょう》。[2]首相《しゅしょう》。

もっとわかる

● 特別《とくべつ》な読《よ》み方《かた》…相撲《すもう》 ● 「外相《がいしょう》」は外《がい》務大臣《むだいじん》、「首相《しゅしょう》」は内閣総理大臣《ないかくそうりだいじん》のこと。

なりたち

相 → 相 → 相

● 「木（き）」と「目（め）」を合《あ》わせて、見《み》るもの（＝目）と見《み》られるもの（＝木）が「たがいに向《む》き合《あ》う」ようすをえがいた。

相 相 相 相 相 相 相 相 相

真

目5画〔10画〕

音 シン
訓 ま

長《なが》めに 真

true［トルー］

つかいかた

真心《まごころ》をこめる。

真正面《ましょうめん》に立《た》つ。

真剣勝負《しんけんしょうぶ》。

いみ・ことば

1 うそがない。まこと。ほんとう。 ● 真意[3]《しんい》。真価[5]《しんか》。真実[3]《しんじつ》。真相[3]《しんそう》。真理[2]《しんり》。[3]写真《しゃしん》。

2 まじりけがない。 ● 真紅[6]《しんく》。[6]純真《じゅんしん》。

もっとわかる

● 特別《とくべつ》な読《よ》み方《かた》…真面目《まじめ》・真《ま》っ赤《か》・真《ま》っ青《さお》 ● 「真骨頂《しんこっちょう》」とは、そのものが持《も》つ本来《ほんらい》の姿《すがた》や価値《かち》のこと。

なりたち

眞 → 眞 → 真

● もとの字《じ》は「眞」。「ヒ（スプーン）」と「鼎（食《た》べ物《もの》をにる入《い》れ物《もの》）」を合《あ》わせて、料理《りょうり》がつまっているようす。中身《なかみ》がつまってうつろではない、「まこと」の意《い》を表《あらわ》した。

真 真 真 真 真 真 真 真 真 真

3年

短

矢7画〔12画〕

音 タン

訓 みじかい

とめる

short［ショート］

つかいかた

そでが短《みじか》い。

時計《とけい》の短針《たんしん》。

短気《たんき》を起《お》こす。

いみ・ことば

1 みじかい。●短気《たんき》。短期《たんき》。短時間《たんじかん》。短《たん》針《しん》。短刀《たんとう》。短文《たんぶん》。短編小説《たんぺんしょうせつ》。短命《たんめい》。

2 足《た》りない。●短見《たんけん》。短所《たんしょ》。

もっとわかる

●「短」と反対《はんたい》の意味《いみ》を持《も》つ漢字《かんじ》は「長」。

●四字熟語《よじじゅくご》…一長一短《いっちょういったん》(よいところも悪《わる》いところもあること)

なりたち

「矢(や)」と「豆(食《た》べ物《もの》を盛《も》る、あしのついたうつわ)」を合《あ》わせた形《かたち》。矢やうつわのように、ずんぐりとして「みじかい」意《い》を表《あらわ》した。

短 短 短 短 短 短 短 短

形《かたち》の似《に》た漢字《かんじ》

漢字《かんじ》には、形《かたち》の似《に》たものがあります。たとえば「大」と「犬」と「太」は似《に》ていますが、意味《いみ》はどれもちがっていますね。

では、次《つぎ》の文《ぶん》の□には、上の□内《ない》のどの字《じ》が入《はい》りますか。

(答《こた》えは⬇のページを見《み》ればわかります)

太　犬　大

□《おお》きく手《て》を広《ひろ》げる。⬇59ページ

幹《みき》の□《ふと》い木《き》。⬇135ページ

公園《こうえん》で□《いぬ》と遊《あそ》ぶ。⬇87ページ

見　貝

富士山《ふじさん》が□《み》える。⬇104ページ

□《かい》がらを集《あつ》める。⬇105ページ

問　聞　間　門

人《ひと》の意見《いけん》を□《き》く。⬇175ページ

広々《ひろびろ》とした空《くう》□《かん》。⬇187ページ

書《しょ》の専《せん》□《もん》家《か》。⬇186ページ

質《しつ》□《もん》を受《う》ける。⬇210ページ

皿　血

□《さら》に盛《も》る。⬇245ページ

鼻《はな》□《ち》が出《で》る。⬇256ページ

牛　午

□《ご》後《ご》まで寝《ね》ている。⬇124ページ

□《うし》にえさをやる。⬇165ページ

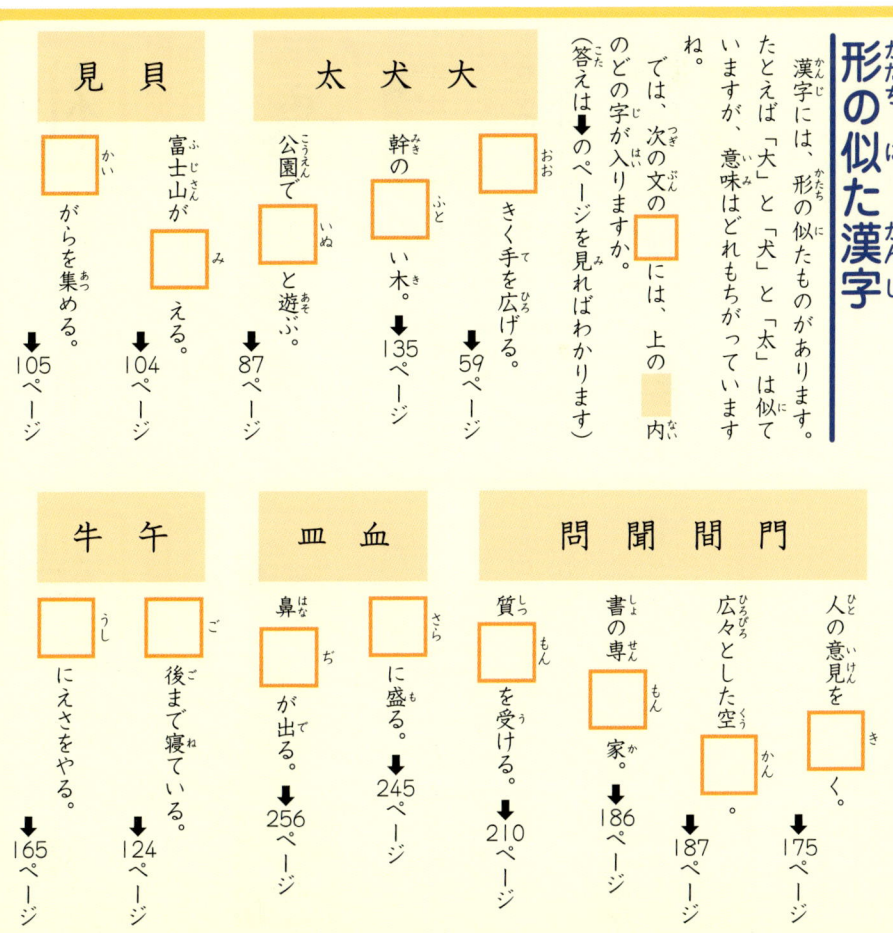

研

石4画〔9画〕

音 ケン
訓 (とぐ)

上《うえ》の横棒《よこぼう》より長《なが》く

grind［グラインド］

つかいかた

薬《くすり》を研究《けんきゅう》する。

新人《しんじん》の研修《けんしゅう》。

包丁《ほうちょう》を研《と》ぐ。

いみ・ことば

①みがく。とぐ。●研▲磨《けんま》。

②本質《ほんしつ》を見《み》きわめる。●研[3]究《けんきゅう》。研[5]修《けんしゅう》。

もっとわかる

●「研磨《けんま》」は「研摩《けんま》」とも書《か》く。●「地震研《じしんけん》（地震研究所《じしんけんきゅうじょ》）」のように、「研《けん》」だけで「研究所《けんきゅうじょ》」を表《あらわ》すことがある。

なりたち

幵 ↓ 研

●「幵」のもとの形《かたち》である「幵《けん》（二《ふた》つのものを平《たい》らにそろえる）」と「石（いし）」を合《あ》わせた形《かたち》。石《いし》でみがいて、でこぼこなところを平《たい》らにするようすを表《あらわ》した。

礼

ネ1画〔5画〕

音 レイ（ライ）
訓 ―

上《うえ》にはねる

etiquette［エティケット］

つかいかた

礼儀《れいぎ》を重《おも》んじる。

お礼《れい》を述《の》べる。

敬礼《けいれい》をする。

いみ・ことば

①社会《しゃかい》における決《き》まったやり方《かた》。作法《さほう》。●礼▲儀《れいぎ》。礼[3]服《れいふく》。▲婚礼《こんれい》。[3]祭礼《さいれい》。[4]無礼《ぶれい》。

②尊敬《そんけい》の気持《きも》ちを表《あらわ》す。●[6]敬礼《けいれい》。[1]目礼《もくれい》。

③感謝《かんしゃ》の気持《きも》ちを表《あらわ》す。●礼[5]状《れいじょう》。[5]謝礼《しゃれい》。

もっとわかる

●「ライ」という読《よ》みは、「礼賛《らいさん》」などのことばに使《つか》われる。

なりたち

豊 ↓ 豊

●もとの字《じ》は「禮」。「豊《れい》」は、形《かたち》よくととのうというイメージを示《しめ》す。それと「示（神《かみ》）」を合《あ》わせて、神《かみ》の前《まえ》で行《おこな》われるととのった「やり方《かた》」を表《あらわ》した。

神

ネ5画〔9画〕

音 シン　ジン
訓 かみ　（かん）（こう）

上下《じょうげ》につき出《だ》す

god［ガッド］

つかいかた

神《かみ》に祈《いの》る。

神社《じんじゃ》の神主《かんぬし》。

精神《せいしん》を集中《しゅうちゅう》する。

いみ・ことば

①不思議《ふしぎ》な力《ちから》を持《も》つ存在《そんざい》。かみ。●神《かみ》[2]風《かぜ》。神▲頼《かみだの》み。神[3]業《かみわざ》。神[2]社《じんじゃ》。神[5]仏《しんぶつ》。神[2]話《しんわ》。

②とうとい。不思議《ふしぎ》な。●神[6]聖《しんせい》。神[6]秘《しんぴ》。

③心《こころ》の働《はたら》き。●神[5]経《しんけい》。[5]精神《せいしん》。

もっとわかる

●特別《とくべつ》な読《よ》み方《かた》…お神酒《みき》・神楽《かぐら》・神奈川《かながわ》

●「こう」という読《よ》みは、「神々《こうごう》しい」「神戸《こうべ》」などに使《つか》われる。

なりたち

●「申《しん》（いなずま）」と「ネ（神《かみ》）」を合《あ》わせた形《かたち》。かみなりを起《お》こす神《かみ》を示《しめ》して、人《ひと》の考《かんが》えのおよばない「不思議《ふしぎ》な力《ちから》」を表《あらわ》した。

祭

示6画〔11画〕

音 サイ
訓 まつる まつり

この形《かたち》に注意《ちゅうい》 祭

festival［フェスタヴァる］

つかいかた

神《かみ》を祭《まつ》る。

近所《きんじょ》の夏祭《なつまつ》り。

スポーツの祭典《さいてん》。

いみ・ことば

❶まつる。まつり。●祭日《さいじつ》。祭礼《さいれい》。祝祭《しゅくさい》。

❷にぎやかな行事《ぎょうじ》。●ひな祭《まつ》り。雪祭《ゆきまつ》り。祭典《さいてん》。音楽祭《おんがくさい》。芸術祭《げいじゅつさい》。文化祭《ぶんかさい》。

もっとわかる

●「お祭《まつ》りさわぎ」は、うかれてはでにさわぐこと。●四字熟語《よじじゅくご》…冠婚葬祭《かんこんそうさい》（お祝《いわ》いや葬式《そうしき》など、人生《じんせい》における儀式《ぎしき》のこと）

なりたち

祭→祭

●「夕（肉《にく》）」と「又（手《て》）」と「示（神《かみ》をまつるところ）」を組《く》み合《あ》わせた形《かたち》。手《て》でささげものの肉《にく》を清《きよ》め、神《かみ》を「まつる」ようすを表《あらわ》した。

福

ネ9画〔13画〕

音 フク
訓 ―

ネと書《か》かない 福

fortune［フォーチャン］

つかいかた

福《ふく》ぶくろを買《か》う。

祝福《しゅくふく》を受《う》ける。

幸福《こうふく》な生活《せいかつ》。

いみ・ことば

●さいわい。しあわせ。●福《ふく》の神《かみ》。福運《ふくうん》。幸福《こうふく》。七福神《しちふくじん》。至福《しふく》。祝福《しゅくふく》。裕福《ゆうふく》。

もっとわかる

●「福《ふく》は内《うち》、鬼《おに》は外《そと》」は、「幸福《こうふく》よ家《いえ》に入《はい》ってこい、わざわいは外《そと》へ出《で》ていけ」という意《い》。節分《せつぶん》（二月三日《にがつみっか》ごろ）の夜《よる》に、豆《まめ》をまきながらとなえることば。

なりたち

畐→畐→畐

●「畐」は、酒《さけ》でいっぱいのうつわをえがいたもので、いっぱいに満《み》ちるイメージを示《しめ》す。それと「ネ（神《かみ》）」を合《あ》わせて、豊《ゆた》かな神《かみ》のめぐみを表《あらわ》した。

秒

禾4画〔9画〕

音 ビョウ
訓 ―

とめる 秒

second［セカンド］

つかいかた

十秒《じゅうびょう》数《かぞ》える。

時計《とけい》の秒針《びょうしん》。

秒読《びょうよ》みの段階《だんかい》。

いみ・ことば

●時間《じかん》や角度《かくど》などをはかる単位《たんい》。一秒《いちびょう》は一分《いっぷん》の六十分《ろくじゅうぶん》の一《いち》。●秒針《びょうしん》。秒速《びょうそく》。秒読《びょうよ》み。一分一秒《いっぷんいちびょう》。毎秒《まいびょう》。

もっとわかる

●「秒読《びょうよ》み」は、決《き》められた時刻《じこく》までの残《のこ》り時間《じかん》を、秒《びょう》を読《よ》みあげて知《し》らせること。また、差《さ》しせまった状態《じょうたい》のこと。

なりたち

「少（小《ちい》さい）」と「禾（イネ）」を合《あ》わせて、小《ちい》さくて見《み》えにくいイネの穂先《ほさき》を表《あらわ》した。のち、時間《じかん》の小《ちい》さな単位《たんい》として使《つか》われるようになった。

究

穴2画〔7画〕

音 キュウ
訓 （きわめる）

究 上《うえ》にはねる

investigate thoroughly ［インヴェスティゲイト さーロウりィ］

つかいかた

学問《がくもん》を究《きわ》める。

大学《だいがく》の研究室《けんきゅうしつ》。

原因《げんいん》を究明《きゅうめい》する。

いみ・ことば

● 最後《さいご》まで調《しら》べる。きわめる。 ● 究《きゅう》極《きょく》。究明《きゅうめい》[2]。研究《けんきゅう》[3]。探究《たんきゅう》[6]。追究《ついきゅう》[3]。

もっとわかる

● 同訓異字《どうくんいじ》「きわめる」…「究《きわ》める」は、深《ふか》く研究《けんきゅう》して本質《ほんしつ》を明《あき》らかにする意《い》。「極《きわ》める」は、最後《さいご》の地点《ちてん》まで行《い》き着《つ》く意《い》。また、これ以上《いじょう》ないところに達《たっ》する意《い》。

なりたち

「九」は数《かず》の9。0から9の最後《さいご》の数《かず》なので、どんづまりというイメージを示《しめ》す。それと「穴（あな）」を合《あ》わせて、これ以《い》上進《じょうすす》めないところまでさぐる意《い》を表《あらわ》した。

究究究究究究究

章

立6画〔11画〕

音 ショウ
訓 —

章 長《なが》く

badge ［バッヂ］

つかいかた

腕章《わんしょう》をつける。

勲章《くんしょう》をもらう。

文章《ぶんしょう》を書《か》く。

いみ・ことば

① しるし。 ● 記章《きしょう》[2]。校章《こうしょう》[1]。▲紋章《もんしょう》。▲腕章《わんしょう》。
② 詩《し》や文《ぶん》や音楽《おんがく》のひとまとまり。 ● 章《しょう》節《せつ》[4]。楽章《がくしょう》[2]。憲章《けんしょう》[6]。文章《ぶんしょう》[1]。

もっとわかる

● 「憲章《けんしょう》」とは、基本的《きほんてき》で重要《じゅうよう》なことを定《さだ》めた決《き》まりのことで、「国連憲章《こくれんけんしょう》」「児童憲章《じどうけんしょう》」などが知《し》られる。

なりたち

章

● 「辛（刃物《はもの》）」と「日（しるし）」を合《あ》わせた形《かたち》。刃物《はもの》であざやかな模様《もよう》を表現《ひょうげん》するようすで、はっきりと現《あらわ》れた模様《もよう》やしるしを表《あらわ》した。

章章章章章章章章

童

立7画〔12画〕

音 ドウ
訓 （わらべ）

童 長《なが》めに

child ［チャイるド］

つかいかた

童話《どうわ》を読《よ》む。

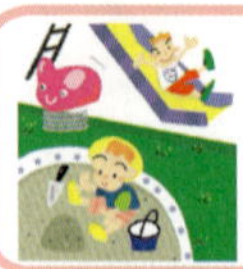
児童公園《じどうこうえん》。

童顔《どうがん》の青年《せいねん》。

いみ・ことば

● 子《こ》ども。 ● 童画《どうが》[2]。童顔《どうがん》[2]。童心《どうしん》[2]。▲童謡《どうよう》。童話《どうわ》[2]。学童《がくどう》[1]。児童《じどう》[4]。

もっとわかる

● 「童顔《どうがん》」は、子《こ》どもの顔《かお》つきの意《い》。子《こ》どものような顔《かお》つきをしたおとなの人《ひと》にもいう。 ● 「わらべ」という読《よ》みは、「童歌《わらべうた》」などに使《つか》われる。

なりたち

童

● 「重《ちょう》」は地《じ》面《めん》をトントンとつくことから、つき通《とお》すというイメージを示《しめ》す。それと「辛（刃物《はもの》）」を合《あ》わせた「童」は、刃物《はもの》で入《い》れずみをしたためし使《つか》いを表《あらわ》した。

童童童童童童童童

3年

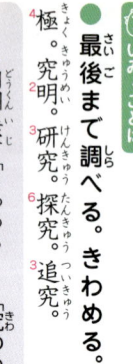

第

竹5画〔11画〕

音 ダイ
訓 —

第 はねる

number［ナンバー］

つかいかた

全集《ぜんしゅう》の第三巻《だいさんかん》。

今週《こんしゅう》の第一位《だいいちい》。

試験《しけん》に落第《らくだい》する。

いみ・ことば

❶ **順序《じゅんじょ》。** ●第一位《だいいちい》。第一印象《だいいちいんしょう》。第三者《だいさんしゃ》。第六感《だいろっかん》。式次第《しきしだい》。

❷ **試験《しけん》。** ●▲及第《きゅうだい》。落第《らくだい》。

もっとわかる

●「第六感《だいろっかん》」は、「かん」や「ひらめき」のような感覚《かんかく》のこと。目《め》・耳《みみ》・鼻《はな》・舌《した》・皮膚《ひふ》で感《かん》じる感覚《かんかく》を「五感《ごかん》」といい、それ以外《いがい》の六番目《ろくばんめ》にあたる感覚《かんかく》の意《い》。

なりたち

「弟《だい》（下《した》から上《うえ》に段《だん》になっている）」と「竹（たけ）」を合《あ》わせて、竹《たけ》の節《ふし》のように連《つら》なったものを表《あらわ》した。

笛

竹5画〔11画〕

音 テキ
訓 ふえ

笛 上《うえ》につき出《だ》す

flute［フるート］

つかいかた

笛《ふえ》を鳴《な》らす。

口笛《くちぶえ》をふく。

警笛《けいてき》を鳴《な》らす。

いみ・ことば

❶ **息《いき》を通《とお》してならす楽器《がっき》。ふえ。** ●草笛《くさぶえ》。口笛《くちぶえ》。縦笛《たてぶえ》。横笛《よこぶえ》。▲鼓笛隊《こてきたい》。

❷ **合図《あいず》としてならす音《おと》。** ●汽笛《きてき》。警笛《けいてき》。

もっとわかる

●「警笛《けいてき》」は、相手《あいて》に注意《ちゅうい》をうながすために鳴《な》らす音《おと》。●「笛吹《ふえふ》けども踊《おど》らず」とは、先頭《せんとう》に立《た》って計画《けいかく》しても、だれも参加《さんか》しないこと。

なりたち

「由《ゆ》（入《い》り口《ぐち》を通《とお》ってぬける）」と「竹（たけ）」を合《あ》わせて、穴《あな》から息《いき》を通《とお》して鳴《な》らす竹《たけ》の楽器《がっき》を表《あらわ》した。

等

竹6画〔12画〕

音 トウ
訓 ひとしい

等 いちばん長《なが》く

equal［イークワる］

つかいかた

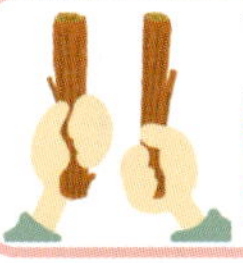
長《なが》さが等《ひと》しい。

対等《たいとう》に戦《たたか》う。

一等《いっとう》が当《あ》たる。

いみ・ことば

❶ **同《おな》じ。ひとしい。** ●等身大《とうしんだい》。等分《とうぶん》。均等《きんとう》。対等《たいとう》。平等《びょうどう》。

❷ **順位《じゅんい》。段階《だんかい》。** ●等級《とうきゅう》。上等《じょうとう》。優等生《ゆうとうせい》。

もっとわかる

●「等《とう》」は、「新聞等《しんぶんとう》で報道《ほうどう》された事件《じけん》」のように、まだほかにも同《おな》じようなものがあるという意《い》でも使《つか》われる。

なりたち

「寺《じ》（じっと止《と》める）」と「竹（たけ）」を合《あ》わせた形《かたち》。竹《たけ》のふだをひもでそろえてとめるようすをえがいて、そろっていて「ひとしい」意《い》を表《あらわ》した。

筆

竹6画〔12画〕

音 ヒツ

訓 ふで

横棒《よこぼう》の長《なが》さに注意《ちゅうい》

筆

brush［ブラッシュ］

つかいかた

筆《ふで》で字《じ》を書《か》く。

筆箱《ふでばこ》を出《だ》す。

鉛筆《えんぴつ》をけずる。

いみ・ことば

① **書《か》く道具《どうぐ》。ふで。** ●筆先《ふでさき》。筆箱《ふでばこ》。▲鉛筆《えんぴつ》。

② **書《か》く。また、書《か》いたもの。** ●筆記《ひっき》。筆者《ひっしゃ》。筆順《ひつじゅん》。筆跡《ひっせき》。悪筆《あくひつ》。達筆《たっぴつ》。肉筆《にくひつ》。

もっとわかる

●「筆無精《ふでぶしょう》・筆不精《ふでぶしょう》」は、めんどうくさがって手紙《てがみ》を書《か》かない人《ひと》。その反対《はんたい》を、「筆《ふで》まめ」という。●「筆《ふで》を執《と》る」は、文章《ぶんしょう》を書《か》く意《い》。「筆《ふで》を折《お》る」は、書《か》くことをやめる意《い》。

なりたち

→→→聿

●「聿（手《て》でふでを立《た》てて持《も》つ）」と「竹（タケ）」を合《あ》わせて、竹《たけ》の「ふで」を表《あらわ》した。

筆 筆 筆 筆 筆 筆 筆 筆

箱

竹9画〔15画〕

音 ―

訓 はこ

とめる

箱

box［バックス］

つかいかた

箱《はこ》につめる。

段《だん》ボール箱《ばこ》。

弁当箱《べんとうばこ》を開《ひら》く。

いみ・ことば

● **物《もの》を入《い》れる入《い》れ物《もの》。はこ。** ●箱代《はこだい》。箱《はこ》づめ。空《あ》き箱《ばこ》。木箱《きばこ》。筆箱《ふでばこ》。弁当箱《べんとうばこ》。

もっとわかる

●「箱入《はこい》り」は、箱《はこ》に入《はい》っている意《い》のほか、人目《ひとめ》にふれさせず大切《たいせつ》にすることの意《い》でも使《つか》われる。●「重箱読《じゅうばこよ》み」は、熟語《じゅくご》の読《よ》み方《かた》の一《ひと》つ。「重箱《じゅうばこ》」のように、上《うえ》を音読《おんよ》み、下《した》を訓読《くんよ》みにする。「茶色《ちゃいろ》」「両足《りょうあし》」など。

なりたち

「相《そう》（二《ふた》つのものが向《む》き合《あ》う）」と「竹（タケ）」を合《あ》わせた形《かたち》。車《くるま》の両側《りょうがわ》につけた竹《たけ》の入《い》れ物《もの》を示《しめ》して、物《もの》を入《い》れる「はこ」を表《あらわ》した。

箱 箱 箱 箱 箱 箱 箱 箱

級

糸3画〔9画〕

音 キュウ

訓 ―

折《お》る

級

grade［グレイド］

つかいかた

学級《がっきゅう》新聞《しんぶん》。

上級生《じょうきゅうせい》に従《したが》う。

一級《いっきゅう》に合格《ごうかく》する。

いみ・ことば

① **順序《じゅんじょ》。段階《だんかい》。くらい。** ●階級《かいきゅう》。上級《じょうきゅう》。初級《しょきゅう》。進級《しんきゅう》。中級《ちゅうきゅう》。等級《とうきゅう》。

② **クラス。組《くみ》。** ●級友《きゅうゆう》。学級《がっきゅう》。同級生《どうきゅうせい》。

もっとわかる

●「一級《いっきゅう》」は、いくつかある段階《だんかい》のいちばん上《うえ》。そこから、「一級品《いっきゅうひん》」のように、非常《ひじょう》にすぐれている意《い》でも使《つか》われる。

なりたち

「及《きゅう》（つぎのものが続《つづ》く）」と「糸（いと）」を合《あ》わせた形《かたち》。はた織《お》りで、前《まえ》の糸《いと》に後《あと》の糸《いと》が続《つづ》くようすをえがいて、一《ひと》つ一《ひと》つの段《だん》階《かい》の「順序《じゅんじょ》」を表《あらわ》した。

級 級 級 級 級 級 級 級

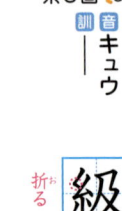

終

糸5画〔11画〕

音 シュウ
訓 おわる　おえる

点《てん》の向《む》きに注意《ちゅうい》

end［エンド］

つかいかた

仕事《しごと》が終《お》わる。

本《ほん》を読《よ》み終《お》える。

終点《しゅうてん》に着《つ》く。

いみ・ことば

❶おわる。おわり。●終結《しゅうけつ》。終止《しゅうし》。終息《しゅうそく》。終着駅《しゅうちゃくえき》。終電《しゅうでん》。終了《しゅうりょう》。最終《さいしゅう》。臨終《りんじゅう》。

❷その間《あいだ》ずっと。●終日《しゅうじつ》。終生《しゅうせい》。終夜《しゅうや》。

もっとわかる

●「終生《しゅうせい》」は、一生《いっしょう》の意《い》。「終世《しゅうせい》」とも書《か》く。

●四字熟語《よじじゅくご》…終始一貫《しゅうしいっかん》（態度《たいど》や言動《げんどう》が最初《さいしょ》から最後《さいご》までずっと変《か》わらないこと）

なりたち

「冬《とう》（たくわえていっぱいになる）」と「糸（いと）」を合《あ》わせた形《かたち》。糸巻《いとま》きにたくさん糸《いと》が巻《ま》きつけられるようすをえがいて、最後《さいご》まで行《い》きつく意《い》を表《あらわ》した。

緑

糸8画〔14画〕

音 リョク（ロク）
訓 みどり

この形《かたち》に注意《ちゅうい》

green［グリーン］

つかいかた

緑《みどり》の多《おお》い街《まち》。

緑色《みどりいろ》の野菜《やさい》。

緑茶《りょくちゃ》を飲《の》む。

いみ・ことば

●みどり。●黄緑《きみどり》。緑地《りょくち》。新緑《しんりょく》。万緑《ばんりょく》。

もっとわかる

●「万緑《ばんりょく》」は、草木《くさき》がしげって一面《いちめん》が緑《みどり》であること。●「ロク」の読《よ》みは、「緑青《ろくしょう》（銅《どう》の表面《ひょうめん》にできる緑色《みどりいろ》のさび）」に使《つか》われる。

なりたち

彔

●もとの字《じ》は「綠」。「彔」は木《き》の皮《かわ》をはぎ取《と》るようすで、表面《ひょうめん》をはぎ取《と》るというイメージを示《しめ》す。それと「糸（いと）」を合《あ》わせて、青《あお》竹《だけ》の皮《かわ》をはぎとったような「みどり」色《いろ》に糸《いと》を染《そ》めることを表《あらわ》した。

練

糸8画〔14画〕

音 レン
訓 ねる

折《お》る

train［トレイン］

つかいかた

粉《こな》を練《ね》る。

練《ね》りわさび。

笛《ふえ》の練習《れんしゅう》。

いみ・ことば

❶きたえる。●練習《れんしゅう》。訓練《くんれん》。熟練《じゅくれん》。試練《しれん》。

❷こねる。●練《ね》り製品《せいひん》。練乳《れんにゅう》。

もっとわかる

●「熟練《じゅくれん》」は、物事《ものごと》になれて上手《じょうず》にできること。●「鍛練《たんれん》」は、金属《きんぞく》を打《う》って強《つよ》くするように、心身《しんしん》をきたえること。

なりたち

柬

●もとの字《じ》は「練」。「柬《かん》」はより分《わ》けること。それに「糸（いと）」をそえて、生糸《きいと》をにて不《ふ》要《よう》なものをより分《わ》け、よいものに仕上《しあ》げること、よく「ねる」意《い》を表《あらわ》した。

羊

羊0画〔6画〕

音 ヨウ

訓 ひつじ

上《うえ》につき出《だ》さない

sheep［シープ］

つかいかた

羊《ひつじ》の群《む》れ。

羊飼《ひつじか》いの少年《しょうねん》。

羊毛《ようもう》のセーター。

いみ・ことば

●ひつじ。●羊皮紙《ようひし》。羊毛《ようもう》。牧羊《ぼくよう》。綿羊《めんよう》。

もっとわかる

●「羊皮紙《ようひし》」は、昔《むかし》の西洋《せいよう》で、紙《かみ》のかわりに用《もち》いられたひつじの皮《かわ》。●四字熟語《よじじゅくご》…羊頭狗肉《ようとうくにく》（見《み》かけはりっぱだが、中身《なかみ》がともなわないこと。「狗肉《くにく》」は、犬《いぬ》の肉《にく》。ひつじの頭《あたま》を看板《かんばん》にかけて、実際《じっさい》は安《やす》い犬《いぬ》の肉《にく》を売《う》ったという話《はなし》から）

なりたち

→羊

●角《つの》のようすをとらえて「ひつじ」をえがいた形《かたち》。

美

羊3画〔9画〕

音 ビ

訓 うつくしい

長《なが》く

beautiful［ビューティフる］

つかいかた

美《うつく》しい宝石《ほうせき》。

美容院《びよういん》へ行《い》く。

姉《あね》は美食家《びしょくか》だ。

いみ・ことば

①うつくしい。●美術《びじゅつ》。美人《びじん》。美容《びよう》。優美《ゆうび》。

②よい。すぐれている。●美談《びだん》。美点《びてん》。

③おいしい。●美食《びしょく》。美味《びみ》。▲甘美《かんび》。

もっとわかる

●「真善美《しんぜんび》」は、人間《にんげん》の最高《さいこう》の価値《かち》をまとめたもの。「真《しん》」と「善《ぜん》」と「美《び》」のこと。●四字熟語《よじじゅくご》…美辞麗句《びじれいく》（うわべだけを美《うつく》しくかざりたてたことば）

なりたち

→美

●「羊（形《かたち》がよい）」と「大（ゆったりしている）」を合《あ》わせて、かっこうのよいようすを表《あらわ》した。

着

羊6画〔12画〕

音 チャク（ジャク）

訓 きる きせる つく つける

長《なが》く

wear［ウエア］

つかいかた

上着《うわぎ》を着《き》る。

着陸《ちゃくりく》する。

接着剤《せっちゃくざい》を使《つか》う。

いみ・ことば

①身《み》につける。きる。●着《き》がえ。着物《きもの》。上着《うわぎ》。厚着《あつぎ》。▲薄着《うすぎ》。着衣《ちゃくい》。着用《ちゃくよう》。

②くっつく。●着色《ちゃくしょく》。接着剤《せっちゃくざい》。密着《みっちゃく》。

③行《い》きつく。落《お》ちつく。●船着《ふなつ》き場《ば》。着席《ちゃくせき》。着地《ちゃくち》。着陸《ちゃくりく》。決着《けっちゃく》。定着《ていちゃく》。▲到着《とうちゃく》。

④衣服《いふく》や、ついた順番《じゅんばん》などを数《かぞ》えることば。●背広一着《せびろいっちゃく》。第三着《だいさんちゃく》。

なりたち

「著（ぴったりくっつく）」の字《じ》をくずしてできたもの。「著《ちょ》」を「あらわす」に、「着《ちゃく》」を「つける」に使《つか》い分《わ》けるようになった。

3年

習

羽5画〔11画〕

音 シュウ
訓 ならう

習 日と書《か》かない

learn［らーン］

つかいかた

バレエを習《なら》う。

早起《はやお》きの習慣《しゅうかん》。

毛筆《もうひつ》の練習《れんしゅう》。

いみ・ことば

❶くり返《かえ》して身《み》につける。ならう。●習《なら》い[3]事《ごと》。習[5]得《しゅうとく》。[1]学習《がくしゅう》。[5]復習《ふくしゅう》。[3]予習《よしゅう》。[3]練習《れんしゅう》。

❷昔《むかし》からのやり方《かた》。ならわし。●習《しゅう》[5]慣《かん》。習[5]性《しゅうせい》。習▲俗《しゅうぞく》。[2]風習《ふうしゅう》。

なりたち

習 → 習

●「羽（同《おな》じ方向《ほうこう》にならんだ二枚《にまい》のはね）」と「白」を合《あ》わせた形《かたち》。「白」は「しろ」ではなく、「自」が変《か》わったもので、動作《どうさ》を示《しめ》すしるし。同《おな》じことを何度《なんど》もくり返《かえ》すようすで、「ならう」の意《い》を表《あらわ》した。

習 習 習 習 習 習 習 習

者

耂4画〔8画〕

音 シャ
訓 もの

者 上《うえ》の横棒《よこぼう》より長《なが》く

person［パースン］

つかいかた

クラスの人気者《にんきもの》。

リレーの走者《そうしゃ》。

忍者《にんじゃ》が現《あらわ》れる。

いみ・ことば

❶人《ひと》。●[4]変《か》わり者《もの》。[6]若者《わかもの》。[3]悪者《わるもの》。[1]学者《がくしゃ》。[2]記者《きしゃ》。[2]作者《さくしゃ》。[3]打者《だしゃ》。[2]読者《どくしゃ》。[3]筆者《ひっしゃ》。[3]役者《やくしゃ》。

❷物事《ものごと》。●[2]後者《こうしゃ》。[2]前者《ぜんしゃ》。

もっとわかる

●四字熟語《よじじゅくご》…二者択一《にしゃたくいつ》（二《ふた》つのうち、どちらか一《ひと》つを選《えら》ぶこと）

なりたち

者 → 者 → 者

●こんろにまきを集《あつ》めて燃《も》やしているようすをえがいた形《かたち》。「一か所《いっしょ》にくっつく」というイメージから、話題《わだい》になっている人《ひと》を取《と》り上《あ》げるとき、それにくっつけることばとして使《つか》われるようになった。

者 者 者 者 者 者 者 者

育

月4画〔8画〕

音 イク
訓 そだつ そだてる はぐくむ

育 はねる

grow［グロウ］

つかいかた

寝《ね》る子《こ》は育《そだ》つ。

子犬《こいぬ》を育《そだ》てる。

体育《たいいく》の授業《じゅぎょう》。

いみ・ことば

●そだつ。そだてる。●育[4]児《いくじ》。育[4]成《いくせい》。[2]教育《きょういく》。[2]体育《たいいく》。[3]発育《はついく》。[5]保育《ほいく》。[4]養育《よういく》。

もっとわかる

●「体育《たいいく》」は、健康《けんこう》な体《からだ》をつくるための教育《きょういく》。●「寝《ね》る子《こ》は育《そだ》つ」とは、よく眠《ねむ》る子《こ》は健康《けんこう》で丈夫《じょうぶ》に育《そだ》つということ。

なりたち

育 → 育

●「𠫓」は「子」が逆《さか》さになった形《かたち》で、頭《あたま》を下《した》にして産《う》まれる赤《あか》ちゃんのこと。それと「月（肉《にく》）」を合《あ》わせて、子どもが「そだつ」意《い》を表《あらわ》した。

育 育 育 育 育 育 育 育

3年

血

血0画〔6画〕

音 ケツ
訓 ち

ななめ左下《ひだりした》に 血

blood［ブラッド］

つかいかた

頭《あたま》に血《ち》が上《のぼ》る。

鼻血《はなぢ》が出《で》る。

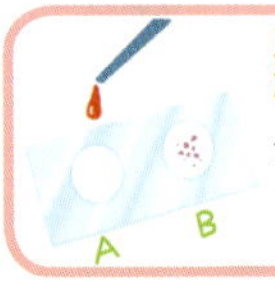

血液《けつえき》を調《しら》べる。

いみ・ことば

❶ ち。●血《ち》の1気《け》。3鼻血《はなぢ》。血《けつ》5圧《あつ》。血《けつ》5液《えき》。血《けっ》4管《かん》。1出血《しゅっけつ》。5貧血《ひんけつ》。5輸血《ゆけつ》。

❷ ちのつながり。●血《ち》6筋《すじ》。血《けつ》▲縁《えん》。血《けっ》5統《とう》。

❸ はげしい。さかんな。●血《けっ》1気《き》。4熱血《ねっけつ》。

もっとわかる

●「血《ち》」を使《つか》ったことば…血《ち》が通《かよ》う（人《にん》間味《げんみ》がある）・血《ち》がさわぐ（気《き》持《も》ちが高《たか》ぶる）・血《ち》が上《のぼ》る（かっとなる）

なりたち

（古い字形）→血

●「一（いちのしるし）」と「皿（さら）」を合《あ》わせて、いけにえの「ち」を皿《さら》に盛《も》ったようすをえがいた形《かたち》。

血 血 血 血 血 血

表

衣2画〔8画〕

音 ヒョウ
訓 おもて あらわす あらわれる

この形《かたち》に注意《ちゅうい》 表

surface［サーフィス］

つかいかた

答案《とうあん》を表《おもて》にする。

喜《よろこ》びを表《あらわ》す。

絵《え》で表現《ひょうげん》する。

いみ・ことば

❶ 外側《そとがわ》。おもて。●表《おもて》2書《が》き。表《ひょう》2紙《し》。表《ひょう》3面《めん》。

❷ 考《かんが》えなどを外《そと》に出《だ》す。●表《ひょう》5現《げん》。3発表《はっぴょう》。

❸ ひと目《め》でわかるように書《か》いたもの。ひょう。●2時《じ》6刻表《こくひょう》。2図表《ずひょう》。1年表《ねんぴょう》。

もっとわかる

●平仮名《ひらがな》や片仮名《かたかな》のように、音《おん》だけを表《あらわ》す文字《もじ》を「表音文字《ひょうおんもじ》」、漢字《かんじ》のように、意味《いみ》を表《あらわ》す文字《もじ》を「表意文字《ひょういもじ》」という。

なりたち

（古い字形）→表

●「衣（ころも）」と「毛（動物《どうぶつ》のけ）」を合《あ》わせた形《かたち》。外側《そとがわ》の毛皮《けがわ》を示《しめ》して、「おもて」の意《い》を表《あらわ》した。

表 表 表 表 表 表 表 表

詩

言6画〔13画〕

音 シ
訓 ―

はねる 詩

poem［ポウエム］

つかいかた

詩《し》を書《か》く。

詩《し》を朗読《ろうどく》する。

有名《ゆうめい》な詩人《しじん》。

いみ・ことば

●思《おも》ったことや感《かん》じたことを、リズムのあることばに表《あらわ》したもの。●詩《し》2歌《いか》。詩《し》2作《さく》。詩《し》3集《しゅう》。詩《し》1人《じん》。2自《じ》3由詩《ゆうし》。3定《てい》5型詩《けいし》。

もっとわかる

●「詩歌」は「しか」とも読《よ》むが、ふつうは「しいか」と読《よ》む。●同音異義語《どうおんいぎご》「サクシ」…「作詩《さくし》」は、詩《し》を作《つく》ること。「作詞《さくし》」は、曲《きょく》の歌詞《かし》を作《つく》ること。

なりたち

●「寺《じ》（まっすぐ進《すす》む）」と「言（いう）」を合《あ》わせて、あるものにまっすぐ向《む》かっていく心《こころ》を表現《ひょうげん》した「ことば」や「うた」を表《あらわ》した。

詩 詩 詩 詩 詩 詩 詩 詩

3年

談

言8画【15画】
音 ダン
訓 ―

点《てん》のうち方《かた》に注意《ちゅうい》

talk［トーク］

つかいかた

医者《いしゃ》に相談《そうだん》する。

テレビの対談《たいだん》。

個人面談《こじんめんだん》。

いみ・ことば

① 話《はな》す。語《かた》る。● 談笑《だんしょう》[4]。談判《だんぱん》[5]。談話《だんわ》[2]。会《かい》[2]談《だん》。▲懇談会《こんだんかい》[2]。相談《そうだん》[3]。筆談《ひつだん》[3]。面談《めんだん》[3]。

② 話《はなし》。● ▲縁談《えんだん》。▲冗談《じょうだん》。美談《びだん》[3]。余談《よだん》[5]。

もっとわかる

● 四字熟語《よじじゅくご》…談論風発《だんろんふうはつ》（さかんに話《はな》し合《あ》ったり議論《ぎろん》し合《あ》ったりすること）

なりたち

「炎《えん》」は「火」を二《ふた》つ合《あ》わせて、燃《も》え上《あ》がるほのおのこと。うすい舌《した》をペロペロとゆらすようなイメージがある。それと「言（いう）」を合《あ》わせた「談」は、うすっぺらな舌《した》を動《うご》かしてしゃべるようすで、さかんに話《はな》す意《い》を表《あらわ》した。

談談談談談談談談

調

言8画【15画】
音 チョウ
訓 しらべる（ととのう）（ととのえる）

はねる

adjust［アヂャスト］

つかいかた

書類《しょるい》を調《しら》べる。

準備《じゅんび》が調《ととの》う。

薬《くすり》を調合《ちょうごう》する。

いみ・ことば

① ととのえる。● 調整《ちょうせい》[3]。調節《ちょうせつ》[4]。調和《ちょうわ》[3]。

② しらべる。● 調査《ちょうさ》[5]。調書《ちょうしょ》[2]。

③ ようす。具合《ぐあい》。● 調子《ちょうし》[1]。口調《くちょう》[1]。順調《じゅんちょう》[4]。

もっとわかる

● 同訓異字《どうくんいじ》「ととのえる」…「調《ととの》える」は、物事《ものごと》のつりあいをとったり、必要《ひつよう》なものをそろえたりする意《い》。「整《ととの》える」は、みだれているものをきちんと正《ただ》す意《い》。

なりたち

「周《しゅう》（行《い》き渡《わた》る）」と「言（いう）」を合《あ》わせた形《かたち》。言葉《ことば》をまんべんなく行《い》き渡《わた》らせるようすで、「ととのえる」意《い》を表《あらわ》した。

調調調調調調調調

豆

豆0画【7画】
音 トウ ズ
訓 まめ

長《なが》く

bean［ビーン］

つかいかた

豆《まめ》をまく。

納豆《なっとう》を食《た》べる。

大豆《だいず》を煮《に》る。

いみ・ことば

① まめ。● 豆《まめ》まき。枝豆《えだまめ》[5]。黒豆《くろまめ》[2]。豆乳《とうにゅう》[6]。豆腐《とうふ》▲。大豆《だいず》[1]。納豆《なっとう》[6]。

② 小《ちい》さい。● 豆知識《まめちしき》[2][5]。豆電球《まめでんきゅう》[2][3]。

もっとわかる

● 特別《とくべつ》な読《よ》み方《かた》…小豆《あずき》 ● 「はとが豆鉄《まめてつ》砲《ぼう》を食《く》ったよう」は、おどろいて、あっけにとられているようすを表《あらわ》すことば。

なりたち

→豆

● 昔《むかし》の中国《ちゅうごく》で使《つか》われた、あしのついた食器《しょっき》をえがいた形《かたち》。頭《あたま》の部分《ぶぶん》が丸《まる》いところから、丸《まる》い「まめ」の意《い》でも使《つか》われた。

豆豆豆豆豆豆豆

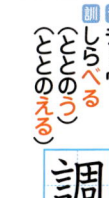

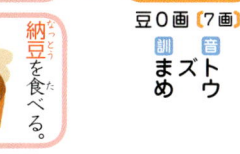

負

貝2画〔9画〕

音 フ
訓 まける まかす おう

とめる

bear［ベァ］

つかいかた

勝負《しょうぶ》に負《ま》ける。

子《こ》どもを背負《せお》う。

事故《じこ》で負傷《ふしょう》する。

いみ・ことば

❶ **身《み》にうける。せおう。おう。** ●負荷《ふか》。負傷《ふしょう》。負担《ふたん》。自負《じふ》。▲抱負《ほうふ》。

❷ **まける。** ●負《ま》け戦《いくさ》。根負《こんま》け。勝負《しょうぶ》。

もっとわかる

●「負《お》うた子《こ》に教《おし》えられる」は、自分《じぶん》より年下《としした》の人《ひと》から教《おし》えられることもある、ということ。

なりたち

⬇
負

●「𠂊（しゃがんだ人《ひと》）」と「貝（お金《かね》や品物《しなもの》）」を合《あ》わせて、人《ひと》がお金《かね》や品物《しなもの》を「せおう」ようすを表《あらわ》した。

起

走3画〔10画〕

音 キ
訓 おきる おこる おこす

上《うえ》にはねる

rise［ライズ］

つかいかた

起《お》こしに来《く》る。

起《お》き上《あ》がる。

起立《きりつ》する。

いみ・ことば

❶ **立《た》つ。おきる。** ●早起《はやお》き。起《き》▲床《しょう》。起《き》▲伏《ふく》。起立《きりつ》。▲突起《とっき》。▲隆起《りゅうき》。

❷ **始《はじ》まる。おこる。** ●起源《きげん》。起点《きてん》。

❸ **始《はじ》める。** ●起案《きあん》。起動《きどう》。発起人《ほっきにん》。

もっとわかる

●四字熟語《よじじゅくご》…**一念発起**《いちねんほっき》（あることをやろうと決意《けつい》すること）・**七転八起**《しちてんはっき》（「七転《ななころ》び八《や》起《お》き」と同《おな》じ意《い》。くじけずに何度《なんど》もやってみること）

なりたち

「己《き》（おき上《あ》がる）」と「走（足《あし》の動作《どうさ》）」を合《あ》わせて、「おきる」の意《い》を表《あらわ》した。

路

⻊6画〔13画〕

音 ロ
訓 じ

ななめ右上《みぎうえ》に

road［ロウド］

つかいかた

家路《いえじ》につく。

路面《ろめん》がこおる。

線路《せんろ》がのびる。

いみ・ことば

❶ **みち。** ●家路《いえじ》。旅路《たびじ》。路上《ろじょう》。路線《ろせん》。路面電車《ろめんでんしゃ》。帰路《きろ》。航路《こうろ》。通路《つうろ》。

❷ **物事《ものごと》のすじみち。** ●理路《りろ》。経路《けいろ》。

もっとわかる

●四字熟語《よじじゅくご》…**真実一路**《しんじついちろ》（ひたすら誠実《せいじつ》をつらぬき通《とお》すこと）・**人生行路**《じんせいこうろ》（人《ひと》がこの世《よ》で生《い》きてゆく道《みち》のり。長《なが》い人生《じんせい》を旅《たび》にたとえたことば）

なりたち

「各《かく》（つながる）」と「足（あし）」を合《あ》わせて、ある地点《ちてん》からほかの地点《ちてん》へとつながる「みち」を表《あらわ》した。

3年

身

身0画〔7画〕

音 シン
訓 み

身（はねる）

body［バディ］

つかいかた

身《み》をかくす。

白身《しろみ》の魚《さかな》。

美女《びじょ》に変身《へんしん》する。

いみ・ことば

❶からだ。●身軽《みがる》。身体《しんたい》。全身《ぜんしん》。長身《ちょうしん》。
❷自分《じぶん》。●献身的《けんしんてき》。独身《どくしん》。保身《ほしん》。立身《りっしん》。
❸なかみ。本体《ほんたい》。●黄身《きみ》。刀身《とうしん》。

もっとわかる

●「身《み》」を使《つか》ったことば…身《み》から出《で》たさび（自分《じぶん》のしたことが、自分《じぶん》を苦《くる》しめること）●四字熟語《よじじゅくご》…立身出世《りっしんしゅっせ》（高《たか》い地位《ちい》について有名《ゆうめい》になること）

なりたち

●子《こ》どもをみごもった女性《じょせい》をえがいた形《かたち》で、中身《なかみ》のつまった「からだ」を表《あらわ》した。

身身身身身身身

転

車4画〔11画〕

音 テン
訓 ころがる　ころげる　ころがす　ころぶ

転（折る）

turn［ターン］

つかいかた

ボールが転《ころ》がる。

道《みち》ばたで転《ころ》ぶ。

回転《かいてん》寿司《ずし》。

いみ・ことば

❶ころぶ。●転倒《てんとう》。転落《てんらく》。横転《おうてん》。
❷まわる。●回転《かいてん》。空転《くうてん》。自転車《じてんしゃ》。
❸変《か》わる。うつる。●転校《てんこう》。移転《いてん》。急転《きゅうてん》。

もっとわかる

●四字熟語《よじじゅくご》…有為転変《ういてんぺん》（すべてのものは常《つね》に変化《へんか》するということ）・主客転倒《しゅかくてんとう》（重要《じゅうよう》なことと立場《たちば》や順序《じゅんじょ》を取《と》りちがえること）

なりたち

●もとの字《じ》は「轉」。「專《せん》」はぐるぐる回《まわ》るというイメージを示《しめ》す。それに「車（くるま）」をそえて、「ころがる」の意《い》を表《あらわ》した。

転転転転転転転転転転転

軽

車5画〔12画〕

音 ケイ
訓 かるい　（かろやか）

軽（上《うえ》の横棒《よこぼう》より長《なが》く）

light［ライト］

つかいかた

荷物《にもつ》が軽《かる》い。

軽《かろ》やかに走《はし》る。

軽食《けいしょく》をとる。

いみ・ことば

❶重《おも》さがかるい。●軽石《かるいし》。軽量《けいりょう》。
❷程度《ていど》がかるい。●軽減《けいげん》。軽傷《けいしょう》。
❸手《て》がる。みがる。●軽快《けいかい》。軽食《けいしょく》。軽便《けいべん》。
❹かるはずみ。●軽挙《けいきょ》。軽率《けいそつ》。軽薄《けいはく》。
❺かろんじる。●軽視《けいし》。

なりたち

●もとの字《じ》は「輕」。「巠《けい》」は、縦糸《たていと》を張《は》った織《お》り機《き》をえがいたもので、まっすぐ通《とお》るイメージを示《しめ》す。それと「車（くるま）」を合《あ》わせて、まっすぐつき進《すす》むためにつくった身《み》がるな車《くるま》のことから、「かるい」意《い》を表《あらわ》した。

軽軽軽軽軽軽軽軽軽軽軽軽

農

辰6画【13画】

音 ノウ
訓 ―

この形《かたち》に注意《ちゅうい》

農

agriculture
［アグリカるチャ］

つかいかた

広《ひろ》い農場《のうじょう》。

農村《のうそん》で暮《く》らす。

農産物《のうさんぶつ》の仕入《しい》れ。

いみ・ことば

● 田畑《たはた》を耕《たがや》して作物《さくもつ》をつくること。 ●農《のう》園《えん》。農家《のうか》。農作物《のうさくぶつ》。農地《のうち》。農民《のうみん》。▲酪農《らくのう》。

もっとわかる

● 「士農工商《しのうこうしょう》」は、江戸《えど》時代《じだい》の身分制《みぶんせい》で、武士《ぶし》・農民《のうみん》・職人《しょくにん》（工）・商人《しょうにん》の順《じゅん》を示《しめ》したもの。

なりたち

農

● 「農」の上《うえ》の部分《ぶぶん》は「囟（やわらかい）」と「廾（両手《りょうて》）」が変《か》わったもの。それと「辰（田畑《たはた》を たがやす道具《どうぐ》）」を合《あ》わせて、道具《どうぐ》を使《つか》って田《た》畑《はた》をやわらかく耕《たがや》すようすを表《あらわ》した。

農 農 農 農 農 農 農 農

酒

酉3画【10画】

音 シュ
訓 さけ さか

西と書《か》かない

酒

liquor［りカア］

つかいかた

酒《さけ》に酔《よ》う。

酒盛《さかも》りの準備《じゅんび》。

梅酒《うめしゅ》を飲《の》む。

いみ・ことば

● さけ。 ●酒場《さかば》。酒飲《さけの》み。▲甘酒《あまざけ》。地酒《じざけ》。日《に》本酒《ほんしゅ》。酒席《しゅせき》。酒蔵《しゅぞう》。酒乱《しゅらん》。飲酒《いんしゅ》。ぶどう酒《しゅ》。

もっとわかる

● 特別《とくべつ》な読《よ》み方《かた》…お神酒《みき》 ● 「酒《さけ》は百薬《ひゃくやく》の長《ちょう》」は、酒《さけ》はほどよく飲《の》めば、どんな薬《くすり》よりも健康《けんこう》のためによいという意《い》。

なりたち

酉

● 「酉（さかつぼ。しぼり出《だ》す）」と「氵（水《みず》）」を組《く》み合《あ》わせて、さかつぼに入《はい》った「さけ」を表《あらわ》した。

酒 酒 酒 酒 酒 酒 酒 酒

配

酉3画【10画】

音 ハイ
訓 くばる

上《うえ》にはねる

配

distribute
［ディストリビュート］

つかいかた

プリントを配《くば》る。

新聞配達《しんぶんはいたつ》。

天気《てんき》を心配《しんぱい》する。

いみ・ことば

❶ わりあてる。ならべる。くばる。 ●配《はい》給《きゅう》。配線《はいせん》。配属《はいぞく》。配置《はいち》。配役《はいやく》。配列《はいれつ》。集配《しゅうはい》。分配《ぶんぱい》。

❷ とりあわせる。 ●配合《はいごう》。配色《はいしょく》。

もっとわかる

● 「天《てん》の配剤《はいざい》」は、天《てん》は善《ぜん》には善《ぜん》の、悪《あく》には悪《あく》の報《むく》いを適切《てきせつ》に配《はい》するという意《い》。

なりたち

配

● 「酉（酒《さか》つぼ）」と「己（ひざまずく人《ひと》）」を合《あ》わせた形《かたち》。酒《さか》つぼのそばに人《ひと》がよりそうようすで、二《ふた》つのものがくっついてならぶ意《い》を表《あらわ》した。

配 配 配 配 配 配 配 配

重

里2画〔9画〕

音 ジュウ　チョウ

訓 え　おもい　かさねる　かさなる

重　いちばん長《なが》く

heavy［ヘヴィ］

つかいかた

かばんが重《おも》い。

ふとんを重《かさ》ねる。

体重《たいじゅう》をはかる。

いみ・ことば

① おもさ。●重心《じゅうしん》。重量《じゅうりょう》。重力《じゅうりょく》。体重《たいじゅう》。

② 程度《ていど》がおもい。●重傷《じゅうしょう》。重体《じゅうたい》。重病《じゅうびょう》。

③ 大切《たいせつ》な。●重視《じゅうし》。重大《じゅうだい》。重要《じゅうよう》。貴重《きちょう》。

④ かさなる。かさなったものを数《かぞ》えることば。●八重桜《やえざくら》。重箱《じゅうばこ》。五重《ごじゅう》の塔《とう》。重複《ちょうふく》。

もっとわかる

● 特別《とくべつ》な読《よ》み方《かた》…十重二十重《とえはたえ》

なりたち

→ 重

● 「東《とう》（つき通《とお》る）」と人《ひと》の姿《すがた》と「土（つち）」を合《あ》わせた形《かたち》。人《ひと》がおもみをかけて地面《じめん》をつくようすで、「おもい」の意《い》を表《あらわ》した。

重重重重重重重重

鉄

金5画〔13画〕

音 テツ

訓 —

鉄　矢と書《か》かない

iron［アイアン］

つかいかた

鉄棒《てつぼう》で遊《あそ》ぶ。

鉄筋《てっきん》の建物《たてもの》。

私鉄《してつ》に乗《の》る。

いみ・ことば

① てつ。●鉄橋《てっきょう》。鉄鋼《てっこう》。鉄砲《てっぽう》。製鉄《せいてつ》。

② てつのように強《つよ》い。●鉄則《てっそく》。鉄拳《てっけん》。鉄《てっ》壁《ぺき》の守《まも》り。

③ 鉄道《てつどう》のこと。●私鉄《してつ》。電鉄《でんてつ》。地下鉄《ちかてつ》。

もっとわかる

● 「鉄面皮《てつめんぴ》」とは、はじ知《し》らずで、ずうずうしいこと。● 四字熟語《よじじゅくご》…金城鉄壁《きんじょうてっぺき》（守《まも》りがかたく、まったくすきがないこと）

なりたち

もとの字《じ》は「鐵」。「戴（まっすぐ断《た》ち切《き》る）」と「金（金属《きんぞく》）」を合《あ》わせた形《かたち》。よく切《き》れる武器《ぶき》をつくる金属《きんぞく》、「てつ」を表《あらわ》した。

鉄鉄鉄鉄鉄鉄鉄鉄

銀

金6画〔14画〕

音 ギン

訓 —

銀　この形《かたち》に注意《ちゅうい》

silver［スィるヴァ］

つかいかた

銀《ぎん》のスプーン。

一面《いちめん》の銀世界《ぎんせかい》。

銀行《ぎんこう》に預金《よきん》する。

いみ・ことば

① ぎん。●銀貨《ぎんか》。水銀《すいぎん》。

② ぎん色《いろ》。●銀河《ぎんが》。銀世界《ぎんせかい》。銀幕《ぎんまく》。

③ おかね。●銀行《ぎんこう》。

もっとわかる

● 「銀幕《ぎんまく》」は、映画《えいが》のこと。● 東京《とうきょう》の「銀座《ぎんざ》」は、江戸時代《えどじだい》に銀貨《ぎんか》をつくる役所《やくしょ》があったところからついた地名《ちめい》。

なりたち

「良《こん》（いつまでも残《のこ》るあと）」と「金（金属《きんぞく》）」を合《あ》わせた形《かたち》。材料《ざいりょう》をはめこんでつくるかざりで、はめこんであとを残《のこ》す金属《きんぞく》、「ぎん」を表《あらわ》した。

銀銀銀銀銀銀銀銀

3年

開

門4画〔12画〕

音 カイ
訓 ひらく ひらける あく あける

開 はねる

open［オウプン］

つかいかた

つぼみが開《ひら》く。

窓《まど》を開《あ》ける。

試合開始《しあいかいし》。

いみ・ことば

1 **ひらく。あく。** ●開放《かいほう》。公開《こうかい》。満開《まんかい》。

2 **ほりおこす。ひらける。** ●開運《かいうん》。開拓《かいたく》。開発《かいはつ》。文明開化《ぶんめいかいか》。

3 **はじめる。** ●開会《かいかい》。開店《かいてん》。再開《さいかい》。

もっとわかる

●四字熟語《よじじゅくご》…開口一番《かいこういちばん》（口《くち》をひらいたとたん）・文明開化《ぶんめいかいか》（西洋《せいよう》の文化《ぶんか》を取《と》り入《い》れて、世《よ》の中《なか》が進歩《しんぽ》すること）

なりたち

 ↓ 開

●「門（もん）」「一（かんぬき）」「廾（両手《りょうて》）」を合《あ》わせて、かんぬきを外《はず》して門《もん》を「あける」意《い》を表《あらわ》した。

集

隹4画〔12画〕

音 シュウ
訓 あつまる あつめる （つどう）

集 長《なが》く

gather［ギャざァ］

つかいかた

仲間《なかま》が集《あつ》まる。

注目《ちゅうもく》を集《あつ》める。

勉強《べんきょう》に集中《しゅうちゅう》する。

いみ・ことば

1 **あつめる。あつまる。** ●集会《しゅうかい》。集金《しゅうきん》。集合《しゅうごう》。集団《しゅうだん》。集中《しゅうちゅう》。採集《さいしゅう》。特集《とくしゅう》。

2 **あつめたもの。** ●詩集《ししゅう》。全集《ぜんしゅう》。文集《ぶんしゅう》。

もっとわかる

●同音異義語《どうおんいぎご》「ショウシュウ」…「招集《しょうしゅう》」は、招《まね》き集《あつ》めること（例 役員《やくいん》を招集《しょうしゅう》する）。「召集《しょうしゅう》」は、呼《よ》び出《だ》して集《あつ》めること（例 国会《こっかい》を召集《しょうしゅう》する）。

なりたち

 ↓ 集

●「隹（とり）」と「木（き）」を合《あ》わせて、鳥《とり》が木《き》の上《うえ》に「あつまる」ようすを表《あらわ》した。

面

面0画〔9画〕

音 メン
訓 （おも） （おもて） （つら）

面 この形《かたち》に注意《ちゅうい》

face［フェイス］

つかいかた

矢面《やおもて》に立《た》つ。

川《かわ》に面《めん》した家《いえ》。

両面《りょうめん》を焼《や》く。

いみ・ことば

1 **顔《かお》。顔《かお》を合《あ》わせる。** ●面持《おもも》ち。面会《めんかい》。面接《めんせつ》。面前《めんぜん》。赤面《せきめん》。洗面《せんめん》。対面《たいめん》。

2 **ものの外側《そとがわ》。おもて。** ●矢面《やおもて》。面積《めんせき》。

3 **方向《ほうこう》。向《む》き。** ●正面《しょうめん》。側面《そくめん》。方面《ほうめん》。

4 **平《ひら》たいもの。** ●三面鏡《さんめんきょう》。紙面《しめん》。図面《ずめん》。

5 **顔《かお》をかたどったもの。** ●仮面《かめん》。能面《のうめん》。

もっとわかる

●特別《とくべつ》な読《よ》み方《かた》…真面目《まじめ》

なりたち

 ↓ 面

●「頁（かお）」を略《りゃく》したものを線《せん》でぐるっと囲《かこ》んだ形《かたち》。ある方向《ほうこう》に向《む》く「かお」や「おもて」の意《い》を表《あらわ》した。

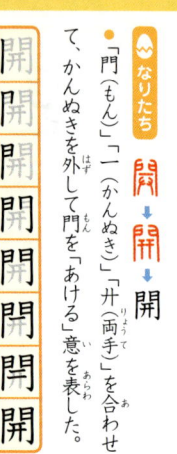

題

頁9画【18画】

音 ダイ

訓 ―

題（長《なが》くはらう）

title［タイトる］

つかいかた

本《ほん》の題名《だいめい》。

宿題《しゅくだい》が多《おお》い。

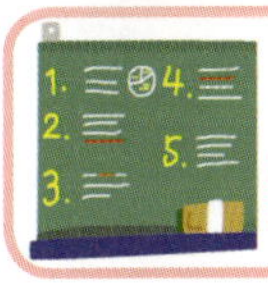

五問《ごもん》の出題《しゅつだい》。

いみ・ことば

①内容《ないよう》を表《あらわ》すことば。●題字《だいじ》。題名《だいめい》。

②中心《ちゅうしん》となる事《こと》がら。●議題《ぎだい》。話題《わだい》。

③解決《かいけつ》すべき事《こと》がら。●課題《かだい》。問題《もんだい》。

もっとわかる

●四字熟語《よじじゅくご》…無理難題《むりなんだい》（道理《どうり》に反《はん》した、とうてい不可能《ふかのう》な要求《ようきゅう》）

なりたち

→ → 是

●まっすぐのびるというイメージを示《しめ》す「是《ぜ》」と「頁（頭《あたま》）」を合《あ》わせて、頭《あたま》のまっすぐな部分《ぶぶん》である「ひたい」を表《あらわ》した。「前面《ぜんめん》に示《しめ》すもの」であるところから、「だい」の意《い》でも使《つか》われた。

題題題題題題題題

飲

食4画【12画】

音 イン

訓 のむ

飲（食と書《か》かない）

drink［ドリンク］

つかいかた

川《かわ》の水《みず》を飲《の》む。

飲《の》み物《もの》を買《か》う。

暴飲《ぼういん》暴食《ぼうしょく》。

いみ・ことば

●のむ。●飲《の》み水《みず》。飲《の》み物《もの》。立《た》ち飲《の》み。飲酒《いんしゅ》。飲食《いんしょく》。飲料水《いんりょうすい》。

もっとわかる

●「つめのあかをせんじて飲《の》む」とは、すぐれた人《ひと》のつめのあかを飲《の》んで、その人《ひと》のようになろうとする意《い》。●四字熟語《よじじゅくご》…牛飲馬食《ぎゅういんばしょく》（たくさん飲《の》み食《く》いすること）・暴飲暴食《ぼういんぼうしょく》（度《ど》を越《こ》えて飲《の》み食《く》いすること）

なりたち

「食（たべる）」と「欠（口《くち》を開《あ》けてしゃがんだ人《ひと》）」を合《あ》わせて、「のむ」の意《い》を表《あらわ》した。

飲飲飲飲飲飲飲飲

館

食8画【16画】

音 カン

訓 やかた

館（呂と書《か》かない）

hall［ホール］

つかいかた

学校《がっこう》の体育館《たいいくかん》。

映画館《えいがかん》の正面《しょうめん》。

閉館《へいかん》時間《じかん》。

いみ・ことば

●大《おお》きな建物《たてもの》。多《おお》くの人《ひと》が集《あつ》まるところ。●館長《かんちょう》。公民館《こうみんかん》。体育館《たいいくかん》。図書館《としょかん》。旅館《りょかん》。

もっとわかる

●「公民館《こうみんかん》」は、地域《ちいき》の住民《じゅうみん》の教養《きょうよう》を高《たか》めるために、市町村《しちょうそん》が設置《せっち》する施設《しせつ》。

なりたち

→ → → 官

●「官《かん》」は、多《おお》くの役人《やくにん》が集《あつ》まる役所《やくしょ》。役所《やくしょ》はへいでぐるりと取《と》り囲《かこ》むというイメージがある。それに「食（たべもの）」をそえた「館《かん》」は、食《た》べ物《もの》などを出《だ》すためのへいをめぐらした建物《たてもの》、客《きゃく》をもてなす「やかた」を表《あらわ》した。

館館館館館館館館

3年

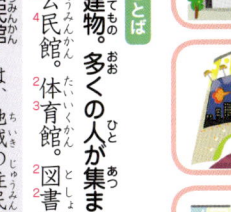

駅

馬4画〔14画〕

音 エキ
訓 —

筆順《ひつじゅん》に注意《ちゅうい》 駅

station［ステイション］

つかいかた

駅《えき》を通過《つうか》する。

駅員《えきいん》を呼《よ》ぶ。

駅伝《えきでん》の選手《せんしゅ》。

いみ・ことば

●停車場《ていしゃば》。えき。●駅員《えきいん》。駅長《えきちょう》。駅《えき》ビル。駅前《えきまえ》。各駅停車《かくえきていしゃ》。停車駅《ていしゃえき》。無人駅《むじんえき》。

もっとわかる

●長《なが》い道《みち》のりを数人《すうにん》で走《はし》る「駅伝《えきでん》」は、昔《むかし》、人《ひと》や物《もの》をのせた馬《うま》が宿場《しゅくば》（旅人《たびびと》がとまる集落《しゅうらく》）の間《あいだ》を走《はし》ることをいった。

なりたち

睪→睪

●もとの字《じ》は「驛」。「睪（つぎつぎとつなぐ）」と「馬（ウマ）」を合《あ》わせて、馬《うま》を乗《の》りかえて、つぎつぎとつないでいく宿場《しゅくば》を表《あらわ》した。のち、鉄道《てつどう》の乗《の》りつぎ場《ば》である「えき」の意《い》で使《つか》われるようになった。

歯

歯0画〔12画〕

音 シ
訓 は

上と書《か》かない 歯

tooth［トゥーす］

つかいかた

歯《は》が痛《いた》い。

歯《は》を食《く》いしばる。

乳歯《にゅうし》が抜《ぬ》ける。

いみ・ことば

①物《もの》をかみくだくもの。は。●歯茎《はぐき》。歯《は》並《なら》び。奥歯《おくば》。金歯《きんば》。虫歯《むしば》。歯科《しか》。乳歯《にゅうし》。

②はのようなもの。●歯車《はぐるま》。

もっとわかる

●「歯《は》」を使《つか》ったことば…歯《は》が浮《う》く（おせじなどを聞《き》いて不快《ふかい》になる）・歯《は》が立《た》たない（とてもかなわない）・歯《は》に衣着《きぬき》せぬ（遠慮《えんりょ》せずに思《おも》ったことを言《い》う）

なりたち

→→歯

●もとの字《じ》は「齒」。口《くち》の中《なか》にはえている「は」をえがいた形《かたち》に「止《し》」を加《くわ》えて、物《もの》をかみ止《と》める「は」を表《あらわ》した。

鼻

鼻0画〔14画〕

音 （ビ）
訓 はな

白と書《か》かない 鼻

nose［ノウズ］

つかいかた

鼻《はな》で息《いき》をする。

鼻水《はなみず》が出《で》る。

鼻《はな》が高《たか》い。

いみ・ことば

●はな。●鼻息《はないき》。鼻歌《はなうた》。鼻紙《はながみ》。鼻声《はなごえ》。鼻筋《はなすじ》。鼻血《はなぢ》。小鼻《こばな》。目鼻《めはな》。

もっとわかる

●「鼻《はな》」を使《つか》ったことば…鼻《はな》が高《たか》い（得意《とくい》なようす）・鼻《はな》で笑《わら》う（ばかにして笑《わら》う）・鼻《はな》を折《お》る（いい気《き》になっている人《ひと》の心《こころ》をくじく）

なりたち

→→→鼻（鼻）

●もとの字《じ》は「鼻」。「畀」は、かごをしめつけて液体《えきたい》をしぼり出《だ》すようす。両側《りょうがわ》からしめつけてしぼり出《だ》すイメージを示《しめ》す。それに「自（人《ひと》のはな）」をそえて、しるをしぼり出《だ》す働《はたら》きのある「はな」を表《あらわ》した。

4年生《ねんせい》で習《なら》う漢字《かんじ》（202字《じ》）

典	兵	共	児	兆	億	働	側	健	倉	借	候	便	信	例	低	佐	位	伝	仲	令	付	以	井	争	不
276	275	275	275	274	274	274	273	273	273	272	272	272	271	270	270	270	269	269	269	268	268	268	267	267	267
塩	埼	城	固	器	唱	周	各	司	参	印	博	卒	協	包	勇	労	努	功	加	副	刷	利	別	初	冷
285	284	284	284	283	283	283	282	282	282	281	281	281	280	280	280	279	279	278	278	278	277	277	277	276	276
徒	径	建	康	府	底	帯	席	希	差	崎	岡	岐	察	富	害	官	完	孫	季	媛	好	奈	失	夫	変
294	293	293	293	292	292	292	291	291	291	290	290	290	289	289	288	288	288	287	287	287	286	286	286	285	285
敗	改	挙	折	戦	成	愛	念	必	隊	陸	阪	阜	郡	選	達	連	辺	菜	茨	芽	英	芸	巣	単	徳
303	302	302	302	301	301	301	300	300	300	299	299	298	298	298	297	297	297	296	296	296	295	295	295	294	294
氏	残	欠	機	標	極	梨	械	梅	案	栃	栄	松	果	束	材	未	末	札	望	最	景	昨	旗	料	散
312	311	311	311	310	310	310	309	309	308	308	308	307	307	307	306	306	306	305	305	305	304	304	304	303	303
祝	省	的	産	特	牧	熱	熊	照	無	然	焼	灯	潟	漁	満	滋	清	浴	浅	法	治	泣	沖	求	民
321	320	320	320	319	319	319	318	318	318	317	317	316	316	316	315	315	315	314	314	314	313	313	313	312	312
議	課	説	試	訓	観	覚	要	衣	街	良	老	群	縄	続	結	給	約	管	節	笑	置	競	積	種	票
330	329	329	329	328	328	328	327	327	326	326	326	325	325	325	324	324	324	323	323	323	322	322	322	321	321
						鹿	験	香	養	飯	飛	願	類	順	静	関	鏡	録	臣	量	辞	輪	軍	賀	貨
						336	336	336	335	335	335	334	334	334	333	333	333	332	332	332	331	331	331	330	330

漢字力《かんじりょく》をアップする方法《ほうほう》 4

漢字学習《かんじがくしゅう》にとって大事《だいじ》な力《ちから》の一《ひと》つは、**辞典《じてん》や字典《じてん》を必要《ひつよう》に応《おう》じて使《つか》いこなす力《ちから》**です。わからないことをそのままにするのではなく、こまめに辞典《じてん》にあたって調《しら》べるという態度《たいど》を身《み》につける方《ほう》が、目先《めさき》の漢字《かんじ》一個《いっこ》を覚《おぼ》えるよりよっぽどすごい一生《いっしょう》の財産《ざいさん》になります。

みなさんはどんな辞典《じてん》を持《も》っていますか。国語辞典《こくごじてん》に……、そう、今読《いまよ》んでいるこの漢字辞典《かんじじてん》。ただ机《つくえ》のわきに置《お》いてあるだけというのではもったいないですよ。いつも活用《かつよう》してください。辞典《じてん》は大変便利《たいへんべんり》で役《やく》に立《た》つものです。新《あたら》しい発見《はっけん》がたくさんあります。たとえば今読《いまよ》んでいるコラム。辞典《じてん》にはこんなページもあるのです。漢字学習《かんじがくしゅう》での大事《だいじ》な力《ちから》が漢字辞典《かんじじてん》を引《ひ》く力《ちから》だなんて、初《はじ》めて知《し》った人《ひと》もいるでしょう。

漢字辞典《かんじじてん》を使《つか》おう

「わかっているけどね、辞典《じてん》を引《ひ》くなんてめんどうくさいよ。重《おも》たいし、いっぱいのっているのはいいけどね、探《さが》すのに時間《じかん》がたくさんかかって、見《み》つけられないこともあるんだよ。」なんてなげいている人《ひと》はいませんか。

電子辞書《でんしじしょ》やスマホを使《つか》って漢字《かんじ》を調《しら》べている人《ひと》もいますね。紙《かみ》の辞書《じしょ》と比《くら》べると軽《かる》いし、すぐ引《ひ》けるからいいという人《ひと》もいるでしょう。

紙《かみ》の辞書《じしょ》か電子辞書《でんしじしょ》か、どちらも一長一短《いっちょういったん》ありますが、紙《かみ》の辞書《じしょ》の漢字《かんじ》の見《み》つけ方《かた》には三種類《さんしゅるい》あることを知《し》っていますね。画数《かくすう》を知《し》っていれば**総画索引《そうかくさくいん》**、読《よ》み方《かた》を知《し》っていれば**音訓索引《おんくんさくいん》**、部首《ぶしゅ》がわかれば**部首索引《ぶしゅさくいん》**でお目当《めあ》ての漢字《かんじ》が引《ひ》けます。さらに、この漢字辞典《かんじじてん》は小学生《しょうがくせい》のみなさんが引《ひ》きやすいように、学年別《がくねんべつ》に漢字《かんじ》が並《なら》んでいます。すごいですね。四種類《よんしゅるい》の索引《さくいん》です。これだけの手《て》がかりがあれば、あなたはめざす漢字《かんじ》を見《み》つける名探偵《めいたんてい》です。ためしに、「辞典《じてん》」の「典」という漢字《かんじ》がどこにのっているか調《しら》べてみましょう。きちんと見《み》つけられるかどうかは、あなたのうでしだいです。

また、漢字辞典《かんじじてん》を引《ひ》くことに慣《な》れるために、わたしの教室《きょうしつ》では付《ふ》せんを使《つか》います。**一字引《いちじひ》くごとに付《ふ》せんをはる**のです。付《ふ》せんをはることがおもしろくて、みんな競争《きょうそう》のようにして調《しら》べていました。ある子《こ》はたくさんの付《ふ》せんがついた漢字辞典《かんじじてん》を見《み》せて、「ぼく、すごく頭《あたま》がよくなった気分《きぶん》だよ。こんなに辞典《じてん》を引《ひ》いたのかと思《おも》うとうれしくなっちゃった。」と言《い》いました。こうなればしめたものです。豊《ゆた》かな漢字《かんじ》の世界《せかい》がどんどん広《ひろ》がっていきますよ。

不

一3画〔4画〕
訓 —
音 フ ブ

不 とめる

not［ナット］

つかいかた
- 不安《ふあん》な夜《よる》を過《す》ごす。
- ぼくに不可能《ふかのう》はない。
- 電車《でんしゃ》が不通《ふつう》になる。
- 妹《いもうと》が不平《ふへい》をいう。
- 不気味《ぶきみ》な声《こえ》が聞《き》こえる。

いみ・ことば
- …でない。…しない。●3不安《ふあん》。3不意《ふい》打《う》ち。3不運《ふうん》。5不可能《ふかのう》。1不気味《ぶきみ》。3不幸《ふこう》。2不公平《ふこうへい》。1不正《ふせい》。1不足《ふそく》。4不便《ふべん》。4不満《ふまん》。4不要《ふよう》。

もっとわかる
- 四字熟語《よじじゅくご》…不言実行《ふげんじっこう》（あれこれ言《い》わずに、すべきことを行《おこな》うこと）

なりたち
→ → →不
- 花《はな》のがくをえがいた形《かたち》。何《なに》かを打《う》ち消《け》すときに口《くち》を丸《まる》めてプーと言《い》うようすが、丸《まる》くてふっくらとした花《はな》のがくに似《に》ているところから、「…ない」の意《い》を表《あらわ》した。

不 不 不 不

争

亅5画〔6画〕
訓 あらそう
音 ソウ

争 はねる

fight［ファイト］

つかいかた
- 勝《か》ち負《ま》けを争《あらそ》う。
- 毎日《まいにち》争《あらそ》いがたえない。
- 争奪戦《そうだつせん》をくり広《ひろ》げる。
- 兄《あに》は競争心《きょうそうしん》が強《つよ》い。
- 戦争《せんそう》を終《お》わらせる。

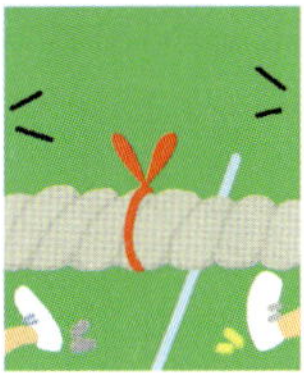

いみ・ことば
- あらそう。あらそい。●4争議《そうぎ》。▲争奪《そうだつ》戦《せん》。2争点《そうてん》。4競争《きょうそう》。4戦争《せんそう》。▲紛争《ふんそう》。6論争《ろんそう》。

もっとわかる
- 「争奪戦《そうだつせん》」は、数《かず》に限《かぎ》りのあるものを得《え》ようとして、みんなであらそうこと。

なりたち
→争（争）
- もとの字《じ》は「爭」。「爪（下向《したむ》きの手《て》）」と「ノ（引《ひ》っぱる）」と「又（上向《うわむ》きの手《て》）」を合《あ》わせた形《かたち》。上下《じょうげ》の手《て》で反対《はんたい》の方向《ほうこう》に引《ひ》っぱり合《あ》うようすをえがいて、「はり合《あ》う」「あらそう」の意《い》を表《あらわ》した。

争 争 争 争 争 争

井

二2画〔4画〕
訓 い
音 （ショウ）（セイ）

井 長《なが》めに

well［ウェル］

つかいかた
- 井戸水《いどみず》をくみ上《あ》げる。
- 井戸端会議《いどばたかいぎ》に花《はな》がさく。
- 福井県《ふくいけん》の丸岡城《まるおかじょう》。
- 天井《てんじょう》を見上《みあ》げる。
- 市井《しせい》の人《ひと》の暮《く》らし。

いみ・ことば
1. いど。●▲井桁《いげた》。2井戸《いど》。2井戸《いど》水《みず》。
2. いげた（井）のような形《かたち》。●1天井《てんじょう》。
3. まちなか。●2市井《しせい》。

もっとわかる
- 「井《い》の中《なか》のかわず大海《たいかい》を知《し》らず」とは、井戸《いど》の中《なか》のかえるのように広《ひろ》い世界《せかい》を知《し》らないこと。

なりたち
井→井
- 四角《しかく》くわくを組《く》んだ井戸《いど》をえがいた形《かたち》。井《い》戸《ど》のまわりに人々《ひとびと》が集《あつ》まり住《す》んだので、町《まち》の意味《いみ》にも使《つか》われる。

井 井 井 井

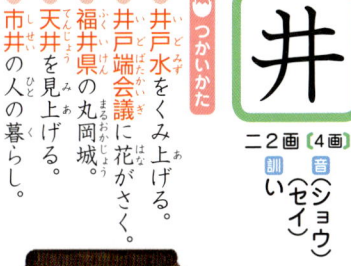

以

人3画〔5画〕

音 イ
訓 —

以
ななめ右上《みぎうえ》に

from［フラム］

つかいかた

- 二十歳《はたち》**以下《いか》**の青年《せいねん》。
- **以前《いぜん》**来《き》た場所《ばしょ》。
- 半径《はんけい》三《さん》メートル**以内《いない》**。
- 転校《てんこう》**以来《いらい》**便《たよ》りがない。
- **以心伝心《いしんでんしん》**で意思《いし》が伝《つた》わる。

いみ・ことば

① **そこから。それより。** ●以下《いか》。以外《いがい》。以降《いこう》。以上《いじょう》。以前《いぜん》。以内《いない》。以来《いらい》。

② **…で。…を用《もち》いて。** ●以心伝心《いしんでんしん》。

もっとわかる

●似《に》ていることば「以下《いか》と未満《みまん》」…どちらも、「ある基準《きじゅん》より下《した》」を指《さ》す。ただし、「十歳以下《じっさいいか》」は十歳《じっさい》をふくみ、「十《じっ》歳未満《さいみまん》」は十歳《じっさい》をふくまない。

なりたち

↓ ム ●「ム（耕《たがや》す農《のう》具《ぐ》）」と「人（ひと）」を合《あ》わせた形《かたち》。人《ひと》が道具《どうぐ》を使《つか》うようすで、「何《なに》かを用《もち》いて」の意《い》を表《あらわ》した。

以 以 以 以 以

付

亻3画〔5画〕

音 フ
訓 つける　つく

付
はねる

attach［アタッチ］

つかいかた

- ボタンを**付《つ》ける**。
- 地面《じめん》に足《あし》あとが**付《つ》く**。
- 買《か》い物《もの》に**付《つ》き合《あ》う**。
- 家《いえ》の**付近《ふきん》**を散歩《さんぽ》する。
- 創刊号《そうかんごう》の**付録《ふろく》**。

いみ・ことば

① **くっつく。くっつける。** ●付《つ》き合《あ》う。付《つ》きそう。付加《ふか》。付近《ふきん》。付属《ふぞく》。付録《ふろく》。

② **手《て》わたす。あたえる。** ●寄付《きふ》。交付《こうふ》。

もっとわかる

●四字熟語《よじじゅくご》…付和雷同《ふわらいどう》（自分《じぶん》の考《かんが》えを持《も》たず、すぐ人《ひと》の意見《いけん》に同調《どうちょう》すること）●送《おく》り仮名《がな》…「受付《うけつけ》」「日付《ひづけ》」などのことばは、「け」を送《おく》らないので注意《ちゅうい》。

なりたち

「亻（人《ひと》）」と「寸（手《て》）」を合《あ》わせた形《かたち》。手《て》で人《ひと》を自分《じぶん》のそばに引《ひ》き寄《よ》せるようすで、そばに「くっつける」意《い》を表《あらわ》した。

付 付 付 付 付

令

へ3画〔5画〕

音 レイ
訓 —

令
とめる

command［カマンド］

つかいかた

- 先生《せんせい》が**号令《ごうれい》**をかける。
- 部下《ぶか》に**命令《めいれい》**を下《くだ》す。
- 国の**法令《ほうれい》**に従《したが》う。
- ゲームの**司令塔《しれいとう》**。
- 社長《しゃちょう》の**令嬢《れいじょう》**がお見《み》えになる。

いみ・ことば

① **いいつけ。** ●令状《れいじょう》。号令《ごうれい》。司令《しれい》。命令《めいれい》。

② **決《き》まり。** ●政令《せいれい》。法令《ほうれい》。

③ **相手《あいて》の家族《かぞく》などを尊敬《そんけい》していうことば。** ●令▲嬢《れいじょう》。令息《れいそく》。令夫人《れいふじん》。

もっとわかる

●「年齢《ねんれい》（生《う》まれてから今《いま》までの年数《ねんすう》）」のかわりに、「年令《ねんれい》」も使《つか》われる。

なりたち

↓ 令 ●「亼（三方《さんぼう》から寄《よ》せ集《あつ》める）」と「卩（ひざまずく人《ひと》）」を合《あ》わせた形《かたち》。集《あつ》めた人《ひと》をひざまずかせ、神《かみ》のお告《つ》げをさずけるようすをえがいて、お告《つ》げや言《い》いつけの意《い》を表《あらわ》した。

令 令 令 令 令

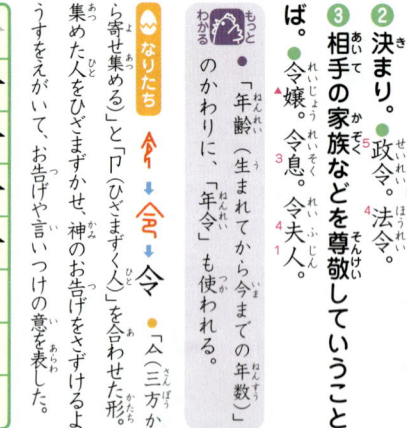

仲

亻4画〔6画〕

音 （チュウ）

訓 なか

仲 まっすぐ下《した》に

Relationship［リレイションシップ］

つかいかた

- 二人《ふたり》の**仲**《なか》を取《と》りもつ。
- 友達《ともだち》と**仲直り**《なかなお》をする。
- 三人《さんにん》は**仲良し**《なかよ》だ。
- **仲秋**《ちゅうしゅう》のさわやかな気候《きこう》。
- 結婚式《けっこんしき》の**仲人**《なこうど》。

いみ・ことば

① **人《ひと》と人《ひと》との間《あいだ》がら。なか。** ●仲立《なかだ》ち。仲直《なかなお》り。仲間《なかま》。仲介《ちゅうかい》。仲裁《ちゅうさい》。

② **まんなか。** ●仲秋《ちゅうしゅう》。仲春《ちゅうしゅん》。

もっとわかる

●特別《とくべつ》な読《よ》み方《かた》…仲人《なこうど》（結婚《けっこん》の仲立《なかだ》ちをする人《ひと》） ●「仲秋《ちゅうしゅう》」は、秋《あき》の中《なか》ごろの意《い》で、陰暦八月《いんれきはちがつ》のこと。また、陰暦八《いんれきはち》月十五日《がつじゅうごにち》の月《つき》を「中秋《ちゅうしゅう》の名月《めいげつ》」という。

なりたち

「中《ちゅう》（まんなか）」と「亻（人《ひと》）」を合《あ》わせた形《かたち》で、兄弟《きょうだい》の中《なか》ほどを示《しめ》した。のち、人《ひと》と人《ひと》の間《あいだ》に立《た》つ意《い》で使《つか》われた。

仲仲仲仲仲仲

4年

伝

亻4画〔6画〕

音 デン

訓 つたわる つたえる つたう

伝 上《うえ》の横棒《よこぼう》より長《なが》く

transmit［トランスミット］

つかいかた

- 気持《きも》ちを**伝える**《つた》。
- うわさが**伝わる**《つた》。
- 壁《かべ》を**伝って**《つた》逃《に》げる。
- **伝言**《でんごん》ゲーム。
- 浦島太郎《うらしまたろう》の**伝説**《でんせつ》。

いみ・ことば

① **つたえる。つたわる。** ●伝言《でんごん》。伝授《でんじゅ》。伝説《でんせつ》。伝達《でんたつ》。伝統《でんとう》。伝道《でんどう》。伝来《でんらい》。宣伝《せんでん》。

② **人《ひと》の一生《いっしょう》をたどったもの。** ●伝記《でんき》。自伝《じでん》。

もっとわかる

●特別《とくべつ》な読《よ》み方《かた》…手伝《てつだ》う・伝馬船《てんません》 ●「伝《てん》家《か》の宝刀《ほうとう》」とは、古《ふる》くからその家《いえ》の宝《たから》として伝《つた》わっている刀《かたな》のこと。

なりたち

●もとの字《じ》は「傳」。「専《せん》（ぐるぐる回《まわ》る）」と「亻（人《ひと》）」を合《あ》わせた形《かたち》で、人《ひと》から人《ひと》へと物《もの》を回《まわ》して「つたえる」意《い》を表《あらわ》した。

専

伝伝伝伝伝伝

位

亻5画〔7画〕

音 イ

訓 くらい

位 長《なが》めに

position［ポズィション］

つかいかた

- 王《おう》の**位**《くらい》につく。
- 十《じゅう》の**位**《くらい》を足《た》す。
- **位取り**《くらいど》をまちがえる。
- マラソンで**一位**《いちい》になる。

いみ・ことば

① **全体《ぜんたい》の中《なか》で、その物《もの》がしめる場所《ばしょ》。** ●位置《いち》。方位《ほうい》。

② **身分《みぶん》。くらい。** ●王位《おうい》。首位《しゅい》。上位《じょうい》。

③ **数《かず》のくらい。** ●十《じゅう》の位《くらい》。

もっとわかる

●四字熟語《よじじゅくご》…三位一体《さんみいったい》（三《みっ》つの物《もの》が本質的《ほんしつてき》には同《おな》じであること。三者《さんしゃ》が一体《いったい》となること。）「位」は、ここでは「み」と読《よ》む。

なりたち

「亻（人《ひと》）」と「立（同《おな》じようなものが並《なら》ぶ）」を合《あ》わせた形《かたち》。天子《てんし》が政治《せいじ》を行《おこな》う場所《ばしょ》に多《おお》くの臣下《しんか》が並《なら》ぶようすで、人《ひと》や物《もの》のいるべき場所《ばしょ》を表《あらわ》した。

位位位位位位

佐

イ５画〔7画〕

音 サ
訓 ―

つかいかた
- 先生《せんせい》を補佐《ほさ》する。
- 佐幕派《さばくは》の志士《しし》。
- 佐官《さかん》以上《いじょう》の地位《ちい》。
- 佐賀県《さがけん》の吉野《よしの》ヶ里遺跡《がりいせき》。

佐 とめる

help［へるプ］

いみ・ことば

❶ わきで手助《てだす》けをする。●佐幕《さばく》[6]。王佐《おうさ》[1]。補佐《ほさ》[6]。

❷ 軍隊《ぐんたい》などの階級《かいきゅう》の一《ひと》つ。●佐官《さかん》[4]。空佐《くうさ》[1]。少佐《しょうさ》[2]。大佐《たいさ》[1]。

もっとわかる
●「佐幕《さばく》」とは、江戸時代《えどじだい》の終《お》わりごろに、幕府《ばくふ》に味方《みかた》したこと。●「佐官《さかん》」とは、大佐《たいさ》・中佐《ちゅうさ》・少佐《しょうさ》の総称《そうしょう》で、将官《しょうかん》の下《した》の地位《ちい》。

なりたち
「左《さ》」は、工作《こうさく》をするとき、右手《みぎて》をささえて助《たす》ける左手《ひだりて》のこと。それに「イ（人《ひと》）」を組《く》み合《あ》わせて、手助《てだす》けをする人《ひと》の意《い》を表《あらわ》した。

佐 佐 佐 佐 佐 佐 佐

低

イ５画〔7画〕

音 テイ
訓 ひくい ひくめる ひくまる

つかいかた
- まわりより低《ひく》い家《いえ》。
- 突然声《とつぜんこえ》を低《ひく》める。
- 低温《ていおん》で保存《ほぞん》する。
- 品質《ひんしつ》が低下《ていか》する。
- 明日《あす》の最低気温《さいていきおん》。

低 はねる

low［ろウ］

いみ・ことば

❶ ひくい。おとる。●低温《ていおん》[3]。低気圧《ていきあつ》[1][5]。低級《ていきゅう》[3]。低空《ていくう》[1]。低姿勢《ていしせい》[6][5]。低調《ていちょう》[3]。高低《こうてい》[2]。最低《さいてい》[4]。

❷ さがる。さげる。●低下《ていか》[1]。低減《ていげん》[5]。

もっとわかる
●四字熟語《よじじゅくご》…平身低頭《へいしんていとう》（頭《あたま》を下《さ》げて、ひたすら謝《あやま》ること）

なりたち

↓氐

●「氐《てい》」は「氏（ある物《もの》）」と「一」を合《あ》わせて、物《もの》のいちばん下《した》の方《ほう》というイメージを示《しめ》す。それに「イ（人《ひと》）」をそえて、背《せ》のひくい人《ひと》のことから、高《たか》さが「ひくい」ようすを表《あらわ》した。

低 低 低 低 低 低 低

例

イ６画〔8画〕

音 レイ
訓 たとえる

つかいかた
- 友達《ともだち》を動物《どうぶつ》に例《たと》える。
- 例《れい》をあげて説明《せつめい》する。
- 例《れい》の場所《ばしょ》で会《あ》おう。
- 算数《さんすう》の例題《れいだい》を解《と》く。
- 例年《れいねん》になく寒《さむ》い。

例 はねる

example［イグザンプる］

いみ・ことば

❶ 見本《みほん》として選《えら》び出《だ》したもの。たとえ。●例文《れいぶん》[1]。一例《いちれい》[1]。実例《じつれい》[3]。用例《ようれい》[2]。

❷ 同《おな》じ種類《しゅるい》の仲間《なかま》。●例外《れいがい》[2]。類例《るいれい》[4]。

❸ いつも決《き》まっている。●例年《れいねん》[1]。月例《げつれい》[1]。

もっとわかる
●「例《れい》によって例《れい》のごとし」とは、いつも通《どお》りのありさまであるということ。

なりたち
「列《れつ》」は、いくつもに分《わ》けて並《なら》べるというイメージを示《しめ》す。それに「イ（人《ひと》）」を合《あ》わせて、同《おな》じようなものが並《なら》ぶようすから、いくつか並《なら》んだ同《おな》じ種類《しゅるい》のものを表《あらわ》した。

例 例 例 例 例 例 例 例

信

イ7画【9画】

音 シン
訓 —

信 長《なが》めに

believe［ビリーヴ］

つかいかた

- 成功《せいこう》を信《しん》じる。
- 強《つよ》い信念《しんねん》を持《も》つ。
- 信号《しんごう》が青《あお》に変《か》わる。
- 自信《じしん》たっぷりに話《はな》す。
- 電子《でんし》メールを受信《じゅしん》する。

いみ・ことば

1. **うそを言《い》わない。まこと。** ●信[5]義《しんぎ》。[6]背信《はいしん》。
2. **うたがわない。しんじる。** ●信[3]者《しんじゃ》。信[4]念《しんねん》。信[2]用《しんよう》。[5]確信《かくしん》。[2]自信《じしん》。
3. **知《し》らせ。手紙《てがみ》。** ●信[3]号《しんごう》。[3]受信《じゅしん》。[3]送信《そうしん》。

もっとわかる
● 四字熟語《よじじゅくご》…**信賞必罰**《しんしょうひつばつ》（手《て》がらには賞《しょう》を、あやまちには罰《ばつ》をあたえること）

なりたち

「イ（人《ひと》）」と「言（はっきり物《もの》をいう）」を組《く》み合《あ》わせた形《かたち》。人《ひと》との関係《かんけい》でけじめがつき、心《こころ》が相手《あいて》にまっすぐ伝《つた》わるようすを表《あらわ》した。

信 信 信 信 信 信 信 信

4年

図解《ずかい》 都道府県《とどうふけん》の漢字《かんじ》

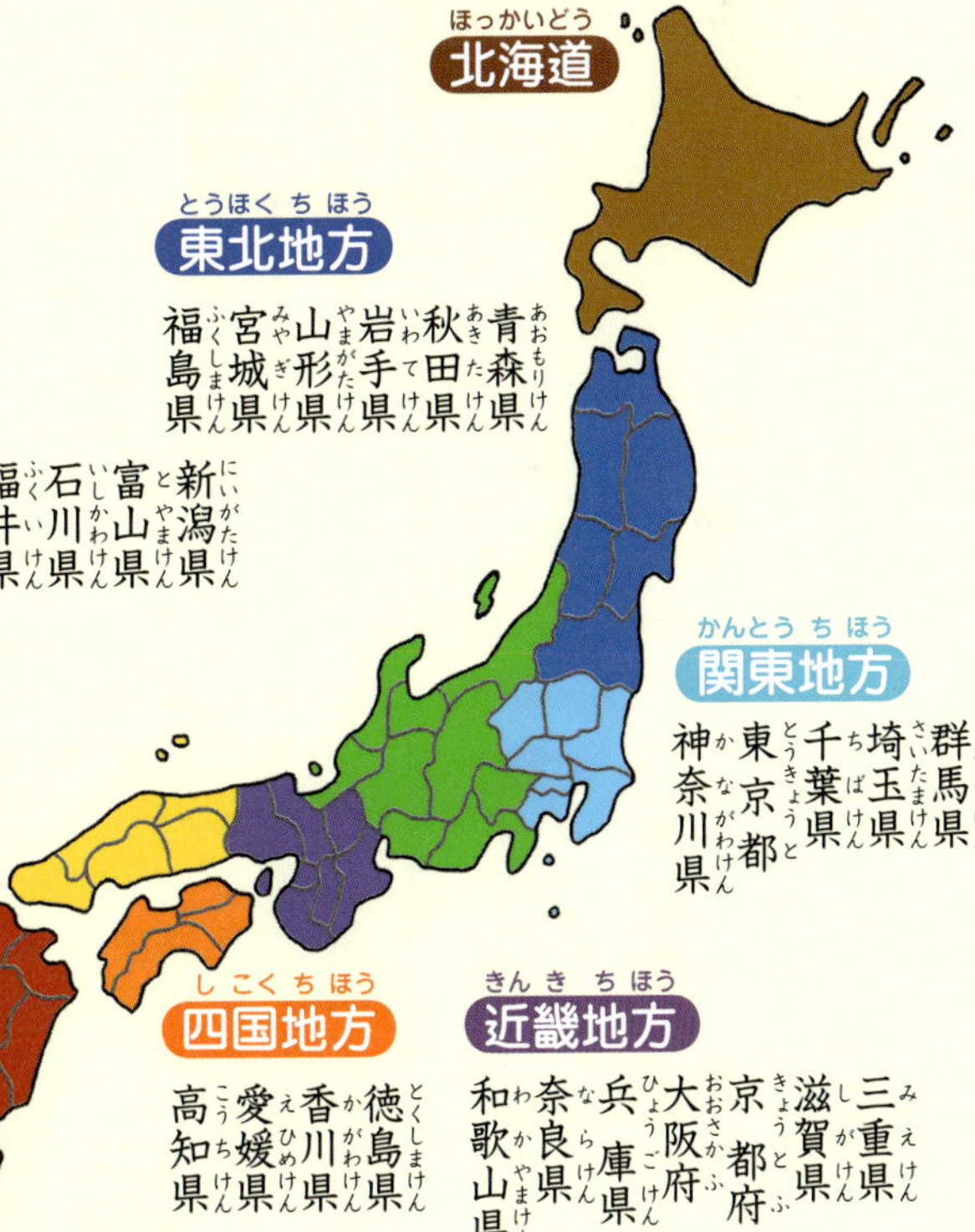

北海道《ほっかいどう》

東北地方《とうほくちほう》
青森県《あおもりけん》 秋田県《あきたけん》 岩手県《いわてけん》 山形県《やまがたけん》 宮城県《みやぎけん》 福島県《ふくしまけん》

中部地方《ちゅうぶちほう》
新潟県《にいがたけん》 富山県《とやまけん》 石川県《いしかわけん》 福井県《ふくいけん》 山梨県《やまなしけん》 長野県《ながのけん》 岐阜県《ぎふけん》 静岡県《しずおかけん》 愛知県《あいちけん》

関東地方《かんとうちほう》
茨城県《いばらきけん》 栃木県《とちぎけん》 群馬県《ぐんまけん》 埼玉県《さいたまけん》 千葉県《ちばけん》 東京都《とうきょうと》 神奈川県《かながわけん》

中国地方《ちゅうごくちほう》
鳥取県《とっとりけん》 島根県《しまねけん》 岡山県《おかやまけん》 広島県《ひろしまけん》 山口県《やまぐちけん》

近畿地方《きんきちほう》
三重県《みえけん》 滋賀県《しがけん》 京都府《きょうとふ》 大阪府《おおさかふ》 兵庫県《ひょうごけん》 奈良県《ならけん》 和歌山県《わかやまけん》

四国地方《しこくちほう》
徳島県《とくしまけん》 香川県《かがわけん》 愛媛県《えひめけん》 高知県《こうちけん》

九州地方《きゅうしゅうちほう》
福岡県《ふくおかけん》 佐賀県《さがけん》 長崎県《ながさきけん》 大分県《おおいたけん》 熊本県《くまもとけん》 宮崎県《みやざきけん》 鹿児島県《かごしまけん》 沖縄県《おきなわけん》

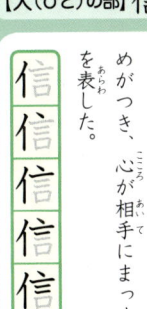

便

イ7画〔9画〕

音 ベン ビン

訓 たより

つき出《だ》さない

convenient ［カンヴィーニャント］

つかいかた

- 友達《ともだち》から便《たよ》りが届《とど》く。
- 午前中《ごぜんちゅう》の便《びん》に乗《の》る。
- 荷物《にもつ》を宅配便《たくはいびん》で送《おく》る。
- 交通《こうつう》の便《べん》が悪《わる》い。
- 電話《でんわ》がないと不便《ふべん》だ。

いみ・ことば

① **都合《つごう》がよい。** ●便乗《びんじょう》[3]。便利《べんり》[4]。不便《ふべん》[4]。

② **手紙《てがみ》。たより。** ●航空便《こうくうびん》[5][1]。船便《ふなびん》[2]。郵便《ゆうびん》[6]。

③ **大便《だいべん》や小便《しょうべん》のこと。** ●便所《べんじょ》[3]。便秘《べんぴ》[6]。

もっとわかる

- 「うそも方便《ほうべん》」とは、事《こと》をうまく運《はこ》ぶため、うそが必要《ひつよう》なこともあるということ。

なりたち

 ↓ 更

- 「丙（両側《りょうがわ》にぴんと張《は》ってたるみがない）」と「攴（手《て》の動作《どうさ》）」を合《あ》わせた「更」は、たるみやでこぼこを平《たい》らにすること。それに「亻（人《ひと》）」を合《あ》わせて、何《なん》の問題《もんだい》もなくことが運《はこ》ぶようすを表《あらわ》した。

候

イ8画〔10画〕

音 コウ

訓 （そうろう）

エと書《か》かない

watch ［ワッチ］

つかいかた

- 春暖《しゅんだん》の候《こう》。
- 優勝《ゆうしょう》候補《こうほ》のチーム。
- 気候《きこう》の変化《へんか》を調《しら》べる。
- 天候《てんこう》が不順《ふじゅん》だ。

いみ・ことば

① **うかがう。さぐる。** ●斥候《せっこう》。

② **待《ま》つ。待《ま》ち受《う》ける。** ●候▲補《こうほ》[6]。

③ **季節《きせつ》や天気《てんき》のようす。物事《ものごと》のようす。きざし。** ●気候《きこう》[1]。兆候《ちょうこう》[4]。天候《てんこう》[1]。

もっとわかる

- 「そうろう」の読《よ》みは、昔《むかし》の手紙文《てがみぶん》などに使《つか》われた。「です」「ます」の意《い》。

なりたち

 ↓ 候

- 「人」と「厂（垂《た》れた布《ぬの》）」と「矢（や）」を合《あ》わせた「侯《こう》」は、うかがうというイメージを示《しめ》す。それと「亻（人《ひと》）」を合《あ》わせた「候」は、ようすや状況《じょうきょう》をうかがう意《い》を表《あらわ》した。

借

イ8画〔10画〕

音 シャク

訓 かりる

上《うえ》の横棒《よこぼう》より長《なが》く

borrow ［バロウ］

つかいかた

- 図書館《としょかん》で本《ほん》を借《か》りる。
- 借《か》り物《もの》競走《きょうそう》に出《で》る。
- お金《かね》を前借《まえが》りする。
- 借金《しゃっきん》を返《かえ》す。
- お耳《みみ》を拝借《はいしゃく》します。

いみ・ことば

- **返《かえ》す約束《やくそく》で、人《ひと》の物《もの》などを使《つか》う。かりる。** ●借《か》り物《もの》[3]。貸《か》し借《か》り[5]。借家《しゃくや》[2]。借金《しゃっきん》[1]。

もっとわかる

- 「借」と反対《はんたい》の意味《いみ》を持《も》つ漢字《かんじ》は「貸」。
- 「拝借《はいしゃく》」は「借《か》りる」のへりくだった言《い》い方《かた》。

なりたち

 ↓ 昔

- 「昔《せき》」は、日数《にっすう》を重《かさ》ねることで、「むかし」の意《い》。重《かさ》ねて加《くわ》えるというイメージを示《しめ》す。それに「亻（人《ひと》）」を合《あ》わせた「借」は、足《た》りないところに一時的《いちじてき》に物《もの》を加《くわ》えること、つまり「かりる」の意《い》を表《あらわ》した。

倉

ヘ8画【10画】
音 ソウ
訓 くら

右《みぎ》につき出《だ》さない

storehouse［ストーハウス］

つかいかた

- 倉《くら》の中《なか》の米俵《こめだわら》。
- 倉荷《くらに》を外《そと》へ運《はこ》ぶ。
- 食糧《しょくりょう》倉庫《そうこ》。
- 日本《にほん》の穀倉《こくそう》地帯《ちたい》。
- 奈良《なら》の正倉院《しょうそういん》。

いみ・ことば

● 穀物《こくもつ》や品物《しなもの》をしまっておく建物《たてもの》。くら。●[3]倉荷《くらに》。[2]米倉《こめぐら》。[3]倉庫《そうこ》。[2]船倉《せんそう》。

もっとわかる
● 同訓異字《どうくんいじ》「倉《くら》と蔵《くら》」…「倉《くら》」は、おもに穀物《こくもつ》（米《こめ》や麦《むぎ》など）をしまっておく建《たて》物《もの》の意《い》。「蔵《くら》」は、大切《たいせつ》なものをしまっておく建物《たてもの》の意《い》。

なりたち

倉 → 倉

● 「食（たべる）」を略《りゃく》したものと「口（四角《しかく》い囲《かこ》い）」を合《あ》わせた形《かたち》で、穀物《こくもつ》などをしまっておく建物《たてもの》を表《あらわ》した。

倉 倉 倉 倉 倉 倉 倉 倉

健

イ9画【11画】
音 ケン
訓 （すこやか）

つき出《だ》す

healthy［へるすぃ］

つかいかた

- 健《すこ》やかに育《そだ》つ。
- 健康《けんこう》食品《しょくひん》。
- 祖父《そふ》は健在《けんざい》だ。
- 健全《けんぜん》な肉体《にくたい》。
- 保健所《ほけんじょ》で注射《ちゅうしゃ》を打《う》つ。

いみ・ことば

① 体《からだ》がじょうぶである。すこやか。● [4]健康《けんこう》。[5]健在《けんざい》。[3]健勝《けんしょう》。[3]健全《けんぜん》。[5]保健《ほけん》。

② よく。さかんに。● ▲健闘《けんとう》。[6]▲健忘症《けんぼうしょう》。

もっとわかる
● 四字熟語《よじじゅくご》…質実剛健《しつじつごうけん》（かざり気《け》がなく、強《つよ》くてたくましいこと）

なりたち

建 → 建

● 「聿（筆《ふで》を手《て》で立《た》てて持《も》つ）」と「廴（のばすしるし）」を合《あ》わせた「建《けん》」は、まっすぐのばして立《た》つこと。それと「亻（人《ひと》）」を合《あ》わせた「健」は背《せ》すじをのばして立《た》つ、体《からだ》がじょうぶである意《い》を表《あらわ》した。

健 健 健 健 健 健 健 健 健

側

イ9画【11画】
音 ソク
訓 がわ

はねる

side［サイド］

つかいかた

- 道《みち》の左側《ひだりがわ》を歩《ある》く。
- 川《かわ》の向《む》こう側《がわ》。
- 建物《たてもの》の表側《おもてがわ》から入《はい》る。
- 物事《ものごと》の側面《そくめん》を見《み》る。
- 首相《しゅしょう》の側近《そっきん》。

いみ・ことば

① ものの一面《いちめん》。いっぽう。● [3]表側《おもてがわ》。[1]右側《みぎがわ》。[1]左側《ひだりがわ》。[3]両側《りょうがわ》。[3]側面《そくめん》。

② わき。そば。かたわら。● [2]側近《そっきん》。

もっとわかる
● 「側近《そっきん》」は、身分《みぶん》の高《たか》い人《ひと》のそばに仕《つか》える人《ひと》。

なりたち

鼎 → 則 → 則

● 「則《そく》」は「鼎（うつわ）」と「刀」を合《あ》わせて、うつわのそばにナイフがついているようす。そばにくっつくというイメージを示《しめ》す。それと「亻（人《ひと》）」を合《あ》わせた「側」は、本体《ほんたい》の横《よこ》にくっついている部分《ぶぶん》を示《しめ》して、「そば」の意《い》を表《あらわ》した。

側 側 側 側 側 側 側 側 側

働

イ 11画〔13画〕
訓 はたら**く**
音 ドウ

ななめ右上《みぎうえ》に
働

work［ワーク］

つかいかた
- 毎日《まいにち》オフィスで**働《はたら》く**。
- 電池《でんち》の**働《はたら》き**を調《しら》べる。
- **働《はたら》き者《もの》**のあり。
- 畑仕事《はたけしごと》は**重労働《じゅうろうどう》**だ。
- 一日《いちにち》の**労働時間《ろうどうじかん》**。

いみ・ことば
● **仕事《しごと》をする。はたらく。** ●働《はたら》き口《ぐち》。働《はたら》きざかり。働《はたら》き手《て》。労働時間《ろうどうじかん》。

もっとわかる
● 「働」は、日本《にほん》で作《つく》られた漢字《かんじ》（↓279ページのコラム参照《さんしょう》）。のちに、中国《ちゅうごく》でも使《つか》われるようになった。● 「働《はたら》く」には、作用《さよう》する（例 引力《いんりょく》が働《はたら》く）、精神《せいしん》が活動《かつどう》する（例 勘《かん》が働《はたら》く）、悪《わる》いことをする（例 不正《ふせい》を働《はたら》く）などの意味《いみ》もある。

なりたち
「動《どう》（うごく）」と「イ（人《ひと》）」を合《あ》わせて、人《ひと》が「はたらく」意《い》を表《あらわ》した。

働 働 働 働 働 働 働 働

億

イ 13画〔15画〕
訓 ―
音 オク

長《なが》めに
億

hundred million
［ハンドレッド ミリャン］

つかいかた
- **億《おく》**の位《くらい》を計算《けいさん》する。
- **億万長者《おくまんちょうじゃ》**になる夢《ゆめ》。
- 着《き》がえるのも**億劫《おっくう》**だ。
- **一億人《いちおくにん》**以上《いじょう》が暮《く》らす国《くに》。
- **巨億《きょおく》**の富《とみ》を生《う》み出《だ》す。

いみ・ことば
❶ **数《かず》の「おく」。万《まん》の一万倍《いちまんばい》。** ●一億円《いちおくえん》。一億人《いちおくにん》。
❷ **数《かず》が非常《ひじょう》に多《おお》い。** ●億万長者《おくまんちょうじゃ》。▲巨億《きょおく》の富《とみ》。

もっとわかる
● 「億万長者《おくまんちょうじゃ》」は、大金持《おおがねも》ちのこと。
● 「億劫《おっくう》」は、気《き》の進《すす》まないようす。「出《で》かけるのも億劫《おっくう》だ」のように使《つか》う。

なりたち
「意《い》」は、「いっぱいこもる」というイメージを示《しめ》す。それと「イ（人《ひと》）」を合《あ》わせて、もういっぱいで数《かぞ》えられないほど大《おお》きな数《かず》、「おく」を表《あらわ》した。

億 億 億 億 億 億 億 億 億

兆

儿 4画〔6画〕
訓 （きざ**す**）（きざ**し**）
音 チョウ

上《うえ》にはねる
兆

sign［サイン］

つかいかた
- 春《はる》の**兆《きざ》し**を感《かん》じる。
- 景気回復《けいきかいふく》の**兆《きざ》し**。
- 噴火《ふんか》の**兆候《ちょうこう》**。
- 地震《じしん》の**前兆《ぜんちょう》**。
- **十兆円《じっちょうえん》**の赤字《あかじ》。

いみ・ことば
❶ **物事《ものごと》がおこりそうなきざし。前《まえ》ぶれ。** ●兆候《ちょうこう》。▲吉兆《きっちょう》。前兆《ぜんちょう》。
❷ **数《かず》の「ちょう」。億《おく》の一万倍《いちまんばい》。** ●一兆円《いっちょうえん》。十兆円《じっちょうえん》。

もっとわかる
● 「兆候《ちょうこう》」は「徴候《ちょうこう》」とも書《か》き、物事《ものごと》が起《お》こる前《まえ》ぶれの意《い》。

なりたち

↓
兆

● カメのこうらを焼《や》いたとき、左右《さゆう》にさける割《わ》れ目《め》をえがいた形《かたち》。昔《むかし》の中国《ちゅうごく》の占《うらな》いで、現《あらわ》れた「きざし」を表《あらわ》した。

兆 兆 兆 兆 兆 兆

4年

4年

児

儿5画〔7画〕
訓 —
音 ジ（ニ）

上《うえ》にはねる

child［チャイるド］

つかいかた

- 児童《じどう》が登校《とうこう》する。
- 育児《いくじ》に専念《せんねん》する。
- 甲子園《こうしえん》に球児《きゅうじ》が集《あつ》まる。
- 園児《えんじ》のおゆうぎ。
- 近《ちか》くの小児科《しょうにか》に通《かよ》う。

いみ・ことば

1 子《こ》ども。おさなご。●児童《じどう》。育児《いくじ》。女児《じょじ》。男児《だんじ》。乳児《にゅうじ》。幼児《ようじ》。

2 若《わか》い男子《だんし》。●球児《きゅうじ》。風雲児《ふううんじ》。

もっとわかる

- 特別《とくべつ》な読《よ》み方《かた》…稚児《ちご》（乳児《にゅうじ》や幼児《ようじ》。また、祭《まつ》りなどの行列《ぎょうれつ》に加《くわ》わる子《こ》ども）・鹿児島《かごしま》
- 「風雲児《ふううんじ》」とは、世《よ》の中《なか》が大《おお》きく変《か》わるとき、その流《なが》れに乗《の》って才能《さいのう》を発揮《はっき》する人《ひと》。

なりたち

→ → → 兒（児）

- もとの字《じ》は「兒」。頭《あたま》の骨《ほね》が完全《かんぜん》に固《かた》まっていない「子《こ》ども」をえがいた形《かたち》。

共

八4画〔6画〕
訓 とも
音 キョウ

上《うえ》の横棒《よこぼう》より長《なが》く

together［タゲざァ］

つかいかた

- 合格《ごうかく》して共《とも》に喜《よろこ》ぶ。
- 夫婦《ふうふ》共《とも》かせぎ。
- 主人公《しゅじんこう》に共感《きょうかん》する。
- 共通点《きょうつうてん》を探《さが》す。
- 男女《だんじょ》共学《きょうがく》の学校《がっこう》。

いみ・ことば

●いっしょに。ともに。●共《とも》だおれ。共学《きょうがく》。共感《きょうかん》。共通《きょうつう》。共同《きょうどう》。共有《きょうゆう》。公共《こうきょう》。

もっとわかる

- 「共学《きょうがく》」は、男女《だんじょ》が同《おな》じ学校《がっこう》で学《まな》ぶこと。
- 四字熟語《よじじゅくご》…共存共栄《きょうそんきょうえい》（争《あらそ》うことなく、ともに生存《せいぞん》しともに栄《さか》えること。「共存」は「きょうぞん」とも読《よ》む）

なりたち

→ → 共

- 「廾（両手《りょうて》）」と「廿（ある物《もの》）」を合《あ》わせた形《かたち》。両手《りょうて》をそろえて物《もの》を差《さ》し上《あ》げるようすで、「いっしょに」「ともに」の意《い》を表《あらわ》した。

兵

八5画〔7画〕
訓 —
音 ヘイ ヒョウ

長《なが》めに

soldier［ソウるヂャ］

つかいかた

- 勇敢《ゆうかん》な兵士《へいし》。
- 兵隊《へいたい》が行進《こうしん》する。
- 兵法《へいほう》を学《まな》ぶ。
- 水兵服《すいへいふく》をまねた洋服《ようふく》。
- 敵兵《てきへい》にとらえられる。

いみ・ことば

1 戦《たたか》う人《ひと》。軍隊《ぐんたい》に入《はい》っている人《ひと》。軍人《ぐんじん》。●兵隊《へいたい》。兵力《へいりょく》。水兵《すいへい》。敵兵《てきへい》。歩兵《ほへい》。

2 戦《たたか》い。●兵火《へいか》。兵器《へいき》。兵法《へいほう》（ひょうほう）。

もっとわかる

- 「短兵急《たんぺいきゅう》」とは、突然《とつぜん》であるようす。
- 「生兵法《なまびょうほう》は大《おお》けがのもと」とは、いいかげんな知識《ちしき》にたよって大失敗《だいしっぱい》をすること。

なりたち

→ 兵

- 「斤（おの）」と「廾（両手《りょうて》）」を合《あ》わせた形《かたち》。武器《ぶき》を持《も》つ人《ひと》をえがいて、戦《たたか》う人《ひと》や戦《たたか》いで使《つか》われる道具《どうぐ》を表《あらわ》した。

典

八6画〔8画〕

音 テン
訓 ―

典 長《なが》めに

book [ブック]

つかいかた

- 典型的《てんけいてき》な日本人《にほんじん》。
- キリスト教《きょう》の教典《きょうてん》。
- 日本《にほん》の古典《こてん》を読《よ》む。
- スポーツの祭典《さいてん》。
- 百科事典《ひゃっかじてん》を広《ひろ》げる。

いみ・ことば

① **大切《たいせつ》な書物《しょもつ》。** ●[2]古典《こてん》。[4]辞典《じてん》。[1]百[2]科[3]事典《ひゃっかじてん》。

② **手本《てほん》。決《き》まり。** ●典▲拠《てんきょ》。典[5]型《てんけい》。典▲範《てんぱん》。

③ **決《き》まったやり方《かた》で行《おこな》うもよおし。行《ぎょう》事《じ》。** ●[3]祭典《さいてん》。[3]式典《しきてん》。[4]祝典《しゅくてん》。

もっとわかる

●「事典《じてん》」は物事《ものごと》や事《こと》がら、「辞典《じてん》」はことば、「字典《じてん》」は漢字《かんじ》について説明《せつめい》した書物《しょもつ》。

なりたち

↓
典

●「冊（書物《しょもつ》）」と「丌（あしのついた台座《だいざ》）」を合《あ》わせた形《かたち》。台《だい》の上《うえ》の書物《しょもつ》を示《しめ》して、大切《たいせつ》な書物《しょもつ》や手本《てほん》となる書物《しょもつ》を表《あらわ》した。

典 典 典 典 典 典 典 典

冷

冫5画〔7画〕

音 レイ
訓 つめたい ひえる ひや ひやす ひやかす さめる さます

冷 シと書《か》かない

cold [コウルド]

つかいかた

- お湯《ゆ》が冷《さ》める。
- プールの水《みず》が冷《つめ》たい。
- 二人《ふたり》の仲《なか》を冷《ひ》やかす。
- 氷《こおり》で冷《ひ》やす。
- 野菜《やさい》を冷蔵庫《れいぞうこ》に入《い》れる。

いみ・ことば

① **温度《おんど》が低《ひく》い。つめたい。** ●冷《ひ》や[1]水《みず》。冷《れい》[4]害《がい》。冷気《れいき》。冷[4]戦《れいせん》。冷[6]蔵[3]庫《れいぞうこ》。冷▲房《れいぼう》。[3]寒冷《かんれい》。

② **心《こころ》が動《うご》かない。** ●冷[4]笑《れいしょう》。冷[4]静《れいせい》。冷▲淡《れいたん》。

もっとわかる

●①と反対《はんたい》の意味《いみ》を持《も》つ漢字《かんじ》は「暖」「温」。●「冷戦《れいせん》」とは、火《ひ》（武力《ぶりょく》）を用《もち》いない戦《たたか》いのこと。

なりたち

「令《れい》」は、神《かみ》のお告《つ》げのことから、清《きよ》らかですんでいるというイメージを示《しめ》す。それと「冫（氷《こおり》）」を合《あ》わせて、氷《こおり》のようにすみ切《き》って「つめたい」ようすを表《あらわ》した。

冷 冷 冷 冷 冷 冷 冷

初

刀5画〔7画〕

音 ショ
訓 はじめ はじめて はつ （うい） （そめる）

初 はねる

first [ファースト]

つかいかた

- 初《はじ》めの一歩《いっぽ》が肝心《かんじん》だ。
- 初《はじ》めての海外旅行《かいがいりょこう》。
- 初雪《はつゆき》が降《ふ》る。
- 正月《しょうがつ》の書《か》き初《ぞ》め。
- 最初《さいしょ》のページを開《ひら》く。

いみ・ことば

① **物事《ものごと》のはじめ。** ●初[2]夏《しょか》。初[3]期《しょき》。初[3]級《しょきゅう》。初[2]心《しょしん》。初[1]日《しょにち》。初[2]歩《しょほ》。[4]最初《さいしょ》。[2]当初《とうしょ》。

② **はじめての。** ●初▲恋《はつこい》。初[1]耳《はつみみ》。初[3]対[3]面《しょたいめん》。

もっとわかる

●「うい」の読《よ》みは、「初陣《ういじん》」「初孫《ういまご》」などに使《つか》われる。●四字熟語《よじじゅくご》…初志貫徹《しょしかんてつ》（はじめに決《き》めた通《とお》りにやりぬくこと）

なりたち

↓
初

●「ネ（衣《ころも》）」と「刀（かたな）」を合《あ》わせた形《かたち》。衣《ころも》を作《つく》るのに、まず布《ぬの》を切《き》るようすで、物事《ものごと》の「はじめ」を表《あらわ》した。

初 初 初 初 初 初 初

4年

別

リ5画〔7画〕

音 ベツ
訓 わかれる

はねる

separate［セパレイト］

つかいかた

- 友達《ともだち》と駅《えき》で別《わか》れる。
- 別《わか》れ際《ぎわ》に礼《れい》を言《い》う。
- 一族《いちぞく》が別《わか》れ別《わか》れになる。
- まるで別人《べつじん》のようだ。
- ごみを分別《ぶんべつ》する。

いみ・ことば

1. 分《わ》ける。くべつする。●差別《さべつ》。性別《せいべつ》。選別《せんべつ》。大別《たいべつ》。判別《はんべつ》。
2. わかれる。●別居《べっきょ》。死別《しべつ》。送別会《そうべつかい》。
3. ほかの。●別人《べつじん》。別世界《べっせかい》。別荘《べっそう》。

もっとわかる

●四字熟語《よじじゅくご》…千差万別《せんさばんべつ》（いろいろな種類《しゅるい》があって、みなそれぞれちがうこと）

なりたち

●「冎（関節《かんせつ》の骨《ほね》）」の変形《へんけい》である「另」と「刂（刀《かたな》）」を合《あ》わせた形《かたち》。関節《かんせつ》の骨《ほね》をばらばらに切《き》りはなすようすで、「わかれる」の意《い》を表《あらわ》した。

利

リ5画〔7画〕

音 リ
訓 （きく）

はねる

sharp［シャープ］

つかいかた

- よく気《き》の利《き》く人《ひと》。
- 左利《ひだりき》きの投手《とうしゅ》。
- シロは利口《りこう》な犬《いぬ》だ。
- 牛乳《ぎゅうにゅう》パックを利用《りよう》する。
- 便利《べんり》な道具《どうぐ》を発明《はつめい》する。

いみ・ことば

1. よく切《き》れる。するどい。●鋭利《えいり》。利口《りこう》。
2. 都合《つごう》がよい。●利害《りがい》。利点《りてん》。便利《べんり》。
3. もうけ。●利益《りえき》。利子《りし》。利息《りそく》。営利《えいり》。

もっとわかる

●四字熟語《よじじゅくご》…一利一害《いちりいちがい》（利益《りえき》もあるが害《がい》もある）●「百害《ひゃくがい》あって一利《いちり》なし」は、悪《わる》いことばかりで、よいことが一《ひと》つもない意《い》。

なりたち

「禾《か》（イネ）」と「刂（刀《かたな》）」を合《あ》わせた形《かたち》。よく切《き》れる農具《のうぐ》でイネをかる場面《ばめん》をえがいて、作業《さぎょう》がすらすらと運《はこ》ぶようすを表《あらわ》した。

刷

リ6画〔8画〕

音 サツ
訓 する

はねる

print［プリント］

つかいかた

- 木版画《もくはんが》を刷《す》る。
- チラシが刷《す》り上《あ》がる。
- 手刷《てず》りの冊子《さっし》。
- 本《ほん》を印刷《いんさつ》する。
- 新聞《しんぶん》の縮刷版《しゅくさつばん》。

いみ・ことば

1. インクをつけて字《じ》や絵《え》を紙《かみ》にうつす。●多色刷《たしょくず》り。印刷《いんさつ》。縮刷《しゅくさつ》。増刷《ぞうさつ》。
2. 古《ふる》いものをこすりとる。●刷新《さっしん》。

もっとわかる

●「刷新《さっしん》」は、悪《わる》いところを取《と》りのぞいて、まったく新《あたら》しいものにすること。

なりたち

●「㕞」は、「尸（しり）」と「巾（布《ぬの》）」と「又（手《て》）」を合《あ》わせて、しりのよごれを布《ぬの》でふきとるようすをえがいた形《かたち》。この字《じ》の「又」を「刂（刀《かたな》）」にかえた「刷」は、刀《かたな》などでよごれをこすりとる意《い》を表《あらわ》した。

副

刂9画〔11画〕
音 フク
訓 ―

副《はねる》

assistant［アスィスタント］

つかいかた

- クラスの副委員長《ふくいいんちょう》になる。
- 副業《ふくぎょう》を禁止《きんし》する。
- 副読本《ふくどくほん》からの課題《かだい》。
- 薬《くすり》の副作用《ふくさよう》に苦《くる》しむ。
- 研究《けんきゅう》の副産物《ふくさんぶつ》。

いみ・ことば

1. **つきそって助《たす》ける。** ●副委員長《ふくいいんちょう》。副業《ふくぎょう》。副社長《ふくしゃちょう》。副題《ふくだい》。副知事《ふくちじ》。副読本《ふくどくほん》。
2. **つけ加《くわ》わる。** ●副作用《ふくさよう》。副産物《ふくさんぶつ》。
3. **本物《ほんもの》のひかえ。** ●副本《ふくほん》。

もっとわかる

- 「正副二通《せいふくにつう》の書類《しょるい》」のように、本物《ほんもの》（正）とそのひかえ（副）の意味《いみ》でも使《つか》われる。

なりたち

↓ 畐

- 「畐《ふく》（器《うつわ》）」と「刂（刀《かたな》）」を合《あ》わせた形《かたち》。二《ふた》つに割《わ》ったうちの片方《かたほう》を示《しめ》して、主役《しゅやく》のそばにくっついているものを表《あらわ》した。

加

力3画〔5画〕
音 カ
訓 くわえる　くわわる

加《はねる》

add［アッド］

つかいかた

- なべに水《みず》を加《くわ》える。
- 応援《おうえん》に加《くわ》わる。
- 魚《さかな》を加工《かこう》する。
- 人口《じんこう》が増加《ぞうか》する。
- 注文《ちゅうもん》を追加《ついか》する。

いみ・ことば

1. **くわえる。くわわる。** ●加工《かこう》。加勢《かせい》。加入《かにゅう》。加熱《かねつ》。増加《ぞうか》。追加《ついか》。付加《ふか》。
2. **数《かず》をたす。** ●加減乗除《かげんじょうじょ》。加算《かさん》。加法《かほう》。

もっとわかる

- 「加減乗除《かげんじょうじょ》」とは、足《た》し算《ざん》（加）・引《ひ》き算《ざん》（減）・かけ算《ざん》（乗）・割《わ》り算《ざん》（除）の、四《よっ》つの計算方法《けいさんほうほう》のこと。

なりたち

↓ 加

- 「力（ちから）」と「口（くち）」を合《あ》わせた形《かたち》。うでの力《ちから》だけでなく口《くち》まで使《つか》って相手《あいて》の上《うえ》に出《で》るようすで、「上《うえ》にのせる」「くわえる」の意《い》を表《あらわ》した。

功

力3画〔5画〕
音 コウ（ク）
訓 ―

功《つき出《だ》す》

merit［メリット］

つかいかた

- 作戦《さくせん》が功《こう》を奏《そう》する。
- 多大《ただい》な功績《こうせき》をあげる。
- けがの功名《こうみょう》。
- 功労者《こうろうしゃ》をたたえる。
- 実験《じっけん》に成功《せいこう》する。

いみ・ことば

1. **手《て》がら。** ●功績《こうせき》。功名《こうみょう》。功利的《こうりてき》。功労《こうろう》。成功《せいこう》。年功序列《ねんこうじょれつ》。
2. **ききめ。しるし。** ●功徳《くどく》。

もっとわかる

- 「ク」の読《よ》みは、「功徳《くどく》（人《ひと》のためになるよい行《おこな》い）」などのことばに使《つか》われる。
- 「けがの功名《こうみょう》」とは、失敗《しっぱい》だと思《おも》ったことがよい結果《けっか》をもたらすこと。

なりたち

- 「工《こう》（仕事《しごと》）」と「力（ちから）」を合《あ》わせた形《かたち》。力《ちから》を出《だ》して仕上《しあ》げたりっぱな仕事《しごと》のことで、「手《て》がら」を表《あらわ》した。

努

力5画〔7画〕

音 ド

訓 つと**める**

ななめ右上《みぎうえ》に

endeavor［インデヴァ］

つかいかた

- 寝《ね》る間《ま》をおしんで研究《けんきゅう》に努《つと》める。
- 泣《な》くまいと努《つと》める。
- 努《つと》めて冷静《れいせい》にふるまう。
- 人《ひと》の十倍《じゅうばい》努力《どりょく》する。
- 兄《あに》は努力家《どりょくか》だ。

いみ・ことば

- **力《ちから》をつくす。つとめる。**
  - 1努力《どりょく》。

もっとわかる

- 同訓異字《どうくんいじ》「つとめる」…「努《つと》める」は、力《ちから》いっぱいやる（例 問題《もんだい》の解決《かいけつ》に努《つと》める）。「勤《つと》める」は、仕事《しごと》につく（例 会社《かいしゃ》に勤《つと》める）。「務《つと》める」は、役目《やくめ》につく（例 司会《しかい》を務《つと》める）。

なりたち

↓ 奴

- 「奴《ど》」は、つかまえて働《はたら》かせる女《おんな》のどれいのことで、ねばり強《づよ》く働《はたら》くイメージを示《しめ》す。それに「力（ちから）」を合《あ》わせた「努」は、ねばり強《づよ》く力《ちから》をこめること、「つとめる」の意《い》を表《あらわ》した。

4年

労

力5画〔7画〕

音 ロウ

訓 —

⺌と書《か》かない

labor［れイバァ］

つかいかた

- 労《ろう》をいとわず働《はたら》く。
- 肉体労働《にくたいろうどう》をする。
- 家族《かぞく》に苦労《くろう》をかける。
- 過労《かろう》でたおれる。
- 長年《ながねん》の疲労《ひろう》がたまる。

いみ・ことば

1. **けんめいに働《はたら》く。**
   - 3労苦《ろうく》。2労作《ろうさく》。労《ろう》4働《どう》。労力《ろうりょく》。1苦労《くろう》。3功労《こうろう》。4徒労《とろう》。4
2. **つかれる。**
   - 5過労《かろう》。2心労《しんろう》。▲疲労《ひろう》。

もっとわかる

- 「労作《ろうさく》」は、苦心《くしん》して作《つく》った作品《さくひん》のこと。
- 四字熟語《よじじゅくご》…疲労困憊《ひろうこんぱい》（つかれてくたくたになること）

なりたち

↓ 勞（労）

- もとの字《じ》は「勞」。「𤇾（燃《も》えるかがり火《び》）」と「力（ちから）」を合《あ》わせた形《かたち》。燃《も》えつきるまで「力《ちから》を出《だ》す」意《い》を表《あらわ》し、「つかれる」意《い》でも使《つか》われた。

国字《こくじ》〜日本《にほん》で作《つく》られた漢字《かんじ》

漢字《かんじ》は、三千年以上《さんぜんねんいじょう》も前《まえ》に、中国《ちゅうごく》で生《う》まれました（488ページ 1漢字《かんじ》の歴史《れきし》を参照《さんしょう》）。中国《ちゅうごく》から日本《にほん》に漢字《かんじ》が伝《つた》わると、日本人《にほんじん》は自分《じぶん》たちのことばを書《か》き表《あらわ》す文字《もじ》として、漢字《かんじ》を使《つか》うようになりました。そしてさらに、中国《ちゅうごく》での漢字《かんじ》の作《つく》り方《かた》を応用《おうよう》して、いくつかの新《あたら》しい漢字《かんじ》を作《つく》り出《だ》しました。それが「国字《こくじ》」です。

国字《こくじ》は、日本《にほん》にしかないようなものや、日本独特《にほんどくとく》のことばを書《か》き表《あらわ》すのに作《つく》られた漢字《かんじ》です。そのため、「音《おん》」を持《も》たない漢字《かんじ》がほとんどです（「音《おん》」は中国《ちゅうごく》から入《はい》ってきた発音《はつおん》をもとにした読《よ》み方《かた》。491ページの 4漢字《かんじ》の読《よ》み方《かた》を参照《さんしょう》）。ただし、「働（はたらく）」は例外《れいがい》で、「ドウ」という「音《おん》」を持《も》っています。小学校《しょうがっこう》で習《なら》う漢字《かんじ》の中《なか》では、四年生《よねんせい》の「働」（274ページ）と「栃」（308ページ）のほか、三年生《さんねんせい》の「畑《はたけ》（244ページ）」が国字《こくじ》です。

ほかにも「峠《とうげ》（山《やま》の上《のぼ》りと下《くだ》りの境《さかい》）」「裃《かみしも》（上下《じょうげ》そろった衣服《いふく》）」「凪《なぎ》（風《かぜ》が止《と》まる）」「鱈《たら》（雪《ゆき》が降《ふ》る寒《さむ》いところでとれる魚《さかな》）」などがあります。

勇

力7画（9画）

音 ユウ
訓 いさむ

はねる

brave［ブレイヴ］

つかいかた

- 戦士《せんし》の**勇《いさ》ましい**姿《すがた》。
- **喜《よろこ》び勇《いさ》んで**出《で》かける。
- 試《こころ》みが**勇《いさ》み足《あし》**に終《お》わる。
- **勇気《ゆうき》**を出《だ》して戦《たたか》う。
- 自《みずか》らの**武勇伝《ぶゆうでん》**を語《かた》る。

いみ・ことば

- **気力《きりょく》がみなぎっている。いさましい。**
- ▲勇敢《ゆうかん》。1勇気《ゆうき》。5勇士《ゆうし》。3勇者《ゆうしゃ》。5武勇伝《ぶゆうでん》。4

もっとわかる

- 「勇《いさ》み足《あし》」とは、力《ちから》を出《だ》しすぎて失敗《しっぱい》すること。
- 四字熟語《よじじゅくご》…勇猛果敢《ゆうもうかかん》（何《なに》物《もの》をもおそれずに、勇気《ゆうき》を持《も》って実行《じっこう》すること）

なりたち

突《つ》き通《とお》すというイメージを示《しめ》す「甬《よう》」と「力（ちから）」を合《あ》わせた形《かたち》。地面《じめん》を突《つ》いてふるい立《た》つようすで、「いさましい」「いさみ立《た》つ」の意《い》を表《あらわ》した。

包

勹3画（5画）

音 ホウ
訓 つつむ

上《うえ》にはねる

wrap［ラップ］

つかいかた

- 紙《かみ》で箱《はこ》を**包《つつ》む**。
- プレゼントの**包《つつ》み紙《がみ》**。
- **小包《こづつみ》**を受《う》け取《と》る。
- 指《ゆび》に**包帯《ほうたい》**を巻《ま》く。
- 敵《てき》を**包囲《ほうい》**する。

いみ・ことば

1. **つつむ。** ●包《つつ》み紙《がみ》。2小包《こづつみ》。1包装紙《ほうそうし》。6 2包帯《ほうたい》。4
2. **とり囲《かこ》む。** ●包囲《ほうい》。5

もっとわかる

- 送《おく》り仮名《がな》…「包《つつ》み紙《がみ》」などは「み」を送《おく》るが、「小包《こづつみ》」は送《おく》らない。
- 「包容力《ほうようりょく》」とは、広《ひろ》い心《こころ》で相手《あいて》をつつみこむ力《ちから》。

なりたち

- 「勹（つつむ）」と「巳（腹《はら》の中《なか》の子《こ》ども）」を合《あ》わせた形《かたち》。腹《はら》の中《なか》の子《こ》どもが子宮《しきゅう》のまくでつつまれているようすをえがいて、外《そと》から中《なか》の物《もの》を丸《まる》く「つつむ」意《い》を表《あらわ》した。

協

十6画（8画）

音 キョウ
訓 ―

やや大《おお》きく

cooperate［コウアパレイト］

つかいかた

- 対策《たいさく》を**協議《きょうぎ》**する。
- ピアノ**協奏曲《きょうそうきょく》**を聞《き》く。
- **協調性《きょうちょうせい》**を育《そだ》てる。
- 他社《たしゃ》と**協定《きょうてい》**を結《むす》ぶ。
- 街頭募金《がいとうぼきん》に**協力《きょうりょく》**する。

いみ・ことば

- **力《ちから》を合《あ》わせる。調子《ちょうし》を合《あ》わせる。** ●協会《きょうかい》。2協議《きょうぎ》。4協定《きょうてい》。3協同《きょうどう》。2協約《きょうやく》。4協力《きょうりょく》。1

もっとわかる

- 同音異義語《どうおんいぎご》「キョウドウ」…「協同《きょうどう》」は、力《ちから》を合《あ》わせて何《なに》かを行《おこな》う意《い》（例 協同組合《きょうどうくみあい》）。「共同《きょうどう》」は、二人《ふたり》以上《いじょう》の人《ひと》がいっしょに何《なに》かを行《おこな》う意《い》（例 共同生活《きょうどうせいかつ》）。

なりたち

- 「劦《きょう》（多《おお》くの力《ちから》）」と「十（集《あつ》めてまとめる）」を組《く》み合《あ》わせた形《かたち》で、みんなの力《ちから》を合《あ》わせる意《い》を表《あらわ》した。

卒

十6画〔8画〕

訓 ―　音 ソツ

中心《ちゅうしん》　卒

graduate［グラヂュエイト］

つかいかた

- 幼稚園《ようちえん》の卒園式《そつえんしき》。
- 大学《だいがく》を卒業《そつぎょう》する。
- 卒業証書《そつぎょうしょうしょ》をもらう。
- おどろきのあまり卒倒《そっとう》する。
- 脳卒中《のうそっちゅう》で入院《にゅういん》する。

いみ・ことば

1. 地位《ちい》の低《ひく》い兵士《へいし》。 ● 6従卒《じゅうそつ》。4兵卒《へいそつ》。
2. 急《きゅう》に。 ● 卒▲倒《そっとう》。6脳卒中《のうそっちゅう》。
3. 終《お》わる。終《お》える。 ● 卒1園《そつえん》。2卒業《そつぎょう》。3

もっとわかる

● 「新卒《しんそつ》」は、その年《とし》に新《あたら》しく卒業《そつぎょう》した人《ひと》。「大卒《だいそつ》」は、大学《だいがく》を卒業《そつぎょう》した人《ひと》。

なりたち

→ → 卒

● 古《ふる》い字《じ》は「衣（ふく）」と「ノ（しるし）」を合《あ》わせた形《かたち》。しるしのついたおそろいの衣服《いふく》を着《き》ているようすで、まとまって行動《こうどう》する意《い》を表《あらわ》した。「まとまる」の意《い》から、最後《さいご》にしめくくる意《い》でも使《つか》われた。

卒 卒 卒 卒 卒 卒 卒 卒

博

十10画〔12画〕

訓 ―　音 ハク（バク）

点《てん》を忘《わす》れない　博

extensive［イクステンシヴ］

つかいかた

- 日本映画《にほんえいが》が好評《こうひょう》を博《はく》す。
- 博愛《はくあい》の精神《せいしん》。
- 祖父《そふ》は博学《はくがく》だ。
- 万国博覧会《ばんこくはくらんかい》を見《み》に行《い》く。
- 医学博士《いがくはくし》になる。

いみ・ことば

1. ひろい。ひろめる。 ● 博4愛《はくあい》。博5識《はくしき》。博3物3館《はくぶつかん》。
2. かけごと。ばくち。 ● 博4徒《ばくと》。

もっとわかる

● 特別《とくべつ》な読《よ》み方《かた》…博士《はかせ》 ● 「博徒《ばくと》」は、ばくち打《う》ち。● 四字熟語《よじじゅくご》…博覧強記《はくらんきょうき》（ひろく書物《しょもつ》を読《よ》み、多《おお》くを覚《おぼ》えていること）

なりたち

→ 尃（専）

● もとの字《じ》は「博」。「甫《ほ》」は、苗《なえ》が一面《いちめん》に生《は》えた田《た》んぼ。それに「寸（手《て》）」を合《あ》わせた「尃《ふ》」は、広《ひろ》く行《い》きわたるイメージを示《しめ》す。それに「十（多《おお》くそろえる）」を合《あ》わせた「博」は、多《おお》くのものに広《ひろ》く行《い》きわたる意《い》を表《あらわ》した。

博 博 博 博 博 博 博 博

印

卩4画〔6画〕

訓 しるし　音 イン

はねる　印

seal［スィーる］

つかいかた

- 大《おお》きな木《き》を目印《めじるし》にする。
- 矢印《やじるし》の通《とお》りに進《すす》む。
- 書類《しょるい》に印鑑《いんかん》をおす。
- ポスターを印刷《いんさつ》する。
- 印象的《いんしょうてき》な出来事《できごと》。

いみ・ことば

1. はんをおす。しるしをつける。 ● 1目印《めじるし》。2矢印《やじるし》。印4刷《いんさつ》。印5象《いんしょう》。
2. はんこ。 ● 印▲鑑《いんかん》。▲押印《おういん》。3消印《けしいん》。3実印《じついん》。

もっとわかる

● インドのことを「印度《いんど》」と書《か》いたことから、「印」をインドの意《い》で使《つか》うことがある。

なりたち

→ → 印

● 「爪（下向《したむ》きの手《て》）」と「卩（ひざまずく人《ひと》）」を合《あ》わせた形《かたち》。上《うえ》から下《した》に人《ひと》をおさえつけるようすで、おして「しるし」をつける意《い》を表《あらわ》した。

印 印 印 印 印 印

参

ム6画〔8画〕

音 サン
訓 まいる

向《む》きと長《なが》さに注意《ちゅうい》

participate [パーティスィペイト]

つかいかた

- 神社《じんじゃ》にお参《まい》りする。
- 墓参《はかまい》りに出《で》かける。
- お祭《まつ》りに参加《さんか》する。
- 小学校《しょうがっこう》の授業参観《じゅぎょうさんかん》。
- 大勢《おおぜい》の参拝客《さんぱいきゃく》でにぎわう。

いみ・ことば

1. 加《くわ》わる。●[4]参加《さんか》。[4]参観《さんかん》。[4]参戦《さんせん》。[3]参列《さんれつ》。
2. くらべる。●[2]参考《さんこう》。[4]参照《さんしょう》。
3. 神社《じんじゃ》や寺《てら》、尊《とうと》い人《ひと》の所《ところ》などに行《い》く。まいる。●[5]墓参《はかまい》り。[3]宮参《みやまい》り。[2]参道《さんどう》。[6]参拝《さんぱい》。

もっとわかる

- 金額《きんがく》を示《しめ》すときなど、「三」のかわりとして使《つか》われることがある。

なりたち

参（參）

- もとの字《じ》は「參」。頭《あたま》にかんざしを三《みっ》つつけた女性《じょせい》をえがいた形《かたち》と「彡（もよう）」を合《あ》わせて、アクセサリーがいくつも「入《い》りまじる」ようすを表《あらわ》した。

司

口2画〔5画〕

音 シ
訓 —

はねる

control [カントロウる]

つかいかた

- 学芸会《がくげいかい》の司会《しかい》を務《つと》める。
- 司法試験《しほうしけん》に合格《ごうかく》する。
- チームの司令塔《しれいとう》。
- 行司《ぎょうじ》が軍配《ぐんばい》を上《あ》げる。
- 会社《かいしゃ》の上司《じょうし》に相談《そうだん》する。

いみ・ことば

- 仕事《しごと》や役目《やくめ》を受《う》け持《も》つこと。また、その人《ひと》。●[2]司会《しかい》。[4]司令《しれい》。[2]行司《ぎょうじ》。[1]上司《じょうし》。

もっとわかる

- 「司法《しほう》」は、事実《じじつ》に法律《ほうりつ》をあてはめること。
- 「行司《ぎょうじ》」は、相撲《すもう》の勝《か》ち負《ま》けを決《き》める人《ひと》。
- 「上司《じょうし》」は、会社《かいしゃ》などの上役《うわやく》。

なりたち

司

- 「㇆（左向《ひだりむ》きの人《ひと》）」と「口（あな）」を合《あ》わせた形《かたち》。しりのあなを指《さ》す「后」を反対向《はんたいむ》きにした字《じ》で、にょうが出《で》るあなのこと。「小《ちい》さいあな」というイメージから、小《ちい》さく区切《くぎ》られた役所《やくしょ》や役目《やくめ》を表《あらわ》した。

各

口3画〔6画〕

音 カク
訓 （おのおの）

短《みじか》めに

each [イーチ]

つかいかた

- 各自《かくじ》で健康《けんこう》を管理《かんり》する。
- 日本各地《にほんかくち》の天気予報《てんきよほう》。
- 各国《かっこく》の首脳《しゅのう》が参加《さんか》する。
- 各界《かっかい》のスターが集《あつ》まる。
- 各種《かくしゅ》豊富《ほうふ》に取《と》りそろえる。

いみ・ことば

- それぞれ。おのおの。●[1]各学校《かくがっこう》。各自《かくじ》。[1]各人《かくじん》。[2]各地《かくち》。[3]各部《かくぶ》。[3]各界《かっかい》。[2]各国《かっこく》。

もっとわかる

- 「各位《かくい》」は、「みなさまがた」の意《い》で、多《おお》くの人《ひと》にあてて書《か》く手紙《てがみ》などに用《もち》いる。ひとりひとりを尊敬《そんけい》していうことば。

なりたち

各

- 「夂（下向《したむ》きの足《あし》）」と「口（物《もの》）」を合《あ》わせた形《かたち》。歩《ある》いてきて、足《あし》が固《かた》い物《もの》にぶつかるようすで、固《かた》いものがひとつひとつ連《つら》なっている意《い》を表《あらわ》した。

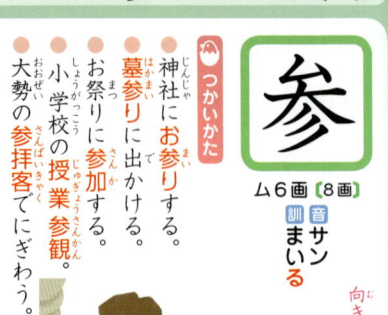

周

口5画〔8画〕

音 シュウ
訓 まわり

上《うえ》の横棒《よこぼう》より長《なが》く　周

around［アラウンド］

つかいかた

- 池《いけ》の周《まわ》りに木《き》を植《う》える。
- 周《まわ》りの反応《はんのう》を見《み》る。
- 家《いえ》の周辺《しゅうへん》で遊《あそ》ぶ。
- トラックを一周《いっしゅう》する。
- 創立十周年《そうりつじっしゅうねん》記念《きねん》。

いみ・ことば

1. **もののまわり。** ●周囲《しゅうい》。周期《しゅうき》。周辺《しゅうへん》。周遊券《しゅうゆうけん》。円周《えんしゅう》。世界一周《せかいいっしゅう》。
2. **すみずみまで行《い》き届《とど》く。** ●周知《しゅうち》。周到《しゅうとう》。

もっとわかる

- 四字熟語《よじじゅくご》…用意周到《よういしゅうとう》（用意《ようい》が十分《じゅうぶん》に行《い》き届《とど》いていること）・周章狼狽《しゅうしょうろうばい》（ひどくあわてること）

なりたち

- 「𠆢」（びっしりとなえを植《う》えた田《た》んぼ）」と「口（領域《りょういき》）」を合《あ》わせた形《かたち》。ある区画《くかく》をすきまなく取《と》りまくようすで、広《ひろ》く全体《ぜんたい》に行《い》き渡《わた》る意《い》を表《あらわ》した。

周 周 周 周 周 周 周 周

唱

口8画〔11画〕

音 ショウ
訓 となえる

上《うえ》の日より大《おお》きく　唱

chant［チャント］

つかいかた

- 念仏《ねんぶつ》を唱《とな》える。
- 戦争反対《せんそうはんたい》を唱《とな》える。
- 大《おお》きな声《こえ》で合唱《がっしょう》する。
- カラオケで熱唱《ねっしょう》する。
- みんなで万歳三唱《ばんざいさんしょう》する。

いみ・ことば

1. **となえる。** ●唱和《しょうわ》。暗唱《あんしょう》。提唱《ていしょう》。
2. **うたう。** ●唱歌《しょうか》。合唱《がっしょう》。独唱《どくしょう》。輪唱《りんしょう》。

もっとわかる

- 「万歳三唱《ばんざいさんしょう》」は、祝福《しゅくふく》の意《い》を表《あらわ》して、みんなで両手《りょうて》を挙《あ》げて「万歳《ばんざい》」と三回《さんかい》となえること。

なりたち

- 「昌」は「日」と「曰（しゃべる）」を合《あ》わせて、日光《にっこう》が発散《はっさん》するように、さかんに声《こえ》を発《はっ》するようす。それと「口（くち）」を合《あ》わせて、勢《いきお》いよく声《こえ》を出《だ》してのべる、「となえる」「うたう」の意《い》を表《あらわ》した。

唱 唱 唱 唱 唱 唱 唱 唱

器

口12画〔15画〕

音 キ
訓 （うつわ）

つき出《だ》す　器

vessel［ヴェスる］

つかいかた

- 食《た》べ物《もの》を器《うつわ》に盛《も》る。
- 器《うつわ》の大《おお》きい人《ひと》。
- 器具《きぐ》を倉庫《そうこ》にしまう。
- 母《はは》は手先《てさき》が器用《きよう》だ。
- 古《ふる》い土器《どき》を見《み》つける。

いみ・ことば

1. **入《い》れ物《もの》。うつわ。** ●器物《きぶつ》。食器《しょっき》。
2. **ある働《はたら》きをするもの。** ●器官《きかん》。器具《きぐ》。
3. **才能《さいのう》。能力《のうりょく》。** ●器用《きよう》。器量《きりょう》。大器《たいき》。

もっとわかる

- 四字熟語《よじじゅくご》…器用貧乏《きようびんぼう》（何《なん》でもうまくこなすが一流《いちりゅう》ではないこと）・大器晩成《たいきばんせい》（大《だい》人物《じんぶつ》は、年《とし》とともに力《ちから》をつけるということ）

なりたち

- もとは、四《よっ》つの「口（入《い》れ物《もの》のくち）」と「犬（いぬ）」を合《あ》わせた形《かたち》で、食《た》べ物《もの》などを入《い》れる「うつわ」を表《あらわ》した。「犬」が用《もち》いられたのは、犬《いぬ》が食用《しょくよう》にされたところから。

器 器 器 器 器 器 器 器

4年

固

口5画（8画）

音 コ
訓 かためる　かたまる　かたい

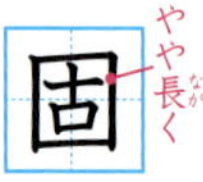

solid [サリッド]

つかいかた

- 結《むす》び目《め》が固《かた》い。
- 寒天《かんてん》が固《かた》まる。
- 足《あし》でふんで固《かた》める。
- テープで固定《こてい》する。
- 祖父《そふ》は頑固《がんこ》な性格《せいかく》だ。

いみ・ことば

1. 動《うご》かない。かたい。●固形《こけい》。固体《こたい》。固定《こてい》。
2. 態度《たいど》を変《か》えない。●固持《こじ》。▲頑固《がんこ》。強固《きょうこ》。
3. もともと。●固有《こゆう》。

もっとわかる
●四字熟語《よじじゅくご》…頑固一徹《がんこいってつ》（自分《じぶん》の考《かんが》えや態度《たいど》を、最後《さいご》まで変《か》えようとしないようす）

なりたち
「古《こ》」は、頭《ず》がい骨《こつ》をえがいた形《かたち》で、ひからびて固《かた》いというイメージを示《しめ》す。それと「口（かこむ）」を合《あ》わせた「固」は、まわりをがっちりとかこんで動《うご》きがとれないようすで、「かたい」の意《い》を表《あらわ》した。

城

土6画（9画）

音 ジョウ
訓 しろ

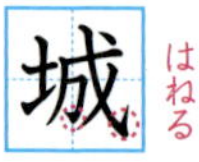

castle [キャスる]

つかいかた

- 江戸時代《えどじだい》の城《しろ》。
- 石垣《いしがき》だけの古《ふる》い城跡《しろあと》。
- 古《ふる》くからの城下町《じょうかまち》。
- 巨大《きょだい》な石《いし》で築《きず》いた城壁《じょうへき》。
- 敵《てき》に攻《せ》められて落城《らくじょう》する。

いみ・ことば

● 敵《てき》をふせぐためのとりで。しろ。●城《しろ》跡《あと》（城跡《じょうせき》）。城下町《じょうかまち》。城主《じょうしゅ》。▲城壁《じょうへき》。城門《じょうもん》。古城《こじょう》。築城《ちくじょう》。落城《らくじょう》。

もっとわかる
●特別《とくべつ》な読《よ》み方《かた》…茨城《いばらき》・宮城《みやぎ》 ●「一国一城《いっこくいちじょう》の主《あるじ》」は、だれの支配《しはい》も受《う》けず、独立《どくりつ》している人《ひと》。●「不夜城《ふやじょう》」は、夜《よる》でも昼《ひる》のように明《あか》るくてにぎやかな場所《ばしょ》。

なりたち
「成《せい》（仕上《しあ》げる）」と「土（つち）」を合《あ》わせた形《かたち》で、土《つち》を固《かた》めて「しろ」のかべを仕上《しあ》げる意《い》を表《あらわ》した。

埼

土8画（11画）

音 —
訓 さい

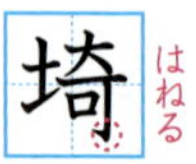

cape [ケイプ]

つかいかた

- 埼玉県《さいたまけん》の川越市《かわごえし》。
- 埼玉《さいたま》出身《しゅっしん》の友達《ともだち》。
- 埼京線《さいきょうせん》で通学《つうがく》する。
- 千葉県《ちばけん》の犬吠埼《いぬぼうさき》。

いみ・ことば

1. 陸地《りくち》が海《うみ》や湖《みずうみ》に突《つ》き出《で》た先《さき》のほう。みさき。●犬吠埼《いぬぼうさき》。地蔵埼《じぞうざき》。
2. 山《やま》のはし。山《やま》の出《で》っぱったところ。
3. 埼玉《さいたま》。●埼京線《さいきょうせん》。

もっとわかる
●「みさき」の意味《いみ》では「さき」と読み、「崎」（↓290ページ参照《さんしょう》）も使《つか》う。●「埼京線《さいきょうせん》」は、埼玉《さいたま》と東京《とうきょう》をつなぐ電車《でんしゃ》。

なりたち
奇 ↓ 奇

●「奇《き》（まがる）」と「土（つち）」とを合《あ》わせた字《じ》で、陸地《りくち》が曲《ま》がって海《うみ》に突《つ》き出《だ》しているようすを表《あらわ》した。

4年

塩

土10画〔13画〕

音 エン
訓 しお

なな め右上《みぎうえ》に

salt［ソーるト］

つかいかた

- 塩《しお》をひとつまみ加《くわ》える。
- 海《うみ》の水《みず》は塩《しお》からい。
- 大根《だいこん》を塩《しお》づけにする。
- 塩分《えんぶん》をひかえめにする。
- テーブルに食塩《しょくえん》を置《お》く。

いみ・ことば

● しお。●塩《しお》から。塩《しお》づけ。1塩田《えんでん》。2塩分《えんぶん》。2岩塩《がんえん》。2食塩《しょくえん》。5製塩《せいえん》。

もっとわかる

●「青菜《あおな》に塩《しお》」は、急《きゅう》に元気《げんき》がなくなるようす。青菜《あおな》に塩《しお》をかけるとしおれることから。●「敵《てき》に塩《しお》を送《おく》る」は、争《あらそ》っている相手《あいて》の苦《くる》しい状況《じょうきょう》を救《すく》う意《い》。

なりたち

もとの字《じ》は「鹽」。「監《かん》（わくの中《なか》におさめる）」と「鹵（しお）」を組《く》み合《あ》わせた形《かたち》。塩田《えんでん》の中《なか》に海水《かいすい》を入《い》れてつくる「しお」を表《あらわ》した。

変

夂6画〔9画〕

音 ヘン
訓 かわる かえる

又と書《か》かない

change［チェインヂ］

つかいかた

- 信号《しんごう》が赤《あか》に変《か》わる。
- 雲《くも》が形《かたち》を変《か》える。
- 変《へん》な音《おと》が聞《き》こえる。
- 光《ひかり》の色《いろ》が変化《へんか》する。
- 病状《びょうじょう》に異変《いへん》が起《お》きる。

いみ・ことば

❶ かわる。●3変化《へんか》。2変形《へんけい》。2変色《へんしょく》。3変身《へんしん》。
❷ かわった出来事《できごと》。●6異変《いへん》。3事変《じへん》。
❸ ふつうでない。●1変人《へんじん》。5変則《へんそく》。3変調《へんちょう》。

もっとわかる

●四字熟語《よじじゅくご》…千変万化《せんぺんばんか》（ようすがさまざまに変化《へんか》すること）・天変地異《てんぺんちい》（台風《たいふう》・地震《じしん》・雷《かみなり》など、自然《しぜん》に起《お》こる異変《いへん》）

なりたち

●もとの字《じ》は「變」。「䜌」は、ことばがもつれるようす。それと「攵（手《て》の動作《どうさ》）」を合《あ》わせて、事態《じたい》がもつれて、今《いま》までとちがう状態《じょうたい》になる意《い》を表《あらわ》した。

夫

大1画〔4画〕

音 フ（フウ）
訓 おっと

上《うえ》の横棒《よこぼう》より長《なが》く

husband［ハズバンド］

つかいかた

- 姉《あね》の夫《おっと》は警察官《けいさつかん》だ。
- 夫人《ふじん》同伴《どうはん》のパーティー。
- 一夫《いっぷ》多妻《たさい》の国《くに》。
- 夫婦《ふうふ》げんかが絶《た》えない。
- 畑《はたけ》を耕《たがや》す農夫《のうふ》。

いみ・ことば

❶ おっと。●5夫婦《ふうふ》。5夫妻《ふさい》。
❷ 一人前《いちにんまえ》の男子《だんし》。おとこ。●▲凡夫《ぼんぷ》。
❸ 仕事《しごと》をする人《ひと》。●4漁夫《ぎょふ》。1水夫《すいふ》。3農夫《のうふ》。

もっとわかる

●「夫人《ふじん》」は、他人《たにん》の妻《つま》を尊敬《そんけい》していうことば。●四字熟語《よじじゅくご》…創意工夫《そういくふう》（新《あたら》しい考《かんが》え方《かた》でいろいろやってみること）

なりたち

●かんざし（またはかんむり）をつけた人《ひと》が、大《だい》の字《じ》になって立《た》つようすをえがいた形《かたち》。成年《せいねん》に達《たっ》して一人前《いちにんまえ》になった男子《だんし》を表《あらわ》した。

失

大2画〔5画〕

音 シツ
訓 うしなう

つき出す

lose［るーズ］

つかいかた

- チャンスを失《うしな》う。
- ショックで失神《しっしん》する。
- ゴール前《まえ》で失速《しっそく》する。
- 金魚《きんぎょ》すくいに失敗《しっぱい》する。
- 大《おお》きな損失《そんしつ》を受《う》ける。

いみ・ことば

① **うしなう。なくす。** ●失意《しつい》[3]。失業《しつぎょう》[3]。失《しっ》神《しん》[3]。失速《しっそく》[3]。失明《しつめい》[2]。遺失物《いしつぶつ》[6][3]。流失《りゅうしつ》[3]。

② **あやまち。しくじる。** ●失言《しつげん》[2]。失策《しっさく》[6]。失政《しっせい》[5]。失敗《しっぱい》[4]。過失《かしつ》[5]。

もっとわかる

●四字熟語《よじじゅくご》…茫然自失《ぼうぜんじしつ》（あっけに取《と》られて、自分《じぶん》を見失《みうしな》うこと）

なりたち

↓
失

●「手（て）」と「乚（横《よこ》にずれる）」を合《あ》わせた形《かたち》。手《て》からするりとぬけ落《お》ちるようすで、「なくなる」「うしなう」意《い》を表《あらわ》した。

奈

大5画〔8画〕

音 ナ
訓 ―

はねる

つかいかた

- 奈落《ならく》の底《そこ》に沈《しず》む。
- 真意《しんい》は奈辺《なへん》にあるのか。
- 奈良《なら》の都《みやこ》。
- 京阪奈《けいはんな》の地域《ちいき》。

いみ・ことば

① **赤《あか》い実《み》のなるリンゴの木《き》。**

② **どうしようか。どうして。どんな具《ぐ》合《あい》か。** ●奈辺《なへん》[4]。

③ **奈良《なら》。** ●京阪奈《けいはんな》[2][4]。

もっとわかる

●「奈落《ならく》」は、地獄《じごく》やどん底《ぞこ》のこと。●「奈辺《なへん》」は、どのあたりの意《い》で「那辺」とも書《か》く。●「京阪奈《けいはんな》」は、京都《きょうと》・大阪《おおさか》・奈良《なら》のこと。

なりたち

「木（き）」と「示（まつり）」を合《あ》わせた形《かたち》の「柰」が「奈」に変《か》わったもの。まつりのそなえものにするリンゴの木《き》を表《あらわ》した。

好

女3画〔6画〕

音 コウ
訓 このむ すく

ななめ右上《みぎうえ》に

like［らイク］

つかいかた

- あまいものを好《この》む。
- みんなに好《す》かれる。
- 大好物《だいこうぶつ》のドーナツ。
- 好調《こうちょう》の波《なみ》に乗《の》る。
- 友好的《ゆうこうてき》に事《こと》を運《はこ》ぶ。

いみ・ことば

① **気《き》に入《い》る。このむ。** ●好意《こうい》[3]。好物《こうぶつ》[3]。

② **よい。このましい。** ●好人物《こうじんぶつ》[1][3]。好調《こうちょう》[3]。好都合《こうつごう》[3][2]。好天《こうてん》[1]。好評《こうひょう》[5]。良好《りょうこう》[4]。

③ **仲《なか》がよい。親《した》しい。** ●友好関係《ゆうこうかんけい》[2][4][3]。

もっとわかる

●「好事魔多《こうじまおお》し」は、よいことにはじゃまが入《はい》りやすい、ということ。

なりたち

↓
好

●「女（おんなの人《ひと》）」と「子（こども）」を合《あ》わせた形《かたち》。女性《じょせい》が子《こ》どもをかわいがるようすで、大切《たいせつ》にする意《い》を表《あらわ》した。

媛

女9画〔12画〕

音 （エン）
訓 —

lady［れイディ］

ななめ右上《みぎうえ》に

つかいかた

- 愛媛県《えひめけん》の道後温泉《どうごおんせん》。
- 愛媛《えひめ》でとれたミカン。
- 才媛《さいえん》として知《し》られている人《ひと》。

いみ・ことば

❶ 美《うつく》しい女性《じょせい》。
● 2才媛《さいえん》。1名媛《めいえん》。

❷ 身分《みぶん》の高《たか》い人《ひと》の娘《むすめ》。また、その人《ひと》に付《つ》ける敬称《けいしょう》。おひめさま。
● ▲磐之媛《いわのひめ》。2弟《おと》▲橘媛《たちばなひめ》。

もっとわかる

● 特別《とくべつ》な読《よ》み方《かた》…愛媛《えひめ》 ● 「才媛《さいえん》」は、学問《がくもん》や才能《さいのう》がある女性《じょせい》のこと。 ● 「名媛《めいえん》」は、名高《なだか》い女性《じょせい》のこと。

なりたち

「爰《えん》（ゆとりがある）」と「女（おんなの人《ひと》）」とを合《あ》わせた形《かたち》。ゆったりとしておくゆかしい、美《うつく》しい女性《じょせい》を表《あらわ》した。「爰《えん》」は「緩（ゆるい。ゆるやか）」に含《ふく》まれている。

季

子5画〔8画〕

音 キ
訓 —

season［スィーズン］

縦棒《たてぼう》を短《みじか》めに

つかいかた

- いねの実《みの》る季節《きせつ》。
- 雨季《うき》と乾季《かんき》。
- 四季《しき》の変化《へんか》を感《かん》じる。
- 冬季《とうき》オリンピック。
- 季語《きご》を調《しら》べる。

いみ・ことば

● 一年《いちねん》を春《はる》・夏《なつ》・秋《あき》・冬《ふゆ》に分《わ》けた、それぞれの期間《きかん》。
● 季《き》2語《ご》。季《き》4節《せつ》。季《き》3題《だい》。2夏《か》季《き》。1四《し》季《き》。2冬《とう》季《き》。

もっとわかる

● 「季語《きご》」は、俳句《はいく》で季節《きせつ》を表《あらわ》すことば。 ● 「年《ねん》季《き》が入《はい》る」は、長《なが》い間《あいだ》修練《しゅうれん》を積《つ》んでいる意《い》。

なりたち

● 「禾《か》（イネ）」と「子（こども）」を合《あ》わせた形《かたち》。実《みの》ったばかりの種子《しゅし》のように若《わか》くて小《ち》さいようすを示《しめ》して、「すえ」の意《い》を表《あらわ》した。また、「きせつ」の意《い》としても使《つか》われた。

孫

子7画〔10画〕

音 ソン
訓 まご

grandchild［グランチャイるド］

左下《ひだりした》にはらう

つかいかた

- 孫《まご》の手《て》を引《ひ》いて歩《ある》く。
- 初孫《はつまご》の誕生《たんじょう》を喜《よろこ》ぶ。
- 孫娘《まごむすめ》をかわいがる。
- 自分《じぶん》の子孫《しそん》を残《のこ》す。
- 子々孫々《ししそんそん》に伝《つた》える。

いみ・ことば

● 子《こ》どもの子《こ》ども。まご。
● 孫《まご》▲娘《むすめ》。4初《はつ》孫《まご》（うい まご）。1子孫《しそん》。

もっとわかる

● 「孫引《まごび》き」は、ある本《ほん》に引用《いんよう》してある内容《ないよう》を、もとの本《ほん》を調《しら》べずにそのまま使《つか》うこと。 ● 「子々孫々《ししそんそん》」は、「子孫《しそん》」を強調《きょうちょう》していうことば。

なりたち

● 「子（こども）」と「系（ひとすじにつなぐ）」を合《あ》わせた形《かたち》。子《こ》の子《こ》、またその子《こ》というように、血《ち》のつながった子孫《しそん》を表《あらわ》した。

完

宀4画〔7画〕

訓 ―　音 カン

上《うえ》にはねる

complete［カンプリート］

つかいかた

●作品《さくひん》が完成《かんせい》する。
●物語《ものがたり》が完結《かんけつ》する。
●けがが完治《かんち》する。
●不完全燃焼《ふかんぜんねんしょう》。
●この小説《しょうせつ》は未完《みかん》のままだ。

いみ・ことば

❶**欠《か》けたところがない。**●完勝《かんしょう》。完全《かんぜん》。完治《かんち》。完敗《かんぱい》。完備《かんび》。完《かん》ぺき。

❷**すっかり終《お》わる。**●完結《かんけつ》。完遂《かんすい》。完成《かんせい》。完投《かんとう》。完了《かんりょう》。

もっとわかる ●四字熟語《よじじゅくご》…完全無欠《かんぜんむけつ》（完全《かんぜん》で欠点《けってん》のないようす。完《かん》ぺき）

なりたち 「元《がん》（丸《まる》い）」と「宀（屋根《やね》）」を合《あ》わせた形《かたち》。屋根《やね》やかきねでまわりを丸《まる》くかこったようすで、欠《か》けているところがない意《い》を表《あらわ》した。

完 完 完 完 完 完 完

官

宀5画〔8画〕

訓 ―　音 カン

やや大《おお》きく

government［ガヴァンメント］

つかいかた

●官庁《かんちょう》に人《ひと》が集《あつ》まる。
●神社《じんじゃ》の神官《しんかん》。
●外交官《がいこうかん》を務《つと》める。
●食物《しょくもつ》を消化《しょうか》する器官《きかん》。
●警察官《けいさつかん》になる。

いみ・ことば

❶**役所《やくしょ》。**●官庁《かんちょう》。官報《かんぽう》。官民《かんみん》。

❷**役人《やくにん》。**●外交官《がいこうかん》。教官《きょうかん》。事務官《じむかん》。

❸**体《からだ》の中《なか》で、さまざまな働《はたら》きをするもの。**●器官《きかん》。感覚器官《かんかくきかん》。五官《ごかん》。

もっとわかる ●「官」は「宮」と形《かたち》が似《に》ていてまちがえやすいので注意《ちゅうい》。

なりたち ↓官

●「宀（家《いえ》）」と「𠂤（多《おお》くの物《もの》の集《あつ》まり）」を合《あ》わせた形《かたち》。多《おお》くの人《ひと》が集《あつ》まって仕事《しごと》をする建物《たてもの》を示《しめ》して、「役所《やくしょ》」やそこで働《はたら》く「役人《やくにん》」を表《あらわ》した。

官 官 官 官 官 官 官 官

害

宀7画〔10画〕

訓 ―　音 ガイ

いちばん長《なが》く

harm［ハーム］

つかいかた

●体《からだ》に害《がい》のある物質《ぶっしつ》。
●健康《けんこう》を害《がい》する。
●街路樹《がいろじゅ》に害虫《がいちゅう》がつく。
●障害《しょうがい》を乗《の》りこえる。
●台風《たいふう》の被害《ひがい》にあう。

いみ・ことば

❶**そこなう。**●害虫《がいちゅう》。危害《きがい》。公害《こうがい》。損害《そんがい》。

❷**じゃまをする。**●障害《しょうがい》。妨害《ぼうがい》。

❸**自然現象《しぜんげんしょう》がもたらすわざわい。**●災害《さいがい》。水害《すいがい》。冷害《れいがい》。

もっとわかる ●四字熟語《よじじゅくご》…一利一害《いちりいちがい》（いい面《めん》もあるが、悪《わる》い面《めん》もあること）

なりたち ↓害

●「宀（おおい）」と「丯（切《き》りきざむ）」と「口（くち）」を合《あ》わせた形《かたち》。人《ひと》の発言《はつげん》をとちゅうでさえぎって進《すす》ませないようすで、「じゃまをする」意《い》を表《あらわ》した。

害 害 害 害 害 害 害 害

4年

富

宀9画〔12画〕

音 フ（フウ）
訓 と**む** とみ

田を大《おお》きめに書《か》く

富

wealth［ウェるす］

つかいかた

- 地下資源《ちかしげん》に**富む**《と》国《くに》。
- **富**《とみ》を示《しめ》す大《おお》きな屋敷《やしき》。
- **大富豪**《だいふごう》になる。
- **貧富**《ひんぷ》の差《さ》がはげしい。
- 品物《しなもの》が**豊富**《ほうふ》な店《みせ》。

いみ・ことば

- **たくさんのお金《かね》や品物《しなもの》。財産《ざいさん》。ゆたか。**
- 2富強《ふきょう》。2富国《ふこく》。5貧富《ひんぷ》。5豊富《ほうふ》。

もっとわかる

- 特別《とくべつ》な読《よ》み方《かた》…富山《とやま》
- 「フウ」の読《よ》みは、「富貴《ふうき》」などのことばに使《つか》われる。
- 四字熟語《よじじゅくご》…富国強兵《ふこくきょうへい》（経済力《けいざいりょく》を高《たか》めて、兵力《へいりょく》を増強《ぞうきょう》すること）

なりたち

「畐（いっぱいに満《み》ちる）」と「宀（いえ）」を合《あ》わせた形《かたち》。家《いえ》が財産《ざいさん》などで満《み》ちているようすで、「たっぷりある」「とむ」の意《い》を表《あらわ》した。

察

宀11画〔14画〕

音 サツ
訓 —

夕と書《か》かない

察

inspect［インスペクト］

つかいかた

- 相手《あいて》の気持《きも》ちを**察する**《さっ》。
- **察し**《さっ》のいい人《ひと》。
- 敵《てき》の動《うご》きを**察知**《さっち》する。
- 朝顔《あさがお》を**観察**《かんさつ》する。
- 何度《なんど》も**考察**《こうさつ》を重《かさ》ねる。

いみ・ことば

1. **よく調《しら》べる。**
   - 4観察《かんさつ》。6警察《けいさつ》。6視察《しさつ》。▲診察《しんさつ》。
2. **おしはかる。**
   - 察知《さっち》。2考察《こうさつ》。6推察《すいさつ》。6拝察《はいさつ》。2明察《めいさつ》。

もっとわかる

- 「推察《すいさつ》」は、へりくだって「拝察《はいさつ》」、相手《あいて》をうやまって「明察《めいさつ》」という。

なりたち

祭

- 「祭《さい》」は、肉《にく》を手《て》で清《きよ》めて神《かみ》に供《そな》えるようす。けがれをはらって清《きよ》めるイメージを示《しめ》す。それと「宀（家《いえ》）」を合《あ》わせて、すみからすみまで家《いえ》をはき清《きよ》めるように、物事《ものごと》をすみずみまで調《しら》べる意《い》を表《あらわ》した。

4年

さまざまな形《かたち》の部首《ぶしゅ》

漢字《かんじ》はとても数《かず》が多《おお》いので、漢字《かんじ》の辞典《じてん》では、同《おな》じ形《かたち》を持《も》つ漢字《かんじ》をグループ（＝部《ぶ》）としてまとめています。

そのときに、目《め》じるしとなる形《かたち》を「部首《ぶしゅ》」と呼《よ》んでいます。どんな部首《ぶしゅ》があるか、部首《ぶしゅ》さくいんなどを見《み》て確認《かくにん》しておくとよいでしょう。

「木」「石」「金」などは、漢字《かんじ》のどこにその形《かたち》があるかすぐにわかりますね。しかし、中《なか》には、漢字《かんじ》のどの位置《いち》にくるかによって形《かたち》の変《か》わるものもあります。「人」の「人（人）」「亻（休・作）」「𠆢（今・会）」、「刀」の「刀（切・初）」「刂（別・割）」、「手」の「手（挙）」「扌（打・探）」、「水」の「水（氷・永）」「氵（海・湯）」「氺（求）」、「心」の「心（思・感）」「忄（快・慣）」、「火」の「火（焼・灯）」「灬（照・熱）」、「犬」の「犬（状）」「犭（独・犯）」などです。

また、「ネ（しめすへん）」と「衤（ころもへん）」は、形《かたち》が似《に》ていてまぎらわしい部首《ぶしゅ》です。「ネ」のもとの形《かたち》は「示」、「衤」のもとの形《かたち》は「衣」です。まちがえないように注意《ちゅうい》しましょう。

岐

山4画〔7画〕

音 (キ)　訓 ―

つかいかた
- 人生《じんせい》の**岐路《きろ》**に立《た》つ。
- 道《みち》が**分岐《ぶんき》**している。
- 選択肢《せんたくし》は**多岐《たき》**にわたる。
- **讃岐《さぬき》**うどんを食《た》べる。
- **岐阜県《ぎふけん》**の白川郷《しらかわごう》。

岐　攵と書《か》かない

split［スプリット］

いみ・ことば
- **分《わ》かれる。二《ふた》つに分《わ》かれる。分《わ》かれ道《みち》。**
- 岐[3]路《きろ》。[2]多岐《たき》。[2]分岐《ぶんき》。

もっとわかる
- 特別《とくべつ》な読《よ》み方《かた》…岐阜《ぎふ》 ● 「岐山《きざん》」という山《やま》を根拠地《こんきょち》に、文王《ぶんおう》が周《しゅう》という国《くに》をおこしたのにちなんで、稲葉山城《いなばやまじょう》に移《うつ》った織田信長《おだのぶなが》はその土地《とち》を「岐阜《ぎふ》」(「阜《ふ》」は「おか」の意《い》)と名《な》づけた。

なりたち

↓ 支

- 「支《し》(枝分《えだわ》かれしたもの)」と「山(やま)」とを合《あ》わせた字《じ》。枝《えだ》のように分《わ》かれた山道《やまみち》のようすから、「分《わ》かれる」ことを表《あらわ》した。

岐 岐 岐 岐 岐 岐 岐

岡

山5画〔8画〕

音 ―　訓 おか

つかいかた
- **岡《おか》**の上《うえ》からのながめ。
- 時代劇《じだいげき》の**岡《おか》っ引《ぴ》き**。
- **岡山県《おかやまけん》**のきびだんご。
- **静岡県《しずおかけん》**でとれたお茶《ちゃ》。
- **福岡県《ふくおかけん》**の小倉城《こくらじょう》。

岡　はねる

hill［ヒル］

いみ・ことば
- **小《ちい》さな山《やま》。土地《とち》の、小高《こだか》くなったところ。おか。**

もっとわかる
- 四字熟語《よじじゅくご》…岡目八目《おかめはちもく》(ちょくせつ関係《かんけい》していない人《ひと》のほうが、正《ただ》しく物事《ものごと》のよしあしを判断《はんだん》できること。「岡目《おかめ》」は「傍目《おかめ》」とも書《か》く) ● 「岡《おか》っ引《ぴ》き」は、江戸時代《えどじだい》に事件《じけん》の調査《ちょうさ》などをした人《ひと》。

なりたち
- 「山(やま)」と「网(=網《あみ》)」を合《あ》わせた字《じ》。あみをささえる冂形《がた》のじょうぶな綱《つな》のように、冂の形《かたち》をしたがんじょうな山(おか)を表《あらわ》した。

岡 岡 岡 岡 岡 岡 岡 岡

崎

山8画〔11画〕

音 ―　訓 さき

つかいかた
- 静岡県《しずおかけん》の**石廊崎《いろうざき》**。
- **長崎《ながさき》**の出島《でじま》。
- **宮崎県《みやざきけん》**の高千穂峡《たかちほきょう》。
- **川崎市《かわさきし》**の工場《こうじょう》地帯《ちたい》。

崎　はねる

cape［ケイプ］

いみ・ことば
1. **陸地《りくち》が海《うみ》や湖《みずうみ》に突《つ》き出《で》た先《さき》のほう。みさき。**
   - [1]石▲廊崎《いろうざき》。[4]観[1]音崎《かんのんざき》。▲竜[4]飛崎《たっぴざき》。
2. **山道《やまみち》がけわしい。**

もっとわかる
- 「みさき」の意味《いみ》では、「埼」(↓284ページ参照《さんしょう》)も使《つか》う。 ● 「崎陽《きよう》」は、長崎《ながさき》の中国風《ちゅうごくふう》の呼《よ》び方《かた》。この場合《ばあい》、「崎」は「き」と読《よ》む。

なりたち

↓ 奇

- 「奇《き》(まがる)」と「山(やま)」とを合《あ》わせた字《じ》で、陸地《りくち》が曲《ま》がって海《うみ》に突《つ》き出《だ》しているようすを表《あらわ》した。

崎 崎 崎 崎 崎 崎 崎 崎

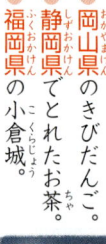

差

工7画【10画】

訓 さす　音 サ

やや左寄《ひだりよ》りに

difference［ディファレンス］

つかいかた

●部屋《へや》に光《ひかり》が差《さ》す。
●長《なが》さに差《さ》がある。
●個人差《こじんさ》がはげしい。
●時差《じさ》ぼけに苦《くる》しむ。
●大差《たいさ》をつけて勝《か》つ。

いみ・ことば

①ちがい。●差異《さい》。差別《さべつ》。格差《かくさ》。誤差《ごさ》。
②数《かず》のひらき。さしひき。●差額《さがく》。時差《じさ》。
③さす。●状差《じょうさ》し。指差《ゆびさ》す。

もっとわかる

●四字熟語《よじじゅくご》…千差万別《せんさばんべつ》(さまざまにちがっていること)

なりたち

⬇差

●「左《さ》」はひだりの手《て》。左《ひだり》と右《みぎ》は働《はたら》きがちがうのでそろわないイメージがある。それに枝葉《えだは》が垂《た》れ下《さ》がる形《かたち》を合《あ》わせて、植物《しょくぶつ》の枝葉《えだは》の先《さき》がそろわないようす、「ちがい」がある意《い》を表《あらわ》した。

差 差 差 差 差 差 差 差

4年

希

巾4画【7画】

訓 ―　音 キ

つき出《だ》す

rare［レア］

つかいかた

●進学《しんがく》を希望《きぼう》する。
●希少価値《きしょうかち》のある鉱石《こうせき》。
●平和《へいわ》を希求《ききゅう》する。
●古希《こき》の祝《いわ》い。

いみ・ことば

①ごく少《すく》ない。まれ。●希少価値《きしょうかち》。希《き》▲薄《はく》。古希《こき》。
②ねがう。のぞむ。●希求《ききゅう》。希望《きぼう》。

もっとわかる

●「古希《こき》」は、七〇歳《さい》のこと。長寿《ちょうじゅ》(長《なが》生《い》き)の祝《いわ》いの一《ひと》つ。昔《むかし》は七〇歳《さい》まで生《い》きるのはまれであったことから。●「希《け》有《う》」とは、めったにないこと。ここでは、「希」は「け」と読《よ》む。

なりたち

「爻(まじわる)」と「巾(布《ぬの》)」を合《あ》わせた形《かたち》。布《ぬの》の織《お》り目《め》がまばらなようすをえがいて、「めったにない」の意《い》を表《あらわ》した。

希 希 希 希 希 希 希

席

巾7画【10画】

訓 ―　音 セキ

はねる

seat［スィート］

つかいかた

●自分《じぶん》の席《せき》に座《すわ》る。
●祝《いわ》いの席《せき》を設《もう》ける。
●午後《ごご》の会議《かいぎ》を欠席《けっせき》する。
●首席《しゅせき》で卒業《そつぎょう》する。
●満席《まんせき》になる。

いみ・ことば

①すわるところ。●客席《きゃくせき》。空席《くうせき》。座席《ざせき》。
②順位《じゅんい》。順番《じゅんばん》。●席次《せきじ》。首席《しゅせき》。
③もよおし。●会席《かいせき》。酒席《しゅせき》。

もっとわかる

●特別《とくべつ》な読《よ》み方《かた》…寄席《よせ》 ●「末席《まっせき》をけがす」は、会《かい》やもよおしなどに参加《さんか》することを、へりくだっていうことば。

なりたち

⬇席

●「广(建物《たてもの》)」と「革(けもののかわ)」の略《りゃく》したものと「巾(布《ぬの》)」を合《あ》わせた形《かたち》で、けもののかわや布《ぬの》で作《つく》った「しきもの」を表《あらわ》した。また、「すわるところ」の意《い》でも使《つか》われた。

席 席 席 席 席 席 席 席

帯

巾7画〔10画〕

音 タイ
訓 おびる・おび

つかいかた

- 浴衣《ゆかた》の帯《おび》を結《むす》ぶ。
- こしに刀《かたな》を帯《お》びる。
- 赤《あか》みを帯《お》びた顔《かお》。
- 携帯電話《けいたいでんわ》を買《か》う。
- 付近一帯《ふきんいったい》が停電《ていでん》する。

つき出《だ》さない

belt［べるト］

いみ・ことば

❶ **細長《ほそなが》いきれ。おび。** ●帯止《おびど》め。包帯《ほうたい》。

❷ **細長《ほそなが》いところ。区切《くぎ》られた地域《ちいき》。** ●温帯《おんたい》。寒帯《かんたい》。地帯《ちたい》。熱帯《ねったい》。

❸ **身《み》につける。ともなう。** ●帯電《たいでん》。▲携帯電話《けいたいでんわ》。妻帯《さいたい》。所帯《しょたい》。付帯《ふたい》。連帯《れんたい》。

もっとわかる

- 「**帯《おび》に短《みじか》したすきに長《なが》し**」とは、中途半端《ちゅうとはんぱ》で役《やく》に立《た》たないこと。

なりたち

帯→帯（帯）

- もとの字《じ》は「帶」。昔《むかし》の中国《ちゅうごく》で、儀式《ぎしき》のときに身《み》につける「おび」をえがいた形《かたち》。

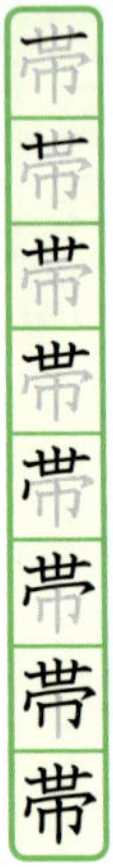

底

广5画〔8画〕

音 テイ
訓 そこ

つかいかた

- なべの底《そこ》に穴《あな》があく。
- 米《こめ》が底《そこ》をつく。
- 底力《そこぢから》を見《み》せる。
- 船《ふね》が海底《かいてい》にしずむ。
- 事件《じけん》を根底《こんてい》からくつがえす。

はねる

bottom［バタム］

いみ・ことば

● **一番下《いちばんした》のところ。そこ。** ●底意地《そこいじ》。底力《そこぢから》。底光《そこびか》り。川底《かわぞこ》。谷底《たにぞこ》。底辺《ていへん》。底面《ていめん》積《せき》。底流《ていりゅう》。海底《かいてい》。根底《こんてい》。

もっとわかる

- 「底《そこ》」を使《つか》ったことば…**底《そこ》が浅《あさ》い**（内《ない》容《よう》に深《ふか》みがない）・**底《そこ》が知《し》れない**（限《かぎ》りがない）・**底《そこ》をつく**（たくわえが全部《ぜんぶ》なくなる）・**底《そこ》をはたく**（中身《なかみ》を出《だ》しつくす）

なりたち

「氐《てい》（いちばん下《した》）」と「广（家《いえ》）」を合《あ》わせた形《かたち》。家《いえ》のいちばん下《した》の方《ほう》を示《しめ》して、「そこ」の意《い》を表《あらわ》した。

府

广5画〔8画〕

音 フ
訓 ―

つかいかた

- 学問《がくもん》の府《ふ》。
- 大阪府《おおさかふ》と京都府《きょうとふ》。
- 新《あたら》しい政府《せいふ》が誕生《たんじょう》する。
- 江戸時代《えどじだい》の幕府《ばくふ》。
- 都道府県《とどうふけん》の名《な》を覚《おぼ》える。

はねる

government［ガヴァンメント］

いみ・ことば

❶ **役所《やくしょ》。** ●政府《せいふ》。幕府《ばくふ》。

❷ **国《くに》をおさめるために分《わ》けた、土地《とち》の区切《くぎ》り。** ●府知事《ふちじ》。府民《ふみん》。都道府県《とどうふけん》。

❸ **物事《ものごと》の中心《ちゅうしん》となるところ。** ●学問《がくもん》の府《ふ》。

もっとわかる

- 都道府県《とどうふけん》の「府《ふ》」には、大阪府《おおさかふ》と京都《きょうと》府《ふ》がある。

なりたち

「付《ふ》（くっつく）」と「广（建物《たてもの》）」を合《あ》わせた形《かたち》。大事《だいじ》なものをびっしりとくっつけるようにして集《あつ》めた建物《たてもの》で、文書《ぶんしょ》などをしまうくらを表《あらわ》した。のち、人《ひと》や物《もの》の多《おお》く集《あつ》まる場所《ばしょ》の意《い》で使《つか》われた。

4年

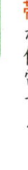

4年

康

广8画〔11画〕
音 コウ
訓 —

この形《かたち》に注意《ちゅうい》 康

healthy［へるすィ］

つかいかた

- 家族《かぞく》はみな健康《けんこう》だ。
- 健康《けんこう》に気《き》をつける。
- 健康食品《けんこうしょくひん》に注目《ちゅうもく》する。
- 祖父《そふ》の病《やまい》は小康《しょうこう》状態《じょうたい》だ。
- 不健康《ふけんこう》な生活《せいかつ》を送《おく》る。

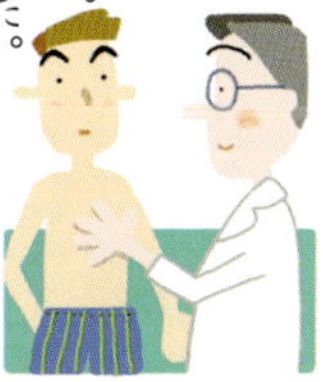

いみ・ことば

❶ **体《からだ》がじょうぶ。すこやか。** ●[4]健康《けんこう》。
❷ **おだやか。やすらか。** ●[1]小康《しょうこう》。

もっとわかる

● 「小康《しょうこう》を保《たも》つ」とは、病気《びょうき》や事態《じたい》などがおさまって、安定《あんてい》した状態《じょうたい》にあること。

なりたち

↓ ↓ 庚

● 「庚《こう》」は、固《かた》くすじが通《とお》っているというイメージを示《しめ》す。それと「米（こめ）」を合《あ》わせた「康」は、イネから米《こめ》つぶを取《と》り出《だ》すときのもみがらのように、がっしりと固《かた》くすじばったようすをえがいて、体《からだ》がじょうぶでがっしりとしている意《い》を表《あらわ》した。

建

廴6画〔9画〕
音 ケン（コン）
訓 たてる たつ

長《なが》く 建

build［ビるド］

つかいかた

- 新《あたら》しく家《いえ》を建《た》てる。
- 駅前《えきまえ》にビルが建《た》つ。
- 今日《きょう》は建国記念日《けんこくきねんび》だ。
- 建設的《けんせつてき》な考《かんが》え方《かた》。
- 奈良時代《ならじだい》に建立《こんりゅう》された寺《てら》。

いみ・ことば

❶ **たてものをたてる。** ●建《た》て[2]売《う》り。建《けん》[5]設《せつ》。建[5]造《けんぞう》。建[5]築《けんちく》。[5]再建《さいけん》。
❷ **新《あたら》しくつくる。** ●建[2]国《けんこく》。
❸ **意見《いけん》を申《もう》しのべる。** ●建[4]議《けんぎ》。建[1]白[2]書《けんぱくしょ》。

もっとわかる

● 「コン」の読《よ》みは、「建立《こんりゅう》（寺《てら》のお堂《どう》や塔《とう》などをたてる）」などに使《つか》われる。

なりたち

「廴（のばす）」と「聿（手《て》で筆《ふで》を立《た》てる）」を合《あ》わせた形《かたち》。まっすぐのばしたようすをえがいて、くずれないようにしっかり「たてる」意《い》を表《あらわ》した。

径

彳5画〔8画〕
音 ケイ
訓 —

夂と書《か》かない 径

path［パす］

つかいかた

- 円《えん》の直径《ちょっけい》を求《もと》める。
- 大砲《たいほう》の口径《こうけい》。
- 半径《はんけい》一《いち》キロメートル以内《いない》。
- 兄《あに》は行動半径《こうどうはんけい》が広《ひろ》い。
- 直情径行《ちょくじょうけいこう》な性質《せいしつ》。

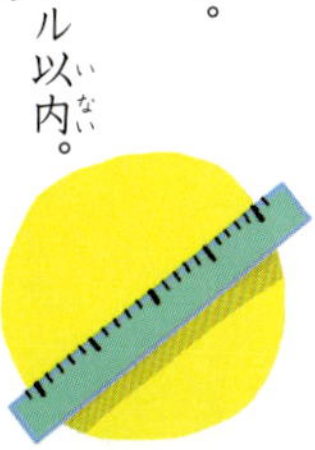

いみ・ことば

❶ **こみち。ほそみち。** ●径[3]路《けいろ》。[1]小径《しょうけい》。
❷ **円《えん》の中心《ちゅうしん》を通《とお》る長《なが》さ。さしわたし。** ●[1]口《こう》径《けい》。[2]直径《ちょっけい》。[2]半径《はんけい》。

もっとわかる

● 四字熟語《よじじゅくご》…直情径行《ちょくじょうけいこう》（まわりを考《かんが》えず、思《おも》う通《とお》りに言《い》ったり動《うご》いたりすること）

なりたち

もとの字《じ》は「徑」。「巠《けい》（縦《たて》にまっすぐ通《とお》る）」と「彳（行《い》く）」を合《あ》わせた形《かたち》。まわり道《みち》をせずにいちばん近《ちか》い道《みち》を行《い》くようすで、「ちかみち」の意《い》を表《あらわ》した。また、「こみち」の意《い》でも使《つか》われた。

徒

彳7画【10画】

訓 ―

音 ト

上《うえ》の横棒《よこぼう》より長《なが》く

walk［ウォーク］

つかいかた

- 運動会《うんどうかい》の**徒競走《ときょうそう》**。
- **徒党《ととう》**を組《く》む。
- 駅《えき》まで**徒歩《とほ》**で行《い》く。
- 努力《どりょく》が**徒労《とろう》**に終《お》わる。
- 中学校《ちゅうがっこう》の**生徒《せいと》**。

いみ・ことば

① **歩《ある》く。** ●徒競走《ときょうそう》。徒歩《とほ》。

② **弟子《でし》。** ●徒弟《とてい》。生徒《せいと》。

③ **仲間《なかま》。** ●徒党《ととう》。信徒《しんと》。暴徒《ぼうと》。

④ **何《なに》も持《も》たない。** ●徒手体操《としゅたいそう》。

⑤ **むだな。役《やく》にたたない。** ●徒労《とろう》。

もっとわかる

●「徒党《ととう》を組《く》む」とは、何《なに》か悪《わる》いことをするために仲間《なかま》が集《あつ》まること。

なりたち

「土《と》（つち）」と「彳（行《い》く）」と「止（足《あし》）」を合《あ》わせた形《かたち》。乗《の》り物《もの》にのらずに、土《つち》をふんで「足《あし》で行《い》く」意《い》を表《あらわ》した。

徒徒徒徒徒徒徒徒

徳

彳11画【14画】

訓 ―

音 トク

四と書《か》かない

virtue［ヴァーチュー］

つかいかた

- **徳《とく》**の高《たか》い顔《かお》をした王《おう》。
- **徳育《とくいく》**を重視《じゅうし》した教《おし》え。
- お**徳用《とくよう》**の洗剤《せんざい》。
- **悪徳商法《あくとくしょうほう》**に注意《ちゅうい》する。
- **道徳心《どうとくしん》**を高揚《こうよう》する。

いみ・ことば

① **正《ただ》しい行《おこな》い。** ●徳育《とくいく》。徳性《とくせい》。人徳《じんとく》。道徳《どうとく》。美徳《びとく》。不徳《ふとく》。

② **もうけ。利益《りえき》。** ●徳用《とくよう》。

もっとわかる

●「徳用《とくよう》」は、量《りょう》が多《おお》くて安《やす》いこと。「得用《とくよう》」とも書《か》く。

なりたち

→ 徳（徳）

●もとの字《じ》は「德」。右側《みぎがわ》は「悳《とく》」が変《か》わったもの。これは「直《ちょく》（まっすぐ）」と「心」を合《あ》わせて、まっすぐな心《こころ》のこと。それに「彳（行《おこな》い）」を合《あ》わせて、まっすぐな心《こころ》に従《したが》った行《おこな》いを表《あらわ》した。

徳徳徳徳徳徳徳徳

単

⺍6画【9画】

訓 ―

音 タン

⺍と書《か》かない

single［スィングる］

つかいかた

- それは**単《たん》なる**うわさだ。
- カードに**単語《たんご》**を書《か》く。
- **単独《たんどく》**で行動《こうどう》する。
- **単調《たんちょう》**な生活《せいかつ》を送《おく》る。
- **簡単《かんたん》**な問題《もんだい》を解《と》く。

いみ・ことば

① **ただひとつ。** ●単一民族《たんいつみんぞく》。単価《たんか》。単眼《たんがん》。単線《たんせん》。単独《たんどく》。

② **ひとまとまり。** ●単位《たんい》。単元《たんげん》。単語《たんご》。

③ **こみ入《い》っていない。** ●単純《たんじゅん》。簡単《かんたん》。

もっとわかる

●四字熟語《よじじゅくご》…単刀直入《たんとうちょくにゅう》（前置《まえお》きをせず、すぐに本題《ほんだい》に入《はい》ること）

なりたち

→ 單（単）

●もとの字《じ》は「單」。平《ひら》たいはたきのような道《どう》具《ぐ》をえがいた形《かたち》。うすっぺらいイメージから、変化《へんか》のない同《おな》じような調子《ちょうし》を表《あらわ》した。

単単単単単単単単

巣

⺍8画（11画）

音（ソウ）
訓 す

⺍と書《か》かない

nest［ネスト］

つかいかた

●小鳥《ことり》が木《き》に巣《す》を作《つく》る。
●ひなが巣立《すだ》つ。
●巣作《すづく》りの季節《きせつ》。
●空《あ》き巣《す》にねらわれる。
●動物《どうぶつ》の帰巣本能《きそうほんのう》。

いみ・ことば

①鳥《とり》や虫《むし》のす。●巣作《すづく》り。巣箱《すばこ》。古巣《ふるす》。

②人《ひと》のすみか。●巣《そう》くつ。空《あ》き巣《す》。

もっとわかる

●「空《あ》き巣《す》」は、「留守《るす》の家《いえ》」をねらって入《はい》るどろぼう。●「帰巣本能《きそうほんのう》」とは、自分《じぶん》の巣《す》や育《そだ》ったところへ帰《かえ》るための、生《う》まれつき持《も》っている能力《のうりょく》。

なりたち

巣（古い字形）→巣（巢）

●もとの字《じ》は「巢」。「巛（三《みっ》つ並《なら》ぶ）」と「臼（鳥《とり》のす）」と「木（き）」を合《あ》わせた形《かたち》で、木《き》の上《うえ》にある鳥《とり》の「す」を表《あらわ》した。

芸

⺾4画（7画）

音 ゲイ
訓 ―

上《うえ》の横棒《よこぼう》より長《なが》く

art［アート］

つかいかた

●芸《げい》を身《み》につける。
●お笑《わら》い芸人《げいにん》になる。
●かくし芸大会《げいたいかい》に出場《しゅつじょう》する。
●イタリアの芸術《げいじゅつ》。
●伝統工芸品《でんとうこうげいひん》。

いみ・ことば

①身《み》につけたわざ。●技芸《ぎげい》。工芸《こうげい》。手芸《しゅげい》。

②文化的《ぶんかてき》な仕事《しごと》。●芸術《げいじゅつ》。学芸《がくげい》。文芸《ぶんげい》。

③人《ひと》を楽《たの》しませるわざ。●芸人《げいにん》。曲芸《きょくげい》。

もっとわかる

●「芸《げい》は身《み》を助《たす》ける」とは、いざというときに、芸《げい》が役《やく》に立《た》つということ。

なりたち

もとの字《じ》は「藝」。「艹（草《くさ》）」と「埶《げい》（草木《くさき》に手《て》を加《くわ》える）」と「云（もやもやとこもる）」を合《あ》わせた形《かたち》で、草木《くさき》に手《て》を加《くわ》えて育《そだ》てる意《い》を表《あらわ》した。のち、自然《しぜん》のものに手《て》を加《くわ》えて、形《かたち》よくととのえる意《い》でも使《つか》われた。

英

⺾5画（8画）

音 エイ
訓 ―

つき出《だ》す

distinguished
［ディスティングウィッシュト］

つかいかた

●じっくり英気《えいき》を養《やしな》う。
●英語《えいご》の勉強《べんきょう》を始《はじ》める。
●英才教育《えいさいきょういく》を受《う》ける。
●国《くに》の英雄《えいゆう》になる。
●英和辞典《えいわじてん》を買《か》う。

いみ・ことば

①すぐれている。●英気《えいき》。英才《えいさい》。英断《えいだん》。英知《えいち》。英雄《えいゆう》。

②イギリスのこと。また、英語《えいご》の略《りゃく》。●英語《えいご》。英国《えいこく》。英訳《えいやく》。英和辞典《えいわじてん》。

もっとわかる

●「英気《えいき》」は、物事《ものごと》に立《た》ち向《む》かう気力《きりょく》。「英気《えいき》を養《やしな》う」のように使《つか》われる。●②は、イギリスを「英吉利《いぎりす》」と書《か》いたことから。

なりたち

「央《おう》（くっきり分《わ》かれる）」と「艹（草《くさ》）」を合《あ》わせた形《かたち》。植物《しょくぶつ》の体《からだ》で、とくにはっきりと目立《めだ》つ部分《ぶぶん》である「はな」を表《あらわ》した。

芽

艹5画〔8画〕
音 ガ
訓 め

芽 はねる

bud［バッド］

つかいかた

● 球根《きゅうこん》が芽《め》を出《だ》す。
● 悪《あく》の芽《め》をつみとる。
● 愛情《あいじょう》が芽生《めば》える。
● 新芽《しんめ》の美《うつく》しい季節《きせつ》。
● 種《たね》が発芽《はつが》する。

いみ・ことば

● 草木《くさき》のめ。また、物事《ものごと》のはじまり。 ●芽《め》1生《ば》え。2新芽《しんめ》。6若芽《わかめ》。2麦芽《ばくが》。3発芽《はつが》。

もっとわかる

● 「芽《め》」を使《つか》ったことば…芽《め》が出《で》る（幸《こう》運《うん》がめぐってくる）・芽《め》をつむ（これから大《おお》きくなりそうな物事《ものごと》を、小《ちい》さいうちに取《と》り除《のぞ》く）・芽《め》をふく（成長《せいちょう》のきざしが見《み》える）

なりたち

↓ ↓ 牙

● 「牙《が》」は、たがいにかみ合《あ》っている形《かたち》でジグザグというイメージを示《しめ》す。それに「艹（草《くさ》）」を合《あ》わせて、ジグザグに出《で》てくる草木《くさき》の「め」を表《あらわ》した。

芽芽芽芽芽芽芽芽

4年

茨

艹6画〔9画〕
音 —
訓 いばら

茨 ななめ右上《みぎうえ》に

thorn［ソーン］

つかいかた

● 茨《いばら》に引《ひ》っかかる。
● 茨《いばら》の人生《じんせい》。
● あえて茨《いばら》の道《みち》を進《すす》む。
● 茨城県《いばらきけん》産《さん》の納豆《なっとう》。

いみ・ことば

1 とげのある植物《しょくぶつ》。 ●2野茨《のいばら》。
2 植物《しょくぶつ》のとげ。 ●茨《いばら》の2道《みち》。

もっとわかる

● 特別《とくべつ》な読《よ》み方《かた》…茨城《いばらき》 ● 「茨《いばら》の道《みち》」は、とげのある茨《いばら》がはえた道《みち》のように、困難《こんなん》や苦《くる》しみの多《おお》い人生《じんせい》のこと。 ● 「茨」と書《か》いてもよい。

なりたち

「次《し》（ふぞろいに並《なら》ぶ）」と「艹（草《くさ》）」とを合《あ》わせた字《じ》。枝《えだ》やとげが、ふぞろいに並《なら》んだ草《くさ》のことを表《あらわ》した。もとは、とげのあるハマビシのこと。のちに、とげのある植物《しょくぶつ》ということでイバラの意味《いみ》になった。

茨茨茨茨茨茨茨茨茨

菜

艹8画〔11画〕
音 サイ
訓 な

菜 采《さい》と書《か》かない

vegetable［ヴェヂタブる］

つかいかた

● 菜《な》っ葉《ぱ》を食《た》べる。
● 菜《な》の花《はな》をつむ。
● 山《やま》に入《はい》って山菜《さんさい》を採《と》る。
● コース料理《りょうり》の前菜《ぜんさい》を選《えら》ぶ。
● 庭《にわ》で野菜《やさい》を育《そだ》てる。

いみ・ことば

1 なっぱ。野菜《やさい》。 ●菜4種《なたね》。1青菜《あおな》。1水菜《みずな》。菜2園《さいえん》。菜2食《さいしょく》。山菜《さんさい》。白菜《はくさい》。2野菜《やさい》。
2 おかず。 ●2前菜《ぜんさい》。5総菜《そうざい》。

もっとわかる

● 四字熟語《よじじゅくご》…一汁一菜《いちじゅういっさい》（質素《しっそ》な食事《しょくじ》）
● 「菜種梅雨《なたねづゆ》」は、菜《な》の花《はな》がさく三月《さんがつ》下旬《じゅん》から四月《しがつ》にかけて降《ふ》る冷《つめ》たい雨《あめ》。

なりたち

↓ 采

● 「采《さい》」は「爫（下向《したむ》きの手《て》）」と「木《き》」を合《あ》わせて、木《き》の芽《め》をつみとるようす。それに「艹（草《くさ》）」を合《あ》わせて、食《た》べるためにつみとる「なっぱ」を表《あらわ》した。

菜菜菜菜菜菜菜菜菜菜菜

4年

辺

辶2画【5画】

音 ヘン
訓 あたり・べ

つき出《だ》さない

辺

side［サイド］

つかいかた

- 辺《あた》り一面《いちめん》の花畑《はなばたけ》。
- 海辺《うみべ》に店《みせ》が並《なら》ぶ。
- この辺《へん》で昼《ひる》にしよう。
- 身辺《しんぺん》をかぎ回《まわ》る。
- 三角形《さんかくけい》の底辺《ていへん》の長《なが》さ。

いみ・ことば

①あたり。そば。●[3]岸辺《きしべ》。[1]水辺《みずべ》。[4]周辺《しゅうへん》。

②はて。国《くに》ざかい。●辺境《へんきょう》[5]。辺地《へんち》[2]。

③図形《ずけい》を形《かたち》づくっている直線《ちょくせん》。●[4]底辺《ていへん》。[3]平[2]行[1]四辺[2]形《へいこうしへんけい》。

なりたち

[古い字形] → [古い字形] → 邊（辺）

●もとの字《じ》は「邊」。「臱《へん》」は、鼻《はな》の中心《ちゅうしん》から張《は》り出《だ》したはしの部分《ぶぶん》で、中心《ちゅうしん》からはしに張《は》り出《だ》すイメージ。それに「辶（行《い》く）」を合《あ》わせて、国《くに》の中心《ちゅうしん》から行《い》きつくしたところ、国《くに》の「はて」を表《あらわ》した。また、中心《ちゅうしん》からはなれたあたりの意《い》でも使《つか》われた。

連

辶7画【10画】

音 レン
訓 つらなる・つらねる・つれる

上《うえ》の横棒《よこぼう》より長《なが》く

連

link［リンク］

つかいかた

- 車《くるま》が連《つら》なる。
- リストに名《な》を連《つら》ねる。
- 犬《いぬ》を連《つ》れて歩《ある》く。
- 電車《でんしゃ》の車両《しゃりょう》が連結《れんけつ》する。
- レストランの常連《じょうれん》の客《きゃく》。

いみ・ことば

①つらなる。つながる。つづける。●連《れん》[1]休《きゅう》。連結《れんけつ》[4]。連合《れんごう》[2]。連作《れんさく》[2]。連山《れんざん》[1]。連日《れんじつ》[1]。連《れん》[3]勝《しょう》。連動《れんどう》[3]。連発《れんぱつ》[3]。連名《れんめい》[1]。連絡《れんらく》▲。

②みちづれ。なかま。●連[1]中（れんちゅう）《れんじゅう》。[5]常連《じょうれん》。

もっとわかる

●「常連《じょうれん》」は、飲食店《いんしょくてん》などにいつも来《く》る客《きゃく》。●「国連《こくれん》」は、国際連合《こくさいれんごう》の略《りゃく》。世界《せかい》の平和《へいわ》や安全《あんぜん》を守《まも》るための国際的《こくさいてき》な組織《そしき》。

なりたち

「車（くるま）」と「辶（行《い》く）」を組《く》み合《あ》わせた形《かたち》で、車《くるま》がつらなって進《すす》む意《い》を表《あらわ》した。

達

辶9画【12画】

音 タツ
訓 —

幸《こう》と書《か》かない

達

reach［リーチ］

つかいかた

- 入場者《にゅうじょうしゃ》が百万人《ひゃくまんにん》に達《たっ》する。
- パズルの達人《たつじん》。
- 目的《もくてき》を達成《たっせい》する。
- テニスが上達《じょうたつ》する。
- 郵便物《ゆうびんぶつ》を配達《はいたつ》する。

いみ・ことば

①とどく。とどける。●達成《たっせい》[4]。[3]速達《そくたつ》。[3]配達《はいたつ》。

②すぐれたものになる。すぐれる。●達《たっ》[1]見《けん》。達人《たつじん》[1]。達筆《たっぴつ》[3]。[1]上達《じょうたつ》。[3]発達《はったつ》。

③知《し》らせる。●[2]通達《つうたつ》。[4]伝達《でんたつ》。

もっとわかる

●特別《とくべつ》な読《よ》み方《かた》…友達《ともだち》

なりたち

[古い字形] → 達

●「大（おおきくてゆったりとした）」と「羊（ひつじ）」を合《あ》わせた「幸《たつ》」は、羊《ひつじ》がゆったりと子《こ》を産《う》むようすをえがいた形《かたち》。それに「辶（行《い》く）」を組《く》み合《あ》わせて、なめらかに「とおる」意《い》を表《あらわ》した。

選

⻌12画【15画】

音 セン
訓 えらぶ

長《なが》く

choose［チューズ］

つかいかた

● 好《す》きなカードを選《えら》ぶ。
● 各国《かっこく》の代表《だいひょう》が選《えら》ばれる。
● 選挙《せんきょ》に立候補《りっこうほ》する。
● マラソンの選手《せんしゅ》になる。
● コンクールに入選《にゅうせん》する。

いみ・ことば

① よいものをより分《わ》ける。えらび出《だ》す。えらぶ。● 選[4]挙《せんきょ》。選[2]考《せんこう》。選[1]手《せんしゅ》。選[1]出《せんしゅつ》。選《せん》[4]別《べつ》。[5]精選《せいせん》。[1]入選《にゅうせん》。[3]落選《らくせん》。

② 多《おお》くの詩《し》・歌《うた》・文《ぶん》などの中《なか》から選《えら》んだもの。● [1]名[2]作選《めいさくせん》。

なりたち

● 「巽《そん》」はいくつかのものをそろえて並《なら》べるというイメージを示《しめ》す。それに「⻌（行《い》く）」を合《あ》わせた「選」は、いろいろなものをそろえて送《おく》るようすで、多《おお》くの中《なか》からより分《わ》ける意《い》を表《あらわ》した。

巽

選選選選選選選選

郡

⻏7画【10画】

音 グン
訓 —

卩と書《か》かない

county［カウンティ］

つかいかた

● 郡《ぐん》ごとに予選《よせん》を行《おこな》う。
● 郡《ぐん》と市町村《しちょうそん》とのちがい。
● 郡内《ぐんない》を視察《しさつ》する。
● 郡部《ぐんぶ》に住《す》む。
● 中国《ちゅうごく》の郡県制《ぐんけんせい》。

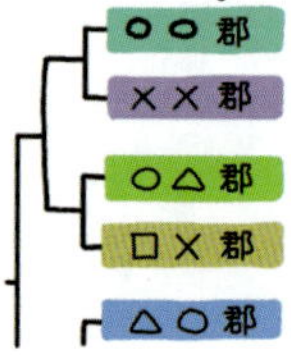

いみ・ことば

● 国《くに》をおさめるために分《わ》けた、土地《とち》の区切《くぎ》り。● 郡[3]部《ぐんぶ》。

もっとわかる

● 「郡」は「群」と形《かたち》が似《に》ていてまちがえやすいので注意《ちゅうい》。● 「郡《ぐん》」は、都道府県《とどうふけん》の下《した》の区画《くかく》。地理上《ちりじょう》の区分《くぶん》で、首長《しゅちょう》はいない。● 「郡県制《ぐんけんせい》」は、昔《むかし》の中国《ちゅうごく》の秦《しん》の制度《せいど》。

なりたち

「君《くん》（多《おお》くの人《ひと》をまとめる）」と「⻏（むら）」を合《あ》わせた形《かたち》。多《おお》くの村《むら》や町《まち》を集《あつ》めて支配《しはい》する区域《くいき》を示《しめ》して、行政区《ぎょうせいく》の単位《たんい》である「ぐん」を表《あらわ》した。

郡郡郡郡郡郡郡郡

阜

阜0画【8画】

音 フ
訓 —

長《なが》く

hill［ヒる］

つかいかた

● 岐阜県《ぎふけん》の下呂温泉《げろおんせん》。
● 岐阜城《ぎふじょう》について調《しら》べる。
● のき先《さき》に岐阜提灯《ぎふぢょうちん》をつるす。

いみ・ことば

● 小高《こだか》い所《ところ》。おか。台地《だいち》。● ▲丘阜《きゅうふ》。

もっとわかる

● 特別《とくべつ》な読《よ》み方《かた》…岐阜《ぎふ》 ● 「阜」は、漢字《かんじ》の部首《ぶしゅ》の一《ひと》つ。これがへんになると、こざとへん（⻖）になる。こざとへんの漢字《かんじ》は、おかや積《つ》み上《あ》げた土《つち》・階段《かいだん》などに関係《かんけい》がある。形《かたち》が似《に》ているおおざと（⻏）のもとの形《かたち》は「邑」（299ページのコラム参照《さんしょう》）。● 「丘阜《きゅうふ》」は、小高《こだか》いおかの意《い》。

なりたち

● 積《つ》み上《あ》げた土《つち》をえがいた字《じ》。

阜

阜阜阜阜阜阜阜阜

阪

阝4画〔7画〕

訓 ―

音 （ハン）

阪 はらう

slope［スろウプ］

つかいかた

- 大阪《おおさか》の名物《めいぶつ》を見《み》に行《い》く。
- 阪神工業地帯《はんしんこうぎょうちたい》。
- 京阪地方《けいはんちほう》。
- 東京《とうきょう》から帰阪《きはん》する。
- 仕事《しごと》で上阪《じょうはん》する。

いみ・ことば

1. 道《みち》がのぼり、くだりになっているところ。
2. 大阪《おおさか》。
   - 阪神《はんしん》[3]。帰阪《きはん》[2]。京阪《けいはん》[2]。

もっとわかる

- 特別《とくべつ》な読《よ》み方《かた》…大阪《おおさか》
- 「阪神《はんしん》」は、大阪《おおさか》と神戸《こうべ》のこと。
- 「京阪《けいはん》」は、京都《きょうと》と大阪《おおさか》のこと。
- 「帰阪《きはん》」は、大阪《おおさか》へ帰《かえ》ること。
- 「上阪《じょうはん》」は、大阪《おおさか》へ行《い》くこと。

なりたち

「反《はん》（）の形《かたち》や（の形《かたち》にそりかえる）」と「阝（おか）」とを合《あ》わせた字《じ》。（の形《かたち》にそりかえったようにかたむいたおか、「さか」を表《あらわ》した。

阪 阪 阪 阪 阪 阪 阪

陸

阝8画〔11画〕

訓 ―

音 リク

陸 上《うえ》の横棒《よこぼう》より長《なが》く

land［らンド］

つかいかた

- 向《む》こうに陸《りく》が見《み》える。
- 陸地《りくち》が水《みず》にしずむ。
- 陸上競技《りくじょうきょうぎ》。
- コロンブスの新大陸発見《しんたいりくはっけん》。
- 飛行機《ひこうき》が着陸《ちゃくりく》する。

いみ・ことば

- 水《みず》におおわれていない広《ひろ》い土地《とち》。りくち。
  - 陸軍《りくぐん》[4]。陸上《りくじょう》[1]。陸地《りくち》[2]。陸路《りくろ》[3]。陸橋《りっきょう》[3]。上陸《じょうりく》[1]。大陸《たいりく》[1]。内陸《ないりく》[2]。▲離陸《りりく》。

もっとわかる

- 「陸続《りくぞく》」は、つぎからつぎへと続《つづ》くようす ㊀例 救助隊《きゅうじょたい》が陸続《りくぞく》と到着《とうちゃく》する）。
- 「陸路《りくろ》」に対《たい》することばは、「海路《かいろ》」または「空路《くうろ》」。

なりたち

↓
坴

- 「坴《りく》」は、「屮（くさ）」と「六《ろく》（おか）」と「土」を合《あ》わせて、草《くさ》が生《は》えて盛《も》り上《あ》がった土《つち》。それに「阝（おか）」を合《あ》わせて、小高《こだか》い「おか」を表《あらわ》した。

陸 陸 陸 陸 陸 陸 陸 陸

同《おな》じ形《かたち》なのに別《べつ》の部首《ぶしゅ》？

289ページのコラムでふれたように、部首《ぶしゅ》には、漢字《かんじ》のどの場所《ばしょ》にくるかによって形《かたち》を変《か》えるものが多《おお》くあります。その一方《いっぽう》で、同《おな》じ形《かたち》なのにちがう部首《ぶしゅ》もあります。

たとえば「阝」。「部」「都」「郷」「郵」などの右側《みぎがわ》につく「阝」は、「おおざと」という名《な》の部首《ぶしゅ》です。しかし、「陸」「階」「陽」「防」などの左側《ひだりがわ》につく「阝」は、「こざと」という名《な》の部首《ぶしゅ》です。「おおざと」はもとの形《かたち》が「邑」で、「むら」の意《い》、「こざと」はもとの形《かたち》が「阜」で、「おか」の意《い》を表《あらわ》しています。

「月」のつく漢字《かんじ》も要注意《ようちゅうい》です。「朝」「期」「朗」などの右側《みぎがわ》につく「月」は、その形《かたち》の通《とお》り、「つき」と関係《かんけい》があることを示《しめ》しています。ところが、「脳」「腸」「胸」などの左側《ひだりがわ》につく「月」は、「にくづき」といって、「からだ」に関係《かんけい》があることを示《しめ》しているのです。また、「にくづき」と「肉」は、同《おな》じ部首《ぶしゅ》に属《ぞく》しています。部首《ぶしゅ》さくいんなどで、よく確認《かくにん》しておきましょう。

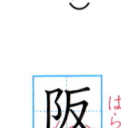

隊

阝9画〔12画〕
音 タイ
訓 —

はねる
party［パーティ］

つかいかた

- 隊《たい》が乱《みだ》れる。
- 軍隊《ぐんたい》に入隊《にゅうたい》する。
- 登山隊《とざんたい》の隊長《たいちょう》を務《つと》める。
- レスキュー隊《たい》の到着《とうちゃく》を待《ま》つ。

いみ・ことば

1. **きちんと並《なら》んだ、人《ひと》や乗《の》り物《もの》。** ●隊《たい》[3]列《れつ》。[3]横隊《おうたい》。[6]縦隊《じゅうたい》。[5]編隊《へんたい》。
2. **大勢《おおぜい》の人《ひと》の集《あつ》まり。** ●隊《たい》[3]員《いん》。隊《たい》[2]長《ちょう》。[4]軍《ぐん》隊《たい》。[2]自[5]衛隊《じえいたい》。[6]探[5]検隊《たんけんたい》。[3]部隊《ぶたい》。

もっとわかる

- 「レスキュー隊《たい》」は、火災《かさい》や事故《じこ》のときに救助活動《きゅうじょかつどう》をする特別《とくべつ》な消防《しょうぼう》チーム。

なりたち

→隊

- もとの字《じ》は「隊」。「㒸《すい》」は、ぶたがおし寄《よ》せて集《あつ》まるようす。それに「阝(おか)」を合《あ》わせて、土《つち》を寄《よ》せ集《あつ》めたおかのように、人《ひと》がひしめきあっている集団《しゅうだん》を表《あらわ》した。

必

心1画〔5画〕
音 ヒツ
訓 かならず

はねる
surely［シュアリィ］

つかいかた

- 次《つぎ》は必《かなら》ず勝《か》つ。
- 必《かなら》ずしも悪人《あくにん》ではない。
- 必殺技《ひっさつわざ》をあみだす。
- 必死《ひっし》に勉強《べんきょう》をする。
- テント生活《せいかつ》の必需品《ひつじゅひん》。

いみ・ことば

- **きっと。かならず。** ●必《ひっ》▲携《けい》。必《ひっ》[5]殺《さつ》。必《ひっ》[3]死《し》。必[5]修《ひっしゅう》。必▲需[3]品《ひつじゅひん》。必[3]勝《ひっしょう》。必[4]然《ひつぜん》。必[3]着《ひっちゃく》。

もっとわかる

- 四字熟語《よじじゅくご》…先手必勝《せんてひっしょう》(相手《あいて》に先《さき》んじてせめれば、必《かなら》ず勝《か》てるということ)・盛者必衰《じょうしゃひっすい》(勢《いきお》いのある者《もの》も、いつかは必《かなら》ずおとろえるものだということ)

なりたち

→→必

- 「弋(ふたまたの棒《ぼう》)」と「八(両側《りょうがわ》ではさむ)」を合《あ》わせた形《かたち》。棒《ぼう》の両側《りょうがわ》をぴったりしめつけて動《うご》かないようにするようすで、「かならず」ある状態《じょうたい》になる意《い》を表《あらわ》した。

念

心4画〔8画〕
音 ネン
訓 —

はねる
think［すィンク］

つかいかた

- 合格《ごうかく》を強《つよ》く念《ねん》じる。
- 歯《は》を念入《ねんい》りにみがく。
- 思《おも》う念力岩《ねんりきいわ》をも通《とお》す。
- 自分《じぶん》の信念《しんねん》をつらぬく。
- テスト勉強《べんきょう》に専念《せんねん》する。

いみ・ことば

1. **深《ふか》く考《かんが》える。** ●念[4]願《ねんがん》。念[1]力《ねんりき》。[4]信念《しんねん》。
2. **気《き》をつける。** ●念[1]入《ねんい》り。[1]入念《にゅうねん》。
3. **口《くち》の中《なか》で唱《とな》える。** ●念[5]仏《ねんぶつ》。

もっとわかる

- 「思《おも》う念力岩《ねんりきいわ》をも通《とお》す」は、一心《いっしん》に努《ど》力《りょく》をすれば、できないことはないということ。
- 四字熟語《よじじゅくご》…一念発起《いちねんほっき》(あることを成《な》しとげようと強《つよ》く決心《けっしん》すること)

なりたち

「今《きん》(かぶせてふさぐ)」と「心(こころ)」を合《あ》わせた形《かたち》。心《こころ》の中《なか》に思《おも》いをじっとためておくようすで、「心《こころ》にかける」「思《おも》う」の意《い》を表《あらわ》した。

4年

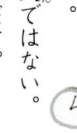

愛

心9画〔13画〕
音 アイ
訓 ―

この形《かたち》に注意《ちゅうい》 愛

love［らヴ］

つかいかた
- 子《こ》を思《おも》う母《はは》の**愛**《あい》。
- 生《い》き物《もの》を**愛する**《あい》心《こころ》。
- **愛国心**《あいこくしん》の強《つよ》い国民《こくみん》。
- **愛用**《あいよう》のかばん。
- **最愛**《さいあい》の人《ひと》。

いみ・ことば

① **いとしく思**《おも》**う。好**《この》**む。** ●愛《あい》1犬《けん》。愛《あい》4好《こう》2家《か》。愛《あい》5情《じょう》。愛《あい》2読《どく》。愛《あい》2用《よう》。4最《さい》愛《あい》。▲恋《れん》愛《あい》。

② **大切**《たいせつ》**にする。** ●愛《あい》2国《こく》2心《しん》。2自《じ》愛《あい》。

もっとわかる
- 特別《とくべつ》な読《よ》み方《かた》…愛媛《えひめ》

なりたち  → 㤅
- 「旡《き》」は、腹《はら》がいっぱいになった人《ひと》で、いっぱいになるイメージを示《しめ》す。「㤅《あい》」は、心《こころ》がいっぱいになること。それに「夂（足《あし》を引《ひ》きずる）」を合《あ》わせた「愛」は、切《せつ》ない思《おも》いで心《こころ》がいっぱいになって足《あし》も進《すす》まないようすで、「いとしく思《おも》う」意《い》を表《あらわ》した。

愛 愛 愛 愛 愛 愛 愛 愛

4年

成

戈2画〔6画〕
音 セイ（ジョウ）
訓 なる なす

はねる 成

achieve［アチーヴ］

つかいかた
- **成り行き**《なゆ》を見守《みまも》る。
- 商談《しょうだん》が**成立**《せいりつ》する。
- **成人式**《せいじんしき》をむかえる。
- 国語《こくご》の**成績**《せいせき》が上《あ》がる。
- 飲《の》み物《もの》の**成分**《せいぶん》。

いみ・ことば

① **でき上**《あ》**がる。なしとげる。** ●成《せい》4果《か》。成《せい》4功《こう》。成《せい》5績《せき》。成《せい》1立《りつ》。4完《かん》成《せい》。2作《さく》成《せい》。4達《たっ》成《せい》。

② **育**《そだ》**つ。** ●成《せい》3育《いく》。成《せい》6熟《じゅく》。成《せい》1人《じん》。成《せい》2長《ちょう》。

③ **…からなる。** ●成《せい》5句《く》。成《せい》2語《ご》。成《せい》2分《ぶん》。

もっとわかる
- 「ジョウ」の読《よ》みは、「成就《じょうじゅ》」「成仏《じょうぶつ》」などのことばに使《つか》われる。

なりたち  → 成
- 「丁《てい》（T形《がた》に打《う》ちたたく）」と「戈（道具《どうぐ》）」を合《あ》わせた形《かたち》。土《つち》をたたいて固《かた》め、城《しろ》のかべを仕《し》上《あ》げるようすで、「なしとげる」の意《い》を表《あらわ》した。

成 成 成 成 成 成

戦

戈9画〔13画〕
音 セン（いくさ）
訓 たたかう

はねる 戦

fight［ファイト］

つかいかた
- **負け戦**《まいくさ》をする。
- 全力《ぜんりょく》をつくして**戦う**《たたか》。
- 空腹《くうふく》で**戦意**《せんい》を失《うしな》う。
- **苦戦**《くせん》をしいられる。
- **作戦**《さくせん》が成功《せいこう》する。

いみ・ことば

① **たたかう。たたかい。** ●3負《ま》け戦《いくさ》。戦《せん》3意《い》。戦《せん》1火《か》。戦《せん》2場《じょう》。戦《せん》4争《そう》。戦《せん》4法《ぽう》。戦《せん》1力《りょく》。1休《きゅう》戦《せん》。3苦《く》戦《せん》。2作《さく》戦《せん》。

② **おそれる。** ●戦々《せんせん》▲恐々《きょうきょう》。戦《せん》りつ。

もっとわかる
- 四字熟語《よじじゅくご》…戦々恐々《せんせんきょうきょう》（おそろしくてびくびくするようす）

なりたち
もとの字《じ》は「戰」。「單《たん》」は、ぱたぱたとはたく道具《どうぐ》で、ふるえ動《うご》くイメージ。それに「戈（武器《ぶき》）」を合《あ》わせて、武器《ぶき》を手《て》に心《こころ》がふるい立《た》って体《からだ》がふるえるようす、「たたかう」の意《い》を表《あらわ》した。

戦 戦 戦 戦 戦 戦 戦 戦

折

扌4画〔7画〕
音 セツ
訓 おる おり おれる

左下《ひだりした》に

fold［フォウルド］

つかいかた

- 台風《たいふう》で枝《えだ》が折《お》れる。
- 千代紙《ちよがみ》でつるを折《お》る。
- 時折《ときおり》人《ひと》の声《こえ》がする。
- 指折《ゆびお》り数《かぞ》える。
- 転《ころ》んで足《あし》を骨折《こっせつ》する。

いみ・ことば

1 おる。おれる。 ●折《お》り[2]紙《がみ》。折《お》れ[1]目《め》。[3]指《ゆび》折《お》り。[1]右折《うせつ》。[6]骨折《こっせつ》。[1]左折《させつ》。

2 その時《とき》。 ●折々《おりおり》。折[4]節《おりふし》。[2]時折《ときおり》。

もっとわかる

●四字《よじ》熟語《じゅくご》…紆余《うよ》曲折《きょくせつ》（こみ入《い》っていて、すんなりいかないこと）●「指折《ゆびお》り数《かぞ》える」は、あと何日《なんにち》と待《ま》ち遠《どお》しいようす。

なりたち

→ 折

●「扌」の古《ふる》い形《かたち》は「屮屮（上下《じょうげ》に分《わ》かれた草《くさ》）」。それに「斤（おの）」を合《あ》わせて、とちゅうで断《た》ち切《き》る、中《なか》ほどでおれる意《い》を表《あらわ》した。

挙

手6画〔10画〕
音 キョ
訓 あげる あがる

⺌と書《か》かない

raise［レイズ］

つかいかた

- 教会《きょうかい》で式《しき》を挙《あ》げる。
- 町《まち》を挙《あ》げて祝《いわ》う。
- 挙動《きょどう》不審《ふしん》な人物《じんぶつ》。
- 快挙《かいきょ》を成《な》しとげる。
- 市長《しちょう》選挙《せんきょ》を行《おこな》う。

いみ・ことば

1 上《うえ》にあげる。 ●挙手《きょしゅ》。

2 行《おこな》う。行《おこな》い。 ●挙[2]行《きょこう》。挙[3]式《きょしき》。挙[3]動《きょどう》。[5]快挙《かいきょ》。

3 とりあげる。 ●[6]推挙《すいきょ》。[4]選挙《せんきょ》。[3]列挙《れっきょ》。

もっとわかる

●四字《よじ》熟語《じゅくご》…一挙《いっきょ》一動《いちどう》（一《ひと》つ一《ひと》つの動《うご》き）・軽挙妄動《けいきょもうどう》（軽《かる》はずみな行動《こうどう》）

なりたち

→ 與

●もとの字《じ》は「擧」。「與《よ》（＝与）」は、みんながいっしょに手《て》を組《く》むようす。それに「手（て）」を合《あ》わせた「擧」は、手《て》を組《く》んで上《うえ》に持《も》ち上《あ》げるようすで、手《て》を「あげる」意《い》を表《あらわ》した。

改

攵3画〔7画〕
音 カイ
訓 あらためる あらたまる

曲《ま》げる

reform［リフォーム］

つかいかた

- 心《こころ》を改《あらた》めて取《と》り組《く》む。
- 明日《あす》で年《とし》が改《あらた》まる。
- 電車《でんしゃ》のダイヤを改正《かいせい》する。
- 長年《ながねん》住《す》んだ家《いえ》を改築《かいちく》する。
- いねを品種《ひんしゅ》改良《かいりょう》する。

いみ・ことば

1 新《あたら》しくする。あらためる。 ●改[6]革《かいかく》。改[2]行《かいぎょう》。改[5]修《かいしゅう》。改[2]心《かいしん》。改[1]正《かいせい》。改[6]善《かいぜん》。改[6]装《かいそう》。改[5]造《かいぞう》。改[5]築《かいちく》。改[4]良《かいりょう》。

2 調《しら》べる。 ●改[4]札《かいさつ》。

もっとわかる

●四字《よじ》熟語《じゅくご》…朝令暮改《ちょうれいぼかい》（一度《いちど》出《だ》された命令《めいれい》が、すぐに変更《へんこう》されること）

なりたち

「己《き》（起《お》き上《あ》がる）」と「攵（手《て》の動作《どうさ》）」を合《あ》わせた形《かたち》。古《ふる》くなったものをもう一度《いちど》起《お》こして、新《あたら》しい姿《すがた》を出現《しゅつげん》させるようすで、「あらためる」の意《い》を表《あらわ》した。

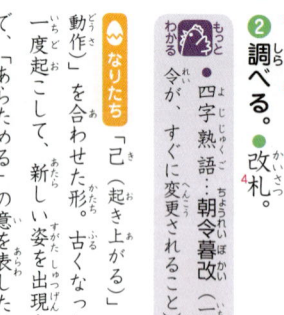

敗

攵7画〔11画〕

音 ハイ
訓 やぶれる

又と書《か》かない

敗

be defeated ［ビィディフィーティド］

つかいかた

- 決勝戦《けっしょうせん》で敗《やぶ》れる。
- 敗者復活戦《はいしゃふっかつせん》。
- 一回戦《いっかいせん》で敗退《はいたい》する。
- 失敗《しっぱい》は成功《せいこう》のもと。
- 九対一《きゅうたいいち》で大敗《たいはい》する。

いみ・ことば

❶ **やぶれる。まける。** ●敗因《はいいん》[5]。敗者《はいしゃ》[3]。敗戦《はいせん》[4]。敗退《はいたい》[6]。敗北《はいぼく》[2]。全敗《ぜんぱい》[3]。大敗《たいはい》[1]。不敗《ふはい》[4]。

❷ **だめになる。** ●失敗《しっぱい》[4]。腐敗《ふはい》▲。

もっとわかる

●同訓異字《どうくんいじ》「やぶれる」…「敗《やぶ》れる」は、戦《たたか》って負《ま》ける意《い》。「破《やぶ》れる」は、穴《あな》があいたりさけたりして形《かたち》がこわれる意《い》。

なりたち

「貝《ばい》（二《ふた》つに割《わ》れる）」と「攵（手《て》の動作《どうさ》）」を合《あ》わせた形《かたち》。物《もの》が二《ふた》つに割《わ》れてこわれるようすで、「だめになる」「やぶれる」の意《い》を表《あらわ》した。

敗 敗 敗 敗 敗 敗 敗 敗

4年

散

攵8画〔12画〕

音 サン
訓 ちる　ちらす　ちらかす　ちらかる

左《ひだり》にはらわない

散

scatter ［スキャタァ］

つかいかた

- 桜《さくら》の花《はな》びらが散《ち》る。
- 戦《たたか》いの火花《ひばな》を散《ち》らす。
- 山《やま》にごみを散《ち》らかす。
- 宿《やど》の周辺《しゅうへん》を散歩《さんぽ》する。
- 運動《うんどう》でストレスを発散《はっさん》する。

いみ・ことば

❶ **ばらばらになる。ちる。** ●散会《さんかい》[2]。散水《さんすい》[1]。散乱《さんらん》[6]。拡散《かくさん》[6]。退散《たいさん》[6]。発散《はっさん》[3]。分散《ぶんさん》[2]。

❷ **ぶらぶらする。** ●散策《さんさく》[6]。散歩《さんぽ》[2]。

❸ **粉薬《こなぐすり》。** ●散薬《さんやく》[3]。胃散《いさん》[6]。

もっとわかる

●「一目散《いちもくさん》」は、必死《ひっし》に走《はし》っていくようす。「一目散《いちもくさん》に逃《に》げ出《だ》す」のように使《つか》われる。

なりたち

↓
散

●「𢿱」の古《ふる》い形《かたち》は「㭙（アサのせんいをはぎ取《と》る）」と「月（肉《にく》）」を合《あ》わせた形《かたち》で、肉《にく》をばらすようす。それに「攵（手《て》の動作《どうさ》）」をそえて、「ばらばらになる」の意《い》を表《あらわ》した。

散 散 散 散 散 散 散 散 散

料

斗6画〔10画〕

音 リョウ
訓 ―

点《てん》のうち方《かた》に注意《ちゅうい》

料

fee ［フィー］

つかいかた

- 心《こころ》をこめて料理《りょうり》する。
- 材料《ざいりょう》をそろえる。
- 資料《しりょう》を集《あつ》める。
- 入場料《にゅうじょうりょう》は無料《むりょう》だ。
- 畑《はたけ》に肥料《ひりょう》をまく。

いみ・ことば

❶ **ものをはかる。おしはかる。かんがえる。** ●思料《しりょう》[2]。

❷ **もとになるもの。** ●原料《げんりょう》[2]。材料《ざいりょう》[4]。資料《しりょう》[5]。食料《しょくりょう》[2]。調味料《ちょうみりょう》[3]。肥料《ひりょう》[5]。

❸ **はらうお金《かね》。代金《だいきん》。** ●料金《りょうきん》[1]。給料《きゅうりょう》[4]。入場料《にゅうじょうりょう》[1][2]。無料《むりょう》[4]。有料《ゆうりょう》[3]。

❹ **きりもりする。** ●料理《りょうり》[2]。

なりたち

「米（こめ）」と「斗（ます）」を合《あ》わせた形《かたち》で、ますで米《こめ》の量《りょう》を「はかる」意《い》を表《あらわ》した。

料 料 料 料 料 料 料 料 料 料

旗

方10画〔14画〕
音 キ
訓 はた

旗 長《なが》く

flag［フラッグ］

つかいかた

- 旗《はた》をふって応援《おうえん》する。
- どうも旗色《はたいろ》がよくない。
- 手旗信号《てばたしんごう》で合図《あいず》する。
- 会場《かいじょう》に校旗《こうき》をかかげる。
- 日章旗《にっしょうき》があがる。

いみ・ことば

- はた。● 旗《はた》あげ。手旗信号《てばたしんごう》。旗手《きしゅ》。校旗《こうき》。国旗《こっき》。星条旗《せいじょうき》。

もっとわかる

- 「旗色《はたいろ》」は、物事《ものごと》のなりゆき。
- 「日章旗《にっしょうき》」は、日《ひ》の丸《まる》の旗《はた》。
- 「旗《はた》あげ」は、新《あたら》しく事《こと》を始《はじ》めること。
- 「星条旗《せいじょうき》」は、アメリカ合衆国《がっしゅうこく》の旗《はた》。
- 「白旗《しらはた》をあげる」は、降参《こうさん》する意《い》。
- 四字熟語《よじじゅくご》…旗幟鮮明《きしせんめい》（立場《たちば》や態度《たいど》がはっきりしていること）

なりたち

「其《き》（四角《しかく》い）」と「㫃（はた）」を合《あ》わせた形《かたち》で、四角《しかく》い「はた」を表《あらわ》した。

昨

日5画〔9画〕
音 サク
訓 ―

昨 はらう

yesterday［イェスタァデイ］

つかいかた

- 昨年《さくねん》の出来事《できごと》。
- 昨晩《さくばん》のごちそう。
- 昨夜《さくや》は満月《まんげつ》だった。
- 一昨日《いっさくじつ》から具合《ぐあい》が悪《わる》い。
- 昨日《きのう》より気温《きおん》が低《ひく》い。

いみ・ことば

1. 一《ひと》つ前《まえ》の。きのう。● 昨朝《さくちょう》。昨年《さくねん》。昨晩《さくばん》。昨夜《さくや》。昨夕《さくゆう》。
2. むかし。いぜん。● 昨今《さっこん》。

もっとわかる

- 特別《とくべつ》な読《よ》み方《かた》…昨日《きのう》
- 「一昨日《いっさくじつ》」は、きのうの前日《ぜんじつ》。おととい。

なりたち

「乍《さ》」は、刃物《はもの》で切《き》れ目《め》をつけるようす。刻《きざ》み目《め》が重《かさ》なるというイメージを示《しめ》すこともある。それと「日（ひ）」を合《あ》わせた「昨」は、時《とき》が刻《きざ》まれて積《つ》み重《かさ》なるようすで、過去《かこ》の時間《じかん》である「きのう」を表《あらわ》した。

景

日8画〔12画〕
音 ケイ
訓 ―

景 長《なが》めに

scene［スィーン］

つかいかた

- 景気《けいき》が回復《かいふく》する。
- 情景《じょうけい》が目《め》にうかぶ。
- 見《み》たことのある風景《ふうけい》。
- 百万《ひゃくまん》ドルの夜景《やけい》。
- 外《そと》の景色《けしき》をながめる。

いみ・ことば

1. ながめ。けしき。● 景観《けいかん》。景勝《けいしょう》。近景《きんけい》。殺風景《さっぷうけい》。絶景《ぜっけい》。風景《ふうけい》。夜景《やけい》。
2. ありさま。ようす。● 景気《けいき》。光景《こうけい》。情景《じょうけい》。

もっとわかる

- 特別《とくべつ》な読《よ》み方《かた》…景色《けしき》
- 「景気《けいき》」には、元気《げんき》の意味《いみ》もある（例 景気《けいき》よくやろう）。

なりたち

景 ↓ 景

- 「京《けい》」は、高《たか》いおかの上《うえ》に立《た》つ建物《たてもの》の姿《すがた》で、明《あか》るいというイメージを示《しめ》す。それに「日（ひ）」を合《あ》わせて、明《あか》るい日《ひ》の光《ひかり》を表《あらわ》した。また、日《ひ》の光《ひかり》によって生《しょう》じる「ひかげ」の意《い》でも使《つか》われた。

4年

最

日8画〔12画〕
音 サイ
訓 もっとも

ななめ右上《みぎうえ》に
最

most［モウスト］

つかいかた

- 日本《にほん》で**最も**《もっと》高《たか》い山《やま》。
- 世界《せかい》**最強**《さいきょう》のチーム。
- **最近**《さいきん》の出来事《できごと》。
- 本日《ほんじつ》の**最終列車**《さいしゅうれっしゃ》。
- 食事《しょくじ》の**最中**《さいちゅう》に電話《でんわ》が鳴《な》る。

いみ・ことば

- **この上《うえ》なく。もっとも。** ●最悪《さいあく》。[3]最《さい》近《きん》。[2]最後《さいご》。[2]最高《さいこう》。[2]最初《さいしょ》。[4]最善《さいぜん》。[6]最低《さいてい》。[4]

もっとわかる

- 特別《とくべつ》な読《よ》み方《かた》…最寄《もよ》り ●同音異義語《どうおんいぎご》「サイゴ」…「最後《さいご》」は、いちばんあとの意《い》。「最期《さいご》」は、死《し》にぎわの意《い》。

なりたち

最（古い字形）→最

●「月（かぶせる）」の変化《へんか》した「曰」と「取（とる）」を合《あ》わせた形《かたち》。親指《おやゆび》・人差《ひとさ》し指《ゆび》・中指《なかゆび》の三本《さんぼん》で、ほんの少《すこ》しの量《りょう》をつまみ取《と》るようすで、「これ以上《いじょう》はない」「もっとも」の意《い》を表《あらわ》した。

最 最 最 最 最 最 最 最

望

月7画〔11画〕
音 ボウ（モウ）
訓 のぞむ

曲《ま》げる
望

view［ヴュー］

つかいかた

- 遠《とお》くに富士山《ふじさん》を**望む**《のぞ》。
- 長年《ながねん》の**望み**《のぞ》がかなう。
- **望遠鏡**《ぼうえんきょう》をのぞく。
- **希望**《きぼう》を持《も》って進《すす》む。
- 大《だい》それた**野望**《やぼう》をいだく。

いみ・ことば

1. **遠《とお》くを見《み》る。** ●望遠鏡《ぼうえんきょう》。[2][4]一望《いちぼう》。[1]展望台《てんぼうだい》。[6][2]
2. **のぞむ。願《ねが》う。** ●願望《がんぼう》。[4]希望《きぼう》。[4]失望《しつぼう》。[4]絶望《ぜつぼう》。[5]熱望《ねつぼう》。[4]野望《やぼう》。[2]有望《ゆうぼう》。[3]要望《ようぼう》。[4]
3. **信用《しんよう》。人気《にんき》。** ●信望《しんぼう》。[4]人望《じんぼう》。[1]

もっとわかる

- 「モウ」の読《よ》みは、「所望《しょもう》」「本望《ほんもう》」などのことばに使《つか》われる。

なりたち

「亡《ぼう》（見《み》えない）」と「月（つき）」と「𡈼（背《せ》のびをして立《た》つ人《ひと》）」を合《あ》わせた形《かたち》。まだ姿《すがた》を見《み》せない月《つき》を見《み》ようと背《せ》のびをして待《ま》ちわびるようすで、「のぞむ」の意《い》を表《あらわ》した。

望 望 望 望 望 望 望 望 望

札

木1画〔5画〕
音 サツ
訓 ふだ

上《うえ》にはねる
札

card［カード］

つかいかた

- カルタの**札**《ふだ》を取《と》る。
- 胸《むね》に**名札**《なふだ》をつける。
- **札束**《さつたば》の数《かず》を数《かぞ》える。
- 駅《えき》の**改札**《かいさつ》で待《ま》ち合《あ》わせる。
- 財布《さいふ》に**千円札**《せんえんさつ》をしまう。

いみ・ことば

1. **木《き》や紙《かみ》で作《つく》ったふだ。** ●切《き》り札《ふだ》。[2]立《た》て札《ふだ》。[1]名札《なふだ》。[1]値札《ねふだ》。[6]表札《ひょうさつ》。[3]
2. **きっぷ。** ●改札口《かいさつぐち》。[4]検札《けんさつ》。[5]
3. **紙《かみ》のお金《かね》。** ●札束《さつたば》。[4]一万円札《いちまんえんさつ》。[1][2][1]

もっとわかる

- 「切《き》り札《ふだ》」は、トランプで最強《さいきょう》の札《ふだ》。また、とっておきの有力《ゆうりょく》な手段《しゅだん》のこと。

なりたち

「乚」は「乙」と同《おな》じ。「木（き）」と「乙（おさえるしるし）」を合《あ》わせた形《かたち》。書《か》いた物《もの》を表示《ひょうじ》するためにおさえて止《と》めておくようすで、「ふだ」を表《あらわ》した。

札 札 札 札 札

末

木1画〔5画〕
音 マツ（バツ）
訓 すえ

末 下《した》の横棒《よこぼう》より長《なが》く

end［エンド］

つかいかた

- 三人兄弟《さんにんきょうだい》の末《すえ》っ子《こ》だ。
- 行《ゆ》く末《すえ》が楽《たの》しみだ。
- 列《れつ》の末尾《まつび》に並《なら》ぶ。
- 週末《しゅうまつ》に海《うみ》へ行《い》く。
- 魚《さかな》の骨《ほね》を粉末《ふんまつ》にする。

いみ・ことば

1. いちばんはし。すえ。 ●末《すえ》っ子《こ》。▲末端《まったん》。
2. あとのほう。最後《さいご》。 ●末期《まっき》。末日《まつじつ》。末《まつ》尾《び》。巻末《かんまつ》。結末《けつまつ》。月末《げつまつ》。週末《しゅうまつ》。年末《ねんまつ》。
3. 大切《たいせつ》でない。 ●枝葉末節《しようまっせつ》。▲粗末《そまつ》。
4. 細《こま》かいもの。 ●粉末《ふんまつ》。

もっとわかる

- 四字熟語《よじじゅくご》…本末転倒《ほんまつてんとう》（大事《だいじ》なことと、どうでもいいことをさかさまにすること）

なりたち

- 「木(き)」の上《うえ》に「一(しるし)」をつけた形《かたち》。木《き》のこずえを示《しめ》して、物《もの》の「はし」や「すえ」を表《あらわ》した。

末末末末末

未

木1画〔5画〕
音 ミ
訓 —

未 下《した》の横棒《よこぼう》より短《みじか》く

not yet［ナット イェット］

つかいかた

- 未解決《みかいけつ》の事件《じけん》。
- 事故《じこ》を未然《みぜん》に防《ふせ》ぐ。
- 未知《みち》の世界《せかい》へ旅立《たびだ》つ。
- 来月《らいげつ》の予定《よてい》は未定《みてい》だ。
- 未来《みらい》の生活《せいかつ》を想像《そうぞう》する。

いみ・ことば

- まだ。まだ…ない。 ●未開《みかい》。未完成《みかんせい》。未熟《みじゅく》。未成年《みせいねん》。未知《みち》。未定《みてい》。未満《みまん》。未来《みらい》。

もっとわかる

- 「未」は十二支《じゅうにし》（昔《むかし》の中国《ちゅうごく》で作《つく》られたこよみで、一年《いちねん》を十二《じゅうに》に分《わ》けたもの）の八《はち》番目《ばんめ》。動物《どうぶつ》では「羊《ひつじ》」にあてる。
- 四字《よじ》熟語《じゅくご》…前代未聞《ぜんだいみもん》（これまでに聞《き》いたこともないようなこと）

なりたち

- 「木（き）」の上《うえ》に細《ほそ》い小枝《こえだ》をつけた形《かたち》。まだ十分《じゅうぶん》にのびていない小枝《こえだ》を示《しめ》して、「まだ…ない」の意《い》を表《あらわ》した。

未未未未未

材

木3画〔7画〕
音 ザイ
訓 —

材 少《すこ》しつき出《だ》す

timber［ティンバァ］

つかいかた

- やわらかい材質《ざいしつ》の木《き》。
- 建築現場《けんちくげんば》に材木《ざいもく》を運《はこ》ぶ。
- 授業《じゅぎょう》で使《つか》う教材《きょうざい》。
- 取材《しゅざい》に応《おう》じる。
- 自由研究《じゆうけんきゅう》の題材《だいざい》を探《さが》す。

いみ・ことば

1. もととなる木《き》。もととなるもの。 ●材《ざい》質《しつ》。材木《ざいもく》。材料《ざいりょう》。機材《きざい》。教材《きょうざい》。資材《しざい》。取《しゅ》材《ざい》。素材《そざい》。題材《だいざい》。
2. 能力《のうりょく》や才能《さいのう》。 ●▲逸材《いつざい》。人材《じんざい》。

もっとわかる

- 四字熟語《よじじゅくご》…適材適所《てきざいてきしょ》（その人《ひと》の能力《のうりょく》にあった役目《やくめ》や仕事《しごと》につけること）

なりたち

「才《さい》（とちゅうで断《た》ち切《き》る）」と「木(き)」を組《く》み合《あ》わせた形《かたち》。使《つか》い方《かた》に合《あ》わせて断《た》ち切《き》った木《き》を示《しめ》して、建築《けんちく》などに使《つか》われる木《き》を表《あらわ》した。

材材材材材材

4年

束

木3画〔7画〕
音 ソク
訓 たば

束と書《か》かない

bundle [バンドる]

つかいかた

- にらを束《たば》にして売《う》る。
- 枝《えだ》をひもで束《たば》ねる。
- 百万円《ひゃくまんえん》の札束《さつたば》。
- 時間《じかん》に束縛《そくばく》される。
- 午後《ごご》に遊《あそ》ぶ約束《やくそく》をする。

いみ・ことば

1. まとめる。たばねる。●4結束《けっそく》。
2. しばる。制限《せいげん》する。●束縛《そくばく》。4約束《やくそく》。
3. たばねたもの。また、それを数《かぞ》えることば。●4札束《さつたば》。1花束《はなたば》。1一束《ひとたば》。

もっとわかる

- 四字熟語《よじじゅくご》…二束三文《にそくさんもん》（非常《ひじょう》に安《やす》い値段《ねだん》）
- 「束縛《そくばく》」は、自由《じゆう》に行動《こうどう》させないこと。

なりたち

朿→束

- 「木（き）」の真《ま》ん中《なか》に「○（丸《まる》く取《と》りまく）」のしるしをつけた形《かたち》で、ぎゅっとしめつけて「たばねる」意《い》を表《あらわ》した。

束 束 束 束 束 束 束

果

木4画〔8画〕
音 カ
訓 はたす はてる はて

ひと筆《ふで》で書《か》く

fruit [フルート]

つかいかた

- 役目《やくめ》を果《は》たす。
- 力《ちから》を使《つか》い果《は》たす。
- 北《きた》の果《は》てに着《つ》く。
- 木《き》に果実《かじつ》がなる。
- よい結果《けっか》を生《う》み出《だ》す。

いみ・ことば

1. 木《き》の実《み》。くだもの。●3果実《かじつ》。6果樹《かじゅ》。2果肉《かにく》。
2. ある原因《げんいん》から生《う》まれるもの。●5因果《いんが》。4結果《けっか》。5効果《こうか》。4成果《せいか》。
3. 思《おも》い切《き》りがよい。●果敢《かかん》。5果断《かだん》。

もっとわかる

- 特別《とくべつ》な読《よ》み方《かた》…果物《くだもの》
- 「果報《かほう》は寝《ね》て待《ま》て」とは、あせらずに待《ま》っていれば、幸運《こううん》は自然《しぜん》に訪《おとず》れるものだということ。

なりたち

果→果→果

- 「木（き）」の上《うえ》に丸《まる》い木《き》の実《み》のしるしをつけた形《かたち》で、木《き》の上《うえ》になった「くだもの」を表《あらわ》した。

果 果 果 果 果 果 果 果

松

木4画〔8画〕
音 ショウ
訓 まつ

はなす

pine [パイン]

つかいかた

- 庭《にわ》に松《まつ》の木《き》を植《う》える。
- 松《まつ》ぼっくりをひろう。
- 玄関《げんかん》に門松《かどまつ》をかざる。
- 松竹梅《しょうちくばい》のかけじく。
- 白砂青松《はくしゃせいしょう》の景勝地《けいしょうち》。

いみ・ことば

- まつ。まつの木《き》。●松並木《まつなみき》。（6並 1木）3松葉《まつば》。1松林《まつばやし》。松《まつ》ぼっくり。2門松《かどまつ》。

もっとわかる

- 「松竹梅《しょうちくばい》」は、おめでたいとされる三《みっ》つの植物《しょくぶつ》で、絵《え》や図《ず》がらに使《つか》われる。
- 「白砂青松《はくしゃせいしょう》」は、白《しろ》い砂浜《すなはま》と青《あお》い松《まつ》の意《い》で、そのような美《うつく》しい海岸《かいがん》の景色《けしき》をいう。

なりたち

「公《こう》」は、両側《りょうがわ》に開《ひら》いて見《み》せるようすで、すけすけに見《み》えるというイメージを示《しめ》す。それに「木（き）」を合《あ》わせて、葉《は》と葉《は》の間《あいだ》にすきまのある木《き》、「まつ」を表《あらわ》した。

一 十 木 木 松 松 松 松

栄

木5画〔9画〕

音 エイ

訓 さかえる (はえ) (はえる)

⺍と書《か》かない

flourish [フラーリシュ]

つかいかた

- 城下町《じょうかまち》として栄《さか》えた町《まち》。
- 見栄《みば》えのする建物《たてもの》。
- 栄光《えいこう》を勝《か》ち取《と》る。
- 支社長《ししゃちょう》に栄転《えいてん》する。
- しっかり栄養《えいよう》をとる。

いみ・ことば

① **さかえる。** ●栄▲華《えいが》。栄▲枯《えいこ》。▲繁栄《はんえい》。

② **ほまれ。** ●栄▲冠《えいかん》。栄2光《えいこう》。栄▲誉《えいよ》。2光栄《こうえい》。

もっとわかる

●四字熟語《よじじゅくご》…栄枯盛衰《えいこせいすい》(勢《いきお》いには、さかんな時《とき》もおとろえる時《とき》もあるということ)

なりたち

 → 榮(栄)

●もとの字《じ》は「榮」。「𤇾」は、まわりを丸《まる》く取《と》りまくというイメージを示《しめ》す「熒《けい》」を略《りゃく》した形《かたち》。それと「木(き)」を合《あ》わせた「榮」は、木《き》のまわりを取《と》りまいて花《はな》がさくようすで、勢《いきお》いがさかんになる意《い》を表《あらわ》した。

栃

木5画〔9画〕

音 —

訓 とち

はねる

つかいかた

- 栃木県《とちぎけん》の日光東照宮《にっこうとうしょうぐう》。
- 栃《とち》の木《き》を植《う》える。
- 栃粥《とちがゆ》を作《つく》る。
- 栃麺《とちめん》を食《た》べる。

いみ・ことば

● **トチノキ。山《やま》に生《は》える高木《こうぼく》。葉《は》は手《て》のひらの形《かたち》をしている。** ●栃▲粥《とちがゆ》。栃▲麺《とちめん》。

もっとわかる

●「栃」は、日本《にほん》で作《つく》られた漢字《かんじ》(↓279ページのコラム参照《さんしょう》)。●「栃麺棒《とちめんぼう》を食《く》う」は、うろたえあわてるの意。●「栃麺《とちめん》」は、トチノキの実《み》の粉《こな》を入《い》れて作《つく》った麺《めん》。●「栃粥《とちがゆ》」は、トチノキの実《み》を入《い》れてたいた粥《かゆ》。

なりたち

「十《とお》」と「千《ち》」をかけると万《まん》になることから、「万」を「とち」と読《よ》み、その万に「木(き)」を合《あ》わせた「杤」でトチノキを表《あらわ》し、「杤」が「栃」に変《か》わった。

案

木6画〔10画〕

音 アン

訓 —

長《なが》く

idea [アイディ(ー)ア]

つかいかた

- いい案《あん》がうかぶ。
- 子《こ》の身《み》の上《うえ》を案《あん》じる。
- 案外《あんがい》やさしい人《ひと》だ。
- 学校《がっこう》の中《なか》を案内《あんない》する。
- それは名案《めいあん》だ。

いみ・ことば

① **考《かんが》える。考《かんが》え。** ●案2外《あんがい》。2原案《げんあん》。2考案《こうあん》。2思案《しあん》。5提案《ていあん》。2答案《とうあん》。

② **下書《したが》き。下《した》ごしらえ。** ●4議案《ぎあん》。2図案《ずあん》。1草案《そうあん》。4法案《ほうあん》。1立案《りつあん》。

もっとわかる

●「案《あん》じる」は、心配《しんぱい》する、気《き》づかうの意。●「案《あん》の定《じょう》」は、思《おも》った通《とお》りの意《い》。

なりたち

「安《あん》(おさえて落《お》ち着《つ》ける)」と「木(き)」を合《あ》わせた形《かたち》で、体《からだ》をもたれさせて安定《あんてい》させる「つくえ」の意《い》を表《あらわ》した。また、「考《かんが》える」の意《い》でも使《つか》われた。

梅

木6画【10画】
音 バイ
訓 うめ

Japanese apricot
［ヂャパニーズ エイプリカット］

はねる

つかいかた

- 梅《うめ》のつぼみが開《ひら》く。
- 梅干《うめぼ》しを食《た》べる。
- 梅雨前線《ばいうぜんせん》が北上《ほくじょう》する。
- 梅林《ばいりん》を散策《さんさく》する。
- そろそろ入梅《にゅうばい》だ。

いみ・ことば

- うめ。うめの木《き》。うめの実《み》。
- 梅酒《うめしゅ》。梅干《うめぼ》し。梅見《うめみ》。梅雨前線《ばいうぜんせん》。梅林《ばいりん》。紅梅《こうばい》。松竹梅《しょうちくばい》。白梅《はくばい》。

もっとわかる

- 特別《とくべつ》な読《よ》み方《かた》…梅雨《つゆ》（梅《うめ》の実《み》がなるころに降《ふ》る雨《あめ》の意《い》。「ばいう」とも読《よ》む）
- 「入《にゅう》梅《ばい》」は、梅雨《つゆ》の季節《きせつ》になること。

なりたち

「毎《まい》（生《う》まれてふえる）」と「木（き）」を組《く》み合《あ》わせた形《かたち》。実《み》を、子《こ》を産《う》む女性《じょせい》が食《た》べるとよいとされたところから、「うめ」の木《き》を表《あらわ》した。

梅梅梅梅梅梅梅梅

械

木7画【11画】
音 カイ
訓 ―

mechanism
［メカニズム］

点《てん》を忘《わす》れない

つかいかた

- 器械体操《きかいたいそう》の選手《せんしゅ》。
- 工場《こうじょう》の大《おお》きな機械《きかい》。
- 機械的《きかいてき》に処理《しょり》する。
- 実験用《じっけんよう》の器械《きかい》。
- 工作機械《こうさくきかい》を試運転《しうんてん》する。

いみ・ことば

- しかけ。道具《どうぐ》。
- 器械《きかい》。機械《きかい》。

もっとわかる

- 同音異義語《どうおんいぎご》「キカイ」…「機械《きかい》」は、動力《どうりょく》を持《も》つ複雑《ふくざつ》なしかけ（電子機器《でんしきき》・飛《ひ》行機《こうき》など）。「器械《きかい》」は、動力《どうりょく》を持《も》たない簡単《かんたん》な道具《どうぐ》（楽器《がっき》や計量器《けいりょうき》など）。

なりたち

↓ 戒

- 「戒《かい》」は、武器《ぶき》を持《も》って敵《てき》に備《そな》えるようすで、引《ひ》きしめるイメージ。それに「木（き）」を合《あ》わせて、手《て》足《あし》をしめつけて動《うご》けないようにする、「手《て》かせ」「足《あし》かせ」を表《あらわ》した。のち、「しかけ」の意《い》でも使《つか》われた。

械械械械械械械械

図解《ずかい》 木《き》の名前《なまえ》

梨

木7画〔11画〕
音 —
訓 なし

はねる

pear［ペア］

つかいかた

- 梨《なし》の皮《かわ》をむく。
- 洋梨《ようなし》を買《か》ってきた。
- 山梨県産《やまなしけんさん》のブドウ。
- 手紙《てがみ》を出《だ》したが梨《なし》のつぶてだ。
- 梨園《りえん》の名門《めいもん》。

いみ・ことば

- **バラの仲間《なかま》の木《き》。** ● 3洋梨《ようなし》。2梨園《りえん》。

もっとわかる

- 「梨《なし》のつぶて」は、投《な》げられたつぶて（小石《こいし》）のように、相手《あいて》からの返事《へんじ》がないこと。「梨《なし》」は「無《な》し」にかけている。
- 「梨園《りえん》」は、演劇《えんげき》やかぶき役者《やくしゃ》の世界《せかい》のこと。むかし中国《ちゅうごく》の玄宗皇帝《げんそうこうてい》が、梨《なし》の木《き》のある庭《にわ》（梨園《りえん》）で音楽《おんがく》やおどりを教《おし》えたという言《い》いつたえから。

なりたち

「利《り》（よく切《き》れる）」と「木（き）」とを合《あ》わせた字《じ》で、さくさくとよく切《き》れるナシの実《み》のことを表《あらわ》した。

極

木8画〔12画〕
音 キョク（ゴク）
訓 （きわめる）（きわまる）（きわみ）

はねる

extreme［イクストリーム］

つかいかた

- 山《やま》の頂上《ちょうじょう》を極《きわ》める。
- 再会《さいかい》して感極《かんきわ》まる。
- 疲労《ひろう》が極限《きょくげん》に達《たっ》する。
- 極秘《ごくひ》の情報《じょうほう》。
- 北極熊《ほっきょくぐま》の親子《おやこ》。

いみ・ことば

1. **きわめる。きわまる。** ● 5極限《きょくげん》。1極力《きょくりょく》。▲極端《きょくたん》。3極度《きょくど》。6極論《きょくろん》。
2. **これ以上《いじょう》ない。** ● 3極悪《ごくあく》。1極上《ごくじょう》。2極楽《ごくらく》。2極寒《ごっかん》。
3. **はし。はて。** ● 2極地《きょくち》。2南極《なんきょく》。2北極《ほっきょく》。

なりたち

極 → 極

- 「亟《きょく》」は、はしからはしまでたるまないイメージを示《しめ》す。それと「木（き）」を合《あ》わせた「極」は、屋根《やね》のいちばん高《たか》いところに、たるまないようにはり渡《わた》した材木《ざいもく》を示《しめ》して、「これ以上《いじょう》ないところまで行《い》く」「きわめる」の意《い》を表《あらわ》した。

標

木11画〔15画〕
音 ヒョウ
訓 —

西と書《か》かない

mark［マーク］

つかいかた

- 標高三千《ひょうこうさんぜん》メートル。
- 標識《ひょうしき》を見上《みあ》げる。
- 標準語《ひょうじゅんご》を話《はな》す。
- 鉱物《こうぶつ》の標本《ひょうほん》。
- 今年《ことし》の目標《もくひょう》を立《た》てる。

いみ・ことば

1. **目《め》じるし。目《め》あて。** ● 標《ひょう》2語《ご》。標《ひょう》2高《こう》。標《ひょう》5識《しき》。標《ひょう》5準《じゅん》。3指標《しひょう》。3商標《しょうひょう》。2道標《どうひょう》。1目標《もくひょう》。
2. **手本《てほん》。** ● 標《ひょう》1本《ほん》。

もっとわかる

- 「標高《ひょうこう》」は、海面《かいめん》からの高《たか》さ。
- 「商《しょう》標《ひょう》」は、他人《たにん》の商品《しょうひん》と区別《くべつ》するためにつける文字《もじ》や記号《きごう》。
- 「道標《どうひょう》」は、道《みち》しるべ。

なりたち

「票《ひょう》（高《たか》く上《あ》がる）」と「木（き）」を合《あ》わせた形《かたち》で、木《き》の高《たか》いところにある枝《えだ》、「こずえ」を表《あらわ》した。のち、高《たか》くかかげた「しるし」の意《い》でも使《つか》われた。

機

木12画【16画】

訓 音 キ
（はた）

点を忘れない 機

machine［マシーン］

つかいかた

- 機織《はたお》りをする。
- 機《き》に乗《じょう》じて脱走《だっそう》する。
- 絶好《ぜっこう》の機会《きかい》をとらえる。
- 父《ちち》は機嫌《きげん》が悪《わる》い。
- 機長《きちょう》のアナウンス。

いみ・ことば

1. 動力《どうりょく》を持《も》つしかけ。●機械《きかい》。飛行機《ひこうき》。
2. 物事《ものごと》のきっかけ。●機運《きうん》。機会《きかい》。機先《きせん》。
3. 心《こころ》の働《はたら》き。●機嫌《きげん》。機転《きてん》。機微《きび》。
4. 大事《だいじ》なところ。●機密《きみつ》。
5. 飛行機《ひこうき》のこと。●機長《きちょう》。機内《きない》。旅客機《りょかっき》。

なりたち

↓ 幾

● 「幾《き》」は、人《ひと》と武器《ぶき》のへだたりがわずかなようす。「わずか」「小《ちい》さい」「細《こま》かい」というイメージを示《しめ》す。それと「木（き）」を合《あ》わせて、細《こま》かい部品《ぶひん》が動《うご》く「しかけ」を表《あらわ》した。

欠

欠0画【4画】

訓 音 ケツ
かける
かく

ク と書かない 欠

lack［ラック］

つかいかた

- 茶《ちゃ》わんのふちが欠《か》ける。
- 礼儀《れいぎ》を欠《か》いた態度《たいど》。
- 授業《じゅぎょう》を欠席《けっせき》する。
- 生物《せいぶつ》に水《みず》は不可欠《ふかけつ》だ。
- 補欠《ほけつ》で合格《ごうかく》する。

いみ・ことば

● かける。足《た》りない。●欠員《けついん》。欠勤《けっきん》。欠航《けっこう》。欠場《けつじょう》。欠席《けっせき》。欠点《けってん》。出欠《しゅっけつ》。補欠《ほけつ》。

もっとわかる

● 「欠席裁判《けっせきさいばん》」とは、本人《ほんにん》がいないところで、その人《ひと》に不利《ふり》な決定《けってい》をすること。

なりたち

↓ 欠

● 大《おお》きく口《くち》を開《あ》け、腹《はら》をへこませてしゃがんでいる人《ひと》をえがいた形《かたち》で、あくびをする意《い》を表《あらわ》した。この場合《ばあい》は「ケン」と読《よ》む。のちに、「缺《けつ》（かける）」という字《じ》のかわりに使《つか》われるようになり、音《おん》は「ケツ」となった。

残

歹6画【10画】

訓 音 ザン
のこる
のこす

点を忘れない 残

remain［リメイン］

つかいかた

- 屋根《やね》の上《うえ》に雪《ゆき》が残《のこ》る。
- 後世《こうせい》に名《な》を残《のこ》す。
- 残暑《ざんしょ》がきびしい。
- 残念《ざんねん》な結果《けっか》に終《お》わる。
- 別《わか》れが名残《なごり》おしい。

いみ・ことば

1. あまる。のこる。●残額《ざんがく》。残業《ざんぎょう》。残金《ざんきん》。残暑《ざんしょ》。残雪《ざんせつ》。残高《ざんだか》。残念《ざんねん》。残飯《ざんぱん》。残留《ざんりゅう》。
2. むごい。ひどい。●残虐《ざんぎゃく》。残酷《ざんこく》。無残《むざん》。

もっとわかる

● 特別《とくべつ》な読《よ》み方《かた》…名残《なごり》 ● 四字熟語《よじじゅくご》…残念至極《ざんねんしごく》（非常《ひじょう》にくやしくて心残《こころのこ》りである）

なりたち

↓ 殘（残）

● もとの字《じ》は「殘」。「戔《さん》」は、「戈（ほこ）」を二《ふた》つ合《あ》わせて、けずって小《ちい》さくするようす。それに「歹（ほね）」をそえて、骨《ほね》をけずり、あとにわずかな部分《ぶぶん》が「のこる」意《い》を表《あらわ》した。

氏

氏0画〔4画〕
訓 （うじ） 音 シ

ななめ左下《ひだりした》に

clan［クらン］

つかいかた

- 氏神様《うじがみさま》にお参《まい》りする。
- 持《も》ち物《もの》に氏名《しめい》を書《か》く。
- 彼女《かのじょ》と彼氏《かれし》。
- 平氏《へいし》と源氏《げんじ》の戦《たたか》い。
- 両氏《りょうし》の意見《いけん》を聞《き》く。

いみ・ことば

1 血《ち》のつながった仲間《なかま》。一族《いちぞく》。●氏神《うじがみ》。氏子《うじこ》。氏族《しぞく》。源氏《げんじ》。徳川氏《とくがわし》。

2 名字《みょうじ》。●氏名《しめい》。

3 名前《なまえ》などの下《した》につけて尊敬《そんけい》の意《い》を表《あらわ》すことば。●鈴木氏《すずきし》。両氏《りょうし》。

もっとわかる

●「氏《うじ》より育《そだ》ち」とは、血《ち》すじよりも育《そだ》てられ方《かた》のほうが大事《だいじ》だということ。

なりたち

→氏→氏

●スプーンをえがいた形《かたち》。食《た》べ物《もの》を取《と》り分《わ》けるというイメージから、祖先《そせん》から血《ち》を分《わ》けた仲間《なかま》を表《あらわ》した。

氏 氏 氏 氏

民

氏1画〔5画〕
訓 （たみ） 音 ミン

ややななめ右上《みぎうえ》に

people［ピープる］

つかいかた

- 森《もり》の民《たみ》の暮《く》らし。
- 住民《じゅうみん》の声《こえ》を聞《き》く。
- 古《ふる》い民家《みんか》を改造《かいぞう》する。
- 民主主義《みんしゅしゅぎ》の世《よ》の中《なか》。
- 国民《こくみん》の休日《きゅうじつ》。

いみ・ことば

● 一般《いっぱん》の人《ひと》。ふつうの人《ひと》。●民家《みんか》。民間《みんかん》。民主《みんしゅ》。民衆《みんしゅう》。民話《みんわ》。県民《けんみん》。国民《こくみん》。市民《しみん》。住民《じゅうみん》。人民《じんみん》。都民《とみん》。農民《のうみん》。

もっとわかる

●「たみ」の読《よ》みは、「民《たみ》の声《こえ》」などという場合《ばあい》に使《つか》われる。●「民主主義《みんしゅしゅぎ》」とは、一般《いっぱん》の民《たみ》が中心《ちゅうしん》となり、自分《じぶん》たちの利益《りえき》を優先《ゆうせん》して国《くに》を治《おさ》めるという考《かんが》え方《かた》。

なりたち

→民→民

●目《め》に針《はり》をさして見《み》えなくさせたようすをえがいた形《かたち》。物《もの》の道理《どうり》が見《み》えない、一般《いっぱん》の人々《ひとびと》を表《あらわ》した。

民 民 民 民 民

求

氺2画〔7画〕
訓 もとめる 音 キュウ

点《てん》を忘《わす》れない

seek［スィーク］

つかいかた

- 海《うみ》で助《たす》けを求《もと》める。
- 友人《ゆうじん》の求《もと》めに応《おう》じる。
- 求人広告《きゅうじんこうこく》を出《だ》す。
- 代金《だいきん》を請求《せいきゅう》する。
- 新《あたら》しい人材《じんざい》を要求《ようきゅう》する。

いみ・ことば

● 自分《じぶん》のものにしようとする。もとめる。●求職《きゅうしょく》。求人《きゅうじん》。探求《たんきゅう》。要求《ようきゅう》。欲求《よっきゅう》。

もっとわかる

●四字熟語《よじじゅくご》…欲求不満《よっきゅうふまん》（ほしいものが手《て》に入《はい》らずに、イライラすること）

なりたち

→→求

●けものの毛皮《けがわ》で作《つく》った衣《ころも》をえがいた形《かたち》。皮《かわ》でできた衣《ころも》は体《からだ》をぎゅっとしめつけるところから、中心《ちゅうしん》に向《む》けて引《ひ》きしめるというイメージを持《も》ち、自分《じぶん》の方《ほう》に引《ひ》き寄《よ》せて「もとめる」意《い》を表《あらわ》した。

求 求 求 求 求 求 求

沖

氵4画〔7画〕

音 （チュウ）
訓 おき

真下《ました》にまっすぐ

offshore［オフショー］

つかいかた

- 沖《おき》に出《で》て泳《およ》ぐ
- 沖合《おきあ》いへ出《で》てみる。
- 沖合《おきあ》い漁業を行《おこな》う。
- 沖縄県《おきなわけん》の美《うつく》しい海《うみ》。
- 沖積層《ちゅうせきそう》と洪積層《こうせきそう》。

いみ・ことば

1. 陸《りく》から遠《とお》く離《はな》れた海《うみ》の上《うえ》。●沖合《おきあ》[2]い。
2. のぼる。上《あ》がる。●沖《ちゅう》天《てん》[1]。

もっとわかる

●「沖合《おきあ》い漁業《ぎょぎょう》」は、海《うみ》の沖《おき》のほうで行《おこな》われる漁業《ぎょぎょう》のこと。●「沖天《ちゅうてん》」は、空高《そらたか》く上《あ》がること。人《ひと》の勢《いきお》いがあることにもいい、「沖天《ちゅうてん》の意気《いき》（はりきった気持《きも》ち）」などの表現《ひょうげん》がある。

なりたち

「中《ちゅう》（なか）」と「氵（水《みず》）」を合《あ》わせた形《かたち》。「海《うみ》のまん中《なか》」「おき」という意味《いみ》を表《あらわ》した。

沖 沖 沖 沖 沖 沖 沖

泣

氵5画〔8画〕

音 （キュウ）
訓 なく

上《うえ》の横棒《よこぼう》より長《なが》く

weep［ウィープ］

つかいかた

- 大声《おおごえ》を上《あ》げて泣《な》く。
- 泣《な》く泣《な》く帰《かえ》ってくる。
- 泣《な》き言《ごと》を言《い》わない。
- もらい泣《な》きをする。
- 突然《とつぜん》の不幸《ふこう》に号泣《ごうきゅう》する。

いみ・ことば

●なみだを流《なが》してなく。●泣《な》き声《ごえ》[2]。泣《な》き言《ごと》[2]。もらい泣《な》き。感泣《かんきゅう》[3]。号泣《ごうきゅう》[3]。

もっとわかる

●「泣《な》く泣《な》く」は、泣《な》きながら。また、泣《な》きたいくらいの気持《きも》ちで。●「泣《な》きを見る」は、泣《な》くようなつらい目《め》にあう意《い》。●「泣《な》く子《こ》もだまる」は、泣《な》いている子《こ》が泣《な》きやむくらいこわいこと。

なりたち

「粒（つぶ）」を略《りゃく》した「立」と「氵（水《みず》）」を合《あ》わせた形《かたち》。目《め》からひとつぶずつ水《みず》（なみだ）が流《なが》れるようすで、「なく」の意《い》を表《あらわ》した。

泣 泣 泣 泣 泣 泣 泣 泣

治

氵5画〔8画〕

音 ジ チ
訓 おさめる おさまる なおる なおす

折《お》る

govern［ガヴァン］

つかいかた

- 国《くに》の混乱《こんらん》を治《おさ》める。
- 腹《はら》の虫《むし》が治《おさ》まらない。
- ようやく病気《びょうき》が治《なお》る。
- 休《やす》んでけがを治《なお》す。
- 政治家《せいじか》になる。

いみ・ことば

1. おさめる。しずめる。●治安《ちあん》[3]。治水《ちすい》[1]。治世《ちせい》[3]。自治《じち》[2]。政治《せいじ》[5]。退治《たいじ》[6]。統治《とうち》[5]。法治《ほうち》[4]。
2. 病気《びょうき》をなおす。●治療《ちりょう》▲。全治《ぜんち》[3]。湯治《とうじ》[3]。

もっとわかる

●同訓異字《どうくんいじ》「なおす」…「治《なお》す」は、けがや病気《びょうき》を手当《てあ》てして健康《けんこう》にすること。「直《なお》す」は、まちがっているところを正《ただ》すこと。

なりたち

「台《たい》（手《て》を加《くわ》える）」と「氵（水《みず》）」を合《あ》わせた形《かたち》。川《かわ》の水《みず》があふれないように手《て》を加《くわ》えるようすで、「おさめる」意《い》を表《あらわ》した。

治 治 治 治 治 治 治 治

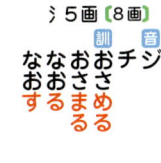

法

氵5画〔8画〕

音 ホウ（ハッ）（ホッ）

訓 ―

上《うえ》の横棒《よこぼう》より長《なが》く

law［ろー］

つかいかた

- 法《ほう》の下《もと》の平等《びょうどう》。
- 法律《ほうりつ》を制定《せいてい》する。
- お茶《ちゃ》の作法《さほう》を学《まな》ぶ。
- 司法試験《しほうしけん》を受《う》ける。

いみ・ことば

1. おきて。きまり。●法[5]則《ほうそく》。法[6]律《ほうりつ》。[6]憲法《けんぽう》。
2. やり方《かた》。●[2]作法《さほう》。[4]戦法《せんぽう》。[2]方法《ほうほう》。[2]用法《ようほう》。
3. 仏《ほとけ》の説《と》いた道《みち》。●法[4]衣《ほうい》。法[3]事《ほうじ》。法[4]要《ほうよう》。

もっとわかる

●「ハッ」の読《よ》みは「法度《はっと》」、「ホッ」の読《よ》みは仏教《ぶっきょう》のことばなどに使《つか》われる。

なりたち

法

●古《ふる》くは「氵（水《みず》。境界《きょうかい》）」と「廌（裁判官《さいばんかん》のシンボルとされた空想上《くうそうじょう》の動物《どうぶつ》）」と「去（上《うえ》からかぶせる）」を合《あ》わせた形《かたち》で、「廌」を省《はぶ》いたのが「法」。裁判《さいばん》官《かん》が人々《ひとびと》の勝手《かって》な行動《こうどう》をおさえるために設《もう》けた、一定《いってい》の「わく」を示《しめ》して、「おきて」を表《あらわ》した。

法法法法法法法法

浅

氵6画〔9画〕

音 （セン）

訓 あさい

はねる

shallow［シャろウ］

つかいかた

- 始《はじ》めてから日《ひ》が浅《あさ》い。
- 浅瀬《あさせ》を歩《ある》いて渡《わた》る。
- きゅうりの浅《あさ》づけ。
- 浅《あさ》はかな意見《いけん》。
- 遠浅《とおあさ》の海水浴場《かいすいよくじょう》。

いみ・ことば

1. 水《みず》があさい。●浅[2]海《せんかい》。浅▲瀬《あさせ》。[2]遠浅《とおあさ》。[3]深浅《しんせん》。
2. 色《いろ》がうすい。●浅[2]黒《あさぐろ》い。浅[3]緑《あさみどり》。
3. 考《かんが》えがあさい。●浅[2]知▲恵《あさぢえ》。浅《あさ》はか。

もっとわかる

●「浅黒《あさぐろ》い」は、日焼《ひや》けしたようにはだの色《いろ》がうす黒《ぐろ》い意《い》。●四字熟語《よじじゅくご》…浅学《せんがく》非才《ひさい》（学問《がくもん》が未熟《みじゅく》で才能《さいのう》がないこと。自分《じぶん》をへりくだっていう）

なりたち

もとの字《じ》は「淺」。「戔《さん》（小《ち》さくて少《すく》ない）」と「氵（水《みず》）」を合《あ》わせた形《かたち》で、水《みず》の量《りょう》が少《すく》なくて「あさい」ようすを表《あらわ》した。

浅浅浅浅浅浅浅浅

浴

氵7画〔10画〕

音 ヨク

訓 あびる　あびせる

とめる

bathe［べイず］

つかいかた

- シャワーを浴《あ》びる。
- 頭《あたま》に冷水《れいすい》を浴《あ》びせる。
- 象《ぞう》が水浴《みずあ》びをする。
- 海水浴《かいすいよく》に出《で》かける。
- 入浴剤《にゅうよくざい》を入《い》れる。

いみ・ことば

1. 水《みず》や湯《ゆ》をあびる。ふろに入《はい》る。●浴[1]日[2]室《よくしつ》。浴[2]場《よくじょう》。浴▲槽《よくそう》。[2]海[1]水浴《かいすいよく》。[1]入浴《にゅうよく》。
2. 光《ひかり》や空気《くうき》などをあびる。●[1]森[1]林浴《しんりんよく》。[1]日光浴《にっこうよく》。[2]光浴《こうよく》。

もっとわかる

●特別《とくべつ》な読《よ》み方《かた》…浴衣《ゆかた》　●「浴《あ》びる（浴《あ》びせる）」は、言動《げんどう》にもいう。

なりたち

「谷《こく》（くぼんだあな）」と「氵（水《みず》）」を合《あ》わせた形《かたち》。水《みず》のたまっているところに体《からだ》をつけて洗《あら》うようすで、水《みず》などを「あびる」意《い》を表《あらわ》した。

浴浴浴浴浴浴浴浴

4年

清

⺡8画【11画】

音 セイ（ショウ）

訓 きよい きよまる きよめる

清 はねる

clear［クリア］

つかいかた

● 小川《おがわ》の清《きよ》い流《なが》れ。

● 滝《たき》で身《み》を清《きよ》める。

● 下書《したが》きを清書《せいしょ》する。

● 清貧《せいひん》に甘《あま》んじる。

● 清流《せいりゅう》に足《あし》をひたす。

いみ・ことば

① すみ切《き》っている。きよい。 ●清《せい》1音《おん》。清《せい》5潔《けつ》。清純《せいじゅん》。6清濁《せいだく》。▲清流《せいりゅう》。3

② きれいに始末《しまつ》する。きよめる。 ●清《せい》2算《さん》。清書《せいしょ》。2清掃《せいそう》。▲粛清《しゅくせい》。▲

もっとわかる

●特別《とくべつ》な読《よ》み方《かた》…清水《しみず》（「せいすい」とも読《よ》む）●「ショウ」の読《よ》みは、「六根清浄《ろっこんしょうじょう》」などのことばに使《つか》われる。

なりたち

「青《せい》（すみ切《き》っている）」と「⺡（水《みず》）」を合《あ》わせた形《かたち》で、水《みず》のようにすみ切《き》っていて「けがれがない」意《い》を表《あらわ》した。

滋

⺡9画【12画】

音 （ジ）

訓 ―

滋 この形《かたち》に注意《ちゅうい》

nutrition［ニュートリッション］

つかいかた

● 滋味《じみ》に富《と》む料理《りょうり》。

● 滋養強壮《じようきょうそう》の効果《こうか》がある。

● 京滋《けいじ》地方《ちほう》。

● 滋賀県《しがけん》には琵琶湖《びわこ》がある。

いみ・ことば

① 草木《くさき》がしげる。ふえる。 ●滋雨《じう》。1

② うるおう。うるおす。栄養《えいよう》になる。 ●滋養《じよう》。4滋味《じみ》。3

③ 滋賀《しが》。 ●2京滋《けいじ》。

もっとわかる

●特別《とくべつ》な読《よ》み方《かた》…滋賀《しが》 ●「京滋《けいじ》」は、京都《きょうと》と滋賀《しが》のこと。

なりたち

「玆《じ》」は、細《ほそ》い糸《いと》と草《くさ》の芽《め》を合《あ》わせた形《かたち》で、小《ちい》さい物《もの》が増《ふ》えるという意味《いみ》を表《あらわ》した。それに「⺡（水《みず》）」を合《あ》わせて、草木《くさき》がしげるようすや、草木《くさき》をうるおすようすを表《あらわ》した。

満

⺡9画【12画】

音 マン

訓 みちる みたす

満 つき出《だ》す

full［フル］

つかいかた

● 希望《きぼう》に満《み》ちた顔《かお》。

● バケツに水《みず》を満《み》たす。

● 今夜《こんや》は満月《まんげつ》だ。

● 満塁《まんるい》ホームラン。

いみ・ことば

① いっぱいになる。 ●満員《まんいん》。3満月《まんげつ》。1満《まん》6潮《ちょう》。満腹《まんぷく》。6満面《まんめん》。3満了《まんりょう》。▲満塁《まんるい》。▲充満《じゅうまん》。▲

② 不足《ふそく》がない。 ●満開《まんかい》。3満足《まんぞく》。1満点《まんてん》。2

③ ある数《かず》になる。 ●満十歳《まんじっさい》。1▲満年齢《まんねんれい》。1▲

もっとわかる

●四字熟語《よじじゅくご》…満場一致《まんじょういっち》（全員《ぜんいん》の意見《いけん》が一《ひと》つにまとまること）

なりたち

𦿆 → 𡙇

●もとの字《じ》は「滿」。「𡙇《まん》」は、けもののかわをバランスよくしきつめるようす。それに「⺡（水《みず》）」を合《あ》わせて、水《みず》がまんべんなく行《い》き渡《わた》って、「いっぱいになる」ようすを表《あらわ》した。

漁

氵 11画〔14画〕

音 ギョ リョウ

訓 ―

点《てん》のうち方《かた》に注意《ちゅうい》 漁

fishing［フィッシング］

つかいかた

- 海上《かいじょう》に漁船《ぎょせん》がうかぶ。
- 漁夫《ぎょふ》の利《り》を得《え》る。
- 夜明《よあ》けから漁《りょう》に出《で》る。
- 漁師《りょうし》の営《いとな》む宿《やど》。
- 今年《ことし》はさんまが大漁《たいりょう》だ。

いみ・ことば

● さかなをとる。 ●漁獲《ぎょかく》。漁港《ぎょこう》。漁場《ぎょじょう》。漁船《ぎょせん》。漁村《ぎょそん》。漁夫《ぎょふ》。漁民《ぎょみん》。漁師《りょうし》。▲禁漁《きんりょう》区《く》。出漁《しゅつりょう》。大漁《たいりょう》。

もっとわかる

● 「漁夫《ぎょふ》の利《り》」とは、ある物《もの》を得《え》ようと二者《にしゃ》が争《あらそ》っているすきに、関係《かんけい》のない者《もの》が現《あらわ》れて横取《よこど》りすること。●海《うみ》の漁業《ぎょぎょう》には大別《たいべつ》して、沿岸漁業《えんがんぎょぎょう》・沖合漁業《おきあいぎょぎょう》・遠洋漁業《えんようぎょぎょう》がある。

なりたち

「魚《ぎょ》（うお）」と「氵（水《みず》）」を合《あ》わせた形《かたち》で、水中《すいちゅう》の魚《さかな》をとらえる意《い》を表《あらわ》した。

漁 漁 漁 漁 漁 漁 漁 漁

潟

氵 12画〔15画〕

音 ―

訓 かた

この形《かたち》に注意《ちゅうい》 潟

lagoon［らグーン］

つかいかた

- 干潟《ひがた》で潮干《しおひ》狩《が》りをする。
- 人工干潟《じんこうひがた》を造成《ぞうせい》する。
- 新潟県《にいがたけん》の人口《じんこう》を調《しら》べる。
- 秋田県《あきたけん》の八郎潟《はちろうがた》。

いみ・ことば

① 遠浅《とおあさ》の海岸《かいがん》で、潮《しお》が引《ひ》くと海《うみ》の底《そこ》があらわれる所《ところ》。●干潟《ひがた》。

② 入《い》り江《え》。●▲松浦潟《まつうらがた》。

もっとわかる

● 「人工干潟《じんこうひがた》」は、人《ひと》の力《ちから》でつくられた干潟《ひがた》のこと。●秋田県《あきたけん》の八郎潟《はちろうがた》は、現在《げんざい》ではほとんどが干拓《かんたく》されている。

なりたち

「舄《せき》」には「場所《ばしょ》を移動《いどう》する」というイメージがある（202ページの中段《ちゅうだん》にある「写」の「なりたち」を参照《さんしょう》）。それに「氵（水《みず》）」を合《あ》わせて、水《みず》が出《で》たり入《はい》ったりする「ひがた」を表《あらわ》した。

潟 潟 潟 潟 潟 潟 潟 潟

灯

火2画〔6画〕

音 トウ

訓 （ひ）

はねる 灯

lamp［らンプ］

つかいかた

- 灯台下暗《とうだいもとくら》し。
- 灯油《とうゆ》が値上《ねあ》がりする。
- 懐中電灯《かいちゅうでんとう》で照《て》らす。
- 十時《じゅうじ》に消灯《しょうとう》する。
- 街灯《がいとう》が夜道《よみち》を照《て》らす。

いみ・ことば

● ともしび。あかり。●灯火《とうか》。灯台《とうだい》。灯明《とうみょう》。灯油《とうゆ》。▲懐中電灯《かいちゅうでんとう》。外灯《がいとう》。街灯《がいとう》。消灯《しょうとう》。常夜灯《じょうやとう》。点灯《てんとう》。電灯《でんとう》。

もっとわかる

● 「灯台下暗《とうだいもとくら》し」とは、身近《みぢか》すぎるためにかえって気《き》がつかないということ。「灯台《とうだい》」は、室内《しつない》を照《て》らす昔《むかし》の器具《きぐ》で、灯台《とうだい》の真下《ました》は、かえって暗《くら》いことから。

なりたち

もとの字《じ》は「燈」。「登《とう》（上《うえ》にあがる）」と「火（ひ）」を合《あ》わせた形《かたち》で、上《うえ》にあげて辺《あた》りを照《て》らす「あかり」を表《あらわ》した。

灯 灯 灯 灯 灯 灯

4年

焼

火8画【12画】

訓 やく　やける

音（ショウ）

この形《かたち》に注意《ちゅうい》

焼

burn［バーン］

つかいかた

- 落《お》ち葉《ば》でいもを**焼《や》く**。
- 山火事《やまかじ》で木《き》が**焼《や》ける**。
- 今《いま》さら**焼《や》け石《いし》**に水《みず》だ。
- **夕焼《ゆうや》け**の空《そら》を見上《みあ》げる。
- エネルギーを**燃焼《ねんしょう》**する。

いみ・ことば

- **やく。もやす。やける。** ●焼《や》き[3]物《もの》。[1]夕《ゆう》焼《や》け。焼《しょう》▲却《きゃく》。焼《しょう》[4]失《しつ》。[3]全焼《ぜんしょう》。[5]燃焼《ねんしょう》。[2]半焼《はんしょう》。

もっとわかる

- 「焼《や》け石《いし》に水《みず》」とは、わずかな助《たす》けだけでは、何《なん》のききめもないこと。

なりたち

𡏳 → 堯

- もとの字《じ》は「燒」。「堯《ぎょう》」は、土《つち》を高《たか》く積《つ》み上《あ》げた形《かたち》と「兀（人《ひと》の体《からだ》）」を合《あ》わせて、背《せ》の高《たか》い人《ひと》。高《たか》く上《あ》がるというイメージを示《しめ》す「堯」と「火（ひ）」を合《あ》わせた「燒」は、けむりや火《ひ》の粉《こ》が高《たか》く上《あ》がって燃《も》えるようすで、「やく」の意《い》を表《あらわ》した。

焼 焼 焼 焼 焼 焼 焼 焼

4年

然

灬8画【12画】

訓 ―

音 ゼン　ネン

点《てん》を忘《わす》れない

然

SO［ソウ］

つかいかた

- 友《とも》だちに**偶然《ぐうぜん》**会《あ》う。
- **当然《とうぜん》**の結果《けっか》だ。
- 事故《じこ》を**未然《みぜん》**に防《ふせ》ぐ。
- **天然《てんねん》**の露天風呂《ろてんぶろ》。

いみ・ことば

1. **その通《とお》り。そうである。そのまま。** ●[2]自然《しぜん》。[1]天然《てんねん》。[2]当然《とうぜん》。[4]必然《ひつぜん》。[4]未然《みぜん》。
2. **…のようす。** ●[2]公然《こうぜん》。[2]同然《どうぜん》。[3]平然《へいぜん》。

もっとわかる

- 四字熟語《よじじゅくご》…理路整然《りろせいぜん》（考《かんが》えや話《はなし》のすじ道《みち》がきちんと整《ととの》っているようす）

なりたち

→ 然

- 「肰《ぜん》」は、「月（＝肉《にく》）」と「犬」を合《あ》わせて、犬《いぬ》の肉《にく》のこと。それに「灬（火《ひ》）」を合《あ》わせた「然」は、やわらかい犬《いぬ》の肉《にく》を燃《も》やすようすで、「やわらかい」というイメージを持《も》つ。そこから、「その通《とお》り」とやわらかく受《う》け答《こた》えする意《い》を表《あらわ》した。

然 然 然 然 然 然 然 然

「特別《とくべつ》な読《よ》み方《かた》」ってなんだろう

漢字《かんじ》で書《か》かれたことばでも、「今日《きょう》」や「一人《ひとり》」のように、**ふだんその漢字《かんじ》の音《おん》や訓《くん》として読《よ》む読《よ》み方《かた》とずいぶん異《こと》なる場合《ばあい》があります。**そのようなことばの一部《いちぶ》が、「常用漢字表《じょうようかんじひょう》」のあとに「付表《ふひょう》」としてまとめられています。それを、「特別《とくべつ》な読《よ》み方《かた》」と呼《よ》んでいます。

また、「常用漢字表《じょうようかんじひょう》」の音訓《おんくん》らんにない読《よ》み方《かた》をする都道府県名《とどうふけんめい》は、「音訓《おんくん》の小《しょう》・中《ちゅう》・高等学校段階別割《こうとうがっこうだんかいべつわ》り振《ふ》り表《ひょう》」の「付表《ふひょう》2」にまとめられています。

この辞典《じてん》では、「もっとわかる」のところで、そのような読《よ》み方《かた》を示《しめ》しました。

＊小学校《しょうがっこう》で学習《がくしゅう》する「特別《とくべつ》な読《よ》み方《かた》」

明日《あす》　大人《おとな》　母《かあ》さん　河原《かわら》・川原《かわら》　昨日《きのう》
今日《きょう》　果物《くだもの》　今朝《けさ》　景色《けしき》　今年《ことし》　清水《しみず》
上手《じょうず》　七夕《たなばた》　一日《ついたち》　手伝《てつだ》う　父《とう》さん　時計《とけい》
友達《ともだち》　兄《にい》さん　姉《ねえ》さん　博士《はかせ》　二十日《はつか》
一人《ひとり》　二人《ふたり》　二日《ふつか》　下手《へた》　部屋《へや》　迷子《まいご》
真面目《まじめ》　真《ま》っ赤《か》　真《ま》っ青《さお》　眼鏡《めがね》　八百屋《やおや》

＊付表《ふひょう》2にまとめられた都道府県《とどうふけん》の読《よ》み方《かた》

愛媛《えひめ》　茨城《いばらき》　岐阜《ぎふ》　鹿児島《かごしま》　滋賀《しが》　宮城《みやぎ》
神奈川《かながわ》　鳥取《とっとり》　大阪《おおさか》　富山《とやま》　大分《おおいた》　奈良《なら》

無

灬8画〔12画〕

音 ブ　ム

訓 な**い**

無　長《なが》く

without［ウィザウト］

つかいかた

- お金《かね》が一銭《いっせん》も**無い**《な》。
- **無心**《むしん》で試合《しあい》に臨《のぞ》む。
- 心配《しんぱい》は**無用**《むよう》です。
- **唯一無二**《ゆいいつむに》の親友《しんゆう》。
- **無事**《ぶじ》に日本《にほん》に帰《かえ》る。

いみ・ことば

● **何《なに》もない。存在《そんざい》しない。…でない。** ●無《ぶ》[3]事《じ》。無礼《ぶれい》。[3]無医村《むいそん》。[1]無一物《むいちもつ》（ぶつ）。[3]無意《むい》[3]味《み》。無心《むしん》。[2]無責任《むせきにん》。[5][5]無名《むめい》。[1]有無《うむ》。[3]

もっとわかる

● 四字熟語《よじじゅくご》…唯一無二《ゆいいつむに》（ただ一《ひと》つで、二《ふた》つはないこと）・無味乾燥《むみかんそう》（何《なん》のおもしろみもなくてつまらないこと）

なりたち

→無

● 両手《りょうて》にかざりを持《も》った人《ひと》がおどるようすをえがいた形《かたち》。神《かみ》の前《まえ》でおどって「無《な》いもの」を求《もと》めたところから、存在《そんざい》しない意《い》を表《あらわ》した。

照

灬9画〔13画〕

音 ショウ

訓 て**る**　て**らす**　て**れる**

照　点《てん》のうち方《かた》に注意《ちゅうい》

shine［シャイン］

つかいかた

- 朝《あさ》から日《ひ》が**照る**《て》。
- ライトで**照らす**《て》。
- ほめられて**照れる**《て》。
- 付録《ふろく》を**参照**《さんしょう》する。
- 大会《たいかい》に**照準**《しょうじゅん》を合《あ》わせる。

いみ・ことば

① **光《ひかり》を放《はな》つ。てる。てらす。** ●照《て》り返《かえ》し。[3]日照《ひで》り。[1]照射《しょうしゃ》。[6]照明《しょうめい》。[2]日照《にっしょう》。[1]

② **見比《みくら》べる。てらし合《あ》わせる。** ●照応《しょうおう》。[5]照会《しょうかい》。[2]照合《しょうごう》。[2]照準《しょうじゅん》。[5]参照《さんしょう》。[4]対照《たいしょう》。[3]

もっとわかる

● 同音異義語《どうおんいぎご》「タイショウ」…「対照《たいしょう》」は、比《くら》べ合《あ》わせる。「対象《たいしょう》」は、目標《もくひょう》やめあて。「対称《たいしょう》」は、形《かたち》のつり合《あ》い。

なりたち

「昭《しょう》（明《あか》るい）」と「灬（火《ひ》）」を合《あ》わせた形《かたち》。火《ひ》の光《ひかり》が明《あか》るくかがやくようすで、「てる」の意《い》を表《あらわ》した。

熊

灬10画〔14画〕

音 ―

訓 くま

熊　点《てん》のうち方《かた》に注意《ちゅうい》

bear［ベア］

つかいかた

- 森《もり》にすむ**熊**《くま》。
- 北極圏《ほっきょくけん》の**白熊**《しろくま》。
- **熊手**《くまで》を飾《かざ》る。
- **熊本県**《くまもとけん》の阿蘇山《あそさん》。
- **熊野詣**《くまのもうで》をする。

いみ・ことば

● **動物《どうぶつ》のクマ。** ●熊手《くまて》。[1]穴熊《あなぐま》。[6]白熊《しろくま》。[1]

もっとわかる

● 「熊手《くまて》」は、もとは熊《くま》の手《て》のような形《かたち》をした道具《どうぐ》のこと。落《お》ち葉《ば》などをかき集《あつ》めるために使《つか》う。のちに、福《ふく》をかきあつめる縁起物《えんぎもの》として作《つく》ったものが、とりの市《いち》で売《う》られるようになった。

なりたち

→能

● 「能」はクマをえがいた形《かたち》（393ページ上段《じょうだん》の「能」参照《さんしょう》）。それに「灬（火《ひ》）」を合《あ》わせて、火《ひ》のようにいきおいがあり力強《ちからづよ》い動物《どうぶつ》であるクマを表《あらわ》した。

4年

熱

灬11画〔15画〕
音 ネツ
訓 あつい

点《てん》のうち方《かた》に注意《ちゅうい》

hot［ハット］

つかいかた

- 熱《あつ》いお茶《ちゃ》を飲《の》む。
- 体《からだ》じゅうが熱《あつ》くなる。
- やかんを熱《ねっ》する。
- 読書《どくしょ》に熱中《ねっちゅう》する。
- コンロで加熱《かねつ》する。

いみ・ことば

1. 温度《おんど》が高《たか》い。あつい。●熱気《ねっき》。熱湯《ねっとう》。
2. 物《もの》をあたためる力《ちから》。●熱量《ねつりょう》。加熱《かねつ》。余熱《よねつ》。
3. 体温《たいおん》。●熱病《ねつびょう》。高熱《こうねつ》。発熱《はつねつ》。平熱《へいねつ》。
4. 心《こころ》を打《う》ちこむ。●熱意《ねつい》。熱戦《ねっせん》。熱中《ねっちゅう》。

もっとわかる

●四字熟語《よじじゅくご》…頭寒足熱《ずかんそくねつ》（頭《あたま》を冷《ひ》やして足《あし》をあたためるという健康法《けんこうほう》）

なりたち

「埶」は、「藝（＝芸）」のもとの字《じ》で、植物《しょくぶつ》に手《て》を加《くわ》えて育《そだ》てること。内《うち》に生気《せいき》やエネルギーがこもるイメージを示《しめ》す。それに「灬（火《ひ》）」を合《あ》わせて、火《ひ》をたいたときに出《で》る「ねつ」を表《あらわ》した。

牧

牛4画〔8画〕
音 ボク
訓 （まき）

ななめ右上《みぎうえ》に

pasture［パスチャ］

つかいかた

- 牧場《まきば》に牛《うし》がいる。
- 牧草《ぼくそう》を食《た》べる牛《うし》。
- 家業《かぎょう》の牧畜《ぼくちく》を手伝《てつだ》う。
- 砂漠《さばく》で暮《く》らす遊牧民《ゆうぼくみん》。
- 放牧《ほうぼく》された羊《ひつじ》の群《む》れ。

いみ・ことば

1. 牛《うし》や馬《うま》などを放《はな》し飼《が》いにする。●牧場《ぼくじょう》（まきば）。牧草《ぼくそう》。牧畜《ぼくちく》。牧童《ぼくどう》。放牧《ほうぼく》。遊牧民《ゆうぼくみん》。
2. 教《おし》え導《みちび》く。●牧師《ぼくし》。

もっとわかる

●「牧師《ぼくし》」は、キリスト教《きょう》の新教《しんきょう》（プロテスタント）で信者《しんじゃ》を教《おし》え導《みちび》く人《ひと》。旧教《きゅうきょう》（カトリック）では、司祭《しさい》または神父《しんぷ》という。

なりたち

↓
牧

●「牛（うし）」と「攵（棒《ぼう》を手《て》に持《も》つ）」を合《あ》わせた形《かたち》で、牛《うし》のように暮《く》らしを助《たす》ける動物《どうぶつ》を飼《か》う意《い》を表《あらわ》した。

特

牛6画〔10画〕
音 トク
訓 —

上《うえ》の横棒《よこぼう》より長《なが》く

special［スペシャる］

つかいかた

- 特《とく》に変《か》わった点《てん》はない。
- 特等席《とくとうせき》に座《すわ》る。
- 特別《とくべつ》に安《やす》く売《う》る。
- 特例《とくれい》を認《みと》める。
- 独特《どくとく》な味《あじ》わい。

いみ・ことば

●すぐれている。とりわけ。●特異《とくい》。特技《とくぎ》。特産《とくさん》。特質《とくしつ》。特殊《とくしゅ》。特色《とくしょく》。特等席《とくとうせき》。特別《とくべつ》。特効薬《とっこうやく》。独特《どくとく》。

もっとわかる

●同音異義語《どうおんいぎご》「トクチョウ」…「特長《とくちょう》」は、ほかよりすぐれている点《てん》。「特徴《とくちょう》」は、ほかとちがっている点《てん》。

なりたち

「寺《じ》（じっと止《と》まる）」と「牛（うし）」を合《あ》わせた形《かたち》。メスの牛《うし》に子《こ》を宿《やど》らせるために、じっと立《た》っているオスの牛《うし》を表《あらわ》した。のち、ほかよりも目立《めだ》っている意《い》で使《つか》われた。

産

生6画〔11画〕

音 サン

訓 うむ　うまれる　（うぶ）

birth［バーす］

つかいかた

- にわとりが卵《たまご》を産《う》む。
- 子犬《こいぬ》が産《う》まれる。
- 元気《げんき》な産声《うぶごえ》を上《あ》げる。
- 産地《さんち》直送《ちょくそう》の米《こめ》。

いみ・ことば

❶うむ。子《こ》がうまれる。●産着《うぶぎ》。産声《うぶごえ》。産湯《うぶゆ》。産婦人科《さんふじんか》。産卵《さんらん》。安産《あんざん》。出産《しゅっさん》。

❷つくり出《だ》す。●産出《さんしゅつ》。産地《さんち》。生産《せいさん》。

❸生活《せいかつ》のもととなるもの。もとで。●財《ざい》産《さん》。資産《しさん》。破産《はさん》。不動産《ふどうさん》。

もっとわかる

●特別《とくべつ》な読《よ》み方《かた》…土産《みやげ》

なりたち

もとの字《じ》は「產」。「彦」は、「形《かた》にととのった美《うつく》しい顔《かお》で、形《かたち》よくととのうというイメージを示《しめ》す。それを略《りゃく》した「产」に「生（うむ）」を合《あ》わせた「産」は、子《こ》をうんで、女性《じょせい》の腹《はら》がすっきりした形《かたち》になるようすで、「うむ」意《い》を表《あらわ》した。

的

白3画〔8画〕

音 テキ

訓 まと

target［ターゲット］

つかいかた

- 矢《や》が的《まと》に当《あ》たる。
- 的外《まとはず》れな質問《しつもん》。
- 悪《わる》い予感《よかん》が的中《てきちゅう》する。
- 人間的《にんげんてき》なやさしい心《こころ》。

いみ・ことば

❶目《め》あて。まと。●的外《まとはず》れ。的確《てきかく》。的《てき》中《ちゅう》。金的《きんてき》。射的《しゃてき》。標的《ひょうてき》。目的《もくてき》。

❷…の。…のような。●一方的《いっぽうてき》。具体的《ぐたいてき》。現実的《げんじつてき》。公的《こうてき》。私的《してき》。人間的《にんげんてき》。

もっとわかる

●「金的《きんてき》」とは、どうしても手《て》に入《い》れたいもの。「金的《きんてき》を射止《いと》める」などと使《つか》う。

なりたち

●「勺《しゃく》」は、ひしゃく。液体《えきたい》をくみ上《あ》げるので、高《たか》く上《あ》がって目立《めだ》つイメージを示《しめ》す。それに「白（しろい）」を合《あ》わせて、高《たか》くあがった白《しろ》い「まと」を表《あらわ》した。のち、「はっきりしている」の意《い》でも使《つか》われた。

省

目4画〔9画〕

音 セイ　ショウ

訓 みる（かえりみる）　はぶく

reflect［リフれクト］

つかいかた

- 一日《いちにち》の行動《こうどう》を省《かえり》みる。
- むだな作業《さぎょう》を省《はぶ》く。
- 夏休《なつやす》みに帰省《きせい》する。
- 試合《しあい》の結果《けっか》を反省《はんせい》する。
- 難《むずか》しい説明《せつめい》を省略《しょうりゃく》する。

いみ・ことば

❶ふり返《かえ》って考《かんが》える。かえりみる。●省《せい》察《さつ》。自省《じせい》。内省《ないせい》。反省《はんせい》。

❷減《へ》らす。はぶく。●省略《しょうりゃく》。省力化《しょうりょくか》。

❸国《くに》の役所《やくしょ》。●外務省《がいむしょう》。文部科学省《もんぶかがくしょう》。

もっとわかる

●「省《しょう》エネ」とは、エネルギーを節約《せつやく》すること。●四字熟語《よじじゅくご》…人事不省《じんじふせい》（意識《いしき》を失《うしな》って何《なに》もわからなくなること）

なりたち

「少（小《ち》さくする）」と「目（め）」を合《あ》わせた形《かたち》。目《め》を細《ほそ》めてよく見《み》るようすで、注意《ちゅうい》して見定《みさだ》める意《い》を表《あらわ》した。

祝

ネ5画〔9画〕
音 シュク（シュウ）
訓 いわう

ネと書かない 祝

celebrate［セれブレイト］

つかいかた

- 新《あたら》しい出発《しゅっぱつ》を**祝《いわ》う**。
- **誕生祝《たんじょういわ》い**の会《かい》。
- **祝賀会《しゅくがかい》**に参加《さんか》する。
- **ご祝儀《しゅうぎ》**をおくる。
- 神主《かんぬし》が**祝詞《のりと》**を唱《とな》える。

いみ・ことば

- **めでたいことをいわう。** ● 祝▲宴《しゅくえん》。祝4賀《しゅくが》2会《かい》。祝1日《しゅくじつ》。祝3勝2会《しゅくしょうかい》。祝2電《しゅくでん》。祝▲杯《しゅくはい》。祝3福《しゅくふく》。

もっとわかる

- 特別《とくべつ》な読《よ》み方《かた》…祝詞《のりと》（神前《しんぜん》で唱《とな》えることば） ●「シュウ」の読《よ》みは、「祝儀《しゅうぎ》」「祝言《しゅうげん》」などのことばに使《つか》われる。

なりたち

→ 祝（祝）

- もとの字《じ》は「祝」。「示（神《かみ》をまつった台《だい》）」と「兄（頭《あたま》の大《おお》きな人《ひと》）」を合《あ》わせた形《かたち》。神《かみ》に祈《いの》るようすをえがいて、よいことがおこるように祈《いの》る意《い》を表《あらわ》した。

祝 祝 祝 祝 祝 祝 祝 祝

票

示6画〔11画〕
音 ヒョウ
訓 —

票 長く

slip［スリップ］

つかいかた

- 議案《ぎあん》を**票決《ひょうけつ》**に付《ふ》す。
- **開票《かいひょう》**の結果《けっか》を待《ま》つ。
- 配達《はいたつ》の**伝票《でんぴょう》**。
- 市長選挙《しちょうせんきょ》の**投票日《とうひょうび》**。
- 当選《とうせん》は**得票数《とくひょうすう》**で決《き》まる。

いみ・ことば

1. **書《か》きつけに使《つか》う小《ちい》さな紙《かみ》。** ● 4伝票《でんぴょう》。
2. **選挙《せんきょ》に使《つか》うふだ。** ● 票3決《ひょうけつ》。3投票《とうひょう》。1白票《はくひょう》。
3. **投票数《とうひょうすう》を数《かぞ》えることば。** ● 1一票《いっぴょう》。

もっとわかる

- 「票決《ひょうけつ》」は、投票《とうひょう》で決《き》めること。「表決《ひょうけつ》」は、賛成《さんせい》または反対《はんたい》の意《い》を表《あらわ》すこと。

なりたち

→ 票

- 「䙴」は、仙人《せんにん》のたましいがふわふわと空中《くうちゅう》にうき上《あ》がるようす。「䙴」を略《りゃく》した形《かたち》に「火（ひ）」を合《あ》わせた「票」は、火《ひ》の粉《こ》が高《たか》くまい上《あ》がるようすで、軽《かる》くてひらひらしたものを表《あらわ》した。

票 票 票 票 票 票 票 票

種

禾9画〔14画〕
音 シュ
訓 たね

種 とめる

seed［スィード］

つかいかた

- 朝顔《あさがお》の**種《たね》**をまく。
- 手品《てじな》の**種明《たねあ》かし**をする。
- さまざまな**種類《しゅるい》**の桜《さくら》。
- **雑種《ざっしゅ》**の犬《いぬ》を飼《か》う。
- **品種《ひんしゅ》**を改良《かいりょう》する。

いみ・ことば

1. **植物《しょくぶつ》のたね。** ● 種1子《しゅし》。
2. **仲間《なかま》になるもの。** ● 4変《か》わり種《だね》。種3族《しゅぞく》。種4別《しゅべつ》。種1目《しゅもく》。種4類《しゅるい》。3業種《ぎょうしゅ》。5職種《しょくしゅ》。
3. **生物《せいぶつ》を分《わ》ける単位《たんい》。** ● 5雑種《ざっしゅ》。3品種《ひんしゅ》。

もっとわかる

- 「種明《たねあ》かし」「もめごとの種《たね》」のように、何《なに》かが生《う》まれる原因《げんいん》の意《い》でも使《つか》われる。

なりたち

「重《じゅう》（上《うえ》から下《した》に打《う》ち下《お》ろす）」と「禾《か》（イネ）」を組《く》み合《あ》わせた形《かたち》で、作物《さくもつ》を植《う》える意《い》を表《あらわ》した。のち、「たね」の意《い》で使《つか》われるようになった。

種 種 種 種 種 種 種 種

積

禾11画〔16画〕

音 セキ
訓 つむ つもる

積（長《なが》めに）

pile［パイる］

つかいかた
- 車《くるま》に荷物《にもつ》を積《つ》む。
- 弟《おとうと》が積《つ》み木《き》で遊《あそ》ぶ。
- 一《いち》メートルの積雪《せきせつ》。
- 夏空《なつぞら》の積乱雲《せきらんうん》。
- 長方形《ちょうほうけい》の面積《めんせき》。

いみ・ことば

①つみかさなる。つみかさねる。●積《つ》み[1]木《き》。積雪《せきせつ》。積乱雲《せきらんうん》。積極的《せっきょくてき》。▲蓄積《ちくせき》。

②広《ひろ》さ。かさ。●体積《たいせき》。面積《めんせき》。容積《ようせき》。

③かけ算《ざん》の答《こた》え。●積《せき》をもとめる。

もっとわかる
●「積乱雲《せきらんうん》」は、大《おお》きな山《やま》のように上《うえ》に積《つ》み重《かさ》なった雲《くも》。「入道雲《にゅうどうぐも》」「雷雲《かみなりぐも》」とも呼《よ》ばれる。

なりたち
「責《せき》（ギザギザと重《かさ》なる）」と「禾《か》（イネ）」を合《あ》わせた形《かたち》。束《たば》ねたイネがふぞろいにつみ重《かさ》なるようすで、「つむ」の意《い》を表《あらわ》した。

競

立15画〔20画〕

音 キョウ ケイ
訓 （きそう） （せる）

競（上《うえ》にはねる／折《お》る）

compete［カンピート］

つかいかた
- テストの得点《とくてん》を競《きそ》う。
- 激《はげ》しい競《せ》り合《あ》いになる。
- サッカーの競技場《きょうぎじょう》。
- たがいに競争心《きょうそうしん》を燃《も》やす。
- 競馬《けいば》の馬《うま》を見《み》に行《い》く。

いみ・ことば

●争《あらそ》う。せり合《あ》う。●競泳《きょうえい》。[3]競演《きょうえん》。[5]競技《きょうぎ》。[5]競走《きょうそう》。[2]競争《きょうそう》。[4]競歩《きょうほ》。[2]競馬《けいば》。[2]競輪《けいりん》。[4]

もっとわかる
●「競歩《きょうほ》」は、歩《ある》く速《はや》さをきそう競技《きょうぎ》。
●同音異義語《どうおんいぎご》「キョウソウ」…「競争《きょうそう》」は、勝《か》ち負《ま》けを争《あらそ》う意《い》。「競走《きょうそう》」は、決《き》まった長《なが》さを走《はし》って速《はや》さを争《あらそ》う意《い》。

なりたち
●上《うえ》に「言（いう）」二《ふた》つ、下《した》に「儿（人《ひと》）」二《ふた》つを組《く》み合《あ》わせた形《かたち》。二人《ふたり》が言《い》い争《あらそ》って決着《けっちゃく》をつけるようすで、「はりあう」「きそう」の意《い》を表《あらわ》した。

↓
競

置

罒8画〔13画〕

音 チ
訓 おく

置（折《お》る）

put［プット］

つかいかた
- かばんを置《お》く。
- かさを置《お》き忘《わす》れる。
- 駅《えき》の自転車《じてんしゃ》置《お》き場《ば》。
- 今《いま》いる位置《いち》がわからない。
- 部屋《へや》の配置《はいち》がえ。

いみ・ことば

①すえつける。おく。●置《お》いてきぼり。置《お》き手紙《てがみ》。[1][2]置《お》き場《ば》。[2]置物《おきもの》。[3]物置《ものおき》。[3]安置《あんち》。[3]設置《せっち》。[5]装置《そうち》。[6]配置《はいち》。[3]放置《ほうち》。[3]

②取《と》りあつかう。●処置《しょち》。[6]▲措置《そち》。

もっとわかる
●送《おく》り仮名《がな》…「置物《おきもの》」「物置《ものおき》」などは、送《おく》り仮名《がな》をつけない。●「置《お》いてきぼり」は、置《お》き去《ざ》りにすること。

なりたち
「罒」は「网」と同《おな》じ。「直《ちょく》（まっすぐ）」と「网（あみ）」を合《あ》わせた形《かたち》で、あみをまっすぐに立《た》てておく意《い》を表《あらわ》した。

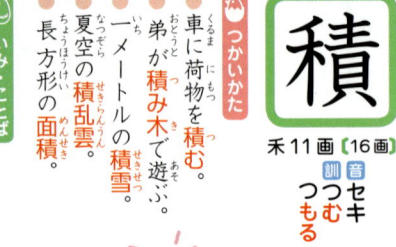

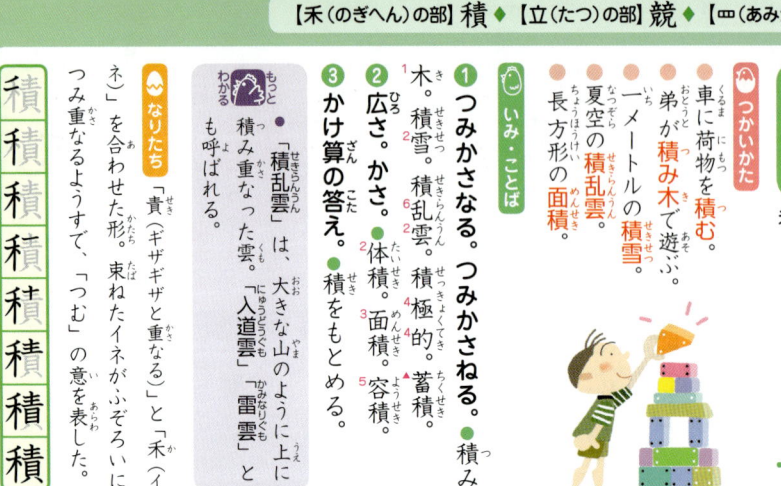

笑

竹4画【10画】
音 （ショウ）
訓 わらう （えむ）

ななめ左下《ひだりした》に

laugh [らフ]

つかいかた
- 大口《おおぐち》を開《あ》けて笑《わら》う。
- 笑《わら》いがこみ上《あ》げる。
- 顔《かお》に笑《え》みをうかべる。
- みんなで大爆笑《だいばくしょう》する。
- 家族《かぞく》の失笑《しっしょう》を買《か》う。

いみ・ことば

● **わらう。** ●笑《わら》い[2]声《ごえ》。笑《わら》い[2]話《ばなし》。笑《わら》い[3]者《もの》。[3]苦笑《くしょう》。[3]談笑《だんしょう》。▲微笑《びしょう》。[4]冷笑《れいしょう》。

もっとわかる
●特別《とくべつ》な読《よ》み方《かた》…笑顔《えがお》 ●「笑《わら》う門《かど》には福《ふく》来《き》たる」とは、笑《わら》いのたえない家《いえ》（や人《ひと》）には自然《しぜん》と幸運《こううん》がおとずれる、ということ。

なりたち
もとは「咲《しょう》」と同《おな》じ。この字《じ》の右《みぎ》側《がわ》は「芺」の変化《へんか》したもので、これが「笑」に変《か》わった。「夭」は、しなやかに体《からだ》をくねらせる人《ひと》の姿《すがた》で、「かぼそい」というイメージを示《しめ》す。「笑」は、口《くち》を細《ほそ》くすぼめて「わらう」意《い》を表《あらわ》した。

笑 笑 笑 笑 笑 笑 笑 笑

節

竹7画【13画】
音 セツ （セチ）
訓 ふし

はねる

knot [ナット]

つかいかた
- 節《ふし》をつけて歌《うた》う。
- 人生《じんせい》の節目《ふしめ》を祝《いわ》う。
- お金《かね》を節約《せつやく》する。
- 首《くび》の関節《かんせつ》を曲《ま》げる。
- 台風《たいふう》の季節《きせつ》。

いみ・ことば

❶ **区切《くぎ》り。** ●節目《ふしめ》。節句《せっく》。[4]関節《かんせつ》。[4]季節《きせつ》。

❷ **けじめを守《まも》る心《こころ》。** ●[1]節操《せっそう》。節度《せつど》。[3]礼節《れいせつ》。

❸ **むだをなくす。** ●節水《せっすい》。[5]節制《せっせい》。[4]節約《せつやく》。

❹ **歌《うた》。メロディー。** ●節回《ふしまわ》し。

なりたち
もとの字《じ》は「節」。「皀（ごちそうを盛《も》ったうつわ）」と「卩（ひざをまげた人《ひと》）」を合《あ》わせた「即」は、ひざをまげてごちそうを食《た》べるようすをえがいた形《かたち》。それに「竹（タケ）」を加《くわ》えて、ひざのところで足《あし》がまがるように、一段《いちだん》ずつ区切《くぎ》れた竹《たけ》の「ふし」を表《あらわ》した。

節 節 節 節 節 節 節 節

管

竹8画【14画】
音 カン
訓 くだ

上《うえ》より少《すこ》し大《おお》きく

pipe [パイプ]

つかいかた
- 竹《たけ》の管《くだ》で水《みず》を引《ひ》く。
- ビルの管理人《かんりにん》。
- 気管支炎《きかんしえん》になる。
- 水道管《すいどうかん》が破《やぶ》れる。
- 書類《しょるい》を保管《ほかん》する。

いみ・ことば

❶ **つつ。くだ。** ●管楽器《かんがっき》。[1]気管《きかん》。[3]血管《けっかん》。ゴム管《かん》。[4]試験管《しけんかん》。[1]水道管《すいどうかん》。[1]土管《どかん》。

❷ **取《と》りしまる。** ●管轄《かんかつ》。▲管制塔《かんせいとう》。[5]管理人《かんりにん》。[3]所管《しょかん》。[5]保管《ほかん》。

もっとわかる
●「管」は、「菅」に形《かたち》が似《に》ていてまちがえやすいので注意《ちゅうい》。●「管楽器《かんがっき》」には、木管楽器《もっかんがっき》と金管楽器《きんかんがっき》がある。

なりたち
「官《かん》（ぐるりと取《と》りまく）」と「竹（タケ）」を合《あ》わせた形《かたち》で、まわりを丸《まる》く囲《かこ》まれた竹《たけ》の「くだ」を表《あらわ》した。

管 管 管 管 管 管 管 管

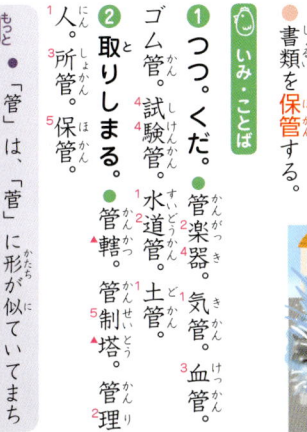

約

糸3画【9画】

音 ヤク
訓 ―

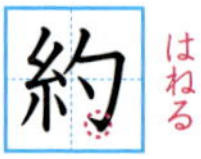

promise［プラミス］

つかいかた

- 友達《ともだち》と約束《やくそく》をする。
- 婚約指輪《こんやくゆびわ》を交換《こうかん》する。
- 意見《いけん》を集約《しゅうやく》する。
- 本《ほん》の内容《ないよう》を要約《ようやく》する。
- 夕食《ゆうしょく》の予約《よやく》をする。

いみ・ことば

① **取《と》り決《き》める。** ●約束《やくそく》。条約《じょうやく》。予約《よやく》。

② **簡単《かんたん》にする。ちぢめる。** ●約分《やくぶん》。簡約《かんやく》。▲倹約《けんやく》。集約《しゅうやく》。節約《せつやく》。要約《ようやく》。

③ **おおよそ。** ●約一時間《やくいちじかん》。約半数《やくはんすう》。

もっとわかる

●「集約《しゅうやく》」は、まとめて一《ひと》つにすること。「要約《ようやく》」は、大切《たいせつ》なところを短《みじか》くまとめること。

なりたち

「勺《しゃく》(目立《めだ》つ)」と「糸(いと)」を合《あ》わせた形《かたち》で、糸《いと》で結《むす》び目《め》を作《つく》って目立《めだ》たせるようすを表《あらわ》した。のち、「しめくくる」の意《い》でも使《つか》われた。

給

糸6画【12画】

音 キュウ
訓 ―

supply［サプライ］

つかいかた

- 給食《きゅうしょく》の当番《とうばん》。
- 給水車《きゅうすいしゃ》が到着《とうちゃく》する。
- ガソリンを給油《きゅうゆ》する。
- 毛布《もうふ》を配給《はいきゅう》する。
- 水分《すいぶん》を補給《ほきゅう》する。

いみ・ことば

① **おぎなう。たす。** ●給水《きゅうすい》。給油《きゅうゆ》。補給《ほきゅう》。

② **あたえる。** ●給食《きゅうしょく》。給付《きゅうふ》。配給《はいきゅう》。

③ **給料《きゅうりょう》のこと。** ●月給《げっきゅう》。減給《げんきゅう》。▲昇給《しょうきゅう》。

もっとわかる

●四字熟語《よじじゅくご》…自給自足《じきゅうじそく》(生活《せいかつ》に必要《ひつよう》なものを、すべて自分《じぶん》で作《つく》って使《つか》うこと)●「時給《じきゅう》」は、一時間《いちじかん》あたりの給料《きゅうりょう》。

なりたち

「合《ごう》(ぴったりあう)」と「糸(いと)」を合《あ》わせた形《かたち》。糸《いと》が足《た》りないところに、ほかの糸《いと》をぴったりとあてがうようすで、「つぎたす」の意《い》を表《あらわ》した。

結

糸6画【12画】

音 ケツ
訓 むすぶ (ゆう) (ゆわえる)

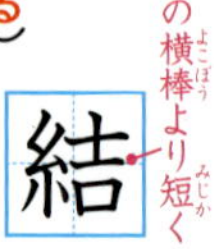

tie［タイ］

つかいかた

- くつのひもを結《むす》ぶ。
- かみの毛《け》を結《ゆ》わえる。
- 残念《ざんねん》な結果《けっか》に終《お》わる。
- 十話《じゅうわ》で完結《かんけつ》する。
- 団結力《だんけつりょく》を高《たか》める。

いみ・ことば

① **つなぐ。むすぶ。** ●結合《けつごう》。直結《ちょっけつ》。連結《れんけつ》。

② **一《ひと》つにかたまる。** ●結集《けっしゅう》。団結《だんけつ》。

③ **しめくくる。** ●結果《けっか》。結論《けつろん》。完結《かんけつ》。

もっとわかる

●四字熟語《よじじゅくご》…一致団結《いっちだんけつ》(多《おお》くの人《ひと》が心《こころ》を合《あ》わせてある目的《もくてき》に向《む》かうこと)

なりたち

↓吉

●「吉《きつ》」は、器《うつわ》にふたをするようすで、中《なか》につめてふさぐイメージを示《しめ》す。それに「糸(いと)」を合《あ》わせて、ふくろに物《もの》をつめて、口《くち》を糸《いと》でむすぶようすを表《あらわ》した。のち、「まとめる」の意《い》でも使《つか》われた。

4年

4年

続

糸7画〔13画〕

音 ゾク
訓 つづく つづける

続 上《うえ》の横棒《よこぼう》より短《みじか》く

continue ［カンティニュー］

つかいかた

- いちょう並木《なみき》が**続《つづ》く**。
- 書道《しょどう》を十年《じゅうねん》**続《つづ》ける**。
- けが人《にん》が**続出《ぞくしゅつ》**する。
- 事件《じけん》の**続報《ぞくほう》**が入《はい》る。
- 試合《しあい》を**続行《ぞっこう》**する。

いみ・ことば

- **つながる。つづく。**
- 1雨続《あめつづ》き。4陸続《りくぞく》き。1続出《ぞくしゅつ》。5続編《ぞくへん》。5続報《ぞくほう》。2続行《ぞっこう》。▲継続《けいぞく》。3持続《じぞく》。5接続《せつぞく》。4連続《れんぞく》。

もっとわかる

- 「続々《ぞくぞく》」は、つぎからつぎへと続《つづ》くようす（例 続々《ぞくぞく》と人《ひと》がつめかける）。
- 「連続《れんぞく》」は、絶《た》え間《ま》なく続《つづ》くこと。

なりたち

もとの字《じ》は「續」。「賣《いく》（つぎつぎに通《とお》る）」と「糸（いと）」を合《あ》わせた形《かたち》。着物《きもの》を作《つく》るとき、つぎつぎに針《はり》を通《とお》して糸《いと》をつなげるようすで、「つづく」の意《い》を表《あらわ》した。

縄

糸9画〔15画〕

音 （ジョウ）
訓 なわ

縄 はねる

rope ［ロウプ］

つかいかた

- **縄《なわ》ばしご**で登《のぼ》る。
- **縄《なわ》とび**をして遊《あそ》ぶ。
- **沖縄県《おきなわけん》**の首里城《しゅりじょう》。
- **泥縄式《どろなわしき》**の試験勉強《しけんべんきょう》。
- **縄文時代《じょうもんじだい》**のことを勉強《べんきょう》する。

いみ・ことば

- **わらや布《ぬの》などをより合《あ》わせて作《つく》ったひも。**
- 縄《なわ》とび。縄《なわ》ばしご。5縄張《なわば》り。1縄目《なわめ》。▲泥縄《どろなわ》。1縄文2時3代《じょうもんじだい》。

もっとわかる

- 「泥縄《どろなわ》」は、ことがさしせまってから、あわてて用意《ようい》すること。
- 「縄目《なわめ》」は、罪人《ざいにん》として縄《なわ》でしばられること。（例 縄《なわ》目《め》にかかる）。

なりたち

もとの字《じ》は「繩」。「黽（体《からだ》の長《なが》いトカゲ）」と「糸（いと）」を合《あ》わせた形《かたち》。トカゲのように長《なが》い引《ひ》きづなを表《あらわ》した。

群

羊7画〔13画〕

音 グン
訓 むれる むれ むら

群 長《なが》めに

flock ［フラック］

つかいかた

- はとの**群《む》れ**が飛《と》び立《た》つ。
- ケーキにありが**群《むら》がる**。
- **群衆《ぐんしゅう》**がおし寄《よ》せる。
- 杉《すぎ》の木《き》が**群生《ぐんせい》**する。
- 蚊《か》の**大群《たいぐん》**におそわれる。

いみ・ことば

- **あつまり。むれ。**
- 6群衆《ぐんしゅう》。3群集《ぐんしゅう》。5群像《ぐんぞう》。3群島《ぐんとう》。3群落《ぐんらく》。2魚群《ぎょぐん》。1大群《たいぐん》。▲抜群《ばつぐん》。

もっとわかる

- 「群」は「郡」と形《かたち》が似《に》ていてまちがえやすいので注意《ちゅうい》。
- 「群《ぐん》をぬく」は、大勢《おおぜい》の中《なか》で飛《と》びぬけてすぐれている意《い》（例 群《ぐん》をぬく成績《せいせき》）。

なりたち

「君《くん》（一《ひと》つにまとめる）」と「羊（ヒツジ）」を合《あ》わせた形《かたち》。羊《ひつじ》のようにまとまってひとかたまりになるようすで、「むらがる」の意《い》を表《あらわ》した。

老

老0画〔6画〕
音 ロウ
訓 おいる（ふける）

老
ななめ左下《ひだりした》に

old［オウルド］

つかいかた

- 飼《か》い犬《いぬ》が年老《としお》いる。
- 少《すこ》し老《ふ》けて見《み》える。
- 祖父《そふ》の老眼鏡《ろうがんきょう》。
- 老人《ろうじん》に席《せき》をゆずる。
- 敬老《けいろう》の日《ひ》。

いみ・ことば

❶ **年《とし》をとる。年《とし》をとった人《ひと》。** ●老化《ろうか》[3]。老眼《ろうがん》[5]。老後《ろうご》[2]。老人《ろうじん》[1]。老年《ろうねん》[1]。長老《ちょうろう》[2]。敬老《けいろう》[6]。

❷ **経験《けいけん》を積《つ》んでいる。** ●老練《ろうれん》[3]。

もっとわかる

●四字熟語《よじじゅくご》…老若男女《ろうにゃくなんにょ》（だれもがみな）・老少不定《ろうしょうふじょう》（人《ひと》の命《いのち》は、老人《ろうじん》とか若者《わかもの》とかに関係《かんけい》なく定《さだ》めのないものである）●「老練《ろうれん》」は、経験《けいけん》を積《つ》んで物事《ものごと》にたくみであること。

なりたち

→→老

●こしのまがった人《ひと》がつえをついている姿《すがた》をえがいた形《かたち》で、年《とし》をとった人《ひと》を表《あらわ》した。

老 老 老 老 老 老

良

良1画〔7画〕
音 リョウ
訓 よい

良
この形《かたち》に注意《ちゅうい》

good［グッド］

つかいかた

- 二人《ふたり》はいつも仲《なか》が良《よ》い。
- 健康状態《けんこうじょうたい》は良好《りょうこう》だ。
- 良識《りょうしき》のある人《ひと》。
- 良心《りょうしん》に従《したが》って行動《こうどう》する。
- いねの品種《ひんしゅ》を改良《かいりょう》する。

いみ・ことば

● **すぐれている。よい。** ●良好《りょうこう》[4]。良識《りょうしき》[5]。良心《りょうしん》[2]。改良《かいりょう》[4]。最良《さいりょう》[4]。消化不良《しょうかふりょう》[3][3][4]。優良《ゆうりょう》[6]。

もっとわかる

●特別《とくべつ》な読《よ》み方《かた》…奈良《なら》 ●「良」と反対《はんたい》の意味《いみ》を持《も》つ漢字《かんじ》は「悪」。良質《りょうしつ》↕悪質《あくしつ》
●「良薬《りょうやく》は口《くち》に苦《にが》し」とは、ためになることばは聞《き》き入《い》れづらいということ。

なりたち

→→→良

●穀物《こくもつ》のつぶのよごれを水《みず》で洗《あら》い流《なが》すようすをえがいた形《かたち》で、まじりけがなく「すぐれている」意《い》を表《あらわ》した。

良 良 良 良 良 良 良

街

行6画〔12画〕
音 ガイ（カイ）
訓 まち

街
はねる

street［ストリート］

つかいかた

- 街角《まちかど》でばったり会《あ》う。
- 街頭《がいとう》インタビュー。
- 市街地《しがいち》のはずれ。
- 商店街《しょうてんがい》で買《か》い物《もの》をする。

いみ・ことば

● **にぎやかなところ。大通《おおどお》り。** ●街道《かいどう》[2]。街頭《がいとう》[2]。街灯《がいとう》[4]。街路樹《がいろじゅ》[3][6]。市街地《しがいち》[2][2]。商店街《しょうてんがい》[3][2]。

もっとわかる

●同訓異字《どうくんいじ》「まち」…「街《まち》」は、店《みせ》などが立《た》ち並《なら》ぶにぎやかな通《とお》りや、その辺《あた》りのこと。「町《まち》」は、多《おお》くの人《ひと》が集《あつ》まって住《す》んでいるところ。

なりたち

圭→圭

●「圭《けい》」は、「土」を二《ふた》つ重《かさ》ねて、先《さき》が∧形《がた》にとがった宝石《ほうせき》のこと。∧形《がた》に区切《くぎ》るというイメージを示《しめ》す。それに「行（みち）」を合《あ》わせて、みちで区切《くぎ》られた「まち」を表《あらわ》した。

街 街 街 街 街 街 街 街

4年

衣

衣0画【6画】

訓 音 イ
(ころも)

clothes［クロウズ］

長《なが》めに

つかいかた

●衣替《ころもが》えの季節《きせつ》だ。
●天女《てんにょ》の羽衣《はごろも》。
●おそろいの衣装《いしょう》。
●脱衣所《だついじょ》で衣服《いふく》をぬぐ。
●白衣《はくい》を着《き》たお医者《いしゃ》さん。

いみ・ことば

●体《からだ》にまとう着物《きもの》。ころも。●衣《ころも》▲替《が》え。▲脱衣《だつい》 2羽衣《はごろも》。6衣装《いしょう》。2衣食《いしょく》 3住《じゅう》。3衣服《いふく》。4衣類《いるい》。3所《じょ》。3着衣《ちゃくい》。1白衣《はくい》。

もっとわかる

●特別《とくべつ》な読《よ》み方《かた》…浴衣《ゆかた》 ●四字熟語《よじじゅくご》…天衣無縫《てんいむほう》（素直《すなお》でかざり気《け》のないようす）・粗衣粗食《そいそしょく》（貧《まず》しい暮《く》らしのこと）・暖衣飽食《だんいほうしょく》（ぜいたくな暮《く》らしのこと）

なりたち

衣

●後《うし》ろのえりを立《た》て、前《まえ》のえりを合《あ》わせて、すそを垂《た》らした「ころも」をえがいた形《かたち》。

要

西3画【9画】

訓 音 ヨウ
かなめ
(いる)

西《にし》と書《か》かない

main point［メイン ポイント］

つかいかた

●クラスの要《かなめ》。
●要《い》る物《もの》を紙《かみ》に書《か》く。
●要点《ようてん》をまとめる。
●必要《ひつよう》な書類《しょるい》。
●昔《むかし》からの交通《こうつう》の要所《ようしょ》。

いみ・ことば

①大切《たいせつ》なところ。かなめ。●要所《ようしょ》 3。要人《ようじん》 1。5要素《ようそ》。2要点《ようてん》。4要約《ようやく》。3重要《じゅうよう》。3主要《しゅよう》。
②もとめる。いる。●要求《ようきゅう》 4。要望《ようぼう》 4。▲需要《じゅよう》。3所要時間《しょようじかん》 2 2。4必要《ひつよう》。4不要《ふよう》。

もっとわかる

●「強要《きょうよう》」は、無理《むり》に求《もと》めること。●「需要《じゅよう》」は、買《か》い求《もと》めること。反対《はんたい》は「供給《きょうきゅう》」。

なりたち

要

●女《おんな》の人《ひと》が両手《りょうて》で「こし」をしめつけるようすをえがいた形《かたち》。こしは、胴《どう》と足《あし》をつなぐポイントに当《あ》たるので、大切《たいせつ》なところという意味《いみ》に用《もち》いる。

同音異義《どうおんいぎ》のことば①

「シリツの学校《がっこう》」と聞《き》くと、「私立《しりつ》（個《こ》人《じん》のお金《かね》でつくった学校《がっこう》）」か「市立《しりつ》（市《し》のお金《かね》でつくった学校《がっこう》）」かまよってしまいます。このように、日本語《にほんご》には同音異《どうおんい》義《ぎ》、つまり音《おん》が同《おな》じで意味《いみ》の異《こと》なることばが数多《かずおお》くあります。

以下《いか》に、よく耳《みみ》にする同音異義《どういんいぎ》のことばで、とくに使《つか》い分《わ》けのまぎらわしいものを集《あつ》めて、五十音順《ごじゅうおんじゅん》に示《しめ》しました。

【イガイ】
以外…そのほかのもの。「関係者以外《かんけいしゃいがい》は立《た》ち入《い》り禁止《きんし》」
意外…思《おも》いがけないこと。「意外《いがい》な展開《てんかい》におどろく」

【イギ】
異義…ちがう意味《いみ》。「同音異義語《どうおんいぎご》」
異議…ちがう意見《いけん》。反対《はんたい》の意見《いけん》。「決定《けってい》に異議《いぎ》を唱《とな》える」
意義…物事《ものごと》の価値《かち》。重要性《じゅうようせい》。「本来《ほんらい》の意義《いぎ》を知《し》る」

＊341ページへ続《つづ》く

覚

見5画〔12画〕

音 カク

訓 おぼえる・さます・さめる

perceive［パスィーヴ］

つかいかた

- 漢字《かんじ》を覚《おぼ》える。
- 目《め》を覚《さ》ます。
- 夢《ゆめ》から覚《さ》める。
- 危険《きけん》は覚悟《かくご》の上《うえ》だ。
- 不正《ふせい》が発覚《はっかく》する。

いみ・ことば

① 見《み》えるようになる。目《め》ざめる。さとる。 ●覚悟《かくご》。2自覚《じかく》。4不覚《ふかく》。

② 感《かん》じる。 ●3感覚《かんかく》。6視覚《しかく》。2知覚《ちかく》。3味覚《みかく》。

③ おぼえる。 ●覚《おぼ》え書《が》き。1見覚《みおぼ》え。

④ 明《あき》らかになる。 ●3発覚《はっかく》。

なりたち

もとの字《じ》は「覺」。「學《がく》（交《まじ》わる）」の略《りゃく》したものと「見（みる）」を合《あ》わせた形《かたち》。もやもやとした意識《いしき》が一点《いってん》で交《まじ》わり、物《もの》が見《み》えるようになるようすで、「さとる」「さめる」の意《い》を表《あらわ》した。

観

見11画〔18画〕

音 カン

訓 —

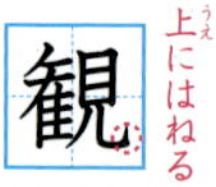

view［ヴュー］

つかいかた

- 観客《かんきゃく》が拍手《はくしゅ》をおくる。
- 観光旅行《かんこうりょこう》に出《で》かける。
- スポーツを観戦《かんせん》する。
- 楽観的《らっかんてき》に考《かんが》える。

いみ・ことば

① ながめる。みる。 ●観客《かんきゃく》。観光《かんこう》。観察《かんさつ》。5観賞《かんしょう》。4観戦《かんせん》。5観測《かんそく》。4参観《さんかん》。4静観《せいかん》。

② ながめ。ようす。 ●2外観《がいかん》。4景観《けいかん》。3美観《びかん》。

③ ものの見方《みかた》。考《かんが》え。 ●観点《かんてん》。観念《かんねん》。3客観《きゃっかん》。3主観《しゅかん》。1人生観《じんせいかん》。3悲観《ひかん》。2楽観《らっかん》。

なりたち

雚 → 雚

●もとの字《じ》は「觀」。「雚《かん》」は、鳥《とり》が口《くち》をそろえて鳴《な》くようす。いっしょに合《あ》わせてそろえるというイメージを示《しめ》す。それと「見（みる）」を合《あ》わせて、全体《ぜんたい》をひと目《め》で「見渡《みわた》す」という意《い》を表《あらわ》した。

訓

言3画〔10画〕

音 クン

訓 —

instruct［インストラクト］

つかいかた

- 漢字《かんじ》を訓《くん》で読《よ》む。
- 漢文《かんぶん》を訓読《くんどく》する。
- 避難訓練《ひなんくんれん》をする。
- 音訓《おんくん》さくいんで調《しら》べる。
- 失敗《しっぱい》を教訓《きょうくん》とする。

いみ・ことば

① 教《おし》える。教《おし》え。 ●3訓練《くんれん》。2家訓《かくん》。2教訓《きょうくん》。

② 漢字《かんじ》に日本語《にほんご》をあてはめて読《よ》むこと。くん。 ●2訓読《くんどく》。2訓読《くんよ》み。1音訓《おんくん》。

もっとわかる

●漢字《かんじ》をもとの字音《じおん》の通《とお》りに読《よ》むことを「音読《おんよ》み」という。

なりたち

「川《せん》（すじをなして通《とお》る）」と「言（いう）」を合《あ》わせた形《かたち》で、きちんとすじを通《とお》して物事《ものごと》を「教《おし》える」意《い》を表《あらわ》した。のち、中国《ちゅうごく》から入《はい》ってきた漢字《かんじ》に日本《にほん》のことばをあてて「よむ」意《い》でも使《つか》われた。

試

言6画〔13画〕

音 シ
訓 こころみる（ためす）

試 ななめ右上《みぎうえ》に

try［トライ］

つかいかた

- 両親《りょうしん》の説得《せっとく》を試《こころ》みる。
- できるかどうか試《ため》す。
- 入学《にゅうがく》試験《しけん》を受《う》ける。
- 費用《ひよう》を試算《しさん》する。
- 厳《きび》しい試練《しれん》にたえる。

いみ・ことば

① **実際《じっさい》にやってみる。ためす。** ●力試《ちからだめ》し。試合《しあい》。試運転《しうんてん》。試供品《しきょうひん》。試作《しさく》。試写会《ししゃかい》。試食《ししょく》。試練《しれん》。

② **試験《しけん》のこと。** ●追試《ついし》。入試《にゅうし》。

もっとわかる

● 「試供品《しきょうひん》」は、ためしに使《つか》ってもらう品《しな》。● 四字熟語《よじじゅくご》…試行錯誤《しこうさくご》（失敗《しっぱい》をくり返《かえ》して、少《すこ》しずつ目標《もくひょう》に近《ちか》づいていくこと）

なりたち

「式《しき》（道具《どうぐ》を用《もち》いる）」と「言（いう）」を合《あ》わせた形《かたち》。ことば通《どお》りかを見《み》きわめるため、その人《ひと》を用《もち》いて「ためす」意《い》を表《あらわ》した。

試試試試試試試試

説

言7画〔14画〕

音 セツ（ゼイ）
訓 とく

説 点《てん》の向《む》きに注意《ちゅうい》

explain［イクスプレイン］

つかいかた

- 先生《せんせい》が教《おし》えを説《と》く。
- 図《ず》とグラフで説明《せつめい》する。
- 定説《ていせつ》をくつがえす。
- 伝説上《でんせつじょう》の人物《じんぶつ》。

いみ・ことば

① **わかりやすく話《はな》す。とく。** ●説教《せっきょう》。説得《せっとく》。説明《せつめい》。演説《えんぜつ》。解説《かいせつ》。図説《ずせつ》。

② **意見《いけん》。考《かんが》え。** ●仮説《かせつ》。定説《ていせつ》。論説《ろんせつ》。

③ **話《はなし》。物語《ものがたり》。** ●説話《せつわ》。小説《しょうせつ》。伝説《でんせつ》。

もっとわかる

● 「ゼイ」の読《よ》みは、「遊説《ゆうぜい》（政治家《せいじか》が各《かく》地《ち》を演説《えんぜつ》して回《まわ》ること）」などに使《つか》われる。

なりたち

兌 → 兑 ●もとの字《じ》は「說」。「兌《だ》」は、子《こ》どもの着物《きもの》をぬがせるようす。外側《そとがわ》のものをはいで、中身《なかみ》をぬき取《と》るイメージを示《しめ》す。それに「言（ことば）」を合《あ》わせて、わからないことばをぬき出《だ》して、明《あき》らかにする意《い》を表《あらわ》した。

説説説説説説説説

課

言8画〔15画〕

音 カ
訓 ―

課 長《なが》めに

assign［アサイン］

つかいかた

- 夏休《なつやす》みの課外授業《かがいじゅぎょう》。
- 多《おお》くの課題《かだい》をかかえる。
- 一日《いちにち》の日課《にっか》を終《お》える。
- 放課後《ほうかご》に校庭《こうてい》で遊《あそ》ぶ。
- 総務課《そうむか》の山田《やまだ》課長《かちょう》。

いみ・ことば

① **割《わ》りあてる。割《わ》りあて。** ●課外授業《かがいじゅぎょう》。課税《かぜい》。課題《かだい》。課程《かてい》。日課《にっか》。放課後《ほうかご》。

② **役所《やくしょ》や会社《かいしゃ》などの仕事《しごと》の区分《くわ》け。** ●課長《かちょう》。人事課《じんじか》。総務課《そうむか》。

もっとわかる

● 「課程《かてい》」は、学校《がっこう》で一定期間《いっていきかん》に勉強《べんきょう》する学習内容《がくしゅうないよう》。「小学校《しょうがっこう》の課程《かてい》を修了《しゅうりょう》する」「大学《だいがく》の博士《はかせ》課程《かてい》で学《まな》ぶ」などと使《つか》う。

なりたち

「果《か》（実《み》を結《むす》ぶ）」と「言（いう）」を合《あ》わせた形《かたち》。結果《けっか》が出《で》るようにためすようす、仕事《しごと》を「割《わ》り当《あ》てる」意《い》を表《あらわ》した。

課課課課課課課課

4年

議

言13画〔20画〕

音 ギ

訓 ―

点《てん》を忘《わす》れない

議

discuss［ディスカス］

つかいかた

- 学級会《がっきゅうかい》で議論《ぎろん》する。
- 異議《いぎ》を唱《とな》える。
- 会議室《かいぎしつ》に集《あつ》まる。
- 議題《ぎだい》を決《き》めて討議《とうぎ》する。
- 論議《ろんぎ》の輪《わ》が広《ひろ》がる。

いみ・ことば

❶話《はな》し合《あ》う。相談《そうだん》する。●議案《ぎあん》。4議会《ぎかい》。2議《ぎ》3決《けつ》。議長《ぎちょう》。2議論《ぎろん》。6会議室《かいぎしつ》。2協議《きょうぎ》。4決議《けつぎ》。3▲審《しん》議《ぎ》。6討議《とうぎ》。2評議会《ひょうぎかい》。5論議《ろんぎ》。2

❷意見《いけん》。考《かんが》え。●6異議《いぎ》。6▲抗議《こうぎ》。

もっとわかる

●四字熟語《よじじゅくご》…議論百出《ぎろんひゃくしゅつ》（多《おお》くの意見《いけん》が活《かっ》発《ぱつ》にかわされること）・衆議一決《しゅうぎいっけつ》（多《おお》くの人《ひと》が議論《ぎろん》をして、結論《けつろん》が一《ひと》つにまとまること）

なりたち

「義《ぎ》（形《かたち》がととのっている）」と「言（いう）」を合《あ》わせた形《かたち》で、きちんとすじ道《みち》を通《とお》して「話《はな》し合《あ》う」意《い》を表《あらわ》した。

貨

貝4画〔11画〕

音 カ

訓 ―

北と書《か》かない

貨

coin［コイン］

つかいかた

- 貨物列車《かもつれっしゃ》が走《はし》る。
- 輸出《ゆしゅつ》で外貨《がいか》をかせぐ。
- 硬貨《こうか》と紙幣《しへい》。
- 十円玉《じゅうえんだま》は銅貨《どうか》だ。
- 百貨店《ひゃっかてん》で買《か》い物《もの》をする。

いみ・ことば

❶お金《かね》。●貨幣《かへい》。▲2外貨《がいか》。1金貨《きんか》。3銀貨《ぎんか》。▲硬《こう》貨《か》。2通貨《つうか》。5銅貨《どうか》。

❷品物《しなもの》。●貨物列車《かもつれっしゃ》。3 3 1 5雑貨《ざっか》。1百貨店《ひゃっかてん》。2

もっとわかる

●「貨」は「貸」と形《かたち》が似《に》ていてまちがえやすいので注意《ちゅうい》。●「奇貨《きか》おくべし」とは、好機《こうき》はのがさずに利用《りよう》すべきだということ。「奇貨《きか》」は、めずらしい品物《しなもの》。

なりたち

「化《か》（姿《すがた》を変《か》える）」と「貝（品物《しなもの》や金《かね》）」を合《あ》わせた形《かたち》で、交換《こうかん》してさまざまに姿《すがた》を変《か》える「金銭《きんせん》」を表《あらわ》した。

賀

貝5画〔12画〕

音 ガ

訓 ―

少《すこ》し平《ひら》たく書《か》く

賀

congratulate［カングラチュれイト］

つかいかた

- 新年《しんねん》の一般《いっぱん》参賀《さんが》に行《い》く。
- 優勝《ゆうしょう》の祝賀《しゅくが》パレード。
- 年賀《ねんが》のあいさつに行《い》く。
- 年賀状《ねんがじょう》を印刷《いんさつ》する。

いみ・ことば

●よろこび祝《いわ》う。めでたいことであると祝《いわ》う。●賀春《がしゅん》。2賀正《がしょう》。1賀状《がじょう》。5▲慶賀《けいが》。4参《さん》賀《が》。4祝賀《しゅくが》。1年賀《ねんが》。

もっとわかる

●「賀状《がじょう》」は、祝《いわ》いを述《の》べた書状《しょじょう》。また、年賀状《ねんがじょう》のこと。●「参賀《さんが》」は、皇居《こうきょ》に行《い》って祝《いわ》うこと。●「謹賀新年《きんがしんねん》」は、新《しん》年《ねん》を祝《いわ》うあいさつのことば。

なりたち

「加《か》（上《うえ》にのせる）」と「貝（お金《かね》や品物《しなもの》）」を組《く》み合《あ》わせた形《かたち》。お金《かね》や品物《しなもの》をぼんなどにのせておくるようすで、「祝《いわ》う」の意《い》を表《あらわ》した。

軍

車2画〔9画〕

音 グン
訓 —

軍 長《なが》く

army［アーミィ］

つかいかた

- 祖父《そふ》は軍人《ぐんじん》だった。
- 軍備《ぐんび》を縮小《しゅくしょう》する。
- 今回《こんかい》は女性軍《じょせいぐん》が勝《か》った。
- 部隊《ぶたい》が進軍《しんぐん》を開始《かいし》する。
- 大軍《たいぐん》が攻《せ》め寄《よ》せる。

いみ・ことば

① 兵士《へいし》の集《あつ》まり。ぐんたい。 ●軍歌《ぐんか》。軍人《ぐんじん》。進軍《しんぐん》。大軍《たいぐん》。敵軍《てきぐん》。陸軍《りくぐん》。

② いくさ。戦争《せんそう》。 ●軍事《ぐんじ》。軍備《ぐんび》。従軍《じゅうぐん》。

③ 組織《そしき》。チーム。 ●一軍《いちぐん》。巨人軍《きょじんぐん》。東軍《とうぐん》。

もっとわかる

●四字熟語《よじじゅくご》…孤軍奮闘《こぐんふんとう》(助《たす》けのない中《なか》、たった一人《ひとり》で立《た》ち向《む》かうこと)

なりたち

(軍) → 軍

●「勹(丸《まる》く取《と》り囲《かこ》む)」の変化《へんか》した「冖」と「車(くるま)」を合《あ》わせた形《かたち》で、戦車《せんしゃ》のまわりを取《と》り囲《かこ》む兵士《へいし》の集団《しゅうだん》を表《あらわ》した。

輪

車8画〔15画〕

音 リン
訓 わ

輪 左右《さゆう》につき出《だ》さない

wheel［(ホ)ウィーる］

つかいかた

- 輪投《わな》げをして遊《あそ》ぶ。
- 犬《いぬ》の首輪《くびわ》をはずす。
- 物語《ものがたり》を輪読《りんどく》する。
- 三輪車《さんりんしゃ》に乗《の》る。

いみ・ことば

① わ。わの形《かたち》をしたもの。 ●指輪《ゆびわ》。車輪《しゃりん》。

② かわるがわる。 ●輪唱《りんしょう》。輪読《りんどく》。輪番《りんばん》。

③ 車輪《しゃりん》や花《はな》を数《かぞ》えることば。 ●一輪挿《いちりんざ》し。一輪車《いちりんしゃ》。三輪車《さんりんしゃ》。

もっとわかる

●「五輪《ごりん》」は、オリンピックのこと。五《いつ》つの輪《わ》は五大陸《ごたいりく》(アジア・アフリカ・ヨーロッパ・アメリカ・オーストラリア)を表《あらわ》す。

なりたち

(侖) → 侖

●「侖《りん》(きちんと順序《じゅんじょ》よく並《なら》べる)」と「車(くるま)」を合《あ》わせた形《かたち》。車《くるま》の「わ」の中心《ちゅうしん》から、金属《きんぞく》のじくが放射状《ほうしゃじょう》に並《なら》んだようすを表《あらわ》した。

辞

辛6画〔13画〕

音 ジ
訓 (やめる)

辞 長《なが》く

word［ワード］

つかいかた

- 来年《らいねん》で会長《かいちょう》を辞《や》める。
- 出場《しゅつじょう》を辞退《じたい》する。
- 国語辞典《こくごじてん》をもらう。
- 卒業式《そつぎょうしき》で祝辞《しゅくじ》を述《の》べる。

いみ・ことば

① ことば。 ●辞書《じしょ》。辞典《じてん》。祝辞《しゅくじ》。答辞《とうじ》。

② ことわる。やめる。 ●辞退《じたい》。辞任《じにん》。辞表《じひょう》。

もっとわかる

●同音異義語《どうおんいぎご》「ジテン」…「辞典《じてん》」はことば、「事典《じてん》」は物事《ものごと》や事《こと》がら、「字典《じてん》」は漢字《かんじ》について説明《せつめい》した書物《しょもつ》。

なりたち

(辭) → 辭(辞)

●もとの字《じ》は「辭」。「𤔔《らん》」は、両手《りょうて》で糸巻《いとま》きを引《ひ》っ張《ぱ》るようす。もつれるというイメージを示《しめ》す。それと「辛(刃物《はもの》で切《き》る)」を合《あ》わせた「辭」は、刃物《はもの》でもつれを断《た》ち切《き》るようすで、もつれた事態《じたい》を解決《かいけつ》する「ことば」を表《あらわ》した。

量

里5画〔12画〕

音 リョウ

訓 はかる

量 長《なが》く

quantity［クワンティティ］

つかいかた

- 体重計《たいじゅうけい》で体重《たいじゅう》を量《はか》る。
- 食事《しょくじ》の量《りょう》をへらす。
- 関東地方《かんとうちほう》の降水量《こうすいりょう》を示《しめ》す。
- 友人《ゆうじん》の心中《しんちゅう》を推量《すいりょう》する。
- 力量《りきりょう》が問《と》われる仕事《しごと》。

いみ・ことば

① **大《おお》きさ・多《おお》さ・重《おも》さの程度《ていど》。かさ。** ●量《りょう》 4産《さん》。1雨量《うりょう》。3重量《じゅうりょう》。1水量《すいりょう》。1大量《たいりょう》。2分量《ぶんりょう》。

② **見当《けんとう》をつける。** ●6裁量《さいりょう》。6推量《すいりょう》。

③ **力《ちから》や心《こころ》の大《おお》きさ。うでまえ。** ●4器量《きりょう》。5技量《ぎりょう》。3度量《どりょう》。1力量《りきりょう》。

なりたち

- 「良《りょう》（穀物《こくもつ》のつぶをきれいに洗《あら》う）」の略《りゃく》したものと「重（おもさ）」の略《りゃく》したものを組《く》み合《あ》わせた形《かたち》で、米《こめ》などのおもさを「はかる」意《い》を表《あらわ》した。

臣

臣0画〔7画〕

音 シン ジン

訓 ―

臣 長《なが》めに

subject［サブヂェクト］

つかいかた

- 臣下《しんか》として王《おう》に仕《つか》える。
- 大名家《だいみょうけ》の家臣《かしん》となる。
- 国王《こくおう》が重臣《じゅうしん》を集《あつ》める。
- 国《くに》の大臣《だいじん》に選《えら》ばれる。
- 忠臣《ちゅうしん》は二君《にくん》に仕《つか》えず。

いみ・ことば

● **主君《しゅくん》につかえるもの。けらい。** ●1臣下《しんか》。4臣民《しんみん》。2家臣《かしん》。3重臣《じゅうしん》。1大臣《だいじん》。6忠臣《ちゅうしん》。

もっとわかる

- 「大臣《だいじん》」は、国《くに》の政治《せいじ》を行《おこな》う役目《やくめ》の人《ひと》。
- 「忠臣《ちゅうしん》は二君《にくん》に仕《つか》えず」は、忠実《ちゅうじつ》な臣《しん》下《か》は、一度《いちど》仕《つか》える相手《あいて》を決《き》めたら、それ以外《いがい》の人《ひと》には仕《つか》えないということ。

なりたち

- 大きく見張《みは》っている目玉《めだま》を、横《よこ》からえがいた形《かたち》。主人《しゅじん》の前《まえ》で体《からだ》を緊張《きんちょう》させてかしこまる「けらい」を表《あらわ》した。

録

金8画〔16画〕

音 ロク

訓 ―

録 水《みず》と書《か》かない

record［リコード］

つかいかた

- 見《み》たい番組《ばんぐみ》を録画《ろくが》する。
- 会議《かいぎ》の記録係《きろくがかり》。
- クラスの住所録《じゅうしょろく》を作《つく》る。
- 電話番号《でんわばんごう》を登録《とうろく》する。

いみ・ことば

① **書《か》きしるす。しるしをつける。音《おと》や絵《え》をうつしとる。** ●1録音《ろくおん》。2録画《ろくが》。2記録《きろく》。5採録《さいろく》。6収録《しゅうろく》。3登録《とうろく》。

② **書《か》きしるしたもの。** ●4議事録《ぎじろく》。2言行録《げんこうろく》。2語録《ごろく》。3住所録《じゅうしょろく》。1目録《もくろく》。

もっとわかる

- 「備忘録《びぼうろく》」とは、忘《わす》れたときのために書《か》きとめておくノート。メモのこと。

なりたち

もとの字《じ》は「錄」。「彔（表面《ひょうめん》をはぎ取《と》る）」と「金（金属《きんぞく》）」を合《あ》わせた形《かたち》。金属《きんぞく》の表面《ひょうめん》をはいで文字《もじ》をほりこむようすで、「記《き》録《ろく》する」の意《い》を表《あらわ》した。

4年

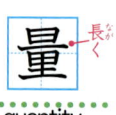

鏡

金11画〔19画〕

音 キョウ
訓 かがみ

上《うえ》にはねる

mirror［ミラァ］

つかいかた

- 鏡《かがみ》の前《まえ》で化粧《けしょう》をする。
- 手鏡《てかがみ》を取《と》り出《だ》す。
- 鏡台《きょうだい》の引《ひ》き出《だ》し。
- 双眼鏡《そうがんきょう》をのぞく。
- 天体望遠鏡《てんたいぼうえんきょう》で星《ほし》を見《み》る。

いみ・ことば

① かがみ。かがみを使《つか》った道具《どうぐ》。 ●手《て》鏡《かがみ》。鏡台《きょうだい》。三面鏡《さんめんきょう》。万▲華鏡《まんげきょう》。

② レンズ。レンズを使《つか》った道具《どうぐ》。 ●▲顕微《けんび》鏡《きょう》。▲双眼鏡《そうがんきょう》。望遠鏡《ぼうえんきょう》。虫眼鏡《むしめがね》。

もっとわかる

● 特別《とくべつ》な読《よ》み方《かた》…眼鏡《めがね》 ● 「鏡《かがみ》もち」は、丸《まる》く平《たい》らなもちを二《ふた》つ重《かさ》ねたもの。

なりたち

「竟《きょう》（区切《くぎ》りをつける）」と「金（金属《きんぞく》）」を合《あ》わせた形《かたち》。はっきり区別《くべつ》できるように、金属《きんぞく》の表面《ひょうめん》をみがいた道具《どうぐ》で、「かがみ」を表《あらわ》した。

関

門6画〔14画〕

音 カン
訓 せき
かかわる

はねる

barrier［バリァ］

つかいかた

- 関所《せきしょ》があった場所《ばしょ》。
- 命《いのち》に関《かか》わる問題《もんだい》。
- ひざの関節《かんせつ》が痛《いた》む。
- 玄関《げんかん》の戸《と》を開《あ》ける。

いみ・ことば

① 出入《でい》り口《ぐち》。せき。 ●関門《かんもん》。▲玄関《げんかん》。難関《なんかん》。

② つなぐしくみ。 ●関節《かんせつ》。機関《きかん》。

③ かかわる。 ●関係《かんけい》。関心《かんしん》。関連《かんれん》。

もっとわかる

● 関東《かんとう》と関西《かんさい》…「関東《かんとう》」は、神奈川県《かながわけん》の箱根《はこね》にあった関所《せきしょ》より東《ひがし》、「関西《かんさい》」は、滋賀県《しがけん》の大津《おおつ》にあった関所《せきしょ》より西《にし》の意《い》。

なりたち

↓ 關（関）

● もとの字《じ》は「關」。「𢇇《かん》」は、糸《いと》を通《とお》すことで、つらぬき通《とお》すというイメージを示《しめ》す。それと「門（もん）」を合《あ》わせた「關」は、門《もん》に「かんぬき」を通《とお》すようすを表《あらわ》した。

静

青6画〔14画〕

音 セイ（ジョウ）
訓 しず
しずか
しずまる
しずめる

マと書《か》かない

still［スティる］

つかいかた

- 静《しず》かな夜《よる》。
- 気持《きも》ちを静《しず》める。
- のんびりと静養《せいよう》する。
- 静脈《じょうみゃく》に注射《ちゅうしゃ》を打《う》つ。

いみ・ことば

① 動《うご》かない。落《お》ち着《つ》いている。 ●静止《せいし》。静物画《せいぶつが》。静養《せいよう》。安静《あんせい》。冷静《れいせい》。

② 音《おと》がしない。しずか。 ●静▲寂《せいじゃく》。静▲粛《せいしゅく》。

もっとわかる

● 「冷静沈着《れいせいちんちゃく》」とは、落《お》ち着《つ》いていて、物事《ものごと》に動《どう》じないこと。

なりたち

「青《せい》」は、めばえた草《くさ》や井戸《いど》の中《なか》の水《みず》のように、よごれがなくすみ切《き》っていること。そこから、「じっと落《お》ち着《つ》く」というイメージにもなる。それと「争（はり合《あ》う）」を合《あ》わせた「静」は、引《ひ》き合《あ》う力《ちから》がつり合《あ》って、じっと落《お》ち着《つ》くようすを表《あらわ》した。

4年

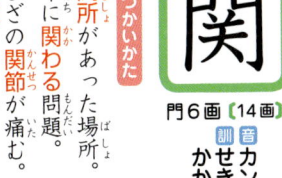

順

頁3画【12画】

音 ジュン
訓 ―

obey［オウベイ］

つかいかた

- 作業《さぎょう》が順調《じゅんちょう》に進《すす》む。
- 会計《かいけい》の順番《じゅんばん》を待《ま》つ。
- 五十音順《ごじゅうおんじゅん》に並《なら》べる。
- 従順《じゅうじゅん》な犬《いぬ》。
- 漢字《かんじ》の筆順《ひつじゅん》を覚《おぼ》える。

いみ・ことば

❶ 素直《すなお》にしたがう。●[5]順応《じゅんのう》。[6]従順《じゅうじゅん》。

❷ うまく進《すす》む。●順[3]調《じゅんちょう》。順[2]当《じゅんとう》。順[5]境《じゅんきょう》。

❸ 決《き》まった道《みち》すじ。じゅん。●順[4]位《じゅんい》。順[5]序《じゅんじょ》。順[2]番《じゅんばん》。順[3]路《じゅんろ》。[1]五[1]十[1]音順《ごじゅうおんじゅん》。[2]道順《みちじゅん》。

もっとわかる

- 四字熟語《よじじゅくご》…順風満帆《じゅんぷうまんぱん》（物事《ものごと》が順調《じゅんちょう》に進《すす》んでいるようす）
- 「順境《じゅんきょう》」は、物事《ものごと》が思《おも》い通《どお》りに運《はこ》ぶ身《み》の上《うえ》。反対《はんたい》は「逆境《ぎゃっきょう》」。

なりたち

「川《せん》（道《みち》すじにしたがう）」と「頁（あたま）」を合《あ》わせた形《かたち》。頭《あたま》を道《みち》すじの方《ほう》へ向《む》けて、「したがう」意《い》を表《あらわ》した。

類

頁9画【18画】

音 ルイ
訓 たぐい

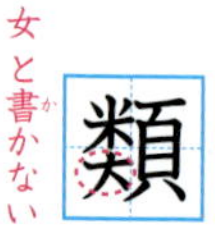

kind［カインド］

つかいかた

- お菓子《かし》の類《たぐ》い。
- 意味《いみ》を類推《るいすい》する。
- 品物《しなもの》の種類《しゅるい》が豊富《ほうふ》だ。
- 人類《じんるい》の歴史《れきし》。
- 本《ほん》を分類《ぶんるい》する。

いみ・ことば

● 似《に》ているもの。仲間《なかま》。似《に》る。●類[5]似《るいじ》。類[6]推《るいすい》。[4]種類《しゅるい》。[2]親類《しんるい》。[1]人類《じんるい》。[2]同類《どうるい》。[2]分類《ぶんるい》。

もっとわかる

- 「類《るい》は友《とも》を呼《よ》ぶ」は、性質《せいしつ》や考《かんが》えの似《に》ている者《もの》は、自然《しぜん》に集《あつ》まって仲間《なかま》になるということ。

なりたち

- もとの字《じ》は「類」。「米（細《こま》かくて見分《みわ》けがつかない）」と「頁（あたま）」と「犬」を合《あ》わせた形《かたち》。犬《いぬ》のように種類《しゅるい》が多《おお》く、見分《みわ》けがつかないほど似《に》ている仲間《なかま》の集《あつ》まりを表《あらわ》した。

願

頁10画【19画】

音 ガン
訓 ねがう

wish［ウィッシュ］

つかいかた

- 長年《ながねん》の願《ねが》いがかなう。
- 合格《ごうかく》を祈願《きがん》する。
- 入学願書《にゅうがくがんしょ》を提出《ていしゅつ》する。
- 念願《ねんがん》の夢《ゆめ》がかなう。
- 悲願《ひがん》の優勝《ゆうしょう》を果《は》たす。

いみ・ことば

● ねがう。ねがい。●[1]休[1]学願《きゅうがくねが》い。願[2]書《がんしょ》。願[4]望《がんぼう》。[5]志願《しがん》。[1]出願《しゅつがん》。[4]念願《ねんがん》。[3]悲願《ひがん》。

もっとわかる

- 「願《がん》をかける」とは、神仏《しんぶつ》に願《ねが》いごとをすること。
- 四字熟語《よじじゅくご》…他力本願《たりきほんがん》（自分《じぶん》では努力《どりょく》せずに、他人《たにん》の力《ちから》をあてにすること）・大願成就《たいがんじょうじゅ》（ぜひにも成《な》しとげたいという大《おお》きな願《ねが》いがかなうこと）

なりたち

「原《げん》（丸《まる》い）」と「頁（あたま）」を合《あ》わせた形《かたち》。丸《まる》くて大《おお》きなあたまで、きまじめに思《おも》いつめる意《い》を表《あらわ》した。

飛

飛0画〔9画〕

音 ヒ

訓 とぶ とばす

点《てん》のうち方《かた》に注意《ちゅうい》

fly［フライ］

つかいかた

- 鳥《とり》が空《そら》を飛《と》ぶ。
- 風船《ふうせん》を飛《と》ばす。
- 飛《と》び石《いし》連休《れんきゅう》。
- 飛行機《ひこうき》で北海道《ほっかいどう》へ行《い》く。
- 白鳥《はくちょう》が飛来《ひらい》する。

いみ・ことば

- **とぶ。空《そら》をとぶ。とびあがる。**
- 飛《と》び石《いし》。飛《と》び入《い》り。飛《と》びこみ。飛《と》び火《ひ》。[1]飛《ひ》球《きゅう》。[3]飛行機《ひこうき》。[2][4][1]飛散《ひさん》。[4]飛躍《ひやく》。▲飛来《ひらい》。[2]

もっとわかる

- 「飛《と》ぶ」を使《つか》ったことば…**飛《と》ぶ鳥《とり》を落《お》とす勢《いきお》い**（非常《ひじょう》に勢《いきお》いに乗《の》っているようす）・**飛《と》んで火《ひ》に入《い》る夏《なつ》の虫《むし》**（自分《じぶん》から進《すす》んで困難《こんなん》に身《み》を投《とう》じること）

なりたち

 → 飛

- つばさを広《ひろ》げた鳥《とり》が、上《うえ》に向《む》かって「とぶ」ようすをえがいた形《かたち》。

飯

食4画〔12画〕

音 ハン

訓 めし

食と書《か》かない

cooked rice［クックト ライス］

つかいかた

- そんなことは朝飯前《あさめしまえ》だ。
- にぎり飯《めし》をほおばる。
- 残飯《ざんぱん》の整理《せいり》をする。
- 赤飯《せきはん》で合格《ごうかく》を祝《いわ》う。
- 夕飯《ゆうはん》の支度《したく》をする。

いみ・ことば

- **ごはん。めし。食事《しょくじ》。**
- [2]朝飯《あさめし》（あさはん）。にぎり飯《めし》。[4]冷《ひ》や飯《めし》。[2]昼飯《ひるめし》。[4]焼《や》き飯《めし》。[1]夕飯《ゆうめし》（ゆうはん）。[2]飯台《はんだい》。[4]残飯《ざんぱん》。▲炊飯器《すいはんき》。[4][1]赤飯《せきはん》。

もっとわかる

- 「朝飯前《あさめしまえ》」は、いとも簡単《かんたん》にできるようす。
- 「冷《ひ》や飯《めし》を食《く》う」は、冷《つめ》たくあしらわれる意《い》。

なりたち

「反《はん》（はねかえる）」と「食（たべる）」を合《あ》わせた形《かたち》。はしが、口《くち》と食《た》べ物《もの》の間《あいだ》を行《い》ったり来《き》たりするようすで、「めし」を食《た》べるようすを表《あらわ》した。

養

食6画〔15画〕

音 ヨウ

訓 やしなう

長《なが》く

nourish［ナーリッシュ］

つかいかた

- 四人《よにん》の家族《かぞく》を養《やしな》う。
- 集中力《しゅうちゅうりょく》を養《やしな》う。
- 根《ね》から養分《ようぶん》をとる。
- 栄養《えいよう》のある物《もの》を食《た》べる。
- 教養《きょうよう》を身《み》につける。

いみ・ことば

1. **食《た》べたり休《やす》んだりして力《ちから》をつける。**
   - 養分《ようぶん》。[2]栄養《えいよう》。[4]休養《きゅうよう》。[1]滋養《じよう》。[4]静養《せいよう》。[4]
2. **心《こころ》を豊《ゆた》かにする。**
   - 教養《きょうよう》。[2]修養《しゅうよう》。[5]
3. **世話《せわ》をする。育《そだ》てる。やしなう。**
   - 養《よう》育《いく》。[3]養護《ようご》。[5]養子《ようし》。[1]養成《ようせい》。[4]扶養《ふよう》。▲

もっとわかる

- 「一般教養《いっぱんきょうよう》」とは、広《ひろ》く人間《にんげん》として身《み》につけておきたい知識《ちしき》や態度《たいど》のこと。

なりたち

「羊《よう》（おいしい）」と「食（たべる）」を合《あ》わせた形《かたち》。おいしい食《た》べ物《もの》で栄養《えいよう》をつけて「やしなう」意《い》を表《あらわ》した。

4年

香

香0画〔9画〕

音 （コウ）（キョウ）

訓 か　かおり　かおる

ななめ左下《ひだりした》に

fragrance［フレイグランス］

つかいかた

- 香川県《かがわけん》のうどん。
- さわやかな香《かお》り。
- 香水《こうすい》をつける。
- お線香《せんこう》をあげる。
- 香車《きょうしゃ》を動《うご》かす。

いみ・ことば

1 **におい。かおり。** ●[4]梅《うめ》の香《か》。[1]木《き》の香《か》。香《こう》[3]味《み》。▲芳香《ほうこう》。

2 **よいにおいを出《だ》すもの。よいにおいがするもの。** ●香水《こうすい》[1]。香油《こうゆ》[3]。香料《こうりょう》[4]。香炉《こうろ》▲。[2]線香《せんこう》。

3 **将棋《しょうぎ》のこまのひとつ。香車《きょうしゃ》。** ●香《きょう》[3]取《ど》り。

なりたち

「黍（きび）」を省略《しょうりゃく》した「禾」と、「甘（あまい）」の変《か》わった「日」を合《あ》わせた字《じ》。キビをにたときの甘《あま》いかおりを表《あらわ》した。

験

馬8画〔18画〕

音 ケン（ゲン）

訓 —

はねる

test［テスト］

つかいかた

- 多くの経験《けいけん》をつむ。
- 理科《りか》の実験《じっけん》をする。
- 姉《あね》は受験生《じゅけんせい》だ。
- 生《う》まれて初《はじ》めての体験《たいけん》。
- 験《げん》をかつぐ。

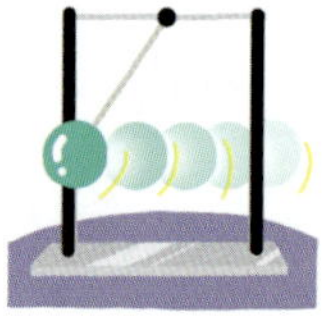

いみ・ことば

1 **ためす。たしかめる。調《しら》べる。** ●[5]経験《けいけん》。[4]試験《しけん》。[3]実験《じっけん》。[3]受験《じゅけん》。[2]体験《たいけん》。

2 **修行《しゅぎょう》や祈《いの》りのききめ。** ●▲霊験《れいげん》。

もっとわかる

● 「験《げん》をかつぐ」は、縁起《えんぎ》のよしあしを気《き》にすること。

なりたち

僉 ↓ 僉

●もとの字《じ》は「驗」。「僉《せん》」は、たくさんの人《ひと》や物《もの》を一《いっ》か所《しょ》に集《あつ》めるようす。集《あつ》めて引《ひ》きしめるイメージを示《しめ》す。それに「馬（うま）」を合《あ》わせて、馬《うま》を集《あつ》めて、乗《の》り心地《ごこち》をためすようすを表《あらわ》した。

鹿

鹿0画〔11画〕

音 —

訓 しか　か

はねる

deer［ディア］

つかいかた

- 鹿《しか》の生態《せいたい》を調《しら》べる。
- かわいい子鹿《こじか》。
- 鹿毛《かげ》の馬《うま》。
- 鹿《か》の子絞《こしぼ》りの着物《きもの》。
- 鹿児島県《かごしまけん》の桜島《さくらじま》。

いみ・ことば

● **山野《さんや》にすむ動物《どうぶつ》の名《な》。** ●鹿毛《かげ》[2]。[1]大鹿《おおじか》。[1]日本鹿《にほんじか》[1]。

もっとわかる

● 「鹿毛《かげ》」は馬《うま》の毛色《けいろ》の名《な》で、体《からだ》が鹿《しか》に似《に》た色《いろ》で、たてがみや尾《お》などが黒《くろ》いもの。● 「鹿《か》の子絞《こしぼ》り」は、鹿《しか》の背《せ》の白《しろ》いまだらに似《に》た絞《しぼ》りぞめ。● 「鹿《しか》を追《お》う者《もの》は山《やま》を見《み》ず」は、ひとつのことに夢中《むちゅう》になる人《ひと》には、ほかのことを見《み》るゆとりがないこと。

なりたち

鹿 ↓ 鹿

●動物《どうぶつ》のシカの形《かたち》をえがいた字《じ》。

4年

5年生《ねんせい》で習《なら》う漢字《かんじ》（193字《じ》）

可厚勢務効則制判刊再像備停修個保舎価余似任件仮仏久

347 347 346 346 346 345 345 345 344 344 344 343 343 343 342 342 342 341 341 340 340 340 339 339 339

居導寄容婦妻夢士増境墓報堂基型均在圧囲団因喜告史句

356 356 355 355 355 354 354 354 353 353 352 352 352 351 351 351 350 350 350 349 349 349 348 348 348

快志応際険限防適過造迷逆述営復得往張弁序幹常師布属

365 364 364 364 363 363 363 362 362 362 361 361 361 360 360 360 359 359 358 358 358 357 357 357 356

検格桜査枝条暴易旧断救政故支損提接授採招技慣態情性

374 373 373 373 372 372 372 371 371 370 370 370 369 369 369 368 368 368 367 367 367 366 366 366 365

略留現率独状犯版燃災潔演準測減混液河永比毒殺歴武構

382 382 382 381 381 381 380 380 380 379 379 378 378 378 377 377 377 376 376 376 375 375 375 374 374

義織績編綿総統絶経素紀精粉築罪程税移禁祖示確破眼益

391 391 390 390 390 389 389 389 388 388 388 387 387 387 386 386 386 385 385 384 384 384 383 383 383

責財象豊護識謝講評証設許解規複製衛術航興脈能肥職耕

400 400 399 399 398 398 398 397 397 397 396 396 396 395 395 395 394 394 394 393 393 393 392 392 392

飼額領非雑銅鉱酸輸賞質賛資貿費貯貸貧

406 406 406 405 405 404 404 404 403 403 403 402 402 402 401 401 401 400

漢字力《かんじりょく》をアップする方法《ほうほう》 5

身近《みぢか》な漢字《かんじ》を吸収《きゅうしゅう》しよう

漢字《かんじ》を覚《おぼ》えるのは苦手《にがて》という人《ひと》も多《おお》いことでしょう。「読《よ》めるんだけど書《か》けない。」「テストでいい点《てん》が取《と》れない。」あげくのはてには、「何《なん》で漢字《かんじ》なんかあるんだろう。全部《ぜんぶ》、平仮名《ひらがな》ならよかったのに。」と、言《い》った子《こ》もいました。

でも、ちょっと待《ま》ってください。あなたはどんな漢字《かんじ》を覚《おぼ》えられないといっているのですか。国語《こくご》の教科書《きょうかしょ》に載《の》っている漢字《かんじ》だけを考《かんが》えた人《ひと》は、大《おお》まちがいなのです。たとえば、五年生《ごねんせい》の理科《りか》の学習《がくしゅう》では「支点《してん》」「力点《りきてん》」「作《さ》用点《ようてん》」ということばがあります。全部《ぜんぶ》漢字《かんじ》です。このことばを使《つか》わなければこの学習《がくしゅう》は成《な》り立《た》ちませんね。他《た》の教《きょう》科《か》にも、あるいは献立表《こんだてひょう》にも、漢字《かんじ》のことばがたくさんあるでしょう。あなたが読《よ》む物語《ものがたり》や漫画《まんが》、説明書《せつめいしょ》、薬《くすり》の飲《の》み方《かた》にも、看板《かんばん》にもいろいろなところに漢字《かんじ》が使《つか》われているでしょう。それらの漢字《かんじ》はテストに出《で》ないから覚《おぼ》えなくても、書《か》けなくてもいいのでしょうか。そんなことはありませんね。目的《もくてき》や必要《ひつよう》に応《おう》じて読《よ》んだり書《か》いたりしているはずです。

ある五年生《ごねんせい》の教室《きょうしつ》で、沖縄県《おきなわけん》の話題《わだい》で盛《も》り上《あ》がったあと、「ところで、ナハってどう書《か》くの。」と、ある子《こ》が聞《き》くと、さわがしかった教室《きょうしつ》が一瞬《いっしゅん》に静《しず》まり返《かえ》ってしまいました。「そんな難《むずか》しい漢字《かんじ》はまだ習《なら》ってないから書《か》けないのは当《あ》たり前《まえ》だよ。」と別《べつ》の子《こ》が言《い》いました。そうです。「那覇《なは》」という字《じ》は小学《しょうがく》生《せい》の習《なら》う漢字《かんじ》ではないので、書《か》けなくて当然《とうぜん》です。ところが、ユウタ君《くん》が「ぼく、書《か》けるよ。」と、黒板《こくばん》に正《ただ》しく書《か》いたのです。ふだんの漢字学習《かんじがくしゅう》では、「漢《かん》字《じ》って大嫌《だいきら》い。覚《おぼ》えられない。」と嘆《なげ》いてばかりいる子《こ》でしたので、びっくりしました。那覇《なは》はユウタ君《くん》の両親《りょうしん》の出《しゅっ》身地《しんち》。親戚《しんせき》が住《す》んでいるので休《やす》みごとに出《で》かけ、「那覇《なは》」は日常的《にちじょうてき》に目《め》に触《ふ》れたり話《はなし》に聞《き》いたりしていました。特《とく》別《べつ》な身近《みぢか》さを持《も》っていたので、自然《しぜん》に覚《おぼ》えてしまったそうです。

ここに漢字《かんじ》を覚《おぼ》える秘密《ひみつ》があります。**生活《せいかつ》の中《なか》で必要《ひつよう》があり、なじみがあれば、この漢字《かんじ》を使《つか》いたいという思《おも》いにつながり、無理《むり》なく覚《おぼ》えてしまう**のです。生活《せいかつ》の中《なか》での漢字《かんじ》との出会《であ》いは、必要《ひつよう》にせまられた漢字習得《かんじしゅうとく》の場《ば》なのです。みなさんも、目《め》に、耳《みみ》に、頭《あたま》に飛《と》びこんできた漢字《かんじ》をどんどん吸《きゅう》収《しゅう》しましょう。

久

ノ２画〔３画〕
音 キュウ（ク）
訓 ひさしい

短《みじか》めに

long time ［ろ(ー)ング タイム］

つかいかた

- 会《あ》わなくなって久《ひさ》しい。
- 泳《およ》ぐのは久《ひさ》しぶりだ。
- 永久歯《えいきゅうし》が生《は》える。
- 持久力《じきゅうりょく》をつける。
- 耐久《たいきゅう》レースに参加《さんか》する。

いみ・ことば

●時間《じかん》が長《なが》い。長《なが》く続《つづ》く。ひさしい。●久《ひさ》しぶり。5永久《えいきゅう》。3持久力《じきゅうりょく》。▲耐久《たいきゅう》。

もっとわかる

●「ク」の読《よ》みは、「久遠《くおん》（いつまでも続《つづ》くこと）」などのことばや、地名《ちめい》・人名《じんめい》などに使《つか》われる。●「久々《ひさびさ》」は、久《ひさ》しぶりの意《い》（例 友人《ゆうじん》と久々《ひさびさ》に会《あ》う）。

なりたち

●背中《せなか》の曲《ま》がった人《ひと》の後《うし》ろの部分《ぶぶん》に「、」のしるしをつけた形《かたち》。背中《せなか》が曲《ま》がるほど、時《とき》がたつ意《い》を表《あらわ》した。

久 久 久

仏

イ２画〔４画〕
音 ブツ
訓 ほとけ

折《お》る

Buddha ［ブダ］

つかいかた

- 仏《ほとけ》の顔《かお》も三度《さんど》。
- 仏前《ぶつぜん》で手《て》を合《あ》わせる。
- やさしい顔《かお》の仏像《ぶつぞう》。
- 仏門《ぶつもん》に入《はい》る。
- 大仏《だいぶつ》を見上《みあ》げる。

いみ・ことば

①仏教《ぶっきょう》のほとけ。●3仏様《ほとけさま》。3仏事《ぶつじ》。2仏前《ぶつぜん》。5仏像《ぶつぞう》。2仏門《ぶつもん》。4成仏《じょうぶつ》。1大仏《だいぶつ》。

②フランスのこと。●1仏文《ふつぶん》。3仏和《ふつわ》4辞4典《じてん》。

もっとわかる

●②は、フランスを「仏蘭西《ふらんす》」と書《か》いたことから。●「仏頂面《ぶっちょうづら》」とは、おこったような愛想《あいそ》のない顔《かお》つきのこと。

なりたち

もとの字《じ》は「佛」。もとは、姿《すがた》がまばらでおぼろげなようすを表《あらわ》したが、サンスクリット（インド古代語《こだいご》）のブッダを仏陀《ぶっだ》と書《か》き、仏を「ほとけ」の意《い》で使《つか》うようになった。

仏 仏 仏 仏

仮

イ４画〔６画〕
音 カ（ケ）
訓 かり

久と書《か》かない

temporary ［テンポレリィ］

つかいかた

- この世の仮《かり》の姿《すがた》。
- 仮説《かせつ》を立《た》てる。
- 被災地《ひさいち》の仮設住宅《かせつじゅうたく》。
- 鬼《おに》の仮面《かめん》をかぶる。
- 仮病《けびょう》で休《やす》む。

いみ・ことば

①みせかけ。にせ。●6仮装《かそう》。3仮面《かめん》。3仮病《けびょう》。

②間《ま》に合《あ》わせ。かりの。●3仮住《かりず》まい。仮《かり》ぬい。4仮説《かせつ》。3仮想《かそう》。3仮定《かてい》。

もっとわかる

●特別《とくべつ》な読《よ》み方《かた》…仮名《かな》（「かめい」と読《よ》めば、本名《ほんみょう》でないかりの名前《なまえ》の意《い》）

なりたち

●もとの字《じ》は「假」。「叚」は、かめんをかぶるようすで、「かぶる」「中身《なかみ》をかくす」というイメージがある。それに「イ（人《ひと》）」を合《あ》わせて、正体《しょうたい》をかくして中身《なかみ》を見《み》せない意《い》を表《あらわ》した。

仮 仮 仮 仮 仮 仮

5年

件

イ４画〔６画〕
訓　—
音　ケン

つき出《だ》す

case［ケイス］

つかいかた

- 申《もう》し込《こ》みの件数《けんすう》。
- 事件《じけん》について調《しら》べる。
- 重要案件《じゅうようあんけん》を審議《しんぎ》する。
- 社長《しゃちょう》に用件《ようけん》を伝《つた》える。
- 要件《ようけん》のみを素早《すばや》くメモする。

いみ・ことば

1. **ことがら。できごと。** ●案件《あんけん》。事件《じけん》。条件《じょうけん》。人件費《じんけんひ》。物件《ぶっけん》。用件《ようけん》。要件《ようけん》。
2. **ことがらを数《かぞ》えることば。** ●件数《けんすう》。一件落着《いっけんらくちゃく》。三件《さんけん》の電話《でんわ》。

もっとわかる

- 「要件《ようけん》」は、大切《たいせつ》な事《こと》がら。また、必要《ひつよう》な条件《じょうけん》。
- 「一件落着《いっけんらくちゃく》」は、一《ひと》つの事件《じけん》が解決《かいけつ》すること。

なりたち

「イ（人《ひと》）」と「牛（ウシ）」を合《あ》わせた形《かたち》。人《ひと》や牛《うし》のように、一《ひと》つ二《ふた》つと数《かぞ》えられる具体的《ぐたいてき》なものを表《あらわ》した。

件件件件件件

任

イ４画〔６画〕
訓　まかせる　まかす
音　ニン

上《うえ》の横棒《よこぼう》より短《みじか》く

duty［ドゥーティ］

つかいかた

- 店《みせ》を子《こ》どもに任《まか》せる。
- 重大《じゅうだい》な任務《にんむ》につく。
- クラス委員《いいん》を任命《にんめい》する。
- 責任《せきにん》ある立場《たちば》。

いみ・ことば

1. **役目《やくめ》につく。** ●任期《にんき》。任命《にんめい》。信任《しんにん》。
2. **まかされた役目《やくめ》。** ●任務《にんむ》。辞任《じにん》。責任《せきにん》。
3. **まかせる。** ●任意《にんい》。一任《いちにん》。放任《ほうにん》。

もっとわかる

- 四字熟語《よじじゅくご》…自由放任《じゆうほうにん》（あれこれ言《い》わず思《おも》い通《どお》りにさせること）

なりたち

- 「壬《にん》」は糸《いと》を巻《ま》く道具《どうぐ》で、まん中《なか》がふくれるというイメージがある。それに「イ（人《ひと》）」を合《あ》わせた「任」は、前《まえ》で荷物《にもつ》をかかえ、おなかがふくれたような姿《すがた》をえがいて、責任《せきにん》や仕事《しごと》をかかえる意《い》を表《あらわ》した。

任任任任任任

似

イ５画〔７画〕
訓　にる
音　（ジ）

ななめ右上《みぎうえ》に

resemble［リゼンブる］

つかいかた

- あの親子《おやこ》はよく似《に》ている。
- 似顔絵《にがおえ》を書《か》く。
- 他人《たにん》の空似《そらに》だ。
- 写真《しゃしん》の人物《じんぶつ》に酷似《こくじ》している。
- 手口《てぐち》が前《まえ》と類似《るいじ》している。

いみ・ことば

- **にる。にせる。** ●似顔絵《にがおえ》。似通《にかよ》う。近似《きんじ》。相似《そうじ》。類似《るいじ》。

もっとわかる

- 「他人《たにん》の空似《そらに》」は、血《ち》のつながりがないのに、顔《かお》などがとてもよく似《に》ていること。
- 「似《に》ても似《に》つかない」は、まったく似《に》ていない意《い》。

なりたち

- 「以《い》」は、農具《のうぐ》のすきのことで、手《て》を加《くわ》えるというイメージがある。それに「イ（人《ひと》）」を合《あ》わせて、物《もの》に手《て》を加《くわ》えてそっくり「にせる」意《い》を表《あらわ》した。

似似似似似似

5年

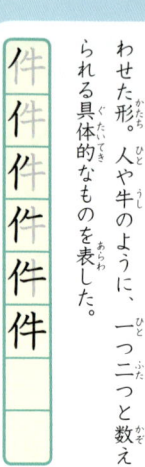

余

へ5画〔7画〕

音 ヨ
訓 あまる　あます

つき出《だ》さない

remainder［リメインダァ］

つかいかた

- ケーキが一切《ひとき》れ余《あま》る。
- 余《あま》すところなく使《つか》う。
- 余暇《よか》を利用《りよう》する。
- 余談《よだん》になりますが。
- 余白《よはく》に感想《かんそう》を書《か》く。

いみ・ことば

1 **あまる。あまり。** ●余《よ》▲暇《か》。余計《よけい》。余生《よせい》。余地《よち》。余白《よはく》。余分《よぶん》。余命《よめい》。余▲裕《よゆう》。余力《よりょく》。

2 **そのほか。** ●余技《よぎ》。余談《よだん》。余病《よびょう》。

もっとわかる

● 「余《あま》すところなく」は、残《のこ》らず、すべての意《い》。

なりたち

● 「令（スコップのような農具《のうぐ》）」と「八（左右《さゆう》に開《ひら》く）」を合《あ》わせて、土《つち》をかきならす農具《のうぐ》を示《しめ》した形《かたち》。土《つち》を平《たい》らにおしのばすイメージから、「ゆとりがある」「あまる」の意《い》を表《あらわ》した。

価

イ6画〔8画〕

音 カ
訓 （あたい）

西《にし》と書《か》かない

price［プライス］

つかいかた

- 高《たか》い価《あたい》をつける。
- 価値《かち》ある仕事《しごと》をする。
- 特価《とっか》の品《しな》を買《か》う。
- 高《たか》い評価《ひょうか》を得《え》る。

いみ・ことば

● **ねうち。ねだん。** ●価格《かかく》。価値《かち》。高価《こうか》。時価《じか》。代価《だいか》。定価《ていか》。特価《とっか》。評価《ひょうか》。

もっとわかる

● 同訓異字《どうくんいじ》「あたい」…「価《あたい》」は、ものを売《う》り買《か》いするときの金額《きんがく》の意《い》（例 品物《しなもの》の価《あたい》が高《たか》い）。「値《あたい》」は、数量《すうりょう》やねうちの意《い》（例 数式《すうしき》の値《あたい》をもとめる）。

なりたち

● もとの字《じ》は「價」。「賈《か》」は「覀（上《うえ》からかぶせるしるし）」と「貝」を合《あ》わせて、商品《しょうひん》をたくわえること。それに「亻（人《ひと》）」を合《あ》わせて、商人《しょうにん》がつける「ねだん」を表《あらわ》した。

5年

同音異義《どうおんいぎ》のことば②

【イシ】

意志…進《すす》んでしようとする心《こころ》の働《はたら》き。
「意志《いし》を固《かた》める」
「強《つよ》い意志《いし》で成《な》しとげる」

意思…何《なに》かをしようとする考《かんが》え。
「相手《あいて》の意思《いし》を確《たし》かめる」
＊法律《ほうりつ》では、「意思《いし》」が使《つか》われます。

【イジョウ】

異状…ふだんとちがう（悪《わる》い）状態《じょうたい》。
「体《からだ》の異状《いじょう》をうったえる」

異常…ふつうではないこと。
「今年《ことし》は異常《いじょう》に暑《あつ》い」

【カイトウ】

解答…問題《もんだい》の答《こた》えを出《だ》すこと。
「問題集《もんだいしゅう》の解答《かいとう》を見《み》る」

回答…要求《ようきゅう》や質問《しつもん》にこたえること。
「問《と》い合《あ》わせに回答《かいとう》する」

【カイホウ】

解放…ときはなって自由《じゆう》にすること。
「人質《ひとじち》が解放《かいほう》される」

開放…出入《でい》りを自由《じゆう》にすること。
「学校《がっこう》のプールを開放《かいほう》する」

⬇347ページへ続《つづ》く

舎

へ6画〔8画〕
音 シャ
訓 ―

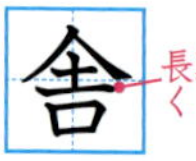

building［ビるディング］

つかいかた

- 寄宿舎《きしゅくしゃ》から学校《がっこう》に通《かよ》う。
- 牛舎《ぎゅうしゃ》のそうじをする。
- 新《あたら》しい校舎《こうしゃ》が完成《かんせい》する。
- 国民宿舎《こくみんしゅくしゃ》にとまる。
- 庁舎《ちょうしゃ》が立《た》ち並《なら》ぶ。

いみ・ことば

- 家《いえ》。建物《たてもの》。 ●5寄《き》3宿《しゅく》舎《しゃ》。2牛《ぎゅう》舎《しゃ》。1校《こう》舎《しゃ》。3宿《しゅく》舎《しゃ》。6庁《ちょう》舎《しゃ》。

もっとわかる

●特別《とくべつ》な読《よ》み方《かた》…田舎《いなか》 ●「寄宿舎《きしゅくしゃ》」は、学生《がくせい》などが共同《きょうどう》で生活《せいかつ》するために設《もう》けた建物《たてもの》。●「舎利《しゃり》」は、仏教《ぶっきょう》で仏《ほとけ》の骨《ほね》のこと。

なりたち

●もとの字《じ》は「舍」。「余《よ》（ゆったりと広《ひろ》げる）」を略《りゃく》したものと「口（場所《ばしょ》）」を合《あ》わせた形《かたち》。手足《てあし》をゆったりと広《ひろ》げてくつろぐ場所《ばしょ》を示《しめ》して、「すまい」を表《あらわ》した。

保

イ7画〔9画〕
音 ホ
訓 たもつ

protect［プラテクト］

つかいかた

- 室温《しつおん》を一定《いってい》に保《たも》つ。
- 迷子《まいご》を保護《ほご》する。
- 品質《ひんしつ》を保証《ほしょう》する。
- 冷蔵庫《れいぞうこ》に保存《ほぞん》する。
- 取《と》り分《ぶん》を確保《かくほ》する。

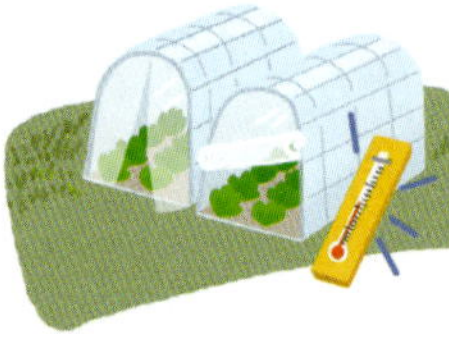

いみ・ことば

1. 世話《せわ》をする。守《まも》る。 ●保《ほ》3育《いく》。保《ほ》5護《ご》。保《ほ》3守《しゅ》。保《ほ》2母《ぼ》。
2. 持《も》ち続《つづ》ける。たもつ。 ●保《ほ》3安《あん》。保《ほ》3温《おん》。保《ほ》4健《けん》。保《ほ》3持《じ》。保《ほ》6存《ぞん》。保《ほ》3有《ゆう》。保《ほ》4養《よう》。5確《かく》保《ほ》。
3. うけあう。 ●保《ほ》5険《けん》。保《ほ》5証《しょう》。保《ほ》6障《しょう》。

もっとわかる

●ひらがなの「ほ」やかたかなの「ホ」は、「保」をもとに作《つく》られた字《じ》。

なりたち

●「呆《ほう》（赤《あか》ちゃんをおむってつつむ）」と「亻（人《ひと》）」を合《あ》わせた形《かたち》で、大切《たいせつ》にまもる意《い》を表《あらわ》した。

個

イ8画〔10画〕
音 コ
訓 ―

individual［インディヴィヂュアる］

つかいかた

- 個室《こしつ》で勉強《べんきょう》する。
- 個人《こじん》の判断《はんだん》に任《まか》せる。
- 個性《こせい》の強《つよ》い人《ひと》。
- 画家《がか》が個展《こてん》を開《ひら》く。
- 個別《こべつ》に面談《めんだん》を行《おこな》う。

いみ・ことば

1. ひとり。ひとつ。 ●個《こ》2室《しつ》。個《こ》1人《じん》。個《こ》5性《せい》。個《こ》2体《たい》。個《こ》6展《てん》。個《こ》4別《べつ》。
2. 物《もの》を数《かぞ》えることば。 ●1一《いっ》個《こ》。2数《すう》個《こ》。

もっとわかる

●「個々《ここ》」は、一《ひと》つ一《ひと》つ。また、それぞれ。●「個々別々《ここべつべつ》」は、「個別《こべつ》」を強《つよ》めたい方《かた》。それぞれが別《べつ》であること（例 個々《ここ》別々《べつべつ》の意見《いけん》が出《で》る）。

なりたち

「固《こ》（かたい）」と「亻（人《ひと》）」を合《あ》わせた形《かたち》で、かたくて手《て》ごたえのある、ひとりひとりの人間《にんげん》を表《あらわ》した。

修

イ8画〔10画〕

音 シュウ（シュ）

訓 おさめる おさまる

又と書《か》かない

master [マスタア]

つかいかた

- 医学《いがく》を修《おさ》める。
- まちがいを修正《しゅうせい》する。
- 山寺《やまでら》で修行《しゅぎょう》にはげむ。
- 屋根《やね》を補修《ほしゅう》する。

いみ・ことば

① **学《まな》んで身《み》につける。おさめる。** ●修《しゅう》1学《がく》。4修養《しゅうよう》。3修練《しゅうれん》。2修行《しゅぎょう》。4必修《ひっしゅう》。

② **形《かたち》をととのえる。** ●修《しゅう》▲飾《しょく》。

③ **なおす。ととのえる。つくろう。** ●修《しゅう》1正《せい》。5修復《しゅうふく》。2修理《しゅうり》。6補修《ほしゅう》。

なりたち

↓ 攸

● 「攸《ゆう》」は、人《ひと》の背中《せなか》に水《みず》をたらして洗《あら》うすがた。ほっそりしているイメージがある。それに「彡（模様《もよう》）」を合《あ》わせて、ほっそりとしてすらりとした形《かたち》に整《ととの》える意《い》を表《あらわ》した。のち、学問《がくもん》などを身《み》につける意《い》でも使《つか》われた。

停

イ9画〔11画〕

音 テイ

訓 —

はねる

stop [スタップ]

つかいかた

- 横断歩道《おうだんほどう》で停止《ていし》する。
- 各駅停車《かくえきていしゃ》に乗《の》る。
- 停戦協定《ていせんきょうてい》を結《むす》ぶ。
- 電線《でんせん》が切《き》れて停電《ていでん》する。
- バスの停留所《ていりゅうじょ》。

いみ・ことば

① **一時的《いちじてき》にその場所《ばしょ》にとどまる。** ●停《てい》2止《し》。1停車《ていしゃ》。▲停滞《ていたい》。▲停泊《ていはく》。5停留3所《ていりゅうじょ》。

② **一時的《いちじてき》にその動《うご》きをやめる。** ●停学《ていがく》。5停職《ていしょく》。4停戦《ていせん》。2停電《ていでん》。3調停《ちょうてい》。

もっとわかる

● 「調停《ちょうてい》」は、争《あらそ》いをやめさせること。

なりたち

↓ 亭

● 「亭《てい》」は、「高（高《たか》い建物《たてもの》）」を略《りゃく》したものと「丁《てい》（T形《がた》にまっすぐ立《た》つ）」を合《あ》わせて、T形《がた》に立《た》つ建物《たてもの》のこと。それと「イ（人《ひと》）」を合《あ》わせた「停」は、T形《がた》に立《た》ち止《ど》まるようすで、「とまる」の意《い》を表《あらわ》した。

備

イ10画〔12画〕

音 ビ

訓 そなえる そなわる

はねる

provide [プラヴァイド]

つかいかた

- 地震《じしん》に備《そな》える。
- 備《そな》えあれば憂《うれ》いなし。
- 気品《きひん》が備《そな》わる。
- 明日《あした》の準備《じゅんび》をする。
- 予備《よび》の電池《でんち》を使《つか》う。

いみ・ことば

● **用意《ようい》する。そなえる。** ●備品《びひん》。4完備《かんび》。6警備《けいび》。3守備《しゅび》。5準備《じゅんび》。3整備《せいび》。5設備《せつび》。3予備《よび》。

もっとわかる

● 「備《そな》えあれば憂《うれ》いなし」とは、ふだんから準備《じゅんび》をしておけば、何《なに》が起《お》きても心配《しんぱい》ないということ。● 四字熟語《よじじゅくご》…才色兼備《さいしょくけんび》（才能《さいのう》と美《うつく》しさの両方《りょうほう》を備《そな》えた女性《じょせい》）

なりたち

↓ 备 ↓ 備

● 「𤰇《び》（矢《や》を入《い》れておく道具《どうぐ》）」と「イ（人《ひと》）」を合《あ》わせた形《かたち》で、ひかえとして用意《ようい》しておく意《い》を表《あらわ》した。

5年

像

イ12画〔14画〕

音 ゾウ
訓 ―

この形《かたち》に注意《ちゅうい》

image［イメヂ］

つかいかた

- テレビの画像《がぞう》。
- 創立者《そうりつしゃ》の胸像《きょうぞう》を飾《かざ》る。
- ゴッホの自画像《じがぞう》。
- 未来《みらい》を想像《そうぞう》する。
- 駅前《えきまえ》に銅像《どうぞう》が建《た》つ。

いみ・ことば

- **すがた。形《かたち》。また、人《ひと》やものをかたどったもの。** ●[2]画像《がぞう》。[6]映像《えいぞう》。[5]現像《げんぞう》。[2]自《じ》[2]画《が》像《ぞう》。[3]実像《じつぞう》。[1]石像《せきぞう》。[3]想像《そうぞう》。[5]銅像《どうぞう》。[5]仏像《ぶつぞう》。

もっとわかる

- 「肖像《しょうぞう》」は、人物《じんぶつ》の顔《かお》や姿《すがた》などをえがいた絵《え》や写真《しゃしん》、彫刻《ちょうこく》などのこと。
- 「想《そう》像《ぞう》を絶《ぜっ》する」とは、心《こころ》で思《おも》いえがいた範《はん》囲《い》をはるかにこえていること。

なりたち

「象《ぞう》」は動物《どうぶつ》のゾウのことで、「目立《めだ》つ姿《すがた》」というイメージがある。それと「イ(人《ひと》)」を合《あ》わせて、人《ひと》に似《に》せた姿《すがた》を表《あらわ》した。

再

冂4画〔6画〕

音 サイ
　 サ
訓 ふたたび

長《なが》く

again［アゲン］

つかいかた

- 同《おな》じことを再《ふたた》びくり返《かえ》す。
- 友達《ともだち》に再会《さいかい》する。
- 新聞紙《しんぶんし》を再生《さいせい》する。
- 事故《じこ》の再発《さいはつ》を防止《ぼうし》する。
- 再来年《さらいねん》に卒業《そつぎょう》する。

いみ・ことば

- **もう一度《いちど》。ふたたび。** ●[3]再開《さいかい》。[4]再建《さいけん》。[5]再現《さいげん》。[2]再考《さいこう》。[1]再生《さいせい》。[3]再度《さいど》。[3]再発《さいはつ》。[2]再来《さいらい》。

もっとわかる

- 「サ」の読《よ》みは、「再来年《さらいねん》」「再来週《さらいしゅう》」などのことばに使《つか》われる。
- 四字熟語《よじじゅくご》…再三再四《さいさんさいし》（くり返《かえ》し。何回《なんかい》も）

なりたち

冓 ↓ 再

- 同《おな》じ形《かたち》を上下《じょうげ》に組《く》み立《た》てた「冓」を略《りゃく》した「冉」と、「一（いち）」を合《あ》わせた形《かたち》。同《おな》じものがもう一《ひと》つあるようすをえがいて、「さらにもう一度《いちど》」の意《い》を表《あらわ》した。

刊

刂3画〔5画〕

音 カン
訓 ―

はねる

publish［パブリッシュ］

つかいかた

- 漢字辞典《かんじじてん》を刊行《かんこう》する。
- 新刊《しんかん》が店頭《てんとう》に並《なら》ぶ。
- 新雑誌《しんざっし》を創刊《そうかん》する。
- 夕刊《ゆうかん》の記事《きじ》を読《よ》む。

いみ・ことば

- **本《ほん》や雑誌《ざっし》などを出版《しゅっぱん》する。** ●[2]刊行《かんこう》。[1]休《きゅう》刊《かん》。[1]月刊《げっかん》。[2]週刊《しゅうかん》。[6]創刊《そうかん》。[2]朝刊《ちょうかん》。[5]復刊《ふっかん》。[1]夕刊《ゆうかん》。

もっとわかる

- 「休刊《きゅうかん》」は、出版物《しゅっぱんぶつ》の刊行《かんこう》を休《やす》むこと。「復刊《ふっかん》」は、その出版物《しゅっぱんぶつ》を再《ふたた》び刊行《かんこう》すること。

なりたち

- 「干《かん》」は、武器《ぶき》にも使《つか》われるふたまたの棒《ぼう》で、「無理《むり》に突《つ》く」というイメージがある。それに「刂(刀《かたな》)」を合《あ》わせた「刊」は、刃物《はもの》をつっこんで、切《き》ったりけずったりするようすで、「きる」「けずる」の意《い》を表《あらわ》した。のち、「印刷《いんさつ》する」「出版《しゅっぱん》する」の意《い》でも使《つか》われた。

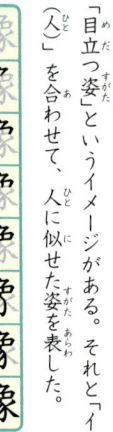

判

刂5画〔7画〕
訓 ―
音 ハン バン

やや長《なが》く 判

judge［ヂャッヂ］

つかいかた
- 判決《はんけつ》を言《い》い渡《わた》す。
- 善悪《ぜんあく》を判断《はんだん》する。
- 公正《こうせい》に裁判《さいばん》を行《おこな》う。
- 友人《ゆうじん》に批判《ひはん》される。
- この用紙《ようし》はA4判《ばん》だ。

いみ・ことば
1. 見《み》分《わ》ける。わかる。さばく。●判決《はんけつ》。判断《はんだん》。判定《はんてい》。判別《はんべつ》。裁判《さいばん》。審判《しんぱん》。批判《ひはん》。
2. はんこ。はん。●印判《いんばん》。▲三文判《さんもんばん》。
3. 紙《かみ》や本《ほん》の大《おお》きさ。●A5判《はん》。新書判《しんしょばん》。

もっとわかる
- 「判」は、「審判《しんぱん》」「談判《だんぱん》」などのときは「パン」と読《よ》む。

なりたち
「半《はん》(二《ふた》つに分《わ》ける)」と「刂(刀《かたな》)」を組《く》み合《あ》わせた形《かたち》。刃物《はもの》ですっぱり切《き》り分《わ》けるように、よしあしなどをきっぱり決《き》める意《い》を表《あらわ》した。

制

刂6画〔8画〕
訓 ―
音 セイ

制 はねる

control［カントロウる］

つかいかた
- 制限速度《せいげんそくど》を守《まも》る。
- 発言《はつげん》を制止《せいし》する。
- 古《ふる》い制度《せいど》を改《あらた》める。
- 四月《しがつ》から制服《せいふく》を着《き》る。

いみ・ことば
1. おさえとどめる。●制圧《せいあつ》。▲制御《せいぎょ》。制裁《せいさい》。制止《せいし》。制約《せいやく》。強制《きょうせい》。統制《とうせい》。
2. 取《と》り決《き》める。規則《きそく》。●制定《せいてい》。制度《せいど》。
3. つくる。●制作《せいさく》。編制《へんせい》。

もっとわかる
- 同音異義語《どうおんいぎご》「セイサク」…「制作《せいさく》」は、おもに芸術作品《げいじゅつさくひん》などを作《つく》ること。「製作《せいさく》」は、おもに実用的《じつようてき》な品物《しなもの》を作《つく》ること。

なりたち

制

- 「朱(枝《えだ》がのびた木《き》)」と「刂(刀《かたな》)」を合《あ》わせた形《かたち》。素材《そざい》のよけいな部分《ぶぶん》を切《き》り捨《す》てて、形《かたち》をととのえる意《い》を表《あらわ》した。

則

刂7画〔9画〕
訓 ―
音 ソク

則 はねる

rule［ルーる］

つかいかた
- 法《ほう》に則《そく》して判断《はんだん》する。
- 原則《げんそく》として禁止《きんし》する。
- 校則《こうそく》をきちんと守《まも》る。
- 審判《しんぱん》に反則《はんそく》を取《と》られる。
- 自然界《しぜんかい》の法則《ほうそく》に従《したが》う。

いみ・ことば
- 決《き》まり。さだめ。てほん。●原則《げんそく》。校則《こうそく》。総則《そうそく》。鉄則《てっそく》。▲罰則《ばっそく》。反則《はんそく》。法則《ほうそく》。

もっとわかる
- 「四則《しそく》」とは、足《た》し算《ざん》・引《ひ》き算《ざん》・かけ算《ざん》・割《わ》り算《ざん》の四《よっ》つの計算《けいさん》と、その方法《ほうほう》のこと。「加減乗除《かげんじょうじょ》」に同《おな》じ。

なりたち

則

- 古《ふる》くは「鼎(食《た》べ物《もの》をもるうつわ)」と「刂(刀《かたな》)」を合《あ》わせて、本体《ほんたい》(うつわ)のそばに刃物《はもの》がそえられているようすを示《しめ》した形《かたち》。本体《ほんたい》にくっついて従《したが》うもので、従《したが》うべき「決《き》まり」を表《あらわ》した。

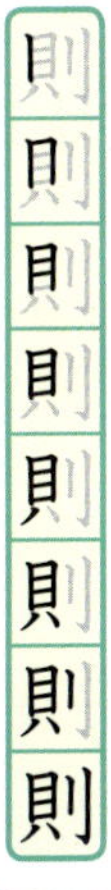

5年

効

力6画〔8画〕

音 コウ
訓 きく

とめる

effect［イフェクト］

つかいかた

- 新《あたら》しい薬《くすり》が**効《き》く**。
- 少《すこ》しも**効《き》き目《め》**がない。
- 作業《さぎょう》の**効率《こうりつ》**が上《あ》がる。
- **効力《こうりょく》**が失《うしな》われる。
- 条約《じょうやく》が**発効《はっこう》**する。

いみ・ことば

- **きく。ききめ。** ●[4]効果《こうか》。[5]効能《こうのう》。[2]効用《こうよう》。[5]効率《こうりつ》。[1]効力《こうりょく》。[4]特効薬《とっこうやく》。[4]無効《むこう》。[3]有効《ゆうこう》。

もっとわかる

- 同訓異字《どうくんいじ》「きく」…「効《き》く」は、ききめがある意《い》(例 薬《くすり》が効《き》く)。「利《き》く」は、働《はたら》きが十分《じゅうぶん》に発揮《はっき》される意《い》(例 気《き》が利《き》く)。

なりたち

→交

- 「交《こう》」は交差《こうさ》する姿《すがた》から、「ねじる」や「しぼる」というイメージにもなる。それと「力(ちから)」を合《あ》わせて、力《ちから》の限《かぎ》りしぼり出《だ》す意《い》を表《あらわ》した。のち、「ききめ」が現《あらわ》れる意《い》でも使《つか》われた。

務

力9画〔11画〕

音 ム
訓 つとめる
つとまる

予と書かない

duty［ドゥーティ］

つかいかた

- 司会《しかい》を**務《つと》める**。
- 大役《たいやく》が**務《つと》まる**。
- 国民《こくみん》としての**義務《ぎむ》**。
- **事務《じむ》**の仕事《しごと》につく。

いみ・ことば

- **つとめる。つとめ。** ●[3]医務室《いむしつ》。[3]業務《ぎょうむ》。[6]勤務《きんむ》。[3]事務《じむ》。[5]職務《しょくむ》。[5]任務《にんむ》。[2]用務員《ようむいん》。

もっとわかる

- 同訓異字《どうくんいじ》「つとめる」…「務《つと》める」は、あることをする(例 司会《しかい》を務《つと》める)。「勤《つと》める」は、仕事《しごと》につく(例 病院《びょういん》に勤《つと》める)。「努《つと》める」は、努力《どりょく》する(例 介護《かいご》に努《つと》める)。

なりたち

→矛

- 「矛《む》」は、武器《ぶき》の「ほこ」。無理《むり》に突《つ》き進《すす》むことから、「無理《むり》におかす」というイメージがある。それに「攵(動作《どうさ》のしるし)」と「力(ちから)」を加《くわ》えた「務《む》」は、危険《きけん》をおかして力《ちから》をつくす意《い》を表《あらわ》した。

勢

力11画〔13画〕

音 セイ
訓 いきおい

上《うえ》にはねる

force［フォース］

つかいかた

- **勢《いきお》い**よく飛《と》びこむ。
- 台風《たいふう》が**勢力《せいりょく》**を強《つよ》める。
- **威勢《いせい》**のいいかけ声《ごえ》。
- **大勢《おおぜい》**の人《ひと》が集《あつ》まる。
- **形勢《けいせい》**は味方《みかた》に不利《ふり》だ。

いみ・ことば

1. **いきおい。** ●[1]勢力《せいりょく》。▲威勢《いせい》。[6]権勢《けんせい》。[6]優勢《ゆうせい》。
2. **ようす。** ●[3]運勢《うんせい》。[2]形勢《けいせい》。[6]姿勢《しせい》。[5]情勢《じょうせい》。
3. **人《ひと》の集《あつ》まり。** ●[1]大勢《おおぜい》。[4]軍勢《ぐんぜい》。[1]手勢《てぜい》。

もっとわかる

- 「多勢《たぜい》に無勢《ぶぜい》」とは、大《おお》きな勢力《せいりょく》に少《すこ》しの人数《にんずう》で立《た》ち向《む》かっても、勝《か》ち目《め》はないということ。

なりたち

- 「埶《げい》」は、草木《くさき》に手《て》を加《くわ》えて形《かたち》をととのえるようす。それに「力(ちから)」を合《あ》わせた「勢」は、力《ちから》を加《くわ》えて自分《じぶん》の思《おも》うままにあやつるようすで、物事《ものごと》を従《したが》わせる大《おお》きな力《ちから》を表《あらわ》した。

5年

厚

厂7画〔9画〕
訓 あつい
音（コウ）

平《ひら》たく書《か》く
厚

thick［スィック］

つかいかた

- 厚《あつ》い本《ほん》を読《よ》む。
- 手厚《てあつ》くもてなす。
- 人《ひと》の厚意《こうい》にあまえる。
- 温厚《おんこう》な人《ひと》がら。

いみ・ことば

❶あつみがある。ぶあつい。●厚紙《あつがみ》[2]。厚着《あつぎ》[3]。厚手《あつで》[1]。

❷てあつい。●厚意《こうい》[3]。厚情《こうじょう》[5]。温厚《おんこう》[3]。

もっとわかる

●四字熟語《よじじゅくご》…厚顔無恥《こうがんむち》（あつかましくて、はじ知《し》らずなこと）

なりたち

厚（古い字形）↓厚（古い字形）↓厚

●「享（なめらかに通《とお》る）」をひっくり返《かえ》した「旱（なめらかに通《とお》らない）」と、「厂（がけや石《いし》）」を合《あ》わせた形《かたち》。土《つち》や石《いし》がぶあつくたまって、なめらかに通《とお》らないようすで、「ぶあつい」の意《い》を表《あらわ》した。

厚 厚 厚 厚 厚 厚 厚 厚 厚

可

口2画〔5画〕
訓 ―
音 カ

はねる
可

approve［アプルーヴ］

つかいかた

- 挙手《きょしゅ》で可否《かひ》を問《と》う。
- 入場《にゅうじょう》を許可《きょか》される。
- 法案《ほうあん》が可決《かけつ》する。
- 可燃性《かねんせい》のガス。
- そんなことは不可能《ふかのう》だ。

いみ・ことば

❶よいと認《みと》める。よろしい。●可決《かけつ》[3]。可否《かひ》[6]。許可《きょか》[5]。認可《にんか》[6]。不可《ふか》[4]。

❷…できる。●可燃性《かねんせい》[5][5]。可能《かのう》[5]。

もっとわかる

●「可燃性《かねんせい》」は、よく燃《も》える性質《せいしつ》。燃《も》えない性質《せいしつ》は、「不燃性《ふねんせい》」。●「生半可《なまはんか》」は、不十分《ふじゅうぶん》の意《い》。

なりたち

可（古い字形）↓可（古い字形）↓可

●「丁（「形《かた》にまがる）」と「口（くち）」を合《あ》わせた形《かたち》。のどを曲《ま》げて声《こえ》をかすれさせ、「まあ、よし」とどなるようすを表《あらわ》した。

可 可 可 可 可

5年

同音異義《どうおんいぎ》のことば③

【カンシン】

感心…すぐれたものや、りっぱなものなどに心《こころ》を動《うご》かされること。「礼儀正《れいぎただ》しさに感心《かんしん》する」

関心…気《き》にかけること。「政治《せいじ》の世界《せかい》に関心《かんしん》を持《も》つ」


【キョウソウ】

競争…勝《か》ち負《ま》けをあらそうこと。「競争心《きょうそうしん》をむき出《だ》しにする」

競走…走《はし》ってきそうこと。「障害物競走《しょうがいぶつきょうそう》に出《で》る」


【サイゴ】

最後…いちばんあと。「列《れつ》の最後《さいご》に並《なら》ぶ」

最期…死《し》にぎわ。「祖母《そぼ》の最期《さいご》に立《た》ち会《あ》う」
＊「最後《さいご》」は「最初《さいしょ》」の反対語《はんたいご》。

【ジッタイ】

実体…本当《ほんとう》の姿《すがた》。本質《ほんしつ》。「生命《せいめい》の実体《じったい》にせまる」

実態…実際《じっさい》の状態《じょうたい》。「経営《けいえい》の実態《じったい》が明《あき》らかになる」

⬇353ページへ続《つづ》く

句

口2画〔5画〕
訓 ―
音 ク

はねる 句

phrase［フレイズ］

つかいかた

- 文《ぶん》に句点《くてん》をつける。
- 句集《くしゅうしゅっぱん》を出版する。
- そのセリフは禁句《きんく》だ。
- 語句《ごく》の意味《いみ》を調《しら》べる。
- 字句《じく》を修正《しゅうせい》する。

いみ・ことば

1. ことばや文《ぶん》のひとまとまり。●句《く》[2]点《てん》。句[2]読《とう》[2]点《てん》。[5]禁《きん》句《く》。[2]語《ご》句《く》。[1]字《じ》句《く》。[1]文《もん》句《く》。
2. 俳《はい》句《く》。●句《く》[2]会《かい》。句《く》[3]集《しゅう》。[1]名《めい》句《く》。

もっとわかる

- 「節句《せっく》」は、季節《きせつ》の変《か》わり目《め》のこと。
- 四字熟語《よじじゅくご》…一言半句《いちごんはんく》(ほんのわずかなことば)

なりたち

句

- かぎ形《がた》を二《ふた》つ合《あ》わせた「勹(小《ちい》さく区切《くぎ》る)」と「口(ことば)」を組《く》み合《あ》わせた形《かたち》で、かぎ形《がた》で文章《ぶんしょう》に切《き》れ目《め》をつけるようすを表《あらわ》した。

句 句 句 句 句

史

口2画〔5画〕
訓 ―
音 シ

つき出《だ》す 史

history［ヒストリィ］

つかいかた

- オリンピック史上《しじょう》初《はつ》の快挙《かいきょ》。
- 各地《かくち》の史跡《しせき》を訪《たず》ねる。
- 古代史《こだいし》の史料《しりょう》。
- 日本史《にほんし》を学《まな》ぶ。
- 歴史《れきし》に興味《きょうみ》を持《も》つ。

いみ・ことば

- 出来事《できごと》の記録《きろく》。れきし。●史《し》[1]学《がく》。史《し》[3]実《じつ》。史《し》[2]書《しょ》。史《し》[1]上《じょう》。史《し》[▲]跡《せき》。史《し》[4]料《りょう》。[3]昭《しょう》[3]和《わ》史《し》。[3]世《せ》[3]界《かい》史《し》。[1]日《に》[1]本《ほん》史《し》。[1]文《ぶん》[1]学《がく》史《し》。

もっとわかる

- 「史料《しりょう》」は、歴史《れきし》を研究《けんきゅう》する材料《ざいりょう》。
- 「女史《じょし》」は、女性《じょせい》の名《な》につけて、社会的《しゃかいてき》に地位《ちい》のある女性《じょせい》を尊敬《そんけい》していうことば。

なりたち

史

- 「中(わくの中《なか》を棒《ぼう》がつらぬく形《かたち》)」と「又(手《て》)」を合《あ》わせて、手《て》に筆記用具《ひっきようぐ》を持《も》って記録《きろく》する人《ひと》を表《あらわ》した。

史 史 史 史 史

告

口4画〔7画〕
訓 つげる
音 コク

つき出《だ》さない 告

notify［ノウティファイ］

つかいかた

- 鳥《とり》が朝《あさ》を告《つ》げる。
- 友《とも》に別《わか》れを告《つ》げる。
- 気持《きも》ちを告白《こくはく》する。
- 審判《しんぱん》に警告《けいこく》を受《う》ける。
- テストの日《ひ》を予告《よこく》する。

いみ・ことば

1. 知《し》らせる。つげる。●告《こく》[5]示《じ》。告《こく》[2]知《ち》。告《こく》[1]白《はく》。告《こく》[4]別《べつ》。[2]通《つう》告《こく》。[5]報《ほう》告《こく》。[6]密《みっ》告《こく》。[3]予《よ》告《こく》。
2. うったえる。●告《こく》[3]発《はつ》。[2]原《げん》告《こく》。[▲]被《ひ》告《こく》。

もっとわかる

- 「告別式《こくべつしき》」は、この世《よ》を去《さ》った人《ひと》に別《わか》れを告《つ》げるための儀式《ぎしき》。

なりたち

告(告)

- もとの字《じ》は「吿」。「牛(うし)」と「口(四《し》角《かく》いわく)」を合《あ》わせた形《かたち》。うしの角《つの》をきつくしばるようすで、相手《あいて》をしばって一方的《いっぽうてき》に「知《し》らせる」意《い》を表《あらわ》した。

告 告 告 告 告 告 告

5年

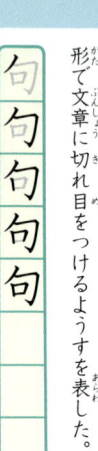

喜

口9画（12画）

音 キ

訓 よろこぶ

上《うえ》の横棒《よこぼう》より短《みじか》く

delight［ディらイト］

つかいかた

- ごちそうを前《まえ》にして喜《よろこ》ぶ。
- 母《はは》を喜《よろこ》ばせたい。
- 喜《よろこ》んで引《ひ》き受《う》けよう。
- 喜劇《きげき》映画《えいが》が好《す》きだ。
- 合格《ごうかく》の知《し》らせに歓喜《かんき》する。

いみ・ことば

①よろこぶ。●喜怒哀楽《きどあいらく》。喜色《きしょく》。歓喜《かんき》。

②たのしむ。●喜劇《きげき》。

もっとわかる

●四字熟語《よじじゅくご》…喜色満面《きしょくまんめん》（喜《よろこ》ぶ気持《きも》ちが顔《かお》にあふれていること）・喜怒哀楽《きどあいらく》（喜《よろこ》びといかりと悲《かな》しみと楽《たの》しみ）・一喜一憂《いっきいちゆう》（事態《じたい》が変《か》わるたびに、喜《よろこ》んだり落《お》ち込《こ》んだりすること）

なりたち

●「壴（台《だい》の上《うえ》にたいこを立《た》てる）」と「口（くち）」を合《あ》わせた形《かたち》。大《おお》きな声《こえ》ではしゃぐようすで、「よろこぶ」の意《い》を表《あらわ》した。

因

囗3画（6画）

音 イン

訓 （よる）

木《き》と書《か》かない

cause［コーズ］

つかいかた

- 因果関係《いんがかんけい》を調《しら》べる。
- 因習《いんしゅう》にとらわれる。
- 事故《じこ》の原因《げんいん》をさぐる。
- 練習《れんしゅう》不足《ぶそく》が敗因《はいいん》だ。

いみ・ことば

①物事《ものごと》がおこるもと。おこり。●因果《いんが》。原因《げんいん》。勝因《しょういん》。敗因《はいいん》。病因《びょういん》。要因《よういん》。

②もとづく。従《したが》う。●因習《いんしゅう》。

もっとわかる

●四字熟語《よじじゅくご》…因果応報《いんがおうほう》（よいことをすればよい報《むく》いがあり、悪《わる》いことをすれば悪《わる》い報《むく》いがある）●「因習《いんしゅう》」は、古《ふる》い習慣《しゅうかん》。

なりたち

●「囗（しきもの）」と「大（人《ひと》が両手《りょうて》両足《りょうあし》を広《ひろ》げた姿《すがた》）」を合《あ》わせた形《かたち》。人《ひと》が大《だい》の字《じ》になってしきものの上《うえ》にのっているようすで、「下地《したじ》になるものをふまえる」意《い》を表《あらわ》した。

団

囗3画（6画）

音 ダン（トン）

訓 ―

はねる

group［グループ］

つかいかた

- 団子《だんご》を食《た》べる。
- 一致団結《いっちだんけつ》して戦《たたか》う。
- 一団《いちだん》となって歩《ある》く。
- 集団《しゅうだん》で下校《げこう》する。
- 輸送船団《ゆそうせんだん》が寄港《きこう》する。

いみ・ことば

①まるい。まるいもの。●団子《だんご》。

②集《あつ》まる。集《あつ》まり。●団員《だんいん》。団結《だんけつ》。団体《だんたい》。団長《だんちょう》。劇団《げきだん》。集団《しゅうだん》。退団《たいだん》。入団《にゅうだん》。

もっとわかる

●「トン」の読《よ》みは、「布団《ふとん》」などに使《つか》われる。●「大団円《だいだんえん》」は、しばいなどの、めでたくおさまる最終《さいしゅう》場面《ばめん》。●「花《はな》より団子《だんご》」は、外見《がいけん》より実益《じつえき》を選《えら》ぶたとえ。

なりたち

もとの字《じ》は「團」。「專《せん》（丸《まる》く回《まわ》る）」と「囗（かこむ）」を合《あ》わせた形《かたち》で、丸《まる》くまとまったものを表《あらわ》した。

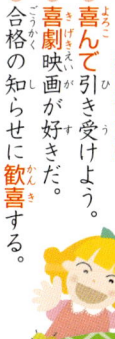

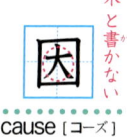

囲

口4画〔7画〕
音 イ
訓 かこむ　かこう

はらう

surround［サラウンド］

つかいかた
- 家族《かぞく》でなべを囲《かこ》む。
- まわりを石《いし》で囲《かこ》う。
- 周囲《しゅうい》三《さん》メートルの木《き》。
- 火《ひ》が広範囲《こうはんい》におよぶ。
- 城《しろ》を包囲《ほうい》する。

いみ・ことば
- **まわりをかこむ。**
- 6胸囲《きょうい》。4周囲《しゅうい》。4包囲《ほうい》。

もっとわかる
- 「囲炉裏《いろり》」は、ゆかを四角《しかく》く切《き》りぬいて作《つく》った火《ひ》をたく装置《そうち》。まわりで、火《ひ》にあたったり食《た》べたりする。

なりたち
→ 韋

- もとの字《じ》は「圍」。「韋《い》」は「口（場所《ばしょ》）」の上《うえ》に左向《ひだりむ》きの足《あし》、下《した》に右向《みぎむ》きの足《あし》をえがいたもので、まわりをまわるというイメージを示《しめ》す。それに「口（かこむ）」を合《あ》わせて、まわりをぐるりと取《と》りまくこと、「かこむ」の意《い》を表《あらわ》した。

圧

土2画〔5画〕
音 アツ
訓 —

上《うえ》の横棒《よこぼう》より長《なが》く

pressure［プレシャ］

つかいかた
- 圧力《あつりょく》なべを使《つか》う。
- 風圧《ふうあつ》で看板《かんばん》が倒《たお》れる。
- 圧倒的《あっとうてき》な強《つよ》さ。
- 威圧《いあつ》するような態度《たいど》。

いみ・ことば
1. **おす。おさえつける。**
   - 6圧縮《あっしゅく》。3圧勝《あっしょう》。圧▲倒《あっとう》。圧▲迫《あっぱく》。▲威圧《いあつ》。3重圧《じゅうあつ》。
2. **おす力《ちから》。圧力《あつりょく》。**
   - 1気圧《きあつ》。3血圧《けつあつ》。1水圧《すいあつ》。

もっとわかる
- 「圧巻《あっかん》」とは、書物《しょもつ》や催《もよお》しなどで、いちばんすぐれているところ。

なりたち
→ 厭

- もとの字《じ》は「壓」。「厭《えん》」は、犬《いぬ》の肉《にく》に食《た》べあきてふたをかぶせるようす。上《うえ》からおさえつけるというイメージがある。それと「土（つち）」を合《あ》わせた「壓」は、土《つち》を上《うえ》からかぶせて「おさえつける」意《い》を表《あらわ》した。

在

土3画〔6画〕
音 ザイ
訓 ある

上《うえ》の横棒《よこぼう》より長《なが》く

be［ビィ］

つかいかた
- 人《ひと》としての在《あ》り方《かた》。
- 母《はは》は在宅《ざいたく》しています。
- ホテルに滞在《たいざい》する。
- 近郷近在《きんごうきんざい》の住人《じゅうにん》。
- 責任《せきにん》の所在《しょざい》を明《あき》らかにする。

いみ・ことば
1. **ある。いる。**
   - 4在位《ざいい》。3在庫《ざいこ》。6在宅《ざいたく》。4健在《けんざい》。3所在《しょざい》。6存在《そんざい》。▲滞在《たいざい》。▲駐在《ちゅうざい》。4不在《ふざい》。
2. **都市《とし》からはなれた土地《とち》。いなか。**
   - 2近在《きんざい》。

もっとわかる
- 四字熟語《よじじゅくご》…自由自在《じゆうじざい》（自分《じぶん》の思《おも》い通《どお》りにするようす）・変幻自在《へんげんじざい》（消《き》えたり現《あらわ》れたり、変化《へんか》が思《おも》いのままのようす）

なりたち
- 「才《さい》（じっととどまる）」と「土（つち）」を合《あ》わせた形《かたち》。その場所《ばしょ》にじっととどまっているようすで、「ある」「いる」の意《い》を表《あらわ》した。

5年

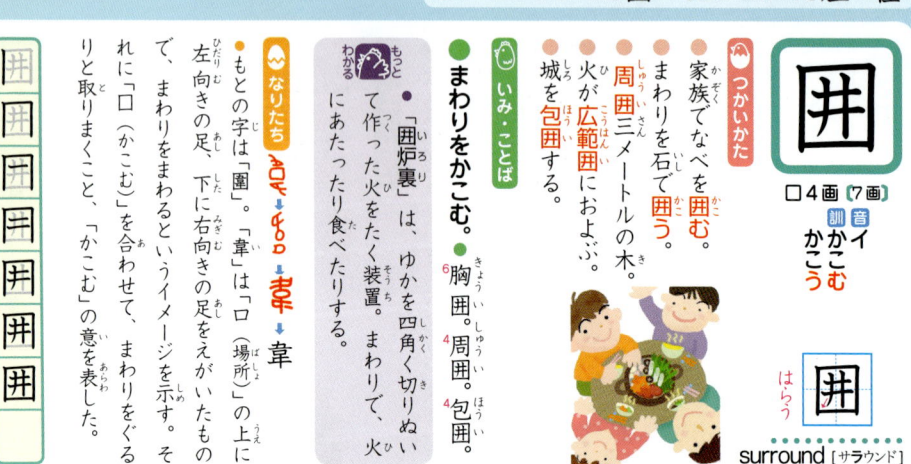

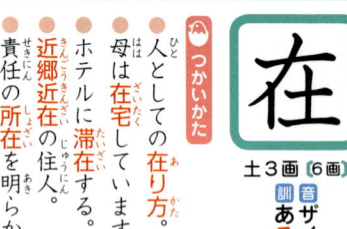

5年

均

土4画〔7画〕
訓 ―
音 キン

この形《かたち》に注意《ちゅうい》
均

equal［イークワる］

つかいかた

- 百円均一《ひゃくえんきんいつ》の商品《しょうひん》。
- 収支《しゅうし》の均衡《きんこう》を保《たも》つ。
- 均整《きんせい》の取《と》れた体型《たいけい》。
- おやつを均等《きんとう》に分《わ》ける。
- テストの平均点《へいきんてん》を出《だ》す。

いみ・ことば

- **等《ひと》しい。つり合《あ》う。ならす。**
- 均一《きんいつ》。[1]

均質《きんしつ》[5]。均整《きんせい》[3]。均等《きんとう》[3]。均分《きんぶん》[2]。平均《へいきん》[3]。

もっとわかる

- 「機会均等《きかいきんとう》」とは、平等《びょうどう》な権利《けんり》や待遇《たいぐう》をすべてにあたえること。

なりたち

匀

- 「匀《いん》」は、「勹（手《て》をぐるりとめぐらす）」と「二（並《なら》べそろえる）」を合《あ》わせたもので、全体《ぜんたい》を等《ひと》しくそろえるというイメージがある。それに「土（つち）」を加《くわ》えた「均」は、土全体《つちぜんたい》を平《たい》らにならすようすで、「ひとしい」の意《い》を表《あらわ》した。

均 均 均 均 均 均 均

型

土6画〔9画〕
訓 かた
音 ケイ

上《うえ》の横棒《よこぼう》より長《なが》く
型

type［タイプ］

つかいかた

- 型《かた》にはまったやり方《かた》。
- 洋服《ようふく》の型紙《かたがみ》をとる。
- 血液型《けつえきがた》はA型《エーがた》だ。
- 典型的《てんけいてき》な日本人《にほんじん》。
- 飛行機《ひこうき》の模型《もけい》を作《つく》る。

いみ・ことば

1. **物《もの》のもとになる形《かたち》。**
   - 型紙《かたがみ》[2]。原型《げんけい》[2]。
2. **手本《てほん》。**
   - 典型《てんけい》[4]。

もっとわかる

- 同訓異字《どうくんいじ》「かた」…「形《かた》」は、物《もの》のかたちのようす（例 花形《はながた》・手形《てがた》）。「型《かた》」は、もとになる決《き》まったかたち（例 型紙《かたがみ》・血液型《けつえきがた》）。

なりたち

型

- 「刑《けい》」は、罪《つみ》をおかした人《ひと》に四角《しかく》いかせをはめるようすで、わくに入《い》れるイメージを示《しめ》す。それと「土（つち）」を合《あ》わせた「型」は、うつし取《と》るものを入《い》れるねん土《ど》を示《しめ》して、基準《きじゅん》となる「かた」を表《あらわ》した。

型 型 型 型 型 型 型 型 型

基

土8画〔11画〕
訓 （もと）（もとい）
音 キ

左右《さゆう》につき出《だ》さない
基

base［ベイス］

つかいかた

- 経験《けいけん》に基《もと》づいた判断《はんだん》。
- 判断《はんだん》の基準《きじゅん》を決《き》める。
- 何事《なにごと》も基礎《きそ》が大切《たいせつ》だ。
- 料理《りょうり》の基本《きほん》を教《おそ》わる。

いみ・ことば

1. **ものごとの土台《どだい》。もと。**
   - 基準《きじゅん》[5]。基礎《きそ》▲。
   - 基地《きち》[2]。基調《きちょう》[3]。基点《きてん》[2]。基本《きほん》[1]。
2. **すえつけてあるものを数《かぞ》えることば。**
   - クレーン一基《いっき》[1]。

もっとわかる

- 「基《もと》づく」とは、それをよりどころにする意《い》（例 実話《じつわ》に基《もと》づく映画《えいが》）。

なりたち

其

- 「其《き》」は、「箕《み》（穀物《こくもつ》などをふるいわける道具《どうぐ》）」の形《かたち》で、四角《しかく》い台《だい》というイメージがある。それに「土（つち）」を合《あ》わせて、建物《たてもの》をたてるときに「もと」となる、四角《しかく》い台《だい》を表《あらわ》した。

基 基 基 基 基 基 基 基 基 基 基

堂

土8画〔11画〕

音 ドウ
訓 ―

上《うえ》の横棒《よこぼう》より長《なが》く

hall［ホーる］

つかいかた

- お寺《てら》のお堂《どう》に入《はい》る。
- 堂々《どうどう》とした態度《たいど》。
- 講堂《こうどう》に人《ひと》が集《あつ》まる。
- 特急《とっきゅう》の食堂《しょくどう》車両《しゃりょう》。
- 正々堂々《せいせいどうどう》と戦《たたか》う。

いみ・ことば

1. **お祈《いの》りをする建物《たてもの》。** ●[1]金堂《こんどう》。[1]本堂《ほんどう》。
2. **大勢《おおぜい》が集《あつ》まる建物《たてもの》。** ●[5]講堂《こうどう》。[2]食堂《しょくどう》。
3. **りっぱなようす。** ●[1]正々堂々《せいせいどうどう》。

もっとわかる

- 「一堂《いちどう》に会《かい》する」は、一《ひと》つの場所《ばしょ》に集《あつ》まること。

なりたち

尚 → 尚 → 尚

- 高《たか》く上《あ》がるというイメージを示《しめ》す「尚《しょう》」と「土（つち）」を合《あ》わせて、建物《たてもの》の表側《おもてがわ》の階段《かいだん》を上《あ》がったところにある広間《ひろま》を表《あらわ》した。のち、多《おお》くの人《ひと》が入《はい》る広《ひろ》い建物《たてもの》の意《い》でも使《つか》われた。

報

土9画〔12画〕

音 ホウ
訓 （むくいる）

この形《かたち》に注意《ちゅうい》

reward［リウォード］

つかいかた

- 恩《おん》に報《むく》いる。
- 働《はたら》いて報酬《ほうしゅう》を得《え》る。
- 被災地《ひさいち》から報道《ほうどう》する。
- 警報《けいほう》が鳴《な》り響《ひび》く。
- 新《あたら》しい情報《じょうほう》。

いみ・ことば

1. **報《むく》いる。お返《かえ》し。** ●[6]報恩《ほうおん》。▲報酬《ほうしゅう》。[5]報復《ほうふく》。[5]因果応報《いんがおうほう》。
2. **知《し》らせる。** ●報告《ほうこく》。[2]報道《ほうどう》。[6]警報《けいほう》。[2]公報《こうほう》。[2]時報《じほう》。[5]情報《じょうほう》。[3]速報《そくほう》。[2]電報《でんぽう》。[3]予報《よほう》。

もっとわかる

- 「報復《ほうふく》」は、仕返《しかえ》しをすること。

なりたち

報 → 報 → 報

- 「幸」は、動《うご》けないようにする手《て》じょうの形《かたち》。それと「𠬝（人《ひと》の背中《せなか》につけてはなさない）」を合《あ》わせて、人《ひと》をとらえて仕返《しかえ》しをする意《い》を表《あらわ》した。

墓

土10画〔13画〕

音 ボ
訓 はか

いちばん長《なが》く

grave［グレイヴ］

つかいかた

- 墓《はか》に花《はな》を手向《たむ》ける。
- 墓参《はかまい》りをする。
- 自《みずか》ら墓穴《ぼけつ》をほる。
- 祖母《そぼ》の命日《めいにち》に墓参《ぼさん》する。
- 山《やま》のふもとにある墓地《ぼち》。

いみ・ことば

- **死《し》んだ人《ひと》をほうむるところ。はか。** ●[2]墓場《はかば》。[4]墓参《はかまい》り。[6]墓穴《ぼけつ》（はかあな）。[1]墓石《ぼせき》（はかいし）。[2]墓地《ぼち》。[4]墓標《ぼひょう》。

もっとわかる

- 「墓穴《ぼけつ》をほる」は、失敗《しっぱい》のもとを自分《じぶん》で作《つく》る意《い》。
- 「墓《はか》に布団《ふとん》は着《き》せられぬ」は、親《おや》が生《い》きているうちに親孝行《おやこうこう》をしなさいという意《い》。「石《いし》に布団《ふとん》は着《き》せられず」ともいう。

なりたち

- 「莫《ばく》（かくれて見《み》えない）」と「土（つち）」を合《あ》わせた形《かたち》。土《つち》をかぶせて死体《したい》をかくすところ、「はか」を表《あらわ》した。

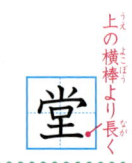

境

土11画〔14画〕

音 キョウ（ケイ）
訓 さかい

上《うえ》にはねる
ななめ右上《みぎうえ》に

boundary
[バウンダリィ]

つかいかた

- 生死《せいし》の境《さかい》をさまよう。
- 無《む》の境地《きょうち》。
- 国境《こっきょう》を警備《けいび》する。
- 複雑《ふくざつ》な心境《しんきょう》になる。
- 秘境《ひきょう》を探検《たんけん》する。

いみ・ことば

①区切《くぎ》り。さかい。●境[1]目《さかいめ》。境[3]界《きょうかい》。境[2]内《けいだい》。[2]国境《こっきょう》（くにざかい）。

②場所《ばしょ》。ところ。●[6]異境《いきょう》。[6]秘境《ひきょう》。[4]辺境《へんきょう》。

③ありさま。状態《じょうたい》。●境▲遇《きょうぐう》。境[2]地《きょうち》。▲環《かん》境《きょう》。[5]逆境《ぎゃっきょう》。[3]苦境《くきょう》。[2]心境《しんきょう》。

もっとわかる

●「ケイ」の読《よ》みは、「境内《けいだい》」などのことばに使《つか》われる。

なりたち

「竟《きょう》（区切《くぎ》りをつける）」と「土（つち）」を組《く》み合《あ》わせた形《かたち》で、土地《とち》の区切《くぎ》り目《め》を表《あらわ》した。

境 境 境 境 境 境 境 境

増

土11画〔14画〕

音 ゾウ
訓 ます ふえる ふやす

ななめ右上《みぎうえ》に

increase
[インクリース]

つかいかた

- 川《かわ》の水《みず》かさが増《ま》す。
- 旅行者《りょこうしゃ》が増《ふ》える。
- 財産《ざいさん》を増《ふ》やす。
- 人口《じんこう》が増加《ぞうか》する。
- 住《す》まいを増築《ぞうちく》する。

いみ・ことば

●ます。ふえる。●増[4]加《ぞうか》。増[2]強《ぞうきょう》。増[5]減《ぞうげん》。[4]増産《ぞうさん》。増[6]収《ぞうしゅう》。増[5]設《ぞうせつ》。増[1]大《ぞうだい》。増[5]築《ぞうちく》。[3]急増《きゅうぞう》。

もっとわかる

●「増」と反対《はんたい》の意味《いみ》を持《も》つ漢字《かんじ》は「減」。
増加《ぞうか》↕減少《げんしょう》　増収《ぞうしゅう》↕減収《げんしゅう》

なりたち

●もとの字《じ》は「增」。「曾《そう》」は、こんろの上《うえ》にせいろうを重《かさ》ねた器《うつわ》の形《かたち》で、上《うえ》に重《かさ》なるというイメージがある。それに「土（つち）」を合《あ》わせた「増」は、土《つち》を上《うえ》に重《かさ》ねて加《くわ》えるようすで、「ます」「ふえる」の意《い》を表《あらわ》した。

増 増 増 増 増 増 増 増

同音異義《どうおんいぎ》のことば④

【ジュショウ】

受賞…賞《しょう》をうけること。

「大賞《たいしょう》を受賞《じゅしょう》する」

授賞…賞《しょう》をあたえること。

「授賞《じゅしょう》の理由《りゆう》を説明《せつめい》する」
＊「受章《じゅしょう》」「授章《じゅしょう》」は、勲章《くんしょう》や褒章《ほうしょう》を授受《じゅじゅ》する意《い》。

【ショウガイ】

傷害…けがをさせたりすること。

「傷害事件《しょうがいじけん》がおきる」

障害…さまたげになること。

「式典《しきてん》の障害《しょうがい》になる」


【ショヨウ】

所用…用事《ようじ》。

「所用《しょよう》があるので出《で》かける」

所要…必要《ひつよう》とされるもの。

「所要時間《しょようじかん》はどれほどだろう」


【シンロ】

進路…進《すす》んでいく道《みち》。

「台風《たいふう》が進路《しんろ》をかえた」

針路…船《ふね》や飛行機《ひこうき》のすすむ方向《ほうこう》。

「飛行機《ひこうき》は北《きた》に針路《しんろ》をとった」

⬇359ページへ続《つづ》く

士

士0画〔3画〕

音 シ
訓 ―

上《うえ》の横棒《よこぼう》より短《みじか》く

warrior［ウォ(ー)リア］

つかいかた

● 戦国時代《せんごくじだい》の武士《ぶし》。
● 兵士《へいし》を集《あつ》める。
● 力士《りきし》が土俵《どひょう》に上《あ》がる。
● バスの運転士《うんてんし》になる。
● 地元《じもと》の名士《めいし》。

いみ・ことば

① **軍人《ぐんじん》。さむらい。** ●士官《しかん》。士農工商《しのうこうしょう》。▲騎士《きし》。戦士《せんし》。武士《ぶし》。兵士《へいし》。勇士《ゆうし》。力士《りきし》。

② **資格《しかく》を身《み》につけた人《ひと》。** ●運転士《うんてんし》。栄養士《えいようし》。操縦士《そうじゅうし》。代議士《だいぎし》。弁護士《べんごし》。

③ **りっぱな男《おとこ》の人《ひと》。** ●▲紳士《しんし》。名士《めいし》。

もっとわかる

● 特別《とくべつ》な読《よ》み方《かた》…海士《あま》・居士《こじ》（仏教《ぶっきょう》で、男《おとこ》の人《ひと》の戒名《かいみょう》の下《した》に付《つ》ける称号《しょうごう》）・博士《はかせ》

なりたち

士 → 士 → 士

● 男性《だんせい》の性器《せいき》がまっすぐ立《た》ったようすをえがいた形《かたち》で、一人前《いちにんまえ》になった男子《だんし》を表《あらわ》した。

士 士 士

夢

夕10画〔13画〕

音 ム
訓 ゆめ

短《みじか》く

dream［ドリーム］

つかいかた

● サッカー選手《せんしゅ》になるのが夢《ゆめ》だ。
● まるで夢物語《ゆめものがたり》だ。
● 願《ねが》い事《ごと》が正夢《まさゆめ》となる。
● ゲームに夢中《むちゅう》になる。
● 悪夢《あくむ》のような出来事《できごと》。

いみ・ことば

● **ゆめ。あこがれ。** ●夢心地《ゆめごこち》。夢物語《ゆめものがたり》。初夢《はつゆめ》。正夢《まさゆめ》。夢想《むそう》。夢中《むちゅう》。悪夢《あくむ》。

もっとわかる

● 四字熟語《よじじゅくご》…無我夢中《むがむちゅう》（あることに心《こころ》をうばわれて、自分《じぶん》を忘《わす》れること）

なりたち

夢 → 夢

● もとの字《じ》は「夢」。「苜（見《み》えない）」と「冖（おおい）」と「夕（夜《よる》）」を合《あ》わせた形《かたち》。夜《よる》になってよく見《み》えないようすで、「暗《くら》い」の意《い》を表《あらわ》した。また、目《め》をつぶった暗《くら》い状態《じょうたい》で見《み》る「ゆめ」の意《い》でも使《つか》われた。

夢 夢 夢 夢 夢 夢 夢 夢

妻

女5画〔8画〕

音 サイ
訓 つま

長《なが》く

wife［ワイフ］

つかいかた

● 妻《つま》と子《こ》どもを守《まも》る。
● 妻子《さいし》を養《やしな》う。
● 結婚《けっこん》して妻帯者《さいたいしゃ》となる。
● お昼《ひる》はいつも愛妻弁当《あいさいべんとう》だ。
● 社長《しゃちょう》ご夫妻《ふさい》をパーティーにお招《まね》きする。

いみ・ことば

● **つま。** ●妻子《さいし》。妻女《さいじょ》。妻帯者《さいたいしゃ》。愛妻《あいさい》。後妻《ごさい》。先妻《せんさい》。夫妻《ふさい》。亡妻《ぼうさい》。

もっとわかる

●「妻女《さいじょ》」は、妻《つま》。または、妻《つま》と娘《むすめ》。● 四《よ》字熟語《じじゅくご》…良妻賢母《りょうさいけんぼ》（夫《おっと》に対《たい》してはよい妻《つま》であり、子《こ》どもにとってはかしこい母《はは》であること）

なりたち

妻 → 妻

●「屮（かざり）」と「又（手《て》）」と「女（おんなの人《ひと》）」を合《あ》わせた形《かたち》。頭《あたま》にかざりをつけ、結婚《けっこん》していることを示《しめ》す女性《じょせい》、「つま」を表《あらわ》した。

妻 妻 妻 妻 妻 妻 妻 妻

5年

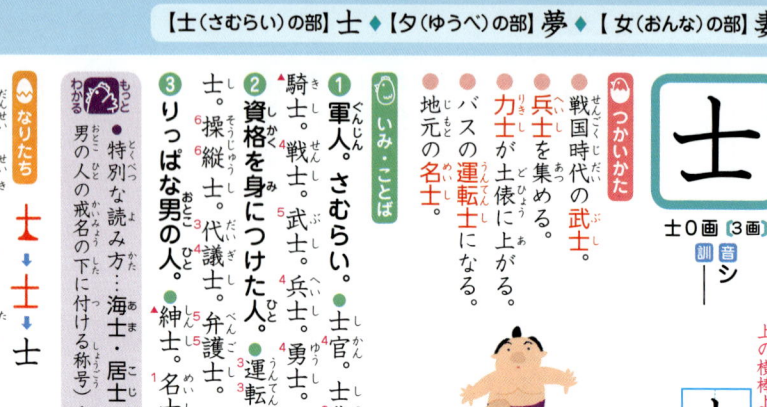

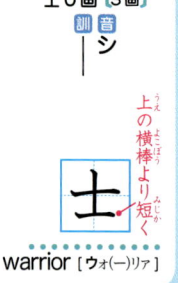

婦

女8画〔11画〕

音 フ
訓 ―

つき出《だ》す

woman［ウマン］

つかいかた

- 婦人服《ふじんふく》売《う》り場《ば》。
- 結婚《けっこん》して主婦《しゅふ》になる。
- 新郎新婦《しんろうしんぷ》が入場《にゅうじょう》する。
- 夫婦《ふうふ》で買《か》い物《もの》に行《い》く。

いみ・ことば

❶ 女性《じょせい》。●婦女《ふじょ》。婦人《ふじん》。農婦《のうふ》。

❷ つま。●一夫一婦《いっぷいっぷ》。主婦《しゅふ》。新婦《しんぷ》。夫婦《ふうふ》。

もっとわかる

● 「夫婦《ふうふ》げんかは犬《いぬ》も食《く》わない」は、夫婦《ふうふ》のけんかはすぐに仲直《なかなお》りするので、他人《たにん》が心配《しんぱい》することはないということ。

● 「似《に》たもの夫婦《ふうふ》」は、性格《せいかく》や趣味《しゅみ》などがよく似《に》ている夫婦《ふうふ》。

なりたち

婦 → 婦

● 「女（おんなの人《ひと》）」と「帚（ほうき）」を合《あ》わせた形《かたち》で、ほうきを手《て》にもった「女性《じょせい》」を表《あらわ》した。

婦 婦 婦 婦 婦 婦 婦 婦

容

宀7画〔10画〕

音 ヨウ
訓 ―

点《てん》の向《む》きに注意《ちゅうい》

contain［カンテイン］

つかいかた

- 容易《ようい》に解《と》ける問題《もんだい》。
- 容器《ようき》に弁当《べんとう》をつめる。
- 容姿《ようし》の美《うつく》しい人《ひと》。
- それは許容《きょよう》の範囲《はんい》だ。

いみ・ことば

❶ 中《なか》に入《い》れる。中身《なかみ》。●容器《ようき》。容積《ようせき》。内容《ないよう》。

❷ すがた。●容姿《ようし》。容体《ようだい》。美容《びよう》。理容《りよう》。

❸ 許《ゆる》す。●容赦《ようしゃ》。容認《ようにん》。許容《きょよう》。

❹ たやすい。簡単《かんたん》。●容易《ようい》。

もっとわかる

● 四字熟語《よじじゅくご》…容姿端麗《ようしたんれい》（姿《すがた》かたちが整《ととの》っていて美《うつく》しいこと）

なりたち

「谷《こく》」は「たに」のことから、「くぼんだ穴《あな》」「ゆったりと受《う》け入《い》れる」というイメージがある。それに「宀（いえ）」を合《あ》わせて、家《いえ》の中《なか》にゆとりがあって、ゆったりと受《う》け入《い》れるようすを表《あらわ》した。

容 容 容 容 容 容 容 容

寄

宀8画〔11画〕

音 キ
訓 よる　よせる

長《なが》く

drop in［ドラップ イン］

つかいかた

- ほうきで落《お》ち葉《ば》を寄《よ》せる。
- 帰《かえ》りに寄《よ》り道《みち》する。
- 横浜港《よこはまこう》に寄港《きこう》する。
- 母校《ぼこう》に本《ほん》を寄贈《きぞう》する。

いみ・ことば

❶ よる。たよる。たちよる。よせる。●寄《よ》り道《みち》。寄港《きこう》。寄宿《きしゅく》。寄生《きせい》。

❷ 人《ひと》にまかせる。あずける。●寄進《きしん》。寄付《きふ》。

❸ 集《あつ》まる。集《あつ》める。●寄《よ》せ書《が》き。客寄《きゃくよ》せ。

もっとわかる

● 特別《とくべつ》な読《よ》み方《かた》…寄席《よせ》（落語《らくご》や漫才《まんざい》などを行《おこな》う場所《ばしょ》）

なりたち

奇 → 奇

● 「奇《き》」は、正《ただ》しく立《た》つ人《ひと》がななめに曲《ま》がって立《た》つようになるようす。ななめによりかかるというイメージを示《しめ》す「奇」と「宀（いえ）」を合《あ》わせた「寄」は、他人《たにん》の家《いえ》に立《た》ちよる意《い》を表《あらわ》した。

寄 寄 寄 寄 寄 寄 寄 寄

5年

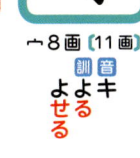

導

寸12画〔15画〕

音 ドウ
訓 みちびく

導 短《みじか》く

lead［リード］

つかいかた

- 客《きゃく》を応接間《おうせつま》に**導《みちび》く**。
- **導火線《どうかせん》**に火《ひ》をつける。
- 新《あたら》しい機械《きかい》を**導入《どうにゅう》**する。
- **熱伝導《ねつでんどう》**について調《しら》べる。
- 生徒《せいと》を校庭《こうてい》に**誘導《ゆうどう》**する。

いみ・ことば

①**案内《あんない》する。みちびく。** ●[1]導入《どうにゅう》。[3]指導《しどう》。[1]先導《せんどう》。[6]補導《ほどう》。▲誘導《ゆうどう》。
②**伝《つた》える。通《とお》す。** ●導[1]火[2]線《どうかせん》。導[2]線《どうせん》。導[2]体《どうたい》。

もっとわかる

●「導火線《どうかせん》」には、事件《じけん》などを引《ひ》き起《お》こすきっかけの意《い》もある（例 戦《たたか》いの導火線《どうかせん》となる）。●「熱伝導《ねつでんどう》」は、物質《ぶっしつ》の中《なか》を熱《ねつ》が伝《つた》わっていく現象《げんしょう》。

なりたち

「道《どう》（ある方向《ほうこう》にのびていく）」と「寸（手《て》の動《うご》き）」を合《あ》わせた形《かたち》。先頭《せんとう》に立《た》って引《ひ》っぱっていく、「みちびく」の意《い》を表《あらわ》した。

居

尸5画〔8画〕

音 キョ
訓 いる

居 長《なが》めに

residence［レズィデンス］

つかいかた

- **居残《いのこ》り**で勉強《べんきょう》をする。
- 新《あたら》しい**住居《じゅうきょ》**を構《かま》える。
- **新居《しんきょ》**に引《ひ》っ越《こ》しする。
- **転居通知《てんきょつうち》**を出《だ》す。
- 部屋《へや》を借《か》りて**同居《どうきょ》**する。

いみ・ことば

①**住《す》まい。** ●居[3]所《いどころ》。[6]皇居《こうきょ》。[3]住居《じゅうきょ》。[2]新居《しんきょ》。[3]転居《てんきょ》。
②**住《す》む。** ●居[3]住《きょじゅう》。居[5]留《きょりゅう》。[2]同居《どうきょ》。[4]別居《べっきょ》。
③**座《すわ》る。いる。** ●居[2]残《いのこ》り。居▲眠《いねむ》り。

もっとわかる

●「居心地《いごこち》」とは、ある場所《ばしょ》にいるときの気分《きぶん》や感《かん》じ。●特別《とくべつ》な読《よ》み方《かた》…居士《こじ》（仏教《ぶっきょう》で、男《おとこ》の人《ひと》の戒名《かいみょう》の下《した》に付《つ》ける称号《しょうごう》）

なりたち

「古《こ》（固《かた》い）」と「尸（しり）」を合《あ》わせた形《かたち》。固《かた》いものにしりをどっしりとのせるようすで、こしをすえて落《お》ち着《つ》く意《い》を表《あらわ》した。

属

尸9画〔12画〕

音 ゾク
訓 ―

属 はねる

belong to［ビろ(ー)ング トゥ］

つかいかた

- **付属品《ふぞくひん》**のコード。
- 領土《りょうど》の**帰属《きぞく》**が問題《もんだい》となる。
- **金属《きんぞく》**の**属性《ぞくせい》**を調《しら》べる。
- 野球《やきゅう》チームに**所属《しょぞく》**する。

いみ・ことば

①**つき従《したが》う。** ●[6]従属《じゅうぞく》。[3]所属《しょぞく》。[3]配属《はいぞく》。[4]付属《ふぞく》。
②**仲間《なかま》。** ●[1]金属《きんぞく》。

もっとわかる

●「属性《ぞくせい》」は、もともと持《も》っている性質《せいしつ》。
●「帰属《きぞく》」は、そこの所有《しょゆう》になること。

なりたち

●もとの字《じ》は「屬」。「蜀《しょく》」は、葉《は》について食《た》べるいも虫《むし》。ひと所《ところ》にくっついてはなれないというイメージを示《しめ》す。それに「尾《び》（しっぽ）」の略《りゃく》したものを合《あ》わせた「屬」は、動物《どうぶつ》が交《こう》尾《び》をしてしりをくっつけるようすで、くっついてつながる意《い》を表《あらわ》した。

布

巾2画〔5画〕
音 フ
訓 ぬの

つかいかた
- 布切《ぬのき》れをぬい合《あ》わせる。
- 憲法《けんぽう》を発布《はっぷ》する。
- 宣戦《せんせん》を布告《ふこく》する。
- 全員《ぜんいん》に毛布《もうふ》を配《くば》る。

布 長《なが》めに

cloth [クろ(ー)す]

いみ・ことば
1. **ぬの。おりもの。** ●布地《ぬのじ》。湿布《しっぷ》。毛布《もうふ》。
2. **広《ひろ》める。行《い》き渡《わた》らせる。** ●布教《ふきょう》。布告《ふこく》。公布《こうふ》。散布《さんぷ》。発布《はっぷ》。流布《るふ》。
3. **一面《いちめん》に並《なら》べる。** ●布陣《ふじん》。布石《ふせき》。

もっとわかる
●「布石《ふせき》」は、囲碁《いご》で、初《はじ》めの石《いし》の置《お》き方《かた》。先《さき》のことに備《そな》えた対策《たいさく》の意《い》でも使《つか》われる（例 将来《しょうらい》のために布石《ふせき》を打《う》つ）。

なりたち
→ 布
●「父《ふ》」は、刃《は》の広《ひろ》いおののすがたで、平《たい》らにのび広《ひろ》がるというイメージを示《しめ》す。それに「巾（ぬの）」を合《あ》わせて、平《たい》らにのび広《ひろ》がった「ぬの」を表《あらわ》した。

師

巾7画〔10画〕
音 シ
訓 ―

つかいかた
- 声楽家《せいがくか》に師事《しじ》する。
- 師弟《してい》の関係《かんけい》を結《むす》ぶ。
- 医師《いし》の資格《しかく》を取《と》る。
- 恩師《おんし》の思《おも》い出《で》を語《かた》る。
- 一流《いちりゅう》の美容師《びようし》になる。

師 忘《わす》れずに

master [マスタァ]

いみ・ことば
1. **教《おし》え導《みちび》く人《ひと》。** ●師事《しじ》。恩師《おんし》。教師《きょうし》。講師《こうし》。
2. **技術《ぎじゅつ》を持《も》った人《ひと》。** ●医師《いし》。技師《ぎし》。美容師《びようし》。
3. **軍隊《ぐんたい》。** ●師団《しだん》。

もっとわかる
●特別《とくべつ》な読《よ》み方《かた》…師走《しわす》

なりたち
→ 師
●「𠂤」は、まるい土《つち》のかたまりが連《つら》なったすがたで、いくつも集《あつ》まるというイメージがある。「帀」は、ぐるりと回《まわ》ることを示《しめ》す。この二《ふた》つを合《あ》わせた「師」は、ぐるりと取《と》りまく集団《しゅうだん》で、多《おお》くの人《ひと》の集《あつ》まりを表《あらわ》した。

常

巾8画〔11画〕
音 ジョウ
訓 つね（とこ）

つかいかた
- 常《つね》に笑顔《えがお》をたやさない。
- ハワイは常夏《とこなつ》の国《くに》だ。
- 救急箱《きゅうきゅうばこ》を常備《じょうび》する。
- 非常事態《ひじょうじたい》に備《そな》える。
- 平常通《へいじょうどお》りの授業《じゅぎょう》。

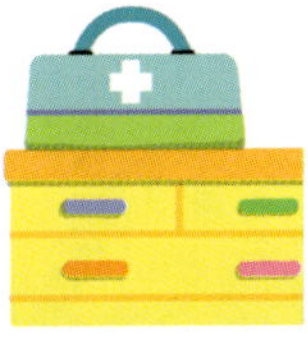

常 ツと書《か》かない

always [オーる ウェイズ]

いみ・ことば
1. **いつも。いつでも。** ●常々《つねづね》。常夏《とこなつ》。常温《じょうおん》。常時《じょうじ》。常習《じょうしゅう》。常設《じょうせつ》。常備《じょうび》。常連《じょうれん》。
2. **ふつう。当《あ》たり前《まえ》の。** ●常識《じょうしき》。常人《じょうじん》。異常《いじょう》。正常《せいじょう》。通常《つうじょう》。日常《にちじょう》。非常《ひじょう》。平常《へいじょう》。

もっとわかる
●「日常茶飯事《にちじょうさはんじ》」とは、とくにめずらしくもないこと。よくあること。

なりたち
「尚《しょう》」は、「高《たか》く上《あ》がる」イメージがあり、「長《なが》い」というイメージにもなる。それと「巾（ぬの）」を合《あ》わせた「常」は、すその長《なが》いスカートのことから、時間的《じかんてき》に長《なが》いことを表《あらわ》した。

5年

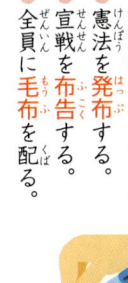

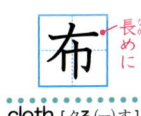

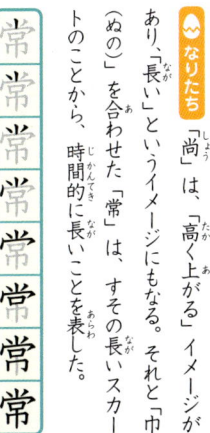

幹

干10画〔13画〕
音 カン
訓 みき

つき出さない

trunk［トランク］

つかいかた

- 木《き》の幹《みき》をよじのぼる。
- 新幹線《しんかんせん》に乗《の》る。
- 会社《かいしゃ》の幹部《かんぶ》になる。
- 組織《そしき》の根幹《こんかん》をなす。

いみ・ことば

① 木《き》のみき。●太《ふと》い幹《みき》。

② 大事《だいじ》なもの。大事《だいじ》な部分《ぶぶん》。●幹事《かんじ》。幹部《かんぶ》。根幹《こんかん》。主幹《しゅかん》。新幹線《しんかんせん》。

もっとわかる

● 「根幹《こんかん》」は、根《ね》と幹《みき》の意《い》。樹木《じゅもく》にとっていちばん大切《たいせつ》な部分《ぶぶん》であることから、物事《ものごと》の大《おお》もと、中心《ちゅうしん》となる重要《じゅうよう》な部分《ぶぶん》の意《い》で使《つか》われる。

なりたち

↓ 倝

● 「倝《かん》」は、高《たか》く上《あ》がるというイメージを示《しめ》す。それと「干《かん》（木《き》の棒《ぼう》）」を合《あ》わせて、高《たか》いところまでまっすぐにのびる木《き》の「みき」を表《あらわ》した。

幹 幹 幹 幹 幹 幹 幹 幹

序

广4画〔7画〕
音 ジョ
訓 ―

はねる

order［オーダァ］

つかいかた

- 序盤《じょばん》で優位《ゆうい》に立《た》つ。
- 序文《じょぶん》で大要《たいよう》を述《の》べる。
- 順序《じゅんじょ》よく並《なら》ぶ。
- 社会《しゃかい》の秩序《ちつじょ》を保《たも》つ。
- 年功序列《ねんこうじょれつ》の賃金制度《ちんぎんせいど》。

いみ・ことば

① 物事《ものごと》の先《さき》と後《あと》。じゅんばん。●序数詞《じょすうし》。順序《じゅんじょ》。▲秩序《ちつじょ》。年功序列《ねんこうじょれつ》。

② はじめ。●序曲《じょきょく》。序言《じょげん》。序説《じょせつ》。序文《じょぶん》。

もっとわかる

● 「年功序列《ねんこうじょれつ》」とは、その人《ひと》の年齢《ねんれい》や働《はたら》いている年数《ねんすう》の順《じゅん》に、会社《かいしゃ》での地位《ちい》や給料《きゅうりょう》が決《き》まること。

なりたち

「予《よ》」は、横《よこ》にのびるというイメージがある。それと「广（建物《たてもの》）」を合《あ》わせて、母屋《おもや》から両《りょう》わきにのび出《で》た建物《たてもの》を表《あらわ》した。のち、「順序《じゅんじょ》」の意《い》でも使《つか》われた。

序 序 序 序 序 序 序

弁

廾2画〔5画〕
音 ベン
訓 ―

長《なが》く

つかいかた

- 今《いま》さら弁解《べんかい》はしない。
- 割《わ》った皿《さら》を弁償《べんしょう》する。
- 外《そと》で弁当《べんとう》を食《た》べる。
- ばらの花弁《かべん》が散《ち》る。
- 熱弁《ねつべん》をふるう。

いみ・ことば

① はっきりさせる。●弁解《べんかい》。弁別《べんべつ》。弁明《べんめい》。

② 処理《しょり》する。●弁償《べんしょう》。自弁《じべん》。

③ 述《の》べる。●弁護《べんご》。弁舌《べんぜつ》。答弁《とうべん》。熱弁《ねつべん》。

④ 地域《ちいき》の方言《ほうげん》。●関西弁《かんさいべん》。東北弁《とうほくべん》。

⑤ うすくて小《ちい》さいもの。●安全弁《あんぜんべん》。花弁《かべん》。

なりたち

↓ 弁

● かんむりと「廾（両手《りょうて》）」を合《あ》わせた形《かたち》で、かんむりをかぶるようすを表《あらわ》した。発音《はつおん》が同《おな》じであったため、「辯」「辨」「瓣」のかわりとしても使《つか》われた。

弁 弁 弁 弁 弁

5年

張

弓8画〔11画〕

音 チョウ
訓 はる

上《うえ》にはねる

stretch［ストレッチ］

つかいかた

- くもが糸《いと》を**張《は》る**。
- 体育館《たいいくかん》を**拡張《かくちょう》**する。
- 指名《しめい》されて**緊張《きんちょう》**する。
- 自分《じぶん》の意見《いけん》を**主張《しゅちょう》**する。
- 海外《かいがい》へ**出張《しゅっちょう》**する。

いみ・ことば

① **ぴんとはる。** ●[1]張力《ちょうりょく》。▲緊張《きんちょう》。

② **広《ひろ》がる。大《おお》きくする。** ●[6]拡張《かくちょう》。▲誇張《こちょう》。

③ **言《い》いはる。** ●[3]主張《しゅちょう》。

もっとわかる

● 「緊張《きんちょう》」は、引《ひ》きしまってたるみのないこと。心身《しんしん》に関《かん》してだけでなく、人《ひと》や国《くに》などの関係《かんけい》が悪化《あっか》して争《あらそ》いが起《お》こりそうなようすにも使《つか》われる。

なりたち

「長《ちょう》（ながくのびる）」と「弓（ゆみ）」を合《あ》わせた形《かたち》。ゆみのつるを長《なが》くのばしてはり渡《わた》すようすで、ぴんと「はる」意《い》を表《あらわ》した。

往

彳5画〔8画〕

音 オウ
訓 ―

長《なが》く

go［ゴウ］

つかいかた

- **往時《おうじ》**をしのぶ遺跡《いせき》。
- 医者《いしゃ》に**往診《おうしん》**をたのむ。
- **往年《おうねん》**の花形《はながた》スター。
- 車《くるま》の**往来《おうらい》**が激《はげ》しい。

いみ・ことば

① **行《い》く。** ●▲往診《おうしん》。[5]往復《おうふく》。[2]往来《おうらい》。[3]往路《おうろ》。

② **昔《むかし》の。すぎさる。** ●[2]往時《おうじ》。[1]往年《おうねん》。

もっとわかる

● 「往生際《おうじょうぎわ》」は、死《し》にぎわ。「往生際《おうじょうぎわ》が悪《わる》い」は、あきらめが悪《わる》い意《い》。● 四字《よじ》熟語《じゅくご》…右往左往《うおうさおう》（あっちへ行《い》ったりこっちへ来《き》たりしてうろたえること）

なりたち

往

● 「主」は「㞷」の変形《へんけい》。「㞷」は、「止（あし）」と「王《おう》（大《おお》きく広《ひろ》がる）」を合《あ》わせて、足《あし》をのばしてどんどん進《すす》むこと。それに「彳（行《い》く）」をそえて、どこまでも進《すす》んでいく意《い》を表《あらわ》した。

5年

同音異義《どうおんいぎ》のことば⑤

【セイサク】

制作…芸術作品《げいじゅつさくひん》などを作《つく》ること。
「壁画《へきが》を**制作《せいさく》**する」

製作…実用的《じつようてき》な品物《しなもの》を作《つく》ること。
「たんすを**製作《せいさく》**する」

【タイショウ】

対照…二《ふた》つのものを照《て》らしあわせる。
「平均点《へいきんてん》と**対照《たいしょう》**する」

対称…おたがいにつりあっている。
「左右対称《さゆうたいしょう》の図形《ずけい》」

対象…はたらきかけのめあて。
「小学生《しょうがくせい》を**対象《たいしょう》**にした調査《ちょうさ》」

【テキセイ】

適正…適《てき》していて正《ただ》しい。
「この価格《かかく》は**適正《てきせい》**なものだ」

適性…あることに対《たい》する素質《そしつ》。
「美術《びじゅつ》に**適性《てきせい》**がある」

【フコウ】

不孝…親《おや》に対《たい》して孝行《こうこう》でないこと。
「親不孝《おやふこう》なことをするな」

不幸…幸《しあわ》せでないこと。
「**不幸《ふこう》**な暮《く》らしをなげく」

➡365ページへ続《つづ》く

得

彳8画（11画）
音 トク
訓 える（うる）

24　198

はねる

gain［ゲイン］

つかいかた

- 合宿《がっしゅく》で多《おお》くを得《え》る。
- あり得《え》ない結果《けっか》。
- 大量《たいりょう》の得点《とくてん》をうばう。
- 得意気《とくいげ》な顔《かお》をする。
- 難《むずか》しい技《わざ》を会得《えとく》した。

いみ・ことば

① 手《て》に入《い》れる。 ●得点《とくてん》。得票《とくひょう》。▲獲得《かくとく》。所得《しょとく》。
② もうける。 ●得策《とくさく》。得失《とくしつ》。損得《そんとく》。利得《りとく》。
③ よくのみこむ。 ●得意《とくい》。会得《えとく》。納得《なっとく》。

もっとわかる

●四字熟語《よじじゅくご》…得手勝手《えてかって》（自分《じぶん》の好《す》きなようにやること）・一挙両得《いっきょりょうとく》（一《ひと》つのことをして二《ふた》つを得《え》ること）・自業自得《じごうじとく》（自分《じぶん》でしたことの結果《けっか》を自分《じぶん》の身《み》に受《う》けること）

なりたち

得 ➡ 得

●「彳（行《い》く）」と「貝（金《かね》や品物《しなもの》）」と「寸（手《て》）」を合《あ》わせた形《かたち》。ある場所《ばしょ》へ行《い》って、金《かね》や品物《しなもの》を「手《て》に入《い》れる」意《い》を表《あらわ》した。

復

5年

彳9画（12画）
音 フク
訓 ―

夂と書《か》かない

return［リターン］

つかいかた

- 昔《むかし》の住居《じゅうきょ》を復元《ふくげん》する。
- 被災地《ひさいち》が復興《ふっこう》する。
- 授業《じゅぎょう》の復習《ふくしゅう》をする。
- 体力《たいりょく》が回復《かいふく》する。

いみ・ことば

① もとへ戻《もど》る。 ●復調《ふくちょう》。復路《ふくろ》。復帰《ふっき》。回復《かいふく》。
② もう一度《いちど》。 ●復習《ふくしゅう》。復唱《ふくしょう》。復活《ふっかつ》。反復《はんぷく》。

もっとわかる

●四字熟語《よじじゅくご》…一陽来復《いちようらいふく》（冬《ふゆ》のあとに春《はる》が来《く》ること。悪《わる》いことのあとに、運《うん》が開《ひら》けること）

なりたち

復 ➡ 復

●「复《ふく》」は、腹《はら》のふくれた器《うつわ》の形《かたち》と「夂（あし）」を合《あ》わせたもの。「ふくれる」イメージは、「同《おな》じものが重《かさ》なる」というイメージにつながる。「复」は、同《おな》じ道《みち》を重《かさ》ねて行《い》くようす。「ひきかえす」「かえる」の意《い》をはっきりさせるため、さらに「彳（行《い》く）」をそえて「復」とした。

営

⺍9画（12画）
音 エイ
訓 いとなむ

⺌と書《か》かない

manage［マネヂ］

つかいかた

- 海辺《うみべ》で旅館《りょかん》を営《いとな》む。
- 日曜日《にちようび》も営業《えいぎょう》する。
- 工場《こうじょう》直営《ちょくえい》の店《みせ》。
- 宝物殿《ほうもつでん》を造営《ぞうえい》する。
- 山中《さんちゅう》で野営《やえい》する。

いみ・ことば

① とりおこなう。いとなむ。 ●営業《えいぎょう》。運《うん》営《えい》。経営《けいえい》。国営《こくえい》。私営《しえい》。直営《ちょくえい》。
② 建物《たてもの》などをつくる。 ●設営《せつえい》。造営《ぞうえい》。
③ とまるところ。 ●軍営《ぐんえい》。▲陣営《じんえい》。野営《やえい》。

もっとわかる

●「営々《えいえい》」は、休《やす》みなくはげむようす。

なりたち

もとの字《じ》は「營」。「熒《けい》（まわりを取《と》りまく）」の略《りゃく》と「呂（連《つら》なる）」を合《あ》わせた形《かたち》。建物《たてもの》などをいくつも連《つら》ねて、まわりを垣《かき》根《ね》などで取《と》りまいた場所《ばしょ》を表《あらわ》した。のち、「いとなむ」の意《い》でも使《つか》われた。

5年

述

⻍5画〔8画〕
音 ジュツ
訓 のべる

点《てん》を忘《わす》れない 述

state［ステイト］

つかいかた
- 立《た》って意見《いけん》を述《の》べる。
- 主語《しゅご》と述語《じゅつご》の関係《かんけい》。
- 記述式《きじゅつしき》のテスト。
- 口述《こうじゅつ》の試験《しけん》。
- 前述《ぜんじゅつ》の内容《ないよう》をくり返《かえ》す。

いみ・ことば
- **言《い》い表《あらわ》す。のべる。書《か》き表《あらわ》す。**
- 2記述《きじゅつ》。1口述《こうじゅつ》。6著述《ちょじゅつ》2家《か》。▲陳述《ちんじゅつ》。

もっとわかる
- 「陳述《ちんじゅつ》」は、意見《いけん》や考《かんが》えを、文書《ぶんしょ》でなく口《くち》で述《の》べること。

なりたち

- 「朮《じゅつ》」は、ねばりけのある実《み》をつけたアワをえがいた形《かたち》。くっついてはなれないというイメージがある。それに「⻍（行《い》く）」を合《あ》わせて、もとの道《みち》すじからはずれずに行《い》くようすを表《あらわ》した。のち、道《みち》すじに従《したが》って「のべる」意《い》でも使《つか》われた。

逆

⻍6画〔9画〕
音 ギャク
訓 さか さからう

下《した》につき出《だ》す 逆

disobey［ディスオベイ］

つかいかた
- 上下《じょうげ》を逆《さか》さまにする。
- 川《かわ》の流《なが》れに逆《さか》らう。
- 最後《さいご》に逆転《ぎゃくてん》する。
- 時代《じだい》に逆行《ぎゃっこう》する。
- 反逆《はんぎゃく》をくわだてる。

いみ・ことば
- ① **さからう。そむく。**
- 2逆心《ぎゃくしん》。3反逆《はんぎゃく》。
- ② **反対《はんたい》。さかさま。**
- 1逆上《さかあ》がり。5逆効果《ぎゃくこうか》。2逆算《ぎゃくさん》。4逆説《ぎゃくせつ》。3逆転《ぎゃくてん》。3逆流《ぎゃくりゅう》。

もっとわかる
- 「逆鱗《げきりん》に触《ふ》れる」とは、目上《めうえ》の人《ひと》のいかりをかう意《い》。「逆」は「げき」と読《よ》む。

なりたち

- 「屰《ぎゃく》」は、「大」をひっくり返《かえ》したもので、反対向《はんたいむ》きになるというイメージを示《しめ》す。それと「⻍（行《い》く）」を合《あ》わせて、「さかさ」「さからう」の意《い》を表《あらわ》した。

迷

⻍6画〔9画〕
音 （メイ）
訓 まよう

stray［ストレイ］

つかいかた
- 山《やま》で道《みち》に迷《まよ》う。
- 迷路《めいろ》のような道《みち》。
- 事件《じけん》が迷宮《めいきゅう》入《い》りする。
- 他人《たにん》に迷惑《めいわく》をかける。
- 成績《せいせき》が低迷《ていめい》する。

いみ・ことば
- **どうすればよいかわからなくなる。まよう。**
- 3迷宮《めいきゅう》。4迷信《めいしん》。3迷路《めいろ》。▲迷惑《めいわく》。4低迷《ていめい》。

もっとわかる
- 特別《とくべつ》な読《よ》み方《かた》…迷子《まいご》
- 「迷信《めいしん》」とは、根拠《こんきょ》のない言《い》い伝《つた》え。
- 「迷宮《めいきゅう》入《い》り」とは、事件《じけん》の解決《かいけつ》がつかなくなること。

なりたち
- 「米《まい》」は、点々《てんてん》と散《ち》らばっている米《こめ》。こまかく分散《ぶんさん》するというイメージがある。それに「⻍（行《い》く）」を合《あ》わせた「迷」は、道《みち》がこまかく分《わ》かれていて見分《みわ》けがつかなくなるようすで、「まよう」の意《い》を表《あらわ》した。

造

辶7画〔10画〕

音 ゾウ
訓 つくる

上《うえ》の横棒《よこぼう》より長《なが》く

build［ビるド］

つかいかた

- 工場《こうじょう》で船《ふね》を造《つく》る。
- 荷造《にづく》りをすませる。
- 造花《ぞうか》をかざる。
- ふろ場《ば》を改造《かいぞう》する。
- 木造《もくぞう》の家《いえ》に住《す》む。

いみ・ことば

①こしらえる。つくる。 ●3荷造《にづく》り。造花《ぞうか》1。造形《ぞうけい》2。改造《かいぞう》4。構造《こうぞう》5。創造《そうぞう》6。木造《もくぞう》1。

②行《い》き着《つ》く。きわめる。 ●造詣《ぞうけい》▲。

もっとわかる

●「造詣《ぞうけい》」は、ある分野《ぶんや》についての知識《ちしき》が豊《ゆた》かなこと（例 絵画《かいが》に造詣《ぞうけい》が深《ふか》い）。

なりたち

●古《ふる》くは「舟（ふね）」と「告（きつくしばる）」を合《あ》わせた形《かたち》。ふねをしばって急場《きゅうば》の橋《はし》をつくるようすで、素材《そざい》をくっつけて「つくる」意《い》を表《あらわ》した。のちに、「舟」を「辶」にかえて「造」となった。

造造造造造造造造

過

辶9画〔12画〕

音 カ
訓 すぎる　すごす　（あやまつ）　（あやまち）

はねる

pass［パス］

つかいかた

- 目《め》の前《まえ》をトラックが過《す》ぎる。
- 一日中《いちにちじゅう》寝《ね》て過《す》ごす。
- 自分《じぶん》の過《あやま》ちに気《き》づく。
- 過去《かこ》を水《みず》に流《なが》す。
- 自分《じぶん》の実力《じつりょく》を過信《かしん》する。

いみ・ことば

①すぎる。通《とお》りすぎる。時間《じかん》がすぎる。 ●過去《かこ》3。過日《かじつ》1。過程《かてい》5。経過《けいか》5。通過《つうか》2。

②程度《ていど》をこえる。ゆきすぎる。 ●過激《かげき》5。過言《かごん》2。過小《かしょう》1。過信《かしん》4。過大《かだい》1。過度《かど》3。過敏《かびん》▲。過保護《かほご》5。過労《かろう》4。超過《ちょうか》▲。

③失敗《しっぱい》5。あやまち。 ●過失《かしつ》4。大過《たいか》1。

なりたち

●「咼《か》」は、穴《あな》にはまりこむ関節《かんせつ》の骨《ほね》。なめらかに動《うご》くというイメージがある。それに「辶（行《い》く）」を合《あ》わせて、さわりなく進《すす》んで通《とお》りすぎる意《い》を表《あらわ》した。

過過過過過過過過

適

辶11画〔14画〕

音 テキ
訓 —

はねる

proper［プラパァ］

つかいかた

- 適正《てきせい》な判断《はんだん》を下《くだ》す。
- 仕事《しごと》の適性《てきせい》を調《しら》べる。
- 適度《てきど》な休養《きゅうよう》が必要《ひつよう》だ。
- 快適《かいてき》な部屋《へや》。
- 放送委員《ほうそういいん》に最適《さいてき》の人《ひと》。

いみ・ことば

●**ちょうどよい。ふさわしい。** ●適温《てきおん》3。適性《てきせい》5。適度《てきど》3。適当《てきとう》2。適任《てきにん》5。適量《てきりょう》4。最適《さいてき》4。

もっとわかる

●四字熟語《よじじゅくご》…適材適所《てきざいてきしょ》（その人《ひと》の能力《のうりょく》にあった役目《やくめ》や仕事《しごと》につけること）

なりたち

●「啇《てき》」は、「まとまって一《ひと》すじになる」というイメージから「まっすぐに向《む》き合《あ》う」というイメージも示《しめ》す。その「啇」と「辶（行《い》く）」を合《あ》わせて、まっすぐ進《すす》む意《い》を表《あらわ》した。また、まっすぐ向《む》かってあたる意《い》でも使《つか》われた。

適適適適適適適適

5年

防

阝4画〔7画〕
音 ボウ
訓 ふせぐ

はねる

prevent［プリヴェント］

つかいかた

- 敵《てき》の侵入《しんにゅう》を防《ふせ》ぐ。
- タイトルを防衛《ぼうえい》する。
- 危険《きけん》を防止《ぼうし》する。
- 防水加工《ぼうすいかこう》をしたコート。
- 予防注射《よぼうちゅうしゃ》を打《う》つ。

いみ・ことば

❶ふせぐ。まもる。●防衛《ぼうえい》。防音《ぼうおん》。防火《ぼうか》。防寒《ぼうかん》。防止《ぼうし》。防水《ぼうすい》。防戦《ぼうせん》。防犯《ぼうはん》。▲攻防《こうぼう》。消防《しょうぼう》。予防《よぼう》。

❷土手《どて》。つつみ。●▲堤防《ていぼう》。

もっとわかる

●「正当防衛《せいとうぼうえい》」は、不当《ふとう》な暴力《ぼうりょく》から身《み》を守《まも》る権利《けんり》。●「攻防《こうぼう》」は、せめることと守《まも》ること（例 攻防《こうぼう》をくり広《ひろ》げる）。

なりたち

「方《ほう》（左右《さゆう》にはり出《だ》す）」と「阝(盛《も》り土《つち》)」を合《あ》わせた形《かたち》。左右《さゆう》にはり出《だ》した水《みず》を防《ふせ》ぐ盛《も》り土《つち》で、土手《どて》の意《い》を表《あらわ》した。

限

阝6画〔9画〕
音 ゲン
訓 かぎる

この形《かたち》に注意《ちゅうい》

limit［リミット］

つかいかた

- 力《ちから》の限《かぎ》り戦《たたか》う。
- もう体力《たいりょく》の限界《げんかい》だ。
- 期間限定《きかんげんてい》で販売《はんばい》する。
- 賞味期限《しょうみきげん》を確《たし》かめる。
- 人数《にんずう》を制限《せいげん》する。

いみ・ことば

区切《くぎ》りをつける。●限界《げんかい》。限定《げんてい》。限度《げんど》。権限《けんげん》。制限《せいげん》。年限《ねんげん》。無限《むげん》。門限《もんげん》。

もっとわかる

●「限《かぎ》りない」は、どこまでも続《つづ》く、はてしない、の意《い》。●「門限《もんげん》」は、夜《よる》、門《もん》を閉《し》める時間《じかん》。また、帰《かえ》らなければならない時間《じかん》（例 九時《くじ》が門限《もんげん》だ）。

なりたち

「艮《こん》（いつまでもあとが残《のこ》る）」と「阝(盛《も》り土《つち》)」を合《あ》わせた形《かたち》。盛《も》り土《つち》をして、いつまでも残《のこ》る境界線《きょうかいせん》をつくる、「区切《くぎ》り」をつける意《い》を表《あらわ》した。

険

阝8画〔11画〕
音 ケン
訓 けわしい

つき出《だ》さない

steep［スティープ］

つかいかた

- 険《けわ》しい山道《やまみち》を登《のぼ》る。
- 危険《きけん》をおかして進《すす》む。
- 世界各地《せかいかくち》を冒険《ぼうけん》する。
- 交通事故《こうつうじこ》の保険《ほけん》に入《はい》る。

いみ・ことば

❶切《き》り立《た》っている。けわしい。●険路《けんろ》。

❷あぶない。●危険《きけん》。▲冒険《ぼうけん》。保険《ほけん》。

もっとわかる

●「険」は、「険悪《けんあく》な顔《かお》つき」「陰険《いんけん》な性格《せいかく》」のように、地形《ちけい》のけわしさ以外《いがい》にも使《つか》われる。

なりたち

もとの字《じ》は「險」。「僉《せん》」は、多《おお》くのものを一《いっ》か所《しょ》に集《あつ》めるようす。「集《あつ》めそろえる」というイメージのほかに、「引《ひ》きしめる」というイメージも示《しめ》す。それに「阝(おか)」を合《あ》わせた「險」は、山《やま》が両側《りょうがわ》からせまり、頂点《ちょうてん》で合《あ》うほど切《き》り立《た》っているようすで、「けわしい」の意《い》を表《あらわ》した。

際

阝11画〔14画〕

音 サイ
訓 (きわ)

タと書《か》かない

verge [ヴァージ]

つかいかた

● 窓際《まどぎわ》に植物《しょくぶつ》をかざる。
● 際限《さいげん》なく話《はな》し続《つづ》ける。
● グループで交際《こうさい》する。
● 国際《こくさい》電話《でんわ》をかける。
● 実際《じっさい》にやってみる。

いみ・ことば

1 はて。きわ。●6窓際《まどぎわ》。1水際《みずぎわ》。5際限《さいげん》。

2 折《おり》。時《とき》。場合《ばあい》。●3際物《きわもの》。3実際《じっさい》。

3 つきあう。●2交際《こうさい》。2国際《こくさい》。

もっとわかる

● 「際物《きわもの》」は、門松《かどまつ》のように、ある季節《きせつ》の直前《ちょくぜん》にだけ売《う》れる品物《しなもの》。● 「金輪際《こんりんざい》」は、あくまでも、けっしての意《い》。

なりたち

「祭《さい》」は、「こすり合《あ》わせる」というイメージがある。それに「阝(盛《も》り土《つち》)」を合《あ》わせて、両側《りょうがわ》の土《つち》のかべがこすれ合《あ》うほどに近《ちか》づくところ、つまり二《ふた》つが接《せっ》する「きわ」を表《あらわ》した。

応

心3画〔7画〕

音 オウ
訓 こたえる

はねる

respond [リスパンド]

つかいかた

● 期待《きたい》に応《こた》える。
● 電話《でんわ》で応対《おうたい》する。
● 応分《おうぶん》の謝礼《しゃれい》をはらう。
● 習《なら》ったことを応用《おうよう》する。
● これで一応《いちおう》完成《かんせい》だ。

いみ・ことば

1 こたえる。態度《たいど》で示《しめ》す。●3応急《おうきゅう》。4応戦《おうせん》。▲応募《おうぼ》。2応用《おうよう》。1一応《いちおう》。6呼応《こおう》。対応《たいおう》。

2 つりあう。●2応分《おうぶん》。3相応《そうおう》。5適応《てきおう》。

もっとわかる

● 「反応《はんのう》」「順応《じゅんのう》」のように、「応」の直前《ちょくぜん》が「ン」のときは「ノウ」と読《よ》む。

なりたち

● もとの字《じ》は「應」。「雁《よう》」は、タカを飼《か》いならして胸《むね》の前《まえ》で受《う》けとめるようす。それに「心《こころ》(こころ)」を合《あ》わせて、外《そと》からの合図《あいず》を心《こころ》でしっかり「受《う》けとめる」ようすを表《あらわ》した。

志

心3画〔7画〕

音 シ
訓 こころざす こころざし

下《した》を短《みじか》く

intention [インテンション]

つかいかた

● 志《こころざし》を高《たか》く持《も》つ。
● 志願者《しがんしゃ》が殺到《さっとう》する。
● 志望《しぼう》の動機《どうき》をたずねる。
● 自分《じぶん》の意志《いし》をつらぬく。
● 大志《たいし》を抱《いだ》いて上京《じょうきょう》する。

いみ・ことば

1 めざす。●4志願《しがん》。3志向《しこう》。4志望《しぼう》。

2 心《こころ》の中《なか》で決《き》めた考《かんが》え。こころざし。●3意志《いし》。4初志《しょし》。6寸志《すんし》。1大志《たいし》。3有志《ゆうし》。1立志《りっし》。

もっとわかる

● 四字熟語《よじじゅくご》…初志貫徹《しょしかんてつ》(はじめに決《き》めた通《とお》りにやりぬくこと)

なりたち

● 「士」は「之《し》(目標《もくひょう》をめざしてまっすぐ進《すす》む)」が変《か》わったもの。それに「心」(こころ)を合《あ》わせた「志」は、心《こころ》がある目標《もくひょう》に向《む》かって進《すす》んでいくようすで、「こころざし」を表《あらわ》した。

快

忄 4画〔7画〕

音 カイ
訓 こころよい

快（つき出す）

pleasant［プれズント］

つかいかた

- 快《こころよ》い風《かぜ》がふきぬける。
- 勝利《しょうり》の快感《かいかん》にひたる。
- 快調《かいちょう》なすべり出《だ》し。
- 軽快《けいかい》な足取《あしど》り。
- 近年《きんねん》にない痛快《つうかい》な出来事《できごと》。

いみ・ことば

❶こころよい。気持《きも》ちよい。●[3]快感《かいかん》。快《かい》[2]晴《せい》。快調《かいちょう》。[5]快適《かいてき》。[3]軽快《けいかい》。[6]痛快《つうかい》。▲愉快《ゆかい》。

❷速《はや》い。●快走《かいそう》。[2]快足《かいそく》。[1]快速《かいそく》。[3]

もっとわかる

- 「痛快《つうかい》」は、胸《むね》がすっとして気持《きも》ちがいいこと。
- 「快刀乱麻《かいとうらんま》を断《た》つ」は、よく切《き》れる刀《かたな》でもつれた糸《いと》を断《た》ち切《き》るように、複雑《ふくざつ》な問題《もんだい》をあざやかに処理《しょり》する意《い》。

なりたち

「央《かい》（えぐり取《と》る）」と「忄（心《こころ》）」を合《あ》わせた形《かたち》で、いやな気分《きぶん》を取《と》ってすっきりするようすを表《あらわ》した。

快 快 快 快 快 快 快

性

5年

忄 5画〔8画〕

音 セイ（ショウ）
訓 ―

性（長《なが》めに）

nature［ネイチャ］

つかいかた

- 性能《せいのう》のよいパソコン。
- 性別《せいべつ》を問《と》わない。
- あきっぽい性分《しょうぶん》。
- 相性《あいしょう》の悪《わる》い二人《ふたり》。
- それぞれの個性《こせい》をいかす。

いみ・ことば

❶生《う》まれつき。●性分《しょうぶん》。性格《せいかく》。性質《せいしつ》。[1]気《き》性《しょう》。[3]根性《こんじょう》。[3]習性《しゅうせい》。[2]知性《ちせい》。[1]人間性《にんげんせい》。[2]理性《りせい》。

❷ものに備《そな》わっている特色《とくしょく》。●性能《せいのう》。[3]安《あん》全性《ぜんせい》。[3]急性《きゅうせい》。[1]中性《ちゅうせい》。[5]毒性《どくせい》。

❸男女《だんじょ》の区別《くべつ》。●性別《せいべつ》。[6]異性《いせい》。[1]女性《じょせい》。[1]男性《だんせい》。

もっとわかる

- 「性《しょう》に合《あ》う」は、もって生《う》まれた性質《せいしつ》や好《この》みにしっくり合《あ》う意《い》。

なりたち

「生《せい》（うまれる）」と「忄（心《こころ》）」を合《あ》わせた形《かたち》で、「生《う》まれつきもっているもの」を表《あらわ》した。

性 性 性 性 性 性 性 性

同音異義《どうおんいぎ》のことば⑥

【ホケン】

保健…健康《けんこう》をたもつこと。

「保健室《ほけんしつ》に行《い》く」

保険…事故《じこ》などにそなえる制度《せいど》。

「生命保険《せいめいほけん》にはいる」


【ホショウ】

保障…そこなわれないように守《まも》る。

「みんなの安全《あんぜん》を保障《ほしょう》する」

保証…大丈夫《だいじょうぶ》であると責任《せきにん》をもつ。

「かれならできると保証《ほしょう》する」
＊「補償《ほしょう》」は、相手《あいて》にあたえた損害《そんがい》などをつぐなう意《い》。

【ヤセイ】

野生…動植物《どうしょくぶつ》が山野《さんや》で育《そだ》つこと。

「野生《やせい》のおおかみ」

野性…自然《しぜん》のままの性質《せいしつ》。

「野性《やせい》に目《め》ざめる」

「野性的《やせいてき》な魅力《みりょく》がある」


【ヨウケン】

用件…なすべき仕事《しごと》。

「用件《ようけん》をすませる」

要件…大切《たいせつ》な用事《ようじ》。必要《ひつよう》な条件《じょうけん》。

「要件《ようけん》だけをつたえる」

情

忄8画〔11画〕
音 ジョウ(セイ)
訓 なさけ

はねる

emotion [イモウション]

つかいかた
● 情《なさ》けは人《ひと》のためならず。
● 音楽《おんがく》への情熱《じょうねつ》。
● 情報《じょうほう》を手《て》に入れる。
● 明《あか》るい表情《ひょうじょう》。
● 友情《ゆうじょう》を深《ふか》める。

いみ・ことば
① 心《こころ》。気持《きも》ち。● 情熱《じょうねつ》。[4]愛情《あいじょう》。[3]感情《かんじょう》。[2]心情《しんじょう》。
② 思《おも》いやり。● [2]同情《どうじょう》。[1]人情《にんじょう》。▲薄情《はくじょう》。友情《ゆうじょう》。
③ ようす。● 情[4]景《じょうけい》。情[5]報《じょうほう》。[3]事情《じじょう》。[3]実情《じつじょう》。

もっとわかる
●「セイ」の読《よ》みは、「風情《ふぜい》」などのことばに使《つか》われる。●「情《なさ》けは人《ひと》のためならず」は、人《ひと》に情《なさ》けをかければ、やがて自分《じぶん》によい報《むく》いが返《かえ》ってくるという意《い》。

なりたち
「青《せい》(けがれがなく澄《す》んでいる)」と「忄(心《こころ》)」を合《あ》わせた形《かたち》。物事《ものごと》に対《たい》して自然《ぜん》にわき起《お》こる、素直《すなお》な気持《きも》ちを表《あらわ》した。

情 情 情 情 情 情 情 情

態

心10画〔14画〕
音 タイ
訓 ―

灬と書《か》かない

attitude [アティテュード]

つかいかた
● 反抗的《はんこうてき》な態度《たいど》をとる。
● 受《う》け入れ態勢《たいせい》を調《ととの》える。
● さんざん悪態《あくたい》をつく。
● 思《おも》わぬ失態《しったい》を演《えん》じる。
● 地球《ちきゅう》の生態系《せいたいけい》を守《まも》る。

いみ・ことば
● ありさま。ようす。ふるまい。● 態[5]勢《たいせい》。態[3]度《たいど》。[2]形態《けいたい》。[3]実態《じったい》。[1]生態《せいたい》。

もっとわかる
● 四字熟語《よじじゅくご》…旧態依然《きゅうたいいぜん》(昔《むかし》のままで、何《なん》の進歩《しんぽ》や発展《はってん》がないようす)●「悪態《あくたい》をつく」は、相手《あいて》の前《まえ》で悪口《わるぐち》を言《い》う意《い》。●「失態《しったい》を演《えん》じる」は、失敗《しっぱい》して面目《めんぼく》を失《うしな》う意《い》。

なりたち
「能《のう》(何《なに》かをしようとする力《ちから》)」と「心(こころ)」を合《あ》わせた形《かたち》。何《なに》かをしようとする心《こころ》が身《み》ぶりとなって現《あらわ》れたもの、「身《み》や心《こころ》のかまえ」を表《あらわ》した。

態 態 態 態 態 態 態 態 態

慣

忄11画〔14画〕
音 カン
訓 なれる ならす

母と書《か》かない

get used to [ゲット ユーストトゥ]

つかいかた
● 学校生活《がっこうせいかつ》に慣《な》れる。
● 慣行《かんこう》に従《したが》ってとり行《おこな》う。
● 慣用句《かんようく》を勉強《べんきょう》する。
● ラジオ体操《たいそう》をする習慣《しゅうかん》。

いみ・ことば
● なれる。ならわし。● 慣[2]行《かんこう》。慣[3]習《かんしゅう》。慣[5]性《かんせい》。慣[2]用《かんよう》。慣[4]例《かんれい》。[3]習慣《しゅうかん》。

もっとわかる
●「慣用句《かんようく》」とは、二《ふた》つ以上《いじょう》のことばが結《むす》びついて、ある特定《とくてい》の意味《いみ》を表《あらわ》すもの。「足《あし》が出《で》る」「顔《かお》が広《ひろ》い」など。

なりたち

⬇ 貫
●「貫《かん》」は、貝《かい》にひもを通《とお》した銭差《ぜにさ》しのことから、「つらぬき通《とお》す」というイメージを示《しめ》す。それに「忄(こころ)」をそえた「慣」は、いつも同《おな》じことをくり返《かえ》して心《こころ》になじむようすで、「なれる」の意《い》を表《あらわ》した。

慣 慣 慣 慣 慣 慣 慣 慣

5年

技

扌4画（7画）

音 ギ
訓 （わざ）

skill［スキる］

つかいかた

- 技《わざ》を競《きそ》い合《あ》う。
- 得意技《とくいわざ》が決《き》まる。
- 技術《ぎじゅつ》を身《み》につける。
- 新体操《しんたいそう》の演技《えんぎ》。
- 特技《とくぎ》は鉄棒《てつぼう》だ。

いみ・ことば

- **わざ。うでまえ。** ●1大技《おおわざ》。1小技《こわざ》。5得意《とくい》3技《わざ》。技《ぎ》4芸《げい》。技《ぎ》5師《し》。技《ぎ》5能《のう》。技《ぎ》4法《ほう》。技《ぎ》4量《りょう》。5演《えん》技《ぎ》。4競《きょう》技《ぎ》。3実《じつ》技《ぎ》。4特《とく》技《ぎ》。

もっとわかる

- 同訓異字《どうくんいじ》「わざ」…「技」は、一定《いってい》の方法《ほうほう》や動作《どうさ》（例 技《わざ》をみがく。柔道《じゅうどう》の寝技《ねわざ》）。「業」は、行《おこな》いやしわざ（例 あの演技《えんぎ》はまさに神業《かみわざ》だ）。

なりたち

「支《し》（こまかく分《わ》かれる）」と「扌（手《て》の動《うご》き）」を合《あ》わせた形《かたち》で、こまかい手《て》わざを表《あらわ》した。

招

扌5画（8画）

音 ショウ
訓 まねく

invite［インヴァイト］

つかいかた

- お招《まね》きありがとう。
- 手招《てまね》きで呼《よ》び寄《よ》せる。
- メンバーを招集《しょうしゅう》する。
- 友達《ともだち》を家《いえ》に招待《しょうたい》する。
- オリンピックを招致《しょうち》する。

いみ・ことば

- **人《ひと》をよぶ。よびよせる。まねく。** ●招《しょう》3集《しゅう》。招《しょう》3待《たい》。招《しょう》▲致《ち》。招《しょう》2来《らい》。

もっとわかる

- 「招《まね》く」は、「不注意《ふちゅうい》が事故《じこ》を招《まね》く」のように、「引《ひ》き起《お》こす」の意《い》でも使《つか》われる。
- 「招《まね》かれざる客《きゃく》」は、呼《よ》んでいないのに来《く》る客《きゃく》の意《い》で、歓迎《かんげい》されない客《きゃく》。

なりたち

 召

- 「召《しょう》」は、口《くち》で呼《よ》びながら、手《て》を（形《かた》に曲《ま》げて、おいでおいでをするようす。それに「扌（手《て》）」をそえて、手《て》まねきする意《い》を表《あらわ》した。

採

扌8画（11画）

音 サイ
訓 とる

adopt［アダプト］

つかいかた

- 野山《のやま》で山菜《さんさい》を採《と》る。
- 新《あら》たに人《ひと》を採用《さいよう》する。
- 検査《けんさ》で採血《さいけつ》する。
- 昆虫《こんちゅう》を採集《さいしゅう》する。
- 提案《ていあん》の採否《さいひ》を決定《けってい》する。

いみ・ことば

1. **とる。とり入《い》れる。** ●採《さい》3血《けつ》。採《さい》3決《けつ》。採《さい》2光《こう》。採《さい》5鉱《こう》。採《さい》3取《しゅ》。採《さい》3集《しゅう》。
2. **とりあげる。選《えら》ぶ。** ●採《さい》6否《ひ》。採《さい》2用《よう》。

もっとわかる

- 「採算《さいさん》」は、収入《しゅうにゅう》と支出《ししゅつ》を計算《けいさん》すること。「採算《さいさん》が合《あ》う」で、支出《ししゅつ》以上《いじょう》の収入《しゅうにゅう》が得《え》られる、つまり利益《りえき》がある意《い》。

なりたち

 采（采）

- 「采《さい》」は、「爪（下向《したむ》きの手《て》）」と「木」を合《あ》わせて、選《えら》んでつみとるようす。それに「扌（手《て》の動《うご》き）」を合《あ》わせて、「つみとる」の意《い》を表《あらわ》した。

授

扌8画〔11画〕

音 ジュ
訓 (さずける)(さずかる)

この形《かたち》に注意《ちゅうい》

confer [カンファー]

つかいかた

- 秘伝《ひでん》の書《しょ》を授《さず》ける。
- 楽《たの》しい国語《こくご》の授業《じゅぎょう》。
- 金銭《きんせん》を授受《じゅじゅ》する。
- ノーベル賞《しょう》の授賞式《じゅしょうしき》。
- ゲームのこつを伝授《でんじゅ》する。

いみ・ことば

● さずける。あたえる。 ●授業《じゅぎょう》[3]。授受《じゅじゅ》[3]。授賞《じゅしょう》[5]。授乳《じゅにゅう》[6]。教授《きょうじゅ》[2]。伝授《でんじゅ》[4]。

もっとわかる

- 「授《さず》かり物《もの》」とは、神仏《しんぶつ》や天《てん》からあたえられた物《もの》(例)子《こ》は天《てん》からの授《さず》かり物《もの》だ)。
- 同音異義語《どうおんいぎご》「ジュショウ」…「授賞《じゅしょう》」は、賞《しょう》をさずける意《い》(例)ノーベル賞《しょう》の授賞式《じゅしょうしき》)。「受賞《じゅしょう》」は、賞《しょう》を受《う》ける意《い》(例)新人賞《しんじんしょう》を受賞《じゅしょう》する)。

なりたち

「受《じゅ》(うけ渡《わた》しする)」と「扌(手《て》)」を合《あ》わせた形《かたち》で、「さずける」の意《い》を表《あらわ》した。

接

扌8画〔11画〕

音 セツ
訓 (つぐ)

折《お》る

connect [カネクト]

つかいかた

- 庭《にわ》の木《き》に接《つ》ぎ木《き》をする。
- 水道管《すいどうかん》を接続《せつぞく》する。
- 東西文明《とうざいぶんめい》の接点《せってん》。
- 密接《みっせつ》な関係《かんけい》にある国《くに》。

いみ・ことば

1. つなぐ。つながる。 ●接骨《せっこつ》[6]。接続《せつぞく》[4]。接着《せっちゃく》[3]。
2. 近《ちか》づく。 ●接戦《せっせん》[4]。接点《せってん》[2]。密接《みっせつ》[6]。▲隣接《りんせつ》。
3. 人《ひと》と会《あ》う。 ●接待《せったい》[3]。応接《おうせつ》[5]。面接《めんせつ》[3]。

もっとわかる

- 「木《き》に竹《たけ》を接《つ》ぐ」は、調和《ちょうわ》がとれないこと、すじが通《とお》らないことのたとえ。

なりたち

- 「妾《しょう》」は、「二《ふた》つのものがつながる」というイメージを示《しめ》す。それに「扌(手《て》)」を合《あ》わせた「接」は、手《て》で二《ふた》つのものをつなぐようすで、「つながる」の意《い》を表《あらわ》した。のち、「ふれるほど近《ちか》づく」の意《い》でも使《つか》われた。

提

扌9画〔12画〕

音 テイ
訓 (さげる)

土と書《か》かない

carry [キャリィ]

つかいかた

- 手提《てさ》げのふくろ。
- 新《あたら》しい方法《ほうほう》を提案《ていあん》する。
- 資金《しきん》を提供《ていきょう》する。
- 宿題《しゅくだい》を提出《ていしゅつ》する。
- 全員参加《ぜんいんさんか》を前提《ぜんてい》とする。

いみ・ことば

1. 手《て》にさげる。もつ。 ●手提《てさ》げ[1]。提灯《ちょうちん》[4]。
2. 持《も》ち出《だ》す。さし出《だ》す。 ●提案《ていあん》[4]。提起《ていき》[3]。提供《ていきょう》[6]。提言《ていげん》[2]。提示《ていじ》[5]。提出《ていしゅつ》[1]。提唱《ていしょう》[4]。前提《ぜんてい》[2]。

もっとわかる

- 「提灯《ちょうちん》につり鐘《がね》」とは、まったくつり合《あ》いのとれていないもののたとえ。形《かたち》は似《に》ていても、大《おお》きさも重《おも》さもまったく異《こと》なることから。

なりたち

「是《ぜ》(まっすぐのびる)」と「扌(手《て》)」を合《あ》わせた形《かたち》。まっすぐのばした手《て》に、物《もの》を下《さ》げて持《も》つ意《い》を表《あらわ》した。

損

扌10画〔13画〕
音 ソン
訓 (そこなう)(そこねる)

月と書かない

damage［ダメヂ］

つかいかた
- 機嫌《きげん》を損《そこ》ねる。
- 最終回《さいしゅうかい》を見損《みそこ》なう。
- 株《かぶ》で損《そん》をする。
- 台風《たいふう》で損害《そんがい》を受《う》ける。
- 窓《まど》ガラスが破損《はそん》する。

いみ・ことば

1. **こわれる。やぶれる。** ●損傷《そんしょう》。破損《はそん》。
2. **もうけをなくす。失《うしな》う。** ●損益《そんえき》。損害《そんがい》。損失《そんしつ》。損得《そんとく》。欠損《けっそん》。

もっとわかる
- 「損《そん》して得取《とくと》れ」とは、今《いま》は損《そん》をしても、あとで大《おお》きな利益《りえき》を得《え》ればよいということ。
- 「骨折《ほねお》り損《ぞん》」は、せっかくの苦労《くろう》がむだになること。

なりたち
「員(まるい穴《あな》)」と「扌(手《て》)」を合《あ》わせた形《かたち》。物《もの》の一部《いちぶ》に穴《あな》があいてこわれる意《い》を表《あらわ》した。

損損損損損損損損

支

支0画〔4画〕
音 シ
訓 ささえる

攵と書かない

support［サポート］

つかいかた
- つえで体《からだ》を支《ささ》える。
- 給料《きゅうりょう》を支給《しきゅう》する。
- 朝顔《あさがお》に支柱《しちゅう》を立《た》てる。
- 東京《とうきょう》に支店《してん》を出《だ》す。
- 国《くに》を支配《しはい》する。

いみ・ことば

1. **ささえる。** ●支持《しじ》。支柱《しちゅう》。支点《してん》。支配《しはい》。
2. **枝分《えだわ》かれする。** ●支局《しきょく》。支社《ししゃ》。支線《しせん》。支店《してん》。支部《しぶ》。支流《しりゅう》。
3. **お金《かね》をはらう。** ●支給《しきゅう》。支出《ししゅつ》。収支《しゅうし》。

もっとわかる
- 四字熟語《よじじゅくご》…支離滅裂《しりめつれつ》(物事《ものごと》のすじ道《みち》が立《た》たず、まとまりのないようす)

なりたち

↓支

- 一本《いっぽん》の竹《たけ》の枝《えだ》と「又(手《て》)」を合《あ》わせた形《かたち》。竹《たけ》の枝《えだ》を手《て》に持《も》つようすで、幹《みき》から分《わ》かれた枝《えだ》のように「枝分《えだわ》かれしたもの」を表《あらわ》した。

支支支支

故

攵5画〔9画〕
音 コ
訓 (ゆえ)

つき出す

old［オウルド］

つかいかた
- 故意《こい》に反則《はんそく》をする。
- 故郷《こきょう》をあとに上京《じょうきょう》する。
- テレビが故障《こしょう》する。
- 故人《こじん》の冥福《めいふく》を祈《いの》る。
- 事故《じこ》の知《し》らせが入《はい》る。

いみ・ことば

1. **ふるい。もとの。** ●故郷《こきょう》。故国《ここく》。故事《こじ》。
2. **できごと。** ●故障《こしょう》。事故《じこ》。
3. **わざと。** ●故意《こい》。
4. **死《し》ぬ。** ●故人《こじん》。物故《ぶっこ》。

もっとわかる
- 四字熟語《よじじゅくご》…温故知新《おんこちしん》(昔《むかし》のことを調《しら》べて、新《あたら》しいことを知《し》ること)

なりたち
「古《こ》(ひからびて固《かた》い)」と「攵(動作《どうさ》のしるし)」を合《あ》わせた形《かたち》。体《からだ》がひからびて固《かた》くなるようすで、「死《し》ぬ」の意《い》を表《あらわ》した。また、「古《ふる》くなる」の意《い》でも使《つか》われた。

故故故故故故故故故

5年

政

攵5画〔9画〕

音 セイ（ショウ）

訓 （まつりごと）

ななめ右上《みぎうえ》に

administer [アドミニスタア]

つかいかた

- 政治《せいじ》に関心《かんしん》を持《も》つ。
- 候補者《こうほしゃ》の政見放送《せいけんほうそう》。
- 行政改革《ぎょうせいかいかく》に乗《の》り出《だ》す。
- 財政《ざいせい》が苦《くる》しい。
- 内政干渉《ないせいかんしょう》はしない。

いみ・ことば

① 世《よ》の中《なか》をおさめる。●政界《せいかい》。政権《せいけん》。政治《せいじ》。政党《せいとう》。王政《おうせい》。行政《ぎょうせい》。国政《こくせい》。内政《ないせい》。

② 物事《ものごと》をととのえる。●家政《かせい》。財政《ざいせい》。

もっとわかる

●「ショウ」の読《よ》みは、「摂政《せっしょう》」などに使《つか》われる。●「まつりごと」は「祭《まつ》り事《ごと》」の意《い》で、政治《せいじ》のこと。古《ふる》くは、神《かみ》を祭《まつ》る人《ひと》と国《くに》を治《おさ》める人《ひと》が同《おな》じであったことから。

なりたち

「正《せい》（まっすぐ）」と「攵（動作《どうさ》のしるし）」を合《あ》わせた形《かたち》で、国《くに》や社会《しゃかい》の物事《ものごと》を正《ただ》しくととのえておさめる意《い》を表《あらわ》した。

政 政 政 政 政 政 政 政

救

攵7画〔11画〕

音 キュウ

訓 すくう

点《てん》を忘《わす》れない

save [セイヴ]

つかいかた

- 貧《まず》しい民《たみ》を救《すく》う。
- 救《すく》いの手《て》を差《さ》しのべる。
- 救急車《きゅうきゅうしゃ》が通《とお》る。
- けが人《にん》を救出《きゅうしゅつ》する。
- 救命《きゅうめい》ボートに乗《の》る。

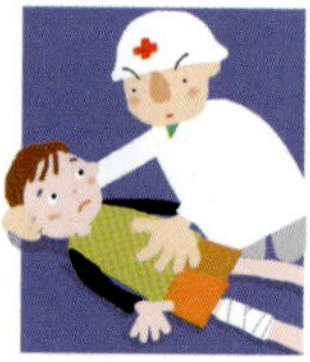

いみ・ことば

● たすける。すくう。●救援《きゅうえん》。救護《きゅうご》。救済《きゅうさい》。救出《きゅうしゅつ》。救助《きゅうじょ》。救世主《きゅうせいしゅ》。救命具《きゅうめいぐ》。

もっとわかる

●「救急車《きゅうきゅうしゃ》」の「救急」を「急救」と書《か》きまちがえないように注意《ちゅうい》。

なりたち

↓ 求

●「求《きゅう》」は、動物《どうぶつ》の毛皮《けがわ》で作《つく》った衣《ころも》。体《からだ》にぴったりしまる服《ふく》なので、中心《ちゅうしん》に向《む》けて引《ひ》きしめるというイメージがある。それに「攵（手《て》の動作《どうさ》）」を合《あ》わせた「救」は、災難《さいなん》にあった人《ひと》を引《ひ》き寄《よ》せて助《たす》けるようすで、「すくう」の意《い》を表《あらわ》した。

救 救 救 救 救 救 救 救 救 救 救

断

斤7画〔11画〕

音 ダン

訓 （たつ） ことわる

折《お》る

cut off [カット オ(ー)フ]

つかいかた

- 悪《あく》の根《ね》を断《た》つ。
- 金銭的《きんせんてき》な援助《えんじょ》を断《ことわ》る。
- 旅行《りょこう》の計画《けいかく》を断念《だんねん》する。
- 無断《むだん》で外出《がいしゅつ》する。

いみ・ことば

① たち切《き》る。●断水《だんすい》。断念《だんねん》。断面《だんめん》。切断《せつだん》。

② 思《おも》い切《き》ってする。●断言《だんげん》。断行《だんこう》。決断《けつだん》。

③ 許《ゆる》しを得《え》る。ことわる。●無断《むだん》。

もっとわかる

●「断腸《だんちょう》の思《おも》い」とは、たえられないほどつらくて悲《かな》しい思《おも》いの意《い》。●四字熟語《よじじゅくご》…言語道断《ごんごどうだん》（もってのほか）・優柔不断《ゆうじゅうふだん》（ぐずぐずして決《き》められないでいること）

なりたち

↓ 断

●もとの字《じ》は「斷」。四《よっ》つの「幺（細《ほそ》い糸《いと》）」と刀《かたな》を合《あ》わせた形《かたち》。それに「斤（おの）」をそえて、刀《かたな》で糸《いと》をばらばらに「たち切《き》る」ようすを表《あらわ》した。

断 断 断 断 断 断 断 断 断 断 断

旧

日 1画（5画）

音 キュウ
訓 ―

とめる

former［フォーマァ］

つかいかた

- 旧式《きゅうしき》の電話《でんわ》を使《つか》う。
- 旧正月《きゅうしょうがつ》を祝《いわ》う。
- 旧道《きゅうどう》を歩《ある》く。
- 電車《でんしゃ》が復旧《ふっきゅう》する。

いみ・ことば

❶ もとの。ふるい。 ●旧家《きゅうか》。旧館《きゅうかん》。旧式《きゅうしき》。旧道《きゅうどう》。旧年《きゅうねん》。旧友《きゅうゆう》。旧来《きゅうらい》。復旧《ふっきゅう》。

❷ 旧暦《きゅうれき》のこと。 ●旧正月《きゅうしょうがつ》。旧盆《きゅうぼん》。

もっとわかる

● 「旧暦《きゅうれき》」は、昔使《むかしつか》われていた、月《つき》の運行《うんこう》をもとに作《つく》られたこよみ。

なりたち

↓舊《きゅう》（旧）

●もとの字《じ》は「舊」。「臼《きゅう》」はうすのことで、「へこんで曲《ま》がる」というイメージがある。それと「萑（ミミズク）」を合《あ》わせた形《かたち》。ミミズクのように背《せ》が曲《ま》がったようすで、「年《とし》をとっている」「ふるい」の意《い》を表《あらわ》した。

旧 旧 旧 旧 旧

易

日 4画（8画）

音 エキ・イ
訓 やさしい

はねる

easy［イーズィ］

つかいかた

- 今日《きょう》のテストは易《やさ》しい。
- 易《えき》で吉凶《きっきょう》をうらなう。
- 安易《あんい》な方法《ほうほう》を選《えら》ぶ。
- 外国《がいこく》と貿易《ぼうえき》を行《おこな》う。

いみ・ことば

❶ たやすい。 ●安易《あんい》。簡易《かんい》。難易度《なんいど》。容易《ようい》。

❷ とりかえる。 ●改易《かいえき》。交易《こうえき》。貿易《ぼうえき》。

❸ うらなう。 ●易学《えきがく》。易者《えきしゃ》。

もっとわかる

● 「安易《あんい》」は、深《ふか》く考《かんが》えない、いい加減《かげん》の意《い》でも使《つか》われる。

なりたち

↓易↓易

●トカゲをえがいた形《かたち》。中国《ちゅうごく》には、カメレオンのように色《いろ》を変《か》えるトカゲがいるところから、あるものが別《べつ》のものに変《か》わる意《い》を表《あらわ》した。また、地面《じめん》をはって平《たい》らにのびるイメージから、「たやすい」の意《い》でも使《つか》われた。

易 易 易 易 易 易 易 易

5年

同訓異字《どうくんいじ》のことば①

日本語《にほんご》には、「暑《あつ》い」「熱《あつ》い」「厚《あつ》い」のように、訓読《くんよ》みが同《おな》じでもちがう漢字《かんじ》で書《か》くものが多《おお》くあります。そういうものを「同訓異字《どうくんいじ》」あるいは「異字同訓《いじどうくん》」と呼《よ》んでいます。
以下《いか》に、同訓異字《どうくんいじ》のことばを集《あつ》めて五十音順《ごじゅうおんじゅん》に示《しめ》しました。

【あつい】

暑い…気温《きおん》が高《たか》い。
「今年《ことし》の夏《なつ》はとくに暑《あつ》い」

熱い…ものの温度《おんど》や体温《たいおん》が高《たか》い。
「熱《あつ》いお茶《ちゃ》を飲《の》む」

厚い…ものにあつみがある。ぶあつい。
「厚《あつ》い本《ほん》をよむ」
真心《まごころ》がこもっている。
「手厚《てあつ》くもてなす」

【あやまる】

誤る…まちがえる。失敗《しっぱい》する。
「問題《もんだい》のときかたを誤《あやま》る」

謝る…自分《じぶん》の罪《つみ》などをみとめて、相手《あいて》にわびる。
「けんかをした友達《ともだち》に謝《あやま》る」

＊379ページへ続《つづ》く

暴

日11画〔15画〕

音 ボウ（バク）

訓（あばく）あばれる

水と書《か》かない

暴

violent［ヴァイアれント］

つかいかた

- 不正《ふせい》を暴《あば》く。
- 馬《うま》が急《きゅう》に暴《あば》れる。
- 暴風雨《ぼうふうう》に見舞《みま》われる。
- 株《かぶ》の値段《ねだん》が暴落《ぼうらく》する。

いみ・ことば

1. **あらあらしい。** ●暴風雨《ぼうふうう》。暴力《ぼうりょく》。乱暴《らんぼう》。
2. **突然《とつぜん》。にわかに。** ●暴発《ぼうはつ》。暴落《ぼうらく》。
3. **度《ど》をすごす。** ●暴飲暴食《ぼういんぼうしょく》。

もっとわかる

●「バク」の読《よ》みは、「暴露《ばくろ》（秘密《ひみつ》などをあばくこと）」などに使《つか》われる。

なりたち

暴

●「日（ひ）」といけにえの動物《どうぶつ》と両手《りょうて》を合《あ》わせた形《かたち》。いけにえを日《ひ》にさらすようすで、「むき出《だ》しにする」意《い》を表《あらわ》した。また、水分《すいぶん》を四方《しほう》に発散《はっさん》するイメージから、「はげしい」の意《い》でも使《つか》われた。

暴 暴 暴 暴 暴 暴 暴 暴

条

木3画〔7画〕

音 ジョウ

訓 ―

又と書《か》かない

条

logic［らヂック］

つかいかた

- 外国《がいこく》と条約《じょうやく》を結《むす》ぶ。
- 相手《あいて》の条件《じょうけん》をのむ。
- 条文《じょうぶん》を読《よ》み上《あ》げる。
- 排気《はいき》ガスを規制《きせい》する条例《じょうれい》。
- 自由《じゆう》と正義《せいぎ》を信条《しんじょう》とする。

いみ・ことば

1. **すじ。すじ道《みち》。** ●条理《じょうり》。信条《しんじょう》。
2. **ひと区切《くぎ》りずつ書《か》き分《わ》けた文《ぶん》。** ●条《じょう》規《き》。条文《じょうぶん》。条約《じょうやく》。条令《じょうれい》。条例《じょうれい》。

もっとわかる

●「条」は、「一条《いちじょう》の光《ひかり》」「一条《いちじょう》の川《かわ》」などのように、細長《ほそなが》いものを数《かぞ》えるときにも使《つか》われる。●四字熟語《よじじゅくご》…金科玉条《きんかぎょくじょう》（もっとも大切《たいせつ》な決《き》まり）

なりたち

もとの字《じ》は「條」。「攸《ゆう》（細長《ほそなが》い）」と「木（き）」を合《あ》わせた形《かたち》で、細長《ほそなが》い木《き》の枝《えだ》を表《あらわ》した。また、「細長《ほそなが》いすじ」の意《い》でも使《つか》われた。

条 条 条 条 条 条 条

枝

木4画〔8画〕

音（シ）

訓 えだ

攵と書《か》かない

枝

branch［ブランチ］

つかいかた

- 梅《うめ》の枝《えだ》にうぐいすがとまる。
- 杉《すぎ》の木《き》の枝打《えだう》ちをする。
- 枝《えだ》ぶりのりっぱな松《まつ》。
- 本道《ほんどう》をそれて枝道《えだみち》に入《はい》る。
- 枝葉末節《しようまっせつ》にこだわる。

いみ・ことば

1. **木《き》のえだ。** ●枝打《えだう》ち。枝葉《えだは》（しよう）。枝《えだ》ぶり。▲枯《か》れ枝《えだ》。小枝《こえだ》。
2. **もとから分《わ》かれ出《で》たもの。** ●枝道《えだみち》。

もっとわかる

●「枝打《えだう》ち」は、下《した》の方《ほう》の余分《よぶん》な枝《えだ》などを切《き》り落《お》とすこと。●四字熟語《よじじゅくご》…枝葉《しよう》末節《まっせつ》（物事《ものごと》の中心部分《ちゅうしんぶぶん》でなく、どうでもよいような細《こま》かい部分《ぶぶん》）

なりたち

「支《し》（こまかく分《わ》かれる）」と「木（き）」を合《あ》わせた形《かたち》。幹《みき》からこまかく分《わ》かれた木《き》の「えだ」を表《あらわ》した。

枝 枝 枝 枝 枝 枝 枝 枝

5年

査

木5画〔9画〕
音 サ
訓 —

長《なが》めに

inspect［インスペクト］

つかいかた

- 工事現場《こうじげんば》を査察《ささつ》する。
- 会社《かいしゃ》の会計《かいけい》を監査《かんさ》する。
- 持《も》ち物《もの》の検査《けんさ》を行《おこな》う。
- 事件《じけん》を調査《ちょうさ》する。

いみ・ことば

● **調《しら》べる。** ●査察《ささつ》。4 査定《さてい》。3 ▲監査《かんさ》。5 検査《けんさ》。2 考査《こうさ》。▲審査《しんさ》。▲捜査《そうさ》。6 探査《たんさ》。3 調査《ちょうさ》。

もっとわかる

●「監査《かんさ》」は、会社《かいしゃ》の経理《けいり》などを調《しら》べること。●「考査《こうさ》」は、考《かんが》えて調《しら》べること。また、学校《がっこう》で、生徒《せいと》の成績《せいせき》を調《しら》べる試験《しけん》。

なりたち

「且《しょ》」は、物《もの》を上《うえ》に重《かさ》ねる形《かたち》。「つぎつぎに重《かさ》なる」というイメージのほかに「でこぼこしている」「ジグザグでそろわない」というイメージにもなる。それと「木（き）」を合《あ》わせて、ふぞろいの木《き》を組《く》んだいかだを表《あらわ》した。のち、「調《しら》べる」の意《い》でも使《つか》われた。

桜

木6画〔10画〕
音（オウ）
訓 さくら

⺍と書《か》かない

cherry［チェリィ］

つかいかた

- 桜《さくら》が満開《まんかい》になる。
- 顔《かお》が桜色《さくらいろ》になる。
- 夜桜《よざくら》を見物《けんぶつ》に行《い》く。
- 庭園《ていえん》で観桜会《かんおうかい》を開《ひら》く。

いみ・ことば

❶ **さくら。** ●桜前線《さくらぜんせん》。2 ▲桜吹雪《さくらふぶき》。2 葉桜《はざくら》。3 八重桜《やえざくら》。1 3 山桜《やまざくら》。1 夜桜《よざくら》。2 桜桃《おうとう》。▲

❷ **さくらの花《はな》のような色《いろ》。** ●桜《さくら》えび。桜草《さくらそう》。1

もっとわかる

●「桜狩《さくらが》り」は、山野《さんや》の桜《さくら》を観賞《かんしょう》しながら歩《ある》くこと。●「桜前線《さくらぜんせん》」は、日本地図《にほんちず》の上《うえ》で、桜《さくら》（ソメイヨシノ）の開花日《かいかび》が同《おな》じ日《ひ》を結《むす》んだ線《せん》。南《みなみ》から北《きた》へ移動《いどう》する。

なりたち

もとの字《じ》は「櫻」。「嬰《えい》（赤《あか》ちゃん）」と「木（き）」を合《あ》わせた形《かたち》で、赤《あか》ちゃんのくちびるに似《に》た丸《まる》い実《み》（サクランボ）のなる木《き》を表《あらわ》した。日本《にほん》では、サクラに使《つか》う。

格

木6画〔10画〕
音 カク（コウ）
訓 —

又と書《か》かない

norm［ノーム］

つかいかた

- 貧富《ひんぷ》の格差《かくさ》が広《ひろ》がる。
- 格式《かくしき》のあるホテル。
- 古《ふる》い民家《みんか》の格子窓《こうしまど》。
- 試験《しけん》に合格《ごうかく》する。
- 最近《さいきん》の子《こ》は体格《たいかく》がいい。

いみ・ことば

❶ **決《き》まり。基準《きじゅん》。** ●格式《かくしき》。3 規格《きかく》。5 合格《ごうかく》。2

❷ **地位《ちい》。身分《みぶん》。ていど。** ●格差《かくさ》。4 格調《かくちょう》。3 価《か》5 格《かく》。5 資格《しかく》。1 人格《じんかく》。5 性格《せいかく》。3 品格《ひんかく》。2 風格《ふうかく》。

❸ **骨組《ほねぐ》み。** ●骨格《こっかく》。6 2 体格《たいかく》。

もっとわかる

●「コウ」の読《よ》みは、「格子《こうし》」などのことばに使《つか》われる。

なりたち

「各《かく》（固《かた》いものにぶつかる）」と「木（き）」を合《あ》わせた形《かたち》で、人《ひと》の通行《つうこう》を止《と》める固《かた》い木《き》のさくを表《あらわ》した。また、動《うご》きを制限《せいげん》する「わく」の意《い》でも使《つか》われた。

検

木8画〔12画〕

音 ケン
訓 ―

つかいかた
- 視力《しりょく》を検査《けんさ》する。
- 単語《たんご》を検索《けんさく》する。
- 指紋《しもん》を検出《けんしゅつ》する。
- 漢字《かんじ》の検定試験《けんていしけん》。
- 車《くるま》の点検《てんけん》を行《おこな》う。

検 つき出《だ》さない

examine［イグザミン］

いみ・ことば
1. 調《しら》べる。●検印《けんいん》。検査《けんさ》。検索《けんさく》。検事《けんじ》。検証《けんしょう》。検定《けんてい》。検討《けんとう》。探検《たんけん》。点検《てんけん》。
2. 取《と》りしまる。●検問《けんもん》。検挙《けんきょ》。

もっとわかる
- 「検索《けんさく》」は、情報《じょうほう》の集《あつ》まりの中《なか》から、必要《ひつよう》な情報《じょうほう》を探《さが》し出《だ》すこと。
- 「点検《てんけん》」は、不完全《ふかんぜん》なところがないか、一《ひと》つ一《ひと》つ調《しら》べること。

なりたち
もとの字《じ》は「檢」。「僉《せん》（集《あつ》めそろえる）」と「木（き）」を合《あ》わせた形《かたち》で、文字《もじ》を書《か》いた木《き》の札《ふだ》を集《あつ》めて「調《しら》べる」意《い》を表《あらわ》した。

検検検検検検検検

構

木10画〔14画〕

音 コウ
訓 かまえる　かまう

つかいかた
- 立派《りっぱ》な構《かま》えの家《いえ》。
- さけび声《ごえ》に身構《みがま》える。
- どうなっても構《かま》わない。
- 建物《たてもの》の構造《こうぞう》を確認《かくにん》する。
- 売店《ばいてん》は駅《えき》の構内《こうない》にある。

構 左右《さゆう》につき出《だ》す

construct［カンストラクト］

いみ・ことば
1. 組《く》み立《た》てる。かまえる。●構図《こうず》。構成《こうせい》。構想《こうそう》。構造《こうぞう》。構築《こうちく》。機構《きこう》。
2. 囲《かこ》い。かまえ。●構外《こうがい》。構内《こうない》。

もっとわかる
- 「面構《つらがま》え（顔《かお》つき）」「心構《こころがま》え（心《こころ》の準備《じゅんび》）」など、「構《かま》え」はさまざまな意《い》で使《つか》われる。

なりたち
冓 → 冓 → 冓
- 「冓《こう》」は、上《うえ》と下《した》に同《おな》じ形《かたち》に組《く》み立《た》てるようす。バランスよく組《く》み立《た》てるというイメージを示《しめ》す。それに「木（き）」を合《あ》わせて、木《き》をうまく「組《く》み立《た》てる」意《い》を表《あらわ》した。

構構構構構構構構

武

止4画〔8画〕

音 ブ　ム
訓 ―

つかいかた
- 武器《ぶき》を手《て》にして進《すす》む。
- 修行中《しゅぎょうちゅう》の武士《ぶし》。
- 祖父《そふ》の武勇伝《ぶゆうでん》を聞《き》く。
- 武装《ぶそう》した勢力《せいりょく》。
- 思《おも》わず武者《むしゃ》ぶるいをする。

武 点《てん》を忘《わす》れない

military［ミラテリィ］

いみ・ことば
1. 強《つよ》くて勇《いさ》ましい。●武名《ぶめい》。武勇《ぶゆう》。
2. 戦《たたか》い。●武器《ぶき》。武士《ぶし》。武装《ぶそう》。武力《ぶりょく》。

もっとわかる
- 「武勇伝《ぶゆうでん》」は、武術《ぶじゅつ》にすぐれた人《ひと》の勇《いさ》ましい物語《ものがたり》。ふつうの人《ひと》の勇《いさ》ましい話《はなし》の意《い》でも使《つか》われる。
- 「武者《むしゃ》ぶるい」は、戦《たたか》う前《まえ》に心《こころ》が勇《いさ》み立《た》って体《からだ》がふるえること。

なりたち
→ → 武
- 「戈（ほこ）」と「止（足《あし》）」を合《あ》わせた形《かたち》。戦《たたか》う道具《どうぐ》を手《て》に、勇《いさ》んでつき進《すす》むようすで、「たけだけしい」「いくさ」などの意《い》を表《あらわ》した。

武武武武武武武武

5年

歴

止10画〔14画〕

音 レキ

訓 —

左《ひだり》に少《すこ》し出《だ》す

history［ヒストリィ］

つかいかた

- 日本《にほん》の**歴史**《れきし》を学《まな》ぶ。
- 実力《じつりょく》の差《さ》は**歴然**《れきぜん》だ。
- **歴代**《れきだい》の首相《しゅしょう》の写真《しゃしん》。
- 複雑《ふくざつ》な**経歴**《けいれき》の持《も》ち主《ぬし》。
- **履歴書**《りれきしょ》を書《か》く。

いみ・ことば

1. **つぎつぎと通《とお》り過《す》ぎる。** ●5歴史《れきし》。3歴代《れきだい》。5歴任《れきにん》。6歴訪《れきほう》。1学歴《がくれき》。5経歴《けいれき》。5職歴《しょくれき》。
2. **はっきりしている。** ●4歴然《れきぜん》。

もっとわかる

- 四字熟語《よじじゅくご》…故事来歴《こじらいれき》（ある物事《ものごと》についてのいわれや歴史《れきし》のこと）

なりたち

↓ 歴（歴）

- もとの字《じ》は「歴」。順序《じゅんじょ》よくつぎつぎに並《なら》ぶというイメージを示《しめ》す「厤《れき》」に「止（足《あし》）」を合《あ》わせて、順《じゅん》を追《お》ってつぎつぎに通《とお》るようすを表《あらわ》した。

殺

殳6画〔10画〕

音 サツ（サイ）（セツ）

訓 ころす

ハと書《か》かない

kill［キル］

つかいかた

- **殺虫剤**《さっちゅうざい》で虫《むし》を**殺**《ころ》**す**。
- 息《いき》を**殺**《ころ》**して**見《み》る。
- 凶悪《きょうあく》な**殺人**《さつじん》事件《じけん》。
- **殺風景**《さっぷうけい》な部屋《へや》。
- **暗殺**《あんさつ》をくわだてる。

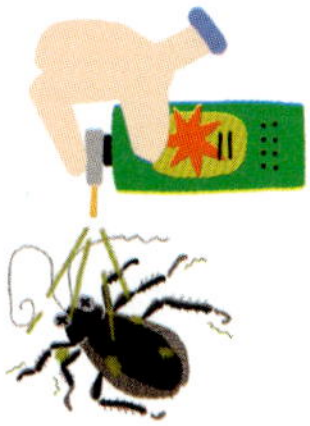

いみ・ことば

1. **ころす。** ●4殺害《さつがい》。1殺人《さつじん》。1殺虫▲剤《さっちゅうざい》。
2. **なくす。けす。** ●2殺風《さっぷう》4景《けい》。3相殺《そうさい》。
3. **意味《いみ》を強《つよ》めることば。** ●殺▲到《さっとう》。▲忙殺《ぼうさつ》。

もっとわかる

- 「サイ」の読《よ》みは「相殺《そうさい》」、「セツ」の読《よ》みは「殺生《せっしょう》」などのことばに使《つか》われる。

なりたち

↓ 殺（殺）

- もとの字《じ》は「殺」。「乂（はさみ）」と「朮（モチアワ）」と「殳（たたく）」を合《あ》わせた形《かたち》。モチアワのくきを刃物《はもの》でそぎとるようすで、動物《どうぶつ》の肉《にく》をそぎとって「ころす」意《い》を表《あらわ》した。

毒

毋4画〔8画〕

音 ドク

訓 —

長《なが》く

poison［ポイズン］

つかいかた

- 臣下《しんか》に**毒**《どく》をもられる。
- **毒**《どく》**きのこ**が生《は》える。
- 傷口《きずぐち》を**消毒**《しょうどく》する。
- アルコール**中毒**《ちゅうどく》。
- **有毒**《ゆうどく》**ガス**を排出《はいしゅつ》する。

いみ・ことば

- **健康《けんこう》に害《がい》をあたえるもの。どく。** ●毒《どく》1草《そう》。毒薬《どくやく》3。5解毒《げどく》。3消毒《しょうどく》。▲猛毒《もうどく》。3有毒《ゆうどく》。

もっとわかる

- 「毒舌《どくぜつ》をはく」「毒舌《どくぜつ》をふるう」のように、「毒舌《どくぜつ》」は手《て》きびしい皮肉《ひにく》や悪口《わるぐち》の意《い》で使《つか》われる。
- 「毒気《どっけ》のない人《ひと》」「毒気《どっけ》をぬかれる（おとなしくなる）」のように、「毒気《どっけ》」は悪意《あくい》の意《い》で使《つか》われる。

なりたち

↓ 毒

- 「生（生《い》き物《もの》）」と「毋（無《な》い）」を合《あ》わせた形《かたち》で、生命《せいめい》を無《な》くすものである「どく」を表《あらわ》した。

5年

比

比0画〔4画〕
音 ヒ
訓 くらべる

比
上《うえ》にはねる

compare［カンペァ］

つかいかた
- 手《て》の大《おお》きさを比《くら》べる。
- 料理《りょうり》の味《あじ》を比較《ひかく》する。
- 食費《しょくひ》の比重《ひじゅう》が大《おお》きい。
- 比類《ひるい》のない美《うつく》しさ。
- 食欲《しょくよく》に比例《ひれい》して体重《たいじゅう》が増《ふ》える。

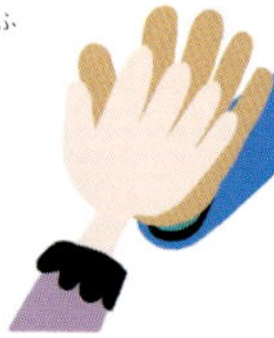

いみ・ことば

❶ **ならべる。くらべる。** ●比較《ひかく》。比類《ひるい》。対比《たいひ》。等比《とうひ》。無比《むひ》。

❷ **割合《わりあい》。** ●比重《ひじゅう》。比熱《ひねつ》。比率《ひりつ》。比例《ひれい》。

もっとわかる
- 「比類《ひるい》ない」は、比《くら》べるものがない意《い》。
- 「比《くら》べ物《もの》にならない」は、差《さ》がありすぎて比《くら》べる価値《かち》がない意《い》。
- 四字熟語《よじじゅくご》…痛快無比《つうかいむひ》（この上《うえ》なく愉快《ゆかい》で心地《ここち》よいこと）

なりたち
↓ ↓ 比
- 「人」の反対向《はんたいむ》きの形《かたち》である「匕」を二《ふた》つ合《あ》わせて、同《おな》じ方《ほう》を向《む》いて「ならぶ」ようすを表《あらわ》した。

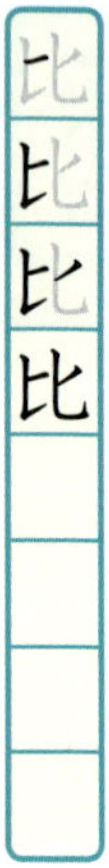

永

水1画〔5画〕
音 エイ
訓 ながい

永
はねる

eternal［エターヌる］

つかいかた
- 永《なが》い眠《ねむ》りにつく。
- 永遠《えいえん》の時《とき》を刻《きざ》む。
- 外国《がいこく》に永住《えいじゅう》する。
- 幸《しあわ》せの永続《えいぞく》を願《ねが》う。
- 永年《えいねん》の功績《こうせき》をたたえる。

いみ・ことば

● **時間《じかん》がながい。いつまでも。** ●永遠《えいえん》。永久《えいきゅう》。永住《えいじゅう》。永世《えいせい》。永続《えいぞく》。永年《えいねん》。永眠《えいみん》。

もっとわかる
- 「永」は、「氷」と形《かたち》が似《に》ていてまちがえやすいので注意《ちゅうい》。
- 「永《なが》い眠《ねむ》り（永眠《えいみん》）」とは、死《し》ぬこと。
- 四字熟語《よじじゅくご》…未来永劫《みらいえいごう》（この先《さき》いつまでも。永遠《えいえん》に）

なりたち
↓ ↓ 永
- 水《みず》がいくすじにも分《わ》かれて、どこまでも流《なが》れるようすをえがいた形《かたち》。時間《じかん》がながいことを表《あらわ》した。

河

氵5画〔8画〕
音 カ
訓 かわ

河
はねる

river［リヴァ］

つかいかた
- 河口《かこう》にたどり着《つ》く。
- 大雨《おおあめ》で河川《かせん》が増水《ぞうすい》する。
- 運河《うんが》を有《ゆう》する水《みず》の都《みやこ》。
- 大河《たいが》のほとりに立《た》つ。
- 雄大《ゆうだい》なアルプスの氷河《ひょうが》。

いみ・ことば

● **大《おお》きな。かわ。** ●河岸《かわぎし》。河口《かこう》（かわぐち）。河川《かせん》。運河《うんが》。銀河《ぎんが》。山河《さんが》。大河《たいが》。氷河《ひょうが》。

もっとわかる
- 特別《とくべつ》な読《よ》み方《かた》…河原《かわら》・河岸《かし》
- 「河」は大《おお》きな川《かわ》にいうが、「かわ」はふつう「川」を使《つか》う（例 利根川《とねがわ》・天《あま》の川《がわ》）。
- 「河」は、中国《ちゅうごく》では黄河《こうが》（長江《ちょうこう》についで二番目《にばんめ》に長《なが》い大河《たいが》）を指《さ》す。

なりたち
- 「可《か》（「形《がた》に曲《ま》がる）」と「氵（水《みず》）」を合《あ》わせた形《かたち》で、「形《がた》に曲《ま》がりながら流《なが》れる「川（中国《ちゅうごく》の黄河《こうが》）」を表《あらわ》した。のち、広《ひろ》く「かわ」のこと。

5年

液

氵8画〔11画〕
音 エキ
訓 ―

この形《かたち》に注意《ちゅうい》 液

liquid［リクウィッド］

つかいかた

- 液晶《えきしょう》のテレビを買《か》う。
- 容器《ようき》に液体《えきたい》を注《そそ》ぐ。
- 血液《けつえき》の成分《せいぶん》を調《しら》べる。
- 原液《げんえき》をうすめて使《つか》う。
- アンモニアの水溶液《すいようえき》。

いみ・ことば

- **水《みず》のような状態《じょうたい》のもの。しる。** ●液化《えきか》。液状《えきじょう》。液体《えきたい》。胃液《いえき》。血液《けつえき》。樹液《じゅえき》。乳液《にゅうえき》。

もっとわかる

- 「液化《えきか》」は、気体《きたい》が液体《えきたい》に変化《へんか》すること。また、固体《こたい》がとけて液体《えきたい》になること。
- 「水溶液《すいようえき》」は、ある物質《ぶっしつ》を水《みず》にとかした液《えき》。
- 「樹液《じゅえき》」は、樹木《じゅもく》から出《で》る液体《えきたい》。ゴムやうるしは、樹液《じゅえき》から作《つく》られる。

なりたち

「夜《や》（同《おな》じものがつながる）」と「氵（水《みず》）」を合《あ》わせた形《かたち》で、点々《てんてん》としたたり落《お》ちる「しる」を表《あらわ》した。

液 液 液 液 液 液 液 液

混

氵8画〔11画〕
音 コン
訓 まじる まざる まぜる こむ

上《うえ》にはねる 混

mix［ミックス］

つかいかた

- 水《みず》にどろが混《ま》じる。
- 電車《でんしゃ》が混《こ》む。
- 大勢《おおぜい》の人《ひと》で混雑《こんざつ》する。
- 交通機関《こうつうきかん》が混乱《こんらん》する。

いみ・ことば

- **いっしょになる。まじる。** ●混《ま》ぜご飯《はん》。混合《こんごう》。混雑《こんざつ》。混線《こんせん》。混同《こんどう》。混乱《こんらん》。

もっとわかる

- 四字熟語《よじじゅくご》…玉石混交《ぎょくせきこんこう》（よいものとつまらないものが入《い》り混《ま》じっていること）・公私混同《こうしこんどう》（おおやけのことと私的《してき》なことを区《く》別《べつ》せず、同《おな》じようにあつかうこと）

なりたち

昆 ⇒ 昆

- 「昆《こん》」は、太陽《たいよう》の下《した》で人々《ひとびと》が集《あつ》まっているようす。「集《あつ》まってむらがる」というイメージを示《しめ》す。「氵（水《みず》）」をそえて、水《みず》の中《なか》にいろいろなものが集《あつ》まって、「まじりあう」意《い》を表《あらわ》した。

混 混 混 混 混 混 混 混 混 混 混

減

氵9画〔12画〕
音 ゲン
訓 へる へらす

忘《わす》れずに 減

decrease［ディークリース］

つかいかた

- 体重《たいじゅう》が減《へ》る。
- ごみを減《へ》らす。
- ミスを減点《げんてん》される。
- 負担《ふたん》を軽減《けいげん》する。

いみ・ことば

1. **へる。へらす。** ●減額《げんがく》。減少《げんしょう》。減税《げんぜい》。減退《げんたい》。減点《げんてん》。減量《げんりょう》。軽減《けいげん》。増減《ぞうげん》。半減《はんげん》。
2. **引《ひ》き算《ざん》。** ●減算《げんさん》。減法《げんぽう》。加減乗除《かげんじょうじょ》。

もっとわかる

- 「減《へ》らず口《ぐち》をたたく」は、強《つよ》がりや負《ま》けおしみを言《い》う意《い》。

なりたち

「咸《かん》」は、武器《ぶき》でおどして物《もの》を言《い》わせないようす。「ショックをあたえる」というイメージのほかに、「口《くち》をふさぐ」というイメージも示《しめ》す。それに「氵（水《みず》）」をそえて、水《みず》のみなもとがふさがれて、水量《すいりょう》が「へる」意《い》を表《あらわ》した。

減 減 減 減 減 減 減 減 減 減 減 減

測

氵9画〔12画〕
音 ソク
訓 はかる

つかいかた

- 身長《しんちょう》を**測る**《はか》。
- 土地《とち》を**測量**《そくりょう》する。
- 雲《くも》の動《うご》きを**観測**《かんそく》する。
- **不測**《ふそく》の事態《じたい》を招《まね》く。
- **目測**《もくそく》を誤《あやま》る。

測（はねる）

measure［メジャ］

いみ・ことば

① **深《ふか》さ・長《なが》さ・広《ひろ》さなどをはかる。** ●測《そく》[3]定《てい》。測《そく》[4]量《りょう》。測《そっ》[4]候《こう》[3]所《じょ》。[4]観《かん》測《そく》。[1]目《もく》測《そく》。

② **おしはかる。** ●[6]推《すい》測《そく》。[4]不《ふ》測《そく》。[3]予《よ》測《そく》。

もっとわかる

- 「測候所《そっこうじょ》」は、地方《ちほう》の気象《きしょう》を観測《かんそく》する機関《きかん》。
- 「目測《もくそく》」は、目《め》で見《み》て大《おお》まかにはかること。
- 「不測の事態《ふそくのじたい》」は、予想《よそう》もしなかった事《こと》の成《な》り行《ゆ》き。

なりたち

「則《そく》（本体《ほんたい》のそばにつく）」と「氵（水《みず》）」を合《あ》わせた形《かたち》。手本《てほん》となるものに従《したが》って、水《みず》の深《ふか》さを「はかる」意《い》を表《あらわ》した。

測 測 測 測 測 測 測 測

準

5年

氵10画〔13画〕
音 ジュン
訓 ―

つかいかた

- 教科書《きょうかしょ》に**準拠**《じゅんきょ》したドリル。
- **準決勝**《じゅんけっしょう》に進出《しんしゅつ》する。
- 旅行《りょこう》の**準備**《じゅんび》をする。
- 評価《ひょうか》の**基準**《きじゅん》を決《き》める。
- 昨年並《さくねんな》みの**水準**《すいじゅん》を保《たも》つ。

準（長《なが》く）

standard［スタンダァド］

いみ・ことば

① **目《め》あてとなるもの。** ●[5]基《き》準《じゅん》。[1]水《すい》準《じゅん》。

② **あるものに次《つ》ぐ。** ●準《じゅん》[3]決《けっ》[3]勝《しょう》。準《じゅん》[6]優《ゆう》[3]勝《しょう》。

③ **そなえる。用意《ようい》する。** ●準《じゅん》[5]備《び》。

もっとわかる

- 「準拠《じゅんきょ》」は、基準《きじゅん》にすること。よりどころとして従《したが》うこと。

なりたち

↓隼

- 「隼《じゅん》」は、一直線《いっちょくせん》にすばやく飛《と》ぶハヤブサのこと。まっすぐで平《たい》らというイメージを示《しめ》す。それに「氵（水《みず》）」をそえた「準」は、水面《すいめん》のようにまっすぐ平《たい》らなようすで、水平《すいへい》をはかる道具《どうぐ》を表《あらわ》した。

準 準 準 準 準 準 準 準

演

氵11画〔14画〕
音 エン
訓 ―

つかいかた

- ピアノの**演奏会**《えんそうかい》。
- **開演**《かいえん》のブザーが鳴《な》る。
- 選挙《せんきょ》の**立会演説**《たちあいえんぜつ》。
- 運動会《うんどうかい》の**予行演習**《よこうえんしゅう》。

演（つき出《だ》さない）

perform［パァフォーム］

いみ・ことば

① **のべる。広《ひろ》める。** ●演《えん》[4]説《ぜつ》。[5]講《こう》演《えん》。

② **実際《じっさい》に行《おこな》う。** ●演《えん》[2]算《ざん》。演《えん》[3]習《しゅう》。

③ **劇《げき》や芸《げい》などを行《おこな》う。** ●演《えん》[5]技《ぎ》。演《えん》[6]劇《げき》。演《しゅつ》[1]出《えん》。演《えん》[6]奏《そう》。[3]開《かい》演《えん》。[3]終《しゅう》演《えん》。[1]出《しゅつ》演《えん》。[1]上《じょう》演《えん》。

もっとわかる

- 四字熟語《よじじゅくご》…自作自演《じさくじえん》（自分《じぶん》ですじ書《が》きを書《か》き、自分《じぶん》でそれを演《えん》じること）

なりたち

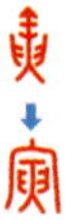
↓寅

- 「寅《いん》」は、両手《りょうて》で矢《や》をまっすぐにのばすようす。「長《なが》く引《ひ》きのばす」というイメージを示《しめ》す。それに「氵（水《みず》）」をそえた「演」は、水《みず》が長々《ながなが》とのびて流《なが》れるようすで、「のびる」の意《い》を表《あらわ》した。

演 演 演 演 演 演 演 演

潔

氵12画〔15画〕

音 ケツ
訓 （いさぎよい）

ななめ右上《みぎうえ》に

潔

clean［クリーン］

つかいかた

- 身《み》の潔白《けっぱく》を証明《しょうめい》する。
- 簡潔《かんけつ》に書《か》き記《しる》す。
- 高潔《こうけつ》な人《ひと》がらで知《し》られる。
- 清潔《せいけつ》な脱脂綿《だっしめん》で消毒《しょうどく》する。
- 不潔《ふけつ》な手《て》。

いみ・ことば

- **きよい。けがれがない。さっぱりとしている。**
  - 潔白《けっぱく》。潔癖《けっぺき》。[6]簡潔《かんけつ》。[2]高潔《こうけつ》。[6]純潔《じゅんけつ》。[4]清潔《せいけつ》。[4]不潔《ふけつ》。

もっとわかる

- 四字熟語《よじじゅくご》…清廉潔白《せいれんけっぱく》（心《こころ》が清《きよ》くて私《し》欲《よく》がなく、行《おこな》いが正《ただ》しいこと）・精進潔斎《しょうじんけっさい》（飲食《いんしょく》をつつしみ、心身《しんしん》を清《きよ》めること）

なりたち

「絜《けつ》」は、糸《いと》のよごれをけずり落《お》とすようす。それに「氵（水《みず》）」をそえた「潔」は、水《みず》でよごれを洗《あら》い落《お》とすようすで、けがれなく清《きよ》らかなようすを表《あらわ》した。

災

火3画〔7画〕

音 サイ
訓 （わざわい）

三《みっ》つ同《おな》じ大《おお》きさで

災

disaster［ディザスタァ］

つかいかた

- 山《やま》で火災《かさい》が発生《はっせい》する。
- 大災害《だいさいがい》に見舞《みま》われる。
- とんだ災難《さいなん》にあった。
- 天災《てんさい》は忘《わす》れたころにやって来《く》る。
- 被災者《ひさいしゃ》に毛布《もうふ》を送《おく》る。

いみ・ことば

- **自然《しぜん》におこる悪《わる》いできごと。わざわい。**
  - [4]災害《さいがい》。[6]災難《さいなん》。[1]火災《かさい》。[1]天災《てんさい》。[5]防災《ぼうさい》。

もっとわかる

- 四字熟語《よじじゅくご》…無病息災《むびょうそくさい》（病気《びょうき》をせず健《けん》康《こう》であること）

なりたち

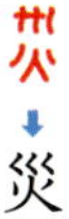

- 「巛」は「𢦏《さい》」が変《か》わったもの。「𢦏」は、川《かわ》がせきとめられるようす。「さえぎる」というイメージを示《しめ》す。それと「火（ひ）」を合《あ》わせて、山火事《やまかじ》のように、順調《じゅんちょう》な流《なが》れをさえぎる「わざわい」を表《あらわ》した。

同訓異字《どうくんいじ》のことば②

【あらわす】

表す…ことばなどで表現《ひょうげん》する。
　「文章《ぶんしょう》で自分《じぶん》の気持《きも》ちを表《あらわ》す」

現す…目《め》に見《み》えるようにする。
　「すがたを現《あらわ》す」

＊「著《あらわ》す」は、本《ほん》を書《か》く意《い》。

【おもて】

表……二《ふた》つの面《めん》のうち、おもなほう。
　「コインの表《おもて》がわ」

面……顔《かお》。顔面《がんめん》。
　「面《おもて》をふせる」

【かえす】

返す…もとの状態《じょうたい》にもどす。
　「かりていた本《ほん》を返《かえ》す」

帰す…人《ひと》をいたところにもどらせる。
　「生徒《せいと》を家《いえ》に帰《かえ》す」

【きく】

聞く…耳《みみ》で音《おと》や声《こえ》を感《かん》じとる。
　「先生《せんせい》の話《はなし》を聞《き》く」

効く…効果《こうか》がある。
　「くすりが効《き》く」

＊「利《き》く」は、自由《じゆう》に動《うご》かす意《い》。

＊385ページへ続《つづ》く

燃

火12画〔16画〕

音 ネン

訓 もえる　もやす　もす

心と書《か》かない

burn［バーン］

つかいかた

- 暖炉《だんろ》のまきが燃《も》える。
- 情熱《じょうねつ》を燃《も》やす。
- この車《くるま》は燃費《ねんぴ》がいい。
- 船《ふね》に燃料《ねんりょう》を積《つ》む。
- 国境紛争《こっきょうふんそう》が再燃《さいねん》する。

いみ・ことば

● もえる。もやす。

● 燃焼《ねんしょう》。燃費《ねんぴ》。燃料《ねんりょう》。可燃性《かねんせい》。再燃《さいねん》。不燃物《ふねんぶつ》。

もっとわかる

- 「燃費《ねんぴ》」は、燃料費《ねんりょうひ》の略《りゃく》。また、機械《きかい》が一定《いってい》の仕事《しごと》をするのに必要《ひつよう》な燃料《ねんりょう》。
- 「燃《も》えるよう」は、真《ま》っ赤《か》なようす（例）燃《も》えるような夕焼《ゆうや》け）。

なりたち

「然《ねん》」は、犬《いぬ》の肉《にく》をあぶってもやすようす。その「然」が「その通《とお》り」の意《い》で使《つか》われるようになったため、「火（ひ）」をそえた「燃」で、「もやす」意《い》を表《あらわ》した。

版

片4画〔8画〕

音 ハン

訓 ―

皮と書《か》かない

printing plate［プリンティング プれイト］

つかいかた

- 朝顔《あさがお》の版画《はんが》をほる。
- 本《ほん》の版権《はんけん》を得《え》る。
- 自分《じぶん》で本《ほん》を出版《しゅっぱん》する。
- 辞書《じしょ》の初版《しょはん》を印刷《いんさつ》する。
- 絶版《ぜっぱん》になった本《ほん》を探《さが》す。

いみ・ことば

❶ 印刷《いんさつ》するためにほった板《いた》。● 版画《はんが》。版木《はんぎ》。活版《かっぱん》。銅版《どうばん》。木版《もくはん》。

❷ 印刷《いんさつ》して書物《しょもつ》を作《つく》る。● 版権《はんけん》。再版《さいはん》。写真版《しゃしんばん》。出版《しゅっぱん》。初版《しょはん》。図版《ずはん》。絶版《ぜっぱん》。

もっとわかる

- 「版木《はんぎ》」は「板木《はんぎ》」とも書《か》く。
- 「版権《はんけん》」は、出版《しゅっぱん》する権利《けんり》（出版権《しゅっぱんけん》）のこと。

なりたち

「反《はん》（そりかえる）」と「片（二《ふた》つに割《わ》った木《き》）」を合《あ》わせた形《かたち》。そりかえってももとにもどろうとする力《ちから》のある、うすくて平《ひら》たい木《き》の板《いた》を表《あらわ》した。

犯

犭2画〔5画〕

音 ハン

訓 （おかす）

はねる

violate［ヴァイアれイト］

つかいかた

- 罪《つみ》を犯《おか》す。
- 容疑者《ようぎしゃ》が犯行《はんこう》を認《みと》める。
- 犯人《はんにん》が自首《じしゅ》をする。
- 現行犯《げんこうはん》で逮捕《たいほ》される。
- 防犯《ぼうはん》ベルが鳴《な》り響《ひび》く。

いみ・ことば

❶ 決《き》まりを破《やぶ》る。罪《つみ》になることをする。おかす。● 犯行《はんこう》。犯罪《はんざい》。犯人《はんにん》。共犯《きょうはん》。現行犯《げんこうはん》。主犯《しゅはん》。常習犯《じょうしゅうはん》。防犯《ぼうはん》。

❷ 罪《つみ》をおかした人《ひと》。● 殺人犯《さつじんはん》。

❸ 刑《けい》をうけた回数《かいすう》を数《かぞ》えることば。● 初犯《しょはん》。前科二犯《ぜんかにはん》。

なりたち

↓
犯

- 「㔾《かん》」は、「はみ出《だ》さないようにかぶせるわく」というイメージを示《しめ》す。それに「犭（犬《いぬ》）」を合《あ》わせて、わくからはみ出《で》て「おかす」意《い》を表《あらわ》した。

状

犬３画〔7画〕

音 ジョウ
訓 ―

点《てん》を忘《わす》れない 状

state［ステイト］

つかいかた

- 現在《げんざい》の状況《じょうきょう》を知《し》らせる。
- 賞状《しょうじょう》を受《う》け取《と》る。
- 友人《ゆうじん》に年賀状《ねんがじょう》を出《だ》す。
- 病状《びょうじょう》が回復《かいふく》する。

いみ・ことば

① **ありさま。ようす。** ●状態《じょうたい》。液状《えきじょう》。球状《きゅうじょう》。現状《げんじょう》。実状《じつじょう》。白状《はくじょう》。病状《びょうじょう》。

② **手紙《てがみ》。書《か》きつけ。** ●賞状《しょうじょう》。年賀状《ねんがじょう》。

もっとわかる

●「現状維持《げんじょういじ》」とは、現在《げんざい》の状態《じょうたい》を変《か》えずに守《まも》り保《たも》つこと。

なりたち  爿（丬）

●もとの字《じ》は「狀」。「爿《しょう》」は、細長《ほそなが》いベッドをえがいたもので、「細長《ほそなが》くてすらりとした」というイメージがある。それと「犬（イヌ）」を合《あ》わせた「狀」は、犬《いぬ》の細長《ほそなが》い姿《すがた》を示《しめ》して、広《ひろ》くものの「かたち」を表《あらわ》した。

独

犭６画〔9画〕

音 ドク
訓 ひとり

上《うえ》につき出《だ》す 独

alone［アろウン］

つかいかた

- 独《ひと》り言《ごと》をつぶやく。
- 独学《どくがく》で考古学《こうこがく》を学《まな》ぶ。
- 首位《しゅい》を独走《どくそう》する。
- 独断《どくだん》で事《こと》を行《おこな》う。

いみ・ことば

① **ひとり。ひとつ。自分《じぶん》だけ。** ●独演《どくえん》。独学《どくがく》。独裁《どくさい》。独自《どくじ》。独身《どくしん》。独占《どくせん》。独走《どくそう》。独断《どくだん》。独特《どくとく》。独白《どくはく》。独立《どくりつ》。孤独《こどく》。単独《たんどく》。

② **ドイツのこと。** ●独和辞典《どくわじてん》。独文学《どくぶんがく》。

もっとわかる

●②は、ドイツを「独逸《どいつ》」と書《か》いたことから。●四字熟語《よじじゅくご》…独断専行《どくだんせんこう》（自分《じぶん》だけの考《かんが》えで、勝手《かって》に物事《ものごと》を行《おこな》うこと）

なりたち

もとの字《じ》は「獨」。「蜀《しょく》（一《いっ》か所《しょ》についてはなれない）」と「犭（犬《いぬ》）」を合《あ》わせた形《かたち》。犬《いぬ》が一《ひと》つの場所《ばしょ》を守《まも》ってはなれないようすで、「ただひとり」の意《い》を表《あらわ》した。

率

玄６画〔11画〕

音 （ソツ） リツ
訓 ひきいる

長《なが》めに 率

lead［りード］

つかいかた

- 登校班《とうこうはん》の児童《じどう》を率《ひき》いる。
- 質問《しつもん》に率直《そっちょく》に答《こた》える。
- 軽率《けいそつ》な発言《はつげん》をつつしむ。
- 勝率《しょうりつ》を五割《ごわり》に戻《もど》す。

いみ・ことば

① **ひきいる。** ●率先《そっせん》。引率《いんそつ》。統率《とうそつ》。

② **かるがるしい。** ●軽率《けいそつ》。

③ **かざらない。** ●率直《そっちょく》。

④ **割合《わりあい》。** ●勝率《しょうりつ》。百分率《ひゃくぶんりつ》。比率《ひりつ》。

もっとわかる

●「百分率《ひゃくぶんりつ》」とは、全体《ぜんたい》を一〇〇としたうちの、いくらにあたるかということ。

なりたち  率

●「玄（垂《た》れた糸《いと》）」と「氵（分散《ぶんさん》する）」と「十（まとめる）」を合《あ》わせた形《かたち》。染《そ》めた糸《いと》の水《みず》を切《き》って、一本《いっぽん》の糸《いと》にまとめるようすで、引《ひ》きしめて「まとめる」意《い》を表《あらわ》した。

5年

現

王7画〔11画〕
音 ゲン
訓 あらわれる あらわす

上《うえ》にはねる

appear［アピア］

つかいかた

● 薬《くすり》の効《き》き目《め》が現《あらわ》れる。
● 先生《せんせい》が教室《きょうしつ》に姿《すがた》を現《あらわ》す。
● 現金《げんきん》で支払《しはら》う。
● 現実《げんじつ》に目《め》を向《む》ける。
● 希望《きぼう》が実現《じつげん》する。

いみ・ことば

①はっきりあらわれる。●現5象《げんしょう》。現5像《げんぞう》。3実現《じつげん》。出現《しゅつげん》。3表現《ひょうげん》。

②実際《じっさい》1にある。いま。●現役《げんえき》3。現金《げんきん》1。現5在《げんざい》。現3実《げんじつ》。現5状《げんじょう》。現3代《げんだい》。現3物《げんぶつ》。

もっとわかる

●「現役《げんえき》」は、現在《げんざい》も活動中《かつどうちゅう》であること。
●「現実的《げんじつてき》」は、考《かんが》えなどが実生活《じっせいかつ》と結《むす》びついているようす。

なりたち

「見《けん》（はっきりみえる）」と「王（玉《たま》）」を合《あ》わせた形《かたち》。玉《たま》の光《ひかり》が目《め》の前《まえ》にあらわれて、見《み》えるようすを表《あらわ》した。

留

田5画〔10画〕
音 リュウ ル
訓 とめる とまる

この形《かたち》に注意《ちゅうい》

stay［ステイ］

つかいかた

● 父《ちち》のことばを心《こころ》に留《と》める。
● フランスに留学《りゅうがく》する。
● 路線《ろせん》バスの停留所《ていりゅうじょ》。
● 母《はは》に留守番《るすばん》を頼《たの》まれる。

いみ・ことば

●その場《ば》にいる。とどまる。とどめる。
●2書留《かきとめ》。留3意《りゅうい》。留1学《りゅうがく》。5停留3所《ていりゅうじょ》。5保留《ほりゅう》。

もっとわかる

●「名《な》を留《と》める」は、後世《こうせい》に名《な》を残《のこ》すこと（例 歴史《れきし》に名《な》を留《と》める）。

なりたち

●「卯《ぼう》」は、反対向《はんたいむ》きに開《ひら》いたとびらをえがいたもので、「両側《りょうがわ》に開《あ》ける」というイメージのほかに、「するするとすべって止《と》まる」というイメージも示《しめ》す。それと「田（た）」を合《あ》わせた「留」は、田《た》にするすると流《なが》れていく水《みず》が、終点《しゅうてん》で止《と》まるようすで、その場《ば》にとどまって動《うご》かない意《い》を表《あらわ》した。

略

田6画〔11画〕
音 リャク
訓 ―

又と書《か》かない

plot［プラット］

つかいかた

● 学校《がっこう》までの略図《りゃくず》をかく。
● 計略《けいりゃく》に引《ひ》っかかる。
● 敵《てき》を攻略《こうりゃく》する。
● 前置《まえお》きは省略《しょうりゃく》する。
● 試合《しあい》の戦略《せんりゃく》を変《か》える。

いみ・ことば

①はかりごと。●2計略《けいりゃく》。6策略《さくりゃく》。4戦略《せんりゃく》。

②簡単《かんたん》にする。はぶく。●略2語《りゃくご》。略1字《りゃくじ》。略3式《りゃくしき》。略2図《りゃくず》。6簡略《かんりゃく》。4省略《しょうりゃく》。

③うばい取《と》る。●略▲奪《りゃくだつ》。▲攻略《こうりゃく》。

もっとわかる

●「略《りゃく》す」は、はぶく意《い》。

なりたち

「各《かく》（連絡《れんらく》をつける）」と「田（た）」を合《あ》わせた形《かたち》。土地《とち》を開《ひら》き、横《よこ》につながる境界《きょうかい》をつけるようすで、土地《とち》や事業《じぎょう》を行《おこな》う意《い》を表《あらわ》した。のち、すじ道《みち》をつけて事《こと》をはかる意《い》でも使《つか》われた。

5年

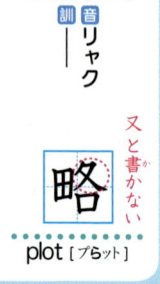

5年

益

皿5画〔10画〕

音 エキ（ヤク）
訓 —

益 長《なが》めに

benefit［ベネフィット］

つかいかた

- つばめは食虫性《しょくちゅうせい》の益鳥《えきちょう》だ。
- 御利益《ごりやく》を期待《きたい》する。
- バザーで収益《しゅうえき》を上《あ》げる。
- 有益《ゆうえき》な本《ほん》を読《よ》む。
- 大《おお》きな利益《りえき》を得《え》る。

いみ・ことば

1. **もうけ。** ●[6]収益《しゅうえき》。[5]増益《ぞうえき》。[4]利益《りえき》。
2. **役《やく》に立《た》つ。** ●益虫《えきちゅう》。[1]益鳥《えきちょう》。[2]公益《こうえき》。[2]国益《こくえき》。[3]実益《じつえき》。[4]無益《むえき》。[3]有益《ゆうえき》。

もっとわかる

●「ヤク」の読《よ》みは、「御利益《ごりやく》」などのことばに使《つか》われる。●四字熟語《よじじゅくご》…有害《ゆうがい》無益《むえき》（害《がい》ばかりで何《なん》の利益《りえき》もないこと）

なりたち

●「水」を横《よこ》にした形《かたち》と「皿（さら）」を合《あ》わせて、皿《さら》の上《うえ》に水《みず》がいっぱいになるようすで、「もうけ」の意《い》を表《あら》わした。

眼

目6画〔11画〕

音 ガン（ゲン）
訓 （まなこ）

眼 この形《かたち》に注意《ちゅうい》

eye［アイ］

つかいかた

- 寝《ね》ぼけ眼《まなこ》で起《お》きる。
- 眼光《がんこう》がするどい。
- あの人《ひと》の眼力《がんりき》は確《たし》かだ。
- 平和維持《へいわいじ》を主眼《しゅがん》とする。
- 肉眼《にくがん》で夜空《よぞら》を見《み》る。

いみ・ことば

1. **まなこ。め。** ●眼科《がんか》。[2]眼球《がんきゅう》。[3]眼光《がんこう》。[2]眼帯《がんたい》。[4]眼中《がんちゅう》。[1]近眼《きんがん》。[2]着眼点《ちゃくがんてん》。[3][2]肉眼《にくがん》。[2]
2. **本質《ほんしつ》を見抜《みぬ》く力《ちから》。** ●眼識《がんしき》。[5]眼力《がんりき》。[1]
3. **大切《たいせつ》な部分《ぶぶん》。** ●眼目《がんもく》。[1]主眼《しゅがん》。[3]

もっとわかる

●特別《とくべつ》な読《よ》み方《かた》…眼鏡《めがね》 ●「ゲン」の読《よ》みは、「開眼供養《かいげんくよう》」などのことばに使《つか》われる。

なりたち

「艮《こん》（いつまでも残《のこ》るあと）」と「目（め）」を合《あ》わせた形《かたち》。頭《ず》がい骨《こつ》に残《のこ》る目玉《めだま》を入《い》れる穴《あな》を示《しめ》して、「め」を表《あらわ》した。

破

石5画〔10画〕

音 ハ
訓 やぶる　やぶれる

破 はねる

break［ブレイク］

つかいかた

- 新聞紙《しんぶんし》を破《やぶ》る。
- くつ下《した》が破《やぶ》れる。
- 古《ふる》い建物《たてもの》を破壊《はかい》する。
- 破格《はかく》の値段《ねだん》で買《か》い入《い》れる。
- 大作《たいさく》を一週間《いっしゅうかん》で読破《どくは》する。

いみ・ことば

1. **やぶる。やぶれる。こわす。** ●破壊《はかい》▲。破局《はきょく》。[3]破産《はさん》。[4]破損《はそん》。[5]破滅《はめつ》▲。大破《たいは》。[1]難破《なんぱ》。[6]
2. **敵《てき》をまかす。** ●撃破《げきは》▲。打破《だは》。[3]論破《ろんぱ》。[6]
3. **やり通《とお》す。なしとげる。** ●読破《どくは》。[2]突破《とっぱ》▲。
4. **決《き》まりからはずれる。** ●破戒《はかい》▲。破格《はかく》。[5]

もっとわかる

●四字熟語《よじじゅくご》…破顔一笑《はがんいっしょう》（顔《かお》をほころばせてにっこりと笑《わら》うこと）

なりたち

「皮《ひ》（かたむく）」と「石（いし）」を合《あ》わせた形《かたち》。石《いし》が割《わ》れてななめにかたむくようすで、「こわれる」の意《い》を表《あらわ》した。

確

石10画〔15画〕

音 カク
訓 たしか　たしかめる

ひと筆《ふで》で書《か》く

certain［サートン］

つかいかた

- 全員《ぜんいん》いるか確《たし》かめる。
- 友《とも》の無事《ぶじ》を確信《かくしん》する。
- もう一度《いちど》確認《かくにん》する。
- 疑問点《ぎもんてん》を明確《めいかく》にする。

いみ・ことば

1. **かたい。しっかりして動《うご》かない。** ●確《かく》信《しん》。確定《かくてい》。確保《かくほ》。確立《かくりつ》。確固《かっこ》。
2. **たしか。まちがいがない。** ●確実《かくじつ》。確証《かくしょう》。確認《かくにん》。確約《かくやく》。確率《かくりつ》。正確《せいかく》。明確《めいかく》。

もっとわかる

- 「確率《かくりつ》」は、あることが起《お》こりうる可《か》能性《のうせい》。確《たし》かさの割合《わりあい》（例 雨《あめ》が降《ふ》る確率《かくりつ》）。

なりたち

隺→隺

- 「隺《かく》」は、空高《そらたか》く飛《と》ぶツルのこと。ツルは白《しろ》くて目立《めだ》つので、「はっきりしている」というイメージを示《しめ》す。それに「石（いし）」を合《あ》わせて、石《いし》のようにかたくて「しっかりしている」ようすを表《あらわ》した。

示

示0画〔5画〕

音 ジ（シ）
訓 しめす

上《うえ》の横棒《よこぼう》より長《なが》く

show［ショウ］

つかいかた

- 矢印《やじるし》で道順《みちじゅん》を示《しめ》す。
- 次《つぎ》の指示《しじ》を待《ま》つ。
- 身分証《みぶんしょう》を提示《ていじ》する。
- 作品《さくひん》を展示《てんじ》する。
- 残《のこ》り時間《じかん》を表示《ひょうじ》する。

いみ・ことば

- **わかるように見《み》せる。しめす。** ●示《し》唆《さ》。示談《じだん》。暗示《あんじ》。教示《きょうじ》。告示《こくじ》。誇示《こじ》。指示《しじ》。図示《ずし》。提示《ていじ》。展示《てんじ》。表示《ひょうじ》。明示《めいじ》。

もっとわかる

- 「誇示《こじ》」は、ほこらしげに示《しめ》すこと。
- 四字熟語《よじじゅくご》…自己暗示《じこあんじ》（あることを、自《じ》分《ぶん》で自分《じぶん》に強《つよ》く思《おも》いこませること）

なりたち

示→示→示

- あしのついた祭《さい》だんをえがいた形《かたち》。祭《さい》だんには神意《しんい》がまっすぐにしめされるところから、はっきりしめす意《い》を表《あらわ》した。

祖

ネ5画〔9画〕

音 ソ
訓 ―

ネと書《か》かない

ancestor［アンセスタァ］

つかいかた

- 十年《じゅうねん》ぶりに祖国《そこく》に帰《かえ》る。
- 祖母《そぼ》はいたって元気《げんき》だ。
- 有名《ゆうめい》な和菓子《わがし》の元祖《がんそ》。
- 先祖《せんぞ》の墓参《はかまい》りをする。

いみ・ことば

1. **おおもと。血《ち》すじのおおもとの人《ひと》。** ●祖《そ》国《こく》。祖先《そせん》。先祖《せんぞ》。父祖《ふそ》。
2. **父母《ふぼ》の親《おや》。** ●祖父《そふ》。祖母《そぼ》。
3. **物事《ものごと》をはじめた人《ひと》。** ●開祖《かいそ》。元祖《がんそ》。始祖《しそ》。

もっとわかる

- 「祖先《そせん》」と「先祖《せんぞ》」は、ほぼ同《おな》じ意味《いみ》で、その家《いえ》のはじめの人《ひと》。また、今《いま》の代《だい》より前《まえ》の代《だい》の人々《ひとびと》。

なりたち

「且《しょ》（つぎつぎに重《かさ》なる）」と「ネ（祭《さい》だん）」を合《あ》わせた形《かたち》で、一代一代《いちだいいちだい》と上《うえ》に重《かさ》なっていく世代《せだい》を表《あらわ》した。のち、物事《ものごと》をはじめた人《ひと》の意《い》でも使《つか》われた。

禁

示8画〔13画〕

音 キン
訓 —

とめる

prohibit［プロヒビット］

つかいかた

● 特急列車《とっきゅうれっしゃ》の**禁煙席**《きんえんせき》に座《すわ》る。
● 危険《きけん》な遊《あそ》びを**禁止**《きんし》する。
● 夜《よ》ふかしは**禁物**《きんもつ》だ。
● あゆ漁《りょう》が**解禁**《かいきん》になる。
● 私語《しご》は**厳禁**《げんきん》だ。

いみ・ことば

● **やめさせる。さしとめる。** ●禁《きん》▲煙《えん》。禁《きん》[5]句《く》。禁《きん》[2]止《し》。禁《きん》[3]酒《しゅ》。禁《きん》[5]制《せい》。禁《きん》[3]物《もつ》。禁《きん》[6]欲《よく》。禁《きん》[4]漁《りょう》。[5]解《かい》禁《きん》。[6]厳《げん》禁《きん》。

もっとわかる

●「禁句《きんく》」は、聞《き》き手《て》を不快《ふかい》にさせないように、使《つか》うのをさけることば。●「禁《きん》物《もつ》」は、してはならないこと。

なりたち

「林（木《き》が並《なら》ぶ）」と「示（祭《さい》だん）」を合《あ》わせた形《かたち》。神域《しんいき》のまわりに樹木《じゅもく》をめぐらして中《なか》に入《い》れないようすで、「中《なか》のものをふさぐ」意《い》を表《あらわ》した。

移

禾6画〔11画〕

音 イ
訓 うつる うつす

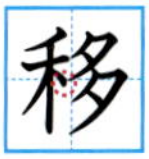

とめる

move［ムーヴ］

つかいかた

● 本《ほん》を上《うえ》から下《した》に**移す**《うつ》。
● 新体制《しんたいせい》に**移行**《いこう》する。
● 庭木《にわき》を**移植**《いしょく》する。
● 店《みせ》が**移転**《いてん》する。
● 事態《じたい》の**推移**《すいい》を見守《みまも》る。

いみ・ことば

● **時間《じかん》や場所《ばしょ》がかわる。うつる。うつす。** ●移《い》[2]行《こう》。移《い》[3]植《しょく》。移《い》[3]送《そう》。移《い》[3]転《てん》。移《い》[3]動《どう》。移《い》[1]入《にゅう》。移《い》[4]民《みん》。[6]推《すい》移《い》。[3]転《てん》移《い》。

もっとわかる

●同音異義語《どうおんいぎご》「イドウ」…「移動《いどう》」は、ほかの場所《ばしょ》へ移《うつ》ること。「異動《いどう》」は、働《はたら》く場所《ばしょ》や地位《ちい》が変《か》わること。

なりたち

「多《た》（いくつも重《かさ》なる）」と「禾（イネ）」を合《あ》わせた形《かたち》。いなほが重《かさ》なるように風《かぜ》になびくようすで、横《よこ》にずれて「うつる」意《い》を表《あらわ》した。

5年

同訓異字《どうくんいじ》のことば ③

【さす】

差す…中《なか》に入《い》れる。中《なか》にはいりこむ。
「すきまから日《ひ》が**差す**《さ》」

指す…指《ゆび》などである方向《ほうこう》を示《しめ》す。
「東《ひがし》の方向《ほうこう》を**指す**《さ》」

＊「刺《さ》す」は、刃物《はもの》などでつき通《とお》す意《い》。

＊「挿《さ》す」は、つき入《い》れる意《い》。

【たつ】

立つ…座《すわ》ったり横《よこ》になったりしていた人《ひと》が、起《お》き上《あ》がる。
「発表《はっぴょう》をするために**立つ**《た》」

建つ…建物《たてもの》などがつくられる。
「駅前《えきまえ》にビルが**建つ**《た》」

【つく】

付く…物《もの》と物《もの》とが、離《はな》れていない状態《じょうたい》になる。
「服《ふく》にごはんつぶが**付く**《つ》」

着く…その場所《ばしょ》に到着《とうちゃく》する。
「だれよりも早《はや》く学校《がっこう》に**着く**《つ》」

就く…ある地位《ちい》や役職《やくしょく》に身《み》を置《お》く。仕《し》事《ごと》をえてつとめる。
「希望《きぼう》していた職《しょく》に**就く**《つ》」

＊391ページへ続《つづ》く

税

禾7画〔12画〕

音 ゼイ
訓 ―

tax［タックス］

上《うえ》にはねる

つかいかた

- 税関《ぜいかん》の持《も》ち物検査《ものけんさ》。
- 税収《ぜいしゅう》が不足《ふそく》する。
- 減税《げんぜい》を望《のぞ》む声《こえ》が強《つよ》い。
- 消費税《しょうひぜい》を含《ふく》めた値段《ねだん》。
- 免税店《めんぜいてん》でお酒《さけ》を買《か》う。

いみ・ことば

● **国《くに》や地方自治体《ちほうじちたい》が国民《こくみん》から取《と》り立《た》てるお金《かね》。** ●税額《ぜいがく》。5税関《ぜいかん》。4税金《ぜいきん》。1税収《ぜいしゅう》。6税制《ぜいせい》。5税務署《ぜいむしょ》。5 6税率《ぜいりつ》。5課税《かぜい》。4国税《こくぜい》。2消費《しょうひ》3 5税《ぜい》。所得税《しょとくぜい》。3 5増税《ぞうぜい》。5納税《のうぜい》。6▲免税店《めんぜいてん》。2

もっとわかる

● 「税関《ぜいかん》」は、空港《くうこう》や港《みなと》などの国《くに》の出入《でい》り口《ぐち》にある役所《やくしょ》。そこを通《とお》る人《ひと》や物《もの》を検査《けんさ》したり、税金《ぜいきん》をとったりする。

なりたち

「兌《だ》（ぬき取《と》る）」と「禾（イネ）」を合《あ》わせた形《かたち》。かり取《と》った穀物《こくもつ》の中《なか》から一部《いちぶ》をぬき取《と》るようすで、税金《ぜいきん》の意《い》を表《あらわ》した。

税税税税税税税税

程

禾7画〔12画〕

音 テイ
訓 （ほど）

extent［イクステント］

土と書《か》かない

つかいかた

- 山頂《さんちょう》までは程遠《ほどとお》い。
- けがの程度《ていど》を調《しら》べる。
- 成長《せいちょう》の過程《かてい》を見守《みまも》る。
- 教職課程《きょうしょくかてい》を修了《しゅうりょう》する。
- これまでの行程《こうてい》をふりかえる。

いみ・ことば

1. **物事《ものごと》の度合《どあ》い。** ●程合《ほどあ》い。2程度《ていど》。3音程《おんてい》。1
2. **道《みち》のり。** ●過程《かてい》。5 5行程《こうてい》。2道程《どうてい》。2旅程《りょてい》。3
3. **決《き》まり。** ●課程《かてい》。4規程《きてい》。5日程《にってい》。1

もっとわかる

● 「程遠《ほどとお》い」は、相当《そうとう》な距離《きょり》がある意《い》。

なりたち

呈 ↓ 呈

● 「呈《てい》」は、まっすぐ差《さ》し出《だ》すことで、「まっすぐ」というイメージがある。それに「禾（イネ）」を合《あ》わせた「程」は、イネの束《たば》をまっすぐにのばしてはかるようすで、はかる「基準《きじゅん》」や「度合《どあ》い」の意《い》を表《あらわ》した。

程程程程程程程程

罪

罒8画〔13画〕

音 ザイ
訓 つみ

crime［クライム］

四と書《か》かない

つかいかた

- 罪《つみ》を犯《おか》してつかまる。
- 罪悪感《ざいあくかん》にさいなまれる。
- 心《こころ》から謝罪《しゃざい》する。
- 犯罪《はんざい》を見逃《みのが》せば同罪《どうざい》だ。
- 裁判《さいばん》で無罪《むざい》を勝《か》ち取《と》る。

いみ・ことば

● **悪《わる》いおこない。つみ。** ●罪作《つみつく》り。2罪《つみ》滅《ほろ》ぼし。▲罪悪感《ざいあくかん》。3 3罪状《ざいじょう》。5罪人《ざいにん》。1功罪《こうざい》。4犯《はん》罪《ざい》。5無罪《むざい》。4有罪《ゆうざい》。3

もっとわかる

● 「罪作《つみつく》り」は、純真《じゅんしん》な人《ひと》をあざむくこと。● 「罪滅《つみほろ》ぼし」は、よい行《おこな》いをして、自分《じぶん》の罪《つみ》をつぐなうこと。

なりたち

罪 ↓ 罪

● 「罒（あみ）」と「非（道《みち》にそむく）」を合《あ》わせた形《かたち》。不正《ふせい》をする人《ひと》を法《ほう》のあみにひっかけてつかまえるようすで、「つみ」の意《い》を表《あらわ》した。

罪罪罪罪罪罪罪罪

築

竹10画〔16画〕

音 チク
訓 きずく

つかいかた

- 一代《いちだい》で富《とみ》を築《きず》く。
- ふろ場《ば》を改築《かいちく》する。
- 新《あたら》しいビルを建築《けんちく》する。
- 新築《しんちく》の一軒家《いっけんや》。
- 二階部分《にかいぶぶん》を増築《ぞうちく》する。

ななめ右上《みぎうえ》に

construct［カンストラクト］

いみ・ことば

- 建物《たてもの》などをつくる。きずく。 ●4築城《ちくじょう》。5築造《ちくぞう》。4改築《かいちく》。4建築《けんちく》。5構築《こうちく》。2新築《しんちく》。5増築《ぞうちく》。

もっとわかる

- 特別《とくべつ》な読《よ》み方《かた》…築山《つきやま》 ●「構築《こうちく》」は、組《く》み立《た》てて築《きず》くこと（例 理論《りろん》を構築《こうちく》する）。

なりたち

- 「竹《ちく》」は、タケのことで、「固《かた》くて厚《あつ》い」というイメージがある。それに「巩（穴《あな》をあけてつき通《とお》す）」と「木（き）」を合《あ》わせた「築」は、木《き》のわくに土《つち》をつめてつき固《かた》めるようすで、「きずく」の意《い》を表《あらわ》した。

粉

米4画〔10画〕

音 フン
訓 こ　こな

つかいかた

- もちに黄《き》な粉《こ》をかける。
- 医者《いしゃ》に粉薬《こなぐすり》をもらう。
- こしょうを粉末《ふんまつ》にする。
- 花粉症《かふんしょう》になる。
- 製粉工場《せいふんこうじょう》を見学《けんがく》する。

つき出《だ》さない

powder［パウダァ］

いみ・ことば

- こな。こなのように細《こま》かい。 ●3粉薬《こなぐすり》。粉《こな》みじん。2粉雪《こなゆき》。2黄《き》な粉《こ》。1小麦粉《こむぎこ》。パン粉《こ》。▲粉砕《ふんさい》。4粉末《ふんまつ》。1花粉《かふん》。1金粉《きんぷん》。5製粉《せいふん》。

もっとわかる

- 四字熟語《よじじゅくご》…粉骨砕身《ふんこつさいしん》（力《ちから》の限《かぎ》りをつくして働《はたら》くこと） ●「身《み》を粉《こ》にする」は、苦労《くろう》をいやがらずに力《ちから》の限《かぎ》り働《はたら》く意《い》。「粉骨砕身《ふんこつさいしん》」と似《に》た意味《いみ》のことば。

なりたち

「分《ふん》（わける）」と「米（こめ）」を合《あ》わせた形《かたち》。米《こめ》をばらばらにするようすで、「こな」を表《あらわ》した。

精

米8画〔14画〕

音 セイ（ショウ）
訓 ―

つかいかた

- 玄米《げんまい》をついて精米《せいまい》する。
- 精神《せいしん》を集中《しゅうちゅう》する。
- 精密《せいみつ》に検査《けんさ》をする。
- 精力的《せいりょくてき》に仕事《しごと》をする。
- 寺《てら》の精進料理《しょうじんりょうり》を食《た》べる。

はねる

refine［リファイン］

いみ・ことば

1. 余分《よぶん》なものをとる。 ●4精選《せいせん》。2精米《せいまい》。
2. 細《こま》かい。くわしい。 ●3精度《せいど》。6精密《せいみつ》。
3. 生命《せいめい》のもとになる力《ちから》。 ●1精気《せいき》。1精力《せいりょく》。
4. たましい。心《こころ》。 ●▲精魂《せいこん》。3精神《せいしん》。

もっとわかる

- 「ショウ」の読《よ》みは、「精進《しょうじん》」「不精《ぶしょう》」などのことばに使《つか》われる。

なりたち

「青《せい》（けがれなくすみ切《き》っている）」と「米（こめ）」を合《あ》わせた形《かたち》。玄米《げんまい》をつき、よごれを取《と》り去《さ》って白《しろ》くするようすを表《あらわ》した。のち、まじりけがない意《い》でも使《つか》われた。

紀

糸3画〔9画〕

音 キ

訓 ―

上《うえ》にはねる

era [イラ]

つかいかた

- 漢字《かんじ》は紀元前《きげんぜん》に作《つく》られた。
- 紀行文《きこうぶん》を書《か》く。
- 綱紀《こうき》の乱《みだ》れを正《ただ》す。
- 今《いま》は二十一世紀《にじゅういっせいき》だ。
- 学校《がっこう》の風紀委員《ふうきいいん》になる。

いみ・ことば

1. 年代《ねんだい》。とし。●紀元《きげん》。二十一世紀《にじゅういっせいき》。
2. すじ道《みち》をたてて書《か》く。●紀行文《きこうぶん》。紀要《きよう》。
3. 決《き》まり。●校紀《こうき》。▲綱紀《こうき》。風紀委員《ふうきいいん》。

もっとわかる

●「紀元《きげん》」は、年数《ねんすう》を数《かぞ》える基準《きじゅん》となる年《とし》。現在《げんざい》、広《ひろ》く使《つか》われている西暦《せいれき》では、キリストの生《う》まれた年《とし》を基準《きじゅん》(元年《がんねん》)とする。

なりたち

「己《き》(目立《めだ》つ形《かたち》やしるし)」と「糸(いと)」を合《あ》わせた形《かたち》。もつれた糸《いと》を整理《せいり》するとき、はじめに手《て》をつけるところの意《い》で、「いとぐち」を表《あらわ》した。のち、整理《せいり》して記録《きろく》する意《い》でも使《つか》われた。

紀 紀 紀 紀 紀 紀 紀 紀 紀

素

糸4画〔10画〕

音 ソ (ス)

訓 ―

長《なが》く

natural [ナチュラる]

つかいかた

- 素材《そざい》を生《い》かした料理《りょうり》。
- 絵《え》の素質《そしつ》がある。
- 質素《しっそ》な暮《く》らしをする。
- 平素《へいそ》から健康《けんこう》に注意《ちゅうい》する。
- ろうかを素足《すあし》で歩《ある》く。

いみ・ことば

1. もとのままの。ふだんの。●素行《そこう》。素《そ》質《しつ》。素足《すあし》。素顔《すがお》。素手《すで》。平素《へいそ》。
2. かざらない。●簡素《かんそ》。質素《しっそ》。
3. もとになるもの。●素材《そざい》。要素《ようそ》。

もっとわかる

●特別《とくべつ》な読《よ》み方《かた》…素人《しろうと》 ●「ス」と読《よ》む語《ご》には、「素性《すじょう》」「素直《すなお》」などもある。

なりたち

●垂《た》れ下《さ》がることを示《しめ》す形《かたち》と「糸(いと)」を合《あ》わせて、カイコのまゆから垂《た》れ下《さ》がった絹糸《きぬいと》を示《しめ》し、手《て》を加《くわ》えないままの白《しろ》い絹《きぬ》を表《あらわ》した。

 → 素

素 素 素 素 素 素 素 素

経

糸5画〔11画〕

音 ケイ (キョウ)

訓 へる

この形《かたち》に注意《ちゅうい》

longitude [らンヂテュード]

つかいかた

- 長《なが》い年月《ねんげつ》を経《へ》る。
- 貴重《きちょう》な経験《けいけん》をする。
- 経済《けいざい》の仕組《しく》みを学《まな》ぶ。
- 地球《ちきゅう》の緯度《いど》と経度《けいど》。
- アメリカ経由《けいゆ》で帰国《きこく》する。

いみ・ことば

1. たて糸《いと》。たてのすじ。上下《じょうげ》、または南北《なんぼく》の線《せん》。●経線《けいせん》。経度《けいど》。
2. 通《とお》りすぎる。すじ道《みち》をたどる。へる。●経過《けいか》。経験《けいけん》。経由《けいゆ》。経歴《けいれき》。経路《けいろ》。
3. おさめる。いとなむ。●経営《けいえい》。経済《けいざい》。
4. 仏《ほとけ》の教《おし》えを書《か》いた書物《しょもつ》。●経典《きょうてん》。経文《きょうもん》。

もっとわかる

●横糸《よこいと》、横《よこ》のすじは、「緯《い》」という。

なりたち

もとの字《じ》は「經」。「巠(縦《たて》に通《とお》る)」と「糸(いと)」を合《あ》わせた形《かたち》で、縦糸《たていと》を表《あらわ》した。のち、「通《とお》る」の意《い》でも使《つか》われた。

経 経 経 経 経 経 経 経

絶

糸6画〔12画〕

音 ゼツ
訓 たえる　たやす　たつ

上《うえ》にはねる

break off ［ブレイク オ(ー)フ］

つかいかた

- 人通《ひとどお》りが絶《た》える。
- 絶大《ぜつだい》の信頼《しんらい》をよせる。
- 勝利《しょうり》は絶望的《ぜつぼうてき》だ。
- 国交《こっこう》が断絶《だんぜつ》する。

いみ・ことば

1. たち切《き》る。●絶交《ぜっこう》。絶食《ぜっしょく》。断絶《だんぜつ》。
2. なくなる。●絶望《ぜつぼう》。絶命《ぜつめい》。絶滅《ぜつめつ》。
3. かけはなれる。●絶景《ぜっけい》。絶大《ぜつだい》。絶品《ぜっぴん》。

もっとわかる

- 四字熟語《よじじゅくご》…絶体絶命《ぜったいぜつめい》（追《お》いつめられて、どうしてもにげることのできない状態《じょうたい》）・空前絶後《くうぜんぜつご》（非常《ひじょう》にめずらしいこと）

なりたち

↓絶

- 「卩《せつ》（切《き》れ目《め》）」の変形《へんけい》である「巴」と、「刀（かたな）」の変形《へんけい》である「ク」と、「糸（いと）」を合《あ》わせた形《かたち》。糸《いと》に刀《かたな》で切《き》れ目《め》をつけるようすで、つながりを「たちきる」意《い》を表《あらわ》した。

統

糸6画〔12画〕

音 トウ
訓 （すべる）

上《うえ》にはねる

unite ［ユーナイト］

つかいかた

- 文房具《ぶんぼうぐ》を青《あお》で統一《とういつ》する。
- 貿易《ぼうえき》の統計《とうけい》を取《と》る。
- 委員会《いいんかい》を統合《とうごう》する。
- 系統的《けいとうてき》に調《しら》べる。
- 母校《ぼこう》の伝統《でんとう》を守《まも》る。

いみ・ことば

1. ひとつづき。●系統《けいとう》。血統《けっとう》。伝統《でんとう》。
2. 一《ひと》つにまとめる。おさめる。●統一《とういつ》。統計《とうけい》。統合《とうごう》。統制《とうせい》。統率《とうそつ》。統治《とうち》。

もっとわかる

- 「血統《けっとう》」は、血《ち》のつながり。血《ち》すじ。

なりたち

↓充

- 「充《じゅう》」は、赤《あか》ちゃんに肉《にく》がついて成長《せいちょう》するようす。「中身《なかみ》がいっぱいつまる」というイメージを示《しめ》す。それに「糸（いと）」をそえた「統」は、まゆから糸《いと》を引《ひ》き出《だ》していっぱいにするようすから、全体《ぜんたい》を一《ひと》つにまとめる意《い》を表《あらわ》した。

総

糸8画〔14画〕

音 ソウ
訓 —

はねる

total ［トウトる］

つかいかた

- 漢字《かんじ》の総画数《そうかくすう》を調《しら》べる。
- 点数《てんすう》を総合《そうごう》する。
- 総立《そうだ》ちで拍手《はくしゅ》を送《おく》る。
- 総力《そうりょく》を挙《あ》げて戦《たたか》う。

いみ・ことば

1. 一《ひと》つにする。●総括《そうかつ》。総計《そうけい》。総決算《そうけっさん》。総合《そうごう》。総裁《そうさい》。総務《そうむ》。総理大臣《そうりだいじん》。
2. すべて。みな。●総会《そうかい》。総画数《そうかくすう》。総額《そうがく》。総数《そうすう》。総勢《そうぜい》。総立《そうだ》ち。総動員《そうどういん》。総力《そうりょく》。

もっとわかる

- 「総理大臣《そうりだいじん》」は、内閣《ないかく》（国《くに》の政治《せいじ》を行《おこな》う機関《きかん》）を総理《そうり》する（まとめる）首長《しゅちょう》。

なりたち

もとの字《じ》は「總」。「悤《そう》」は、「通《とお》りぬける」や「一《ひと》つにまとめる」というイメージがある。それに「糸（いと）」をそえた「總」は、糸《いと》を一《いっ》か所《しょ》にまとめてしめくくるようすで、まとめる意《い》を表《あらわ》した。のち、「すべて」の意《い》でも使《つか》われた。

5年

綿

糸8画〔14画〕

音 メン
訓 わた

綿 はねる

cotton［カトン］

つかいかた

- 綿《わた》あめを食《た》べる。
- 綿花《めんか》を栽培《さいばい》する。
- 綿密《めんみつ》に計画《けいかく》する。
- 話《はなし》が綿々《めんめん》と続《つづ》く。
- 連綿《れんめん》と続《つづ》く旧家《きゅうか》。

いみ・ことば

①わた。 ●綿毛《わたげ》。[2] 真綿《まわた》。[3] 綿糸《めんし》。[1] 綿布《めんぷ》。[5]

②わたのように長く続く。 ●綿々《めんめん》。[4] 連綿《れんめん》。

③細《こま》かい。 ●綿密《めんみつ》。[6]

もっとわかる

● 特別《とくべつ》な読《よ》み方《かた》…木綿《もめん》 ● 「真綿《まわた》」は、まゆを綿《わた》のようにひきのばしたもの。「真綿《まわた》で首《くび》をしめる」は、じわじわと苦《くる》しめる意《い》。「真綿《まわた》に針《はり》を包《つつ》む」は、表面《ひょうめん》はおだやかだが、敵意《てきい》を含《ふく》んでいる意《い》。

なりたち

「帛（織物《おりもの》）」と「糸（いと）」を合《あ》わせて、織物《おりもの》をつくる「わた」を表《あらわ》した。

編

糸9画〔15画〕

音 ヘン
訓 あむ

編 用《よう》と書《か》かない

knit［ニット］

つかいかた

- 毛糸《けいと》でマフラーを編《あ》む。
- 一冊《いっさつ》の本《ほん》を編集《へんしゅう》する。
- 編入試験《へんにゅうしけん》を受《う》ける。
- 物語《ものがたり》の前編《ぜんぺん》を読《よ》む。

いみ・ことば

①糸《いと》をあむ。 ●編《あ》み物《もの》。[3] 手《て》編《あ》み。[1]

②書物《しょもつ》にまとめる。 ●編者《へんじゃ》。[3] 編集《へんしゅう》。[3]

③組《く》み立《た》てる。 ●編曲《へんきょく》。[3] 編成《へんせい》。[4] 編入《へんにゅう》。[1]

④文章《ぶんしょう》のまとまり。作品《さくひん》。 ●後編《こうへん》。[2] 前編《ぜんぺん》。[2] 短編《たんぺん》。[3] 長編《ちょうへん》。[2]

もっとわかる

● 「編《あ》む」は、編集《へんしゅう》する意《い》でも使《つか》われる。

なりたち

扁 ↓ 扁

● 「扁《へん》」は、「うすくて平《たい》らな」というイメージを示《しめ》す。それに「糸（いと）」をそえた「編」は、書物《しょもつ》文字《もじ》を書《か》いたうすい竹《たけ》の札《ふだ》をひもでとじて、書物《しょもつ》をつくるようすで、書物《しょもつ》にまとめる意《い》を表《あらわ》した。

績

糸11画〔17画〕

音 セキ
訓 ―

績 上《うえ》の横棒《よこぼう》より長《なが》く

spin［スピン］

つかいかた

- すぐれた業績《ぎょうせき》を残《のこ》す。
- 偉大《いだい》な功績《こうせき》をたたえる。
- 多《おお》くの実績《じっせき》を上《あ》げる。
- 猛勉強《もうべんきょう》で成績《せいせき》が上《あ》がる。
- 紡績工場《ぼうせきこうじょう》を見学《けんがく》する。

いみ・ことば

①糸《いと》をつむぐ。 ●▲紡績《ぼうせき》。

②仕事《しごと》。手《て》がら。 ●業績《ぎょうせき》。[3] 功績《こうせき》。[4] 実績《じっせき》。[3] 成績《せいせき》。[4] 戦績《せんせき》。[4]

もっとわかる

● 「績」は「積」と形《かたち》が似《に》ていてまちがえやすいので注意《ちゅうい》。 ● 「紡績《ぼうせき》」は、羊毛《ようもう》や綿《めん》などから糸《いと》をつむぐこと。

なりたち

「責《せき》（ギザギザと重《かさ》なる）」と「糸（いと）」を合《あ》わせた形《かたち》。植物《しょくぶつ》のせんいを何本《なんぼん》かより合《あ》わせて糸《いと》にするようすで、「つむぐ」意《い》を表《あらわ》した。

織

糸12画〔18画〕
音 シキ（ショク）
訓 おる

右《みぎ》に長《なが》く出《だ》す

weave［ウィーヴ］

つかいかた

- 手織《ており》りの洋服生地《ようふくきじ》。
- 羽織《はおり》のひもを結《むす》ぶ。
- 複雑《ふくざつ》な模様《もよう》の綿織物《めんおりもの》。
- 染織《せんしょく》の技術《ぎじゅつ》を学《まな》ぶ。
- 大《おお》きな組織《そしき》に所属《しょぞく》する。

いみ・ことば

①**布《ぬの》をおる。布《ぬの》。**●織物《おりもの》。手織《ており》り。羽織《はおり》。織機《しょっき》。染織《せんしょく》。▲紡織《ぼうしょく》。

②**組《く》み立《た》てる。**●組織《そしき》。

もっとわかる
●送《おく》り仮名《がな》…「手織《てお》り」は「り」を送《おく》るが、「織物《おりもの》」「羽織《はおり》」などは送《おく》らない。

なりたち
戠

- 「戠《しょく》」は、武器《ぶき》で標識《ひょうしき》を打《う》つようす。見分《みわ》けるというイメージを示《しめ》す。それに「糸（いと）」をそえて、染《そ》め糸《いと》の模様《もよう》を見分《みわ》けながら布《ぬの》を「おる」意《い》を表《あらわ》した。

義

羊7画〔13画〕
音 ギ
訓 ―

点《てん》を忘《わす》れない

righteousness［ライチャスネス］

つかいかた

- 義務教育《ぎむきょういく》を受《う》ける。
- 義理《ぎり》を欠《か》いた態度《たいど》。
- 意義《いぎ》のある仕事《しごと》をする。
- 正義《せいぎ》の味方《みかた》が参上《さんじょう》する。

いみ・ことば

①**正《ただ》しい道《みち》。**●義務《ぎむ》。義理《ぎり》。正義《せいぎ》。道義《どうぎ》。

②**わけ。意味《いみ》。**●意義《いぎ》。語義《ごぎ》。同義《どうぎ》。

③**血《ち》のつながらない。**●義母《ぎぼ》。

④**かわりになるもの。**●義手《ぎしゅ》。

もっとわかる
●四字熟語《よじじゅくご》…大義名分《たいぎめいぶん》（ある行《おこな》いのよりどころとなる正当《せいとう》な理由《りゆう》づけ）

なりたち
義

- 「我《が》」は、刃《は》のギザギザした武器《ぶき》。それと「羊（美《うつく》しい姿《すがた》の動物《どうぶつ》）」を合《あ》わせた「義」は、形《かたち》が整《ととの》っているようすを示《しめ》し、すじがきちんと通《とお》っていて正《ただ》しい意《い》に使《つか》われた。

5年

同訓異字《どうくんいじ》のことば④

【とる】

取《と》る…手《て》で持《も》つ。つかむ。自分《じぶん》のものにする。

「本《ほん》を手《て》に取《と》る」

採《と》る…選《えら》んで決《き》める。

「学級会《がっきゅうかい》で決《けっ》を採《と》る」
＊「撮《と》る」は、写真《しゃしん》や動画《どうが》などをうつす意《い》。

【なおす】

直《なお》す…こわれたものを修理《しゅうり》する。正《ただ》しくする。

「こわれた模型《もけい》を直《なお》す」

治《なお》す…病気《びょうき》やけがのある状態《じょうたい》から、もとの健康《けんこう》な状態《じょうたい》にする。

「歯医者《はいしゃ》で虫歯《むしば》を治《なお》す」


【なく】

泣《な》く…人《ひと》が、悲《かな》しかったりうれしかったりして、なみだを流《なが》す。

「試合《しあい》に負《ま》けて泣《な》く」

鳴《な》く…鳥《とり》・けもの・虫《むし》などが、声《こえ》や音《おと》を出《だ》す。

「カラスが鳴《な》く」

＊399ページへ続《つづ》く

耕

耒4画〔10画〕

音 コウ
訓 たがやす

とめる 耕

cultivate［カるティヴェイト］

つかいかた

- くわで畑《はたけ》を耕《たがや》す。
- 耕具《こうぐ》の手《て》入《い》れをする。
- せまい耕地《こうち》を活用《かつよう》する。
- 農耕民族《のうこうみんぞく》の暮《く》らし。
- 耕《こう》うん機《き》で田《た》をほり起《お》こす。

いみ・ことば

● たがやす。 ●耕《こう》うん機《き》。耕具《こうぐ》。耕作《こうさく》。休耕田《きゅうこうでん》。耕地《こうち》。農耕民族《のうこうみんぞく》。

もっとわかる

- 「休耕《きゅうこう》」は、田畑《たはた》の耕作《こうさく》を一時的《いちじてき》にやめること。「休耕田《きゅうこうでん》」は、その田《た》んぼ。
- 四字熟語《よじじゅくご》…晴耕雨読《せいこううどく》（ゆうゆうと思《おも》いのままに生活《せいかつ》するようす。晴《は》れれば耕《たがや》し、雨《あめ》が降《ふ》ったら読書《どくしょ》をする意《い》から）

なりたち

「井（四角《しかく》いわく）」と「耒（すき）」を合《あ》わせた形《かたち》。四角《しかく》い田《た》んぼにすきを入《い》れて、「たがやす」意《い》を表《あらわ》した。

耕

職

耳12画〔18画〕

音 ショク
訓 —

右《みぎ》に長《なが》く出《だ》す 職 ななめ右上《みぎうえ》に

job［ヂャブ］

つかいかた

- 陶器《とうき》をつくる職人《しょくにん》。
- 職員会議《しょくいんかいぎ》が始《はじ》まる。
- 職業《しょくぎょう》を選《えら》ぶ。
- 活気《かっき》のある職場《しょくば》で働《はたら》く。
- 定年《ていねん》で会社《かいしゃ》を退職《たいしょく》する。

いみ・ことば

❶ 仕事《しごと》。つとめ。 ●職員《しょくいん》。職業《しょくぎょう》。職場《しょくば》。休職《きゅうしょく》。辞職《じしょく》。就職《しゅうしょく》。退職《たいしょく》。天職《てんしょく》。本職《ほんしょく》。

❷ 手仕事《てしごと》。 ●職人《しょくにん》。

もっとわかる

- 「天職《てんしょく》」は、天《てん》からさずかった職業《しょくぎょう》。また、自分《じぶん》が生《う》まれつきもっている性質《せいしつ》に合《あ》った職業《しょくぎょう》。

なりたち

「戠《しょく》（見分《みわ》けるしるし）」と「耳（みみ）」を合《あ》わせた形《かたち》。耳《みみ》で聞《き》き分《わ》けて仕事《しごと》や役《やく》目《め》を知《し》るようすで、仕事《しごと》をつかさどる意《い》を表《あらわ》した。

職

肥

月4画〔8画〕

音 ヒ
訓 こえる こえ こやす こやし

肥 はねる

fatten［フアットゥン］

つかいかた

- 豊富《ほうふ》な飼料《しりょう》でぶたが肥《こ》える。
- 失敗《しっぱい》を肥《こ》やしにする。
- 組織《そしき》が肥大化《ひだいか》する。
- やや肥満《ひまん》気味《ぎみ》だ。
- 畑《はたけ》に肥料《ひりょう》をやる。

いみ・ことば

❶ 栄養《えいよう》が豊《ゆた》かになる。ふとる。 ●肥大《ひだい》。肥満《ひまん》。肥沃《ひよく》。

❷ こやし。 ●肥《こえ》だめ。下肥《しもごえ》。肥料《ひりょう》。

もっとわかる

- 「天高《てんたか》く馬肥《うまこ》ゆる秋《あき》」は、秋《あき》がよい季節《きせつ》であることを表《あらわ》したことば。晴《は》れた空《そら》は高《たか》く空気《くうき》もすみわたり、馬《うま》はよく食《た》べてよく太《ふと》る季節《きせつ》の意《い》。

なりたち

「配《はい》（くっつく）」を略《りゃく》した「巴」と「月（肉《にく》）」を合《あ》わせた形《かたち》で、しぼうがくっついて体《からだ》が「ふとる」意《い》を表《あらわ》した。

肥

5年

能

月6画〔10画〕

音 ノウ
訓 —

折《お》る 能

ability［アビリティ］

つかいかた

- めずらしく能弁《のうべん》になる。
- 自分《じぶん》の能力《のうりょく》を生《い》かす。
- 打《う》ち身《み》に効能《こうのう》のある薬《くすり》。
- 兄《あに》はスポーツ万能《ばんのう》だ。

いみ・ことば

①**仕事《しごと》をする力《ちから》。働《はたら》き。** ●能力《のうりょく》。4機能《きのう》。5技能《ぎのう》。2才能《さいのう》。2知能《ちのう》。3放射能《ほうしゃのう》。1本能《ほんのう》。
②**できる。** ●能弁《のうべん》。5可能《かのう》。2万能《ばんのう》。4不能《ふのう》。
③**ききめ。** ●能書《のうが》き。5効能《こうのう》。
④**日本《にほん》の伝統芸能《でんとうげいのう》の一《ひと》つ。のう。能楽《のうがく》。**

もっとわかる

●「能書《のうが》き」は、薬《くすり》のききめなどを記《しる》した文《ぶん》。また、自分《じぶん》の長所《ちょうしょ》をならべ立《た》てた文句《もんく》の意《い》でも使《つか》われる。

なりたち

→能

●動物《どうぶつ》のクマをえがいた形《かたち》。くまは力強《ちからづよ》いところから、力強《ちからづよ》い働《はたら》きの意《い》を表《あらわ》した。

脈

月6画〔10画〕

音 ミャク
訓 —

この形《かたち》に注意《ちゅうい》 脈

vein［ヴェイン］

つかいかた

- 手首《てくび》の脈《みゃく》をとる。
- 金《きん》の鉱脈《こうみゃく》を発見《はっけん》する。
- ロッキー山脈《さんみゃく》。
- 文脈《ぶんみゃく》を読《よ》み取《と》る。

いみ・ことば

①**血《ち》の流《なが》れるすじ。血管《けっかん》。** ●4静脈《じょうみゃく》。3動脈《どうみゃく》。
②**血管《けっかん》を伝《つた》わる心臓《しんぞう》のひびき。みゃく。** ●脈拍《みゃくはく》。3平脈《へいみゃく》。
③**すじのようにつながっているもの。** ●脈▲絡《みゃくらく》。5鉱脈《こうみゃく》。1山脈《さんみゃく》。1文脈《ぶんみゃく》。3葉脈《ようみゃく》。

もっとわかる

●「脈《みゃく》」を使《つか》ったことば…脈《みゃく》がある（見《み》こみがある。希望《きぼう》が持《も》てる）

なりたち

→𠂢

●「𠂢《は》」は、枝分《えだわ》かれして流《なが》れる川《かわ》のようす。それに「月（肉《にく》）」を合《あ》わせて、体《からだ》の中《なか》で枝分《えだわ》かれして血《ち》を通《とお》す「すじ」を表《あらわ》した。

興

臼9画〔16画〕

音 コウ
キョウ
訓 （おこる）
（おこす）

長《なが》く 興

emerge［イマーヂ］

つかいかた

- 新《あたら》しく事業《じぎょう》を興《おこ》す。
- ホームランに興奮《こうふん》する。
- ギターに興味《きょうみ》を持《も》つ。
- 被災地《ひさいち》が復興《ふっこう》する。

いみ・ことば

①**さかんになる。さかんにする。おこす。** ●興亡《こうぼう》。5再興《さいこう》。▲振興《しんこう》。5復興《ふっこう》。
②**おもしろみ。** ●興味《きょうみ》。▲即興《そっきょう》。5余興《よきょう》。

もっとわかる

●四字熟語《よじじゅくご》…興味津々《きょうみしんしん》（後《あと》から後《あと》から興《きょう》味《み》がわいて、つきないようす）

なりたち

→興

●「舁」は、「臼（両手《りょうて》）」と「廾（両手《りょうて》）」を合《あ》わせて、四本《よんほん》の手《て》でいっせいに持《も》ち上《あ》げるようす。それと「同（いっしょにそろう）」を合《あ》わせた「興」は、いっせいに持《も》ち上《あ》げて「おこす」意《い》を表《あらわ》した。のち、感情《かんじょう》がわきおこる意《い》でも使《つか》われた。

5年

航

舟4画〔10画〕

音 コウ
訓 ―

ななめ右上《みぎうえ》に　航

navigate ［ナヴィゲイト］

つかいかた

- 太平洋《たいへいよう》を航海《こうかい》する。
- 航空機《こうくうき》に乗《の》る。
- 台風《たいふう》で船《ふね》が欠航《けっこう》する。
- ヨーロッパに渡航《とこう》する。
- 黒船《くろふね》が来航《らいこう》する。

いみ・ことば

- **船《ふね》や飛行機《ひこうき》で進《すす》む。**
- 航海《こうかい》。航空機《こうくうき》。航行《こうこう》。航路《こうろ》。帰航《きこう》。寄航《きこう》。欠航《けっこう》。密航《みっこう》。

もっとわかる

- 「難航《なんこう》」は、海《うみ》があらくてなかなか先《さき》へ進《すす》めないこと。障害《しょうがい》が多《おお》くて物事《ものごと》が進《すす》まない意《い》でも使《つか》われる。

なりたち

亢《こう》

- 「亢《こう》」は、首《くび》の前《まえ》の部分《ぶぶん》、のどぶえをえがいたもので、まっすぐのびるというイメージを示《しめ》す。それに「舟（ふね）」を合《あ》わせて、ふねが水上《すいじょう》をまっすぐ進《すす》む意《い》を表《あらわ》した。

航 航 航 航 航 航 航 航

術

行5画〔11画〕

音 ジュツ
訓 ―

点《てん》を忘《わす》れない　術

skill ［スキる］

つかいかた

- 相手《あいて》の術中《じゅっちゅう》にはまる。
- 高度《こうど》な技術《ぎじゅつ》。
- 外科医《げかい》が手術《しゅじゅつ》をする。
- 試合《しあい》の戦術《せんじゅつ》を練《ね》る。
- 話術《わじゅつ》のたくみな人《ひと》。

いみ・ことば

① **決《き》まったやり方《かた》。わざ。**
- 医術《いじゅつ》。技術《ぎじゅつ》。芸術《げいじゅつ》。算術《さんじゅつ》。手術《しゅじゅつ》。魔術《まじゅつ》。話術《わじゅつ》。

② **はかりごと。**
- 術中《じゅっちゅう》。戦術《せんじゅつ》。

もっとわかる

- 四字熟語《よじじゅくご》…権謀術数《けんぼうじゅっすう》（人《ひと》をたくみにあざむく策略《さくりゃく》やはかりごと）・人海戦術《じんかいせんじゅつ》（大勢《おおぜい》の人《ひと》を使《つか》って仕事《しごと》を達成《たっせい》する方法《ほうほう》）

なりたち

「朮《じゅつ》（くっついてはずれない）」と「行（道《みち》）」を合《あ》わせた形《かたち》で、だれもがはずれずに通《とお》る道《みち》を表《あらわ》した。そこから、決《き》まったやり方《かた》の意《い》でも使《つか》われるようになった。

術 術 術 術 術 術 術 術

衛

行10画〔16画〕

音 エイ
訓 ―

五と書《か》かない　衛

guard ［ガード］

つかいかた

- 衛生状態《えいせいじょうたい》が悪《わる》い。
- 警備《けいび》の衛兵《えいへい》が交代《こうたい》する。
- 大統領《だいとうりょう》を護衛《ごえい》する。
- 守衛《しゅえい》が校内《こうない》を見回《みまわ》る。
- 人工衛星《じんこうえいせい》の打《う》ち上《あ》げ。

いみ・ことば

① **まもる。ふせぐ。まもり。**
- 衛生《えいせい》。衛兵《えいへい》。護衛《ごえい》。自衛隊《じえいたい》。守衛《しゅえい》。防衛《ぼうえい》。

② **まわる。**
- 衛星《えいせい》。

もっとわかる

- 「衛生《えいせい》」は、生命《せいめい》をまもる意《い》で、健康《けんこう》を保《たも》ち病気《びょうき》を予防《よぼう》すること。
- 「衛星《えいせい》」は、惑星《わくせい》のまわりを回《まわ》っている星《ほし》。地球《ちきゅう》に対《たい》する月《つき》など。

なりたち

「韋《い》（まわりを回《まわ》る）」と「行（いく）」を合《あ》わせた形《かたち》。周囲《しゅうい》をぐるぐる回《まわ》って「まもる」意《い》を表《あらわ》した。

衛 衛 衛 衛 衛 衛 衛 衛

5年

製

衣8画〔14画〕

音 セイ
訓 —

この形《かたち》に注意《ちゅうい》

manufacture［マニュファクチャ］

つかいかた

- 日曜大工《にちようだいく》でいすを製作《せいさく》する。
- 自動車《じどうしゃ》の部品《ぶひん》を製造《せいぞう》する。
- プラスチックの製品《せいひん》。
- 自家製《じかせい》のクッキー。
- 特製《とくせい》のハンバーグ。

いみ・ことば

- 品物《しなもの》をつくる。ととのえる。
  - 製作《せいさく》。製図《せいず》。製造《せいぞう》。製鉄《せいてつ》。製氷《せいひょう》。製品《せいひん》。製本《せいほん》。官製《かんせい》。自家製《じかせい》。手製《てせい》。特製《とくせい》。日本製《にほんせい》。

もっとわかる

- 「製図《せいず》」は、機械《きかい》や建物《たてもの》を製作《せいさく》するために、大《おお》きさや作《つく》り方《かた》などを記入《きにゅう》した図面《ずめん》を作成《さくせい》すること。
- 「官製《かんせい》」は、政《せい》府《ふ》が作《つく》ること。

なりたち

「制《せい》（ほどよく切《き》る）」と「衣（ころも）」を合《あ》わせた形《かたち》。素材《そざい》を切《き》って衣服《いふく》をつくるようすで、「つくる」の意《い》を表《あらわ》した。

製 製 製 製 製 製 製 製

複

ネ9画〔14画〕

音 フク
訓 —

ネと書《か》かない

double［ダブる］

つかいかた

- 糸《いと》が複雑《ふくざつ》にからまる。
- 世界有数《せかいゆうすう》の複式火山《ふくしきかざん》。
- 複数《ふくすう》の人《ひと》が反対《はんたい》する。
- 話《はなし》が重複《ちょうふく》する。

いみ・ことば

1. 重《かさ》なる。
   - 複合《ふくごう》。複雑《ふくざつ》。重複《ちょうふく》（じゅうふく）。
2. 二《ふた》つ以上《いじょう》。
   - 複眼《ふくがん》。複式《ふくしき》。複数《ふくすう》。複線《ふくせん》。
3. もう一度《いちど》する。
   - 複写《ふくしゃ》。複製《ふくせい》。

もっとわかる

- 「複」①②と反対《はんたい》の意味《いみ》を持《も》つ漢字《かんじ》は「単」。
- 「複眼的《ふくがんてき》」とは、いろいろな視《し》点《てん》から物事《ものごと》を見《み》るようす（例 複眼的《ふくがんてき》な思《し》考《こう》）。
- 四字熟語《よじじゅくご》…複雑怪奇《ふくざつかいき》（非常《ひじょう》にこみ入《い》っていて、不思議《ふしぎ》であること）

なりたち

「复《ふく》（重《かさ》なる）」と「ネ（衣《ころも》）」を合《あ》わせた形《かたち》。裏地《うらじ》をつけて二重《にじゅう》になった衣《ころも》を示《しめ》して、「重《かさ》なる」の意《い》を表《あらわ》した。

複 複 複 複 複 複 複 複

規

見4画〔11画〕

音 キ
訓 —

とめる

regulation［レギュれイション］

つかいかた

- 学校《がっこう》の規則《きそく》を守《まも》る。
- 生徒会《せいとかい》の規約《きやく》を改正《かいせい》する。
- 規律《きりつ》正《ただ》しい生活《せいかつ》を送《おく》る。
- 授業《じゅぎょう》で三角定規《さんかくじょうぎ》を使《つか》う。
- 正規《せいき》の手続《てつづ》きに従《したが》う。

いみ・ことば

1. コンパス。ものさし。
   - 定規《じょうぎ》。
2. 決《き》まり。おきて。わくぐみ。
   - 規制《きせい》。規則《きそく》。規定《きてい》。規模《きぼ》。規約《きやく》。規律《きりつ》。法規《ほうき》。

もっとわかる

- 「杓子定規《しゃくしじょうぎ》」は、一《ひと》つの基準《きじゅん》でしか物《もの》事《ごと》を見《み》ようとしない、頭《あたま》の固《かた》い考《かんが》え方《かた》。

なりたち

「夫（まっすぐな棒《ぼう》）」と「見（姿《すがた》が現《あらわ》れる）」を合《あ》わせた形《かたち》。まっすぐな棒《ぼう》を∧形《がた》に回《まわ》して円《えん》をえがくようすで、円《えん》をえがくコンパスを表《あらわ》した。また、決《き》まりの意《い》でも使《つか》われた。

規 規 規 規 規 規 規 規 規 規 規

5年

解

角6画〔13画〕

音 カイ（ゲ）

訓 とく　とかす　とける

上《うえ》につき出《だ》す

take apart［テイク アパート］

つかいかた

● 難《むずか》しい問題《もんだい》を解《と》く。
● 事件《じけん》が解決《かいけつ》する。
● 問題《もんだい》の解説《かいせつ》を読《よ》む。
● 時計《とけい》を分解《ぶんかい》する。

いみ・ことば

❶ ばらばらにする。●解体《かいたい》。分解《ぶんかい》。

❷ とく。わかる。●解決《かいけつ》。図解《ずかい》。理解《りかい》。

❸ とりのぞく。なくす。ほどく。●解禁《かいきん》。解除《かいじょ》。解消《かいしょう》。解放《かいほう》。解約《かいやく》。

もっとわかる

●「ゲ」の読《よ》みは、「解熱《げねつ》」などに使《つか》われる。

●四字熟語《よじじゅくご》…一知半解《いっちはんかい》（知《し》っているだけで、よく理解《りかい》していないこと）

なりたち

「角（つの）」と「刀（かたな）」と「牛（ウシ）」を合《あ》わせた形《かたち》。牛《うし》の角《つの》を刃物《はもの》でばらばらに分《わ》けるようすで、「ときはなす」「とく」の意《い》を表《あらわ》した。

解 解 解 解 解 解 解 解

許

言4画〔11画〕

音 キョ

訓 ゆるす

つき出《だ》さない

permit［パァミット］

つかいかた

● 友達《ともだち》に心《こころ》を許《ゆる》す。
● 親《おや》の許《ゆる》しを得《え》る。
● 外出《がいしゅつ》の許可《きょか》をもらう。
● 許容範囲《きょようはんい》を超《こ》える。
● 免許皆伝《めんきょかいでん》のうで前《まえ》。

いみ・ことば

● ゆるす。認《みと》める。●許可《きょか》。許諾《きょだく》。許容《きょよう》。特許《とっきょ》。免許《めんきょ》。

もっとわかる

●「特許《とっきょ》」は、発明《はつめい》をした人《ひと》だけに、その品《しな》を使《つか》ったり売《う》ったりする権利《けんり》をあたえること。特許権《とっきょけん》。●「免許皆伝《めんきょかいでん》」は、技芸《ぎげい》などの極意《ごくい》を、先生《せんせい》が弟子《でし》にすべて教《おし》えさずけること。

なりたち

「午《ご》（交差《こうさ》する）」と「言（いう）」を合《あ》わせた形《かたち》。相手《あいて》の意見《いけん》を一点《いってん》でまじえて聞《き》き入《い》れるようすで、「ゆるす」の意《い》を表《あらわ》した。

許 許 許 許 許 許 許 許

設

言4画〔11画〕

音 セツ

訓 もうける

夂と書《か》かない

establish［エスタブリッシュ］

つかいかた

● 本部《ほんぶ》を設《もう》ける。
● ビルの設計図《せっけいず》を見《み》る。
● 場面《ばめん》を設定《せってい》する。
● 空《あ》き地《ち》にビルを建設《けんせつ》する。
● 新《あたら》しい学部《がくぶ》を増設《ぞうせつ》する。

いみ・ことば

● つくる。そなえつける。●設計《せっけい》。設置《せっち》。設定《せってい》。設備《せつび》。設立《せつりつ》。新設《しんせつ》。増設《ぞうせつ》。特設《とくせつ》。

もっとわかる

●「一席設《いっせきもう》ける」は、もてなすための宴《えん》会《かい》を用意《ようい》する意《い》。

なりたち

●「殳《しゅ》」は、手《て》でほこを立《た》てて持《も》つようす。「言（ことば）」と「殳（立《た》てる）」を合《あ》わせた「設」は、ことばを組《く》み立《た》てるように、物《もの》をしっかり立《た》ててそなえておくようすで、「そなえつける」の意《い》を表《あらわ》した。

設 設 設 設 設 設 設 設

5年

5年

証

言5画〔12画〕
音 ショウ
訓 —

証 長《なが》めに

prove［プルーヴ］

つかいかた

● 友人《ゆうじん》が証人《しょうにん》になる。
● 無実《むじつ》を証明《しょうめい》する。
● 学生証《がくせいしょう》を提示《ていじ》する。
● 領収証《りょうしゅうしょう》を受《う》け取《と》る。

いみ・ことば

1 あきらかにする。はっきりさせる。●証言《しょうげん》。証人《しょうにん》。証明《しょうめい》。論証《ろんしょう》。

2 証拠《しょうこ》となる書《か》きつけ。あかし。●証書《しょしょ》。学生証《がくせいしょう》。許可証《きょかしょう》。免許証《めんきょしょう》。

もっとわかる

● 「論《ろん》より証拠《しょうこ》」は、あれこれ話《はな》し合《あ》うよりも、証拠《しょうこ》を見《み》せたほうがはっきりするということ。

なりたち

もとの字《じ》は「證」。「登《とう》（上《うえ》にあげる）」と「言（いう）」を合《あ》わせた形《かたち》。上《うえ》の立場《たちば》の人《ひと》に事実《じじつ》を告《つ》げて、「あかし」を立《た》てる意《い》を表《あらわ》した。

評

言5画〔12画〕
音 ヒョウ
訓 —

評 点《てん》のうち方《かた》に注意《ちゅうい》

comment［カメント］

つかいかた

● 感想文《かんそうぶん》が評価《ひょうか》される。
● 評議員《ひょうぎいん》に選《えら》ばれる。
● おいしいと評判《ひょうばん》の店《みせ》。
● 世間《せけん》の好評《こうひょう》を博《はく》する。
● 作品《さくひん》の品評会《ひんぴょうかい》を開《ひら》く。

いみ・ことば

1 相談《そうだん》して決《き》める。●評議《ひょうぎ》。評決《ひょうけつ》。

2 よしあしを決《き》める。●評価《ひょうか》。評点《ひょうてん》。評判《ひょうばん》。好評《こうひょう》。書評《しょひょう》。批評《ひひょう》。品評会《ひんぴょうかい》。

もっとわかる

● 「下馬評《げばひょう》」とは、世間《せけん》の評判《ひょうばん》のこと。
● 「小田原評定《おだわらひょうじょう》」とは、いつまでたっても決《き》まらない相談《そうだん》のこと。「評定」は、ここでは「評定《ひょうじょう》」と読《よ》む。

なりたち

「平《へい》（平《たい》らにそろう）」と「言（ことば）」を合《あ》わせた形《かたち》。議論《ぎろん》をして、よしあしを決《き》める意《い》を表《あらわ》した。

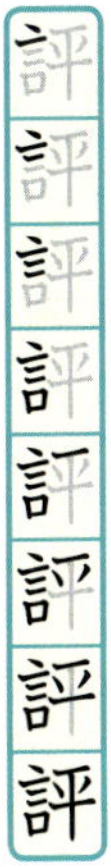

講

言10画〔17画〕
音 コウ
訓 —

講 左右《さゆう》につき出《だ》す

lecture［れクチャ］

つかいかた

● 作家《さっか》の講演《こうえん》を聞《き》く。
● 講師《こうし》が教壇《きょうだん》に上《あ》がる。
● 講和会議《こうわかいぎ》に出席《しゅっせき》する。
● 夏期講習《かきこうしゅう》を受《う》ける。
● 授業《じゅぎょう》が休講《きゅうこう》になる。

いみ・ことば

1 わかるように説《と》く。大勢《おおぜい》の人《ひと》に話《はな》す。●講演《こうえん》。講義《こうぎ》。講座《こうざ》。講師《こうし》。講習《こうしゅう》。

2 仲直《なかなお》りする。●講和《こうわ》。

3 講義《こうぎ》や講習《こうしゅう》のこと。●開講《かいこう》。休講《きゅうこう》。受講《じゅこう》。聴講《ちょうこう》。補講《ほこう》。

もっとわかる

● 「講評《こうひょう》」は、説明《せつめい》して批評《ひひょう》すること。

なりたち

「冓《こう》（バランスよく組《く》み立《た》てる）」と「言（ことば）」を合《あ》わせた形《かたち》。ことばや理《り》論《ろん》を組《く》み立《た》てて、相手《あいて》にわかるように説《と》く意《い》を表《あらわ》した。

謝

言10画〔17画〕

音 シャ
訓 （あやま**る**）

右上《みぎうえ》につき出《だ》す

apologize［アパらヂャイズ］

つかいかた

- 深々《ふかぶか》と頭《あたま》を下《さ》げて**謝る**《あやま》。
- **謝意**《しゃい》を表《あらわ》す。
- 心《こころ》から**謝罪**《しゃざい》する。
- **感謝**《かんしゃ》の気持《きも》ちを伝《つた》える。
- **面会謝絶**《めんかいしゃぜつ》の病室《びょうしつ》。

いみ・ことば

① **お礼《れい》をする。** ●[3]謝意《しゃい》。[3]謝礼《しゃれい》。[3]感謝《かんしゃ》。[1]月謝《げっしゃ》。

② **あやまる。わびる。** ●[5]謝罪《しゃざい》。▲陳謝《ちんしゃ》。

③ **ことわる。ことわり。** ●[3]面[2]会謝[5]絶《めんかいしゃぜつ》。

もっとわかる

●「謝意《しゃい》」は、感謝《かんしゃ》の意《い》のほか、あやまる意《い》でも使《つか》われる。

なりたち

「射《しゃ》」は、矢《や》を放《はな》つようす。「はりつめたものをゆるめる」というイメージを示《しめ》す。それに「言（ことば）」を合《あ》わせた「謝」は、心《こころ》の中《なか》ではりつめていたものをことばで解《と》き放《はな》つようすで、「あやまる」意《い》を表《あらわ》した。

識

言12画〔19画〕

音 シキ
訓 ―

右《みぎ》に長《なが》く出《だ》す

discern［ディサーン］

つかいかた

- 事《こと》の善悪《ぜんあく》を**識別**《しきべつ》する。
- **意識**《いしき》がもうろうとする。
- 本《ほん》から**知識**《ちしき》を得《え》る。
- **道路標識**《どうろひょうしき》が目《め》に入《はい》る。
- あの人《ひと》とは**面識**《めんしき》がない。

いみ・ことば

① **知《し》る。見分《みわ》ける。** ●[4]識別《しきべつ》。[3]意識《いしき》。[1]学識《がくしき》。[1]見識《けんしき》。[5]常識《じょうしき》。[2]知識《ちしき》。[6]認識《にんしき》。[3]面識《めんしき》。

② **目《め》じるし。** ●[4]標識《ひょうしき》。

もっとわかる

●「見識《けんしき》」は、物事《ものごと》の本質《ほんしつ》を見《み》ぬく力《ちから》。また、それに基《もと》づいた考《かんが》え（例 見識《けんしき》のある人物《じんぶつ》）。●「面識《めんしき》」は、たがいに顔《かお》を知《し》っていること（例 彼《かれ》とは面識《めんしき》がある）。

なりたち

「戠《しょく》（見分《みわ》けるしるし）」と「言（ことば）」を合《あ》わせた形《かたち》。ことばという記号《きごう》を使《つか》って、物事《ものごと》を区別《くべつ》する意《い》を表《あらわ》した。

護

言13画〔20画〕

音 ゴ
訓 ―

夂と書《か》かない

protect［プラテクト］

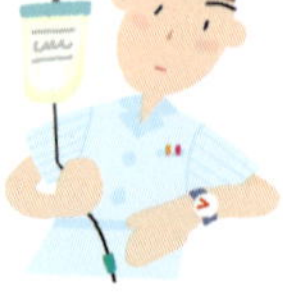

つかいかた

- **護身術**《ごしんじゅつ》を身《み》につける。
- 犯人《はんにん》を**護送**《ごそう》する。
- 病人《びょうにん》の**看護**《かんご》をする。
- 要人《ようじん》の**警護**《けいご》をする。
- 迷子《まいご》を**保護**《ほご》する。

いみ・ことば

① **まもる。** ●[5]護衛《ごえい》。[3]護身《ごしん》。[3]護送《ごそう》。[6]警護《けいご》。▲介護《かいご》。[6]看護《かんご》。[5]救護《きゅうご》。[5]保護《ほご》。[4]養護《ようご》。

② **助《たす》ける。世話《せわ》をする。** ●[4]愛護《あいご》。▲援護《えんご》。

もっとわかる

●「愛護《あいご》」とは、かわいがって大切《たいせつ》にすること（例 動物愛護週間《どうぶつあいごしゅうかん》）。

なりたち

↓
蒦

●「蒦《かく》」は、ミミズクをつかまえるようす。「わくの中《なか》に入《い》れこむ」というイメージを示《しめ》す。それに「言（ことば）」をそえて、外《そと》からことばをかけて、中《なか》のものを「まもる」意《い》を表《あらわ》した。

豊

豆6画〔13画〕
音 ホウ
訓 ゆたか

豊 いちばん長《なが》く

abundant［アバンダント］

つかいかた

● 地下資源《ちかしげん》の豊《ゆた》かな国《くに》。
● 果物《くだもの》の種類《しゅるい》が豊富《ほうふ》だ。
● 豊漁《ほうりょう》でさんまが安《やす》い。
● 五年《ごねん》ぶりの大豊作《だいほうさく》。

いみ・ことば

1 **たくさんある。ゆたか。** ●豊富《ほうふ》。豊満《ほうまん》。
2 **作物《さくもつ》などがよくとれる。** ●豊作《ほうさく》。豊年《ほうねん》。

もっとわかる
●「豊年満作《ほうねんまんさく》」は、作物《さくもつ》がよく実《みの》って収穫《しゅうかく》が多《おお》いこと。

なりたち
豐 → 豊（豊）
●もとの字《じ》は「豐」。「丰《ほう》」は、イネの穂先《ほさき》をえがき、「∧形《がた》に盛《も》り上《あ》がる」というイメージを示《しめ》す。「丰」が二《ふた》つと「豆（食《た》べ物《もの》を盛《も》る、あしのついたうつわ）」と、「山（やま）」を合《あ》わせた「豐」は、うつわの上《うえ》に食《た》べ物《もの》を山盛《やまも》りにするようすで、たっぷりある意《い》を表《あらわ》した。

豊 豊 豊 豊 豊 豊 豊 豊

象

豕5画〔12画〕
音 ショウ ゾウ
訓 ―

象 はねる

elephant［エれファント］

つかいかた

● 動物園《どうぶつえん》に象《ぞう》を見《み》に行《い》く。
● エジプトの象形文字《しょうけいもじ》。
● はとは平和《へいわ》の象徴《しょうちょう》だ。
● 強《つよ》く印象《いんしょう》に残《のこ》る。
● 気象庁《きしょうちょう》の天気予報《てんきよほう》。

いみ・ことば

1 **ぞう。** ●インド象《ぞう》。巨象《きょぞう》。
2 **目《め》にみえる形《かたち》。姿《すがた》。** ●印象《いんしょう》。気象《きしょう》。現象《げんしょう》。心象風景《しんしょうふうけい》。対象《たいしょう》。
3 **形《かたち》にする。かたどる。** ●象形文字《しょうけいもじ》。象徴《しょうちょう》。

もっとわかる
●「象形文字《しょうけいもじ》」とは、物《もの》の形《かたち》をかたどって作《つく》った文字《もじ》のこと。「日」「木」のような漢字《かんじ》や古代《こだい》エジプト文字《もじ》など。

なりたち
→ → → 象
●動物《どうぶつ》のゾウをえがいた形《かたち》。

象 象 象 象 象 象 象 象 象

5年

同訓異字《どうくんいじ》のことば⑤

【はかる】

計る…時間《じかん》などを調《しら》べる。

「リレーのタイムを計《はか》る」

測る…長《なが》さや高《たか》さ・深《ふか》さ・広《ひろ》さなどを調《しら》べる。

「身長《しんちょう》を測《はか》る」

量る…重《おも》さや分量《ぶんりょう》・大《おお》きさなどを調《しら》べる。

「体重《たいじゅう》を量《はか》る」

図る…計画《けいかく》したり、とりはからったりする。

「問題《もんだい》の解決《かいけつ》を図《はか》る」
＊「謀《はか》る」は、悪事《あくじ》を考《かんが》えたり、たくらんだりする意《い》。
＊「諮《はか》る」は、相談《そうだん》をもちかけたり、意見《いけん》をきいたりする意《い》。

【はやい】

早い…時間《じかん》や時期《じき》が前《まえ》である。

「朝《あさ》は早《はや》い時間《じかん》に起《お》きる」

速い…動作《どうさ》や進《すす》みかたが、すみやかである。

「クラスでいちばん足《あし》が速《はや》い」

＊405ページへ続《つづ》く

5年

財

貝3画〔10画〕

音 ザイ （サイ）

訓 ―

財　戈と書《か》かない

treasure［トレジャ］

つかいかた

● 財産《ざいさん》をたくわえる。
● 財宝《ざいほう》を見《み》つける。
● 財布《さいふ》の中《なか》は空《から》っぽだ。
● 私財《しざい》を投《とう》じる。
● 重要文化財《じゅうようぶんかざい》に指定《してい》する。

いみ・ことば

● お金《かね》や値打《ねう》ちのある品物《しなもの》。たから。

●財《ざい》4産《さん》。財《ざい》5政《せい》。財《さい》5布《ふ》。財《ざい》6宝《ほう》。2家《か》財《ざい》。1文《ぶん》3化《か》財《ざい》。

もっとわかる

●「家財《かざい》」は、家《いえ》にある道具《どうぐ》。また、家《いえ》にある財産《ざいさん》。●「重要文化財《じゅうようぶんかざい》」は、国《くに》によって、文化的《ぶんかてき》にとくに重要《じゅうよう》であると指定《してい》された建物《たてもの》や美術品《びじゅつひん》などのこと。

なりたち

「才《さい》（役《やく》に立《た》つすぐれた働《はたら》き）」と「貝（お金《かね》や品物《しなもの》）」を合《あ》わせた形《かたち》。生活《せいかつ》の役《やく》に立《た》つお金《かね》や品物《しなもの》を示《しめ》して、「値打《ねう》ちのあるもの」を表《あらわ》した。

財 財 財 財 財 財 財 財

責

貝4画〔11画〕

音 セキ

訓 せめる

責　長《なが》く

blame［ブれイム］

つかいかた

● 起《お》こしてくれなかった母《はは》を責《せ》める。
● 兄《あに》は責任感《せきにんかん》が強《つよ》い。
● 自責《じせき》の念《ねん》にかられる。
● 職責《しょくせき》をまっとうする。

いみ・ことば

❶ とがめる。せめる。つぐないを求《もと》める。

●責《せ》め3苦《く》。2自《じ》責《せき》。

❷ しなければならないつとめ。

●責《せき》5任《にん》。責《せき》5務《む》。2引《いん》責《せき》。3重《じゅう》責《せき》。5職《しょく》責《せき》。1文《ぶん》責《せき》。

なりたち

↓ 責

●「朿」は、「朿」がかわったもの。「朿《し》」は、木《き》のとげをえがいたもので、「ギザギザしてそろわない」というイメージを示《しめ》す。それと「貝（お金《かね》や品物《しなもの》）」を合《あ》わせた「責」は、借《か》りたお金《かね》がふぞろいにつみ重《かさ》なったようすで、返《かえ》すようにせめ立《た》てる意《い》を表《あらわ》した。

責 責 責 責 責 責 責 責

貧

貝4画〔11画〕

音 ビン （ヒン）

訓 まずしい

貧　上《うえ》につき出《だ》さない

poor［プア］

つかいかた

● 想像力《そうぞうりょく》が貧《まず》しい。
● 貧血《ひんけつ》で倒《たお》れる。
● 作《つく》りがいかにも貧弱《ひんじゃく》だ。
● 貧富《ひんぷ》の差《さ》が広《ひろ》がる。
● 若《わか》いころは貧乏《びんぼう》だった。

いみ・ことば

❶ お金《かね》がない。まずしい。

●貧《ひん》3苦《く》。貧《ひん》6困《こん》。貧《ひん》3相《そう》。貧《びん》▲乏《ぼう》。貧《ひん》4富《ぷ》。貧《ひん》4民《みん》。4清《せい》貧《ひん》。1赤《せき》貧《ひん》。

❷ 少《すく》ない。足《た》りない。

●貧《ひん》3血《けつ》。貧《ひん》2弱《じゃく》。

もっとわかる

●「貧」①と反対《はんたい》の意味《いみ》を持《も》つ漢字《かんじ》は「富」。●「清貧《せいひん》」は、行《おこな》いが正《ただ》しく、無欲《むよく》で貧《まず》しいこと（例 清貧《せいひん》にあまんじる）。●「赤《せき》貧《ひん》」は、非常《ひじょう》に貧《まず》しくて何《なに》もないこと。

なりたち

「分《ぶん》（分散《ぶんさん》する）」と「貝（お金《かね》や品物《しなもの》）」を合《あ》わせた形《かたち》。お金《かね》が散《ち》らばるようすで、「まずしい」意《い》を表《あらわ》した。

貧 貧 貧 貧 貧 貧 貧 貧

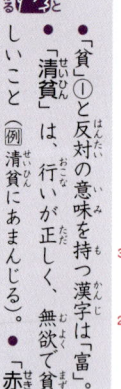

5年

貸

貝5画〔12画〕
音（タイ）
訓 かす

点《てん》を忘《わす》れない 貸

lend［れンド］

つかいかた

- 友《とも》だちにかさを**貸《か》す**。
- 学校《がっこう》の本《ほん》を**貸《か》し出《だ》す**。
- あそこに**貸家《かしや》**がある。
- 制服《せいふく》を**貸与《たいよ》**される。
- **賃貸《ちんたい》**マンションに住《す》む。

いみ・ことば

● **自分《じぶん》のものをほかの人《ひと》に使《つか》わせる。かす。** ●貸《か》し2切《き》り。貸《か》し1出《だ》し。貸2家《かしや》。貸《たい》4借《しゃく》。貸▲与《たいよ》。6賃貸《ちんたい》。

もっとわかる

●「貸」と反対《はんたい》の意味《いみ》を持《も》つ漢字《かんじ》は「借」。●「貸《か》し」は、貸《か》した物《もの》や金《かね》。人《ひと》に着《き》せた恩《おん》の意《い》でも使《つか》われる。●「賃貸《ちんたい》」は、お金《かね》をとって物《もの》を貸《か》すこと。

なりたち

「代《たい》（入《い》れかわる）」と「貝（お金《かね》や品物《しなもの》）」を合《あ》わせた形《かたち》。お金《かね》をあたえて、持《も》ち主《ぬし》が入《い》れかわるようすで、「かす」の意《い》を表《あらわ》した。

貸 貸 貸 貸 貸 貸 貸 貸

貯

貝5画〔12画〕
音 チョ
訓 ―

はねる 貯

store［ストー］

つかいかた

- 毎月千円《まいつきせんえん》ずつ**貯金《ちょきん》**する。
- 子《こ》ぶたの**貯金箱《ちょきんばこ》**。
- **貯水池《ちょすいち》**から水《みず》を引《ひ》く。
- 食糧《しょくりょう》を**貯蔵《ちょぞう》**する。
- 将来《しょうらい》のために**貯蓄《ちょちく》**する。

いみ・ことば

● **ためる。たくわえる。** ●貯1金《ちょきん》。貯1水2池《ちょすいち》。貯6蔵《ちょぞう》。貯▲蓄《ちょちく》。

もっとわかる

●似《に》ていることば「貯金《ちょきん》と預金《よきん》」…どちらもお金《かね》をあずける意《い》。ふつう、郵便《ゆうびん》局《きょく》にあずけるときは「貯金《ちょきん》」、銀行《ぎんこう》にあずけるときは「預金《よきん》」が使《つか》われる。

なりたち

 → 宁

●「宁《ちょ》」は、物《もの》をたくわえる箱《はこ》をえがいたもの。それと「貝（品物《しなもの》や金《かね》）」を合《あ》わせて、品物《しなもの》や金《かね》を箱《はこ》に「たくわえる」意《い》を表《あらわ》した。

貯 貯 貯 貯 貯 貯 貯 貯

費

貝5画〔12画〕
音 ヒ
訓（ついやす）（ついえる）

はねる 費

spend［スペンド］

つかいかた

- 全財産《ぜんざいさん》を**費《つい》やす**。
- たくわえが**費《つい》える**。
- **経費《けいひ》**がかかりすぎる。
- 今月《こんげつ》は**出費《しゅっぴ》**が多《おお》い。
- **年会費《ねんかいひ》**は三千円《さんぜんえん》だ。

いみ・ことば

①使《つか》って減《へ》らす。 ●3消費《しょうひ》。▲浪費《ろうひ》。
②あることに使《つか》われるお金《かね》。ひよう。 ●2会《かい》費《ひ》。1学費《がくひ》。2交2通費《こうつうひ》。1出費《しゅっぴ》。2食費《しょくひ》。3旅費《りょひ》。

もっとわかる

●「浪費《ろうひ》」は、お金《かね》・物《もの》・時間《じかん》などをむだに使《つか》うこと。

なりたち

 →  → 弗

●「弗《ふつ》」は、つるを左右《さゆう》にはらって分《わ》けるようす。分散《ぶんさん》するというイメージを示《しめ》す。それと「貝（品物《しなもの》や金《かね》）」を合《あ》わせた「費」で、金《かね》を使《つか》って分散《ぶんさん》させる意《い》を表《あらわ》した。

費 費 費 費 費 費 費 費

貿

貝5画〔12画〕

音 ボウ

訓 —

この形《かたち》に注意《ちゅうい》

trade［トレイド］

つかいかた

● 貿易《ぼうえき》が行《おこな》われる港《みなと》。

● 貿易商《ぼうえきしょう》を営《いとな》む父《ちち》。

● 貿易風《ぼうえきふう》を利用《りよう》する。

● 自由貿易《じゆうぼうえき》による取《と》り引《ひ》き。

● 密貿易《みつぼうえき》を取《と》りしまる。

いみ・ことば

● **品物《しなもの》を取《と》り引《ひ》きする。売《う》り買《か》いする。** ● 貿易《ぼうえき》。貿易商《ぼうえきしょう》。密貿易《みつぼうえき》。自由貿易《じゆうぼうえき》。

もっとわかる

● 「貿易風《ぼうえきふう》」とは、赤道《せきどう》に向《む》かってふく風《かぜ》。昔《むかし》、貿易《ぼうえき》をする船《ふね》がこの風《かぜ》を利用《りよう》していたことからの名《な》。● 「自由貿易《じゆうぼうえき》」は、国家《こっか》の規制《きせい》や保護《ほご》のない輸出入《ゆしゅつにゅう》。

なりたち

「卯《ぼう》（両側《りょうがわ》に開《あ》ける）」と「貝（お金《かね》や品物《しなもの》）」を合《あ》わせた形《かたち》。倉《くら》や財布《さいふ》を開《ひら》いて、品物《しなもの》を取《と》り引《ひ》きするようすで、「取《と》り引《ひ》きする」「あきなう」の意《い》を表《あらわ》した。

貿 貿 貿 貿 貿 貿 貿 貿

資

貝6画〔13画〕

音 シ

訓 —

ク と書《か》かない

resources［リソースィズ］

つかいかた

● 栄養士《えいようし》の資格《しかく》を取《と》る。

● 資金《しきん》を調達《ちょうたつ》する。

● すぐれた資質《ししつ》を持《も》つ。

● 資料《しりょう》を集《あつ》める。

● 知人《ちじん》の会社《かいしゃ》に出資《しゅっし》する。

いみ・ことば

❶ **もととなるもの。もとで。** ● 資金《しきん》。資源《しげん》。資本《しほん》。資料《しりょう》。外資《がいし》。出資《しゅっし》。投資《とうし》。

❷ **条件《じょうけん》。生《う》まれつき。** ● 資格《しかく》。資質《ししつ》。

もっとわかる

● 「外資《がいし》」は、外国《がいこく》または外国人《がいこくじん》からの資金《しきん》。● 「資質《ししつ》」は、生《う》まれつき持《も》っている才能《さいのう》や性質《せいしつ》。

なりたち

「次《し》（並《なら》んで休《やす》む）」と「貝（お金《かね》や品物《しなもの》）」を合《あ》わせた形《かたち》。何《なに》かの用《よう》のために、手《て》もとに並《なら》べてとっておくお金《かね》、「もとで」の意《い》を表《あらわ》した。

資 資 資 資 資 資 資 資

賛

貝8画〔15画〕

音 サン

訓 —

とめる

approve［アプルーヴ］

つかいかた

● おしみない賛辞《さんじ》。

● 計画《けいかく》に賛成《さんせい》する。

● 全員《ぜんいん》の賛否《さんぴ》を問《と》う。

● 万国博覧会《ばんこくはくらんかい》に協賛《きょうさん》する。

いみ・ことば

❶ **わきから助《たす》ける。** ● 賛助《さんじょ》。協賛《きょうさん》。

❷ **同《おな》じ考《かんが》えをもつ。** ● 賛成《さんせい》。賛同《さんどう》。賛否《さんぴ》。

❸ **ほめる。** ● 賛辞《さんじ》。賛美歌《さんびか》。賞賛《しょうさん》。絶賛《ぜっさん》。

もっとわかる

● 四字熟語《よじじゅくご》…自画自賛《じがじさん》（自分《じぶん》のことを自《じ》分《ぶん》でほめること）

なりたち

贊 ⬇ 贊（賛）

● もとの字《じ》は「贊」。「先（進《すす》む足《あし》さき）」を二《ふた》つ並《なら》べた「兟（そろえる）」と「貝（お金《かね》や品物《しなもの》）」を合《あ》わせた形《かたち》。両手《りょうて》をそろえて差《さ》し出《だ》すようすで、力《ちから》を合《あ》わせて助《たす》ける意《い》を表《あらわ》した。また、「ほめる」の意《い》でも使《つか》われた。

賛 賛 賛 賛 賛 賛 賛 賛

質

貝8画〔15画〕
音 シツ（シチ）（チ）
訓 ―

この形《かたち》に注意《ちゅうい》 質

quality［クワりティ］

つかいかた

- 質素《しっそ》に暮《く》らす。
- 先生《せんせい》に質問《しつもん》する。
- 太《ふと》りやすい体質《たいしつ》。
- 犯人《はんにん》に人質《ひとじち》をとられる。

いみ・ことば

1. もと。中味《なかみ》。
   - 実質《じっしつ》。品質《ひんしつ》。物質《ぶっしつ》。気質《きしつ》。素質《そしつ》。体質《たいしつ》。
2. 生《う》まれつき。
   - 質実《しつじつ》。質素《しっそ》。
3. かざり気《け》がない。
4. 聞《き》いてたずねる。
   - 質疑《しつぎ》。質問《しつもん》。

もっとわかる

- 「シチ」の読《よ》みは「人質《ひとじち》」、「チ」の読《よ》みは「言質《げんち》（約束《やくそく》のことば）」などに使《つか》われる。

なりたち

- 「斤（目方《めかた》をはかるのに使《つか》うおの）」を二《ふた》つ並《なら》べた「斦（つり合《あ》う）」と「貝（お金《かね》や品物《しなもの》）」を合《あ》わせた形《かたち》。お金《かね》や品物《しなもの》とつり合《あ》うようすで、内容《ないよう》に合《あ》う価値《かち》を表《あらわ》した。

質 → 質

質質質質質質質質

賞

貝8画〔15画〕
音 ショウ
訓 ―

⺌と書《か》かない 賞

prize［プライズ］

つかいかた

- 賞状《しょうじょう》を授与《じゅよ》される。
- 豪華《ごうか》な賞品《しょうひん》をもらう。
- 賞味期限《しょうみきげん》が切《き》れる。
- 芸術作品《げいじゅつさくひん》を鑑賞《かんしょう》する。
- 国際大会《こくさいたいかい》で入賞《にゅうしょう》する。

いみ・ことば

1. ほめる。
   - 賞賛《しょうさん》。賞状《しょうじょう》。賞罰《しょうばつ》。
2. ほうび。
   - 賞金《しょうきん》。賞品《しょうひん》。受賞《じゅしょう》。入賞《にゅうしょう》。
3. 味《あじ》わう。
   - 賞味期限《しょうみきげん》。芸術鑑賞《げいじゅつかんしょう》。

もっとわかる

- 四字熟語《よじじゅくご》…論功行賞《ろんこうこうしょう》（手《て》がらを調《しら》べて、それに応《おう》じたほうびをあたえること）

なりたち

「尚《しょう》」は、空気《くうき》が窓《まど》の外《そと》に分《わ》かれ出《で》るようす。平面《へいめん》にぴったり広《ひろ》がるというイメージを示《しめ》す。それに「貝（品物《しなもの》や金《かね》）」をそえて、手《て》がらにぴったり合《あ》う品物《しなもの》や金《かね》をあたえる意《い》を表《あらわ》した。

賞賞賞賞賞賞賞賞

輸

車9画〔16画〕
音 ユ
訓 ―

はねる 輸

transport［トランスポート］

つかいかた

- 病院《びょういん》で輸血《ゆけつ》をする。
- 輸出《ゆしゅつ》が順調《じゅんちょう》にのびる。
- トラックで輸送《ゆそう》する。
- 救援物資《きゅうえんぶっし》を空輸《くうゆ》する。
- 密輸《みつゆ》の監視《かんし》を強化《きょうか》する。

いみ・ことば

- ものを運《はこ》ぶ。移《うつ》す。
  - 輸血《ゆけつ》。輸出《ゆしゅつ》。輸送《ゆそう》。輸入《ゆにゅう》。運輸《うんゆ》。空輸《くうゆ》。密輸《みつゆ》。

もっとわかる

- 「空輸《くうゆ》」は「空中輸送《くうちゅうゆそう》」の略《りゃく》。航空《こうくう》機《き》で人《ひと》や荷物《にもつ》を運《はこ》ぶこと。

なりたち

- 「兪《ゆ》」は、木《き》をくりぬいて舟《ふね》を造《つく》るようす。「中身《なかみ》をぬいてよそへ移《うつ》す」というイメージを示《しめ》す。それに「車（くるま）」をそえた「輸」は、その場所《ばしょ》にあるものを、車《くるま》でべつの場所《ばしょ》に移動《いどう》するようすで、ほかの場所《ばしょ》に「運《はこ》ぶ」意《い》を表《あらわ》した。

→ 兪 → 兪

輸輸輸輸輸輸輸輸

酸

酉7画〔14画〕

音 サン
訓 す（い）

西と書《か》かない

酸

acid［アスィッド］

つかいかた

- 口《くち》の中《なか》が酸《す》っぱい。
- 鉄《てつ》が酸化《さんか》する。
- 酸素《さんそ》を取《と》り入《い》れる。
- この果物《くだもの》は酸味《さんみ》が強《つよ》い。

いみ・ことば

1 **すっぱい。酸性《さんせい》の物質《ぶっしつ》。** ●[5]酸性《さんせい》。[3]酸味《さんみ》。[5]胃酸《いさん》。[4]塩酸《えんさん》。[3]炭酸《たんさん》。▲硫酸《りゅうさん》。

2 **酸素《さんそ》のこと。** ●[3]酸化《さんか》。[4]酸欠《さんけつ》。

もっとわかる

- 「酸鼻《さんび》をきわめる」は、この上《うえ》なくむごくて痛《いた》ましい意《い》。●「辛酸《しんさん》をなめる」は、つらくて苦《くる》しい経験《けいけん》をする意《い》。

なりたち

夋 ↓ 夋

● 「夋《しゅん》」は、「允（細《ほそ》い人《ひと》）」「夊（あし）」を合《あ》わせたもので、「細《ほそ》い」というイメージを示《しめ》す。それに「酉（酒《さか》つぼ）」を合《あ》わせて、口《くち》が細《ほそ》くすぼまるほどすっぱい味《あじ》の液体《えきたい》、「す」を表《あらわ》した。

酉 酉 酉 酉 酉 酸 酸 酸

鉱

金5画〔13画〕

音 コウ
訓 ―

ななめ右上《みぎうえ》に

鉱

ore［オー］

つかいかた

- 露天《ろてん》ぼり鉱山《こうざん》。
- 鉱石《こうせき》を輸入《ゆにゅう》する。
- 鉱物資源《こうぶつしげん》にとぼしい。
- 銅《どう》の鉱脈《こうみゃく》を発見《はっけん》する。
- 金鉱《きんこう》をほり当《あ》てる。

いみ・ことば

● **自然《しぜん》のままで、手《て》を加《くわ》えていない金属《きんぞく》。あらがね。** ●[3]鉱業《こうぎょう》。[4]鉱産物《こうさんぶつ》。[1]鉱石《こうせき》。[5]鉱脈《こうみゃく》。[1]金鉱《きんこう》。[5]採鉱《さいこう》。[3]炭鉱《たんこう》。[3]鉄鉱石《てっこうせき》。

もっとわかる

- 「鉱脈《こうみゃく》」は、岩石《がんせき》の割《わ》れ目《め》などの、鉱物《こうぶつ》が密集《みっしゅう》した場所《ばしょ》。今《いま》までかくれていた物《もの》や素質《そしつ》の意《い》で使《つか》われることもある（例 鉱脈《こうみゃく》をほり当《あ》てる）。

なりたち

もとの字《じ》は「鑛」。さらに古《ふる》くは「黄《こう》（きいろ）」と「石」を合《あ》わせた形《かたち》。金属《きんぞく》を含《ふく》む黄色《きいろ》い石《いし》、「あらがね」を表《あらわ》した。

鉱 鉱 鉱 鉱 鉱 鉱 鉱 鉱

銅

金6画〔14画〕

音 ドウ
訓 ―

はねる

銅

copper［カパァ］

つかいかた

- コイルに銅線《どうせん》を巻《ま》く。
- 公園《こうえん》に銅像《どうぞう》が建《た》つ。
- 銅《どう》メダルをもらう。
- 日《ひ》に焼《や》けた赤銅色《しゃくどういろ》のはだ。
- 青銅製《せいどうせい》のつりがね。

いみ・ことば

● **赤《あか》い色《いろ》をした金属《きんぞく》。どう。あかがね。** ●[4]銅貨《どうか》。[1]銅山《どうざん》。[2]銅線《どうせん》。[5]銅像《どうぞう》。[3]銅板《どうばん》。銅《どう》メダル。[1]金銅《こんどう》。[1]赤銅色《しゃくどういろ》。[2]青銅《せいどう》。

もっとわかる

- 「金銅《こんどう》」は、銅《どう》や青銅《せいどう》にうすくした金《きん》をはりつけたもの。仏像《ぶつぞう》に多《おお》く見《み》られる。●「赤銅色《しゃくどういろ》」は、黒《くろ》みをおびた赤茶《あかちゃ》色《いろ》。よく日焼《ひや》けした皮膚《ひふ》などにいう。

なりたち

「同《どう》（つき通《とお》す）」と「金（金属《きんぞく》）」を合《あ》わせた形《かたち》。やわらかくてつき通《とお》しやすい金属《きんぞく》、「どう」を表《あらわ》した。

銅 銅 銅 銅 銅 銅 銅 銅

5年

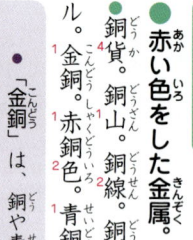

雑

隹6画（14画）

音 ザツ ゾウ

訓 ―

雑 生と書かない

mixed ［ミクスト］

つかいかた

- 庭《にわ》の雑草《ざっそう》をぬく。
- 雑用《ざつよう》に追《お》われる。
- 雑木林《ぞうきばやし》に迷《まよ》いこむ。
- 粗雑《そざつ》にあつかう。
- 仕組《しく》みが複雑《ふくざつ》だ。

いみ・ことば

1. 入《い》りまじる。●雑音《ざつおん》[1]。雑種《ざっしゅ》[4]。複雑《ふくざつ》[5]。
2. こまごまとした。●雑貨《ざっか》[4]。雑務《ざつむ》[5]。雑用《ざつよう》[2]。
3. 大切《たいせつ》でない。●雑草《ざっそう》[1]。雑談《ざつだん》[3]。雑木林《ぞうきばやし》[1][1]。
4. 大《おお》ざっぱ。●▲粗雑《そざつ》。

もっとわかる

- 特別《とくべつ》な読《よ》み方《かた》…雑魚《ざこ》
- 四字熟語《よじじゅくご》…悪口雑言《あっこうぞうごん》（あれこれと人《ひと》の悪口《わるぐち》を言《い》うこと）

なりたち

もとの字《じ》は「雜」。「衣（ころも）」の変形《へんけい》である「卒」と「集《しゅう》（あつまる）」を合《あ》わせた形《かたち》。いろいろな色《いろ》の糸《いと》を集《あつ》めて衣《ころも》をつくるようすで、「まじる」の意《い》を表《あらわ》した。

非

非0画（8画）

音 ヒ

訓 ―

非 はらう

not ［ナット］

つかいかた

- 非常《ひじょう》ベルを鳴《な》らす。
- 無責任《むせきにん》だと非難《ひなん》される。
- この雑誌《ざっし》は非売品《ひばいひん》だ。
- 物事《ものごと》の是非《ぜひ》を論《ろん》じる。

いみ・ことば

1. よくない。正《ただ》しくない。●非行《ひこう》[2]。非道《ひどう》[2]。
2. （ほかのことばの上《うえ》について）…でない。…がない。そうではない。●非公開《ひこうかい》[2][3]。非常《ひじょう》[5]。非情《ひじょう》[5]。非売品《ひばいひん》[2][3]。非力《ひりき》[1]。
3. なじる。とがめる。●非難《ひなん》[6]。

もっとわかる

- 「非《ひ》の打《う》ち所《どころ》がない」とは、非難《ひなん》すべき点《てん》がどこにもない意《い》。

なりたち

- 二枚《にまい》の羽《はね》が、反対《はんたい》の方《ほう》を向《む》いているようすをえがいた形《かたち》。そむき合《あ》うようすから、「そうではない」の意《い》を表《あらわ》した。

同訓異字《どうくんいじ》のことば⑥

【へる】

減る…数《かず》や量《りょう》が少《すく》なくなる。

「体重《たいじゅう》が減《へ》る」

経る…ある場所《ばしょ》をすぎる。月日《つきひ》がすぎる。

「長《なが》い年月《ねんげつ》を経《へ》る」


【まるい】

丸い…球形《きゅうけい》をしている。

「地球《ちきゅう》は丸《まる》い」

円い…円形《えんけい》をしている。

「みんなで手《て》をつないで、円《まる》い形《かたち》になる」


【やさしい】

優しい…思《おも》いやりがある。上品《じょうひん》である。

「困《こま》っている人《ひと》に優《やさ》しいことばをかける」

易しい…たやすい。

「易《やさ》しいテスト」


【わかれる】

分かれる…一《ひと》つのものがいくつかになる。べつべつになる。

「途中《とちゅう》で道《みち》が分《わ》かれる」

別れる…人《ひと》が、人《ひと》や場所《ばしょ》からはなれる。

「駅《えき》で先生《せんせい》と別《わか》れる」

5年

領

頁5画〔14画〕

音 リョウ
訓 ―

とめる

territory［テリトーリィ］

つかいかた

- 領収書《りょうしゅうしょ》を受《う》け取《と》る。
- 敵《てき》の領地《りょうち》にせめ入《い》る。
- アメリカの大統領《だいとうりょう》。
- 試合《しあい》で本領《ほんりょう》を発揮《はっき》する。

いみ・ことば

1. おさめる。●領域《りょういき》。領地《りょうち》。領土《りょうど》。
2. 受《う》け取《と》る。●領収《りょうしゅう》。受領《じゅりょう》。
3. 中心《ちゅうしん》になる人《ひと》。●大統領《だいとうりょう》。頭領《とうりょう》。
4. 大切《たいせつ》なことがら。●本領《ほんりょう》。要領《ようりょう》。

もっとわかる

●「本領《ほんりょう》」は、その人《ひと》が持《も》っている本来《ほんらい》の性質《せいしつ》。

なりたち

「令《れい》」は、人《ひと》をよせ集《あつ》めるようすで、「つぎつぎにならぶ」「つながる」というイメージがある。それと「頁（あたま）」を合《あ》わせた「領」は、頭《あたま》と体《からだ》をつなぐ部分《ぶぶん》を示《しめ》して、「くび」を表《あらわ》した。

額

頁9画〔18画〕

音 ガク
訓 ひたい

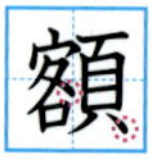

とめる

forehead［フォーヘッド］

つかいかた

- 額《ひたい》に手《て》をあてる。
- ねこの額《ひたい》ほどの土地《とち》。
- 絵《え》を額縁《がくぶち》に入《い》れて飾《かざ》る。
- 合計《ごうけい》の金額《きんがく》を計算《けいさん》する。
- 半額《はんがく》セールでくつを買《か》う。

いみ・ことば

1. ひたい。●ねこの額《ひたい》。富士額《ふじびたい》。
2. かべなどにかけるもの。がく。●▲額縁《がくぶち》。
3. お金《かね》の分量《ぶんりょう》。●額面《がくめん》。▲巨額《きょがく》。高額《こうがく》。差額《さがく》。全額《ぜんがく》。総額《そうがく》。半額《はんがく》。

もっとわかる

●「ねこの額《ひたい》」は、場所《ばしょ》が非常《ひじょう》にせまいことのたとえ。●「富士額《ふじびたい》」は、かみの生《は》えぎわが富士山《ふじさん》の形《かたち》に似《に》ている額《ひたい》。

なりたち

「客《きゃく》（固《かた》くつかえる）」と「頁（あたま）」を合《あ》わせた形《かたち》。頭部《とうぶ》の固《かた》い部分《ぶぶん》を示《しめ》して、「ひたい」を表《あらわ》した。

飼

食5画〔13画〕

音 シ
訓 かう

はねる

raise［レイズ］

つかいかた

- 飼《か》い主《ぬし》に似《に》た犬《いぬ》。
- 馬《うま》に飼《か》い葉《ば》をあたえる。
- 放《はな》し飼《が》いを禁止《きんし》する。
- うさぎの飼育係《しいくがかり》になる。
- 家畜《かちく》の飼料《しりょう》を輸入《ゆにゅう》する。

いみ・ことば

●食《た》べ物《もの》をあたえて動物《どうぶつ》をそだてる。かう。●飼《か》い犬《いぬ》。飼《か》い主《ぬし》。飼《か》い葉《ば》。放《はな》し飼《が》い。羊飼《ひつじか》い。飼育《しいく》。飼料《しりょう》。

もっとわかる

●「飼《か》い犬《いぬ》に手《て》をかまれる」とは、かわいがっている者《もの》からひどい仕打《しう》ちを受《う》ける意《い》。

なりたち

「司《し》（小《ち》さな穴《あな》）」と「食（食《た》べ物《もの》）」を合《あ》わせた形《かたち》。小《ち》さい穴《あな》を通《とお》して、動物《どうぶつ》にえさをやるようすで、「やしなう」「かう」の意《い》を表《あらわ》した。

5年

6年生《ねんせい》で習《なら》う漢字《かんじ》（191字《じ》）

漢字力《かんじりょく》をアップする方法《ほうほう》 6

みなさんは「座右《ざゆう》の銘《めい》」を持《も》っていますか。簡単《かんたん》に言《い》えば「ことばのお守《まも》り」です。**自分自身《じぶんじしん》をはげましたり、なぐさめたり、目当《めあ》てにしたり、いましめにしたりするようなことばです。**

ある男《おとこ》の子《こ》は「そういうことばなら、四《よっ》つも持《も》っている。」と言《い》いました。ちなみに聞《き》くと、「あしたはあしたの風《かぜ》が吹《ふ》く」。「テストの点《てん》が悪《わる》くてうんとおこられたときに、このことばを言《い》ったら、お母《かあ》さんはあきれて笑《わら》っちゃったんだ。それで、おこられるのはおしまい。ぼくを守《まも》ってくれたことばだよ。」ユーモアたっぷりに話《はな》してくれたので、クラスのみんな大爆笑《だいばくしょう》。

好《す》きなことばを探《さが》そう

クラスの中《なか》で「座右《ざゆう》の銘《めい》」を持《も》っていない児童《じどう》は、ことわざや格言《かくげん》、四字《よじ》熟語《じゅくご》、故事成語《こじせいご》、慣用句《かんようく》の中《なか》から探《さが》したり、歌詞《かし》やコマーシャル、漫画《まんが》や物語《ものがたり》の中《なか》やカレンダーや家族《かぞく》が語《かた》っていることばから探《さが》したりしました。もちろん、自分《じぶん》で作《つく》ったことばでもよいことにしました。「座右《ざゆう》の銘《めい》」にすることばを考《かんが》えていくと、自分《じぶん》の心《こころ》に合《あ》ったことばが世《よ》の中《なか》にたくさんあることに気《き》づきます。あなたも探《さが》してみたらいかがでしょう。

タケル君《くん》は「臨機応変《りんきおうへん》」。「ぼくはけっこう頭《あたま》が固《かた》くて、すぐ考《かんが》えが変《か》わらないから、ぱっぱと動《うご》けるようにしたいんだ。」ツヨシ君《くん》は自分《じぶん》で考《かんが》えたと言《い》って、「実行勇気《じっこうゆうき》」。「だって、何《なに》かやろうとするときには勇気《ゆうき》がいるよね。ぼくは勇気《ゆうき》がほしいんだ。」ミホコさんは「苦手克服《にがてこくふく》」。「受験《じゅけん》をするので、このことばはわたしにぴったり。」など、その子《こ》らしいことばを考《かんが》えました。

また、自分《じぶん》をはげますことばや好《す》きな漢字《かんじ》を一字《いちじ》だけ選《えら》んでもいいですね。「夢」「心」「力」「明」「気」「絵」「勇」「厳」など。その字《じ》を選《えら》んだ理由《りゆう》を書《か》くとあなたの心《こころ》がわかりますね。「いつも明《あか》るいえがおで。」「自分《じぶん》に厳《きび》しく人《ひと》にやさしく。」など、あなたらしさが漢字《かんじ》に映《うつ》し出《だ》されます。

ある男《おとこ》の子《こ》は漢字《かんじ》二文字《ふたもじ》で表《あらわ》しました。「多迷」です。意味《いみ》がわからず問《と》い直《なお》すと、「多《おお》く迷《まよ》う」と答《こた》えました。「すぐ、いろいろなことを決《き》めちゃうんじゃなくて、いろいろ迷《まよ》ったほうが正《ただ》しい答《こた》えが見《み》つかると思《おも》うから」と話《はな》してくれました。「迷《まよ》え」という題《だい》の詩《し》が添《そ》えられていました。「よく迷《まよ》え／迷《まよ》えば先《さき》に／光《ひかり》あり」この子《こ》の堅《けん》実《じつ》で実直《じっちょく》な精神《せいしん》が、この二《ふた》つの漢字《かんじ》を選《えら》ばせたのですね。

並

一7画（8画）

音 （ヘイ）

訓 なみ　ならべる　ならぶ　ならびに

上《うえ》の横棒《よこぼう》より長《なが》く

line up［ラインアップ］

つかいかた

- 食器《しょっき》を並《なら》べる。
- 列《れつ》の後《うし》ろに並《なら》ぶ。
- 桜並木《さくらなみき》を歩《ある》く。
- 実験《じっけん》を並行《へいこう》して行《おこな》う。
- 電池《でんち》を並列《へいれつ》につなぐ。

いみ・ことば

① 列《れつ》をつくる。ならぶ。ならべる。●並木《なみき》。町並《まちな》み。並行《へいこう》。並立《へいりつ》。並列《へいれつ》。

② ふつう。中《ちゅう》くらい。●並製《なみせい》。並大抵《なみたいてい》。

③ 同《おな》じ程度《ていど》。●人並《ひとな》み。例年並《れいねんな》み。

もっとわかる

●送《おく》り仮名《がな》…「町並《まちな》み」「人並《ひとな》み」「例年《れいねん》並《な》み」などのときは、「み」を送《おく》る。

なりたち

●もとの字《じ》は「竝」。「立（両足《りょうあし》をそろえて立《た》つ人《ひと》）」を二《ふた》つ合《あ》わせた形《かたち》で、二《ふた》つのものが「ならぶ」意《い》を表《あらわ》した。

乱

乚6画（7画）

音 ラン

訓 みだれる　みだす

上《うえ》にはねる

disorder［ディスオーダァ］

つかいかた

- 行進《こうしん》の列《れつ》が乱《みだ》れる。
- かみを乱《みだ》して走《はし》る。
- 乱筆《らんぴつ》お許《ゆる》し下《くだ》さい。
- 民衆《みんしゅう》が反乱《はんらん》を起《お》こす。

いみ・ことば

① みだれる。●乱雑《らんざつ》。乱入《らんにゅう》。乱暴《らんぼう》。混乱《こんらん》。

② むやみに。●乱造《らんぞう》。乱発《らんぱつ》。乱用《らんよう》。

③ 争《あらそ》い。●乱世《らんせい》。戦乱《せんらん》。内乱《ないらん》。反乱《はんらん》。

もっとわかる

●四字熟語《よじじゅくご》…一心不乱《いっしんふらん》（一《ひと》つのことに心《こころ》を集中《しゅうちゅう》させて気《き》を散《ち》らさないこと）

なりたち

→ 亂（乱）

●もとの字《じ》は「亂」。「𤔔」は、「爪（下向《したむ》きの手《て》）」と糸巻《いとま》きの形《かたち》と「又（上向《うわむ》きの手《て》）」を合《あ》わせて、両手《りょうて》で糸巻《いとま》きを上下《じょうげ》に引《ひ》っぱるようす。それに「乚（おさえるしるし）」を合《あ》わせて、もつれをおさえようとしてますます「みだれる」意《い》を表《あらわ》した。

乳

乚7画（8画）

音 ニュウ

訓 ちち　（ち）

ななめ右上《みぎうえ》に

milk［ミルク］

つかいかた

- 牛《うし》の乳《ちち》をしぼる。
- 乳飲《ちの》み子《ご》をかかえる。
- 妹《いもうと》の乳歯《にゅうし》がぬける。
- 毎朝《まいあさ》牛乳《ぎゅうにゅう》を飲《の》む。

いみ・ことば

① ちち。ちぶさ。●乳首《ちくび》。乳房《ちぶさ》（にゅうぼう）。乳製品《にゅうせいひん》。乳白色《にゅうはくしょく》。牛乳《ぎゅうにゅう》。授乳《じゅにゅう》。母乳《ぼにゅう》。

② 母親《ははおや》のちちを飲《の》む時期《じき》。●乳歯《にゅうし》。乳児《にゅうじ》。

もっとわかる

●特別《とくべつ》な読《よ》み方《かた》…乳母《うば》（母親《ははおや》にかわって、子《こ》どもに乳《ちち》を飲《の》ませて育《そだ》てる女性《じょせい》）

なりたち

→ 乳

●「孚」は、子《こ》どもを上《うえ》からだいてかばうようす。「乚」はツバメのことで、昔《むかし》、子《こ》どもをさずけてくれる鳥《とり》と考《かんが》えられた。この二《ふた》つを合《あ》わせた「乳」は、子《こ》どもに「ちち」をあたえて育《そだ》てることを表《あらわ》した。

亡

亠1画〔3画〕

音 ボウ（モウ）

訓 （ない）

曲《ま》げる

perish ［ペリッシュ］

つかいかた

- 亡《な》くなった祖父《そふ》の万年筆《まんねんひつ》。
- 亡命《ぼうめい》して外国《がいこく》へ渡《わた》る。
- 金《かね》の亡者《もうじゃ》になる。
- 文明《ぶんめい》の興亡《こうぼう》の歴史《れきし》。
- 犯人《はんにん》が逃亡《とうぼう》する。

いみ・ことば

1. **ほろびる。なくなる。** ●亡《ぼう》[2]国《こく》。[5]興亡《こうぼう》。[6]存《そん》亡《ぼう》。▲滅亡《めつぼう》。
2. **死《し》ぬ。** ●亡《ぼう》[2]父《ふ》。亡《ぼう》[2]母《ぼ》。亡《ぼう》▲霊《れい》。[3]死亡《しぼう》。
3. **にげる。** ●亡《ぼう》[3]命《めい》。▲逃亡《とうぼう》。

もっとわかる

●「モウ」の読《よ》みは、「亡者《もうじゃ》（何《なに》かにとりつかれている人《ひと》）」などに使《つか》われる。●「亡《な》くなる」は、人《ひと》の死《し》を遠回《とおまわ》しにいう表現《ひょうげん》。

なりたち

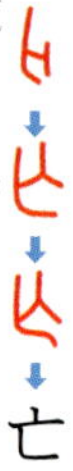

●人《ひと》を一《ひと》つの線《せん》でおし止《と》めているようすをえがいて、姿《すがた》が消《き》えて「なくなる」意《い》を表《あらわ》した。

亡亡亡

仁

イ2画〔4画〕

音 ジン（ニ）

訓 —

上《うえ》の横棒《よこぼう》より長《なが》く

benevolence ［ベネヴォランス］

つかいかた

- 仁愛《じんあい》をもって接《せっ》する。
- 医《い》は仁術《じんじゅつ》なり。
- 名君《めいくん》が仁政《じんせい》をしく。
- 仁徳《じんとく》にあふれる人《ひと》。
- 山門《さんもん》の仁王像《におうぞう》。

いみ・ことば

●**思《おも》いやり。いつくしむ心《こころ》。** ●仁[4]愛《じんあい》。仁《じん》[5]義《ぎ》。仁[5]術《じんじゅつ》。仁[5]政《じんせい》。仁[4]徳《じんとく》。

もっとわかる

●ひらがなの「に」は、「仁」をもとに作《つく》られた字《じ》。●「医《い》は仁術《じんじゅつ》なり」とは、医術《いじゅつ》はただの技術《ぎじゅつ》ではなく、わけへだてなく人《ひと》をいつくしみ、思《おも》いやりを示《しめ》す道《みち》である、ということ。

なりたち

「二《に》（ふたつ）」と「イ（人《ひと》）」を合《あ》わせた形《かたち》で、人《ひと》と人《ひと》とが親《した》しみ合《あ》うようすを表《あらわ》した。

仁仁仁仁

供

イ6画〔8画〕

音 キョウ（ク）

訓 そなえる　とも

上《うえ》の横棒《よこぼう》より長《なが》く

offer ［オ(ー)ファ］

つかいかた

- 仏壇《ぶつだん》に花《はな》を供《そな》える。
- 近《ちか》くまでお供《とも》します。
- 神前《しんぜん》に供物《くもつ》をささげる。
- 犯人《はんにん》に自供《じきょう》させる。
- さまざまな情報《じょうほう》を提供《ていきょう》する。

いみ・ことば

1. **差《さ》し出《だ》す。そなえる。** ●供《そな》え[3]物《もの》。供[5]応《きょうおう》。供[4]給《きょうきゅう》。供[1]出《きょうしゅつ》。供[3]物《くもつ》。供[4]養《くよう》。[5]提供《ていきょう》。
2. **おともをする。とも。** ●供《とも》の[3]者《もの》。
3. **わけを述《の》べる。** ●供[5]述《きょうじゅつ》。[2]自供《じきょう》。

もっとわかる

●「供養《くよう》」は、お経《きょう》を上《あ》げたり供《そな》え物《もの》をしたりして、死者《ししゃ》のあの世《よ》での幸《しあわ》せを祈《いの》ること。●「自供《じきょう》」は、自分《じぶん》のおかした罪《つみ》などを自分《じぶん》から述《の》べること。

なりたち

「共《きょう》（差《さ》し上《あ》げる）」と「イ（人《ひと》）」を合《あ》わせた形《かたち》で、人《ひと》に物《もの》を差《さ》し出《だ》す意《い》を表《あらわ》した。

供供供供供供供供

6年

値

イ8画〔10画〕

音 チ
訓 ね（あたい）

直角《ちょっかく》に折《お》る

value［ヴァリュー］

つかいかた

- 野菜《やさい》の値段《ねだん》が上《あ》がる。
- 洋服《ようふく》の値札《ねふだ》を見《み》る。
- 値千金《あたいせんきん》のホームラン。
- 調《しら》べてみる価値《かち》がある。
- 計算《けいさん》して数値《すうち》を求《もと》める。

いみ・ことば

①**ねだん。ねうち。** ●値上《ねあ》げ。値下《ねさ》げ。値段《ねだん》。高値《たかね》。安値《やすね》。価値《かち》。

②**数《かず》の大《おお》きさ。** ●数値《すうち》。絶対値《ぜったいち》。

もっとわかる

●「値千金《あたいせんきん》」は、とても大《おお》きな価値《かち》があるということ。●「値《あたい》する」は、それだけのねうちがある意《い》（例 読《よ》むに値《あたい》する）。

なりたち

「直《ちょく》（まっすぐ当《あ》たる）」と「イ（人《ひと》）」を合《あ》わせた形《かたち》で、面《めん》と向《む》かってまともに当《あ》たる意《い》を表《あらわ》した。のち、中身《なかみ》にぴったり合《あ》うものの意《い》で使《つか》われた。

値 値 値 値 値 値 値 値

俳

イ8画〔10画〕

音 ハイ
訓 ―

兆と書《か》かない

actor［アクタァ］

つかいかた

- 俳優《はいゆう》が舞台《ぶたい》に上《あ》がる。
- 旅先《たびさき》で俳句《はいく》を作《つく》る。
- 父《ちち》は俳号《はいごう》を持《も》っている。
- 芭蕉《ばしょう》は偉大《いだい》な俳人《はいじん》だ。
- 先生《せんせい》は俳壇《はいだん》で活躍《かつやく》している。

いみ・ことば

①**人前《ひとまえ》で芸《げい》をする人《ひと》。役者《やくしゃ》。** ●俳優《はいゆう》。

②**俳句《はいく》のこと。** ●俳号《はいごう》。俳人《はいじん》。俳壇《はいだん》。

もっとわかる

●「俳句《はいく》」は、五・七・五の十七音《おん》からなる短《みじか》い詩《し》。季語《きご》（季節《きせつ》を表《あらわ》すことば）をよみこんで作《つく》る。●「俳号《はいごう》」は、俳句《はいく》を作《つく》る人《ひと》が使《つか》う名前《なまえ》。●「俳壇《はいだん》」は、俳句《はいく》を作《つく》る仲間《なかま》の世界《せかい》。

なりたち

「非《ひ》（左右《さゆう》に分《わ》かれる）」と「イ（人《ひと》）」を合《あ》わせた形《かたち》。左右《さゆう》に向《む》き合《あ》ってこっけいなしぐさをする人《ひと》、「役者《やくしゃ》」の意《い》を表《あらわ》した。

俳 俳 俳 俳 俳 俳 俳 俳

6年

数字《すうじ》を使《つか》った四字《よじ》熟語《じゅくご》①

漢字四字《かんじよじ》でできた熟語《じゅくご》を「四字熟語《よじじゅくご》」といいます。この辞典《じてん》では、四字熟語《よじじゅくご》を「もっとわかる」のところで示《しめ》しました。四字熟語《よじじゅくご》は、ほかにもたくさんあります。

以下《いか》に、よく耳《みみ》にする四字熟語《よじじゅくご》のうち、数字《すうじ》を使《つか》ったものを集《あつ》めて五十音《ごじゅうおん》順《じゅん》に示《しめ》しました。

一意専心《いちいせんしん》…一《ひと》つのことだけに気持《きも》ちを集中《しゅうちゅう》して、うちこむこと。

一期一会《いちごいちえ》…➡33ページ

一日千秋《いちじつせんしゅう》…➡52ページ

一念発起《いちねんほっき》…思《おも》い立《た》って、何《なに》かをなしとげようと決心《けっしん》すること。

一望千里《いちぼうせんり》…はるか遠《とお》くまで、一目《ひとめ》で見《み》わたせること。

一挙両得《いっきょりょうとく》…一《ひと》つのことをすることで、二《ふた》つの得《とく》をすること。

一進一退《いっしんいったい》…進《すす》んだり後《あと》もどりしたりすること。また、よくなったり悪《わる》くなったりすること。

＊421ページへ続《つづ》く

俵

イ8画〔10画〕

音 ヒョウ
訓 たわら

俵 長《なが》く

straw sack ［ストロー サック］

つかいかた

- わらで俵《たわら》を編《あ》む。
- 米俵《こめだわら》を倉庫《そうこ》にしまう。
- 米一俵《こめいっぴょう》を贈《おく》る。
- 力士《りきし》が土俵《どひょう》に上《あ》がる。

いみ・ことば

① わらなどであんだ、米《こめ》・炭《すみ》などを入《い》れるふくろ。たわら。●[2]米俵《こめだわら》。[1]土俵《どひょう》。

② たわらを数《かぞ》えることば。●[2]米[1]一俵《こめいっぴょう》。

もっとわかる

●俵《たわら》を数《かぞ》える「俵《ひょう》」は、一俵《いっぴょう》・六俵《ろっぴょう》・八《はっ》俵《ぴょう》・十俵《じっぴょう》などのとき「ピョウ」と読《よ》む。

●「土俵《どひょう》」は、相撲《すもう》の力士《りきし》が戦《たたか》う場所《ばしょ》。一般《いっぱん》に、勝負《しょうぶ》をする場《ば》の意《い》でも使《つか》われる。

なりたち

「表《ひょう》（おもてに出《だ》す）」と「イ（人《ひと》）」を合《あ》わせた形《かたち》で、中《なか》のものを外《そと》に出《だ》して分《わ》けあたえる意《い》を表《あらわ》した。のち、「たわら」の意《い》でも使《つか》われた。

傷

イ11画〔13画〕

音 ショウ
訓 きず
（いたむ）
（いためる）

傷 長《なが》めに

wound ［ウーンド］

つかいかた

- 傷《きず》の手当《てあ》てをする。
- 暑《あつ》さで野菜《やさい》が傷《いた》む。
- 傷心《しょうしん》をいやす。
- 事故《じこ》で軽傷《けいしょう》を負《お》う。
- 台風《たいふう》で窓《まど》ガラスが損傷《そんしょう》する。

いみ・ことば

● きずつける。きずつく。●傷口《きずぐち》。[1][2]古《ふる》傷《きず》。[2]傷心《しょうしん》。[3]感傷《かんしょう》。[3]軽傷《けいしょう》。[3]重傷《じゅうしょう》。[3]負傷《ふしょう》。

もっとわかる

●「中傷《ちゅうしょう》」は、でたらめの悪口《わるくち》を言《い》って、相手《あいて》の名誉《めいよ》を傷《きず》つけること。●「古傷《ふるきず》」は、以前《いぜん》に受《う》けた傷《きず》。体《からだ》だけでなく、心《こころ》に受《う》けた傷《きず》の意《い》でも使《つか》われる。

なりたち

「昜《よう》（高《たか》く上《あ》がる）」と矢《や》を略《りゃく》したものと「イ（人《ひと》）」を合《あ》わせた形《かたち》。矢《や》が高《たか》く飛《と》んできて人《ひと》に当《あ》たるようすで、「きずつける」の意《い》を表《あらわ》した。

優

イ15画〔17画〕

音 ユウ
訓 （やさしい）
（すぐれる）

優 百と書《か》かない

elegant ［エレガント］

つかいかた

- 優《すぐ》れた技術《ぎじゅつ》を持《も》つ。
- 優《やさ》しいことばをかける。
- マラソンで優勝《ゆうしょう》する。
- 映画《えいが》の優待券《ゆうたいけん》をもらう。

いみ・ことば

① 上品《じょうひん》。やさしい。●優雅《ゆうが》。[3]優美《ゆうび》。

② すぐれている。●優位《ゆうい》。優秀《ゆうしゅう》。[4]優良《ゆうりょう》。

③ 手厚《てあつ》い。●優遇《ゆうぐう》。[1]優先《ゆうせん》。[3]優待《ゆうたい》。

④ 役者《やくしゃ》。●[1]女優《じょゆう》。[6]俳優《はいゆう》。[1]名優《めいゆう》。

もっとわかる

●四字熟語《よじじゅくご》…優柔不断《ゆうじゅうふだん》（ぐずぐずしてはっきり決《き》められないでいること）

なりたち

 ⬇ 憂

●「憂《ゆう》」は、物思《ものおも》いをしてすり足《あし》でふらつくようす。それに「イ（人《ひと》）」を合《あ》わせた「優」は、なよなよしたしぐさをする人《ひと》、「芸人《げいにん》」を表《あらわ》した。また、「しなやか」「やさしい」の意《い》でも使《つか》われた。

6年

6年

党

儿8画〔10画〕

音 トウ
訓 ―

ツと書《か》かない

party［パーティ］

つかいかた

- 党《とう》の代表《だいひょう》として答《こた》える。
- 国会《こっかい》で党首《とうしゅ》が論戦《ろんせん》する。
- 党派《とうは》を超《こ》えた話《はな》し合《あ》い。
- 支持《しじ》する政党《せいとう》の演説《えんぜつ》。
- 徒党《ととう》を組《く》んでおしかける。

いみ・ことば

1. 仲間《なかま》。●[3]悪党《あくとう》。[4]残党《ざんとう》。[4]徒党《ととう》。
2. 政治家《せいじか》の集《あつ》まり。●党員《とういん》。党首《とうしゅ》。党派《とうは》。[5]政党《せいとう》。[1]入党《にゅうとう》。[2]野党《やとう》。▲与党《よとう》。

もっとわかる

- 四字熟語《よじじゅくご》…党利党略《とうりとうりゃく》（自分《じぶん》の仲間《なかま》の利《り》益《えき》だけを考《かんが》えるやり方《かた》）・不偏不党《ふへんふとう》（特定《とくてい》の党派《とうは》に属《ぞく》さず、公正《こうせい》でかたよりのないこと）

なりたち

もとの字《じ》は「黨」。「尚《しょう》（平《たい》らに広《ひろ》がる）」と「黒（くろい）」を合《あ》わせた形《かたち》。たくさん集《あつ》まった黒《くろ》い頭《あたま》をえがいて、「集団《しゅうだん》」「仲《なか》間《ま》」の意《い》を表《あらわ》した。

党 党 党 党 党 党 党 党

冊

冂3画〔5画〕

音 サツ（サク）
訓 ―

左右《さゆう》につき出《だ》す

book［ブック］

つかいかた

- 参加者《さんかしゃ》に冊子《さっし》を配《くば》る。
- 本《ほん》を三冊《さんさつ》借《か》りる。
- 机《つくえ》の上《うえ》に数冊《すうさつ》の本《ほん》がある。
- 別冊《べっさつ》の付録《ふろく》を読《よ》む。
- 短冊《たんざく》に願《ねが》いごとを書《か》く。

いみ・ことば

1. 書《か》きつけるもの。書《か》きつけ。書物《しょもつ》。●冊《さっ》子《し》。[3]短冊《たんざく》。[2]分冊《ぶんさつ》。[4]別冊《べっさつ》。
2. 書物《しょもつ》を数《かぞ》えることば。●冊数《さっすう》。[1]三冊《さんさつ》。[2]数冊《すうさつ》。

もっとわかる

- 「冊子《さっし》」は、糸《いと》でとじた本《ほん》。また、広《ひろ》く書物《しょもつ》をいう。

なりたち

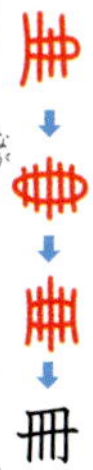

- もとの字《じ》は「册」。長《なが》さのふぞろいな竹《たけ》の札《ふだ》や木《き》の札《ふだ》をひもでつないだ、昔《むかし》の「書物《しょもつ》」をえがいた形《かたち》。

冊 冊 冊 冊 冊

処

几3画〔5画〕

音 ショ
訓 ―

上《うえ》にはねる

deal with［ディーる ウィず］

つかいかた

- 処世術《しょせいじゅつ》を身《み》につける。
- けがの応急《おうきゅう》処置《しょち》。
- 不要《ふよう》な新聞《しんぶん》を処分《しょぶん》する。
- 事件《じけん》にすばやく対処《たいしょ》する。

いみ・ことば

1. ところ。場所《ばしょ》。●[1]出処進退《しゅっしょしんたい》。
2. ある場所《ばしょ》にいる。●処世《しょせい》。
3. さばく。しまつする。●処刑《しょけい》。処置《しょち》。処分《しょぶん》。処理《しょり》。善処《ぜんしょ》。[3]対処《たいしょ》。

もっとわかる

- 四字熟語《よじじゅくご》…出処進退《しゅっしょしんたい》（その立場《たちば》にとどまるかやめるかという身《み》のふり方《かた》）
- 「処《しょ》世術《せいじゅつ》」は、たくみな世渡《よわた》りの方法《ほうほう》。

なりたち

- 「夂（下向《したむ》きの足《あし》）」と「几（こしかける台《だい》）」を合《あ》わせた形《かたち》で、ずっしりとこしを落《お》ち着《つ》ける意《い》を表《あらわ》した。

処 処 処 処 処

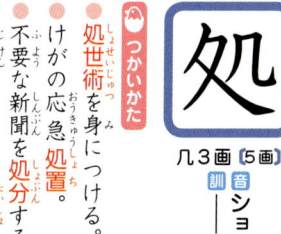

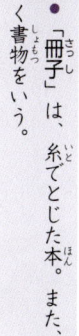

券

刀6画〔8画〕
音 ケン
訓 ―

つき出《だ》さない 券

certificate［サァティフィカット］

つかいかた
- 券売機《けんばいき》で切符《きっぷ》を買《か》う。
- 回数券《かいすうけん》でバスに乗《の》る。
- 株券《かぶけん》を発行《はっこう》する。
- 商品券《しょうひんけん》をもらう。
- 入場券《にゅうじょうけん》を見《み》せる。

いみ・ことば
❶ **証拠《しょうこ》となる書類《しょるい》。てがた。** ●株券《かぶけん》。債《さい》券《けん》。証券《しょうけん》。商品券《しょうひんけん》。旅券《りょけん》。
❷ **切符《きっぷ》。** ●券売機《けんばいき》。回数券《かいすうけん》。乗車券《じょうしゃけん》。定《てい》期券《きけん》。入場券《にゅうじょうけん》。

もっとわかる
● 「旅券《りょけん》」は、パスポートのこと。

なりたち
「龹（丸《まる》くまく）」と「刀（かたな）」を合《あ》わせて、二《ふた》つに割《わ》ってまいた「割《わ》り符《ふ》」を示《しめ》した。割《わ》り符《ふ》は、二《ふた》つをぴったり合《あ》わせて本物《ほんもの》かどうかを確《たし》かめるもので、「約束《やくそく》のしるしになるもの」を表《あらわ》した。

券 券 券 券 券 券 券 券

刻

刂6画〔8画〕
音 コク
訓 きざむ

はねる 刻

carve［カーヴ］

つかいかた
- 石《いし》に文字《もじ》を刻《きざ》む。
- 一刻《いっこく》を争《あらそ》う。
- 事態《じたい》はかなり深刻《しんこく》だ。
- 会議《かいぎ》を定刻《ていこく》に始《はじ》める。

いみ・ことば
❶ **きざむ。** ●小刻《こきざ》み。刻印《こくいん》。▲彫刻《ちょうこく》。
❷ **時間《じかん》。** ●刻限《こくげん》。一刻《いっこく》。▲遅刻《ちこく》。定刻《ていこく》。
❸ **きびしい。むごい。** ●刻苦《こっく》。深刻《しんこく》。

もっとわかる
● 四字熟語《よじじゅくご》…一刻千金《いっこくせんきん》（楽《たの》しい時間《じかん》や大《たい》切《せつ》な時間《じかん》は、すぐに過《す》ぎてしまうということ）・時々刻々《じじこっこく》（時間《じかん》がたつにつれて）

なりたち
● 「亥《がい》」は、動物《どうぶつ》の骨格《こっかく》をえがいたもので、ギザギザしているイメージがある。それと「刂（刀《かたな》）」を合《あ》わせた「刻」は、ナイフでギザギザのきざみ目《め》をつけるようすで、「きざむ」の意《い》を表《あらわ》した。

→ 亥

刻 刻 刻 刻 刻 刻 刻 刻

割

刂10画〔12画〕
音 （カツ）
訓 わる　わり　われる　（さく）

上《うえ》につき出《だ》す 割

divide［ディヴァイド］

つかいかた
- 母《はは》の花《か》びんを割《わ》る。
- 時間割《じかんわ》り通《どお》りの授業《じゅぎょう》。
- 頭《あたま》が割《わ》れるような音《おと》。
- 土地《とち》を分割《ぶんかつ》する。

いみ・ことば
❶ **わる。わける。さく。** ●割《わ》り算《ざん》。時間《じかん》割《わ》り。役割《やくわり》。割愛《かつあい》。分割《ぶんかつ》。
❷ **わりあい。** ●割高《わりだか》。割引《わりびき》。八割《はちわり》。

もっとわかる
● 四字熟語《よじじゅくご》…群雄割拠《ぐんゆうかっきょ》（多《おお》くの英雄《えいゆう》たちが各地《かくち》で勢力《せいりょく》をのばし、たがいに対立《たいりつ》し合《あ》うこと）● 「割《わ》り勘《かん》」は、かかったお金《かね》を、めいめいが同《おな》じだけ出《だ》し合《あ》うこと。

なりたち
「害《がい》（とちゅうで切《き》って止《と》める）」と「刂（刀《かたな》）」を合《あ》わせた形《かたち》。一《ひと》つの物《もの》をとちゅうで切《き》って二《ふた》つにするようすで、「わる」「さく」の意《い》を表《あらわ》した。

割 割 割 割 割 割 割 割

6年

創

刂 10画〔12画〕

音 ソウ

訓 つくる

はねる

create［クリエイト］

つかいかた

- 明治《めいじ》に創業《そうぎょう》した店《みせ》。
- 創作《そうさく》にとりかかる。
- 天地創造《てんちそうぞう》の神話《しんわ》。
- 独創的《どくそうてき》なデザイン。

いみ・ことば

①物事《ものごと》をはじめる。はじめてつくる。
- 創意《そうい》。創刊《そうかん》。創業《そうぎょう》。創作《そうさく》。創造《そうぞう》。創立記《そうりつき》念日《ねんび》。独創的《どくそうてき》。

②きずをつける。きず。
- 創傷《そうしょう》。▲絆創▲膏《ばんそうこう》。

もっとわかる

- 四字熟語《よじじゅくご》：創意工夫《そういくふう》（新《あたら》しい工夫《くふう》や、いい方法《ほうほう》を考《かんが》え出《だ》すこと）

なりたち

「倉《そう》」は、作物《さくもつ》などをしまう納屋《なや》のすがたで、「細長《ほそなが》い」というイメージがある。それと「刂（刀《かたな》）」を合《あ》わせた「創」は、素材《そざい》に刀《かたな》で細長《ほそなが》い切《き》れ目《め》を入《い》れるようすで、「刃物《はもの》で切《き》る」「はじめる」の意《い》を表《あらわ》した。

劇

刂 13画〔15画〕

音 ゲキ

訓 ―

はねる

drama［ドラーマ］

つかいかた

- 劇団《げきだん》のしばいを見《み》る。
- 劇的《げきてき》な変化《へんか》をとげる。
- 劇薬《げきやく》をあつかう。
- 学校《がっこう》の演劇部《えんげきぶ》に入る。

いみ・ことば

①はげしい。
- 劇毒《げきどく》。劇薬《げきやく》。

②しばい。
- 劇化《げきか》。劇作家《げきさっか》。劇場《げきじょう》。劇団《げきだん》。劇的《げきてき》。演劇《えんげき》。喜劇《きげき》。悲劇《ひげき》。

もっとわかる

- 「はげしい」の意味《いみ》では、「劇薬《げきやく》」などを除《のぞ》いて、ふつうは「激」を使《つか》う。

なりたち

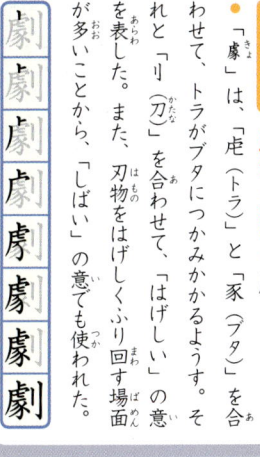

- 「豦《きょ》」は、「虍（トラ）」と「豕（ブタ）」を合《あ》わせて、トラがブタにつかみかかるようす。それと「刂（刀《かたな》）」を合《あ》わせて、「はげしい」の意《い》を表《あらわ》した。また、刃物《はもの》をはげしくふり回《まわ》す場面《ばめん》が多《おお》いことから、「しばい」の意《い》でも使《つか》われた。

6年

勤

力 10画〔12画〕

音 キン（ゴン）

訓 つとめる つとまる

ななめ右上《みぎうえ》に

work［ワーク］

つかいかた

- 父《ちち》は銀行《ぎんこう》に勤《つと》めている。
- 勤勉《きんべん》を美徳《びとく》とする。
- 電車《でんしゃ》で通勤《つうきん》する。
- 北海道《ほっかいどう》に転勤《てんきん》になる。

いみ・ことば

①力《ちから》をつくして働《はたら》く。
- 勤勉《きんべん》。精勤《せいきん》。

②つとめる。つとめ。
- 勤《つと》め先《さき》。勤続《きんぞく》。勤務《きんむ》。欠勤《けっきん》。出勤《しゅっきん》。通勤《つうきん》。転勤《てんきん》。夜勤《やきん》。

もっとわかる

- 「ゴン」の読《よ》みは、「勤行《ごんぎょう》」などのことばに使《つか》われる。

なりたち

- 「堇《かん》」は、動物《どうぶつ》のかわを火《ひ》であぶってかわかすようす。それに「土」を合《あ》わせた「堇《きん》」は、「水分《すいぶん》がなくなる」「つきる」というイメージを示《しめ》す。それに「力（ちから）」をそえて、力《ちから》をつくして働《はたら》く意《い》を表《あらわ》した。

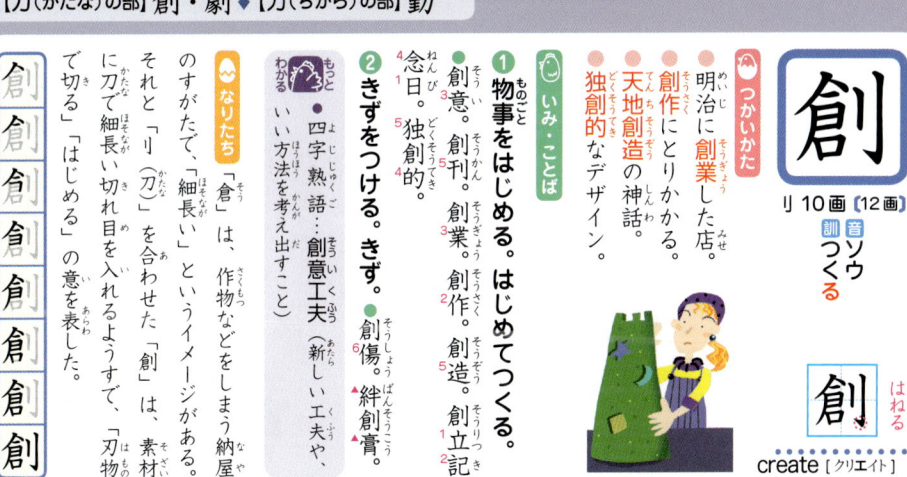

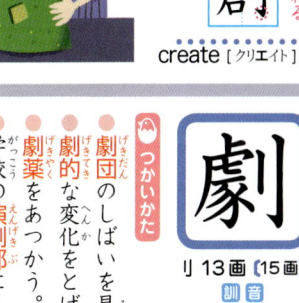

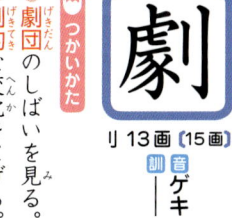

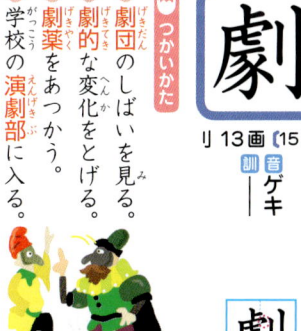

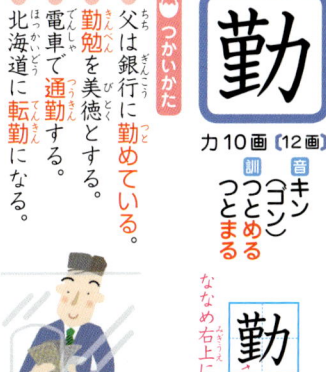

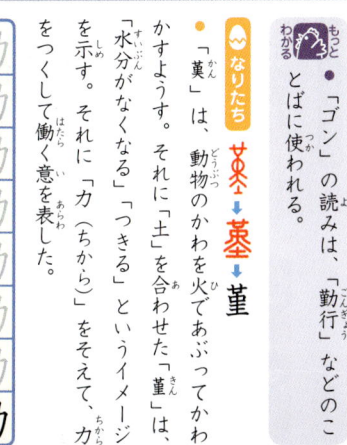

危

卩4画〔6画〕

音 キ
訓 あぶない（あやうい）（あやぶむ）

この形《かたち》に注意《ちゅうい》

dangerous［デインヂャラス］

つかいかた
- 危《あぶ》ない目《め》にあう。
- 危《あや》うい場面《ばめん》。
- 勝利《しょうり》を危《あや》ぶむ。
- ようやく危機《きき》を脱《だっ》する。
- 危険《きけん》をおかして先《さき》へ進《すす》む。

いみ・ことば
- あぶない。あやうい。あぶないと思《おも》う。
- 危機《きき》。危急《ききゅう》。危険《きけん》。危篤《きとく》。

もっとわかる
- 四字熟語《よじじゅくご》…危機一髪《ききいっぱつ》（危険《きけん》が間近《まぢか》にせまっている状態《じょうたい》）
- 「危急存亡《ききゅうそんぼう》の秋《とき》」とは、危険《きけん》が目前《もくぜん》にせまり、生《い》き残《のこ》れるかほろびるかのぎりぎりの状態《じょうたい》にあること）

なりたち
- 「ク（人《ひと》）」と「厂（がけ）」と「卩（背中《せなか》を曲《ま》げてかがむ人《ひと》）」を合《あ》わせた形《かたち》。不安定《ふあんてい》で「あぶない」ようすを表《あらわ》した。

卵

卩5画〔7画〕

音 （ラン）
訓 たまご

はねる

egg［エッグ］

つかいかた
- 卵《たまご》を割《わ》る。
- まだ医者《いしゃ》の卵《たまご》だ。
- 卵焼《たまごや》きを食《た》べる。
- 卵白《らんぱく》をあわ立《だ》てる。
- 海《うみ》がめの産卵《さんらん》を見《み》る。

いみ・ことば
1. たまご。●卵焼《たまごや》き。生卵《なまたまご》。ゆで卵《たまご》。卵黄《らんおう》。卵子《らんし》。卵白《らんぱく》。産卵《さんらん》。
2. まだ一人前《いちにんまえ》にならない人《ひと》。●医者《いしゃ》の卵《たまご》。先生《せんせい》の卵《たまご》。

もっとわかる
- 「卵《たまご》に目鼻《めはな》」は、色白《いろじろ》でかわいらしい顔《かお》のたとえ。
- 「コロンブスの卵《たまご》」とは、だれにでもできることであっても、最《さい》初《しょ》に行《おこな》うのはむずかしいということ。

なりたち
- 魚《さかな》や虫《むし》などの「たまご」をえがいた形《かたち》。

収

又2画〔4画〕

音 シュウ
訓 おさめる　おさまる

つき出《だ》さない

take in［テイク イン］

つかいかた
- 本《ほん》を棚《たな》に収《おさ》める。
- 混乱《こんらん》が収《おさ》まる。
- 農作物《のうさくぶつ》を収穫《しゅうかく》する。
- 古新聞《ふるしんぶん》を回収《かいしゅう》する。

いみ・ことば
1. おさめる。おさまる。取《と》り入《い》れる。あつめる。●収穫《しゅうかく》。収集《しゅうしゅう》。収納《しゅうのう》。収容《しゅうよう》。収録《しゅうろく》。回収《かいしゅう》。吸収《きゅうしゅう》。
2. お金《かね》が入《はい》る。●収益《しゅうえき》。収支《しゅうし》。収入《しゅうにゅう》。
3. しぼむ。ちぢむ。●収縮《しゅうしゅく》。

なりたち
- もとの字《じ》は「收」。「丩《きゅう》」は、二《ふた》つのひもをよじり合《あ》わせるようすで、引《ひ》きしめるというイメージを示《しめ》す。それと「攵（手《て》の動作《どうさ》）」を合《あ》わせた形《かたち》。引《ひ》きしめて取《と》りこむようすで、「おさめる」の意《い》を表《あらわ》した。

6年

吸

口3画（6画）
音 キュウ
訓 すう

この形《かたち》に注意《ちゅうい》 吸

suck［サック］

つかいかた

- 大《おお》きく息《いき》を吸《す》う。
- 水《みず》を吸引《きゅういん》する。
- 新《あたら》しい知識《ちしき》を吸収《きゅうしゅう》する。
- 酸素《さんそ》を吸入《きゅうにゅう》する。
- 呼吸《こきゅう》を整《ととの》える。

いみ・ことば

- **すう。すいこむ。** ●吸《す》い[3]物《もの》。吸《きゅう》[2]引《いん》。吸《きゅう》[1]気《き》。吸《きゅう》[6]収《しゅう》。吸《きゅう》[3]着《ちゃく》。吸《きゅう》[1]入《にゅう》。吸《きゅう》▲盤《ばん》。[6]呼《こ》吸《きゅう》。

もっとわかる

●「呼吸《こきゅう》」は、「呼気《こき》（はく息《いき》）」と「吸気《きゅうき》（すう息《いき》）」で、空気《くうき》をはいたり吸《す》ったりすること。●「吸盤《きゅうばん》」は、タコやイカの足《あし》などにある、ほかのものにすいつくための器官《きかん》。人工的《じんこうてき》なものにもいう。

なりたち

「及《きゅう》（追《お》いついて届《とど》く）」と「口（くち）」を合《あ》わせた形《かたち》。気体《きたい》や液体《えきたい》を口《くち》に届《とど》くようにするようすで、「すう」の意《い》を表《あらわ》した。

后

口3画（6画）
音 コウ
訓 ―

左《ひだり》につき出《だ》さない 后

empress［エンプレス］

つかいかた

- 皇后《こうごう》陛下《へいか》のお姿《すがた》。
- ご健勝《けんしょう》の皇太后《こうたいごう》。
- 太皇太后《たいこうたいごう》もご健在《けんざい》だ。
- 立后《りっこう》の儀《ぎ》をとり行《おこな》う。

いみ・ことば

- **天子《てんし》のつま。きさき。** ●[6]皇《こう》后《ごう》。[6]皇《こう》[2]太《たい》后《ごう》。[2]太《たい》[6]皇《こう》[2]太《たい》后《ごう》。[1]立《りっ》后《こう》。

もっとわかる

●「皇太后《こうたいごう》」は、前《まえ》の天皇《てんのう》のきさき。●「太《たい》皇太后《こうたいごう》」は、先々代《せんせんだい》の天皇《てんのう》のきさき。●「立《りっ》后《こう》」は、皇后《こうごう》を正式《せいしき》に決《き》めること。

なりたち

后

●「⼫（右向《みぎむ》きの人《ひと》）」と「口（あな）」を合《あ》わせた形《かたち》。「司（体《からだ》の前《まえ》の穴《あな》）」の鏡文字《かがみもじ》（左右《さゆう》を逆《ぎゃく》に書《か》いた文字《もじ》）で、体《からだ》の「うしろ」にあるしりの穴《あな》を表《あらわ》した。のち、後宮《こうきゅう》に住《す》む「きさき」の意《い》でも使《つか》われるようになった。

否

口4画（7画）
音 ヒ
訓 （いな）

とめる 否

negate［ニゲイト］

つかいかた

- 疑《うたが》いがあることは否《いな》めない。
- 相手《あいて》の話《はなし》を否定《ひてい》する。
- 友《とも》の安否《あんぴ》を気《き》づかう。
- 合否《ごうひ》を判定《はんてい》する。
- 賛否両論《さんぴりょうろん》がわき起《お》こる。

いみ・ことば

1. **打《う》ち消《け》す。** ●否《ひ》[3]決《けつ》。否《ひ》[3]定《てい》。否《ひ》[6]認《にん》。
2. **上《うえ》にくることばについて、その反対《はんたい》の意味《いみ》を表《あらわ》す。反対《はんたい》。** ●[3]安《あん》否《ぴ》。[5]可《か》否《ひ》。[2]合《ごう》否《ひ》。[5]賛《さん》否《ぴ》[3]両《りょう》[6]論《ろん》。[4]成《せい》否《ひ》。[2]当《とう》否《ひ》。

もっとわかる

●「否《いな》めない」は、否定《ひてい》できない、そうでないとは言《い》えないの意《い》。●「賛否両《さんぴりょう》論《ろん》」は、賛成《さんせい》と反対《はんたい》の両方《りょうほう》の意見《いけん》。

なりたち

「不《ふ》（打《う》ち消《け》し）」と「口（くち）」を合《あ》わせた形《かたち》で、「いやだ」と言《い》って打《う》ち消《け》すことばを表《あらわ》した。

6年

呼

口5画〔8画〕
音 コ
訓 よぶ

call［コーる］

長《なが》めに

つかいかた

- 大声《おおごえ》で名前《なまえ》を呼《よ》ぶ。
- 平和《へいわ》の森《もり》と呼称《こしょう》する。
- 大《おお》きく深呼吸《しんこきゅう》する。
- 点呼《てんこ》を取《と》って確認《かくにん》する。

いみ・ことば

❶ 息《いき》をはく。●呼[1]気《こき》。呼[6]吸《こきゅう》。

❷ よぶ。よびよせる。●呼《よ》び[3]物《もの》。呼[5]応《こおう》。呼▲称《こしょう》。[2]点呼《てんこ》。[4]連呼《れんこ》。

もっとわかる

●「阿吽《あうん》の呼吸《こきゅう》」とは、二人《ふたり》以上《いじょう》で何《なに》かを行《おこな》うとき、動《うご》きや気持《きも》ちがぴったり合《あ》うこと。また、その気持《きも》ち。

なりたち

乎

●「乎《こ》」は、「曲《ま》がりながら分《わ》かれ出《で》る」というイメージを示《しめ》す。それに「口（くち）」をそえた「呼」は、口《くち》からはあっと息《いき》が出《で》るようすで、大《おお》きな声《こえ》を出《だ》す意《い》を表《あらわ》した。

呼呼呼呼呼呼呼呼

善

口9画〔12画〕
音 ゼン
訓 よい

good［グッド］

上《うえ》につき出《だ》さない

つかいかた

- 善《よ》い行《おこな》いをする。
- 人《ひと》の善意《ぜんい》を受《う》け取《と》る。
- 最善《さいぜん》の手《て》をつくす。
- 親善大使《しんぜんたいし》を派遣《はけん》する。

いみ・ことば

❶ 正《ただ》しい。よい。●善[3]悪《ぜんあく》。善[3]意《ぜんい》。善[2]行《ぜんこう》。善[1]人《ぜんにん》。善[4]良《ぜんりょう》。[4]改善《かいぜん》。[4]最善《さいぜん》。[5]独善《どくぜん》。

❷ うまい。●善[2]後[6]策《ぜんごさく》。善[6]処《ぜんしょ》。善[4]戦《ぜんせん》。

❸ 仲《なか》よくする。●善▲隣《ぜんりん》。[2]親善[1]大[3]使《しんぜんたいし》。

もっとわかる

●「善《ぜん》は急《いそ》げ」とは、よいことは思《おも》いついたらすぐに実行《じっこう》せよ、ということ。

なりたち

善

●古《ふる》い形《かたち》は「譱」。「羊」は、おいしいものの代表《だいひょう》。二《ふた》つの「言」は、そろうことを示《しめ》すしるし。これらを合《あ》わせた「善」は、おいしいものがたくさんそろったようすで、「このましい」「よい」の意《い》を表《あらわ》した。

善善善善善善善善

困

口4画〔7画〕
音 コン
訓 こまる

be in trouble［ビィ イン トラブる］

大《だい》と書《か》かない

つかいかた

- 財布《さいふ》を落《お》として困《こま》る。
- ほとほと困《こま》り果《は》てる。
- 困難《こんなん》を乗《の》りこえる。
- 急《きゅう》な質問《しつもん》に困惑《こんわく》する。
- 人類《じんるい》を貧困《ひんこん》から救《すく》う。

いみ・ことば

● 身動《みうご》きできずに苦《くる》しむ。こまる。●困《こま》り[3]者《もの》。困[3]苦《こんく》。困[6]難《こんなん》。困▲惑《こんわく》。[5]貧困《ひんこん》。

もっとわかる

●四字熟語《よじじゅくご》…困苦欠乏《こんくけつぼう》（生活《せいかつ》がどうにもならず、困《こま》り苦《くる》しむこと）・疲労困憊《ひろうこんぱい》（つかれてくたくたになること）●「貧困《ひんこん》」は、「貧困《ひんこん》な発想《はっそう》」のように、物事《ものごと》の内容《ないよう》にかかわることにもいう。

なりたち

「囗（丸《まる》く取《と》りまく）」と「木（き）」を合《あ》わせた形《かたち》。木《き》をぐるぐる巻《ま》きにしばるようすで、身動《みうご》きできずに苦《くる》しむ意《い》を表《あらわ》した。

困困困困困困困

6年

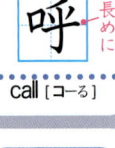

垂

土5画（8画）
音 スイ
訓 たれる たらす

垂 長《なが》く

hang down ［ハング ダウン］

つかいかた

- くもが糸《いと》を垂《た》らす。
- 黒《くろ》い垂《た》れ幕《まく》がかかる。
- 雨垂《あまだ》れ石《いし》をうがつ。
- 垂直《すいちょく》に切《き》り立《た》ったがけ。
- 鉄棒《てつぼう》の懸垂《けんすい》は苦手《にがて》だ。

いみ・ことば

- 上《うえ》から下《した》にたれる。たらす。
- 垂《た》れ6幕《まく》。1雨垂《あまだ》れ。垂2線《すいせん》。垂▲涎《すいぜん》。垂2直《すいちょく》。▲懸垂《けんすい》。

もっとわかる

- 「雨垂《あまだ》れ石《いし》をうがつ」は、小《ちい》さな努《ど》力《りょく》でも根気《こんき》よく続《つづ》ければ、最後《さいご》には成《せい》功《こう》するというたとえ。
- 「垂涎《すいぜん》の的《まと》」は、欲《ほ》しくてたまらないもの。「垂涎《すいぜん》」は、（食《た》べたくて）よだれをたらす意《い》。

なりたち

↓垂

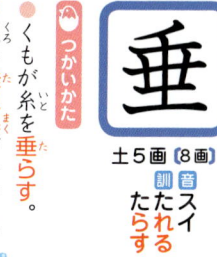

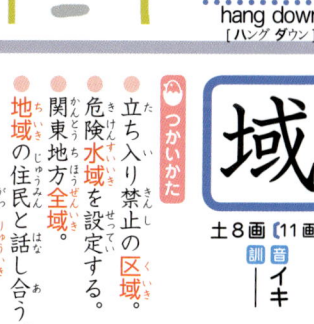

- 植物《しょくぶつ》の枝葉《えだは》がたれ下《さ》がる形《かたち》に「土（つち）」を合《あ》わせて、「たれる」の意《い》を表《あらわ》した。

域

土8画（11画）
音 イキ
訓 ―

域 点《てん》を忘《わす》れない

area ［エアリア］

つかいかた

- 立《た》ち入《い》り禁止《きんし》の区域《くいき》。
- 危険水域《きけんすいいき》を設定《せってい》する。
- 関東地方全域《かんとうちほうぜんいき》。
- 地域《ちいき》の住民《じゅうみん》と話《はな》し合《あ》う。
- アマゾン川《がわ》の流域《りゅういき》。

いみ・ことば

- 区切《くぎ》られたところ。さかい。
- 域内《いきない》2。1音域《おんいき》。2海域《かいいき》。3区域《くいき》。3神域《しんいき》。1水域《すいいき》。6聖域《せいいき》。3全域《ぜんいき》。2地域《ちいき》。3流域《りゅういき》。5領域《りょういき》。

もっとわかる

- 「神域《しんいき》」は、神社《じんじゃ》の境内《けいだい》。神聖《しんせい》な区域《くいき》。また、ふれてはいけないとされる事《こと》がらの意でも使われる（例 言《げん》論《ろん》の自由《じゆう》という聖域《せいいき》をおかす）。
- 「聖域《せいいき》」は、
- 「流域《りゅういき》」は、川《かわ》の流《なが》れに沿《そ》った両側《りょうがわ》の場所《ばしょ》。

なりたち

「或《わく》（場所《ばしょ》を区切《くぎ》る）」と「土（つち）」を合《あ》わせた形《かたち》で、区切《くぎ》られた土地《とち》を表《あらわ》した。

奏

大6画（9画）
音 ソウ
訓 （かなでる）

奏 上《うえ》につき出《だ》さない

report ［リポート］

つかいかた

- 宮中《きゅうちゅう》に参内《さんだい》して奏上《そうじょう》する。
- ピアノを演奏《えんそう》する。
- 管弦楽《かんげんがく》の合奏《がっそう》をきく。
- オルガンの伴奏《ばんそう》で歌《うた》う。

いみ・ことば

1. 身分《みぶん》の高《たか》い人《ひと》に述《の》べる。申《もう》し上《あ》げる。
   - 奏上《そうじょう》1。1上奏《じょうそう》。
2. 音楽《おんがく》をかなでる。
   - 5演奏《えんそう》。2合奏《がっそう》。▲吹奏《すいそう》楽《がく》2。2前奏《ぜんそう》。5独奏《どくそう》。▲伴奏《ばんそう》。
3. なしとげる。
   - 奏功《そうこう》4。奏効《そうこう》5。

もっとわかる

- 「功《こう》を奏《そう》する」は、事《こと》がうまくいくこと。成功《せいこう》すること。

なりたち

↓奏

- 玉《たま》ぐしを略《りゃく》したものに両手《りょうて》を合《あ》わせた形《かたち》。両手《りょうて》で神前《しんぜん》に供《そな》え物《もの》を差《さ》し出《だ》すようすで、「すすめる」の意《い》を表《あらわ》した。

6年

奮

大13画〔16画〕
音 フン
訓 ふるう

少《すこ》し平《ひら》たく書《か》く
奮

rouse up [ラウズ アップ]

つかいかた
- 勇気《ゆうき》を奮《ふる》って戦《たたか》う。
- 奮起《ふんき》して勉強《べんきょう》に打《う》ちこむ。
- 弱小《じゃくしょう》チームが奮戦《ふんせん》する。
- おこづかいを奮発《ふんぱつ》する。
- 興奮《こうふん》してあれこれ話《はな》す。

いみ・ことば
● 元気《げんき》を出《だ》す。ふるい立《た》つ。● 奮3起《ふんき》。奮《ふん》▲闘《とう》。奮3発《ふんぱつ》。5興奮《こうふん》。3発奮《はっぷん》。

もっとわかる
● 四字熟語《よじじゅくご》…獅子奮迅《ししふんじん》（気持《きも》ちをふるい立《た》たせて、すさまじい勢《いきお》いで物事《ものごと》に向《む》かうようす）

なりたち
● 奮 ↓ 奮
「大（手《て》を大《おお》きく広《ひろ》げる）」と「隹（とり）」と「田（地面《じめん》）」を合《あ》わせた形《かたち》。鳥《とり》がつばさを大《おお》きく広《ひろ》げて、地上《ちじょう》からぱっとはばたくようすで、一気《いっき》に力《ちから》をこめる意《い》を表《あらわ》した。

奮 奮 奮 奮 奮 奮 奮 奮

姿

女6画〔9画〕
音 シ
訓 すがた

シと書《か》かない
姿

figure [フィギャ]

つかいかた
- 知人《ちじん》の姿《すがた》を見《み》かける。
- 発表会《はっぴょうかい》の晴《は》れ姿《すがた》。
- 姿勢《しせい》を正《ただ》して座《すわ》る。
- 富士《ふじ》の雄姿《ゆうし》を望《のぞ》む。
- 鏡《かがみ》の前《まえ》で容姿《ようし》を整《ととの》える。

いみ・ことば
● 体《からだ》つき。すがた。● 姿《すがた》1見《み》。2後《うし》ろ姿《すがた》。2晴《は》れ姿《すがた》。姿5勢《しせい》。4勇姿《ゆうし》。5容姿《ようし》。

もっとわかる
● 四字熟語《よじじゅくご》…容姿端麗《ようしたんれい》（顔《かお》や体《からだ》つきが整《ととの》っていて美《うつく》しいこと）・千姿万態《せんしばんたい》（さまざまに異《こと》なった姿《すがた》や形《かたち》のこと）

なりたち
「次《じ》」は、人《ひと》がつぎつぎと並《なら》んで休《やす》むようすで、「並《なら》ぶ」「そろう」というイメージがある。それと「女（おんなの人《ひと》）」を合《あ》わせた「姿」は、女性《じょせい》が身《み》なりを整《ととの》えるようすで、「すがた」の意《い》を表《あらわ》した。

姿 姿 姿 姿 姿 姿 姿 姿

存

子3画〔6画〕
音 ソン ゾン
訓 —

はねる
存

exist [イグズィスト]

つかいかた
- 事業《じぎょう》の存続《そんぞく》をはかる。
- 思《おも》う存分《ぞんぶん》にうでをふるう。
- 体力《たいりょく》を温存《おんぞん》する。
- 現存《げんそん》する最古《さいこ》の建物《たてもの》。
- 食料《しょくりょう》を倉庫《そうこ》に保存《ほぞん》する。

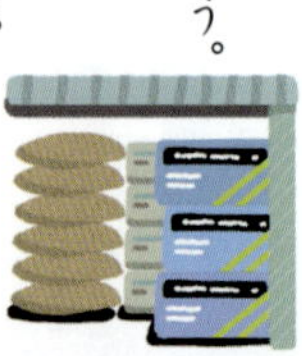

いみ・ことば
① ある。生《い》きている。● 存5在《そんざい》。存4続《そんぞく》。存《ぞん》3命《めい》。▲依存《いそん》。4共存《きょうぞん》。5現存《げんそん》。3実存《じつぞん》。1生存《せいぞん》。
② 2考《かんが》え。● 存2分《ぞんぶん》。6異存《いぞん》。1一存《いちぞん》。3所存《しょぞん》。
③ たもつ。● 3温存《おんぞん》。5保存《ほぞん》。

もっとわかる
● 「依存《いそん》」「共存《きょうそん》」「現存《げんそん》」「残存《ざんそん》」の「存」は、「存《ぞん》」とも読《よ》む。

なりたち
「在（じっとそこにとどまる）」を略《りゃく》したものと「子（こども）」を合《あ》わせた形《かたち》。子《こ》どもをいたわって、その状態《じょうたい》にとどめておくようすで、「ある状態《じょうたい》にある」意《い》を表《あらわ》した。

存 存 存 存 存 存

6年

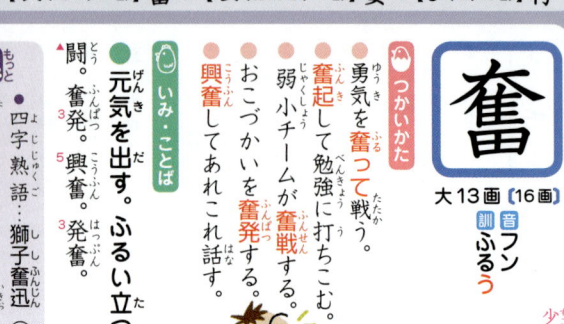

孝

子4画〔7画〕

音 コウ
訓 —

filial piety
［フィリアル パイエティ］

つかいかた

- 親《おや》への孝心《こうしん》が厚《あつ》い。
- 親《おや》に孝養《こうよう》をつくす。
- 忠孝《ちゅうこう》をまっとうする。
- 親孝行《おやこうこう》をする。
- 親不孝《おやふこう》をわびる。

いみ・ことば

- **親《おや》を大切《たいせつ》にすること。** ●孝行《こうこう》。孝心《こうしん》。親不孝《おやふこう》。忠孝《ちゅうこう》。

もっとわかる

●「孝」は「考」と形《かたち》が似《に》ていてまちがえやすいので注意《ちゅうい》。●「孝心《こうしん》」は、親孝行《おやこうこう》をしようとする心《こころ》。●「忠孝《ちゅうこう》」は、主《しゅ》君《くん》への忠義《ちゅうぎ》と親《おや》への孝行《こうこう》。

なりたち

↓ ↓ 孝

●「老（年《とし》をとった親《おや》）」を略《りゃく》したものと「子（こども）」を合《あ》わせた形《かたち》で、子《こ》が親《おや》を大切《たいせつ》にする意《い》を表《あらわ》した。

孝 孝 孝 孝 孝 孝 孝

宇

宀3画〔6画〕

音 ウ
訓 —

universe
［ユーニヴァース］

つかいかた

- ロケットが宇宙《うちゅう》へ飛《と》び立《た》つ。
- 宇宙人《うちゅうじん》と交信《こうしん》する。
- 惑星間《わくせいかん》を結《むす》ぶ宇宙船《うちゅうせん》。
- 気宇壮大《きうそうだい》な人《ひと》。
- 寺院《じいん》の広大《こうだい》な堂宇《どうう》。

いみ・ことば

1. **天地《てんち》。かぎりない空間《くうかん》。** ●宇宙《うちゅう》。
2. **屋根《やね》。** ●堂宇《どうう》。

もっとわかる

●四字熟語《よじじゅくご》…気宇壮大《きうそうだい》（心《こころ》の持《も》ち方《かた》や考《かんが》え方《かた》が人並《ひとな》みはずれて大《おお》きいようす）●「堂宇《どうう》」は、寺《てら》や神社《じんじゃ》などの建物《たてもの》。お堂《どう》。

なりたち

↓ ↓ 于

●「于《う》」は、（形《がた》に曲《ま》がるというイメージを示《しめ》す。それに「宀（屋根《やね》）」を合《あ》わせて、建物《たてもの》にかぶさる大《おお》きな屋根《やね》を表《あらわ》した。のち、「大《おお》空《ぞら》」の意《い》でも使《つか》われた。

宇 宇 宇 宇 宇 宇

6年

数字《すうじ》を使《つか》った四字《よじ》熟語《じゅくご》②

一心同体《いっしんどうたい》…二人《ふたり》以上《いじょう》の人《ひと》が、心《こころ》を一《ひと》つにして力《ちから》を合《あ》わせること。

一世一代《いっせいちだい》…一生《いっしょう》のうちに一度《いちど》しかないようなこと。

※「いっせいいちだい」とは読《よ》まない。

一石二鳥《いっせきにちょう》…➡33ページ

一致団結《いっちだんけつ》…多《おお》くの人《ひと》が、ある目的《もくてき》に向《む》かい、心《こころ》を合《あ》わせること。

一知半解《いっちはんかい》…ものごとの理解《りかい》が完全《かんぜん》でなく、中途半端《ちゅうとはんぱ》であること。

一朝一夕《いっちょういっせき》…短《みじか》い時間《じかん》。

一長一短《いっちょういったん》…よいところも、悪《わる》いところもあること。

海千山千《うみせんやません》…➡163ページ

開口一番《かいこういちばん》…➡262ページ

危機一髪《ききいっぱつ》…➡416ページ

五里霧中《ごりむちゅう》…どうすればよいのか、さっぱりわからないこと。

※「霧《む》」はきりのことで、深《ふか》いきりの中《なか》で方角《ほうがく》がわからないことから。

再三再四《さいさんさいし》…➡56ページ

＊429ページへ続《つづ》く

宅

宀3画〔6画〕

音 タク
訓 ―

上《うえ》にはねる

house［ハウス］

つかいかた

- 宅配便《たくはいびん》で荷物《にもつ》が届《とど》く。
- 宅地《たくち》を造成《ぞうせい》する。
- 父《ちち》が帰宅《きたく》する。
- 自宅《じたく》で静養《せいよう》する。
- 家族《かぞく》で社宅《しゃたく》に住《す》む。

いみ・ことば

- 住《す》まい。家《いえ》。
- 宅地《たくち》。宅配便《たくはいびん》。帰宅《きたく》。在宅《ざいたく》。自宅《じたく》。社宅《しゃたく》。別宅《べったく》。

もっとわかる

- 「お宅《たく》」は、相手《あいて》や相手《あいて》の家《いえ》、相手《あいて》の会社《かいしゃ》などを尊敬《そんけい》していうことば。

なりたち

- 「乇《たく》」は、植物《しょくぶつ》が地下《ちか》にしっかりと根《ね》をおろし、地上《ちじょう》に芽《め》を出《だ》しているようすで、「下地《したじ》の上《うえ》に乗《の》る」というイメージを示《しめ》す。それに「宀（家《いえ》）」を合《あ》わせて、その上《うえ》に身《み》をあずけて落《お》ち着《つ》ける家《いえ》、「住《す》まい」を表《あらわ》した。

宗

宀5画〔8画〕

音 シュウ（ソウ）
訓 ―

長《なが》めに

religion［リリヂョン］

つかいかた

- 世界《せかい》の三大宗教《さんだいしゅうきょう》。
- 宗派《しゅうは》を超《こ》えた思想《しそう》。
- 宗家《そうけ》の地位《ちい》をつぐ。
- 宗匠《そうしょう》について俳句《はいく》を学《まな》ぶ。
- 独裁者《どくさいしゃ》が改宗《かいしゅう》をせまる。

いみ・ことば

1. 神仏《しんぶつ》の教《おし》え。
   - 宗教《しゅうきょう》。宗旨《しゅうし》。宗徒《しゅうと》。宗派《しゅうは》。宗門《しゅうもん》。改宗《かいしゅう》。
2. おおもと。本家《ほんけ》。
   - 宗家《そうけ》。宗匠《そうしょう》。
3. 仏教《ぶっきょう》の宗派《しゅうは》。
   - 真言宗《しんごんしゅう》。天台宗《てんだいしゅう》。

もっとわかる

- 仏教《ぶっきょう》・キリスト教《きょう》・イスラム教《きょう》の三《みっ》つは、世界《せかい》の「三大宗教《さんだいしゅうきょう》」と呼《よ》ばれる。
- 「宗匠《そうしょう》」は、茶道《さどう》や俳句《はいく》の先生《せんせい》。

なりたち

- 「示（祭《さい》だん）」と「宀（家《いえ》）」を合《あ》わせた形《かたち》で、共通《きょうつう》の先祖《せんぞ》を祭《まつ》る中心《ちゅうしん》の家《いえ》を表《あらわ》した。

宙

宀5画〔8画〕

音 チュウ
訓 ―

上《うえ》につき出《だ》す

midair［ミッドエア］

つかいかた

- 木《こ》の葉《は》が宙《ちゅう》に舞《ま》う。
- 計画《けいかく》が宙《ちゅう》に浮《う》く。
- 宙返《ちゅうがえ》りをして着地《ちゃくち》する。
- 体《からだ》が宙《ちゅう》づりになる。
- 宇宙旅行《うちゅうりょこう》を夢見《ゆめみ》る。

いみ・ことば

1. 空中《くうちゅう》。
   - 宙返《ちゅうがえ》り。宙《ちゅう》づり。宙《ちゅう》ぶらりん。
2. 大空《おおぞら》。かぎりない空間《くうかん》。
   - 宇宙《うちゅう》。

もっとわかる

- 「宙」には、暗記《あんき》の意《い》もある（例 宙《ちゅう》で言《い》う）。
- 「宙《ちゅう》に浮《う》く」は、体《からだ》が空中《くうちゅう》にとどまる意《い》。また、計画《けいかく》などがとちゅうで止《と》まったままになる意《い》にも使《つか》われる。

なりたち

「由《ゆ》（ぬけ出《で》る）」と「宀（屋根《やね》）」を合《あ》わせた形《かたち》で、屋根《やね》のてっぺんにぬけ通《とお》る骨組《ほねぐ》みの木《き》を表《あらわ》した。のち、「大空《おおぞら》」の意《い》でも使《つか》われた。

6年

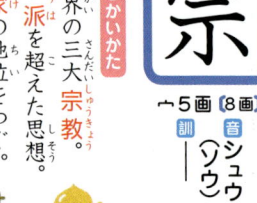

宝

宀5画〔8画〕
音 ホウ
訓 たから

点《てん》を忘《わす》れない

treasure［トレジャ］

つかいかた

●子《こ》どもはわが家《や》の宝《たから》だ。
●宝物《たからもの》を見《み》つける。
●おもちゃの宝石箱《ほうせきばこ》。
●古《ふる》い寺《てら》の宝物殿《ほうもつでん》。
●国宝級《こくほうきゅう》の建造物《けんぞうぶつ》。

いみ・ことば

●**価値《かち》のあるもの。たから。**
宝物《たからもの》[3]（ほうもつ）。子宝《こだから》[1]。宝石《ほうせき》[1]。国宝《こくほう》[2]。財宝《ざいほう》[5]。●宝船《たからぶね》[2]。

もっとわかる

●「宝《たから》の持《も》ちぐされ」とは、価値《かち》のあるものを持《も》っているのに、それを使《つか》わないこと。

なりたち

 ↓ 寶（宝）

●もとの字《じ》は「寶」。「宀（屋根《やね》）」と「玉（たま）」と「缶（土器《どき》）」と「貝（お金《かね》や品物《しなもの》）」を合《あ》わせた形《かたち》。屋根《やね》の下《した》にさまざまなものを大切《たいせつ》にしまうようすで、「たから」を表《あらわ》した。

宣

宀6画〔9画〕
音 セン
訓 ―

上《うえ》の横棒《よこぼう》より長《なが》く

declare［ディクレア］

つかいかた

●キリスト教《きょう》の宣教師《せんきょうし》。
●大会《たいかい》の開会《かいかい》を宣言《せんげん》する。
●無罪《むざい》を宣告《せんこく》する。
●選手宣誓《せんしゅせんせい》を行《おこな》う。
●新《あたら》しい商品《しょうひん》を宣伝《せんでん》する。

いみ・ことば

●**広《ひろ》く知《し》らせる。はっきり言《い》う。**
●宣言《せんげん》[2]。宣告《せんこく》[5]。宣誓《せんせい》[▲]。宣戦布告《せんせんふこく》[4][5][5]。宣伝《せんでん》[4]。

もっとわかる

●「宣戦布告《せんせんふこく》」とは、国《くに》がほかの国《くに》に戦《せん》争《そう》の開始《かいし》を宣言《せんげん》すること。また、一般《いっぱん》に、勝負《しょうぶ》や争《あらそ》いをしかける意《い》でも使《つか》われる。

なりたち

 ↓ 亘

●「亘《せん》」は、「丸《まる》く取《と》りまく」というイメージを示《しめ》す。それに「宀（家《いえ》）」を合《あ》わせた「宣」は、建物《たてもの》のまわりを丸《まる》く取《と》りまくようすで、まんべんなく行《い》き渡《わた》る意《い》を表《あらわ》した。

密

宀8画〔11画〕
音 ミツ
訓 ―

この形《かたち》と筆順《ひつじゅん》に注意《ちゅうい》

secret［スィークレット］

つかいかた

●家《いえ》が密集《みっしゅう》して建《た》つ。
●密接《みっせつ》な関係《かんけい》の二人《ふたり》。
●アマゾンの密林《みつりん》を進《すす》む。
●秘密《ひみつ》を人《ひと》にもらす。

いみ・ことば

①**こっそりと。ひそかに。**
密売《みつばい》[2]。密輸《みつゆ》[5]。機密《きみつ》[4]。内密《ないみつ》[2]。秘密《ひみつ》[6]。●密航《みっこう》[5]。密告《みっこく》[5]。

②**びっしりつまる。**
●密集《みっしゅう》[3]。密度《みつど》[3]。密林《みつりん》[1]。

③**ぴったりくっつく。**
●密接《みっせつ》[5]。密着《みっちゃく》[3]。

もっとわかる

●「機密《きみつ》」は、非常《ひじょう》に重要《じゅうよう》な事《こと》がらに関《かん》する秘密《ひみつ》のこと（例 国《くに》の機密《きみつ》がもれる）。

なりたち

●「必《ひつ》（びっしりしめつける）」と「宀（おおい）」を合《あ》わせた「宓《みつ》（びっしりおおわれる）」に「山（やま）」をそえた形《かたち》。山《やま》の中《なか》が見《み》えないほど、木《き》でびっしりおおわれているようすを表《あらわ》した。

6年

寸

寸0画〔3画〕
訓 ―
音 スン

寸 はねる

measure［メジャ］

つかいかた
- ゴール寸前《すんぜん》でぬかれる。
- 寸分《すんぶん》のくるいもない。
- テーブルの寸法《すんぽう》を測《はか》る。
- 一寸《いっすん》の虫《むし》にも五分《ごぶ》の魂《たましい》。

いみ・ことば

1 **長《なが》さの単位《たんい》。一尺《いっしゃく》の十分《じゅうぶん》の一《いち》。**
2 **長《なが》さ。** ●4寸法《すんぽう》。1一寸《いっすん》。5採寸《さいすん》。
3 **わずか。** ●▲寸暇《すんか》。6寸劇《すんげき》。2寸前《すんぜん》。2寸分《すんぶん》。

もっとわかる
- 「寸分《すんぶん》」は、少《すこ》しもの意《い》。
- 「一寸《いっすん》の虫《むし》にも五分《ごぶ》の魂《たましい》」は、どんな小《ちい》さなものにも相応《そうおう》のほこりがあるのだから、ばかにしてはいけないということ。「一《いっ》寸《すん》」は、約《やく》三センチメートル。

なりたち
→ 寸

- 「又（手《て》）」と「一」を合《あ》わせた形《かたち》で、手《て》の指一本分《ゆびいっぽんぶん》のはばを表《あらわ》した。

専

寸6画〔9画〕
訓 （もっぱら）
音 セン

専 長《なが》く

exclusively
［イクスクるーシヴリィ］

つかいかた
- 専《もっぱ》ら母《はは》の使《つか》っている車《くるま》。
- 会社専属《かいしゃせんぞく》の歌手《かしゅ》。
- 勉強《べんきょう》に専念《せんねん》する。
- 選手専用《せんしゅせんよう》のレーン。

いみ・ことば

1 **そのことだけを行《おこな》うようす。もっぱら。** ●3専業《せんぎょう》。▲専攻《せんこう》。2専心《せんしん》。5専属《せんぞく》。5専任《せんにん》。4専《せん》念《ねん》。2専売特許《せんばいとっきょ》。2専門《せんもん》。2専用《せんよう》。
2 **ひとりじめにする。** ●3専横《せんおう》。3専有《せんゆう》。

もっとわかる
- 四字熟語《よじじゅくご》…一意専心《いちいせんしん》（ひたすら一《ひと》つのことだけに心《こころ》を集中《しゅうちゅう》させること）

なりたち
→ 糸《いと》 叀 → 𡬝 → 専（專）

- もとの字《じ》は「專」。糸《いと》をつむぎながら巻《ま》き取《と》る道具《どうぐ》をえがいた「叀《せん》」と「寸（手《て》）」を合《あ》わせた形《かたち》。何本《なんぼん》かの糸《いと》を一本《いっぽん》にまとめるようすで、そのことに集中《しゅうちゅう》する意《い》を表《あらわ》した。

射

寸7画〔10画〕
訓 いる
音 シャ

射 右《みぎ》につき出《だ》さない

shoot［シュート］

つかいかた
- 弓《ゆみ》をしぼって矢《や》を射《い》る。
- 射撃《しゃげき》の訓練《くんれん》をする。
- 予防注射《よぼうちゅうしゃ》を受《う》ける。
- ロケットを発射《はっしゃ》する。
- 光《ひかり》が反射《はんしゃ》してまぶしい。

いみ・ことば

1 **弓《ゆみ》で矢《や》をいる。** ●射手《しゃしゅ》。
2 **銃《じゅう》などをうつ。** ●▲1射撃《しゃげき》。3発射《はっしゃ》。6乱射《らんしゃ》。
3 **勢《いきお》いよく進《すす》む。** ●3注射《ちゅうしゃ》。3反射《はんしゃ》。3放射線《ほうしゃせん》。

もっとわかる
- 「的《まと》を射《い》る」は、うまく要点《ようてん》をとらえる意《い》。「的《まと》を射《い》た質問《しつもん》」のように使《つか》う。「的《まと》を得《え》る」は誤《あやま》った表現《ひょうげん》。

なりたち
→ → 射

- 「弓（ゆみ）」の変形《へんけい》である「身」と「寸（手《て》）」を合《あ》わせた形《かたち》。ぴんと張《は》った弓《ゆみ》をゆるめて矢《や》を放《はな》つようすで、「いる」の意《い》を表《あらわ》した。

6年

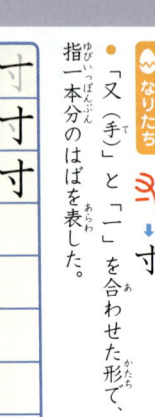

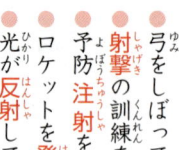

将

寸7画〔10画〕

音 ショウ

訓 ―

つかいかた

- 三代《さんだい》将軍《しょうぐん》家光《いえみつ》。
- 将来《しょうらい》の夢《ゆめ》を語《かた》る。
- 柔道部《じゅうどうぶ》の主将《しゅしょう》。
- 大将《たいしょう》が軍《ぐん》を指揮《しき》する。
- 戦国時代《せんごくじだい》の武将《ぶしょう》。

将 はねる

general［ヂェネラる］

いみ・ことば

1 ひきいる。集団《しゅうだん》をひきいる人《ひと》。●将《しょう》4軍《ぐん》。3主将《しゅしょう》。1大将《たいしょう》。4副将《ふくしょう》。1名将《めいしょう》。

2 これからしようとする。●将《しょう》2来《らい》。

もっとわかる

●「将棋《しょうぎ》だおし」は、一人《ひとり》がたおれると、ほかの人《ひと》もつぎつぎとたおれること。

なりたち

もとの字《じ》は「將」。「爿《しょう》（細長《ほそなが》い）」と「夕（肉《にく》）」と「寸（手《て》）」を合《あ》わせた形《かたち》。手《て》の指《ゆび》のうちでいちばん長《なが》い中指《なかゆび》のように、ほかよりも先頭《せんとう》に立《た》つようすで、「ひきいる」の意《い》を表《あらわ》した。

将将将将将将将将

尊

寸9画〔12画〕

音 ソン

訓 たっとい　とうとい　たっとぶ　とうとぶ

つかいかた

- 尊《とうと》い身分《みぶん》の人《ひと》に会《あ》う。
- 目上《めうえ》の人《ひと》を尊《とうと》ぶ。
- 尊敬《そんけい》の念《ねん》をいだく。
- 相手《あいて》の意見《いけん》を尊重《そんちょう》する。

尊 長《なが》く

respect［リスペクト］

いみ・ことば

1 とうとい。身分《みぶん》が高《たか》い。●尊厳《そんげん》。尊卑《そんぴ》。

2 うやまって大切《たいせつ》にする。●尊敬《そんけい》。尊重《そんちょう》。

3 相手《あいて》をうやまう気持《きも》ちを表《あらわ》すことば。●尊顔《そんがん》。尊父《そんぷ》。

もっとわかる

●四字熟語《よじじゅくご》…唯我独尊《ゆいがどくそん》（自分《じぶん》だけがえらいとうぬぼれること）

なりたち

●「酋（酒《さか》つぼ）」と「廾（両手《りょうて》）」の変形《へんけい》である「寸」を合《あ》わせた形《かたち》。酒《さか》つぼを重々《おもおも》しくささげ持《も》つようすで、「どっしりと重々《おもおも》しい」「とうとい」の意《い》を表《あらわ》した。

尊尊尊尊尊尊尊尊

就

九9画〔12画〕

音 シュウ　（ジュ）

訓 （つく）　（つける）

つかいかた

- 若《わか》くして王位《おうい》に就《つ》く。
- 就職《しゅうしょく》して社会《しゃかい》に出《で》る。
- 毎晩十時《まいばんじゅうじ》に就寝《しゅうしん》する。
- 会社《かいしゃ》の役員《やくいん》に就任《しゅうにん》する。
- 野球選手《やきゅうせんしゅ》になる夢《ゆめ》が成就《じょうじゅ》する。

就 点《てん》を忘《わす》れない

start［スタート］

いみ・ことば

1 役目《やくめ》や仕事《しごと》につく。●就学《しゅうがく》。就業《しゅうぎょう》。就職《しゅうしょく》。就寝《しゅうしん》。就任《しゅうにん》。去就《きょしゅう》。

2 なしとげる。できあがる。●成就《じょうじゅ》。

もっとわかる

●「成就《じょうじゅ》」は、願《ねが》いがかなうこと。

なりたち

●「京（高《たか》い台地《だいち》に高《たか》い建物《たてもの》がたつ）」と「尤（一《いっ》か所《しょ》に集《あつ》まる）」を合《あ》わせた形《かたち》。住《す》み心地《ごこち》のよい台地《だいち》に引《ひ》き寄《よ》せられて人々《ひとびと》が集中《しゅうちゅう》するようすで、ある物事《ものごと》に寄《よ》りそってくっつく意《い》を表《あらわ》した。

就就就就就就就就

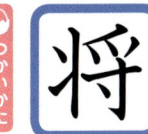

尺

尸1画〔4画〕

音 シャク
訓 ―

つき出《だ》さない

measure［メジャ］

つかいかた

- 評価《ひょうか》の尺度《しゃくど》を決《き》める。
- 尺貫法《しゃっかんほう》で表《あらわ》す。
- 縮尺《しゅくしゃく》五万分《ごまんぶん》の一《いち》の地図《ちず》。
- 巻《ま》き尺《じゃく》で長《なが》さを測《はか》る。

いみ・ことば

1. 長《なが》さの単位《たんい》。一寸《いっすん》の十倍《じゅうばい》。 ● 尺[1]八《しゃくはち》。尺[6]寸《しゃくすん》。尺[3]度《しゃくど》。尺▲[4]貫法《しゃっかんほう》。
2. 長《なが》さをはかる。長《なが》さ。 ● [6]縮尺《しゅくしゃく》。[6]巻《ま》き尺《じゃく》。

もっとわかる

- 「尺貫法《しゃっかんほう》」は、長《なが》さや重《おも》さをはかる昔《むかし》の方法《ほうほう》。一尺《いっしゃく》は、約《やく》三〇・三センチメートル。
- 「尺寸《しゃくすん》」は、ごくわずかなこと。

なりたち

⺸ → 尺

- 親指《おやゆび》とそのほかの指《ゆび》を、シャクトリムシのような形《かたち》に曲《ま》げて長《なが》さを測《はか》るようすで、長《なが》さの単位《たんい》である「しゃく」を表《あらわ》した。

尺 尺 尺 尺

届

尸5画〔8画〕

音 ―
訓 とどける とどく

上《うえ》につき出《だ》す

deliver［ディりヴァ］

つかいかた

- 郵便物《ゆうびんぶつ》が届《とど》く。
- 夜八時《よるはちじ》までに届《とど》ける。
- 役所《やくしょ》に書類《しょるい》を届《とど》け出《で》る。
- 会社《かいしゃ》に休暇届《きゅうかとどけ》を出《だ》す。
- 役所《やくしょ》に出生届《しゅっしょうとどけ》を提出《ていしゅつ》する。

いみ・ことば

1. 渡《わた》す。とどける。 ● 届《とど》け[1]先《さき》。[4]無届《むとど》け。
2. 申《もう》し出《で》る書類《しょるい》。とどけ。 ● [1]休▲暇届《きゅうかとどけ》。[4]欠[4]席届《けっせきとどけ》。▲婚▲姻届《こんいんとどけ》。[1]出[1]生届《しゅっしょうとどけ》。

もっとわかる

- 送《おく》り仮名《がな》…書類《しょるい》の意《い》の「届《とどけ》」は、ふつう送《おく》り仮名《がな》を送《おく》らない。

なりたち

「土」と「凵（穴《あな》）」を合《あ》わせて、穴《あな》にはまってつかえることを示《しめ》す「凷《かい》」に、「尸（しり）」をそえた形《かたち》。しりがつかえてそれ以《い》上進《じょうすす》めないようすで、「行《い》き着《つ》く」「とどく」の意《い》を表《あらわ》した。

届 届 届 届 届 届 届 届

展

尸7画〔10画〕

音 テン
訓 ―

この形《かたち》に注意《ちゅうい》

unfold［アンフォウるド］

つかいかた

- 眼下《がんか》に展開《てんかい》する雄大《ゆうだい》な景色《けしき》。
- 児童《じどう》の絵《え》を展示《てんじ》する。
- 絵《え》の展覧会《てんらんかい》を見《み》に行《い》く。
- 親展《しんてん》の手紙《てがみ》を受《う》け取《と》る。
- 産業《さんぎょう》が大《おお》いに発展《はってん》する。

いみ・ことば

1. 広《ひろ》げる。広《ひろ》げてならべる。 ● 展[5]示《てんじ》。展[6]覧[2]会《てんらんかい》。[2]親展《しんてん》。
2. のびる。広《ひろ》がる。 ● 展[3]開《てんかい》。[3]進展《しんてん》。[3]発展《はってん》。

もっとわかる

- 「親展《しんてん》」は、手紙《てがみ》などで、あて名《な》の人《ひと》が自分《じぶん》で開封《かいふう》して読《よ》んでほしい、の意《い》。

なりたち

[古字] → 展

- 古《ふる》い字《じ》は、「尸（しり）」と物《もの》を重《かさ》ねる形《かたち》と「衣（ころも）」を合《あ》わせた形《かたち》。重《おも》しをしりにしいて衣《ころも》のしわをのばすようすで、「平《たい》らに広《ひろ》げる」「のばす」の意《い》を表《あらわ》した。

展 展 展 展 展 展 展 展

6年

層

尸11画【14画】

音 ソウ
訓 —

層 「ソ」と書《か》かない

layer［れイア］

つかいかた

- 富裕《ふゆう》な**階層**《かいそう》の人々《ひとびと》。
- **高層**《こうそう》**ビル**が立《た》ち並《なら》ぶ。
- **若年層**《じゃくねんそう》に人気《にんき》のある店《みせ》。
- **上層部**《じょうそうぶ》の意見《いけん》を聞《き》く。
- **表層雪崩**《ひょうそうなだれ》が発生《はっせい》する。

いみ・ことば

1 つみ重《かさ》なる。つみ重《かさ》なったもの。 ●[2]高《こう》層《そう》。[5]断層《だんそう》。[2]地層《ちそう》。

2 社会《しゃかい》や人々《ひとびと》の区分《くぶん》。はんい。 ●[3]階層《かいそう》。[1]下層《かそう》。[1]上層部《じょうそうぶ》。[3]

3 人《ひと》の集《あつ》まり。 ●[4]観[3]客層《かんきゃくそう》。[6]若[1]年層《じゃくねんそう》。

もっとわかる

- ②のことばは、建築物《けんちくぶつ》などでは①の意《い》で使《つか》われる場合《ばあい》もある。

なりたち

もとの字《じ》は「層」。「曾《そう》（上《うえ》に重《かさ》なる）」と「尸（屋根《やね》）」を合《あ》わせた形《かたち》。階《かい》の重《かさ》なった建物《たてもの》を示《しめ》して、何重《なんじゅう》にも重《かさ》なる意《い》を表《あらわ》した。

層 層 層 層 層 層 層 層

己

己0画【3画】

音 コ（キ）
訓（おのれ）

己 上《うえ》にはねる

self［セるフ］

つかいかた

- **己**《おのれ》の弱点《じゃくてん》を知《し》る。
- **克己心**《こっきしん》の強《つよ》い人《ひと》。
- **自己紹介**《じこしょうかい》をする。
- 友人《ゆうじん》**知己**《ちき》を招《まね》く。
- **利己心**《りこしん》で行動《こうどう》する。

いみ・ことば

● **おのれ。わたし。自分《じぶん》。** ●▲克己心《こっきしん》。[2][2]自《じ》己《こ》。[2]知己《ちき》。[4]利己《りこ》。

もっとわかる

- 「克己心《こっきしん》」は、自分《じぶん》の欲望《よくぼう》に打《う》ち勝《か》つ心《こころ》。「克」は、打《う》ち勝《か》つ意《い》。●「知己《ちき》」は、親友《しんゆう》。知《し》り合《あ》い。●「利己心《りこしん》」は、自分《じぶん》の利益《りえき》だけを考《かんが》える心《こころ》。

なりたち

- ふせたものが起《お》き上《あ》がり、だんだんはっきりとした形《かたち》を現《あらわ》すようすを示《しめ》した形《かたち》。「おのれ」の意《い》を表《あらわ》した。

己 己 己

巻

己6画【9画】

音 カン
訓 まく まき

巻 上《うえ》にはねる

roll［ロウる］

つかいかた

- 海岸《かいがん》で**巻《ま》き貝**《がい》を拾《ひろ》う。
- **巻《ま》きずし**をつくる。
- 国宝《こくほう》の源氏物語《げんじものがたり》**絵巻**《えまき》。
- 上下《じょうげ》**二巻**《にかん》の小説《しょうせつ》。

いみ・ことば

1 まく。まとめる。 ●巻《ま》き[1]貝《がい》。[2]巻紙《まきがみ》。巻《ま》き[6]尺《じゃく》。[3]巻物《まきもの》。[2]絵巻《えまき》。[6]腹巻《はらま》き。

2 書物《しょもつ》。本《ほん》。 ●巻[2]頭《かんとう》。巻[4]末《かんまつ》。[1]下巻《げかん》。[1]上巻《じょうかん》。

もっとわかる

- 「一巻《いっかん》の終《お》わり」は、すべてが終《お》わること。また、死《し》ぬこと。

なりたち

巻 → 巻（巻）

- もとの字《じ》は「巻」。「𠔉」は「𢍏《けん》」が変《か》わったもの。「釆（ばらばらの米《こめ》つぶ）」と「廾（両手《りょうて》）」を合《あ》わせて、米《こめ》つぶをまくために、両手《りょうて》をまるめるようす。それに「㔾（しゃがんで背《せ》を丸《まる》める人《ひと》）」を合《あ》わせて、くるくると「まく」意《い》を表《あらわ》した。

巻 巻 巻 巻 巻 巻 巻 巻

幕

巾10画（13画）
音 マク バク
訓 ―

幕 ―長《なが》く

curtain [カートン]

つかいかた

- 舞台《ぶたい》の幕《まく》が開《あ》く。
- 暗幕《あんまく》をかける。
- プロ野球《やきゅう》が開幕《かいまく》する。
- 見本市《みほんいち》が閉幕《へいまく》する。
- 江戸《えど》幕府《ばくふ》の政治《せいじ》。

いみ・ことば

1. **まく。** ●3暗幕《あんまく》。3開幕《かいまく》。2黒幕《くろまく》。6閉幕《へいまく》。
2. **将軍《しょうぐん》が政治《せいじ》をするところ。** ●幕《ばく》4府《ふ》。幕《ばく》4末《まつ》。6討《とう》幕《ばく》。

もっとわかる

- 「幕《まく》」を使《つか》ったことば…幕《まく》を開《あ》ける（物事《ものごと》が始《はじ》まる）・幕《まく》を閉《と》じる（物事《ものごと》が終《お》わる）・幕《まく》を切《き》って落《お》とす（はなばなしく物事《ものごと》が始《はじ》まる）

なりたち

「莫《ばく》（かくれて見《み》えない）」と「巾（ぬの）」を合《あ》わせた形《かたち》で、中《なか》が見《み》えないように上《うえ》から垂《た》らした布《ぬの》を表《あらわ》した。

干

干0画（3画）
音 カン
訓 ほす （ひる）

干 ―上《うえ》の横棒《よこぼう》より長《なが》く

interfere [インタァフィア]

つかいかた

- ふとんを干《ほ》す。
- 川《かわ》の水《みず》が干上《ひあ》がる。
- あじの干物《ひもの》を売《う》る。
- 干害《かんがい》に見舞《みま》われる。
- 他人《たにん》に干渉《かんしょう》する。

いみ・ことば

1. **かかわる。立《た》ちいる。** ●干▲渉《かんしょう》。
2. **かわく。かわかす。** ●干《ひ》▲菓《が》1子《し》。干《ひ》3物《もの》。6潮《しお》干《ひ》▲狩《が》り。干《かん》4害《がい》。干《かん》6潮《ちょう》。干《かん》4満《まん》。

もっとわかる

- 「内政干渉《ないせいかんしょう》」は、ある国《くに》が自分《じぶん》で解決《かいけつ》すべき問題《もんだい》に、他《た》の国《くに》が口出《くちだ》しすること。

なりたち

Y → 𐀀 → 干

- 先《さき》が二《ふた》つに分《わ》かれた、太《ふと》くて長《なが》い棒《ぼう》をえがいた形《かたち》。敵《てき》をついたり身《み》を守《まも》ったりして、つき進《すす》むのに使《つか》われたところから、「おかす」「かかわる」の意《い》を表《あらわ》した。

幼

幺2画（5画）
音 ヨウ
訓 おさない

幼 ―はねる

very young [ヴェリィ ヤング]

つかいかた

- 幼《おさな》い弟《おとうと》の手《て》を引《ひ》く。
- 幼児《ようじ》の面倒《めんどう》を見《み》る。
- 幼少《ようしょう》のころを思《おも》い出《だ》す。
- 来年《らいねん》幼稚園《ようちえん》に入園《にゅうえん》する。
- かぶと虫《むし》の幼虫《ようちゅう》。

いみ・ことば

- **おさない。** ●幼《おさな》1子《ご》。幼《おさな》2友《とも》4達《だち》。幼《よう》4児《じ》。幼《よう》1女《じょ》。幼《よう》2少《しょう》。幼《よう》▲稚《ち》2園《えん》。幼《よう》1虫《ちゅう》。幼《よう》1年《ねん》。

もっとわかる

- 「幼友達《おさなともだち》」は、小《ちい》さいころからの友《とも》。幼《おさな》なじみ。

なりたち

8 → 𐀀 → 幺

- 「幺《よう》」は、蚕《かいこ》のまゆからとった生糸《きいと》のすがたで、「細《ほそ》くて小《ちい》さい」というイメージがある。それに「力（ちから）」をそえた「幼」は、小《ちい》さくて力《ちから》が弱《よわ》いようすで、「おさない」の意《い》を表《あらわ》した。

庁

广2画〔5画〕
音 チョウ
訓 ―

はねる

government office［ガヴァンメント オ(ー)フィス］

つかいかた
- 市役所《しやくしょ》の庁舎《ちょうしゃ》。
- 官庁街《かんちょうがい》を訪《おとず》れる。
- 定時《ていじ》に退庁《たいちょう》する。
- 気象庁《きしょうちょう》の台風情報《たいふうじょうほう》。
- 東京都庁《とうきょうとちょう》を見学《けんがく》する。

いみ・ことば

❶ **役所《やくしょ》。** ●庁舎《ちょうしゃ》。官庁《かんちょう》。県庁《けんちょう》。退庁《たいちょう》。登庁《とうちょう》。都庁《とちょう》。本庁《ほんちょう》。

❷ **国《くに》の行政機関《ぎょうせいきかん》の一《ひと》つ。** ●気象庁《きしょうちょう》。宮内庁《くないちょう》。消防庁《しょうぼうちょう》。文化庁《ぶんかちょう》。

もっとわかる
●「庁舎《ちょうしゃ》」は、官公庁《かんこうちょう》の建物《たてもの》。●「登庁《とうちょう》」は、役人《やくにん》が役所《やくしょ》に出勤《しゅっきん》すること。↕退庁《たいちょう》

なりたち
もとの字《じ》は「廳」。「聽《ちょう》」は、まっすぐに耳《みみ》をかたむけて聞《き》き取《と》るようす。それに「广（建物《たてもの》）」をそえて、意見《いけん》やうったえを聞《き》き取《と》る建物《たてもの》、「役所《やくしょ》」を表《あらわ》した。

座

广7画〔10画〕
音 ザ
訓 （すわる）

縦棒《たてぼう》は上《うえ》に長《なが》く

sit［スィット］

つかいかた
- 二人《ふたり》で向《む》かい合《あ》って座《すわ》る。
- 社長《しゃちょう》のいすに座《すわ》る。
- 自分《じぶん》の座席《ざせき》を探《さが》す。
- 夜空《よぞら》に光《ひか》る冬《ふゆ》の星座《せいざ》。

いみ・ことば

❶ **すわる。すわる場所《ばしょ》。** ●座高《ざこう》。座席《ざせき》。座談会《ざだんかい》。王座《おうざ》。正座《せいざ》。

❷ **集《あつ》まり。** ●座興《ざきょう》。講座《こうざ》。星座《せいざ》。満座《まんざ》。

❸ **劇団《げきだん》や劇場《げきじょう》のこと。** ●座長《ざちょう》。一座《いちざ》。

もっとわかる
●「座興《ざきょう》」は、その場《ば》を盛《も》り上《あ》げる歌《うた》や芸《げい》。●「座右《ざゆう》の銘《めい》」とは、いつも心《こころ》にとめて、自分《じぶん》のいましめとすることば。

なりたち

↓
坐

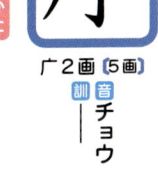

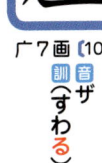

●「坐《ざ》」は、「向《む》き合《あ》う二人《ふたり》」と「土」を合《あ》わせて、二人《ふたり》が地面《じめん》にすわるようす。それに「广（家《いえ》）」をそえて、「すわる」「すわる場所《ばしょ》」の意《い》を表《あらわ》した。

6年

数字《すうじ》を使《つか》った四字熟語《よじじゅくご》③

三寒四温《さんかんしおん》…三日間《みっかかん》ほど寒《さむ》い日《ひ》が続《つづ》いたあとに四日間《よっかかん》ほどは暖《あたた》かい日《ひ》が続《つづ》き、それがくり返《かえ》される、冬《ふゆ》から春《はる》さきの気候《きこう》のこと。

三三五五《さんさんごご》…⬇36ページ

四角四面《しかくしめん》…まじめでかたくるしいこと。かしこまっていること。

四苦八苦《しくはっく》…⬇56ページ

四通八達《しつうはったつ》…道路《どうろ》や鉄道《てつどう》などが、あらゆる方角《ほうがく》に通《つう》じていること。

十中八九《じっちゅうはっく》…⬇38ページ

四分五裂《しぶんごれつ》…いくつにも分《わ》かれて、まとまりがなくなること。

四方八方《しほうはっぽう》…あらゆる方面《ほうめん》。あちらこちら。

四面楚歌《しめんそか》…まわりが敵《てき》ばかりで、味方《みかた》がいないこと。

十人十色《じゅうにんといろ》…多《おお》くの人《ひと》がいれば、考《かんが》え方《かた》や好《この》みなどは人《ひと》それぞれで、ちがいがあるということ。

十年一日《じゅうねんいちじつ》…長《なが》い年月《ねんげつ》にわたって、同《おな》じ状態《じょうたい》が続《つづ》いていること。

四六時中《しろくじちゅう》…⬇56ページ

＊439ページへ続《つづ》く

延

廴5画〔8画〕

音 エン

訓 のびる のべる のばす

延 左下《ひだりした》に

extend［イクステンド］

つかいかた

- うどんの生地《きじ》を延《の》ばす。
- 発表会《はっぴょうかい》を延期《えんき》する。
- 延長戦《えんちょうせん》に持《も》ちこむ。
- 試合《しあい》は雨天《うてん》順延《じゅんえん》だ。
- 事故《じこ》で電車《でんしゃ》が遅延《ちえん》する。

いみ・ことば

①広《ひろ》がる。のびる。●延長《えんちょう》。延命《えんめい》。

②おくれる。●延期《えんき》。順延《じゅんえん》。▲遅延《ちえん》。

③合《あ》わせた数《かず》。●延《の》べ人数《にんずう》。

もっとわかる

●「延命《えんめい》」は、命《いのち》をのばすこと。人《ひと》以外《いがい》についてもいう。●「順延《じゅんえん》」は、期日《きじつ》を順《じゅん》ぐりに先《さき》へのばすこと。

なりたち

 ↓ 延

●「ノ（横《よこ》にずれる）」と「止（足《あし》）」と「廴（のびる）」を合《あ》わせた形《かたち》。どこまでも足《あし》をのばして進《すす》むようすで、「のびる」「のばす」の意《い》を表《あらわ》した。

律

彳6画〔9画〕

音 リツ（リチ）

訓 ―

律 横棒《よこぼう》の長《なが》さに注意《ちゅうい》

rule［ルール］

つかいかた

- 一律《いちりつ》に値上《ねあ》げする。
- 学校《がっこう》の規律《きりつ》を守《まも》る。
- 美《うつく》しい旋律《せんりつ》をかなでる。
- ピアノの調律《ちょうりつ》を頼《たの》む。
- 法律《ほうりつ》の定《さだ》めに従《したが》う。

いみ・ことば

①決《き》まり。きそく。おきて。●律▲儀《りちぎ》。一律《いちりつ》。規律《きりつ》。自律神経《じりつしんけい》。不文律《ふぶんりつ》。法律《ほうりつ》。

②音《おと》の調子《ちょうし》。●律動《りつどう》。▲旋律《せんりつ》。調律《ちょうりつ》。

もっとわかる

●「リチ」の読《よ》みは、「律儀《りちぎ》」などに使《つか》われる。●「旋律《せんりつ》」は、さまざまな音《おと》が重《かさ》なってできる音《おと》の流《なが》れ。メロディー。

なりたち

 ↓ 律

●「彳（行《い》く）」と「聿（手《て》で筆《ふで》を立《た》てる）」を合《あ》わせた形《かたち》。人《ひと》の進《すす》むべき道《みち》を文書《ぶんしょ》にまとめるようすで、「おきて」や「決《き》まり」の意《い》を表《あらわ》した。

従

彳7画〔10画〕

音 ジュウ（ショウ）（ジュ）

訓 したがう したがえる

従 点《てん》のうち方《かた》に注意《ちゅうい》

follow［ファロウ］

つかいかた

- 家来《けらい》が王《おう》の命令《めいれい》に従《したが》う。
- 企業《きぎょう》の従業員《じゅうぎょういん》。
- 命令《めいれい》に従順《じゅうじゅん》な介助犬《かいじょけん》。
- 従来《じゅうらい》のやり方《かた》。
- 主従関係《しゅじゅうかんけい》を結《むす》ぶ。

いみ・ことば

①言《い》う通《とお》りにする。したがう。●従順《じゅうじゅん》。従属《じゅうぞく》。主従関係《しゅじゅうかんけい》。追従《ついじゅう》。服従《ふくじゅう》。

②仕事《しごと》につく。●従業員《じゅうぎょういん》。従事《じゅうじ》。

③前《まえ》から。ずっと。●従来《じゅうらい》。

もっとわかる

●「ショウ」の読《よ》みは、「従容《しょうよう》（落《お》ち着《つ》いたようす）」などのことばに使《つか》われる。

なりたち

 ↓  ↓ 从

●もとの字《じ》は「從」。「从（後《うし》ろの人《ひと》が前《まえ》の人《ひと》についていく）」と「彳（道《みち》）」と「止（足《あし》）」を合《あ》わせた形《かたち》で、「したがう」意《い》を表《あらわ》した。

6年

厳

⺍14画〔17画〕

音 ゲン（ゴン）
訓 （おごそか）きびしい

厳 点《てん》のうち方《かた》に注意《ちゅうい》

severe［スィヴィア］

つかいかた
- 母《はは》に厳《きび》しくしかられる。
- 神社《じんじゃ》の厳《おごそ》かな空気《くうき》。
- ここは土足厳禁《どそくげんきん》だ。
- 威厳《いげん》のある態度《たいど》。
- 生命《せいめい》の尊厳《そんげん》を守《まも》る。

いみ・ことば

❶ きびしい。●厳格《げんかく》。厳禁《げんきん》。厳守《げんしゅ》。厳重《げんじゅう》。厳正《げんせい》。厳選《げんせん》。厳密《げんみつ》。

❷ おごそか。●▲威厳《いげん》。▲荘厳《そうごん》。尊厳《そんげん》。

もっとわかる
●四字熟語《よじじゅくご》…謹厳実直《きんげんじっちょく》（つつしみ深《ぶか》く、まじめで正直《しょうじき》なようす）

なりたち
もとの字《じ》は「嚴」。「厳《がん》」は、固《かた》い岩《いわ》。「角《かど》があってごつごつしている」というイメージを示《しめ》す。それに「吅（やかましく言《い》う）」をそえた「嚴」は、角《かど》のあることばできつく言《い》うようすで、「きびしい」の意《い》を表《あらわ》した。

厳厳厳厳厳厳厳厳

若

艹5画〔8画〕

音 （ジャク）（ニャク）
訓 わかい（もしくは）

若 長《なが》く

young［ヤング］

つかいかた
- 彼《かれ》よりも二《ふた》つ若《わか》い。
- 広場《ひろば》に若者《わかもの》が集《あつ》まる。
- 若手《わかて》中心《ちゅうしん》のチーム。
- 若干《じゃっかん》のゆとりがある。
- 老若男女《ろうにゃくなんにょ》が一堂《いちどう》に会《かい》する。

いみ・ことば

❶ わかい。●若気《わかげ》。若手《わかて》。若葉《わかば》。若者《わかもの》。若年《じゃくねん》。老若男女《ろうにゃくなんにょ》。

❷ 少《すこ》し。いくらか。●若干《じゃっかん》。

もっとわかる
●特別《とくべつ》な読《よ》み方《かた》…若人《わこうど》 ●「若《も》しくは」は、「あるいは」「または」の意《い》。

なりたち

若

●女性《じょせい》がやわらかいかみの毛《け》を両手《りょうて》でとかしているようすをえがいた形《かたち》。「しなやかでやわらかい」というイメージから、「わかい」の意《い》を表《あらわ》した。

若若若若若若若若

著

艹8画〔11画〕

音 チョ
訓 （あらわす）（いちじるしい）

著 長《なが》く

author［オーさァ］

つかいかた
- 書物《しょもつ》を著《あらわ》す。
- 著《いちじる》しい進歩《しんぽ》をとげる。
- 著者《ちょしゃ》にサインをもらう。
- 世界的《せかいてき》に著名《ちょめい》な音楽家《おんがくか》。
- 三人《さんにん》の共著《きょうちょ》による本《ほん》。

いみ・ことば

❶ 本《ほん》を書《か》く。また、書《か》かれた本《ほん》。●著作《ちょさく》。著者《ちょしゃ》。著述《ちょじゅつ》。共著《きょうちょ》。編著《へんちょ》。

❷ 目立《めだ》っている。●著名《ちょめい》。▲顕著《けんちょ》。

もっとわかる
●「著作権《ちょさくけん》」とは、文芸《ぶんげい》や音楽《おんがく》などの著作物《ちょさくぶつ》から得《え》られる利益《りえき》を、作《つく》った本人《ほんにん》が独占《どくせん》できる権利《けんり》。●「顕著《けんちょ》」は、はっきりとしていて目立《めだ》つようす。

なりたち
「艹（草《くさ》）」と「者《しゃ》（くっつける）」を合《あ》わせた形《かたち》。下書《したが》きに文字《もじ》を書《か》きつけるようすで、「あらわす」の意《い》を表《あらわ》した。

著著著著著著著著

6年

蒸

艹10画〔13画〕

音 ジョウ

訓 （むす）（むれる）（むらす）

横棒《よこぼう》を忘《わす》れない　蒸

steam［スティーム］

つかいかた

- さつまいもを蒸《む》す。
- かまのご飯《はん》を蒸《む》らす。
- 蒸《む》し暑《あつ》い夜《よる》が続《つづ》く。
- 蒸気機関車《じょうききかんしゃ》が走《はし》る。
- コップの水《みず》が蒸発《じょうはつ》する。

いみ・ことば

①**気体《きたい》になって立《た》ちのぼる。**●[1]蒸気《じょうき》。[3]蒸発《じょうはつ》。[5]蒸留《じょうりゅう》。

②**むす。**●蒸《む》し[4]器《き》。[2]茶《ちゃ》わん蒸《む》し。

もっとわかる

●「蒸《む》す」は、蒸気《じょうき》で熱《ねつ》を加《くわ》える意《い》。「蒸《む》らす」は、食《た》べ物《もの》などをふっくらとさせるために、蒸気《じょうき》をこもらせる意《い》。

なりたち

「烝《じょう》」は、「丞《じょう》」と「灬（火《ひ》）」を合《あ》わせて、火《ひ》があがるようす。それに「艹（草《くさ》）」を合《あ》わせた「蒸」は、草《くさ》を焼《や》いて火《ひ》が立《た》ちのぼるようすで、「むす」の意《い》を表《あらわ》した。

蔵

艹12画〔15画〕

音 ゾウ

訓 （くら）

点《てん》を忘《わす》れない　蔵

store［ストー］

つかいかた

- 蔵書《ぞうしょ》を図書館《としょかん》に寄贈《きぞう》する。
- チューナー内蔵《ないぞう》のテレビ。
- 石油《せきゆ》の埋蔵量《まいぞうりょう》を調《しら》べる。
- 野菜《やさい》を冷蔵庫《れいぞうこ》にしまう。

いみ・ことば

①**しまいこむ。**●蔵書《ぞうしょ》。[4]愛蔵《あいぞう》。[3]所蔵《しょぞう》。[5]貯《ちょ》蔵《ぞう》。[2]内蔵《ないぞう》。▲埋蔵《まいぞう》。[4]無▲尽蔵《むじんぞう》。[4]冷蔵[3]庫《れいぞうこ》。

②**くら。**●[3]酒蔵《さかぐら》。[1]土蔵《どぞう》。

もっとわかる

●「無尽蔵《むじんぞう》」は、いくら取《と》ってもなくならないこと。また、そのようす。

なりたち

↓
臧

●もとの字《じ》は「藏」。「臧《ぞう》」は、体《からだ》の細長《ほそなが》いどれいのことで、「細長《ほそなが》い」というイメージを示《しめ》す。それに「艹（草《くさ》）」を合《あ》わせた「藏」は、作物《さくもつ》などを入《い》れる細長《ほそなが》い小屋《こや》、「くら」を表《あらわ》した。また、「しまう」の意《い》でも使《つか》われた。

退

辶6画〔9画〕

音 タイ

訓 しりぞく　しりぞける

この形《かたち》に注意《ちゅうい》　退

retreat［リトリート］

つかいかた

- 押《お》されて一歩《いっぽ》退《しりぞ》く。
- 客《きゃく》が退場《たいじょう》する。
- 敵《てき》の退路《たいろ》を断《た》つ。
- 食欲《しょくよく》が減退《げんたい》する。
- 一回戦《いっかいせん》で敗退《はいたい》する。

いみ・ことば

①**あとへ引《ひ》く。引《ひ》き下《さ》がる。しりぞく。**●退▲避《たいひ》。退[3]路《たいろ》。▲撃退《げきたい》。[2]後退《こうたい》。[4]敗退《はいたい》。

②**立《た》ちさる。**●退[2]室《たいしつ》。退[2]場《たいじょう》。

③**おとろえる。**●退[3]化《たいか》。[5]減退《げんたい》。▲衰退《すいたい》。

もっとわかる

●特別《とくべつ》な読《よ》み方《かた》…立《た》ち退《の》く

なりたち

↓
退

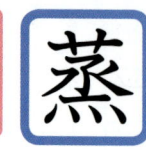

●古《ふる》い形《かたち》は、「彳」に「日（ひ）」と「夂（足《あし》を引《ひ》きずる）」を合《あ》わせた形《かたち》。日《ひ》が西《にし》へ落《お》ちていくように、うしろへ下《さ》がっていくようすを表《あらわ》した。

6年

遺

辶12画〔15画〕

音 イ（ユイ）

訓 ―

長《なが》めに

leave behind ［リーヴ ビハインド］

つかいかた

- 交通《こうつう》遺児《いじ》を救済《きゅうさい》する。
- 遺失物《いしつぶつ》を交番《こうばん》に届《とど》ける。
- 古墳《こふん》時代《じだい》の遺跡《いせき》。
- 祖父《そふ》の遺品《いひん》を整理《せいり》する。
- 祖父《そふ》の遺言《ゆいごん》を守《まも》る。

いみ・ことば

①あとに残《のこ》す。●遺業《いぎょう》。遺骨《いこつ》。遺作《いさく》。遺産《いさん》。遺跡《いせき》。遺族《いぞく》。遺伝《いでん》。遺品《いひん》。遺言《ゆいごん》。

②忘《わす》れる。●遺失物《いしつぶつ》。遺留《いりゅう》。

もっとわかる

●「ユイ」の読《よ》みは、「遺言《ゆいごん》」などのことばに使《つか》われる。

なりたち

「貴《き》」は、「物《もの》を入《い》れて中《なか》に満《み》たす」「物《もの》を出《だ》して中《なか》をあける」などのイメージを示《しめ》す。それと「辶（行《い》く）」を合《あ》わせた「遺」は、忘《わす》れたりなくしたりしてからっぽになるようすで、「わすれる」「なくす」の意《い》を表《あらわ》した。

郷

阝8画〔11画〕

音 キョウ（ゴウ）

訓 ―

幺としない

hometown ［ホウムタウン］

つかいかた

- 郷土《きょうど》に伝《つた》わる伝統芸能《でんとうげいのう》。
- 久《ひさ》しぶりに郷里《きょうり》に帰《かえ》る。
- 温泉郷《おんせんきょう》に立《た》ち寄《よ》る。
- 郷《ごう》に入《い》っては郷《ごう》に従《したが》え。
- 父《ちち》の故郷《こきょう》を訪《おとず》れる。

いみ・ことば

①ふるさと。いなか。村里《むらさと》。●郷愁《きょうしゅう》。郷土《きょうど》。郷里《きょうり》。帰郷《ききょう》。故郷《こきょう》。同郷《どうきょう》。望郷《ぼうきょう》。

②ところ。場所《ばしょ》。●温泉郷《おんせんきょう》。理想郷《りそうきょう》。

もっとわかる

●「郷《ごう》に入《い》っては郷《ごう》に従《したが》え」とは、その土地《とち》に住《す》むならそこの習俗《しゅうぞく》に従《したが》えという意《い》。

なりたち

●もとの字《じ》は「鄉」。「鄉《きょう》」は、「皀（食《た》べ物《もの》）」をはさんで二人《ふたり》の人《ひと》が向《む》かい合《あ》うようす。向《む》かい合《あ》う人《ひと》の代《か》わりに向《む》かい合《あ》う「阝（むら）」にしたのが「郷」で、となり合《あ》った村々《むらむら》を表《あらわ》した。

郵

阝8画〔11画〕

音 ユウ

訓 ―

ななめ右上《みぎうえ》に

mail ［メイる］

つかいかた

- 品物《しなもの》を郵送《ゆうそう》する。
- 郵便切手《ゆうびんきって》をはる。
- 郵便局《ゆうびんきょく》の入《い》り口《ぐち》。
- 郵便番号《ゆうびんばんごう》を記入《きにゅう》する。
- 郵便物《ゆうびんぶつ》を受《う》け取《と》る。

いみ・ことば

●手紙《てがみ》などを集《あつ》めたり、配《くば》ったりする制度《せいど》。ゆうびん。●郵送《ゆうそう》。郵便局《ゆうびんきょく》。

もっとわかる

●郵便《ゆうびん》のマークとして使《つか》われている「〒」は、「テイシン」の「テ」から作《つく》られたもの。「テイシン」は「逓信省《ていしんしょう》（昔《むかし》、郵《ゆう》便《びん》に関《かん》する仕事《しごと》を行《おこな》ったところ）」のこと。

なりたち

「垂（上《うえ》から下《した》にたれる）」と「阝（村《むら》や町《まち》）」を合《あ》わせた形《かたち》。中央《ちゅうおう》から地方《ちほう》へ情報《じょうほう》を下《お》ろしていくときに、「なかつぎ」となるところを表《あらわ》した。

降

阝7画〔10画〕

音 コウ
訓 おりる　おろす　ふる

この形《かたち》に注意《ちゅうい》

descend［ディセンド］

つかいかた

- バスから降《お》りる。
- 荷物《にもつ》を降《お》ろす。
- 午後《ごご》から雨《あめ》が降《ふ》る。
- 敵《てき》の攻撃《こうげき》に降参《こうさん》する。

いみ・ことば

1. **上《うえ》から下《した》にうつる。おりる。** ●降下《こうか》。降車口《こうしゃぐち》。昇降《しょうこう》。
2. **空《そら》から落《お》ちる。ふる。** ●降雨《こうう》。降雪《こうせつ》。
3. **負《ま》けて従《したが》う。** ●降参《こうさん》。降伏《こうふく》。投降《とうこう》。

もっとわかる

- 「降《お》りる」は、霜《しも》や露《つゆ》が生《しょう》じる意《い》でも使《つか》われる。
- 「降伏《こうふく》」は「降服《こうふく》」とも書《か》く。

なりたち

降

- 「夂（下向《したむ》きの足《あし》）」と「㐄（下向《したむ》きの足《あし》を反《はん》対《たい》に向《む》けたもの）」と「阝（おか）」を合《あ》わせた形《かたち》。おかや段《だん》をおりてくるようすで、高《たか》いところから「おりる」意《い》を表《あらわ》した。

除

阝7画〔10画〕

音 ジョ（ジ）
訓 のぞく

はねる

get rid of［ゲット リッド アヴ］

つかいかた

- 庭《にわ》の雑草《ざっそう》を取《と》り除《のぞ》く。
- 除雪《じょせつ》作業《さぎょう》に追《お》われる。
- 武装《ぶそう》を解除《かいじょ》する。
- 不要《ふよう》な文《ぶん》を削除《さくじょ》する。
- 一年間《いちねんかん》の学費《がくひ》を免除《めんじょ》する。

いみ・ことば

1. **とりのぞく。** ●除外《じょがい》。除去《じょきょ》。除名《じょめい》。解《かい》除《じょ》。削除《さくじょ》。排除《はいじょ》。免除《めんじょ》。
2. **割《わ》り算《ざん》。** ●除数《じょすう》。除法《じょほう》。加減乗除《かげんじょうじょ》。

もっとわかる

- 「ジ」の読《よ》みは、「掃除《そうじ》」などのことばに使《つか》われる。
- 「除数《じょすう》」は、割《わ》るほうの数《かず》。例《たと》えば、「十割《わ》る二」の二。

なりたち

「余《よ》（平《たい》らにおしのばす）」と「阝（盛《も》り土《つち》）」を合《あ》わせた形《かたち》。じゃまな盛《も》り土《つち》をおしのけて平《たい》らにするようすで、「おしのける」「のぞく」の意《い》を表《あらわ》した。

陛

阝7画〔10画〕

音 ヘイ
訓 ―

上《うえ》の横棒《よこぼう》より長《なが》く

つかいかた

- 陛下《へいか》のお話《はなし》を聞《き》く。
- 両陛下《りょうへいか》のお出《で》まし。
- 天皇陛下《てんのうへいか》の海外《かいがい》ご訪問《ほうもん》。
- 皇后陛下《こうごうへいか》の装《よそお》い。

いみ・ことば

- **天子《てんし》が住《す》んでいる建物《たてもの》にのぼる階《かい》段《だん》。** ●陛下《へいか》。

もっとわかる

- 「陛下《へいか》」は、天皇《てんのう》・皇后《こうごう》・天皇《てんのう》の母《はは》および祖母《そぼ》を尊敬《そんけい》して呼《よ》ぶことば。昔《むかし》の中国《ちゅうごく》で、宮殿《きゅうでん》の階段《かいだん》の下《した》（＝陛《へい》下《か》）にいる近臣《きんしん》を通《とお》して天子《てんし》に申《もう》し上《あ》げたところから、そう呼《よ》ぶようになった。

なりたち

「坒《へい》」は、「比《ひ》（並《なら》ぶ）」と「土」を合《あ》わせた形《かたち》。それに「阝（段々《だんだん》）」をそえたのが「陛」。段《だん》が順序《じゅんじょ》よく並《なら》んだ階段《かいだん》を示《しめ》して、天子《てんし》の宮殿《きゅうでん》の階段《かいだん》を表《あらわ》した。

6年

障

阝11画［14画］

音 ショウ

訓 （さわる）

障 長《なが》く

obstruct ［アブストラクト］

つかいかた

- 耳障《みみざわ》りな音《おと》がする。
- 障害物《しょうがいぶつ》競走《きょうそう》に出《で》る。
- 障子《しょうじ》に木《き》の影《かげ》が映《うつ》る。
- 自動車《じどうしゃ》が故障《こしょう》する。
- 社会保障《しゃかいほしょう》の充実《じゅうじつ》した国《くに》。

いみ・ことば

- さえぎる。さまたげになる。
- 障《しょう》[4]害《がい》。障子《しょうじ》[1]。[5]故障《こしょう》。[5]支障《ししょう》。[5]保障《ほしょう》。

もっとわかる

- 「障《さわ》る」は、気分《きぶん》や体《からだ》を害《がい》する。また、さまたげる意《い》。

なりたち

「章《しょう》」は、印《いん》やスタンプをおして模様《もよう》をあらわし出《だ》すことから、「平面《へいめん》におしあてる」というイメージを示《しめ》す。それに「阝（盛《も》り土《つち》）」をそえた「障」は、土《つち》のかべをおしあてて通行《つうこう》をさまたげるようすで、「さえぎる」の意《い》を表《あらわ》した。

障障障障障障障障

忘

心3画［7画］

音 （ボウ）

訓 わすれる

忘 と書《か》かない

forget ［フォゲット］

つかいかた

- 教室《きょうしつ》にかさを忘《わす》れる。
- 名前《なまえ》を度忘《どわす》れする。
- よく物忘《ものわす》れをする。
- 忘却《ぼうきゃく》のかなたに消《き》える。
- 十二月《じゅうにがつ》に忘年会《ぼうねんかい》を行《おこな》う。

いみ・ことば

- わすれる。
- 忘《わす》れ[2]形[1]見《がたみ》。[3]度忘《どわす》れ。[3]物忘《ものわす》れ。忘▲却《ぼうきゃく》。忘[1]年[2]会《ぼうねんかい》。[4]健忘▲症《けんぼうしょう》。

もっとわかる

- 「忘《わす》れ形見《がたみ》」は、死《し》んだ人《ひと》が生前愛用《せいぜんあいよう》していた品《しな》。親《おや》の死《し》んだあとに残《のこ》された子《こ》の意《い》でも使《つか》われる。
- 「健忘症《けんぼうしょう》」は、よく物忘《ものわす》れをする性質《せいしつ》。

なりたち

「亡《ぼう》（消《き》えて見《み》えなくなる）」と「心（こころ）」を合《あ》わせた形《かたち》。心《こころ》の中《なか》からイメージが消《き》えてなくなるようすで、「わすれる」の意《い》を表《あらわ》した。

忘忘忘忘忘忘忘

忠

心4画［8画］

音 チュウ

訓 ―

忠 はねる

loyalty ［ろイアるティ］

つかいかた

- 忠犬《ちゅうけん》ハチ公《こう》の銅像《どうぞう》。
- 友《とも》から忠告《ちゅうこく》される。
- 責任《せきにん》を忠実《ちゅうじつ》に果《は》たす。
- 心《こころ》から忠誠《ちゅうせい》をちかう。

いみ・ことば

1. まごころ。まこと。いつわりがない。
   - 忠[2]言《ちゅうげん》。忠[5]告《ちゅうこく》。忠[3]実《ちゅうじつ》。
2. 主人《しゅじん》に心《こころ》からつくすこと。
   - 忠[5]義《ちゅうぎ》。
   - 忠[6]勤《ちゅうきん》。忠[1]犬《ちゅうけん》ハチ[2]公《こう》。忠[4]臣《ちゅうしん》。忠[6]誠《ちゅうせい》。

もっとわかる

- 「忠言《ちゅうげん》」は、真心《まごころ》をこめて相手《あいて》の悪《わる》いところを指摘《してき》すること。忠告《ちゅうこく》のことば。「忠言《ちゅうげん》、耳《みみ》に逆《さか》らう」とは、役《やく》に立《た》つ忠《ちゅう》告《こく》ほど聞《き》きづらいものだということ。

なりたち

「中《ちゅう》（かたよらない）」と「心（こころ）」を合《あ》わせた形《かたち》。かたよらずにすみずみまで行《い》き届《とど》いた心《こころ》、「真心《まごころ》」を表《あらわ》した。

忠忠忠忠忠忠忠忠

6年

恩

心6画〔10画〕
訓 —
音 オン

はねる

grace［グレイス］

つかいかた

- 恩愛《おんあい》の情《じょう》が深《ふか》い。
- 太陽《たいよう》の恩恵《おんけい》に浴《よく》する。
- 高校時代《こうこうじだい》の恩師《おんし》。
- 彼《かれ》は命《いのち》の恩人《おんじん》だ。
- 謝恩会《しゃおんかい》に出席《しゅっせき》する。

いみ・ことば

- めぐみ。人《ひと》から受《う》けるなさけ。
- 恩着《おんき》せがましい。恩知《おんし》らず。恩愛《おんあい》（おんない）。恩義《おんぎ》。▲恩恵《おんけい》。恩情《おんじょう》。謝恩会《しゃおんかい》。報恩《ほうおん》。

もっとわかる

- 「恩着《おんき》せがましい」は、自分《じぶん》のしたことに対《たい》して、相手《あいて》に無理《むり》やり感謝《かんしゃ》させるような厚《あつ》かましい態度《たいど》。

なりたち

「因《いん》（上《うえ》にのる）」と「心（こころ）」を合《あ》わせた形《かたち》。思《おも》いやりが心《こころ》の上《うえ》にのって、ありがたいと思《おも》わせるようすで、「めぐみ」の意《い》を表《あらわ》した。

憲

心12画〔16画〕
訓 —
音 ケン

王と書《か》かない

constitution［カンスティテューション］

つかいかた

- 五月三日《ごがつみっか》は憲法記念日《けんぽうきねんび》だ。
- 違憲判決《いけんはんけつ》が出《だ》される。
- 児童憲章《じどうけんしょう》の理念《りねん》。
- 立憲政治《りっけんせいじ》の原則《げんそく》を守《まも》る。

いみ・ことば

- いちばんもとになる決《き》まり。おきて。
- 憲章《けんしょう》。憲法《けんぽう》。▲違憲《いけん》。合憲《ごうけん》。立憲《りっけん》。

もっとわかる

- 「憲章《けんしょう》」は、国《くに》などが定《さだ》めた重要《じゅうよう》な決《き》まり。
- 「立憲《りっけん》」は、憲法《けんぽう》を制定《せいてい》すること。「立憲政治《りっけんせいじ》」は、その憲法《けんぽう》に基《もと》づく政治《せいじ》。

なりたち

↓憲

- 「害（とちゅうでとめる）」を略《りゃく》したものと「罒（目《め》）」と「心（こころ）」を合《あ》わせた形《かたち》。目《め》や心《こころ》から生《う》まれる人間《にんげん》の欲《よく》や勝手《かって》なふるまいをおさえるための「わく」を示《しめ》して、「おきて」の意《い》を表《あらわ》した。

我

戈3画〔7画〕
訓 われ　わ
音 （ガ）

点《てん》を忘《わす》れない

self［セるフ］

つかいかた

- 我先《われさき》にと飛《と》び出《だ》す。
- 我《わ》が家《や》にたどり着《つ》く。
- どこまでも我《が》を通《とお》す。
- 自我《じが》に目覚《めざ》める。

いみ・ことば

- わたし。自分《じぶん》。
- 我《わ》が物顔《ものがお》。我《わ》が家《や》。我意《がい》。我流《がりゅう》。自我《じが》。

もっとわかる

- 「我《わ》が物顔《ものがお》」は、それがさも自分《じぶん》のためにあるかのような顔《かお》をして勝手気《かってき》ままにふるまうこと。
- 「我《が》を通《とお》す」は、自分《じぶん》の考《かんが》えをおし通《とお》す意《い》。
- 四字熟語《よじじゅくご》…我田引水《がでんいんすい》（自分《じぶん》に都合《つごう》のいいことばかり言《い》ったり行《おこな》ったりすること）

なりたち

↓↓↓我

- ギザギザした刃《は》を持《も》ち、柄《え》のついた武器《ぶき》をえがいた形《かたち》。のち、「自分《じぶん》」の意《い》で使《つか》われるようになった。

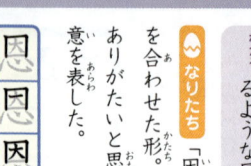

批

扌4画〔7画〕
音 ヒ
訓 ―

批 北と書《か》かない

criticize［クリティサイズ］

つかいかた

- 国際条約《こくさいじょうやく》を批准《ひじゅん》する。
- 研究論文《けんきゅうろんぶん》を批正《ひせい》する。
- 友人《ゆうじん》の行《おこな》いを批判《ひはん》する。
- 作品《さくひん》を批評《ひひょう》する。
- 非《ひ》を認《みと》めて自己批判《じこひはん》をする。

いみ・ことば

- よしあしを決《き》める。
- 批准《ひじゅん》。批正《ひせい》。批判《ひはん》。批評《ひひょう》。

もっとわかる

- 「批准《ひじゅん》」は、ほかの国《くに》と結《むす》んだ条約《じょうやく》を、国《くに》として正式《せいしき》に認《みと》めること。
- 「批正《ひせい》」は、批判《ひはん》して訂正《ていせい》すること。
- 「自己批判《じこひはん》」は、自分《じぶん》の発言《はつげん》や行《おこな》いの誤《あやま》りを認《みと》めて、自分《じぶん》で自分《じぶん》を批判《ひはん》すること。

なりたち

「比《ひ》（並《なら》べる）」と「扌（手《て》）」を合《あ》わせた形《かたち》。二《ふた》つのものを並《なら》べて、よしあしを決《き》める意《い》を表《あらわ》した。

拡

扌5画〔8画〕
音 カク
訓 ―

拡 折《お》る

enlarge［インらーヂ］

つかいかた

- 核《かく》の拡散《かくさん》を防止《ぼうし》する。
- 工場《こうじょう》の設備《せつび》を拡充《かくじゅう》する。
- 拡声器《かくせいき》を使《つか》って話《はな》す。
- 虫眼鏡《むしめがね》で拡大《かくだい》する。
- 国道《こくどう》の拡幅工事《かくふくこうじ》を行《おこな》う。

いみ・ことば

- 大《おお》きくする。ひろげる。ひろがる。
- 拡散《かくさん》。拡充《かくじゅう》。拡声器《かくせいき》。拡大《かくだい》。拡張《かくちょう》。拡幅《かくふく》。

もっとわかる

- 「核《かく》の拡散《かくさん》」は、核兵器《かくへいき》が広《ひろ》がり散《ち》らばること。「核拡散防止条約《かくかくさんぼうしじょうやく》」という国際条約《こくさいじょうやく》がある。
- 「拡声器《かくせいき》」は、遠《とお》くまで聞《き》こえるように、音声《おんせい》を大《おお》きくする装置《そうち》。ラウドスピーカー。
- 「拡《かく》幅《ふく》」は、道《みち》はばを広《ひろ》げること。

なりたち

もとの字《じ》は「擴」。「廣《こう》（広《ひろ》い）」と「扌（手《て》）」を合《あ》わせた形《かたち》で、「ひろげる」の意《い》を表《あらわ》した。

承

手4画〔8画〕
音 ショウ
訓 （うけたまわる）

承 はねる

agree to［アグリー トゥ］

つかいかた

- 意見《いけん》を承《うけたまわ》る。
- 快《こころよ》く承知《しょうち》する。
- 提案《ていあん》が承認《しょうにん》される。
- とても承服《しょうふく》できない。
- 伝統芸能《でんとうげいのう》を継承《けいしょう》する。

いみ・ことば

1. 聞《き》き入《い》れる。
- 承知《しょうち》。承認《しょうにん》。了承《りょうしょう》。

2. 受《う》けつぐ。引《ひ》きつぐ。
- 継承《けいしょう》。伝承《でんしょう》。

もっとわかる

- 「起承転結《きしょうてんけつ》」とは、文章《ぶんしょう》を構成《こうせい》する方法《ほうほう》。「起《き》」で書《か》きおこし、「承《しょう》」でその内容《ないよう》を受《う》け、「転《てん》」で変化《へんか》させ、「結《けつ》」でしめくくる。

なりたち

丞

- 「丞《じょう》」は、穴《あな》に落《お》ちた人《ひと》を両手《りょうて》で持《も》ち上《あ》げるようす。それに「手（て）」を合《あ》わせて、うやうやしく「いただく」意《い》を表《あらわ》した。

6年

担

扌5画〔8画〕
音 タン
訓 （かつぐ）（になう）

且と書《か》かない
担
bear［ベア］

つかいかた
- 祭《まつ》りのみこしを担《かつ》ぐ。
- 重要《じゅうよう》な役割《やくわり》を担《にな》う。
- けが人《にん》を担架《たんか》で運《はこ》ぶ。
- 担任《たんにん》の先生《せんせい》が教室《きょうしつ》に来《く》る。

いみ・ことば
1 かつぐ。になう。●担架《たんか》。3荷担《かたん》。
2 引《ひ》き受《う》ける。●2担当《たんとう》。5担任《たんにん》。2分担《ぶんたん》。

もっとわかる
●「荷担《かたん》」は、荷物《にもつ》をかつぐこと。転《てん》じて、仲《なか》間《ま》として力《ちから》をかすこと。「加担《かたん》」とも書《か》く。

なりたち
●もとの字《じ》は「擔」。 → 詹　「詹《せん》」は、高《たか》いところからたくさんのことばを発《はっ》するようすから、「重《じゅう》圧《あつ》をかける」「重《おも》みがかかる」というイメージを示《しめ》す。それに「扌（手《て》）」を合《あ》わせた「擔」は、手《て》で持《も》ち上《あ》げて、肩《かた》に重《おも》い荷物《にもつ》を受《う》け止《と》めるようすで、「かつぐ」「になう」の意《い》を表《あらわ》した。

拝

扌5画〔8画〕
音 ハイ
訓 おがむ

横棒《よこぼう》は四本《よんほん》
拝
worship［ワーシップ］

つかいかた
- 資料《しりょう》を拝見《はいけん》する。
- お知恵《ちえ》を拝借《はいしゃく》したい。
- 先生《せんせい》の手紙《てがみ》を拝読《はいどく》する。
- 神社《じんじゃ》に参拝《さんぱい》する。
- 祖先《そせん》を崇拝《すうはい》する。

いみ・ことば
1 頭《あたま》を下《さ》げる。おがむ。●3拝礼《はいれい》。4参拝《さんぱい》。
2 自分《じぶん》を低《ひく》めて、相手《あいて》に尊敬《そんけい》の気持《きも》ちを表《あらわ》すことば。●1拝見《はいけん》。4拝借《はいしゃく》。2拝読《はいどく》。

もっとわかる
●四字熟語《よじじゅくご》…三拝九拝《さんぱいきゅうはい》（何度《なんど》も頭《あたま》を下《さ》げてたのむこと）

なりたち
●もとの字《じ》は「拜」。 → 拜（拝）　三本《さんぼん》の枝《えだ》がついた玉《たま》ぐしの形《かたち》が変化《へんか》した「手」と「扌（手《て》）」を合《あ》わせた形《かたち》。神《かみ》に供《そな》え物《もの》をして頭《あたま》を下《さ》げるようすを表《あらわ》した。

捨

扌8画〔11画〕
音 シャ
訓 すてる

上《うえ》の横棒《よこぼう》より長《なが》く
捨
discard［ディスカード］

つかいかた
- ゴミを捨《す》てる。
- 捨《す》て身《み》の覚悟《かくご》で戦《たたか》う。
- 名前《なまえ》を呼《よ》び捨《す》てにする。
- 一《いち》の位《くらい》を四捨五入《ししゃごにゅう》する。

いみ・ことば
1 手放《てばな》す。すてる。●捨《す》て1石《いし》。捨《す》て1金《がね》。捨《す》て3身《み》。6呼《よ》び捨《す》て。3取捨《しゅしゃ》。
2 お金《かね》や物《もの》を寄付《きふ》する。●5喜捨《きしゃ》。

もっとわかる
●「捨《す》て身《み》」は、身《み》の危険《きけん》をかえりみず、全力《ぜんりょく》で行《おこな》うこと。●「捨《す》て鉢《ばち》」は、もうどうにでもなれという気持《きも》ちで、やけになること。

なりたち
「舎《しゃ》（ゆったりと広《ひろ》げてのばす）」と「扌（手《て》）」を合《あ》わせた形《かたち》。にぎっている手《て》を広《ひろ》げて中《なか》の物《もの》をほうるようすで、「すてる」の意《い》を表《あらわ》した。

6年

推

扌8画【11画】
音 スイ
訓 (おす)

左下《ひだりした》に

recommend [レカメンド]

つかいかた
- 計画《けいかく》を推《お》し進《すす》める。
- 友達《ともだち》を推薦《すいせん》する。
- 推測《すいそく》でものを言《い》う。
- 事件《じけん》の真相《しんそう》を推理《すいり》する。

いみ・ことば

① すすめる。おす。
● 推挙《すいきょ》。推進《すいしん》。推▲薦《すいせん》。

② 見当《けんとう》をつける。おしはかる。
● 推察《すいさつ》。推測《すいそく》。推定《すいてい》。推量《すいりょう》。推論《すいろん》。類推《るいすい》。

もっとわかる
● 「推▲敲《すいこう》」とは、詩文《しぶん》の表現《ひょうげん》をいろいろ練《ね》って考《かんが》えること（例 原稿《げんこう》を推▲敲《すいこう》する）。

なりたち

↓ 隹

● 「隹《すい》」は、尾《お》が短《みじか》くてずんぐりした鳥《とり》のすがたで、「ずっしりと重《おも》い」「一点《いってん》に重《おも》みをかける」というイメージを示《しめ》す。それと「扌(手《て》)」を合《あ》わせた「推」は、手《て》で重《おも》みをかけておしつけるようすで、「おす」の意《い》を表《あらわ》した。

推 推 推 推 推 推 推 推

探

扌8画【11画】
音 タン
訓 (さぐる)
さがす

曲《ま》げる

explore [イクスプろー]

つかいかた
- 引《ひ》き出《だ》しの中《なか》を探《さが》す。
- 宝《たから》のありかを探《さが》し出《だ》す。
- 探《さが》し物《もの》をする。
- 暗《くら》やみを手探《てさぐ》りで進《すす》む。
- 無人島《むじんとう》を探検《たんけん》する。

いみ・ことば

● さがし求《もと》める。さがす。
● 探検《たんけん》。探《たん》▲索《さく》。探知《たんち》。探▲偵《たんてい》。探訪《たんぼう》。

もっとわかる
● 同音異義語《どうおんいぎご》「タンキュウ」…「探求《たんきゅう》」は、さがし求《もと》めること（例 幸福《こうふく》の探求《たんきゅう》）。「探《たん》究《きゅう》」は、調《しら》べてみきわめること（例 真理《しんり》の探究《たんきゅう》）。● 「探訪《たんぼう》」は、その場《ば》に行《い》って、知《し》られていない実態《じったい》などをさぐること。

なりたち
「罙《しん》(おく深《ふか》く求《もと》める)」と「扌(手《て》)」を合《あ》わせた形《かたち》で、手《て》でおく深《ふか》くまで「さぐる」意《い》を表《あらわ》した。

探 探 探 探 探 探 探 探

6年

数字《すうじ》を使《つか》った四字熟語《よじじゅくご》④

森羅万象《しんらばんしょう》➡82ページ

千軍万馬《せんぐんばんば》…多《おお》くの軍勢《ぐんぜい》と多《おお》くの軍馬《ぐんば》。また、経験《けいけん》が豊《ゆた》かでかけひきを得意《とくい》とすること。

千載一遇《せんざいいちぐう》…千年《せんねん》に一度《いちど》しかないほどの、よい機会《きかい》。

千差万別《せんさばんべつ》…➡52ページ

千編一律《せんぺんいちりつ》…どれも同《おな》じようで、おもしろみがないこと。
※千《せん》もある詩《し》が、どれも同《おな》じ調子《ちょうし》であるということから。「律《りつ》」は調子《ちょうし》のこと。

朝三暮四《ちょうさんぼし》…➡157ページ

二者択一《にしゃたくいつ》…➡255ページ

二人三脚《ににんさんきゃく》…二人《ふたり》で力《ちから》を合《あ》わせて物事《ものごと》を行《おこな》うこと。

八面六臂《はちめんろっぴ》…一人《ひとり》で、多《おお》くの方面《ほうめん》で活躍《かつやく》すること。

八方美人《はっぽうびじん》…だれとでも調子《ちょうし》よく付《つ》き合《あ》う人《ひと》。

百戦錬磨《ひゃくせんれんま》…何度《なんど》も戦《たたか》ってきたえられること。

百発百中《ひゃっぱつひゃくちゅう》…➡95ページ

揮

扌9画〔12画〕

音 キ

訓 ―

揮（長《なが》めに）

direct［ディレクト］

つかいかた

- ガソリンが揮発《きはつ》する。
- 揮発油《きはつゆ》で汚《よご》れを取《と》る。
- 楽団《がくだん》の指揮《しき》をする。
- 指揮権《しきけん》を発動《はつどう》する。
- 実力《じつりょく》を存分《ぞんぶん》に発揮《はっき》する。

いみ・ことば

1. ふるう。ふり回《まわ》す。● [3]指揮《しき》。[3]発揮《はっき》。
2. まき散《ち》らす。とび散《ち》る。● 揮発《きはつ》[3]。

もっとわかる

- 「揮発《きはつ》」は、常温《じょうおん》で液体《えきたい》が気体《きたい》になること。「揮発油《きはつゆ》」は、ガソリン。また、汚《よご》れ落《お》としなどに使《つか》うベンジンのこと。
- 「指揮権《しきけん》」は、指図《さしず》する権利《けんり》。とくに、法務大臣《ほうむだいじん》が検察官《けんさつかん》を指揮《しき》監督《かんとく》する権限《けんげん》。

なりたち

「軍《ぐん》（丸《まる》くめぐる）」と「扌（手《て》）」を合《あ》わせた形《かたち》。手《て》をぐるぐるとふり回《まわ》すようすで、「ふるう」の意《い》を表《あらわ》した。

揮 揮 揮 揮 揮 揮 揮 揮

操

扌13画〔16画〕

音 ソウ

訓 （みさお）（あやつる）

操（上《うえ》の口を大《おお》きく書《か》く）

manipulate［マニピュれイト］

つかいかた

- 人形《にんぎょう》をたくみに操《あやつ》る。
- パソコンを操作《そうさ》する。
- 旅客機《りょかっき》の操縦席《そうじゅうせき》に座《すわ》る。
- 節操《せっそう》のない人《ひと》。

いみ・ことば

1. 思《おも》い通《どお》りに動《うご》かす。あやつる。● 操業《そうぎょう》[3]。操作《そうさ》[2]。操縦《そうじゅう》[6]。体操《たいそう》[2]。
2. 変《か》わらない考《かんが》えや心《こころ》。みさお。● 操行《そうこう》[2]。節操《せっそう》[4]。

もっとわかる

- 「節操《せっそう》」は、自分《じぶん》の信《しん》じる考《かんが》えをかたく守《まも》って変《か》えないこと。

なりたち

- 「喿《そう》」は、「口」三《みっ》つと「木（き）」を合《あ》わせて、鳥《とり》が木《き》の上《うえ》で口々《くちぐち》にさわぐようす。せわしなく動《うご》くというイメージを示《しめ》す。それに「扌（手《て》）」をそえて、手先《てさき》を動《うご》かしてあやつる意《い》を表《あらわ》した。

操 操 操 操 操 操 操 操

敬

攵8画〔12画〕

音 ケイ

訓 うやまう

敬（はねる）

respect［リスペクト］

つかいかた

- 年長者《ねんちょうしゃ》を敬《うやま》う。
- 友達《ともだち》に敬意《けいい》をはらう。
- バッターを敬遠《けいえん》する。
- 敬語《けいご》の使《つか》い方《かた》を学《まな》ぶ。

いみ・ことば

- 地位《ちい》や身分《みぶん》の高《たか》い人《ひと》に礼《れい》をつくす。うやまう。● 敬意《けいい》[3]。敬遠《けいえん》[2]。敬礼《けいれい》[3]。失敬《しっけい》[4]。尊敬《そんけい》[6]。

もっとわかる

- 「敬遠《けいえん》」は、苦手《にがて》な人《ひと》などに対《たい》して、うやまうふりをして近《ちか》づかないこと。

なりたち

- 「苟」は、おどろいて髪《かみ》を逆立《さかだ》て、体《からだ》を緊《きん》張《ちょう》させるようす。「身《み》を引《ひ》きしめる」というイメージを示《しめ》す。それに「攵（動作《どうさ》のしるし）」を合《あ》わせた「敬」は、地位《ちい》や身分《みぶん》の高《たか》い人《ひと》の前《まえ》で、身《み》を引《ひ》きしめてかしこまるようすで、「つつしむ」「うやまう」の意《い》を表《あらわ》した。

敬 敬 敬 敬 敬 敬 敬 敬

6年

敵

攵11画〔15画〕
音 テキ
訓 (かたき)

つかいかた
- 敵《かたき》を討《う》つ。
- 敵《てき》のゴールを目指《めざ》す。
- 敵意《てきい》を感《かん》じる。
- 今度《こんど》の相手《あいて》は強敵《きょうてき》だ。
- プロに匹敵《ひってき》する実力《じつりょく》。

冏と書《か》かない

enemy［エナミィ］

いみ・ことば

❶ 戦《たたか》う相手《あいて》。てき。 ●敵討《かたきう》ち。敵役《かたきやく》。敵意《てきい》。敵軍《てきぐん》。敵国《てきこく》。敵視《てきし》。敵兵《てきへい》。無敵《むてき》。

❷ はりあう。 ●敵対《てきたい》。▲匹敵《ひってき》。

もっとわかる
- 四字《よじ》熟語《じゅくご》…大胆不敵《だいたんふてき》（度胸《どきょう》があって少《すこ》しも恐《おそ》れないようす。「不敵《ふてき》」は、敵《てき》を敵《てき》とも思《おも》わないこと）
- 「目《め》の敵《かたき》にする」は、見《み》るたびに憎《にく》しみを向《む》けること。

なりたち
「商《てき》（まっすぐに向《む》き合《あ》う）」と「攵（動作《どうさ》のしるし）」を合《あ》わせた形《かたち》で、まっすぐに向《む》かってはり合《あ》う意《い》を表《あらわ》した。

映

日5画〔9画〕
音 エイ
訓 うつる　うつす　(はえる)

つかいかた
- 湖面《こめん》に自分《じぶん》の顔《かお》が映《うつ》る。
- 夕日《ゆうひ》に山《やま》が映《は》える。
- 美《うつく》しい夕映《ゆうば》え。
- アジアの映画《えいが》を見《み》る。
- テレビ画面《がめん》の映像《えいぞう》。

左右《さゆう》につき出《だ》す

reflect［リフレクト］

いみ・ことば

❶ 光《ひかり》をあててうつす。 ●映画《えいが》。映写《えいしゃ》。映像《えいぞう》。上映《じょうえい》。放映《ほうえい》。

❷ かがやく。はえる。 ●夕映《ゆうば》え。

もっとわかる
- 「映《は》える」は、光《ひかり》に照《て》らされてかがやく意《い》。「夕映《ゆうば》え」は、空《そら》や物《もの》などが夕日《ゆうひ》に照《て》らされて光《ひか》りかがやくこと。

なりたち
「央《おう》（くっきりと分《わ》かれる）」と「日（ひ）」を合《あ》わせた形《かたち》。日光《にっこう》に照《て》らされ、光《ひかり》と物《もの》かげの境《さかい》がくっきりと分《わ》かれるようすで、物の姿《すがた》がくっきりと「うつる」意《い》を表《あらわ》した。

6年

晩

日8画〔12画〕
音 バン
訓 ―

つかいかた
- 晩《ばん》ご飯《はん》の仕度《したく》をする。
- 晩秋《ばんしゅう》の雑木林《ぞうきばやし》。
- 幸《しあわ》せな晩年《ばんねん》を過《す》ごす。
- 朝晩《あさばん》は寒《さむ》い。
- 父《ちち》は毎晩《まいばん》帰《かえ》りが遅《おそ》い。

はねる

evening［イーヴニング］

いみ・ことば

❶ 日《ひ》ぐれ。ばん。 ●晩《ばん》ご飯《はん》。朝晩《あさばん》。今晩《こんばん》。昨晩《さくばん》。毎晩《まいばん》。明晩《みょうばん》。

❷ 時期《じき》がおそい。 ●晩夏《ばんか》。晩秋《ばんしゅう》。晩春《ばんしゅん》。晩冬《ばんとう》。晩年《ばんねん》。大器晩成《たいきばんせい》。

もっとわかる
- 四字《よじ》熟語《じゅくご》…大器晩成《たいきばんせい》（大人物《だいじんぶつ》は、年《とし》とともに実力《じつりょく》をつけるということ）
- 「晩年《ばんねん》」は、人《ひと》の一生《いっしょう》の終《お》わりの時期《じき》。老年《ろうねん》。

なりたち
「免《めん》（やっと通《とお》りぬける）」と「日（ひ）」を合《あ》わせた形《かたち》。やっとのことで物《もの》が見《み》通《とお》せる時刻《じこく》を示《しめ》して、「よる」の意《い》を表《あらわ》した。

暖

日9画〔13画〕

音 ダン
訓 あたたか　あたたかい　あたたまる　あたためる

暖（長めに）

warm［ウォーム］

つかいかた

- 暖《あたた》かい春《はる》の日差《ひざ》し。
- 部屋《へや》を暖《あたた》める。
- 暖房《だんぼう》のきいた部屋《へや》。
- 寒暖《かんだん》の差《さ》が大《おお》きい。

いみ・ことば

- **あたたかい。あたたまる。**
- 暖色《だんしょく》[2]。暖冬《だんとう》[2]。暖房《だんぼう》▲。暖流《だんりゅう》[3]。暖炉《だんろ》▲。温暖《おんだん》[3]。寒暖《かんだん》[3]。

もっとわかる

- 「暖色《だんしょく》」は、あたたかい感《かん》じのする色《いろ》。赤《あか》や黄色《きいろ》など。↔寒色《かんしょく》

なりたち

爰

- 「爰《えん》」は、「爪（下向《したむ》きの手《て》）」と「垂《た》れたひも」と「又（上向《うえむ》きの手《て》）」を合《あ》わせて、ひもを引《ひ》っ張《ば》ったりゆるめたりするようす。「たるんでゆるくなる」というイメージを示《しめ》す。それに「日（ひ）」をそえた「暖」は、日差《ひざ》しがやわらかくなるようすで、「あたたかい」の意《い》を表《あらわ》した。

暮

日10画〔14画〕

音（ボ）
訓 くれる　くらす

暮（長く）

get dark［ゲット ダーク］

つかいかた

- 日《ひ》が暮《く》れる。
- 毎日元気《まいにちげんき》に暮《く》らす。
- 辺《あた》りに暮色《ぼしょく》がせまる。
- お歳暮《せいぼ》を届《とど》ける。

いみ・ことば

1. **日《ひ》がくれる。** 夕暮《ゆうぐ》れ[1]。暮色《ぼしょく》[2]。
2. **年《とし》がくれる。** お歳暮《せいぼ》▲。
3. **生活《せいかつ》する。くらす。** 暮《く》らし。

もっとわかる

- 「暮色《ぼしょく》」は、夕暮《ゆうぐ》れのうす暗《ぐら》い感《かん》じ。
- 「お歳暮《せいぼ》」は、年末《ねんまつ》の贈《おく》り物《もの》。

なりたち

莫

- 「莫《ばく》」は、「屮（草《くさ》）」四《よっ》つと「日」を合《あ》わせて、草《くさ》むらの中《なか》に日《ひ》がしずむようす。「かくれて見《み》えない」というイメージを示《しめ》す。それに「日（ひ）」をそえて、日《ひ》がしずんで見《み》えなくなること、「くれる」の意《い》を表《あらわ》した。

朗

月6画〔10画〕

音 ロウ
訓（ほがらか）

朗（この形《かたち》に注意《ちゅうい》）

cheerful［チアフる］

つかいかた

- 朗《ほが》らかに笑《わら》う。
- 和歌《わか》を朗詠《ろうえい》する。
- みんなの前《まえ》で朗読《ろうどく》する。
- 全員無事《ぜんいんぶじ》の朗報《ろうほう》が届《とど》く。
- 明朗《めいろう》な人《ひと》がら。

いみ・ことば

1. **晴《は》れ晴《ば》れとして明《あか》るい。ほがらか。** 朗報《ろうほう》[5]。晴朗《せいろう》[2]。明朗《めいろう》[2]。
2. **声《こえ》がすんでいてよく通《とお》る。** 朗詠《ろうえい》▲。朗吟《ろうぎん》▲。朗唱《ろうしょう》[4]。朗読《ろうどく》[2]。朗々《ろうろう》。

もっとわかる

- 「朗詠《ろうえい》」は、詩歌《しいか》に節《ふし》をつけて声高《こえたか》く歌《うた》うこと。
- 「朗々《ろうろう》」は、声《こえ》がすんでいて、はっきりと聞《き》こえるようす。

なりたち

- 「良《りょう》（けがれがなくすんでいる）」と「月（つき）」を合《あ》わせた形《かたち》。月《つき》の光《ひかり》がすみ切《き》っているようすで、「明《あか》るい」の意《い》を表《あらわ》した。

6年

机

木2画〔6画〕

訓 つくえ
音 （キ）

机（上にはねる）

desk［デスク］

つかいかた

- 机《つくえ》の上《うえ》に教科書《きょうかしょ》を出《だ》す。
- 彼《かれ》とは机《つくえ》を並《なら》べた仲《なか》だ。
- 新《あたら》しい勉強机《べんきょうづくえ》を買《か》う。
- 机上《きじょう》に本《ほん》を積《つ》む。

いみ・ことば

- つくえ。 ●勉強机《べんきょうづくえ》。机下《きか》。机上《きじょう》。

もっとわかる

- 「机《つくえ》を並《なら》べる」は、同《おな》じクラスなどでともに学《まな》ぶ意《い》。 ●「机下《きか》」は、手紙《てがみ》で、あて名《な》の左下《ひだりした》につけて尊敬《そんけい》の気持《きも》ちを表《あらわ》すことば。「あなたの机《つくえ》の下《した》に差《さ》し出《だ》します」の意《い》。 ●「机上《きじょう》の空論《くうろん》」は、頭《あたま》で考《かんが》えただけの、実際《じっさい》には役《やく》に立《た》たない考《かんが》えや計画《けいかく》。

なりたち

几 → 几

- 「几《き》（物《もの》をのせる小《ちい》さな台《だい》）」と「木（き）」を合《あ》わせた形《かたち》で、木《き》でできた「つくえ」の意《い》を表《あらわ》した。

机 机 机 机 机 机

枚

木4画〔8画〕

訓 —
音 マイ

枚（夂と書かない）

sheet［シート］

つかいかた

- 事例《じれい》は枚挙《まいきょ》にいとまがない。
- 千円札《せんえんさつ》の枚数《まいすう》を数《かぞ》える。
- 商品券《しょうひんけん》を数枚《すうまい》もらう。
- 食《しょく》パンを二枚《にまい》食《た》べる。

いみ・ことば

1. 一《ひと》つずつ数《かぞ》える。 ●枚挙《まいきょ》。
2. 平《ひら》たいものを数《かぞ》えることば。 ●紙一枚《かみいちまい》。皿十枚《さらじゅうまい》。数枚《すうまい》。

もっとわかる

- 「枚挙《まいきょ》にいとまがない」は、多《おお》すぎて数《かぞ》え切《き》れない意《い》。 ●「二枚目《にまいめ》」は、美男《びなん》子《し》。「三枚目《さんまいめ》」は、人《ひと》を笑《わら》わせる人《ひと》。

なりたち

攴 → 攴（攵）

- 「攵」のもとの形《かたち》は「攴《ぼく》」で、手《て》に棒《ぼう》を持《も》つようす。それに「木（き）」をそえた「枚」は、木《き》の切《き》れはしなどを一《ひと》つずつ数《かぞ》えるようすで、物《もの》を数《かぞ》える単位《たんい》を表《あらわ》した。

枚 枚 枚 枚 枚 枚 枚 枚

6年

染

木5画〔9画〕

訓 そめる そまる （しみる） （しみ）
音 （セン）

染（長めに）

dye［ダイ］

つかいかた

- ほおを赤《あか》く染《そ》める。
- 祖母《そぼ》の話《はなし》が心《こころ》に染《し》みる。
- あい色《いろ》の染料《せんりょう》を使《つか》う。
- 川《かわ》の水《みず》が汚染《おせん》される。
- インフルエンザに感染《かんせん》する。

いみ・ことば

1. 色《いろ》をつける。そめる。 ●染《そ》め物《もの》。染色《せんしょく》。染織《せんしょく》。染料《せんりょう》。
2. うつる。広《ひろ》がる。 ●汚染《おせん》。感染《かんせん》。伝染《でんせん》。

もっとわかる

- 「染《し》み」は、液体《えきたい》などが染《し》みこんでよごれること（例 服《ふく》に染《し》みがつく）。 ●「伝染《でんせん》」は、あることが他人《たにん》に移《うつ》ることにもいう（例 あくびが伝染《でんせん》する）。

なりたち

- 「氵（水《みず》）」と「九（数《かず》が多《おお》い）」と「木（き）」を合《あ》わせた形《かたち》。植物《しょくぶつ》からとったしるに何度《なんど》もつけて、「そめる」意《い》を表《あらわ》した。

染 染 染 染 染 染 染 染 染

株

木6画【10画】
訓 かぶ　音 ―

つかいかた

● 自社《じしゃ》の株《かぶ》を買《か》う。
● 株式会社《かぶしきがいしゃ》を設立《せつりつ》する。
● 木《き》の切《き》り株《かぶ》に座《すわ》る。
● 会社《かいしゃ》ではかなりの古株《ふるかぶ》だ。

株　長《なが》めに

stump［スタンプ］

いみ・ことば

① 木《き》を切《き》りたおしたあとの根《ね》。根《ね》のついた草木《くさき》。●株分《かぶわ》け。切《き》り株《かぶ》。
② 地位《ちい》。身分《みぶん》。●頭株《あたまかぶ》。親分株《おやぶんかぶ》。古株《ふるかぶ》。
③ 株式《かぶしき》のこと。●株価《かぶか》。株主《かぶぬし》。持《も》ち株《かぶ》。

もっとわかる

●「お株《かぶ》をうばう」は、人《ひと》が得意《とくい》とすることを、別《べつ》の人《ひと》がうまくやってしまう意《い》。

なりたち

朱 → 朱

●「朱《しゅ》」は、「木」の真《ま》ん中《なか》にしるしをつけて、木《き》を上下《じょうげ》に切《き》りはなすようす。それに「木(き)」を合《あ》わせて、木《き》の上《うえ》の部分《ぶぶん》を切《き》りはなして、下《した》に残《のこ》った「切《き》りかぶ」を表《あらわ》した。

棒

木8画【12画】
訓 ―　音 ボウ

つかいかた

● 棒《ぼう》グラフに表《あらわ》す。
● セリフを棒読《ぼうよ》みする。
● 彼《かれ》がいれば鬼《おに》に金棒《かなぼう》だ。
● 鉄棒《てつぼう》にぶらさがる。

棒　上《うえ》の横棒《よこぼう》より長《なが》く

stick［スティック］

いみ・ことば

① 木《き》や金属《きんぞく》などの細長《ほそなが》いもの。ぼう。●金棒《かなぼう》。鉄棒《てつぼう》。平行棒《へいこうぼう》。
② まっすぐな線《せん》。●棒《ぼう》グラフ。横棒《よこぼう》。
③ 内容《ないよう》や調子《ちょうし》を変《か》えないこと。●棒暗記《ぼうあんき》。棒読《ぼうよ》み。

もっとわかる

●「鬼《おに》に金棒《かなぼう》」は、強《つよ》いものにさらに強《つよ》さが加《くわ》わること。

なりたち

→ 奉

●「奉《ほう》」は、両手《りょうて》で∧形《がた》にささげ持《も》つようす。それに「木(き)」を合《あ》わせて、両手《りょうて》でささげ持《も》つ木《き》の「ぼう」を表《あらわ》した。

模

木10画【14画】
訓 ―　音 ボ モ

つかいかた

● ビルの模型《もけい》を作《つく》る。
● 下級生《かきゅうせい》に模範《もはん》を示《しめ》す。
● 美《うつく》しい模様《もよう》のスカーフ。
● 規模《きぼ》の大《おお》きい会場《かいじょう》。

模　長《なが》めに

model［マドゥる］

いみ・ことば

① 手本《てほん》。●模範《もはん》。規模《きぼ》。
② 手本《てほん》にする。にせる。●模擬《もぎ》。模型《もけい》。
③ 形《かたち》。かざり。●模様《もよう》。

もっとわかる

●「模擬《もぎ》」は、本物《ほんもの》と同《おな》じようにすること(例 模擬試験《もぎしけん》)。●四字熟語《よじじゅくご》…暗中模索《あんちゅうもさく》(手《て》がかりもないままあれこれ探《さぐ》ること)

なりたち

●「莫《ばく》」は、「姿《すがた》が見《み》えない」というイメージがあり、そこから「無《な》いものを求《もと》める」というイメージにもなる。それに「木(き)」を合《あ》わせた「模」は、同《おな》じものをつくる型《かた》を示《しめ》して、「もとになる型《かた》」や「手本《てほん》」を表《あらわ》した。

6年

権

木11画〔15画〕
音 ケン（ゴン）
訓 ―

上《うえ》につき出《だ》さない

right［ライト］

つかいかた

- 権威《けんい》のある学術誌《がくじゅつし》。
- 権利《けんり》を行使《こうし》する。
- かげの権力者《けんりょくしゃ》。
- 政治《せいじ》の実権《じっけん》をにぎる。
- 所有権《しょゆうけん》を主張《しゅちょう》する。

いみ・ことば

❶ **人《ひと》を支配《しはい》する力《ちから》。** ●権威《けんい》。権限《けんげん》。権勢《けんせい》。権力《けんりょく》。実権《じっけん》。政権《せいけん》。

❷ **あることができる資格《しかく》。** ●権利《けんり》。参政権《さんせいけん》。所有権《しょゆうけん》。人権《じんけん》。選挙権《せんきょけん》。

もっとわかる
●「ゴン」の読《よ》みは、「権化《ごんげ》（神仏《しんぶつ》の生《う》まれ変《か》わり）」などのことばに使《つか》われる。

なりたち
もとの字《じ》は「權」。「雚《かん》（左右《さゆう》にそろう）」と「木《き》」を合《あ》わせた形《かたち》。左右《さゆう》のバランスをとって、重《おも》さをはかる器具《きぐ》を表《あらわ》した。のち、重《おも》みのある「力《ちから》」の意《い》でも使《つか》われた。

権 権 権 権 権 権 権 権

樹

木12画〔16画〕
音 ジュ
訓 ―

はねる

tree［トリー］

つかいかた

- 山《やま》すそに樹海《じゅかい》が広《ひろ》がる。
- 樹齢《じゅれい》三百年《さんびゃくねん》の老木《ろうぼく》。
- 大通《おおどお》りの街路樹《がいろじゅ》。
- ぶどうの果樹園《かじゅえん》。
- 植樹祭《しょくじゅさい》で木《き》を植《う》える。

いみ・ことば

❶ **立《た》ち木《き》。** ●樹海《じゅかい》。樹氷《じゅひょう》。樹木《じゅもく》。樹齢《じゅれい》。果樹《かじゅ》。広葉樹《こうようじゅ》。植樹《しょくじゅ》。大樹《たいじゅ》。

❷ **うち立《た》てる。** ●樹立《じゅりつ》。

もっとわかる
●「寄《よ》らば大樹《たいじゅ》のかげ」は、どうせ頼《たよ》るなら、力《ちから》のある人《ひと》がよいということ。

なりたち

↓
樹

●「壴」は、「鼓」の左側《ひだりがわ》と同《おな》じ。それに「寸（手《て》）」を合《あ》わせて、太鼓《たいこ》を立《た》てるようす。「じっと立《た》てる」というイメージを示《しめ》す。さらに「木（き）」をそえて、立《た》ち木《き》を表《あらわ》した。

樹 樹 樹 樹 樹 樹 樹 樹

6年

欲

欠7画〔11画〕
音 ヨク
訓 （ほっする）（ほしい）

短《みじか》く

desire［ディザイア］

つかいかた

- 平和《へいわ》を心《こころ》から欲《ほっ》する。
- 自分《じぶん》の部屋《へや》が欲《ほ》しい。
- 欲求不満《よっきゅうふまん》を解消《かいしょう》する。
- 勉強《べんきょう》への意欲《いよく》がわく。
- においに食欲《しょくよく》をそそられる。

いみ・ことば

● **ほしいと思《おも》う。ほしがる心《こころ》。** ●欲望《よくぼう》。欲目《よくめ》。欲求《よっきゅう》。意欲《いよく》。禁欲《きんよく》。私欲《しよく》。食欲《しょくよく》。物欲《ぶつよく》。無欲《むよく》。

もっとわかる
●「欲目《よくめ》」は、自分《じぶん》に都合《つごう》のいいように物事《ものごと》を見《み》ること。●四字熟語《よじじゅくご》…私利私欲《しりしよく》（自分《じぶん》だけの利益《りえき》を追《お》い求《もと》める心《こころ》）

なりたち
「谷《こく》（水《みず》を受《う》け入《い》れるうつろな穴《あな》）」と「欠（しゃがんで大《おお》きな口《くち》を開《あ》けた人《ひと》）」を合《あ》わせた形《かたち》。からっぽな腹《はら》や心《こころ》を満《み》たしたいと願《ねが》う気持《きも》ち、「ほしがる気持《きも》ち」を表《あらわ》した。

欲 欲 欲 欲 欲 欲 欲 欲

段

殳5画〔9画〕

音 ダン
訓 ―

段（ななめ右上《みぎうえ》に）

step［ステップ］

つかいかた

- 仕事《しごと》の**段取《だんど》り**をつける。
- **段落《だんらく》**に注意《ちゅうい》して読《よ》む。
- **階段《かいだん》**をかけおりる。
- 成績《せいせき》が**格段《かくだん》**に上《あ》がる。
- **非常手段《ひじょうしゅだん》**にうったえる。

いみ・ことば

1. **だん。だんだん。** ●[4]段差《だんさ》。[1]石段《いしだん》。[3]階段《かいだん》。
2. **区切《くぎ》り。** ●[3]段階《だんかい》。[3]段落《だんらく》。[5]格段《かくだん》。[6]値段《ねだん》。
3. **やり方《かた》。手立《てだ》て。** ●[3]段取《だんど》り。[1]手段《しゅだん》。
4. **武道《ぶどう》などで、うで前《まえ》を表《あらわ》す等級《とうきゅう》。** ●[4]初段《しょだん》。[3]有段者《ゆうだんしゃ》。

なりたち

↓↓段

- 「𠂤（がけなどに切《き》れ目《め》をつけた形《かたち》）」と「殳（たたく）」を合《あ》わせた形《かたち》。つちでたたいて「だんだん」をつくるようすで、ひとつずつ区切《くぎ》れた「だん」を表《あらわ》した。

段段段段段段段段

沿

氵5画〔8画〕

音 エン
訓 そう

沿（谷と書《か》かない）

along［アろ(ー)ング］

つかいかた

- 道《みち》に**沿《そ》って**歩《ある》く。
- **海沿《うみぞ》い**の道路《どうろ》を走《はし》る。
- **沿岸漁業《えんがんぎょぎょう》**の盛《さか》んな町《まち》。
- **沿道《えんどう》**でランナーを応援《おうえん》する。

いみ・ことば

- **流《なが》れや道《みち》すじにそう。** ●[2]海沿《うみぞ》い。[2]道沿《みちぞ》い。[2]沿海《えんかい》。[3]沿岸《えんがん》。[2]沿線《えんせん》。[2]沿道《えんどう》。

もっとわかる

- 「沿岸《えんがん》」は、海《うみ》や川《かわ》・湖《みずうみ》に沿《そ》った陸地《りくち》。また、海《うみ》や川《かわ》・湖《みずうみ》の岸《きし》に沿《そ》った水域《すいいき》。

なりたち

↓㕣

- 「㕣《えん》」は、「八（分《わ》かれる）」と「口（くち）」を合《あ》わせて、水《みず》がくぼんだところにそって流《なが》れるようす。「一定《いってい》の道《みち》すじにしたがう」というイメージを示《しめ》す。それに「氵(水《みず》)」をそえて、水《みず》が一定《いってい》の道《みち》すじにそって流《なが》れていくようすで、「そう」の意《い》を表《あらわ》した。

沿沿沿沿沿沿沿沿

泉

水5画〔9画〕

音 セン
訓 いずみ

泉（はねる）

spring［スプリング］

つかいかた

- 砂漠《さばく》に**泉《いずみ》**がわく。
- **温泉《おんせん》**で有名《ゆうめい》な町《まち》。
- **間欠泉《かんけつせん》**があふれ出《だ》す。
- **源泉《げんせん》**からお湯《ゆ》を引《ひ》く。
- 山《やま》あいに**鉱泉《こうせん》**がわき出《だ》す。

いみ・ことば

1. **水《みず》がわき出《で》るところ。わき出《で》る水《みず》。いずみ。** ●[1]泉水《せんすい》。[3]温泉《おんせん》。[2]間[4]欠泉《かんけつせん》。[5]鉱泉《こうせん》。[4]冷泉《れいせん》。
2. **みなもと。** ●[6]源泉《げんせん》。

もっとわかる

- 「間欠泉《かんけつせん》」は、一定《いってい》の間隔《かんかく》でふき出《だ》す温泉《おんせん》。
- 「源泉《げんせん》」は「物《もの》が生《しょう》じるところ」の意《い》で、「活力《かつりょく》の源泉《げんせん》」「知識《ちしき》の源泉《げんせん》」のようにも使《つか》われる。

なりたち

↓泉

- 丸《まる》い岩穴《いわあな》からわき水《みず》が細《ほそ》く流《なが》れ出《だ》すようすをえがいた形《かたち》で、「いずみ」を表《あらわ》した。

泉泉泉泉泉泉泉泉

6年

洗

氵6画〔9画〕
音 セン
訓 あらう

上《うえ》にはねる

wash［ワッシュ］

つかいかた

- 食器《しょっき》を自分《じぶん》で洗《あら》う。
- 洗顔用《せんがんよう》の石《せっ》けん。
- 衣類《いるい》を洗濯《せんたく》する。
- シャンプーで洗髪《せんぱつ》する。
- 洗練《せんれん》された身《み》のこなし。

いみ・ことば

● あらう。● 洗《あら》い物《もの》。洗顔《せんがん》。洗剤《せんざい》。洗《せん》▲浄《じょう》。洗脳《せんのう》。洗▲髪《せんぱつ》。洗面所《せんめんじょ》。洗練《せんれん》。

もっとわかる

● 「洗練《せんれん》」は、みがき上《あ》げて上品《じょうひん》なものにすること。人物《じんぶつ》や趣味《しゅみ》のほか、文章《ぶんしょう》などにもいう（例 洗練《せんれん》された文章《ぶんしょう》）。

なりたち

「先《せん》」は、足先《あしさき》のことで、「すきまがあいて分散《ぶんさん》する」というイメージを示《しめ》す。それに「氵（水《みず》）」を合《あ》わせた「洗」は、水《みず》を小《ちい》さなすきまに通《とお》してさらさら流《なが》すようすで、「あらう」の意《い》を表《あらわ》した。

洗 洗 洗 洗 洗 洗 洗 洗

派

氵6画〔9画〕
音 ハ
訓 ―

この形《かたち》に注意《ちゅうい》

derive［ディライヴ］

つかいかた

- 外国《がいこく》に特使《とくし》を派遣《はけん》する。
- 別《べつ》の問題《もんだい》が派生《はせい》する。
- 党派《とうは》を超《こ》えて取《と》り組《く》む。
- ロンドン駐在《ちゅうざい》の特派員《とくはいん》。
- 反対派《はんたいは》と賛成派《さんせいは》。

いみ・ことば

❶ 分《わ》かれ出《で》る。分《わ》かれ出《で》たもの。● 派《は》生《せい》。派▲閥《はばつ》。一派《いっぱ》。右派《うは》。左派《さは》。流派《りゅうは》。

❷ 行《い》かせる。つかわす。● 派《は》▲遣《けん》。派出《はしゅつ》所《じょ》。海外派兵《かいがいはへい》。特派員《とくはいん》。

もっとわかる

● 「派遣《はけん》」は、命令《めいれい》してある場所《ばしょ》に行《い》かせること。● 「派閥《はばつ》」は、利害《りがい》や政治的《せいじてき》な考《かんが》え方《かた》で結《むす》びついた人《ひと》たちが作《つく》る集団《しゅうだん》。

なりたち

「𠂢《は》（枝分《えだわ》かれする）」と「氵（水《みず》）」を合《あ》わせた形《かたち》。本流《ほんりゅう》から枝分《えだわ》かれする支流《しりゅう》を示《しめ》して、「分《わ》かれ出《で》たもの」を表《あらわ》した。

派 派 派 派 派 派 派 派

6年

中学《ちゅうがく》・高校《こうこう》で習《なら》う「特別《とくべつ》な読《よ》み方《かた》」

小学校《しょうがっこう》で学習《がくしゅう》する「特別《とくべつ》な読《よ》み方《かた》」については、317ページ下段《げだん》で示《しめ》しました。中学校《ちゅうがっこう》や高等学校《こうとうがっこう》で学習《がくしゅう》する「特別《とくべつ》な読《よ》み方《かた》」は、次《つぎ》の通《とお》りです。

＊中学《ちゅうがく》で学習《がくしゅう》する「特別《とくべつ》な読《よ》み方《かた》」

小豆《あずき》　硫黄《いおう》　意気地《いくじ》　田舎《いなか》　海原《うなばら》　乳母《うば》
浮《うわ》つく　笑顔《えがお》　叔父《おじ》・伯父《おじ》　乙女《おとめ》
叔母《おば》・伯母《おば》　お巡《まわ》りさん　鍛冶《かじ》　風邪《かぜ》
固唾《かたず》　仮名《かな》　為替《かわせ》　心地《ここち》　早乙女《さおとめ》
差《さ》し支《つか》える　五月《さつき》　早苗《さなえ》　五月雨《さみだれ》　時雨《しぐれ》
尻尾《しっぽ》　竹刀《しない》　老舗《しにせ》　芝生《しばふ》　三味線《しゃみせん》　砂利《じゃり》
白髪《しらが》　相撲《すもう》　草履《ぞうり》　太刀《たち》　立《た》ち退《の》く
足袋《たび》　梅雨《つゆ》　凸凹《でこぼこ》　名残《なごり》　雪崩《なだれ》　二十《はたち》・
二十歳《はたち》　波止場《はとば》　日和《ひより》　吹雪《ふぶき》　土産《みやげ》
息子《むすこ》　紅葉《もみじ》　木綿《もめん》　最寄《もよ》り　大和《やまと》　弥生《やよい》
行方《ゆくえ》　若人《わこうど》

＊高校《こうこう》で学習《がくしゅう》する「特別《とくべつ》な読《よ》み方《かた》」

海女《あま》・海士《あま》　息吹《いぶき》　浮気《うわき》　お神酒《みき》
母屋《おもや》・母家《おもや》　神楽《かぐら》　河岸《かし》　蚊帳《かや》　玄人《くろうと》
居士《こじ》　雑魚《ざこ》　桟敷《さじき》　数珠《じゅず》　素人《しろうと》　師走《しわす》(しはす)
数寄屋《すきや》・数奇屋《すきや》　山車《だし》　稚児《ちご》　築山《つきやま》
伝馬船《てんません》　投網《とあみ》　十重二十重《とえはたえ》　読経《どきょう》　仲人《なこうど》
野良《のら》　祝詞《のりと》　猛者《もさ》　八百長《やおちょう》　浴衣《ゆかた》　寄席《よせ》

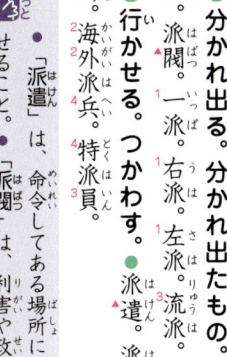

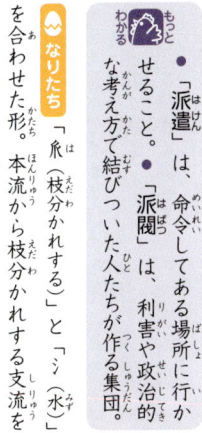

済

氵8画〔11画〕

音 サイ
訓 す**む**　す**ます**

済　とめる

finish［フィニッシュ］

つかいかた

- 大急《おおいそ》ぎで朝食《ちょうしょく》を**済**《す》**ませる**。
- 現金《げんきん》で**決済**《けっさい》する。
- 被災《ひさい》した人《ひと》を**救済**《きゅうさい》する。
- 借《か》りたお金《かね》を**返済**《へんさい》する。

いみ・ことば

①すむ。すます。
- 3決済《けっさい》。3返済《へんさい》。4未済《みさい》。

②救《すく》**う。助**《たす》**ける。**
- 5救済《きゅうさい》。4共済《きょうさい》。5経済《けいざい》。

もっとわかる

- 「経済《けいざい》」は四字熟語《よじじゅくご》の経世済民《けいせいさいみん》（世《よ》を治《おさ》め人々《ひとびと》を救《すく》うこと）からできたことば。

なりたち

→齊

- もとの字《じ》は「濟」。「齊《さい》」は、「三《み》つぞろいのもの」と「二（並《なら》ぶしるし）」を合《あ》わせて、「でこぼこがないようにそろえる」というイメージを示《しめ》す。それに「氵（水《みず》）」をそえた「濟」は、水《みず》の量《りょう》を調整《ちょうせい》するように、人間《にんげん》や世間《せけん》のつりあいを調整《ちょうせい》するようすで、「救《すく》う」の意《い》を表《あらわ》した。

源

氵10画〔13画〕

音 ゲン
訓 みなもと

源　はねる

source［ソース］

つかいかた

- 川《かわ》を**源**《みなもと》へとさかのぼる。
- 利根川《とねがわ》の**源流**《げんりゅう》。
- **語源**《ごげん》を辞書《じしょ》で調《しら》べる。
- **資源**《しげん》を大切《たいせつ》にする。
- コンピュータの**電源**《でんげん》を切《き》る。

いみ・ことば

物事《ものごと》**のはじめ。みなもと。**
- 6源泉《げんせん》。3源流《げんりゅう》。3起源《きげん》。2語源《ごげん》。3根源《こんげん》。5財源《ざいげん》。5資源《しげん》。▲震源《しんげん》。1水源《すいげん》。2電源《でんげん》。4熱源《ねつげん》。

もっとわかる

- 「震源《しんげん》」は、ある事《こと》が起《お》こったもとやその人《ひと》にもいう（例うわさの震源《しんげん》は彼《かれ》だ）。
- 四字《よじ》熟語《じゅくご》…医食同源《いしょくどうげん》（食生活《しょくせいかつ》に注意《ちゅうい》することが病気《びょうき》の予防《よぼう》になるということ。中国《ちゅうごく》の古《ふる》くからの考《かんが》え方《かた》）

なりたち

「原《げん》（みなもと）」と「氵（水《みず》）」を合《あ》わせた形《かたち》で、水《みず》の「みなもと」を表《あらわ》した。

潮

氵12画〔15画〕

音 チョウ
訓 しお

潮　はねる

tide［タイド］

つかいかた

- **潮風**《しおかぜ》に吹《ふ》かれる。
- 今《いま》がやめる**潮時**《しおどき》だ。
- **満**《み》**ち潮**《しお》で砂浜《すなはま》が隠《かく》れる。
- 新《あたら》しい社会《しゃかい》の**風潮**《ふうちょう》。

いみ・ことば

①海水《かいすい》**。しお。また、海水**《かいすい》**のみち引**《ひ》**き。**
- 潮風《しおかぜ》。2潮干《しおひ》▲狩《が》り。2親潮《おやしお》。2黒潮《くろしお》。2引《ひ》き潮《しお》。4満《み》ち潮《しお》。6干潮《かんちょう》。4満潮《まんちょう》。

②世《よ》**の中**《なか》**の動**《うご》**き。流**《なが》**れ。**
- 2潮時《しおどき》。2思潮《しちょう》。2風潮《ふうちょう》。

もっとわかる

- 「潮時《しおどき》」は、潮《しお》が満《み》ちたり引《ひ》いたりするとき。何《なに》かをするのにちょうどよいときの意《い》でも使《つか》われる。

なりたち

「朝《ちょう》」と「氵（水《みず》）」を合《あ》わせた形《かたち》。朝日《あさひ》がのぼるころ満《み》ちてくる海《うみ》の水《みず》、「あさしお」のことから、広《ひろ》く「うしお」を表《あらわ》した。

6年

激

氵13画【16画】
音 ゲキ
訓 はげしい

はねる

violent［ヴァイアレント］

つかいかた

- 風雨《ふうう》が激《はげ》しくなる。
- こしに激痛《げきつう》が走《はし》る。
- 選手《せんしゅ》を激励《げきれい》する。
- 急激《きゅうげき》に人口《じんこう》が増《ふ》える。

いみ・ことば

① **はげしい。** ●激化《げきか》（かげっ）。激戦《げきせん》。激痛《げきつう》。激動《げきどう》。激変《げきへん》。激務《げきむ》。激流《げきりゅう》。過激《かげき》。急激《きゅうげき》。

② **はげます。心《こころ》を強《つよ》くつき動《うご》かす。** ●激《げき》▲励《れい》。感激《かんげき》。▲刺激《しげき》。

もっとわかる

● 四字熟語《よじじゅくご》…叱咤激励《しったげきれい》（大声《おおごえ》でしかるようにはげまし、気持《きも》ちをふるい立《た》たせること）

なりたち

激 → 激

● 「敫《きょう》」は、「白」と「放」を合《あ》わせて、「四《し》方《ほう》に白《しろ》い光《ひかり》を放《はな》つ」というイメージを示《しめ》す。それに「氵（水《みず》）」をそえて、白《しろ》い水《みず》しぶきが飛《と》ぶほど勢《いきお》いが「はげしい」意《い》を表《あらわ》した。

激 激 激 激 激 激 激 激

灰

火2画【6画】
音 （カイ）
訓 はい

大と書《か》かない

ash［アッシュ］

つかいかた

- 紙《かみ》が燃《も》えて灰《はい》になる。
- 灰色《はいいろ》のコートを着《き》る。
- 街《まち》に火山灰《かざんばい》が降《ふ》る。
- 死《し》の灰《はい》を浴《あ》びる。
- 石灰《せっかい》で線《せん》を引《ひ》く。

いみ・ことば

● **もえがら。はい。** ●灰色《はいいろ》。灰皿《はいざら》。火山灰《かざんばい》。灰白色《かいはくしょく》。石灰《せっかい》。

もっとわかる

● 「灰色《はいいろ》」は、ゆううつな気分《きぶん》にもいう。
● 「死《し》の灰《はい》」は、放射能《ほうしゃのう》をふくんだ有害《ゆうがい》な灰《はい》。
● 「灰《はい》になる」は、燃《も》えてすっかりなくなる意《い》。

なりたち

「厂」は「又」が変《か》わったもの。「又（手《て》）」と「火（ひ）」を合《あ》わせた「灰」は、手《て》で燃《も》えがらの中《なか》の火《ひ》をかき回《まわ》すようすで、あとに残《のこ》った燃《も》えかす、「はい」を表《あらわ》した。

灰 灰 灰 灰 灰 灰

熟

灬11画【15画】
音 ジュク
訓 （うれる）

心と書《か》かない

mature［マチュア］

つかいかた

- かきの実《み》が熟《う》れる。
- 飛行機《ひこうき》の中《なか》で熟睡《じゅくすい》する。
- 完熟《かんじゅく》のトマト。
- 機械《きかい》の操作《そうさ》に習熟《しゅうじゅく》する。

いみ・ことば

① **火《ひ》でにる。** ●半熟卵《はんじゅくたまご》。

② **十分《じゅうぶん》に実《みの》る。うれる。** ●完熟《かんじゅく》。未熟《みじゅく》。

③ **なれる。** ●熟達《じゅくたつ》。熟練《じゅくれん》。円熟《えんじゅく》。習熟《しゅうじゅく》。

④ **じっくりと。** ●熟▲睡《じゅくすい》。熟成《じゅくせい》。熟考《じゅっこう》。

もっとわかる

● 「未熟《みじゅく》」は、十分《じゅうぶん》に熟《じゅく》していないこと。また、学問《がくもん》や技芸《ぎげい》が十分《じゅうぶん》でないこと。

なりたち

孰 → 孰

● 「孰《じゅく》」は、火《ひ》をたっぷり通《とお》してにる意《い》。「熟」は、それに「灬（火《ひ》）」をそえて「にる」意《い》をはっきりさせた。のち、「十分《じゅうぶん》になじむ」「うれる」の意《い》でも使《つか》われるようになった。

熟 享 享 享 孰 孰 孰 熟

片

片0画〔4画〕

音 ヘン
訓 かた

折《お》る

fragment［フラグメント］

つかいかた

- 家事《かじ》の片手間《かたてま》に絵《え》を習《なら》う。
- 片時《かたとき》も目《め》が離《はな》せない。
- 手《て》ぶくろを片方《かたほう》なくす。
- 片道《かたみち》の切符《きっぷ》を買《か》う。
- ガラスの破片《はへん》が飛《と》び散《ち》る。

いみ・ことば

① **切《き》れはし。わずかな部分《ぶぶん》。** ●片時《かたとき》。片手間《かたてま》。片言《へんげん》。一片《いっぺん》。紙片《しへん》。断片《だんぺん》。破片《はへん》。

② **二《ふた》つのうちの一《ひと》つ。かたほう。** ●片側《かたがわ》。片手《かたて》。片道《かたみち》。

もっとわかる

●「片言《へんげん》」を「片言《かたこと》」と読《よ》むと、子《こ》どもや外国人《がいこくじん》などの不十分《ふじゅうぶん》なことばの意《い》（例 片言《かたこと》の英語《えいご》で話《はな》す）。

なりたち

↓片

●「木」の字《じ》を二《ふた》つに割《わ》り、その右側《みぎがわ》だけを示《しめ》した形《かたち》。二《ふた》つのうちの「かたほう」を表《あらわ》した。

班

王6画〔10画〕

音 ハン
訓 ―

ななめ右上《みぎうえ》に

group［グループ］

つかいかた

- 班《はん》ごとに話《はな》し合《あ》う。
- 遠足《えんそく》で班行動《はんこうどう》を取《と》る。
- 班長《はんちょう》の指示《しじ》に従《したが》う。
- 班別《はんべつ》に発表《はっぴょう》する。
- 救護班《きゅうごはん》の班員《はんいん》となる。

いみ・ことば

● **いくつかに組《く》み分《わ》けしたもの。グループ。** ●班長《はんちょう》。班別《はんべつ》。登校班《とうこうはん》。

もっとわかる

●「班《はん》」は、分《わ》けた組《くみ》の数《かず》や順序《じゅんじょ》を数《かぞ》えるときにも用《もち》いる。上《うえ》にくる語《ご》によって「パン」とも読《よ》む（例 クラスを六班《ろっぱん》に分《わ》ける。一班《いっぱん》から順《じゅん》に乗車《じょうしゃ》する）。

なりたち

↓班

●「玉（たま）」と「刀（かたな）」と「玉（たま）」を合《あ》わせた形《かたち》。玉《たま》を二《ふた》つに分《わ》けるようすで、「分《わ》ける」「分《わ》けたもの」の意《い》を表《あらわ》した。

異

田6画〔11画〕

音 イ
訓 こと

上《うえ》の横棒《よこぼう》より長《なが》く

different［ディファレント］

つかいかた

- 異《こと》なる見方《みかた》をする。
- 異国《いこく》の文化《ぶんか》に触《ふ》れる。
- 体《からだ》に異変《いへん》を感《かん》じる。
- 特異《とくい》な才能《さいのう》の持《も》ち主《ぬし》。

いみ・ことば

① **ちがう。ことなる。別《べつ》の。** ●異議《いぎ》。異国《いこく》。異常《いじょう》。異性《いせい》。異存《いぞん》。異同《いどう》。異論《いろん》。

② **ふつうとちがう。** ●異彩《いさい》。異臭《いしゅう》。異色《いしょく》。異物《いぶつ》。異変《いへん》。異様《いよう》。奇異《きい》。特異《とくい》。

もっとわかる

●四字熟語《よじじゅくご》…異口同音《いくどうおん》（だれもが口《くち》をそろえて同《おな》じように言《い》うこと）

なりたち

↓異

●頭《あたま》の大《おお》きな人《ひと》が、両手《りょうて》をあげているようすをえがいた形《かたち》。一方《いっぽう》の手《て》だけでなく、もう一方《いっぽう》の手《て》もあげているところから、「別《べつ》の」の意《い》を表《あらわ》した。

6年

疑

疋9画［14画］

音 ギ
訓 うたがう

この形《かたち》に注意《ちゅうい》

doubt［ダウト］

つかいかた

- 疑《うたが》いの目《め》を向《む》けられる。
- 疑問点《ぎもんてん》を解決《かいけつ》する。
- 疑惑《ぎわく》の目《め》で見《み》る。
- 事件《じけん》の容疑者《ようぎしゃ》がうかぶ。

いみ・ことば

● 確《たし》かでないと思《おも》う。うたがう。●疑《ぎ》念《ねん》。疑問《ぎもん》。質疑応答《しつぎおうとう》。容疑《ようぎ》。

もっとわかる

・四字熟語《よじじゅくご》…疑心暗鬼《ぎしんあんき》（「疑心暗鬼《ぎしんあんき》を生《しょう》ず」の略《りゃく》。疑《うたが》いの心《こころ》があると何《なん》でもないことでも恐《おそ》ろしく、信《しん》じられなくなる）・半《はん》信半疑《しんはんぎ》（半分信《はんぶんしん》じて半分疑《はんぶんうたが》うこと）

なりたち 𠤕→疑

・「𠤕（後《うし》ろをふり返《かえ》る人《ひと》）」と「子（こども）」と「止（足《あし》）」を合《あ》わせた形《かたち》。子《こ》どもが気《き》になり、ふり返《かえ》って立《た》ち止《ど》まるようすで、「迷《まよ》う」「うたがう」の意《い》を表《あらわ》した。

痛

疒7画［12画］

音 ツウ
訓 いたい いたむ いためる

はねる

pain［ペイン］

つかいかた

- 虫歯《むしば》が痛《いた》い。
- 痛快《つうかい》なアクション映画《えいが》。
- 痛恨《つうこん》のエラーをする。
- 昨晩《さくばん》から頭痛《ずつう》がする。
- 沈痛《ちんつう》な面持《おもも》ちで会見《かいけん》する。

いみ・ことば

❶ いたむ。いたみ。いたい。●痛《いた》み止《ど》め。苦痛《くつう》。激痛《げきつう》。心痛《しんつう》。頭痛《ずつう》。腹痛《ふくつう》。

❷ ひどく。非常《ひじょう》に。●痛快《つうかい》。痛感《つうかん》。痛▲恨《つうこん》。痛切《つうせつ》。痛▲烈《つうれつ》。

もっとわかる

・「痛快《つうかい》」は、胸《むね》がすっとして、とても気持《きも》ちがよいこと。・「痛恨《つうこん》」は、とても残念《ざんねん》に思《おも》うこと。

なりたち

・「甬《よう》（つきぬける）」と「疒（やまい）」を合《あ》わせた形《かたち》で、病気《びょうき》で「いたみ」が体《からだ》をつきぬけるようすを表《あらわ》した。

皇

白4画［9画］

音 コウ オウ
訓 ―

長《なが》く

emperor［エンペラァ］

つかいかた

- 皇位《こうい》を継承《けいしょう》する。
- 遠《とお》くに皇居《こうきょ》が見《み》える。
- 皇室《こうしつ》の行事《ぎょうじ》を行《おこな》う。
- 皇族《こうぞく》が結婚《けっこん》される。
- 天皇《てんのう》の位《くらい》につく。

いみ・ことば

● 天子《てんし》。みかど。●皇子《おうじ》。皇女《おうじょ》（こうじょ）。皇位《こうい》。皇居《こうきょ》。皇后《こうごう》。皇室《こうしつ》。皇族《こうぞく》。皇太子《こうたいし》。皇《こう》▲帝《てい》。上皇《じょうこう》。天皇《てんのう》。

もっとわかる

・「上皇《じょうこう》」は、位《くらい》を退《しりぞ》いた天皇《てんのう》のこと。
・「天皇《てんのう》」の「皇」は、「ノウ」と読《よ》む。

なりたち 皇→皇

・「白」は「自」が変《か》わったもの。「王《おう》（りっぱな人《ひと》）」と「自（鼻《はな》）」を合《あ》わせた形《かたち》。先《さき》っぽにある鼻《はな》のように、先頭《せんとう》に立《た》つりっぱな「王《おう》」を表《あらわ》した。

6年

盛

皿6画〔11画〕

音（セイ）（ジョウ）

訓もる（さかる）（さかん）

はねる

prosperous［プラスペラス］

つかいかた

- 皿《さら》に料理《りょうり》を盛《も》る。
- 工業《こうぎょう》が盛《さか》んな国《くに》。
- 盛大《せいだい》な拍手《はくしゅ》を送《おく》る。
- 夏野菜《なつやさい》の最盛期《さいせいき》。
- 商売《しょうばい》が繁盛《はんじょう》する。

いみ・ことば

1 高《たか》くつむ。もる。●盛《も》り土《つち》。山盛《やまも》り。

2 さかり。さかん。●花盛《はなざか》り。盛夏《せいか》。盛大《せいだい》。最盛期《さいせいき》。全盛《ぜんせい》。▲繁盛《はんじょう》。

もっとわかる

- 「盛夏《せいか》」は、夏《なつ》のいちばん暑《あつ》いさかり。
- 四字熟語《よじじゅくご》…盛者必衰《じょうしゃひっすい》（勢《いきお》いさかんなものも、いつかはおとろえるということ）

なりたち

「成《せい》（仕上《しあ》げてまとめる）」と「皿（さら）」を合《あ》わせた形《かたち》。皿《さら》の中《なか》に物《もの》をまとめてもり上《あ》げるようすで、「もる」の意《い》を表《あらわ》した。のち、「さかん」の意《い》でも使《つか》われた。

盟

皿8画〔13画〕

音メイ

訓—

皿と書《か》かない

oath［オウす］

つかいかた

- 会合《かいごう》で盟主《めいしゅ》を務《つと》める。
- 友好国《ゆうこうこく》と盟約《めいやく》を結《むす》ぶ。
- 盟友《めいゆう》と語《かた》り明《あ》かす。
- 国連《こくれん》に加盟《かめい》する。

いみ・ことば

● 約束《やくそく》する。ちかう。ちかい。●盟主《めいしゅ》。盟約《めいやく》。盟友《めいゆう》。加盟《かめい》。同盟《どうめい》。連盟《れんめい》。

もっとわかる

- 「盟約《めいやく》」は、固《かた》くちかって約束《やくそく》すること。
- 「盟友《めいゆう》」は、固《かた》くちかい合《あ》った友《とも》。

なりたち

「明《めい》」は、「くらいところを明《あか》るくする」「見《み》えないものを見分《みわ》ける」というイメージから、「見《み》えないものを見分《みわ》ける」というイメージにもなる。それと「血（ち）」の変形《へんけい》である「皿」を合《あ》わせた「盟」は、血《ち》をすすっておたがいにわからない胸《むね》のうちをはっきりさせようと、ちかいを立《た》てるようすで、「ちかい」「約束《やくそく》」の意《い》を表《あらわ》した。

看

目4画〔9画〕

音カン

訓—

長《なが》く

watch［ワッチ］

つかいかた

- 看過《かんか》できない問題《もんだい》。
- 病人《びょうにん》を看護《かんご》する。
- 敵《てき》のねらいを看破《かんぱ》する。
- 広告《こうこく》の看板《かんばん》が立《た》ち並《なら》ぶ。
- 寝食《しんしょく》を忘《わす》れて看病《かんびょう》する。

いみ・ことば

● 注意《ちゅうい》して見《み》る。見守《みまも》る。●看過《かんか》。看護《かんご》。看守《かんしゅ》。看破《かんぱ》。看板《かんばん》。看病《かんびょう》。

もっとわかる

- 「看過《かんか》」は、見過《みす》ごすこと。店《みせ》の信用《しんよう》の意《い》でも使《つか》われる（例）看板《かんばん》に傷《きず》がつく）。
- 「看板《かんばん》」は、「看板《かんばん》だおれ」は、うわべだけりっぱで、内容《ないよう》がともなわないこと。見《み》かけだおし。

なりたち

↓看

- 「手（て）」と「目（め）」を合《あ》わせた形《かたち》で、手《て》をかざして対象《たいしょう》を「よく見《み》る」意《い》を表《あらわ》した。

6年

砂

石4画〔9画〕
音 サ（シャ）
訓 すな

砂 長《なが》めにはらう

sand［サンド］

つかいかた

- 砂場《すなば》で遊《あそ》ぶ。
- 川《かわ》で砂金《さきん》を見《み》つける。
- アフリカの砂漠《さばく》。
- 大雨《おおあめ》で土砂《どしゃ》が流《なが》れ出《だ》す。

いみ・ことば

● 小《ちい》さい石《いし》のつぶ。すな。 ●砂《すな》時《ど》計《けい》。砂《すな》場《ば》。砂丘《さきゅう》。砂金《さきん》。砂鉄《さてつ》。砂糖《さとう》。砂漠《さばく》。土砂《どしゃ》。

もっとわかる

- 特別《とくべつ》な読《よ》み方《かた》…砂利《じゃり》 ● 「シャ」の読《よ》みは、「土砂《どしゃ》」などのことばに使《つか》われる。
- 「砂上《さじょう》の楼閣《ろうかく》」は、土台《どだい》がもろくて、すぐにくずれてしまうような計画《けいかく》。また、実現《じつげん》が不可能《ふかのう》な物事《ものごと》。

なりたち

「砂」は「沙」の俗字《ぞくじ》。「沙」は、「氵（水《みず》）」と「少（小《ちい》さい）」を合《あ》わせて、水《みず》で洗《あら》われて小《ちい》さくなった石《いし》、「すな」を表《あらわ》した。のち、「氵」を「石」に変《か》えた。

磁

石9画〔14画〕
音 ジ
訓 —

磁 折《お》る

magnet［マグネット］

つかいかた

- 有田焼《ありたやき》の美《うつく》しい磁器《じき》。
- 磁気嵐《じきあらし》が起《お》きる。
- 磁石《じしゃく》のN極《エヌきょく》とS極《エスきょく》。
- 白磁《はくじ》の花《か》びんを買《か》う。
- 磁針《じしん》が北《きた》を指《さ》す。

いみ・ことば

❶ 鉄《てつ》を引《ひ》きつける性質《せいしつ》。じしゃく。 ●磁《じ》気《き》。磁石《じしゃく》。磁場《じば》。磁力《じりょく》。磁針《じしん》。

❷ 焼《や》き物《もの》。 ●磁器《じき》。青磁《せいじ》。陶磁器《とうじき》。白磁《はくじ》。

もっとわかる

- 「磁気嵐《じきあらし》」は、地球《ちきゅう》の磁場《じば》が大《おお》きく乱《みだ》れる現象《げんしょう》。電波《でんぱ》での通信《つうしん》が不能《ふのう》になる。

なりたち

茲

- 「茲《じ》」は、「艸（草《くさ》）」二《ふた》つと「幺（生糸《きいと》）」二《ふた》つを合《あ》わせて、小《ちい》さなものがつぎつぎに増《ふ》えるようす。それに「石（いし）」をそえて、鉄《てつ》くずを引《ひ》き寄《よ》せて増《ふ》やす鉱石《こうせき》を表《あらわ》した。

私

禾2画〔7画〕
音 シ
訓 わたくし
わたし

私 折《お》る

private［プライヴェット］

つかいかた

- 私事《わたくしごと》で恐縮《きょうしゅく》です。
- 私語《しご》は厳禁《げんきん》だ。
- 私生活《しせいかつ》に立《た》ち入《い》る。
- 犯人《はんにん》を追《お》う私服《しふく》の刑事《けいじ》。
- 学校《がっこう》から私物《しぶつ》を持《も》ち帰《かえ》る。

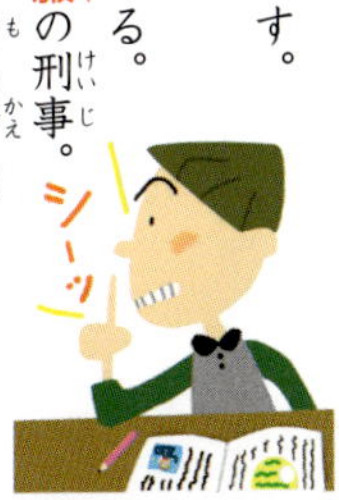

いみ・ことば

❶ 自分《じぶん》。わたくし。 ●私情《しじょう》。私心《ししん》。私生《しせい》活《かつ》。私服《しふく》。私腹《しふく》。私物《しぶつ》。私用《しよう》。私立《しりつ》。

❷ ひそかに。 ●私語《しご》。

もっとわかる

- 四字熟語《よじじゅくご》…私利私欲《しりしよく》（自分《じぶん》だけの利益《りえき》を追《お》い求《もと》める心《こころ》）・公平無私《こうへいむし》（考《かんが》え方《かた》や行動《こうどう》が公平《こうへい》で、個人的《こじんてき》な考《かんが》えを入《い》れないようす）

なりたち

厶

- 「厶《し》（丸《まる》く囲《かこ》いこむ）」と「禾（イネ）」を合《あ》わせた形《かたち》。イネを自分《じぶん》のものだと囲《かこ》いこむようすで、「わたくし」の意《い》を表《あらわ》した。

6年

秘

禾5画〔10画〕
音 ヒ
訓 （ひめる）

この形《かたち》に注意《ちゅうい》

secret［スィークレット］

つかいかた

- 無限《むげん》の可能性《かのうせい》を秘《ひ》める。
- 秘境《ひきょう》に足《あし》を踏《ふ》み入《い》れる。
- 古代《こだい》エジプトの秘宝《ひほう》。
- 秘密《ひみつ》の場所《ばしょ》にかくす。
- 神秘的《しんぴてき》な光景《こうけい》を目《め》にする。

いみ・ことば

① **人《ひと》に知《し》らせない。かくす。** ●秘境《ひきょう》。秘《ひ》伝《でん》。秘宝《ひほう》。秘法《ひほう》。秘密《ひみつ》。秘話《ひわ》。極秘《ごくひ》。

② **はかりしれない。** ●神秘《しんぴ》。

③ **通《つう》じが悪《わる》い。** ●便秘《べんぴ》。

もっとわかる

●「公然《こうぜん》の秘密《ひみつ》」は、秘密《ひみつ》ということになっているが、広《ひろ》く知《し》られていること。

なりたち

もとの字《じ》は「祕」。「必《ひつ》（両側《りょうがわ》から物《もの》をしめつける）」と「示（神《かみ》）」を合《あ》わせた形《かたち》。神域《しんいき》を閉《と》ざして人《ひと》に見《み》せないようにするようすで、「かくされている」の意《い》を表《あらわ》した。

穀

禾9画〔14画〕
音 コク
訓 ―

短《みじか》く

cereal［スィアリアる］

つかいかた

- 日本《にほん》の穀倉地帯《こくそうちたい》。
- 穀物《こくもつ》をたくさん食《た》べる。
- 五穀豊穣《ごこくほうじょう》を祈《いの》る。
- えさに雑穀《ざっこく》を混《ま》ぜる。
- いねを脱穀《だっこく》する。

いみ・ことば

● **米《こめ》や麦《むぎ》などのこくもつ。** ●穀倉《こくそう》。穀《こく》類《るい》。五穀《ごこく》。雑穀《ざっこく》。

もっとわかる

●「五穀《ごこく》」は、五種類《ごしゅるい》の代表的《だいひょうてき》な食物《しょくもつ》。米《こめ》・麦《むぎ》・アワ・キビ・豆《まめ》を指《さ》すことが多《おお》い。

なりたち

榖 → 㱿

●もとの字《じ》は「穀」。「㱿《こく》」は、貝《かい》がらをたたくようすで、「かたいから」というイメージがある。それに「禾（イネ）」を合《あ》わせた「穀」は、かたいからを破《やぶ》ったもみを示《しめ》して、イネなどの作物《さくもつ》を表《あらわ》した。

穴

穴0画〔5画〕
音 （ケツ）
訓 あな

あける

hole［ホウる］

つかいかた

- 庭《にわ》に穴《あな》をほる。
- 失敗《しっぱい》の穴《あな》うめをする。
- 穴場《あなば》の店《みせ》を見《み》つける。
- 競馬《けいば》で大穴《おおあな》が出《で》る。
- 墓穴《ぼけつ》をほる。

いみ・ことば

① **あな。くぼみ。** ●穴埋《あなう》め。穴蔵《あなぐら》。落《お》とし穴《あな》。節穴《ふしあな》。ほら穴《あな》。墓穴《ぼけつ》。

② **勝負《しょうぶ》の番《ばん》くるわせ。** ●大穴《おおあな》。

もっとわかる

●「穴場《あなば》」は、あまり知《し》られていない、いい場所《ばしょ》。●「墓穴《ぼけつ》をほる」は、自分《じぶん》で自分《じぶん》を失敗《しっぱい》におとしいれる原因《げんいん》を作《つく》る。

●「穴《あな》があったら入《はい》りたい」は、身《み》をかくしたいほどはずかしいという意《い》。

なりたち

●人《ひと》の住《す》む「あな」をえがいた形《かたち》。

窓

穴6画【11画】
音 ソウ
訓 まど

窓 はねる

window [ウインドウ]

つかいかた

- 窓《まど》の外《そと》の空気《くうき》。
- 窓際《まどぎわ》のいすに座《すわ》る。
- 銀行《ぎんこう》の窓口《まどぐち》。
- 車窓《しゃそう》の景色《けしき》に見《み》とれる。

いみ・ことば

❶ **まど。** ●窓《まど》ガラス。窓[5]際《まどぎわ》。窓[1]口《まどぐち》。窓《まど》[4]辺《べ》。[1]天窓《てんまど》。[2]丸窓《まるまど》。[1]車窓《しゃそう》。

❷ **まどのある部屋《へや》。** ●[1]学窓《がくそう》。[3]深窓《しんそう》。[2]同窓《どうそう》。

もっとわかる

● 「深窓《しんそう》」は、家《いえ》の奥深《おくふか》い場所《ばしょ》。大切《たいせつ》に育《そだ》てる意《い》でも使《つか》われる (例)深窓《しんそう》の令嬢《れいじょう》)。

なりたち

→窓

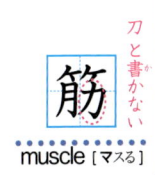

● 古《ふる》い字《じ》は、「恖《そう》」と「穴(あな)」を合《あ》わせたもの。「恖」は、心《こころ》が通《とお》りぬけるように落《お》ち着《つ》かない気分《きぶん》で、「通《とお》りぬける」というイメージを示《しめ》す。その「恖」に「穴」をそえた「窓」は、空気《くうき》を通《とお》すために建物《たてもの》にあけた穴《あな》、「まど」を表《あらわ》した。

窓窓窓窓窓窓窓窓

署

罒8画【13画】
音 ショ
訓 ―

署 ツと書《か》かない

station [ステイション]

つかいかた

- 税務署《ぜいむしょ》の署員《しょいん》にたずねる。
- 警察署《けいさつしょ》の署長《しょちょう》。
- 契約書《けいやくしょ》に署名《しょめい》する。
- 決《き》められた部署《ぶしょ》につく。
- 本署《ほんしょ》の応援《おうえん》をあおぐ。

いみ・ことば

❶ **役所《やくしょ》。** ●署[3]員《しょいん》。署[2]長《しょちょう》。[6]警[4]察署《けいさつしょ》。[3]消[5]防署《しょうぼうしょ》。[5]税[5]務署《ぜいむしょ》。[1]本署《ほんしょ》。

❷ **役《やく》わり。** ●[3]部署《ぶしょ》。

❸ **書《か》きつける。** ●署[1]名《しょめい》。[2]自署《じしょ》。[4]連署《れんしょ》。

もっとわかる

● 「署名《しょめい》」は、自分《じぶん》の名前《なまえ》を書《か》くこと。サインをすること。

なりたち

「者《しゃ》(一《いっ》か所《しょ》につける)」と「罒(あみ)」を合《あ》わせた形《かたち》。あみをある場所《ばしょ》に配置《はいち》するように、人《ひと》を持《も》ち場《ば》につけるようすで、「割《わ》り当《あ》て」「役目《やくめ》」の意《い》を表《あらわ》した。

署署署署署署署署

筋

竹6画【12画】
音 キン
訓 すじ

筋 刀と書《か》かない

muscle [マスる]

つかいかた

- 筋書《すじが》き通《どお》りに進《すす》める。
- 青筋《あおすじ》を立《た》てておこる。
- 筋骨《きんこつ》たくましい人《ひと》。
- 毎日《まいにち》腹筋《ふっきん》をきたえる。

いみ・ことば

❶ **体《からだ》の中《なか》のすじ。きんにく。** ●[1]青筋《あおすじ》。[6]背《せ》筋《すじ》(はいきん)。筋骨《きんこつ》。筋[1]力《きんりょく》。[6]腹筋《ふっきん》。

❷ **物事《ものごと》の道理《どうり》。すじ。** ●筋[2]書《すじが》き。筋[2]道《すじみち》。筋[1]目《すじめ》。[1]大筋《おおすじ》。[3]血筋《ちすじ》。[1]本筋《ほんすじ》。[2]道筋《みちすじ》。

❸ **[1]細[1]長《ほそなが》いもの。** ●[3]鉄筋《てっきん》。

もっとわかる

● 「青筋《あおすじ》を立《た》てる」は、ひどくおこる意《い》。

なりたち

→筋

● 「竹(タケ)」と「月(肉《にく》)」と「力(ちから)」を合《あ》わせた形《かたち》。竹《たけ》の節《ふし》、すじばった肉《にく》、うでの筋肉《きんにく》など、「すじ」のあるものを示《しめ》して、「すじ」を表《あらわ》した。

筋筋筋筋筋筋筋筋

策

竹6画〔12画〕

音 サク

訓 ―

はねる

scheme［スキーム］

つかいかた

- 新《あら》たな策《さく》を講《こう》ずる。
- 策略《さくりゃく》をめぐらす。
- あれこれ画策《かくさく》する。
- 地震《じしん》対策《たいさく》をする。
- よい方策《ほうさく》を考《かんが》える。

いみ・ことば

1 はかりごと。考《かんが》え。●[5]策略《さくりゃく》。[2]画策《かくさく》。[5]政策《せいさく》。[3]対策《たいさく》。[5]得策《とくさく》。[2]万策《ばんさく》。[6]秘策《ひさく》。[2]方策《ほうさく》。

2 むち。つえ。●[4]散策《さんさく》。

もっとわかる

●「策士策《さくしさく》におぼれる」は、はかりごとのうまい人《ひと》ほど、はかりごとにたよりすぎて失敗《しっぱい》するということ。

なりたち

「竹（タケ）」と「朿《し》（ギザギザした）」を合《あ》わせた形《かたち》で、先《さき》がギザギザした竹《たけ》のつえを表《あらわ》した。のち、文字《もじ》を書《か》きつける竹《たけ》の札《ふだ》の意《い》で使《つか》われた。

簡

竹12画〔18画〕

音 カン

訓 ―

口と書《か》かない

simple［スィンプる］

つかいかた

- 簡易裁判所《かんいさいばんしょ》で審理《しんり》する。
- 簡潔《かんけつ》に記《しる》した文章《ぶんしょう》。
- 簡単《かんたん》に作《つく》れる料理《りょうり》。
- 手続《てつづ》きを簡略化《かんりゃくか》する。
- 大使《たいし》から書簡《しょかん》が届《とど》く。

いみ・ことば

1 手軽《てがる》。はぶく。むだがない。●[5]簡易《かんい》。[5]簡潔《かんけつ》。[5]簡素《かんそ》。[4]簡単《かんたん》。[4]簡便《かんべん》。[4]簡約《かんやく》。[5]簡略《かんりゃく》。

2 手紙《てがみ》。●[2]書簡《しょかん》。

もっとわかる

●昔《むかし》の中国《ちゅうごく》では、紙《かみ》が発明《はつめい》されるまで、文字《もじ》を書《か》き記《しる》すのに竹《たけ》の札《ふだ》（竹簡《ちっかん》）や木《き》の札《ふだ》（木簡《もっかん》）が使《つか》われた。

なりたち

「間《かん》（すきまをあける）」と「竹（タケ）」を合《あ》わせた形《かたち》。すきまをあけて、ひもで結《むす》んだ竹《たけ》の札《ふだ》を示《しめ》して、文字《もじ》を書《か》く札《ふだ》を表《あらわ》した。のち、手間《てま》を省《はぶ》く意《い》でも使《つか》われた。

糖

米10画〔16画〕

音 トウ

訓 ―

右《みぎ》につき出《だ》す

sugar［シュガァ］

つかいかた

- 糖分《とうぶん》をひかえる。
- 果物《くだもの》にふくまれる果糖《かとう》。
- 紅茶《こうちゃ》に砂糖《さとう》を入《い》れる。
- 製糖工場《せいとうこうじょう》を見学《けんがく》する。

いみ・ことば

● あまみのあるもの。さとう。●糖尿《とうにょう》▲[3]病《びょう》。[2]糖分《とうぶん》。[4]果糖《かとう》。[5]製糖《せいとう》。ブドウ糖《とう》。

もっとわかる

●「糖尿病《とうにょうびょう》」は、血液中《けつえきちゅう》の糖分《とうぶん》がそのまま尿《にょう》の中《なか》に出《で》てくる病気《びょうき》。

なりたち

 ➡ 唐

●「庚《こう》」は、「固《かた》く緊張《きんちょう》する」というイメージがある。「庚」と「口《くち》」を合《あ》わせた「唐《とう》」は、口《くち》を大《おお》きく張《は》ってしゃべるようす。「大《おお》きく広《ひろ》げる」というイメージを示《しめ》す「唐」に「米（こめ）」をそえた「糖」は、米《こめ》や麦《むぎ》などに熱《ねつ》を加《くわ》え、広《ひろ》げてどろどろにした食品《しょくひん》、「あめ」を表《あらわ》した。

6年

系

糸1画〔7画〕

音 ケイ

訓 ―

折《お》る

system［スィステム］

つかいかた

- 徳川家《とくがわけ》の系図《けいず》を調《しら》べる。
- 青系統《あおけいとう》の色《いろ》で統一《とういつ》する。
- 地球《ちきゅう》は太陽系《たいようけい》の惑星《わくせい》だ。
- 偉大《いだい》な作家《さっか》の直系《ちょっけい》の孫《まご》。
- 日系《にっけい》のアメリカ人《じん》。

いみ・ことば

❶ **つながり。まとまり。** ●系統《けいとう》。系列《けいれつ》。銀河系《ぎんがけい》。山系《さんけい》。大系《たいけい》。体系《たいけい》。

❷ **血《ち》すじ。** ●系図《けいず》。家系《かけい》。直系《ちょっけい》。日系《にっけい》。父系《ふけい》。母系《ぼけい》。

もっとわかる

- 「日系《にっけい》」は、日本人《にほんじん》の血《ち》を引《ひ》いていること。

なりたち

↓系

- 「ノ（のばして引《ひ》く）」と「糸（いと）」を合《あ》わせた形《かたち》。糸《いと》をひとすじにつなぐようすで、「つなぐ」「つながる」の意《い》を表《あらわ》した。

系 系 系 系 系 系 系

紅

糸3画〔9画〕

音 コウ（ク）

訓 べに（くれない）

上《うえ》の横棒《よこぼう》より長《なが》く

crimson［クリムズン］

つかいかた

- 鏡《かがみ》の前《まえ》で口紅《くちべに》をつける。
- 夕方《ゆうがた》の空《そら》が紅《くれない》にそまる。
- 興奮《こうふん》して顔《かお》が紅潮《こうちょう》する。
- 紅白《こうはく》の幕《まく》がかかる。
- 深紅《しんく》のばらの花《はな》。

いみ・ことば

● **あざやかな赤色《あかいろ》。くれない。** ●紅顔《こうがん》。紅茶《こうちゃ》。紅潮《こうちょう》。紅梅《こうばい》。紅白《こうはく》。深紅《しんく》。

もっとわかる

- 特別《とくべつ》な読《よ》み方《かた》…紅葉《もみじ》
- 「紅顔《こうがん》」は、血色《けっしょく》がよくて若々《わかわか》しい顔《かお》（例 紅顔《こうがん》の美《び》少年《しょうねん》）。
- 「深紅《しんく》」は、色《いろ》の濃《こ》い紅色《べにいろ》。真《ま》っ赤《か》。「真紅《しんく》」とも書《か》く。
- 「紅一点《こういってん》」とは、多《おお》くの男性《だんせい》の中《なか》に、ただ一人《ひとり》いる女性《じょせい》のこと。

なりたち

「工《こう》（深《ふか》くつき通《とお》す）」と「糸（いと）」を合《あ》わせた形《かたち》で、糸《いと》を深《ふか》くそめる赤色《あかいろ》を表《あらわ》した。

紅 紅 紅 紅 紅 紅 紅 紅 紅

純

糸4画〔10画〕

音 ジュン

訓 ―

この形《かたち》に注意《ちゅうい》

pure［ピュア］

つかいかた

- 純金製《じゅんきんせい》の置物《おきもの》。
- 子《こ》どもの純真《じゅんしん》な心《こころ》。
- 純白《じゅんぱく》のドレス。
- 清純派《せいじゅんは》のアイドル。

いみ・ことば

❶ **まじりけがない。** ●純金《じゅんきん》。純血《じゅんけつ》。純粋《じゅんすい》。純正《じゅんせい》。純度《じゅんど》。純白《じゅんぱく》。

❷ **けがれがない。** ●純愛《じゅんあい》。純情《じゅんじょう》。清純《せいじゅん》。

もっとわかる

- 四字熟語《よじじゅくご》…純真無垢《じゅんしんむく》（心《こころ》にけがれがなく、清《きよ》らかでかざりけのないようす。）

なりたち

↓屯

- 「屯《とん》」は、草《くさ》が地下《ちか》に根《ね》をたくわえているようすで、「ずっしりと重《おも》く垂《た》れる」というイメージを示《しめ》す。それに「糸（いと）」を合《あ》わせた「純」は、ずっしりと厚《あつ》いカイコの糸《いと》を表《あらわ》して、「まじりけがない」意《い》を表《あらわ》した。

純 純 純 純 純 純 純 純 純 純

納

糸4画〔10画〕

音 ノウ（ナッ）（ナ）（ナン）（トウ）

訓 おさめる おさまる

はねる

pay［ペイ］

つかいかた

● 国《くに》に税金《ぜいきん》を納《おさ》める。
● 年末《ねんまつ》の納会《のうかい》に出席《しゅっせき》する。
● 得意先《とくいさき》に納品《のうひん》する。
● 説明《せつめい》を聞《き》いて納得《なっとく》する。

いみ・ことば

① 渡《わた》しておさめる。●納税《のうぜい》[5]。納入《のうにゅう》[1]。納品《のうひん》[3]。納付《のうふ》[4]。

② 中《なか》に入《い》れる。●納骨《のうこつ》[6]。格納《かくのう》[5]。収納《しゅうのう》[6]。

③ 終《お》わりにする。●仕事納《しごとおさ》め[3][3]。納会《のうかい》[2]。

もっとわかる

●「ナッ」の読《よ》みは「納豆《なっとう》」、「ナ」の読《よ》みは「納屋《なや》」、「ナン」の読《よ》みは「納戸《なんど》」、「トウ」の読《よ》みは「出納《すいとう》」などに使《つか》われる。

なりたち

「内《ない》（小屋《こや》の中《なか》に入《い》れる）」と「糸（いと）」を合《あ》わせた形《かたち》。小屋《こや》の中《なか》に織物《おりもの》をしまうようすで、「中《なか》に入《い》れる」「おさめる」の意《い》を表《あらわ》した。

絹

糸7画〔13画〕

音（ケン）

訓 きぬ

はねる

silk［スィるク］

つかいかた

● 絹《きぬ》のスカーフをする。
● 絹糸《きぬいと》をより合《あ》わせる。
● 絹織物《きぬおりもの》を輸入《ゆにゅう》する。
● 絹布《けんぷ》のブラウス。
● 裏地《うらじ》に人絹《じんけん》を使《つか》う。

いみ・ことば

● 蚕《かいこ》のまゆからとった糸《いと》。きぬ。●絹糸《きぬいと》（けんし）。絹織物《きぬおりもの》[5][3]。絹《きぬ》ごし豆腐《どうふ》[3][▲]。絹布《けんぷ》[5]。人絹《じんけん》[1]。

もっとわかる

●「絹《きぬ》ごし豆腐《どうふ》」は、絹《きぬ》でこしたようになめらかな豆腐《とうふ》のこと。●「人絹《じんけん》」は「人造絹糸《じんぞうけんし》」の略《りゃく》で、レーヨンのこと。

なりたち

↓絹

●「肙《けん》」は、ボウフラをえがいたもので、「小《ちい》さく細《ほそ》い」というイメージがある。それに「糸（いと）」をそえて、細《ほそ》くてしなやかな「きぬ」を表《あらわ》した。

縦

糸10画〔16画〕

音 ジュウ

訓 たて

点《てん》のうち方《かた》に注意《ちゅうい》

vertical［ヴァーティカる］

つかいかた

● 縦《たて》に文章《ぶんしょう》を書《か》く。
● 縦横無尽《じゅうおうむじん》の活躍《かつやく》。
● 日本列島《にほんれっとう》を縦断《じゅうだん》する。
● 三列縦隊《さんれつじゅうたい》に整列《せいれつ》する。
● ヘリコプターを操縦《そうじゅう》する。

いみ・ことば

① たて。●縦糸《たていと》[1]。縦書《たてが》き[2]。縦笛《たてぶえ》[3]。縦走《じゅうそう》[2]。縦隊《じゅうたい》。縦断《じゅうだん》[5]。

② 思《おも》いのままにする。●縦横無尽《じゅうおうむじん》[3][4][▲]。操縦《そうじゅう》[6]。

もっとわかる

●四字熟語《よじじゅくご》…縦横無尽《じゅうおうむじん》（物事《ものごと》を自分《じぶん》の思《おも》い通《どお》りにするようす）●「縦走《じゅうそう》」は、山々《やまやま》を尾根《おね》づたいに歩《ある》き通《とお》すこと。

なりたち

もとの字《じ》は「縱」。「従《じゅう》（一列《いちれつ》にのびる）」と「糸（いと）」を合《あ》わせた形《かたち》。糸《いと》がたての方向《ほうこう》にのびていくようすで、「たて」の意《い》を表《あらわ》した。

6年

縮

糸11画〔17画〕

音 シュク
訓 ちぢむ ちぢまる ちぢめる ちぢれる ちぢらす

白と書《か》かない

縮

shrink［シュリンク］

つかいかた

- 洗《せん》たくをしてシャツが縮《ちぢ》む。
- 毛《け》の縮《ちぢ》れた犬《いぬ》。
- 文章《ぶんしょう》を半分《はんぶん》に縮《ちぢ》める。
- サイズを縮小《しゅくしょう》する。
- 授業《じゅぎょう》時間《じかん》を短縮《たんしゅく》する。

いみ・ことば

- 小《ちい》さくする。ちぢむ。ちぢめる。
- 縮《しゅく》刷《さつ》。縮尺《しゅくしゃく》。縮小《しゅくしょう》。縮図《しゅくず》。圧縮《あっしゅく》。▲恐縮《きょうしゅく》。[4]軍縮《ぐんしゅく》。[6]収縮《しゅうしゅく》。[3]短縮《たんしゅく》。▲濃縮《のうしゅく》。

もっとわかる

- 「縮刷《しゅくさつ》」は、もとの版《はん》より小《ちい》さく印刷《いんさつ》すること。
- 「恐縮《きょうしゅく》」は、申《もう》しわけなく思《おも》うこと（例 お越《こ》しいただいて恐縮《きょうしゅく》です）。
- 「軍縮《ぐんしゅく》」は、「軍備縮小《ぐんびしゅくしょう》」の略《りゃく》。

なりたち

「宿《しゅく》（引《ひ》きしめる）」と「糸（いと）」を合《あ》わせた形《かたち》。物《もの》をひもで引《ひ》きしめて小《ちい》さくするようすで、「ちぢめる」の意《い》を表《あらわ》した。

縮 縮 縮 縮 縮 縮 縮 縮

翌

羽5画〔11画〕

音 ヨク
訓 ―

長《なが》めに

翌

following［ファろウイング］

つかいかた

- 翌朝《よくあさ》早《はや》くに目《め》を覚《さ》ます。
- 翌月《よくげつ》の月謝《げっしゃ》をはらう。
- 翌日《よくじつ》に仲直《なかなお》りする。
- 翌週《よくしゅう》から旅《たび》に出《で》る。
- 事件《じけん》はその翌晩《よくばん》に起《お》こった。

いみ・ことば

- つぎの。もう一《ひと》つ先《さき》の。
- [2]翌朝《よくあさ》（よくちょう）。[1]翌月《よくげつ》。[1]翌日《よくじつ》。[2]翌週《よくしゅう》。[1]翌年《よくとし》（よくねん）。[6]翌晩《よくばん》。

もっとわかる

- 「翌《よく》」を二《ふた》つ重《かさ》ねた「翌々《よくよく》」は、「つぎのつぎ」の意《い》。「翌々日《よくよくじつ》」「翌々年《よくよくねん》」のように使《つか》われる。

なりたち

「羽（二《ふた》つならんだはね）」と「立（両足《りょうあし》をならべて立《た》つ人《ひと》）」を組《く》み合《あ》わせた形《かたち》。同《おな》じものがもう一《ひと》つあるようすを示《しめ》して、今日《きょう》のほかにもう一《ひと》つある別《べつ》の日《ひ》、「あくる日《ひ》」を表《あらわ》した。

翌 翌 翌 翌 翌 翌 翌 翌

聖

耳7画〔13画〕

音 セイ
訓 ―

右《みぎ》につき出《だ》さない

聖

saint［セイント］

つかいかた

- 聖《せい》なる夜《よる》。
- 聖火《せいか》リレーの走者《そうしゃ》。
- 神父《しんぷ》が聖書《せいしょ》を読《よ》む。
- キリスト教《きょう》の大聖堂《だいせいどう》。
- 楽聖《がくせい》ベートーベンの肖像《しょうぞう》。

いみ・ことば

1. ちえや徳《とく》のすぐれた人《ひと》。ひじり。
   - 聖《せい》▲賢《けん》。[3]聖者《せいじゃ》。[1]聖人《せいじん》。
2. その道《みち》で最《もっと》もすぐれた人《ひと》。
   - [2]楽聖《がくせい》。
3. 清《きよ》らか。おごそか。
   - [1]聖火《せいか》。[2]聖歌《せいか》。聖《せい》[2]書《しょ》。[2]聖地《せいち》。[5]聖堂《せいどう》。[2]聖母《せいぼ》。[2]聖夜《せいや》。[3]神聖《しんせい》。

なりたち

↓ 聖

- 「王」は「𡈼」が変《か》わったもの。「𡈼《てい》（まっすぐ）」と「耳（みみ）」と「口（くち）」を合《あ》わせた形《かたち》。耳《みみ》と口《くち》がまっすぐに働《はたら》くようすで、ちえのある人《ひと》、「ひじり」を表《あらわ》した。

聖 聖 聖 聖 聖 聖 聖 聖

6年

胃

月5画〔9画〕

音 イ

訓 ―

胃　はねる

stomach［スタマク］

つかいかた

- 食《た》べ過《す》ぎて**胃**《い》が苦《くる》しい。
- **胃**《い》がもたれる。
- **胃液**《いえき》がうすまる。
- **胃カメラ**《い》で検査《けんさ》する。
- **胃腸**《いちょう》の調子《ちょうし》を整《ととの》える。

いみ・ことば

● **食《た》べたものをこなすところ。いぶくろ。** ●胃液《いえき》[5]。胃炎《いえん》[▲]。胃潰瘍《いかいよう》[▲▲]。胃《い》カメラ。胃酸《いさん》[5]。胃腸《いちょう》[6]。

もっとわかる

- 「胃炎《いえん》」「胃潰瘍《いかいよう》」は、どちらも胃《い》の病気《びょうき》。
- 「胃散《いさん》」は、胃《い》の病気《びょうき》のときに飲《の》む粉薬《こなぐすり》。
- 「胃酸《いさん》」は、胃液《いえき》に含《ふく》まれる酸《さん》。消化《しょうか》を助《たす》けたり殺菌《さっきん》したりする。

なりたち

↓ 胃

- 食《た》べた物《もの》が入《はい》った丸《まる》いふくろと「月（肉《にく》）」を合《あ》わせた形《かたち》で、体《からだ》にある「いぶくろ」を表《あらわ》した。

胃 胃 胃 胃 胃 胃 胃 胃 胃

背

月5画〔9画〕

音 ハイ

訓 せ　せい　（そむく）　（そむける）

背　少《すこ》し平《ひら》たく書《か》く

back［バック］

つかいかた

- ぐんぐん**背**《せ》がのびる。
- **背中**《せなか》に視線《しせん》を感《かん》じる。
- 兄《あに》と**背比《せいくら》べ**をする。
- **背後**《はいご》からしのびよる。
- 約束《やくそく》を破《やぶ》るのは**背信行為**《はいしんこうい》だ。

いみ・ことば

❶ **せなか。後《うし》ろ。** ●背泳《せおよ》[3]ぎ。背骨《せぼね》[6]。背後《はいご》[2]。

❷ **身長《しんちょう》。せい。** ●背比《せいくら》[5]べ。背格好《せかっこう》[5][4]。上背《うわぜい》[1]。

❸ **そむく。** ●背信行為《はいしんこうい》[4][2][▲]。背徳《はいとく》[4]。背任《はいにん》[5]。

もっとわかる

- 「背格好《せかっこう》」は、背《せ》の高《たか》さや体《からだ》つきのこと。「背格好《せいかっこう》」とも読《よ》む。
- 「背水《はいすい》の陣《じん》」とは、もう一歩《いっぽ》もあとへひけない状況《じょうきょう》において、全力《ぜんりょく》でことにあたること。

なりたち

「北《ほく》（せを向《む》ける）」と「月（肉体《にくたい》）」を合《あ》わせた形《かたち》で、体《からだ》の後《うし》ろの部分《ぶぶん》、「せなか」を表《あらわ》した。のち、「せを向《む》ける」の意《い》でも使《つか》われた。

背 背 背 背 背 背 背 背 背

肺

月5画〔9画〕

音 ハイ

訓 ―

肺　はねる

lung［らング］

つかいかた

- **肺**《はい》に煙《けむり》が入《はい》ってむせる。
- **肺炎**《はいえん》になる。
- **肺活量**《はいかつりょう》を測定《そくてい》する。
- ほ乳類《にゅうるい》は**肺呼吸**《はいこきゅう》をする。
- **心肺**《しんぱい》の機能《きのう》を強化《きょうか》する。

いみ・ことば

● **息《いき》をはいたり吸《す》ったりするところ。はい。** ●肺炎《はいえん》[▲]。肺活量《はいかつりょう》[2][4]。肺臓《はいぞう》[6]。

もっとわかる

- 「肺活量《はいかつりょう》」は、肺《はい》が空気《くうき》を出《だ》し入《い》れできる最大《さいだい》の量《りょう》。
- 「心肺《しんぱい》」は、心臓《しんぞう》と肺《はい》のこと。

なりたち

↓ 肺

- 「市《はい》」は、草《くさ》の芽《め》が左右《さゆう》に開《ひら》いて勢《いきお》いよく出《で》るようす。それに「月（肉体《にくたい》）」をそえた「肺」は、左右《さゆう》に分《わ》かれていて、息《いき》を勢《いきお》いよくおし出《だ》す器官《きかん》である「はい」を表《あらわ》した。

肺 肺 肺 肺 肺 肺 肺 肺 肺

6年

胸

月6画〔10画〕

音 キョウ
訓 むね（むな）

はねる

chest ［チェスト］

つかいかた

- 胸《むね》が苦《くる》しくなる。
- 期待《きたい》に胸《むね》をふくらます。
- 胸《むな》さわぎがする。
- 胸部《きょうぶ》のレントゲン写真《しゃしん》。
- あの人《ひと》は度胸《どきょう》がある。

いみ・ことば

1. 首《くび》と腹《はら》の間《あいだ》の部分《ぶぶん》。むね。
   - 胸《むな》さわぎ。[2]胸元《むなもと》。[5]胸囲《きょうい》。[5]胸像《きょうぞう》。[3]胸部《きょうぶ》。
2. 心《こころ》。心《こころ》の中《なか》。
   - [1]胸中《きょうちゅう》。[3]度胸《どきょう》。

もっとわかる

- 「胸《むね》」を使ったことば…胸《むね》がさわぐ（不《ふ》安《あん》や期待《きたい》で落《お》ち着《つ》かない）・胸《むね》を打《う》つ（強《つよ》く感動《かんどう》する）・胸《むね》をなで下《お》ろす（ほっとする）

なりたち

匈 → 匈

- 「匈《きょう》」は、むねの中《なか》がからっぽなようす。それに「月（肉体《にくたい》）」を合《あ》わせた「胸」で、まくで囲《かこ》まれたからっぽな部分《ぶぶん》、「むね」を表《あらわ》した。

胸 胸 胸 胸 胸 胸 胸 胸

脳

月7画〔11画〕

音 ノウ
訓 ―

ツと書かない

brain ［ブレイン］

つかいかた

- 脳波《のうは》を測定《そくてい》する。
- 母《はは》の顔《かお》が脳裏《のうり》にうかぶ。
- 世界《せかい》の首脳《しゅのう》が話《はな》し合《あ》う。
- 大脳《だいのう》と小脳《しょうのう》。
- 頭脳《ずのう》プレーが得意《とくい》だ。

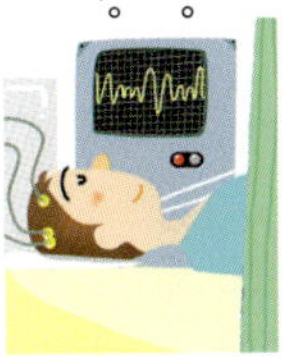

いみ・ことば

1. のうみそ。
   - [3]脳波《のうは》。[1]小脳《しょうのう》。[1]大脳《だいのう》。
2. 頭《あたま》の働《はたら》き。
   - [6]脳裏《のうり》。[2]頭脳《ずのう》。[6]洗脳《せんのう》。
3. 中心《ちゅうしん》となる人《ひと》。
   - [2]首脳《しゅのう》。

もっとわかる

- 「洗脳《せんのう》」は、それまでの考《かんが》えを改《あらた》めさせて、新《あたら》しい考《かんが》えを植《う》えつけること。

なりたち

もとの字《じ》は「腦」。「𡿺《のう》」は、「巛（かみの毛《け》）」と「囟（赤《あか》ちゃんの頭《あたま》にある骨《ほね》と骨《ほね》のすきま）」を合《あ》わせたもの。それに「月（肉体《にくたい》）」を加《くわ》えた「腦」は、頭《あたま》の中《なか》のやわらかい部分《ぶぶん》である「のうみそ」を表《あらわ》した。

脳 脳 脳 脳 脳 脳 脳 脳 脳

6年

図解《ずかい》 ヒトのからだの漢字《かんじ》

腸

月9画【13画】

音 チョウ
訓 ―

横棒《よこぼう》を忘《わす》れない

腸

intestines ［インテスティンズ］

つかいかた

- 腸《ちょう》づめの料理《りょうり》を食《た》べる。
- 胃腸《いちょう》の調子《ちょうし》が悪《わる》い。
- 小腸《しょうちょう》の働《はたら》き。
- 断腸《だんちょう》の思《おも》い。
- 盲腸《もうちょう》の手術《しゅじゅつ》をする。

いみ・ことば

● **食《た》べたものの栄養《えいよう》を体《からだ》に取《と》り入《い》れるところ。ちょう。** ●腸《ちょう》づめ。胃腸《いちょう》。[1]十[1]二[3]指腸《じゅうにしちょう》。[1]小腸《しょうちょう》。[1]大腸《だいちょう》。[2]直腸《ちょくちょう》。[5]▲盲腸《もうちょう》。

もっとわかる

● 「腸《ちょう》づめ」は、ソーセージのこと。● 「断《だん》腸《ちょう》の思い」は、腸《ちょう》（はらわた）が断《た》ち切《き》られるほどの、悲《かな》しくつらい思《おも》い。

なりたち

「昜《よう》」は、太陽《たいよう》が高《たか》く上《あ》がるようす。「高《たか》く上《あ》がる」「長《なが》くのびる」というイメージを示《しめ》す。それに「月（肉《にく》）」を合《あ》わせて、体《からだ》の中《なか》に長《なが》くのびた器官《きかん》、「ちょう」を表《あらわ》した。

腸 腸 腸 腸 腸 腸 腸 腸

腹

月9画【13画】

音 フク
訓 はら

又と書《か》かない

腹

belly ［べりィ］

つかいかた

- 食《た》べすぎで腹《はら》がふくれる。
- 自分《じぶん》に腹《はら》を立《た》てる。
- 腹痛《ふくつう》をうったえる。
- 山《やま》の中腹《ちゅうふく》で少《すこ》し休《やす》む。
- おやつで空腹《くうふく》をしのぐ。

いみ・ことば

❶ **胸《むね》の下《した》にあり、胃腸《いちょう》などのある部分《ぶぶん》。おなか。はら。** ●腹巻《はらま》き。[6]腹痛《ふくつう》。[6]腹部《ふくぶ》。[3]腹筋《ふっきん》。[6]空腹《くうふく》。[1]満腹《まんぷく》。[4]

❷ **ものの中《なか》ほど。** ●山腹《さんぷく》。[1]船腹《せんぷく》。[2]中腹《ちゅうふく》。[1]

❸ **心《こころ》の中《なか》。** ●腹黒《はらぐろ》い。[2]腹案《ふくあん》。[4]腹心《ふくしん》。[2]

もっとわかる

● 「腹話術《ふくわじゅつ》」とは、口《くち》を動《うご》かさないで、別人《べつじん》が話《はな》しているような声《こえ》で話《はな》す術《じゅつ》。

なりたち

「复《ふく》（ふくれる）」と「月（肉体《にくたい》）」を合《あ》わせた形《かたち》。いくつかの臓器《ぞうき》が重《かさ》なって、ふくれた「はら」を表《あらわ》した。

腹 腹 腹 腹 腹 腹 腹 腹

臓

月15画【19画】

音 ゾウ
訓 ―

点《てん》を忘《わす》れない

臓

internal organs ［インターヌる オーガンズ］

つかいかた

- 臓器《ぞうき》移植《いしょく》の手術《しゅじゅつ》。
- 肝臓《かんぞう》の解毒作用《げどくさよう》。
- 五臓六腑《ごぞうろっぷ》にしみわたる。
- 東京《とうきょう》は日本《にほん》の心臓部《しんぞうぶ》だ。
- 内臓《ないぞう》の働《はたら》きを学《まな》ぶ。

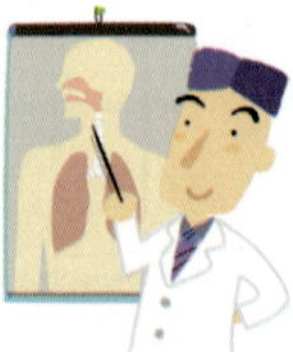

いみ・ことば

● **はらわた。** ●臓器《ぞうき》。[4]臓物《ぞうもつ》。[3]▲肝臓《かんぞう》。[1]五臓《ごぞう》[1]六▲腑《ろっぷ》。[2]心臓《しんぞう》。[2]内臓《ないぞう》。[6]肺臓《はいぞう》。

もっとわかる

● 「五臓六腑《ごぞうろっぷ》」はすべての内臓《ないぞう》の意《い》から、体内《たいない》、体中《からだじゅう》の意《い》。「五臓《ごぞう》」は心臓《しんぞう》・肺《はい》・肝臓《かんぞう》・腎臓《じんぞう》・脾臓《ひぞう》を指《さ》す。「五臓六腑《ごぞうろっぷ》にしみわたる」は、体中《からだじゅう》にしみわたるおいしさを表《あらわ》したことば。

なりたち

「蔵《ぞう》（物《もの》をしまいこむくら）」と「月（肉体《にくたい》）」を合《あ》わせた形《かたち》。体《からだ》の中《なか》にしまいこまれている「はらわた」を表《あらわ》した。

臓 臓 臓 臓 臓 臓 臓 臓

至

至0画〔6画〕

音 シ

訓 いたる

上《うえ》の横棒《よこぼう》より長《なが》く

reach［リーチ］

つかいかた

- 山頂《さんちょう》へと至《いた》る道《みち》。
- 至近距離《しきんきょり》からねらう。
- 実現《じつげん》は至難《しなん》のわざだ。
- 至福《しふく》のときを過《す》ごす。
- 夏至《げし》は昼《ひる》がもっとも長《なが》い。

いみ・ことば

①行《い》きつく。いたる。●必[4]至《ひっし》。

②この上《うえ》なく。●至急[3]《しきゅう》。至難[6]《しなん》。至福[3]《しふく》。

③季節《きせつ》のきわまり。●夏[2]至《げし》。冬[2]至《とうじ》。

もっとわかる

- 「至難《しなん》のわざ」は、実現《じつげん》するのがきわめてむずかしいこと。
- 「必至《ひっし》」は、そうなることがさけられないこと。

なりたち

- 「矢（や）」と「一」を組《く》み合《あ》わせた形《かたち》。矢《や》が地面《じめん》に届《とど》くようすで、目的《もくてき》のところに達《たっ》する意《い》を表《あらわ》した。

→至

舌

舌0画〔6画〕

音（ゼツ）

訓 した

ななめ左下《ひだりした》に

tongue［タング］

つかいかた

- 舌《した》をやけどする。
- 思《おも》わず舌打《したう》ちをする。
- 毒舌《どくぜつ》をふるう。
- 筆舌《ひつぜつ》に尽《つ》くしがたい苦労《くろう》。
- 弁舌《べんぜつ》さわやかな人《ひと》。

いみ・ことば

①口《くち》の中《なか》のした。●舌打[3]《したう》ち。舌足[1]《したた》らず。舌先[1]《したさき》。舌《した》つづみ。ねこ舌《じた》。

②ことば。●舌戦[4]《ぜっせん》。毒[5]舌《どくぜつ》。筆[3]舌《ひつぜつ》。弁[5]舌《べんぜつ》。

もっとわかる

- 「舌《した》つづみ」は、おいしいものを食《た》べて舌《した》を鳴《な》らす意《い》。「舌《した》つづみを打《う》つ」で、おいしいものを味《あじ》わうこと。
- 「毒舌《どくぜつ》」は、手厳《てきび》しい皮肉《ひにく》やいやみ。

なりたち

- 「干（棒《ぼう》）」と「口（くち）」を合《あ》わせた形《かたち》で、口《くち》の中《なか》の棒状《ぼうじょう》のもの、「した」を表《あらわ》した。

→舌

蚕

虫4画〔10画〕

音 サン

訓 かいこ

上《うえ》につき出《だ》さない

silkworm［スィるクワーム］

つかいかた

- 蚕《かいこ》を育《そだ》てる。
- 蚕《かいこ》のまゆ。
- 養蚕《ようさん》を営《いとな》む農家《のうか》。
- 蚕糸業《さんしぎょう》で栄《さか》えた町《まち》。
- 他国《たこく》の領土《りょうど》を蚕食《さんしょく》する。

いみ・ことば

●かいこ。●蚕業[3]《さんぎょう》。蚕糸[1]《さんし》。蚕食[2]《さんしょく》。養[4]蚕《ようさん》。

もっとわかる

- 「蚕食《さんしょく》」は、蚕《かいこ》がクワを食《た》べるように、他《た》の領分《りょうぶん》をおかしていくこと。

なりたち

- もとの字《じ》は「蠶」。「朁」は、髪《かみ》にさすかんざしの形《かたち》を二《ふた》つ合《あ》わせた「兓」と「日（動作《どうさ》のしるし）」で、「すきまにもぐりこむ」というイメージを示《しめ》す。それに「䖵（昆虫《こんちゅう》）」を合《あ》わせて、もぐりこんでクワの葉《は》を食《た》べる虫《むし》、「かいこ」を表《あらわ》した。

→朁

衆

血6画〔12画〕
音 シュウ（シュ）
訓 ―

この形《かたち》に注意《ちゅうい》

croud［クラウド］

つかいかた

- 衆議院《しゅうぎいん》議員《ぎいん》の選挙《せんきょ》。
- 観衆《かんしゅう》が声援《せいえん》を送《おく》る。
- 群衆《ぐんしゅう》に飲《の》みこまれる。
- 大衆《たいしゅう》の意見《いけん》を聞《き》く。
- 聴衆《ちょうしゅう》を前《まえ》に演説《えんぜつ》する。

いみ・ことば

● おおぜい。たくさんの人《ひと》。●衆議《しゅうぎ》[4]。衆《しゅう》人《じん》[1]。衆知《しゅうち》[2]。群衆《ぐんしゅう》[4]。大衆《たいしゅう》[1]。▲聴衆《ちょうしゅう》。民衆《みんしゅう》[4]。

もっとわかる

- 「シュ」の読《よ》みは、「衆生《しゅじょう》」などに使《つか》われる。
- 「衆人《しゅうじん》」は、多《おお》くの人《ひと》。「衆《しゅう》人環視《じんかんし》」は、大勢《おおぜい》がとりまいて見《み》ていること。
- 「衆知《しゅうち》」は、多《おお》くの人《ひと》の知恵《ちえ》。

なりたち

 → 衆

- もとの形《かたち》は、人《ひと》が三《みっ》つならんだ形《かたち》に「罒（目《め》）」を加《くわ》えたもの。取《と》りしまる人《ひと》のもとに大勢《おおぜい》が集《あつ》まるようすで、多《おお》くの人々《ひとびと》を表《あらわ》した。

裁

衣6画〔12画〕
音 サイ
訓 （たつ） さばく

右《みぎ》に長《なが》く出《で》る

cut［カット］

つかいかた

- 布地《ぬのじ》を裁《た》つ。
- 法《ほう》の裁《さば》きを受《う》ける。
- けんかを仲裁《ちゅうさい》する。
- フランスで洋裁《ようさい》を学《まな》ぶ。

いみ・ことば

❶ 布《ぬの》を切《き》る。衣服《いふく》をつくる。●裁断《さいだん》[5]。裁《さい》縫《ほう》▲。断裁《だんさい》[5]。洋裁《ようさい》[3]。和裁《わさい》[3]。

❷ よしあしを決《き》める。さばく。●裁定《さいてい》[3]。裁判《さいばん》[5]。裁量《さいりょう》[4]。決裁《けっさい》[3]。制裁《せいさい》[5]。仲裁《ちゅうさい》[4]。

もっとわかる

- 「裁断《さいだん》」は、よしあしを決《き》める意《い》でも使《つか》われる（例 社長《しゃちょう》の裁断《さいだん》をあおぐ）。

なりたち

 → 𢦏

- 「𢦏《さい》」は、「才《さい》（たち切《き》る）」と「戈（ほこ）」を合《あ》わせて、「たち切《き》る」というイメージを示《しめ》す。「衣（ころも）」をそえた「裁」は、布《ぬの》を切《き》って衣《ころも》をつくるようすで、「切《き》る」「さばく」の意《い》を表《あらわ》した。

装

衣6画〔12画〕
音 ソウ（ショウ）
訓 （よそおう）

土と書《か》かない

dress［ドレス］

つかいかた

- はなやかな装《よそお》い。
- 衣装《いしょう》ケースにしまう。
- 警報装置《けいほうそうち》が作動《さどう》する。
- 贈《おく》り物《もの》を包装《ほうそう》する。
- ぼうしとサングラスで変装《へんそう》する。

いみ・ことば

❶ 身《み》づくろいする。よそおう。●衣装《いしょう》[4]。仮装《かそう》[5]。軽装《けいそう》[3]。服装《ふくそう》[3]。武装《ぶそう》[5]。変装《へんそう》[4]。礼装《れいそう》[3]。

❷ とりつける。かざる。●装飾《そうしょく》▲。装置《そうち》[4]。装備《そうび》[5]。包装《ほうそう》[4]。

もっとわかる

- 「ショウ」の読《よ》みは、「装束《しょうぞく》」「衣装《いしょう》」などのことばに使《つか》われる。

なりたち

もとの字《じ》は「裝」。「壯《そう》（スマートな）」と「衣（ころも）」を合《あ》わせた形《かたち》。衣服《いふく》を着《き》てスマートに身《み》づくろいするようすで、「よそおう」「よそおい」の意《い》を表《あらわ》した。

6年

6年

補

ネ7画（12画）

音 ホ
訓 おぎなう

点《てん》を忘《わす》れない

supplement［サプラメント］

つかいかた

- 足《た》りない栄養《えいよう》を補《おぎな》う。
- 水分《すいぶん》を補給《ほきゅう》する。
- 橋《はし》の補強《ほきょう》工事《こうじ》を行《おこな》う。
- 補欠《ほけつ》の選手《せんしゅ》が出場《しゅつじょう》する。

いみ・ことば

1. **おぎなう。** ●補給《ほきゅう》。補強《ほきょう》。補欠《ほけつ》。補修《ほしゅう》。補助《ほじょ》。補足《ほそく》。候補《こうほ》。
2. **たすける。** ●補佐《ほさ》。補聴器《ほちょうき》。補導《ほどう》。

もっとわかる

- 「補佐《ほさ》」は、人《ひと》の仕事《しごと》を助《たす》けること。また、その役《やく》の人《ひと》。

なりたち

「甫《ほ》」は、「平《たい》らにびっしりしきつめる」というイメージから、「ぴったりくっつく」というイメージにもなる。それに「ネ（ころも）」を合《あ》わせた「補」は、衣服《いふく》の破《やぶ》れたところに布《ぬの》をぴったりあててつくろうようすで、「おぎなう」の意《い》を表《あらわ》した。

裏

衣7画（13画）

音（リ）
訓 うら

この形《かたち》に注意《ちゅうい》

rear［リア］

つかいかた

- 明《あか》るくて裏表《うらおもて》のない人《ひと》。
- トランプを裏返《うらがえ》す。
- 裏口《うらぐち》から入《はい》る。
- 本心《ほんしん》とは裏腹《うらはら》なことば。
- 強気《つよき》が裏目《うらめ》に出《で》る。

いみ・ことば

1. **うら。後《うし》ろ。** ●裏表《うらおもて》。裏方《うらかた》。裏口《うらぐち》。裏地《うらじ》。裏腹《うらはら》。裏目《うらめ》。裏面《りめん》（うらめん）。
2. **うちがわ。なか。** ●裏話《うらばなし》。脳裏《のうり》。
3. **…のうちに。** ●成功裏《せいこうり》。秘密裏《ひみつり》。

もっとわかる

- 「裏表《うらおもて》のない」は、人《ひと》がいてもいなくても言動《げんどう》にちがいのないこと。
- 「裏口《うらぐち》」は、不正《ふせい》な手段《しゅだん》の意《い》でも使《つか》われる。

なりたち

「里《り》（すじ目《め》）」と「衣（ころも）」を合《あ》わせた形《かたち》。ぬいあとのすじがついた衣《ころも》の「うら」を表《あらわ》した。

視

見4画（11画）

音 シ
訓 ―

上《うえ》にはねる

look［るック］

つかいかた

- 先生《せんせい》と視線《しせん》が合《あ》う。
- 視野《しや》の広《ひろ》い人《ひと》。
- 近視《きんし》の眼鏡《めがね》をかける。
- 人間性《にんげんせい》を重視《じゅうし》する。
- きびしい現実《げんじつ》を直視《ちょくし》する。

いみ・ことば

1. **見《み》る。見《み》つめる。** ●視界《しかい》。視覚《しかく》。視察《しさつ》。視線《しせん》。視野《しや》。監視《かんし》。直視《ちょくし》。
2. **思《おも》う。みなす。** ●軽視《けいし》。重視《じゅうし》。敵視《てきし》。
3. **目《め》の働《はたら》き。** ●遠視《えんし》。近視《きんし》。乱視《らんし》。

もっとわかる

- 四字熟語《よじじゅくご》…一視同仁《いっしどうじん》（すべての人《ひと》を差別《さべつ》なく同《おな》じように愛《あい》すること）
- 「白眼視《はくがんし》」とは、冷《つめ》たい目《め》つきで見《み》ること。

なりたち

もとの字《じ》は「視」。「示《じ》（まっすぐしめす）」と「見（みる）」を合《あ》わせた形《かたち》で、まっすぐに目《め》を向《む》けて「見《み》る」意《い》を表《あらわ》した。

覧

見10画〔17画〕

音 ラン
訓 ―

上《うえ》の横棒《よこぼう》より少《すこ》し短《みじか》く

view［ヴュー］

つかいかた

- 図《ず》をご覧《らん》下《くだ》さい。
- 一覧表《いちらんひょう》にまとめる。
- 観覧車《かんらんしゃ》に乗《の》る。
- 展覧会《てんらんかい》に出品《しゅっぴん》する。

いみ・ことば

1 見《み》る。見回《みまわ》す。見《み》わたす。 ● 1一覧《いちらん》。▲閲《えつ》覧《らん》。2回覧《かいらん》。4観覧《かんらん》。6展覧会《てんらんかい》。4博覧会《はくらんかい》。

2 全体《ぜんたい》をまとめたもの。 ● 4便覧《べんらん》(びん)(らん)。4要覧《ようらん》。

もっとわかる

● 「便覧《べんらん》」は、あることの全体《ぜんたい》を知《し》るのに便利《べんり》なように、簡単《かんたん》にまとめたもの。

なりたち

→監

● もとの字《じ》は「覽」。「監《かん》」は、水《みず》の入《はい》った皿《さら》に顔《かお》を映《うつ》して見《み》るようす。「一定《いってい》のわくの中《なか》におさめる」というイメージを示《しめ》す。それに「見（みる）」を合《あ》わせた「覧」は、わく全体《ぜんたい》を視野《しや》におさめるようすで、全体《ぜんたい》を通《とお》してよく見《み》る意《い》を表《あらわ》した。

討

言3画〔10画〕

音 トウ
訓 （うつ）

はねる

attack［アタック］

つかいかた

- この前《まえ》の敵討《かたきう》ちをする。
- 何度《なんど》も討議《とうぎ》を重《かさ》ねる。
- 江戸《えど》時代《じだい》の討幕運動《とうばくうんどう》。
- 政治《せいじ》について討論《とうろん》する。
- 内容《ないよう》をよく検討《けんとう》する。

いみ・ことば

1 うちとる。うつ。 ● 6敵討《かたきう》ち。3追討《ついとう》。

2 調《しら》べる。 ● 4討議《とうぎ》。6討論《とうろん》。5検討《けんとう》。

もっとわかる

● 「敵討《かたきう》ち」は、身内《みうち》や仲間《なかま》を殺《ころ》した相手《あいて》をうちとる意《い》。また、仕返《しかえ》しの意《い》でも使《つか》われる。

なりたち

「肘《ちゅう》」は「ひじ」のことで、「囲《かこ》んで引《ひ》きしめる」というイメージを示《しめ》す。「肘」を略《りゃく》した「寸」と「言（いう）」を合《あ》わせた「討」は、罪《つみ》を言《い》い立《た》ててまわりを取《と》り囲《かこ》み、武力《ぶりょく》で圧《あっ》するようすで、敵《てき》を「うつ」意《い》を表《あらわ》した。

訪

言4画〔11画〕

音 ホウ
訓 （おとずれる）
たずねる

はねる

visit［ヴィズィット］

つかいかた

- チャンスが訪《おとず》れる。
- 友《とも》だちの家《いえ》を訪《たず》ねる。
- 先生《せんせい》が家庭訪問《かていほうもん》をする。
- 探訪《たんぼう》記事《きじ》を書《か》く。
- 西欧諸国《せいおうしょこく》を歴訪《れきほう》する。

いみ・ことば

1 たずねる。 ● 3訪問《ほうもん》。2来訪《らいほう》。5歴訪《れきほう》。

2 さがし求《もと》める。 ● 6探訪《たんぼう》。

もっとわかる

● 「来訪《らいほう》」は、人《ひと》が訪《たず》ねてくること。↔往《おう》訪《ほう》 ● 「歴訪《れきほう》」は、あちこちの場所《ばしょ》をつぎつぎに訪《おとず》れること。 ● 「探訪《たんぼう》」は、その場《ば》に行《い》って、あまり知《し》られていない実態《じったい》などをさぐること。

なりたち

「方《ほう》（四方《しほう》にのびる）」と「言（いう）」を合《あ》わせた形《かたち》。四方《しほう》に出向《でむ》いてたずねるようすで、「おとずれる」「たずねる」の意《い》を表《あらわ》した。

訳

言4画（11画）
音 ヤク
訓 わけ

上《うえ》につき出《だ》さない　訳

translate［トランスれイト］

つかいかた

・これには深《ふか》い訳《わけ》がある。
・言《い》い訳《わけ》は聞《き》きたくない。
・外国語《がいこくご》を日本語《にほんご》に訳《やく》す。
・英語《えいご》を通訳《つうやく》する。
・外国《がいこく》の小説《しょうせつ》を翻訳《ほんやく》する。

いみ・ことば

1 あることばを別《べつ》のことばにする。やくす。●訳《やく》[1]文《ぶん》。[4]英訳《えいやく》。[2]通訳《つうやく》。▲翻訳《ほんやく》。[3]和訳《わやく》。

2 理由《りゆう》。わけ。●[2]言《い》い訳《わけ》。[3]申《もう》し訳《わけ》ない。

もっとわかる

●「申《もう》し訳《わけ》ない」は、わびるときのことば。「申《もう》し訳《わけ》」は、説明《せつめい》すべき理由《りゆう》の意《い》。

なりたち

もとの字《じ》は「譯」。「睪《えき》（つぎつぎとつなぐ）」と「言（いう）」を合《あ》わせた形《かたち》。わからないことばを意味《いみ》のあることばにかえてつなぎ合《あ》わせるようすで、ほかのことばに言《い》いかえる意《い》を表《あらわ》した。

訳 訳 訳 訳 訳 訳 訳 訳

詞

言5画（12画）
音 シ
訓 ―

はねる　詞

words［ワーヅ］

つかいかた

・歌詞《かし》を見《み》ながら歌《うた》う。
・形容詞《けいようし》の活用《かつよう》を学《まな》ぶ。
・自分《じぶん》で作詞《さくし》作曲《さっきょく》する。
・文《ぶん》と文《ぶん》をつなぐ接続詞《せつぞくし》。
・外国《がいこく》の歌《うた》を訳詞《やくし》する。

いみ・ことば

1 ことば。●[2]歌詞《かし》。[2]作詞《さくし》。[6]訳詞《やくし》。

2 ことばの分類《ぶんるい》。●[2]形[5]容詞《けいようし》。[3]代[1]名詞《だいめいし》。[3]動《どう》詞《し》。[1]名詞《めいし》。[4]副詞《ふくし》。

もっとわかる

●特別《とくべつ》な読《よ》み方《かた》…祝詞《のりと》（神《かみ》にいのるときに唱《とな》えることば。「祝詞《しゅくし》」と読《よ》むと、祝《いわ》いのことばの意《い》）●「詞花集《しかしゅう》」は、美《うつく》しい詩《し》や文《ぶん》を集《あつ》めたもの。アンソロジー。

なりたち

「司《し》（小《ちい》さい）」と「言（いう）」を合《あ》わせた形《かたち》。文《ぶん》を組《く》み立《た》てる小《ちい》さな要素《ようそ》としての「ことば」を表《あらわ》した。

詞 詞 詞 詞 詞 詞 詞 詞

6年

誠

言6画（13画）
音 セイ
訓 （まこと）

はねる　誠

sincerity［スィンサリティ］

つかいかた

・誠《まこと》をつくして忠告《ちゅうこく》する。
・相手《あいて》に誠意《せいい》を見《み》せる。
・誠実《せいじつ》な人《ひと》がら。
・うそのない至誠《しせい》の人《ひと》。
・王《おう》に忠誠《ちゅうせい》を示《しめ》す。

いみ・ことば

●うそのないこと。真心《まごころ》。●誠《せい》[3]意《い》。誠《せい》[3]実《じつ》。[6]至誠《しせい》。[6]忠誠《ちゅうせい》。

もっとわかる

●四字熟語《よじじゅくご》…誠心誠意《せいしんせいい》（真心《まごころ》をこめて物事《ものごと》を行《おこな》うようす）●「至誠《しせい》」は、きわめて誠実《せいじつ》なこと。●「忠誠《ちゅうせい》」は、忠実《ちゅうじつ》で正直《しょうじき》な心《こころ》のこと。●「誠実《せいじつ》」の反対《はんたい》の意味《いみ》のことばは「不実《ふじつ》」。

なりたち

「成《せい》（仕上《しあ》げてまとめる）」と「言（いう）」を合《あ》わせた形《かたち》。ことばと行《おこな》いがまとまってうそがないようすで、「まこと」の意《い》を表《あらわ》した。

誠 誠 誠 誠 誠 誠 誠 誠

誤

言7画〔14画〕
音 ゴ
訓 あやまる

誤 ひと筆《ふで》で書《か》く

mistake［ミステイク］

つかいかた
- 操作《そうさ》を誤《あやま》ってぶつかる。
- よけいな誤解《ごかい》を招《まね》く。
- わずかに誤差《ごさ》が生《しょう》じる。
- 誤字《ごじ》に気《き》をつける。
- 時代錯誤《じだいさくご》もはなはだしい。

いみ・ことば
- **まちがう。まちがい。あやまり。**
- 誤《ご》[5]解《かい》。誤《ご》[4]差《さ》。誤《ご》[2]算《さん》。誤《ご》[1]字《じ》。誤《ご》▲診《しん》。誤《ご》[2]読《どく》。誤《ご》[5]報《ほう》。誤《ご》[6]訳《やく》。誤《ご》[2]用《よう》。▲錯《さく》誤《ご》。[1]正《せい》誤《ご》。

もっとわかる
- 四字熟語《よじじゅくご》…時代錯誤《じだいさくご》（時代《じだい》に合《あ》わない考《かん》え方《かた》をすること）

なりたち
↓呉
- 「呉《ご》」は、「食《く》いちがう」というイメージを示《しめ》す。それに「言（いう）」をそえた「誤」は、ことばが食《く》いちがうようすで、「まちがう」の意《い》を表《あらわ》した。

誌

言7画〔14画〕
音 シ
訓 ―

誌 上《うえ》の横棒《よこぼう》より短《みじか》く

magazine［マガズィーン］

つかいかた
- 誌面《しめん》をながめる。
- 電車《でんしゃ》の中《なか》で雑誌《ざっし》を読《よ》む。
- 売店《ばいてん》で週刊誌《しゅうかんし》を買《か》う。
- 学級《がっきゅう》日誌《にっし》をつける。

いみ・ことば
1. **書《か》き記《しる》したもの。** ●[5]雑《ざっ》誌《し》。[1]日《にっ》誌《し》。
2. **雑誌《ざっし》のこと。** ●誌《し》[1]上《じょう》。誌《し》[3]面《めん》。[4]機《き》[4]関《かん》誌《し》。[1]月《げっ》[5]刊《かん》誌《し》。[2]週《しゅう》[5]刊《かん》誌《し》。

もっとわかる
- 「誌面《しめん》」は、雑誌《ざっし》の記事《きじ》がのっている面《めん》。同《おな》じ「シメン」でも、「紙面《しめん》」と書《か》くと、新聞《しんぶん》の記事《きじ》がのっている面《めん》の意《い》。

なりたち
「志《し》」は、「まっすぐ進《すす》む」というイメージがあるが、反対《はんたい》に「じっと止《と》まる」というイメージも表《あらわ》すことができる。それに「言（いう）」を合《あ》わせて、ことばや文字《もじ》を「書《か》きとめたもの」を表《あらわ》した。

認

言7画〔14画〕
音 （ニン）
訓 みとめる

認 忘《わす》れずに

recognize［レコグナイズ］

つかいかた
- 窓《まど》ガラスを割《わ》ったことを認《みと》める。
- 認識《にんしき》不足《ぶそく》を指摘《してき》する。
- 身《み》もとを確認《かくにん》する。
- 申請《しんせい》が認可《にんか》される。

いみ・ことば
1. **見分《みわ》ける。** ●認《にん》[5]識《しき》。認《にん》[2]知《ち》。[5]確《かく》認《にん》。
2. **許《ゆる》す。みとめる。** ●認《にん》[5]可《か》。認《にん》[5]証《しょう》。認《にん》[3]定《てい》。[2]公《こう》認《にん》。[6]否《ひ》認《にん》。▲黙《もく》認《にん》。

もっとわかる
- 「黙認《もくにん》」は、だまって見過《みす》ごすこと。

なりたち
↓刃
- 「刃《じん》」は、刀《かたな》のやいば。「ねばり強《づよ》い」というイメージがある。それに「心」を合《あ》わせた「忍《にん》」は、ねばり強《づよ》くがまんすること。それに「言（いう）」をそえた「認」は、ねばり強《づよ》く本質《ほんしつ》を見《み》きわめるようすで、「見分《みわ》ける」「見定《みさだ》める」の意《い》を表《あらわ》した。

6年

諸

言8画〔15画〕

音 ショ
訓 ―

上《うえ》の横棒《よこぼう》より長《なが》く

various［ヴェアリアス］

つかいかた

- 諸君《しょくん》の活躍《かつやく》に期待《きたい》する。
- ヨーロッパ諸国《しょこく》を旅《たび》する。
- この問題《もんだい》には諸説《しょせつ》がある。
- 諸事《しょじ》万端《ばんたん》を整《ととの》える。
- 諸般《しょはん》の事情《じじょう》により中止《ちゅうし》する。

いみ・ことば

- **たくさんの。いろいろな。**
- 諸[3]君《しょくん》。諸《しょ》[2]兄《けい》。諸[2]国《しょこく》。諸[4]氏《しょし》。諸[3]事《しょじ》。諸[4]説《しょせつ》。

もっとわかる

- 四字熟語《よじじゅくご》…諸行無常《しょぎょうむじょう》（この世《よ》のすべてのものはつねに変化《へんか》する。永久《えいきゅう》に変《か》わらないものはない）・諸説紛々《しょせつふんぷん》（いろいろな意見《いけん》や説《せつ》が入《い》り乱《みだ》れて、まとまりがつかないこと）

なりたち

「者《しゃ》（多《おお》く集《あつ》まる）」と「言（いう）」を合《あ》わせた形《かたち》。多《おお》くのことばや物事《ものごと》を示《しめ》して、「もろもろ」の意《い》を表《あらわ》した。

誕

言8画〔15画〕

音 タン
訓 ―

左下《ひだりした》にはらう

be born［ビィ ボーン］

つかいかた

- 新《あたら》しい駅《えき》が誕生《たんじょう》する。
- 誕生祝《たんじょういわ》いを贈《おく》る。
- 今日《きょう》は妹《いもうと》の誕生日《たんじょうび》だ。
- キリストの降誕祭《こうたんさい》。
- 生誕《せいたん》二〇〇年祭《ねんさい》の式典《しきてん》。

いみ・ことば

- **生《う》まれる。**
- 誕[1]生《たんじょう》。[6]降誕《こうたん》。[1]生誕《せいたん》。

もっとわかる

- 「降誕《こうたん》」は、神仏《しんぶつ》や聖人《せいじん》などがこの世《よ》に生《う》まれること。「降誕祭《こうたんさい》」は、それを祝《いわ》う祭典《さいてん》。とくに、キリストの誕生《たんじょう》を祝《いわ》う祭典《さいてん》（クリスマス）を指《さ》す。
- 「生《せい》誕《たん》」は、生《う》まれること。人《ひと》についていう。

なりたち

「延《えん》（ひきのばす）」と「言（いう）」を合《あ》わせた形《かたち》。大《おお》げさにひきのばしたことばを示《しめ》して、「でたらめ」の意《い》を表《あらわ》した。また、「うまれる」の意《い》でも使《つか》われた。

論

言8画〔15画〕

音 ロン
訓 ―

左右《さゆう》につき出《だ》さない

discuss［ディスカス］

つかいかた

- たがいの論《ろん》を戦《たたか》わせる。
- 事《こと》のよしあしを論《ろん》じる。
- そんな意見《いけん》は論外《ろんがい》だ。
- 学会《がっかい》で論文《ろんぶん》を発表《はっぴょう》する。
- 進《すす》め方《かた》に異論《いろん》を唱《とな》える。

いみ・ことば

1. **すじ道《みち》を立《た》ててのべる。**
   - 論[2]外《ろんがい》。論《ろん》[5]証《しょう》。論[4]争《ろんそう》。論[1]文《ろんぶん》。[1]口論《こうろん》。[6]討論《とうろん》。[5]弁論《べんろん》。
2. **考《かんが》え。意見《いけん》。**
   - [6]異論《いろん》。[3]持論《じろん》。[3]世論《よろん》（せろん）。

もっとわかる

- 「論《ろん》より証拠《しょうこ》」は、議論《ぎろん》するよりも証《しょう》拠《こ》を示《しめ》したほうが物事《ものごと》ははっきりするということ。
- 「論《ろん》をまたない」は、わかり切《き》っていて言《い》うまでもない意《い》。

なりたち

「侖《ろん》（すじが通《とお》るように順序《じゅんじょ》よくならべる）」と「言（いう）」を合《あ》わせた形《かたち》で、すじ道《みち》を立《た》ててのべる意《い》を表《あらわ》した。

6年

警

言12画〔19画〕

音 ケイ
訓 ―

警（長《なが》く）

warn［ウォーン］

つかいかた

- 河川《かせん》の氾濫《はんらん》を**警戒**《けいかい》する。
- **警察官**《けいさつかん》がかけつける。
- 審判《しんぱん》に**警告**《けいこく》を受《う》ける。
- 入《い》り口《ぐち》の**警備**《けいび》を固《かた》める。
- **大雨警報**《おおあめけいほう》が出《だ》される。

いみ・ことば

①気《き》をつけさせる。注意《ちゅうい》する。 ●警戒《けいかい》。警句《けいく》。警告《けいこく》。警鐘《けいしょう》。警笛《けいてき》。警報《けいほう》。

②守《まも》る。 ●警護《けいご》。警備《けいび》。自警《じけい》。夜警《やけい》。

③警察《けいさつ》のこと。 ●警察官《けいさつかん》。県警《けんけい》。

もっとわかる

- 「警句《けいく》」は、真理《しんり》をするどくついた短《みじか》いことば。
- 「警笛《けいてき》」は、車《くるま》や電車《でんしゃ》などで、注意《ちゅうい》をうながすために鳴《な》らすもの。

なりたち

「敬《けい》（身《み》を引《ひ》きしめる）」と「言（ことば）」を合《あ》わせた形《かたち》。ことばで注意《ちゅうい》をあたえ、身《み》を引《ひ》きしめて用心《ようじん》させる意《い》を表《あらわ》した。

貴

貝5画〔12画〕

音 キ
訓 （たっとい）（とうとい）（たっとぶ）（とうとぶ）

貴（上《うえ》につき出《だ》す）

valuable［ヴァリュアブる］

つかいかた

- 日本文化《にほんぶんか》の**貴い**《とうと》遺産《いさん》。
- **貴金属**《ききんぞく》をあつかう店《みせ》。
- **貴重品**《きちょうひん》を預《あず》ける。
- **王侯貴族**《おうこうきぞく》のような暮《く》らし。

いみ・ことば

①価値《かち》がある。 ●貴金属《ききんぞく》。貴重《きちょう》。

②身分《みぶん》が高《たか》い。 ●貴公子《きこうし》。貴族《きぞく》。高貴《こうき》。

③相手《あいて》をうやまう気持《きも》ちを表《あらわ》すことば。 ●貴下《きか》。貴兄《きけい》。貴国《きこく》。貴社《きしゃ》。

もっとわかる

- ③のことばは、多《おお》く手紙文《てがみぶん》で使《つか》われる。

なりたち

（古い字形）→臾

- 「⾀」は「臾」が変《か》わったもの。「臾《き》」は、土《つち》などを入《い》れて運《はこ》ぶ「もっこ」のことで、「あいたところを満《み》たす」というイメージがある。それに「貝（お金《かね》や品物《しなもの》）」を合《あ》わせた「貴」は、お金《かね》や品物《しなもの》がいっぱいあるようすで、「価値《かち》がある」の意《い》を表《あらわ》した。

賃

貝6画〔13画〕

音 チン
訓 ―

賃（上《うえ》の横棒《よこぼう》より短《みじか》く）

wage［ウェイヂ］

つかいかた

- **賃金**《ちんぎん》をしはらう。
- **賃貸**《ちんたい》**マンション**に住《す》む。
- 小銭《こぜに》を**運賃箱**《うんちんばこ》に入《い》れる。
- **手間賃**《てまちん》を受《う》け取《と》る。
- **家賃**《やちん》が値上《ねあ》がりする。

いみ・ことば

●人《ひと》や物《もの》を使《つか》ったことに対《たい》してはらうお金《かね》。 ●賃上《ちんあ》げ。賃金《ちんぎん》。賃借《ちんしゃく》。賃貸《ちんたい》。運賃《うんちん》。借《か》り賃《ちん》。手間賃《てまちん》。電車賃《でんしゃちん》。

もっとわかる

- 「賃借《ちんしゃく》」は、お金《かね》をはらって物《もの》を借《か》りること。↕賃貸《ちんたい》
- 「手間賃《てまちん》」は、かかった労力《ろうりょく》や時間《じかん》に応《おう》じてはらわれる代金《だいきん》。

なりたち

「任《にん》（かかえ持《も》つ）」と「貝（お金《かね》や品物《しなもの》）」を合《あ》わせた形《かたち》。人《ひと》をかかえ、お金《かね》をはらってやとうようすを表《あらわ》した。のち、「代金《だいきん》」「賃金《ちんぎん》」の意《い》でも使《つか》われた。

臨

臣11画〔18画〕
音 リン
訓 （のぞむ）

上《うえ》の口をやや大《おお》きく

over look ［オウヴァ るック］

つかいかた

- 海《うみ》に臨《のぞ》む部屋《へや》。
- 祖父《そふ》からの臨時《りんじ》収入《しゅうにゅう》。
- 臨終《りんじゅう》をむかえる。
- 臨場感《りんじょうかん》あふれる映像《えいぞう》。
- 実業界《じつぎょうかい》に君臨《くんりん》する大物《おおもの》。

いみ・ことば

❶ 見下《みお》ろす。したがえる。 ●[3]君臨《くんりん》。

❷ その場《ば》に立《た》ちあう。その時《とき》になる。 ●臨《りん》[1]月《げつ》。臨[2]時《りんじ》。臨[2]場[3]感《りんじょうかん》。臨[4]席《りんせき》。

もっとわかる

- 「臨終《りんじゅう》」は、人《ひと》が死《し》ぬまぎわ。また、死《し》ぬこと。
- 四字熟語《よじじゅくご》…臨機応変《りんきおうへん》（その場《ば》に応《おう》じて適切《てきせつ》に処理《しょり》すること）

なりたち

 ↓ 臨

- 「臣（目玉《めだま》）」と「人（ひと）」と「品（物《もの》）」を合《あ》わせた形《かたち》。人《ひと》が下《した》の物《もの》を見下《みお》ろしているようすで、高《たか》いところから下《した》を見《み》る意《い》を表《あらわ》した。

針

金2画〔10画〕
音 シン
訓 はり

ななめ右上《みぎうえ》に

needle ［ニードる］

つかいかた

- 時計《とけい》の針《はり》が十二時《じゅうにじ》を指《さ》す。
- 針箱《はりばこ》にぬい針《ばり》をしまう。
- 針葉樹《しんようじゅ》の森《もり》。
- 北《きた》に針路《しんろ》をとる。
- 基本的《きほんてき》な方針《ほうしん》を決《き》める。

いみ・ことば

❶ はり。はりのような形《かたち》をしたもの。 ●針[1]金《はりがね》。針[3]仕[3]事《はりしごと》。針[3]箱《はりばこ》。ぬい針《ばり》。針[3]葉[6]樹《しんようじゅ》。[3]運針《うんしん》。[3]短針《たんしん》。[2]長針《ちょうしん》。[3]秒針《びょうしん》。

❷ 進《すす》むべき道《みち》。 ●針[3]路《しんろ》。[3]指針《ししん》。[2]方針《ほうしん》。

もっとわかる

- 四字熟語《よじじゅくご》…針小棒大《しんしょうぼうだい》（小《ちい》さなことを大《おお》げさに話《はな》すこと）
- 「針《はり》のむしろ」は、少《すこ》しも気《き》の休《やす》まらない立場《たちば》。

なりたち

「十《じゅう》（まとめてしめくくる）」と「金（金属《きんぞく》）」を合《あ》わせた形《かたち》。布《ぬの》をぬってとじ合《あ》わせる金属《きんぞく》の道具《どうぐ》、「はり」を表《あらわ》した。

6年

当《あ》て字《じ》を使《つか》ったことば

あることばを表《あらわ》すために、意味《いみ》に関係《かんけい》なく、似《に》た音《おん》や訓《くん》を当《あ》てはめる漢字《かんじ》の使《つか》い方《かた》を当《あ》て字《じ》といいます。たとえば「アメリカ」を当《あ》て字《じ》で表《あらわ》すと「亜米利加《アメリカ》」となります。

また、麦《むぎ》などで作《つく》ったお酒《さけ》の「ビール」を「麦酒《ビール》」と書《か》くように、音《おん》や訓《くん》とは関係《かんけい》なく、漢字《かんじ》の意味《いみ》をことばに当《あ》てはめる使《つか》い方《かた》も、当《あ》て字《じ》の一種《いっしゅ》といえます。

【漢字《かんじ》の読《よ》みを利用《りよう》した当《あ》て字《じ》】

■国名《こくめい》・地名《ちめい》

英吉利：イギリス　伊太利：イタリア
印度：インド　仏蘭西：フランス

■外国《がいこく》から入《はい》ったことば

珈琲：コーヒー　天麩羅：テンプラ

【漢字《かんじ》の意味《いみ》を利用《りよう》した当《あ》て字《じ》】

硝子：ガラス（硝石《しょうせき》を原料《げんりょう》としたもの）
煙草：タバコ（煙《けむり》を出《だ》す草《くさ》）

【漢字《かんじ》の読《よ》みと意味《いみ》を利用《りよう》した当《あ》て字《じ》】

歌舞伎：かぶき（「傾《かぶ》き」に「歌《か》」と「舞《ぶ》」と「伎《き》（わざ）」を当《あ》てた）
倶楽部：クラブ（倶《とも》に楽《たの》しむ所《ところ》）
寿司：すし（「酸《す》し」に縁起《えんぎ》のいい字《じ》を当《あ》てた）

銭

金６画〔14画〕

音 セン
訓 （ぜに）

点《てん》を忘《わす》れない

money［マニィ］

つかいかた

- 小銭《こぜに》をポケットに入《い》れる。
- 身銭《みぜに》を切《き》って本《ほん》を買《か》う。
- 悪銭《あくせん》身《み》につかず。
- 金銭感覚《きんせんかんかく》のない人《ひと》。
- つり銭《せん》を受《う》け取《と》る。

いみ・ことば

1. お金《かね》。 ● [1]小銭《こぜに》。[3]身銭《みぜに》。銭湯《せんとう》[3]。悪銭《あくせん》[3]。金銭《きんせん》[1]。[2]古銭《こせん》。さい銭《せん》。つり銭《せん》。
2. お金《かね》の単位《たんい》。 ● 一[1]円[1]十[1]五[1]銭《いちえんじゅうごせん》。

もっとわかる

● 「安物買《やすものが》いの銭失《ぜにうしな》い」とは、安《やす》いものを買《か》うと、質《しつ》が悪《わる》くてすぐにだめになり、かえって損《そん》をするということ。

なりたち

もとの字《じ》は「錢」。「戔《せん》（けずって小《ちい》さくする）」と「金（金属《きんぞく》）」を合《あ》わせた形《かたち》。土《つち》や石《いし》をけずる金属《きんぞく》の農具《のうぐ》を示《しめ》して、それに形《かたち》の似《に》ていた「銅貨《どうか》」や「ぜに」を表《あらわ》した。

鋼

金８画〔16画〕

音 コウ
訓 （はがね）

はねる

steel［スティーる］

つかいかた

- 鋼《はがね》のように強《きょう》じんな体《からだ》。
- 鋼材《こうざい》を組《く》み立《た》てる。
- 鋼鉄《こうてつ》のような意志《いし》。
- 鉄鋼業《てっこうぎょう》が盛《さか》んな町《まち》。

いみ・ことば

● かたくきたえた鉄《てつ》。はがね。 ● 鋼材《こうざい》[4]。鋼鉄《こうてつ》[3]。製鋼《せいこう》[5]。鉄鋼《てっこう》[3]。

もっとわかる

● 「鋼鉄《こうてつ》」や「鋼《はがね》」は、気持《きも》ちや意志《いし》などがとても強《つよ》くて、簡単《かんたん》にはくじけないたとえとしても使《つか》われる。

なりたち

● 「岡《こう》」は、「网（冂形《がた》のあみ）」と「山」を合《あ》わせて、冂形《がた》のおかの尾根《おね》のことから、「すじばってかたい」というイメージを示《しめ》す。それに「金（金属《きんぞく》）」をそえて、かたくきたえた金属《きんぞく》、「はがね」を表《あらわ》した。

閉

門３画〔11画〕

音 ヘイ
訓 とじる（とざす） しめる しまる

右《みぎ》に少《すこ》し出《だ》す

close［クろウズ］

つかいかた

- エレベーターのドアが閉《し》まる。
- かたく口《くち》を閉《と》ざす。
- ゆっくり目《め》を閉《と》じる。
- あと三十分《さんじっぷん》で閉館《へいかん》だ。
- 容器《ようき》に密閉《みっぺい》する。

いみ・ことば

1. ふさぐ。とじる。 ● 閉門《へいもん》[2]。開閉《かいへい》[3]。密閉《みっぺい》[6]。
2. やめる。終《お》わりにする。 ● 閉会《へいかい》[2]。閉館《へいかん》[3]。閉店《へいてん》[2]。閉幕《へいまく》[6]。

もっとわかる

● 「閉」①②と反対《はんたい》の意味《いみ》の漢字《かんじ》は「開」。閉門《へいもん》↔開門《かいもん》 閉幕《へいまく》↔開幕《かいまく》 ● 「閉口《へいこう》」は、口《くち》をきくのもいやになるほど困《こま》ること（例 今年《ことし》の夏《なつ》の暑《あつ》さには閉口《へいこう》する）。

なりたち

「門（もん）」と「才（とちゅうでとめる）」を合《あ》わせた形《かたち》。門《もん》をとざして進入《しんにゅう》をとめるようすで、「とじる」の意《い》を表《あらわ》した。

6年

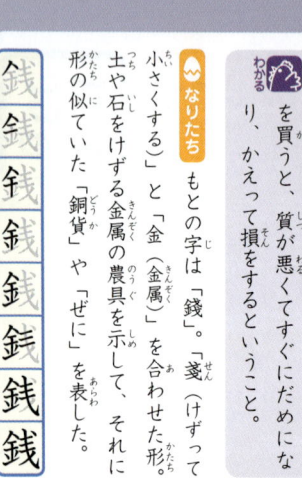

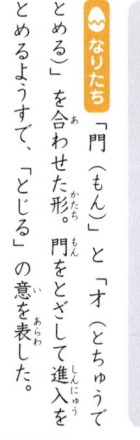

閣

門6画〔14画〕

音 カク
訓 ―

短《みじか》めに

castle［キャスる］

つかいかた

- 首相《しゅしょう》が閣議《かくぎ》を招集《しょうしゅう》する。
- 閣僚《かくりょう》の名前《なまえ》を発表《はっぴょう》する。
- 神社仏閣《じんじゃぶっかく》を訪《たず》ね歩《ある》く。
- 城《しろ》の天守閣《てんしゅかく》をあおぐ。
- 内閣総理大臣《ないかくそうりだいじん》の演説《えんぜつ》。

いみ・ことば

❶ **りっぱな建物《たてもの》。** ●城閣《じょうかく》。天守閣《てんしゅかく》。仏閣《ぶっかく》。

❷ **政治《せいじ》を行《おこな》う内閣《ないかく》のこと。** ●閣議《かくぎ》。閣《かく》▲僚《りょう》。組閣《そかく》。入閣《にゅうかく》。

もっとわかる

●「閣僚《かくりょう》」は、内閣《ないかく》を構成《こうせい》する国務大臣《こくむだいじん》のこと。●「仏閣《ぶっかく》」は、寺《てら》の建物《たてもの》。また、寺院《じいん》のこと。

なりたち

「門（もん）」と「各《かく》（固《かた》いものにぶつかってとまる）」を合《あ》わせた形《かたち》で、開《ひら》いた門《もん》のとびらをとめておく木《き》を表《あらわ》した。のち、りっぱな門構《もんがま》えの家《いえ》の意《い》でも使《つか》われた。

閣

難

隹10画〔18画〕

音 ナン
訓 (かたい)　むずかしい

とめる

disaster［ディザスタア］

つかいかた

- 難《むずか》しい顔《かお》で考《かんが》えこむ。
- 工事《こうじ》が難航《なんこう》する。
- 難問《なんもん》に取《と》り組《く》む。
- 苦難《くなん》の道《みち》を歩《あゆ》む。

いみ・ことば

❶ **苦《くる》しみ。わざわい。** ●▲難儀《なんぎ》。難行《なんぎょう》。難破《なんぱ》。難民《なんみん》。苦難《くなん》。困難《こんなん》。災難《さいなん》。

❷ **むずかしい。けわしい。** ●難解《なんかい》。難関《なんかん》。難航《なんこう》。難題《なんだい》。難病《なんびょう》。難問《なんもん》。至難《しなん》。

❸ **なじる。とがめる。欠点《けってん》をせめる。また、欠点《けってん》。** ●難点《なんてん》。非難《ひなん》。

なりたち

もとの字《じ》は「難」。「𦰩《かん》」は「水分《すいぶん》がかわく」というイメージから、「日照《ひで》り」というイメージにもなる。それと「隹（とり）」を合《あ》わせた「難」は、鳥《とり》が自然《しぜん》の災害《さいがい》に出《で》あうようすで、「わざわい」の意《い》を表《あらわ》した。

難

革

革0画〔9画〕

音 カク
訓 (かわ)

艹と書《か》かない

leather［れざァ］

つかいかた

- 革《かわ》ぐつをみがく。
- 革製品《かわせいひん》を売《う》る店《みせ》。
- 革新的《かくしんてき》なやり方《かた》。
- 学校《がっこう》の沿革《えんかく》を調《しら》べる。
- 教育制度《きょういくせいど》を改革《かいかく》する。

いみ・ことば

❶ **なめしたかわ。** ●革《かわ》ぐつ。皮革《ひかく》。

❷ **変《か》える。あらためる。** ●革新《かくしん》。革命《かくめい》。改革《かいかく》。変革《へんかく》。

もっとわかる

●「革新的《かくしんてき》」は、組織《そしき》や制度《せいど》などを新《あたら》しくしようとする性質《せいしつ》。●「沿革《えんかく》」は、移《うつ》り変《か》わり。歴史《れきし》。「沿」は変《か》わらないもの、「革」は変《か》えたものの意《い》。

なりたち

↓革↓革

●頭《あたま》のついたけものの「かわ」を、ぴんとはったようすをえがいた形《かたち》。

革

頂

頁2画〔11画〕

音 チョウ
訓 いただく　いただき

はねる　頂

summit［サミット］

つかいかた

- 白雪《しらゆき》を頂《いただ》く富士山《ふじさん》。
- 先生《せんせい》から本《ほん》を頂《いただ》く。
- 山《やま》の頂《いただき》に立《た》つ。
- 山《やま》の頂上《ちょうじょう》にたどりつく。
- 人気《にんき》の絶頂《ぜっちょう》にある歌手《かしゅ》。

いみ・ことば

1. てっぺん。いただき。 ●頂上《ちょうじょう》[1]。頂点《ちょうてん》[2]。山頂《さんちょう》[1]。絶頂《ぜっちょう》[5]。登頂《とうちょう》[3]。
2. 頭《あたま》にのせる。いただく。 ●頂▲戴《ちょうだい》。

もっとわかる

● 「頂門《ちょうもん》の一針《いっしん》」は、相手《あいて》の急所《きゅうしょ》をついた忠告《ちゅうこく》。頭上《ずじょう》に針《はり》をさす意《い》から。 ●「有頂天《うちょうてん》」は、うれしくて我《われ》を忘《わす》れること。

なりたち

「丁《ちょう》（T形《がた》にまっすぐ立《た》つ）」と「頁（あたま）」を合《あ》わせた形《かたち》。T形《がた》につきたった頭《あたま》の部分《ぶぶん》、「てっぺん」「いただき」の意《い》を表《あらわ》した。

頂頂頂頂頂頂頂頂

預

頁4画〔13画〕

音 ヨ
訓 あずける　あずかる

はねる　預

deposit［ディパズィット］

つかいかた

- 荷物《にもつ》を預《あず》ける。
- となりの犬《いぬ》を預《あず》かる。
- 銀行《ぎんこう》の預金《よきん》通帳《つうちょう》。
- 預言者《よげんしゃ》のことば。
- 保証金《ほしょうきん》を預託《よたく》する。

いみ・ことば

1. あずける。あずかる。 ●預金《よきん》[1]。預▲託《よたく》。
2. 前《まえ》もって。 ●預言《よげん》[2]。

もっとわかる

● 同音異義語《どうおんいぎご》「ヨゲン」…「預言《よげん》」は、神《かみ》の意思《いし》を伝《つた》えること。「予言《よげん》」は、将来《しょうらい》を予測《よそく》すること（例 予言《よげん》が的中《てきちゅう》する）。

なりたち

「予《よ》（ゆとりをとる）」と「頁（あたま）」を合《あ》わせた形《かたち》。頭数《あたまかず》をそろえるとき、あらかじめ時間的《じかんてき》なゆとりをとっておくようすで、「前《まえ》もって」の意《い》を表《あらわ》した。また、「あずける」の意《い》でも使《つか》われた。

預預預預預預預預預

骨

骨0画〔10画〕

音 コツ
訓 ほね

この形《かたち》に注意《ちゅうい》　骨

bone［ボウン］

つかいかた

- 魚《さかな》の骨《ほね》を取《と》り除《のぞ》く。
- 骨身《ほねみ》をおしまず働《はたら》く。
- 転《ころ》んで足《あし》を骨折《こっせつ》する。
- 気骨《きこつ》のある青年《せいねん》。

いみ・ことば

1. ほね。 ●骨身《ほねみ》[3]。背骨《せぼね》[6]。骨格《こっかく》[5]。骨折《こっせつ》[4]。骨肉《こつにく》[2]。遺骨《いこつ》[6]。接骨《せっこつ》[5]。鉄骨《てっこつ》[3]。白骨《はっこつ》[1]。
2. しっかりした性質《せいしつ》。 ●気骨《きこつ》[1]。反骨《はんこつ》[3]。

もっとわかる

● 「骨《ほね》」を使《つか》ったことば…骨《ほね》がある（しっかりしている）・骨《ほね》が折《お》れる（手間《てま》がかかる）・骨《ほね》を折《お》る（苦労《くろう》をする。けんめいに働《はたら》く）・骨休《ほねやす》め（休息《きゅうそく》すること）

なりたち

 ⬇ 骨

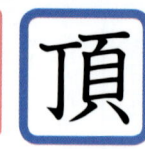

● 「冎《あな》（穴《あな》にはまるほね）」と「月（肉《にく》）」を合《あ》わせた形《かたち》。穴《あな》にはまって自由《じゆう》に動《うご》く関節《かんせつ》の「ほね」を表《あらわ》した。

骨骨骨骨骨骨骨骨

6年

ふろくのもくじ

部首《ぶしゅ》の名前《なまえ》

◉覚《おぼ》えておいたほうがよい部首《ぶしゅ》や、名前《なまえ》のわかりにくい部首《ぶしゅ》などを集《あつ》めて示《しめ》しました。

- 一 いち
- 丨 たてぼう
- 乙（乚） おつ おつにょう
- 亅 はねぼう
- 二 に
- 亠 なべぶた
- 人 ひと
- （亻 にんべん）
- （𠆢 ひとやね）
- 儿 ひとあし
- 入 いる
- 八 はち はちがしら
- 冂 どうがまえ けいがまえ
- 冖 わかんむり
- 冫 にすい
- 几 つくえ きにょう

- 凵 うけばこ かんにょう
- 刀 かたな
- （刂 りっとう）
- 力 ちから
- 勹 つつみがまえ
- 匕 ひ さじ
- 匚 かくしがまえ はこがまえ
- 卩 ふしづくり
- 厂 がんだれ
- 又 また
- 口 くち くちへん
- 囗 くにがまえ
- 土 つち つちへん
- 士 さむらい
- 夂 ふゆがしら すいにょう
- 夕 ゆうべ

- 大 だい
- 女 おんな おんなへん
- 子 こ こへん
- 宀 うかんむり
- 寸 すん
- 小（⺌ しょう）
- 尢 だいのまげあし おうにょう
- 尸 しかばね
- 山 やま やまへん
- 工 たくみ え
- 己 おのれ
- 巾 はば はばへん
- 干 かん
- 幺 いとがしら
- 广 まだれ
- 廴 えんにょう
- 廾 にじゅうあし
- 弋 しきがまえ
- 弓 ゆみ ゆみへん
- 彡 さんづくり
- 彳 ぎょうにんべん
- 艹 くさかんむり

- 辶 しんにょう しんにゅう
- 阝（邑） おおざと
- 阝 こざとへん
- （阜 おか）
- 心 こころ
- （忄 りっしんべん）
- 戈 ほこ ほこがまえ ほこづくり
- 戸 と とだれ
- 手 て
- （扌 てへん）
- 支 しにょう
- 攵 ぼく ぼくにょう
- 斗 とます
- 斤 おのづくり
- 方 ほう かたへん
- 日 ひ ひへん
- 曰 ひらび
- 月 つき つきへん
- 木 き きへん
- 欠 あくび かける
- 止 とめる とめへん
- 歹 かばねへん いちたへん

- 殳 るまた ほこづくり
- 毋 はは ははのかん
- 比 ならびひ くらべる
- 气 きがまえ
- 水 みず
- （氵 さんずい）
- （氺 したみず）
- 火 ひ ひへん
- （灬 れっか れんが）
- 片 かた
- 牛 うし うしへん
- 犬 いぬ
- （犭 けものへん）
- 玉 王 たま おうへん
- 生 うまれる
- 用 もちいる
- 田 た
- 疋 ひき
- 疒 やまいだれ
- 癶 はつがしら
- 白 しろ
- 皮 けがわ

- 皿 さら
- 目 め めへん
- 矢 や やへん
- 石 いし いしへん
- 示 しめす
- （礻 しめすへん）
- 禾 のぎへん
- 穴 あな あなかんむり
- 立 たつ
- 罒（网） あみがしら
- 竹 たけ たけかんむり
- 米 こめ こめへん
- 糸 いと いとへん
- 羊 ひつじ ひつじへん
- 羽 はね
- 老（耂） おいかんむり
- 耒 すきへん
- 耳 みみ みみへん
- 肉 にく
- （月 にくづき）
- 自 みずから

- 至 いたる
- 臼 うす
- 舌 した
- 舟 ふね
- 艮 こんづくり
- 色 いろ
- 虫 むし むしへん
- 行 ぎょうがまえ
- 衣 ころも
- （衤 ころもへん）
- 西 にし
- 見 みる
- 角 つの つのへん
- 言 ごんべん
- 豕 いのこ いのこへん
- 貝 かい かいへん
- 走 はしる そうにょう
- 足 あし あしへん
- 車 くるま くるまへん
- 辛 からい
- 辰 しんのたつ
- 酉 とり ひよみのとり

- 里 さと
- 臣 しん
- 麦 むぎ ばくにょう
- 金 かね かねへん
- 門 もんがまえ
- 隹 ふるとり
- 雨 あめ あめかんむり
- 非 あらず
- 革 つくりがわ かわへん
- 頁 おおがい
- 飛 とぶ
- 食 しょく
- （飠 しょくへん）
- 首 くび
- 香 か かおり
- 馬 うま うまへん
- 骨 ほね ほねへん
- 魚 うお うおへん
- 鳥 とり とりへん
- 鹿 しか
- 歯 は はへん
- 鼻 はな はなへん

部首《ぶしゅ》さくいん

◉学習漢字《がくしゅうかんじ》すべてを部首順《ぶしゅじゅん》に並《なら》べ、その漢字《かんじ》のページを示《しめ》しました。同《おな》じ部首《ぶしゅ》の中《なか》は、画数順《かくすうじゅん》です。

◉部首《ぶしゅ》は、一画《いっかく》から十四画《じゅうよんかく》まで、画数順《かくすうじゅん》に並《なら》んでいます。

◉赤《あか》い丸数字《まるすうじ》は、習《なら》う学年《がくねん》を示《しめ》しています。

◉部首《ぶしゅ》をまちがえやすい漢字《かんじ》は、正《ただ》しい部首《ぶしゅ》を示《しめ》してあります。

【一画】

一 いちの部

一 ① 33
七 ① 34
丁 ③ 197
下 ① 35
三 ① 36
上 ① 37
万 ② 115
不 ④ 267
世 ③ 197
両 ③ 197
並 ⑥ 409
十→十
五→二
友→又
平→干
車→車

｜ たてぼうの部

中 ① 38
出→山
申→田

丶 てんの部

丸 ② 115
主 ③ 198
氷→水

ノ はらいぼうの部

久 ⑤ 339
乗 ③ 198
九→乙
人→人
丸→丶
失→大
身→身

乙（乚）おつの部

九 ① 39
乱 ⑥ 409
乳 ⑥ 409

亅 はねぼうの部

予 ③ 198
争 ④ 267
事 ③ 199

【二画】

二 にの部

二 ① 40
五 ① 41
井 ④ 267
元→儿
夫→大
未→木
示→示

亠 なべぶたの部

亡 ⑥ 410
交 ② 116
京 ② 116

人 ひとの部　亻 にんべん　𠆢 ひとやね

人 ① 42
今 ② 117
仏 ⑤ 339
仁 ⑥ 410
仕 ③ 199
他 ③ 199
代 ③ 200
以 ④ 268
付 ④ 268
令 ④ 268
休 ① 43
会 ② 117
全 ③ 200
仲 ④ 269
伝 ④ 269
仮 ⑤ 339
件 ⑤ 340
任 ⑤ 340
何 ② 118
作 ② 118
体 ② 119
住 ③ 200
位 ④ 269
佐 ④ 270
低 ④ 270
似 ⑤ 340
余 ⑤ 341
使 ③ 201
例 ④ 270
価 ⑤ 341
舎 ⑤ 342
供 ⑥ 410
係 ③ 201
信 ④ 271
便 ④ 272
保 ⑤ 342
倍 ③ 201
候 ④ 272
借 ④ 272
倉 ④ 273
個 ⑤ 342
修 ⑤ 343
値 ⑥ 411
俳 ⑥ 411
俵 ⑥ 412
健 ④ 273
側 ④ 273
停 ⑤ 343
備 ⑤ 343
働 ④ 274
傷 ⑥ 412
像 ⑤ 344
億 ④ 274
優 ⑥ 412
命→口
食→食
化→匕

【三画】

3画

部首さくいん

4画

1 漢字《かんじ》の歴史《れきし》

漢字《かんじ》は、今《いま》から三千年《さんぜんねん》以上《いじょう》も前《まえ》に、中国《ちゅうごく》で作《つく》られました。はじめは、物《もの》の形《かたち》をうつしとっただけの、絵《え》のようなものでした。それが長《なが》い時間《じかん》を経《へ》て少《すこ》しずつ整《せい》理《り》されていき、形《かたち》もだんだん簡単《かんたん》になって、現在使《げんざいつか》われているような文字《もじ》になりました。

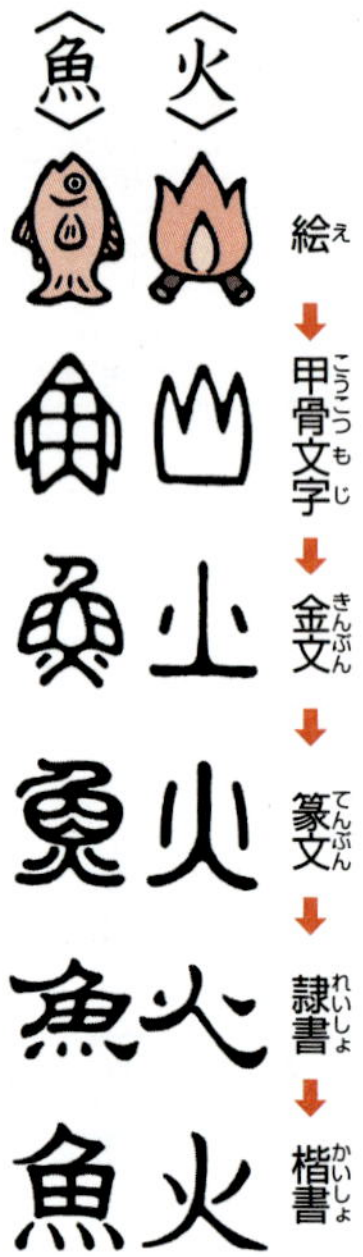

❶ 甲骨文字《こうこつもじ》

現在見《げんざいみ》つかっている中《なか》で、もっとも古《ふる》い漢字《かんじ》は「甲《こう》骨文字《こつもじ》」です。カメの甲羅《こうら》やけものの骨《ほね》に刻《きざ》まれていたところから、こう呼《よ》ばれています。

日本《にほん》が縄文時代《じょうもんじだい》のころ、紀元前十四世紀《きげんぜんじゅうよんせいき》から十一世《じゅういっせい》紀《き》ごろにかけて、中国《ちゅうごく》に殷《いん》という国《くに》がありました。この国《くに》ではどんなことも、占《うらな》いで神《かみ》にうかがいを立《た》ててから決《き》めていました。占《うらな》いは、カメの甲羅《こうら》やけものの骨《ほね》にあけた小《ちい》さな穴《あな》に焼《や》いたはしを押《お》しあて、できたひび割《わ》れの形《かたち》で占《うらな》いました。占《うらな》いに表《あらわ》れた事《こと》がらを、するどいナイフで刻《きざ》みつけたものが発見《はっけん》されています。

❷ 金文《きんぶん》

甲骨文字《こうこつもじ》のつぎに古《ふる》いとされているのが「金文《きんぶん》」です。殷《いん》の終《お》わりから周《しゅう》の時代《じだい》（紀元前十一世紀《きげんぜんじゅういっせいき》から紀元前七世紀《きげんぜんななせいき》まで）にかけて使《つか》われた文字《もじ》で、青銅器《せいどうき》などの金属《きんぞく》に刻《きざ》まれたところからの呼《よ》び名《な》です。

❸ 篆文《てんぶん》・隷書《れいしょ》

周《しゅう》の力《ちから》がおとろえたあと、いくつも国《くに》ができました。紀元前三世紀《きげんぜんさんせいき》に秦《しん》の始皇帝《しこうてい》が中国《ちゅうごく》を統一《とういつ》したとき、地《ち》方《ほう》によって異《こと》なる書体《しょたい》が使《つか》われていました。それでは不便《ふべん》なので、秦《しん》で使《つか》われていた漢字《かんじ》を簡単《かんたん》にして新《あたら》しい書体《しょたい》を作《つく》り、全国《ぜんこく》で使《つか》うように決《き》めました。それが「篆文《てんぶん》」です。のちの漢《かん》の時代《じだい》に、この文字《もじ》をもっと直線的《ちょくせんてき》にした「隷書《れいしょ》」が作《つく》られました。

❹ 楷書《かいしょ》

「隷書《れいしょ》」をさらに簡単《かんたん》にしたのが、現在使《げんざいつか》われている「楷書《かいしょ》」です。紀元三世紀《きげんさんせいき》ごろから使《つか》われるようになり、長《なが》い時間《じかん》をかけて現在《げんざい》のような形《かたち》になりました。

2 漢字《かんじ》のなりたち

一《ひと》つ一《ひと》つの漢字《かんじ》は、さまざまな要素《ようそ》が組《く》み合《あ》わさってできています。漢字《かんじ》をその「なりたち」から見《み》てみると、だいたい以下《いか》の四《よっ》つに分《わ》けられます。

❶象形《しょうけい》

「象形《しょうけい》」とは、「物《もの》の形《かたち》にかたどる」という意味《いみ》です。前《まえ》のページにある「火」や「魚」のように、実際《じっさい》の物《もの》をそのままかたどった文字《もじ》で、イラスト風《ふう》に作《つく》られたものです。象形文字《しょうけいもじ》の数《かず》はそれほど多《おお》くありませんが、これをもとにして、さらに多《おお》くの漢字《かんじ》が作《つく》られました。

❷指事《しじ》

「指事《しじ》」とは、「事《こと》がらを指《さ》し示《しめ》す」という意味《いみ》です。絵《え》などで具体的《ぐたいてき》に表《あらわ》すことのできない事《こと》がらを、点《てん》や線《せん》などの記号《きごう》を用《もち》いて表《あらわ》した文字《もじ》です。例《たと》えば、「一」「二」「三」は、横線《よこせん》の数《かず》でその意味《いみ》を表《あらわ》しています。また、「上」や「下」は、横線《よこせん》の上《うえ》または下《した》を示《しめ》して、その意味《いみ》を表《あらわ》しています。この仲間《なかま》もあまり多《おお》くありませんが、象形文字《しょうけいもじ》と同《おな》じように、ほかの漢字《かんじ》を作《つく》るもとになっています。

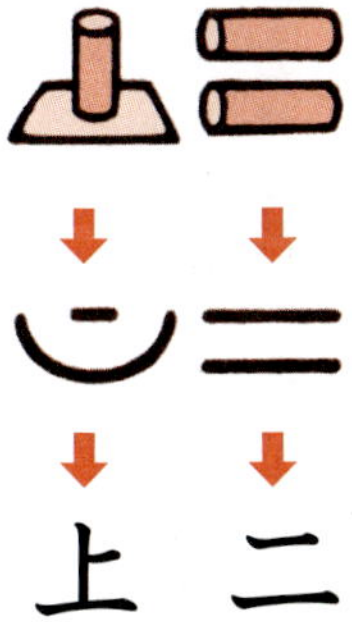

❸会意《かいい》

「会意《かいい》」とは、「意味《いみ》を合《あ》わせる」という意味《いみ》です。二《ふた》つ以上《いじょう》の漢字《かんじ》を組《く》み合《あ》わせることによって、象形文字《しょうけいもじ》や指事文字《しじもじ》では表《あらわ》せなかった事《こと》がらを表《あらわ》せるようになりました。例《たと》えば、「木」を二《ふた》つ合《あ》わせた「林」、「山」と「石」を合《あ》わせた「岩」などがそうです。

また、日本《にほん》で作《つく》られた国字《こくじ》(279ページ下段《げだん》コラム参《さん》照《しょう》)も意味《いみ》を合《あ》わせた漢字《かんじ》で、この仲間《なかま》に入《はい》ります。

❹形声《けいせい》

「形声《けいせい》」とは、「形《けい》(意味《いみ》)と声《せい》(音《おん》)を表《あらわ》す」という意味《いみ》です。音《おん》を表《あらわ》す漢字《かんじ》と意味《いみ》の領域《りょういき》を限定《げんてい》するしるしを組《く》み合《あ》わせて、一《ひと》つの漢字《かんじ》を作《つく》ります。例《たと》えば「問」は、音《おん》を表《あらわ》す「門(モン)」と、意味《いみ》を表《あらわ》す「口(くち)」を組《く》み合《あ》わせた形声文字《けいせいもじ》です。形声《けいせい》の中《なか》には、音《おん》を示《しめ》す部分《ぶぶん》が、同時《どうじ》に意味《いみ》(イメージ)を表《あらわ》すものもあります。例《たと》えば、「校」「効」などは、「交」が音《おん》を表《あらわ》すと同時《どうじ》に、「まじわる」というイメージを表《あらわ》しています。

3 漢字《かんじ》の組《く》み立《た》て

物《もの》の形《かたち》をかたどってできた文字《もじ》はそれ以上《いじょう》分《わ》けられませんが、それ以外《いがい》の多《おお》くの漢字《かんじ》は、左右《さゆう》や上下《じょうげ》などに分《わ》けることができます。

❶分《わ》けられない漢字《かんじ》

日・火・雨・魚・鳥・馬などのように、絵《え》をもとにして作《つく》られた漢字《かんじ》（象形文字《しょうけいもじ》）は、それ以上《いじょう》細《こま》かく分《わ》けられません。

❷左右《さゆう》に分《わ》けられる漢字《かんじ》

体・校・語・頭・動などの漢字《かんじ》は、どれも左《ひだり》と右《みぎ》の二《ふた》つの部分《ぶぶん》に分《わ》けることができます。左《ひだり》の部分《ぶぶん》を「へん」、右《みぎ》の部分《ぶぶん》を「つくり」と呼《よ》んでいます。

へん

亻《にんべん》（作・住・体）　彳《ぎょうにんべん》（往・後・復）　扌《てへん》（打・投・指）

氵《さんずい》（池・海・波）　土《つちへん》（地・場・境）　木《きへん》（村・板・校）

言《ごんべん》（計・話・語）　金《かねへん》（針・鉄・銀）

つくり

刂《りっとう》（刊・別・利）　力《ちから》（功・助・動）　攵《ぼくにょう》（放・政・教）　頁《おおがい》（頂・頭・顔）

❸上下《じょうげ》に分《わ》けられる漢字《かんじ》

客・草・電・元・点などの漢字《かんじ》は、どれも上《うえ》と下《した》の二《ふた》つの部分《ぶぶん》に分《わ》けることができます。上《うえ》の部分《ぶぶん》を「かんむり」、下《した》の部分《ぶぶん》を「あし」といいます。

かんむり

宀《うかんむり》（客・室・家）　艹《くさかんむり》（花・芸・草）

雨《あめかんむり》（雪・雲・電）

あし

儿《ひとあし》（元・兄・光）　灬《れっか》（点・無・熱）

❹そのほかの分《わ》け方《かた》をする漢字《かんじ》

原・広・近・国・閉などのように、左右《さゆう》や上下《じょうげ》とは異《こと》なる分《わ》け方《かた》をする漢字《かんじ》もあります。

たれ

厂《がんだれ》（厚・原）　广《まだれ》（広・店・庭）　尸《しかばね》（局・届・屋）

にょう

廴《えんにょう》（延・建）　⻌《しんにょう》（近・返・通）　走《はしる》（起）

かまえ

冂《どうがまえ》（円・内・再）　囗《くにがまえ》（因・団・国）　行《ぎょうがまえ》（術・街）　門《もんがまえ》（閉・間・関）

4 漢字《かんじ》の読《よ》み方《かた》

多《おお》くの漢字《かんじ》には「音《おん》」と「訓《くん》」があります。「音《おん》」の多《おお》くは、聞《き》いただけではなかなか意味《いみ》を理解《りかい》できませんが、「訓《くん》」の多《おお》くは、すぐに意味《いみ》を理解《りかい》できます。

❶ 音《おん》と訓《くん》

漢字《かんじ》が中国《ちゅうごく》から日本《にほん》に伝《つた》わったのは、五世紀《ごせいき》より前《まえ》とされています。漢字《かんじ》が伝《つた》えられたとき、日本《にほん》には文《も》字《じ》がありませんでした。そのため、伝《つた》わったばかりのころは、漢字《かんじ》を書《か》くのは漢文《かんぶん》（昔《むかし》の中国《ちゅうごく》の文章《ぶんしょう》）を書《か》くときだけでした。また、読《よ》むときも、中国人《ちゅうごくじん》と同《おな》じ発音《はつおん》で読《よ》んでいました。漢字《かんじ》が伝《つた》わったときの発音《はつおん》（中国語《ちゅうごくご》の読《よ》み方《かた》）は、時間《じかん》がたつにつれ少《すこ》しずつ日《に》本風《ほんふう》の発音《はつおん》になっていきました。これが「音《おん》」です。

やがて、漢文《かんぶん》を日本語《にほんご》に訳《やく》して読《よ》むようになりました。中国語《ちゅうごくご》である漢字《かんじ》に、似《に》たような意味《いみ》の日本語《にほんご》を探《さが》してきて当《あ》てはめていったのです。こうしてできた日本独自《にほんどくじ》の読《よ》み方《かた》が「訓《くん》」です。

例 海…音《おん》「カイ」　訓《くん》「うみ」

❷ 一《ひと》つの漢字《かんじ》に複数《ふくすう》の音《おん》

中国《ちゅうごく》では、原則《げんそく》として、一《ひと》つの漢字《かんじ》に一《ひと》つの音《おん》が当《あ》てられています。ところが日本《にほん》では、一《ひと》つの漢字《かんじ》に二《ふた》つ以上《いじょう》の音《おん》がある場合《ばあい》も少《すく》なくありません。それは、長《なが》い期間《きかん》にわたって中国《ちゅうごく》と交流《こうりゅう》をしてきたために、異《こと》なる時代《じだい》、異《こと》なる地方《ちほう》の音《おん》が入《はい》りこんだからです。

例 行…修行《しゅぎょう》　行動《こうどう》　行火《あんか》

❸ 一《ひと》つの漢字《かんじ》に複数《ふくすう》の訓《くん》

また、訓《くん》も、一《ひと》つの漢字《かんじ》にいくつもの読《よ》みが当《あ》てられています。これは、中国《ちゅうごく》で、ある一《ひと》つの漢字《かんじ》がいくつかの意味《いみ》で使《つか》われていた場合《ばあい》、日本《にほん》では、それぞれの意味《いみ》に対《たい》して別《べつ》の訳語《やくご》を当《あ》てて使《つか》い分《わ》けられてきたためで、たくさんの訓《くん》ができました。

例 上…うえ・かみ・あげる・のぼる

❹ 複数《ふくすう》の漢字《かんじ》に同《おな》じ訓《くん》

中国《ちゅうごく》では細《こま》かい意味《いみ》のちがいを使《つか》い分《わ》けていても、それにふさわしい日本語《にほんご》が一《ひと》つしかない場合《ばあい》は、同《おな》じ訓《くん》を当《あ》てることになります。これが、「同訓異字《どうくんいじ》」あるいは「異字同訓《いじどうくん》」と呼《よ》ばれているものです。

例 はかる…計る・測る・量る・図る

5 漢字《かんじ》の筆順《ひつじゅん》

漢字《かんじ》の筆順《ひつじゅん》は、長《なが》い年月《ねんげつ》を経《へ》て整《ととの》えられてきたものです。筆順《ひつじゅん》の通《とお》りに書《か》くと、形《かたち》のよい字《じ》になります。

◉大原則《だいげんそく》「上《うえ》から下《した》へ、左《ひだり》から右《みぎ》へ」

① 上《うえ》から下《した》へ書《か》く

＊上《うえ》の点画《てんかく》から下《した》の点画《てんかく》へ書《か》いていきます。

例 言・工

＊上《うえ》の部分《ぶぶん》から下《した》の部分《ぶぶん》へ書《か》いていきます。

例 至・客・築

② 左《ひだり》から右《みぎ》へ書《か》く

＊左《ひだり》の点画《てんかく》から右《みぎ》の点画《てんかく》へ書《か》いていきます。

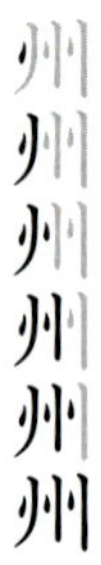

例 順・学・魚

＊左《ひだり》の部分《ぶぶん》から右《みぎ》の部分《ぶぶん》へ書《か》いていきます。

例 竹・語・湖

◉原則《げんそく》

① 縦画《たてかく》と横画《よこかく》が交《まじ》わるときは、横画《よこかく》から書《か》く

例 十・士・七

＊縦画《たてかく》が二《ふた》つ以上《いじょう》でも、横画《よこかく》から書《か》きます。

例 共・形・無

＊横画《よこかく》が二《ふた》つ以上《いじょう》でも、横画《よこかく》から書《か》きます。

例 通・耕

＊ただし、「田」「曲」「王」などは縦画《たてかく》から書《か》きます。

② 左《ひだり》・中《なか》・右《みぎ》に分《わ》かれて中《なか》が縦画《たてかく》のときは、中《なか》から書《か》く

例 光・水・緑

＊中《なか》の縦画《たてかく》が複雑《ふくざつ》になっても、中《なか》から書《か》きます。

例 赤・承・楽

＊ただし、「忄」や「火」などは点画《てんかく》から書《か》きます。

③外側《そとがわ》が囲《かこ》まれているときは、外《そと》から中《なか》へ書《か》く

＊「かまえ」は外《そと》から書《か》きます。

国国国国国国　例 同・間・目

＊ただし、「区」「医」は次《つぎ》のように書《か》きます。

区区区区　医医医医

④左右《さゆう》にはらうときは、左《ひだり》にはらうほうから書《か》く

父父父父　例 人・文・支

⑤全体《ぜんたい》をつらぬく縦画《たてかく》は最後《さいご》に書《か》く

事事事事事　例 申・車・書

＊ただし、上《うえ》にも下《した》にもつきぬけていない縦画《たてかく》は、上《うえ》の部分《ぶぶん》・縦画《たてかく》・下《した》の部分《ぶぶん》の順《じゅん》に書《か》きます。

里里里里里　例 黒・重・勤

⑥全体《ぜんたい》をつらぬく横画《よこかく》は最後《さいご》に書《か》く

母母母母母　例 女・子・毎

＊ただし、「世」はつらぬく横画《よこかく》を最初《さいしょ》に書《か》きます。

⑦横画《よこかく》と左《ひだり》にはらう画《かく》が交《まじ》わるときは、短《みじか》い画《かく》から書《か》く

＊横画《よこかく》が長《なが》いときは、はらう画《かく》から書《か》きます。

右右右右右　例 布・有・希

＊はらう画《かく》が長《なが》いときは、横画《よこかく》から書《か》きます。

左左左左左　例 友・存・在

【そのほかの注意《ちゅうい》の必要《ひつよう》な筆順《ひつじゅん》】

■左《ひだり》にはらう画《かく》

・左《ひだり》にはらう画《かく》を先《さき》に書《か》く。例 九及皮など
・左《ひだり》にはらう画《かく》を後《あと》に書《か》く。例 力刀万など

■「にょう」

・「走」「免」「是」などは先《さき》に書《か》く。例 起勉題など
・「辶」「廴」などは後《あと》に書《か》く。例 近進建など

■「たれ」

・「厂」「广」「疒」などは先《さき》に書《か》く。例 原広病など

6 熟語《じゅくご》の組《く》み立《た》て

❶ 熟語《じゅくご》の読《よ》み方《かた》

二字《にじ》以上《いじょう》の漢字《かんじ》が結《むす》びついてできたことばを「熟語《じゅくご》」といいます。もっとも多《おお》い漢字《かんじ》二字《にじ》の熟語《じゅくご》は、その読《よ》み方《かた》で、大《おお》きくつぎの四《よっ》つに分《わ》けられます。

■音《おん》＋音《おん》（漢語《かんご》＝中国《ちゅうごく》から入《はい》って日本語《にほんご》になったことば）

例 学校《がっこう》 先生《せんせい》 教室《きょうしつ》 中心《ちゅうしん》 世界《せかい》 森林《しんりん》 電車《でんしゃ》

■訓《くん》＋訓《くん》（和語《わご》＝もとから日本《にほん》にあることば）

例 青空《あおぞら》 野原《のはら》 草花《くさばな》 花火《はなび》 親子《おやこ》 人波《ひとなみ》 切手《きって》

■音《おん》＋訓《くん》（重箱読《じゅうばこよ》み）

例 毎朝《まいあさ》 毎月《まいつき》 本箱《ほんばこ》 台所《だいどころ》 駅前《えきまえ》 現場《げんば》 先手《せんて》

■訓《くん》＋音《おん》（湯桶読《ゆとうよ》み）

例 古本《ふるほん》 雨具《あまぐ》 夕飯《ゆうはん》 場所《ばしょ》 見本《みほん》 荷物《にもつ》 油絵《あぶらえ》

音《おん》と音《おん》、または訓《くん》と訓《くん》を組《く》み合《あ》わせるのが原則《げんそく》ですが、「毎朝《まいあさ》（音《おん》と訓《くん》）」や「古本《ふるほん》（訓《くん》と音《おん》）」のように、音《おん》と訓《くん》を組《く》み合《あ》わせた熟語《じゅくご》もあります。上《うえ》を音《おん》、下《した》を訓《くん》で読《よ》む熟語《じゅくご》を「**重箱読《じゅうばこよ》み**（重箱《じゅうばこ》も、上《うえ》が音《おん》で下《した》が訓《くん》）」、上《うえ》を訓《くん》、下《した》を音《おん》で読《よ》む熟語《じゅくご》を「**湯桶読《ゆとうよ》み**（湯桶《ゆとう》も、上《うえ》が訓《くん》で下《した》が音《おん》）」と呼《よ》んでいます。

❷ 二字《にじ》の熟語《じゅくご》の組《く》み立《た》て

漢字《かんじ》二字《にじ》の熟語《じゅくご》を、上《うえ》の字《じ》と下《した》の字《じ》の関係《かんけい》からみると、つぎのように分《わ》けられます。

■対《つい》になる意味《いみ》や反対《はんたい》の意味《いみ》の漢字《かんじ》を重《かさ》ねたもの

例 大小《だいしょう》 左右《さゆう》 天地《てんち》 公私《こうし》 男女《だんじょ》 父母《ふぼ》 売買《ばいばい》

■似《に》た意味《いみ》の漢字《かんじ》を重《かさ》ねたもの

例 道路《どうろ》 生産《せいさん》 活動《かつどう》 学習《がくしゅう》 自己《じこ》 表現《ひょうげん》 尊敬《そんけい》

■上《うえ》の漢字《かんじ》が、下《した》の漢字《かんじ》の意味《いみ》を説明《せつめい》しているもの

例 国語《こくご》（国《くに》のことば） 海上《かいじょう》（海《うみ》の上《うえ》） 親友《しんゆう》（親《した》しい友《とも》）

■下《した》の漢字《かんじ》の意味《いみ》が、上《うえ》の漢字《かんじ》の意味《いみ》にかかっているもの

例 読書《どくしょ》（書《しょ》を読《よ》む） 作文《さくぶん》（文《ぶん》を作《つく》る） 登山《とざん》（山《やま》に登《のぼ》る）

■上《うえ》の漢字《かんじ》が下《した》の漢字《かんじ》に意味《いみ》をそえるもの

例 非常《ひじょう》 不安《ふあん》 不便《ふべん》 未知《みち》 未定《みてい》 無限《むげん》 無理《むり》

■下《した》の漢字《かんじ》が上《うえ》の漢字《かんじ》に意味《いみ》をそえるもの

例 様子《ようす》 美化《びか》 強化《きょうか》 美的《びてき》 酸性《さんせい》 当然《とうぜん》 平然《へいぜん》

❸ 三字《さんじ》以上《いじょう》の熟語《じゅくご》

三字《さんじ》以上《いじょう》の熟語《じゅくご》も、たいていは一字《いちじ》と二字《にじ》のことばに分《わ》けられます。

三字《さんじ》の熟語《じゅくご》 例 松《しょう》-竹《ちく》-梅《ばい》 運動《うんどう》-場《じょう》 新《しん》-学期《がっき》

四字《よじ》の熟語《じゅくご》 例 春《しゅん》-夏《か》-秋《しゅう》-冬《とう》 老若《ろうにゃく》-男女《なんにょ》 終始《しゅうし》-一貫《いっかん》

＊礁　ショウ
＊繊　セン
＊鮮　セン・あざやか
＊燥　ソウ
＊霜　ソウ・しも
＊戴　タイ
＊濯　タク
＊鍛　タン・きたえる
＊聴　チョウ・きく
＊謄　トウ
＊瞳　ドウ・ひとみ
＊謎　なぞ
＊鍋　なべ
＊頻　ヒン
＊闇　やみ
＊翼　ヨク・つばさ
＊療　リョウ
＊瞭　リョウ
＊齢　レイ

18画

②曜　156
②顔　189
③題　263
④観　328
④類　334
④験　336
⑤織　391
⑤職　392
⑤額　406
⑥簡　456
⑥臨　471
⑥難　473
＊穫　カク
＊顎　ガク・あご
＊鎌　かま
＊韓　カン
＊騎　キ
＊襟　キン・えり
＊繭　ケン・まゆ
＊顕　ケン
＊鎖　サ・くさり
＊瞬　シュン・またたく
＊繕　ゼン・つくろう
＊礎　ソ・いしずえ
＊騒　ソウ・さわぐ
＊贈　ゾウ・おくる
＊懲　チョウ・こりる
＊鎮　チン・しずめる
＊藤　トウ・ふじ
＊闘　トウ・たたかう
＊藩　ハン
＊覆　フク・おおう
＊璧　ヘキ
＊癖　ヘキ・くせ
＊翻　ホン・ひるがえる
＊癒　ユ
＊藍　ラン・あい
＊濫　ラン
＊糧　リョウ・かて

19画

④鏡　333
④願　334
⑤識　398
⑥臓　462
⑥警　470
＊韻　イン
＊艶　エン・つや
＊繰　くる
＊鶏　ケイ・にわとり
＊鯨　ゲイ・くじら
＊璽　ジ
＊蹴　シュウ・ける
＊髄　ズイ
＊瀬　せ
＊藻　ソウ・も
＊覇　ハ
＊爆　バク
＊譜　フ
＊簿　ボ
＊霧　ム・きり
＊羅　ラ
＊離　リ・はなれる
＊麗　レイ・うるわしい
＊麓　ロク・ふもと

20画

④競　322
④議　330
⑤護　398
＊響　キョウ・ひびく
＊懸　ケン・かける
＊鐘　ショウ・かね
＊譲　ジョウ・ゆずる
＊醸　ジョウ・かもす
＊籍　セキ
＊騰　トウ
＊欄　ラン

21画

＊艦　カン
＊顧　コ・かえりみる
＊鶴　つる
＊魔　マ
＊躍　ヤク・おどる
＊露　ロ・つゆ

22画

＊驚　キョウ・おどろく
＊襲　シュウ・おそう
＊籠　ロウ・かご・こもる

23画

＊鑑　カン

29画

＊鬱　ウツ

15画

14画

13画

12画

11画

10画

■9画

7画

5画

6画

総画《そうかく》さくいん

⊙この辞典《じてん》にのっている学習《がくしゅう》漢字《かんじ》と、小学校《しょうがっこう》では習《なら》わない常用漢字《じょうようかんじ》をあわせて総画数順《そうかくすうじゅん》に並《なら》べました。画数《かくすう》が同《おな》じときは、学年《がくねん》の順《じゅん》に並《なら》んでいます。小学校《しょうがっこう》で習《なら》わない常用漢字《じょうようかんじ》はそのあとに五十音順《ごじゅうおんじゅん》に並《なら》べました。

⊙学習《がくしゅう》漢字《かんじ》の場合《ばあい》は本文《ほんもん》のページを、小学生《しょうがくせい》で習《なら》わない常用漢字《じょうようかんじ》の場合《ばあい》は代表《だいひょう》的《てき》な読《よ》みをのせてあります。

⊙赤《あか》い丸数字《まるすうじ》は習《なら》う学年《がくねん》、＊は小学校《しょうがっこう》では習《なら》わない常用漢字《じょうようかんじ》を示《しめ》しています。

1画

2画

3画

4画

オールカラー 学《がく》習《しゅう》漢《かん》字《じ》新《しん》辞《じ》典《てん》 第《だい》2版《はん》
2007年 1月 1日 初 版 発行
2018年10月 7日 第2版第1刷発行

監 修 加納 喜光
発行者 金川 浩
発行所 株式会社 小学館
〒101-8001
東京都千代田区一ツ橋2-3-1
電話 編集 03-3230-5170
販売 03-5281-3555
印刷所 凸版印刷株式会社
製本所 牧製本印刷株式会社

小学館国語辞典編集部のホームページ http://www.web-nihongo.com/
ISBN978-4-09-501855-3

カタカナの書《か》きかた

アンテナのア アア	カステラのカ カカ	サッカーのサ ーササ	タイヤのタ タクタ	ナイフのナ ナナ
インクのイ ノイ	キングのキ キキキ	シートのシ シシシ	チームのチ チチチ	ニットのニ ニニ
ウールのウ ウウウ	クリームのク ノク	スキーのス フス	ツアーのツ ツツツ	ヌードルのヌ フヌ
エプロンのエ エエエ	ケーキのケ ノケケ	セメントのセ セセ	テストのテ ーテテ	ネクタイのネ ネネネネ
オレンジのオ オオオ	コートのコ ココ	ソファーのソ ソソ	トンネルのト トト	ノートのノ ノ